U0151982

中國經學史論文選集

下冊

林慶彰編

文史哲出版社
印行

國立中央圖書館出版品預行編目資料

中國經學史論文選集.下 / 林慶彰編. -- 初版.
-- 臺北市 : 文史哲, 民81 - 82
8,828面 ; 21公分.
ISBN 957-547-174-1(一套 : 精裝)
ISBN 957-547-173-3(上冊 : 精裝)
ISBN 957-547-207-1(下冊 : 精裝) NT $ 500

1. 經學 - 歷史 - 論文, 講詞等

090.9 81005061

中國經學史論文選集 下冊

著者：林慶彰
出版者：文史哲出版社
登記證字號：行政院新聞局局版臺業字五三三七號
發行人：彭正雄
發行所：文史哲出版社
印刷者：文史哲出版社
台北市羅斯福路一段七十二巷四號
郵撥〇五一二八八一二彭正雄帳戶
電話：三五一一〇二八
實價新台幣九〇〇元
中華民國八十二年三月初版

ISBN 957-547-207-1

序

一九七五年筆者進入東吳大學中國文學研究所碩士班，「經學史」一課由屈翼鵬師講授。翼鵬師授課特別嚴格，上課時要我們作口頭報告，期末時既要考試，也要期末報告。我們每天忙得團團轉；一年下來，大家精疲力竭。也慢慢體會出這一課程「困難」的所在。此後，我一直在翼鵬師的指導下，作「經學史」的研究。這十多年間，我發覺要研究經學史最迫切需要完成的有下列數事：

其一，編一部經學研究論著目錄：因缺乏一部可以反映近數十年來經學研究成果的目錄，使檢索經學資料成爲一件苦差事。每次總自以爲下很多苦功檢查各種相關索引了，後來才知道，檢得的資料仍舊缺漏不少。所以，一部總結民國以來研究成果的目錄，是最急需完成的工作。

其二，編一部中國經學史論文選集：經學史涵蓋的範圍太廣，一個人或少數幾人的力量，很難在短期內出版一部體大思精的經學史著作。如能將近數十年來研究經學史的論文，選輯數十篇編成一書，讓有志研習經學史的學者參考，也是提昇經學史研究水平的方法之一。可惜，這一工作多年來一直沒有人嘗試去做。

其三，編一部中國經學史參考文選：學習文學史要研讀文學作品，學習哲學史或思想史，也要研讀哲學或思想的原典。因此，近數十年來，大陸所編文學作品選、古代文論選、哲學文選、思想史參考資料等的原典選輯相當多，獨不見有學者編輯經學史參考文選一類的著作。研究經學史的人，也衹能望著浩如烟海的經學著作歎息而已。

其四，撰寫一部嶄新的中國經學史：文學史、思想史、哲學史的新作，源源而出，學者從研讀各種不同著作的過程中，提昇了對中國文學、思想、哲學演變的深度認識，也發現了問題的所在。可惜近五十間，竟沒有一部首尾完整的的經學史新作出現，學者要研讀這一學科時，該如何入門？

這幾件事情，筆者一直期待研究經學的學者能一件件加以完成。可惜，年復一年都失望了。自一九八三年筆者從東吳大學中國文學研究所博士班畢業以後，在「求人不如求己」的反省後，即有將上述數事逐年完成的念頭。一九八七年四月起，即邀集李光筠、張廣慶、陳恆嵩、劉昭明四位學弟一起編輯《經學研究論著目錄（1912—1987）》，計收專著和論文一萬四千二百餘條，於一九八九年十二月，由漢學研究中心出版。近八十年間的經學研究成果全彙集於此編，研究經學的學者稱便，咸認爲媲美清初朱彝尊的《經義考》。以上四事，已完成第一件。

自一九九〇年九月起，筆者在國立中央大學中國文學研究所碩士班講授「經學史」一課，也在東吳大學中國文學系四年級講授同一課程。兩個學校上課學生的層級不同，上課方式也有別。碩士班的課程，由筆者擬題，學生撰寫論文，並在課堂上作口頭報告。大學部的課程，則由筆者依經學史的時代先後，編纂講義來講授。但不論如何，學生所報告的，和筆者所講授的，內容都相當有限。因此，編輯一部經學史論文選集，作爲學生課外補充讀物的事，也特別顯得迫切。自今年九月起，筆者因研究工作繁重，辭去中央大學中文研究所碩士班的課；但東吳大學中文系此一課程卻改開在研究所博、碩士班，仍由筆者講授。上課時，仍舊需要一部有份量的補充讀物。且近數年來各大學中文研究所碩、博士班入學考試的方式有很大的變革，即廢棄考專書，而改考各種學術史，經學史即是其中的一種。編輯經學史論文選集，不但可作爲經學史課的補充教材，也可爲應考學子，提供更多的參考資料。因此，決定編輯一部論文選集；編輯工作自今年一月開始，八月完成。上述四事，已完成兩件。

第三件工作，編輯經學史參考文選，在筆者講授此一課程的兩年中，已選注一小部份。今後數年內，將與修習此一課程的學生合力編注完成。至於第四件事，可說是學術史上的偉大工程，祇能當作今後努力的目標，不敢奢望近期內能完成。

以上是筆者對研究經學史四件工作的實踐過程。下面將談談這部論文選集的編輯經過。

首先根據筆者主編的《經學研究論著目錄》，將大陸和本地適合選入的論文，擬出目錄初稿，然後將平時蒐集到的相關論文，依目錄初稿逐一挑出。有筆者未蒐集到的論文，則託大陸友人協助影印。此一工作在今年三月已大抵完成。將論文彙齊後，再作進一部挑選，計選得九十餘篇。然後按經學史發展之脈絡，分爲總論、先秦、兩漢、魏晉南北朝、隋唐、宋代、元明、清代、民國等九個時段，將論文分別納入。由於論文的篇幅甚多，約近百萬字，所以將總論至隋唐部分編爲上冊，宋代至民國部分編爲下冊。上下冊各供一學期課外閱讀參考之用。

本選集所收部分論文，曾託大陸中國社會科學院哲學研究所中國哲學史研究室孫尙揚先生、四川大學哲學系賈順先教授協助影印，至爲感謝。打字稿的初校工作由東吳大學中文研究所博士班陳恆嵩，碩士班馮曉庭、許維萍；政治大學中文研究所博士班陳逢源等四位學弟擔任，也應致謝。

研究經學史的論文，分布海內外各期刊、論文集或專著中，編者未能一一過目，難免有遺珠之憾；已收各論文，觀點或有不盡理想者，祈海內外賢達能賜予教正。

一九九二年九月編者序於中央研究院中國文哲研究所

中國經學史論文選集

下　册

目　次

宋　代

元 代

明 代

清 代

編輯說明

一、《本選集》選錄近八十年間研究中國經學史較具代表性的論文，上冊選錄四十四篇，下冊選錄五十篇。

二、《本選集》以輔助「中國經學史」課程之教學爲目的，臺灣一地發表之論文，因各圖書館皆可查到，大多割愛不錄。但爲顯示經學史發展之脈絡，而必須收錄者，則酌加選錄。

三、《本選集》因篇幅所限，字數太長之論文，大多割愛。字數太少，未能充分反映論題之內容者，亦不收。

四、《本選集》所收各論文，除改正誤植字、統一體例外，皆按原文編排；即有明顯之意識形態者，亦未加更動。各論文篇末均註明出處。

五、《本選集》所收論文作者多達數十位，遍佈海內外各地，無法一一事先連絡，謹致萬分之歉意。

經學與宋明理學

李曉東

宋明理學是在先秦儒學理論基礎上吸收、融合佛教、道教的哲學思想而產生的思想體系，它適應中國封建社會後期政治、經濟形勢的需要，將早期儒家的學說進一步哲理化，以最高的精神本體「天理」作爲世界萬物和人類社會的本原與主宰，把封建專制政體、等級秩序和道德規範統統歸結爲「理」先天的安排，並提倡「格物致知」、「窮理滅欲」，力圖通過壓抑人們的個性來維護統治集團的整體利益。由於它與儒學本質上的共同性，理學家繼承儒學，尊奉儒經，自詡儒者完全是順理成章的事情，無須贅言。

但值得人們深思的是，理學不僅崇奉儒家經典，提倡讀經尊儒，而且把理學思想體系完全納入經學的框架結構之中，並且通過注疏、解說、議論和引用儒經表達思想。理學家基本的思想觀點，都集中地反映在經解著述及議經言論之中。所謂箋注和議論，往往是對經文章句作一些發揮性的解說，將原有範疇、命題賦予新的或更豐富的含義，從而闡述自己的新思想、新觀點。此外，他們還花費大量筆墨、口舌去解說經中那些與思想理論完全無關的典章、名物、事跡，不厭其煩地就經書某些非常微小的問題進行考察、爭辯。從表面上看，似乎不是在創建一個新學說，然而正是在這些解說中，一個新的思想體系被構建出來。爲什麼理學家不用論著形式有條理、有系統地闡述思想觀點，卻採取了這樣一種支離破碎的表述方式呢？爲什麼理學不得不以經學作爲表現形式呢？這是一個值得我們重視和反思的問題。

一

理學與經學的緊密結合，除了衆所週知的經濟、政治方面的根源以外，還應從華夏民族傳統的民族心理中尋找答案。

華夏民族在走向文明社會的歷程中經過了一條特殊的路徑，它沒有像古希臘、羅馬那樣依靠新興的商業奴隸主階級的力量破除原始的血緣氏族組織，相反，卻完整地保留了氏族公社的組織形式和血緣關係。階級的分化在氏族內部公社首領與成員之間產生，而奴隸社會的國家政權也建立在血緣村社和家族的基礎上，大大小小的宗族血緣集團構成了一個金字塔式的社會整體。血緣關係作爲維繫村社、家族和國家穩定的紐帶，在社會的政治生活中始終起著重要作用，以血緣爲依據的宗法制度，成爲奴隸制國家重要的政治制度。在這樣的歷史背景下，華夏民族很早就形成了牢固的崇拜祖宗與先王的心理意識，因爲祖先是血緣村社、諸侯家族乃至王室家族的血統象徵。《禮記・祭法》曰：「有虞氏禘黃帝而郊嚳，祖顓頊而宗堯；夏后氏亦禘黃帝而郊鯀，祖顓頊而宗禹；殷人禘嚳而郊鯀，祖契而宗湯；周人禘嚳而郊稷，祖文王而宗武王」。夏代以後，已亡故的祖先就成爲本家族崇拜的偶像，被奉若神明，列於超自然而亞上帝神的行列。而且王族的祖宗神（先王）超越於其他一切氏族部落的祖宗神之上，成爲王族進行統治的權力象徵。盤庚在遷都時對「邦伯、師長、百執事之人」及同族和不同族的普通民衆訓話時就說：「古我先王，暨乃祖乃父，胥及逸勤」；「古我先后，既勞乃祖乃父，汝共作我畜民」（《尙書・盤庚》）。周人則進一步認爲：先王直接受命於天，按照上帝神的意志統治萬民，成爲天命在人間的代理人。

先王作爲華夏民族的共同祖先，是種族聚合與延續的精神支柱，得到全民族的崇奉和敬仰。人們總是把對理想社會的憧憬，寄托於對祖宗先王的崇拜，將先王時期的政治，美化成完美無瑕的社會圖景，把先王塑造爲品德高尚、能力無比的聖人。戰國以後，對先王的崇拜越來越帶有較大的盲目性，關於先王的政績和古代社會的圖式也附加了更多美化了的臆想。堯、舜、禹、湯、文、武、周公、孔子成爲人們心目中最偉大的聖人。人們對那些記錄先王政績、訓教、典章，記載先王先聖思想言論的書籍，也隨之產生了無限敬重和親近的感情，儒家以恢復先王之治爲己任，對先王的典籍作了系統的整理與刪削，形成《易》、《書》、《詩》、《禮》、《樂》、《春秋》六經。正由於《六經》是先王的垂典，當漢代統治者將它們尊爲法定的最高經典時，很快就爲全社會、全民族所接受。

相反，對於外來文化，中國人總有一種自發的心理上的隔閡與疏遠。佛教從東漢初年就傳入中國，然而只有在人們經歷了社會大動盪帶來的巨大陣痛，需要尋求超世脫俗的說教作爲慰藉時，才逐漸爲社會所接受。佛教興盛後，尊佛者不少，反佛者亦多，說明這種心理隔閡是不易消除的。所以，在儒學受到佛教思辯哲學挑戰時，多數思想家總是站在儒學的立場上排斥或吸收佛教哲學，歷代都有不少極力反佛的儒生，卻幾乎沒有公開反儒的佛教徒。

敬宗法祖的心理意識自漢以後集中表現爲尊經崇古。統治集團的種種措施也起了强化作用。漢王朝以極高的政治待遇鼓勵誦習經書，讀經成爲通仕致祿的階梯。據《史記・儒林傳》：「公孫弘以《春秋》，白衣爲天子三公，封以平津侯，天下之學士靡然鄉風矣」。漢代韋賢、匡衡、貢禹、薛廣德等皆因經術通達而位至丞相、御史大夫。正如經學家夏侯勝所說：「經術苟明，其取青紫如俛拾地芥耳」（《漢書》卷一五）。經不但是官方正統思想的理論依據，經世治國的典章方略，而且是斷案決獄的法典、判斷是非的標準。由於其崇高地位和無限的作用，文人學士不得不把習讀經書、解說經文作爲從政學文的首要大事。從此，中國封建文化的知識結構發生了一個大的變化，以儒經爲代表的儒家學說，排斥了所有流派的學說，成爲封建文化的主導、軀幹，一切與之相抵觸的思想文化都被斥爲「異端」。這一變化涉及哲學、史學、文學、藝術和學術等各個領域，對中國文化特質的構成，產生了極其深遠的影響。

由於儒家學說被確立爲民族的正宗思想文化，儒家經典也被作爲啓蒙教育的基本教科書。隋唐科舉制度，專設「明經」一科，要求考生熟記經文，「先帖文，然後口試，經問大義十條」（《新唐書・選舉志》）；元和後又增「墨義」（筆試經文）。在進士科中，經學也是重要考試內容。「凡進士，試時務策五道，帖一大經，經策全通爲甲第」（同上）。唐太宗還詔令國子祭酒孔穎達與諸儒撰定《五經正義》，頒行天下，作爲科舉考試的標準讀本。宋神宗熙寧四年，更定科舉法，罷詩賦及明經諸科，專以經義、論、策試士。「士各占《易》、《詩》、《書》、《周禮》、《禮記》一經，兼《論語》、《孟子》。每試四場，初大經，次兼經，大義凡十道，次論一道，決策三道」（《宋史・選舉志一》）。此後經義乃爲科舉考試的主要內容。

經書所反映的儒家文化，通過教育的渠道日益滲透到社會各階層人們的內心世界，左右著人們日常的政治活動、文化活動和生活方式。經學逐漸成爲封建社會知識啓蒙、思想教育、道德修養的基本方式。每一個有條件接受教育的人，首先受到的是儒家經典的熏陶，歷史、文學、哲學方面的修養，都來源於儒經，他的人生觀、價值觀、處世態度、文化素養和氣質，也無一不受儒經的影響。一個封建社會的官僚或文人，如果沒有經學的起碼知識，就被視爲缺乏教養，爲社會所不齒。這種狀況代代相因，使經在人們心目中的形象變得無比高大，似乎中國文化的所有內容，均發源於經，人類文明的一切成果，都能從經學的傳授中得到繼承。在這種心理狀態的制約下，封建文人學士大多把自己裝扮爲儒家正統的繼承者，人人以倡明儒術，傳經授道爲己任，把離經叛道看作不可容忍的罪惡，對那些悖離經典旨意的所謂「異端」學說表示出極大的仇視和憎恨。

到了宋代，尊經崇儒，敵視「異端」的情緒逐步升級。宋儒將「異端」視若洪水猛獸，抱以堅決抵制，徹底扼殺的態度。程頤說：「道之不明，異端害之也。昔之害近而易知，今之害深而難辨」（《二程文集》卷一一《明道先生行狀》）。在宋代「異端」學說往往遭到天下文人儒生的群起攻擊，被弄得聲名狼藉。理學家要擺脫經學，另闢新徑，是非常不容易的。從內在的心理根源講，理學家都是儒生，在啓蒙時代就深受儒家經典熏陶，對儒經懷有特殊的偏愛。用經學的形式表達思想觀點，是符合他們內心要求和願望的。從客觀的心理環境講，整個社會都流行著一種尊經崇儒，敵視「異端」的情緒，而理學思想學說恰恰又帶有濃厚的佛、道哲學的色彩，許多理論與傳統儒學有較大距離，很容易被那些株守傳統儒學的儒生攻爲「異端」。事實上，理學創立不久，就不時有人上言請禁程氏之學，理由便是程學「狂言怪語，淫說鄙論」，違背了聖人經義。例如孝宗淳熙五年，秘書郎趙彥中上書曰：「士之信道自守，以《六經》聖賢爲師可矣，而別爲洛學，飾怪驚愚，士風日弊，人才日偷」（《宋史紀事本末》卷一八《道學崇黜》）。儘管有的反對者是出於政治集團鬥爭的需要，但他們反對理學的理由卻是有相當份量的，往往能夠引起很多人的同仇敵愾。宋寧宗慶元年間，韓侂冑專權，僞學之禁大盛，理學遭到空前未有的厄運，朱熹、趙汝愚等皆被貶斥。理學之禁得到朝野許多官僚和文人的支持、響應，歷時三十餘年。這場運動規模如此宏大，正因爲有全社會尊經崇儒、以儒經爲宗的心理基礎。所以，理學家拚命把儒經作爲保護傘，反覆强調從堯、舜、禹、湯、文、武、周公、孔、孟到二程的一脈相傳的道統，認爲孟軻死後，聖人之道不傳，直到程顥，才「得不傳之學於遺經」（《二程粹言》卷二）。既然經是聖人載道傳世之具，只要一切言論都打著解索經義的幌子，就能以正統儒者的面目與論敵抗衡了。爲了政治鬥爭的需要，也爲了使理學思想能通過經學的渠道向全社會各階層人們灌輸，理學家們便紛紛致力於注解經書的活動，把自己的思想觀點用隱晦的方式通過注文和解經言論曲折地反映出來，並極力造成一種假象，彷彿是在代聖賢立言，替聖人說清、說透經文奧義，所表達的觀點，都是經中固有的聖人原義，與自己無關。這不僅能使理學思想戴上「聖人之道」神聖光環，也有助於使眾多尊孔習經的文人儒生從感情上接受理學，理學就是這樣與經學密切結合在一起了，這種結合創造了繼漢代今文經學後又一個思想學說與經學形式互爲表裡的奇特的文化形態。

二

運用經學形式表達理學的思想觀點，是理學家共同的特點，但是在具體的解經方法上，他們又各有不同，其中可以劃分出四個互有區分的派別，這些派別的繼承與演變，與理學思想的發展息息相關，同時也標誌者理學與經學相結合所經歷的不同階段。

㈠純「義理」派

以北宋理學的奠基者程顥、程頤、張載爲代表。北宋初期，在宋王朝的倡導下，興起了復興儒學的運動，一大批文人儒士紛紛致力於創造思想的活動。漢唐以來經學傳統的訓詁章句的方法越來越不能適應這樣的形勢，逐漸爲人們所廢棄。劉敞《七經小傳》首開以「義理」解經之風。慶曆年間，「義理」之學大盛，徹底改變了宋初的學術風氣，使經學從「漢學」跨入了「宋學」階段。理學的純「義理」派就是在這樣的風氣下形成的，因而帶有鮮明的時代特徵。張載、二程等人，用全新的方法注解經書，奠定了理學與經學結合的基礎。

純「義理」派視漢唐經學如糞土草梗。二程說：「漢之經術安用？只是章句訓詁為事」（《二程遺書》卷一八），認為將平生用心放在一字一物的訓詁考鏡上，不但發明不了經書奧義，而且會使經學毫無用處：「滯心於章句之末，則無所用也，此學者之大患」（《二程粹言》卷一）。他們主張治經必須求其「義理」，闡明經書大義。二程說：「聖人作經，本欲明道。今人若不先明義理，不可治經」（《二程遺書》卷二）；治經的目的，在於「觀聖人所以作經之意，與聖人所以用心，與聖人所以至聖人，而吾之所以未至者」(同上卷二五)。

本著推崇經義的目的，張載提倡讀經時勤思多慮，「濯去舊見以來新義」（《經學理窟・學大原下》）。程頤說：「思索經義，不能於簡策之外脫然有獨見，資之何由深？居之何由安？非特誤己，亦且誤人也」（《二程粹言》卷一）。所謂「有獨見」，就是能夠創造出高於經文原意的思想觀點。因此，程頤强調「思」在治經中的重要意義。一次，邵伯溫見程頤，程頤說：「學者要自得。《六經》浩渺，乍來難盡曉，且見得路徑後，各自立得一個門庭，歸而求之可矣」。邵伯溫問：「如何可以自得？」程頤說：「思。『思曰睿，睿作聖』，須是於思慮間得之，大抵只是一個明理」(《二程遺書》卷二二)。

張載、二程還把讀書治經與「窮理盡性」的理學認識論和道德修養論結合起來。張載指出，讀書，尤其讀經是修身養性、窮盡天理的主要途徑。他說：「蓋書以維持此心，一時放下則一時有懈，讀書則此心常在，不讀書則終看義理不見（《經學理窟・義理》）。通過讀書治經，在體察聖人之心的前提下反觀自身，能探求自我的道德秉性，並能在經的熏染下，使自身的「天地之性」始終保持自我認識和不斷深化的狀態。二程也明確指出：「讀書將以窮理，將以致用也」（《二程粹言》卷一）。有人問：「學必窮理，物散萬殊，何由而窮盡其理」？程頤答曰：「誦《詩》、《書》，考古今，察物情，揆人事，反復研究而思索之，求止於至善，蓋非一端而已也」（同上）。雖然窮理途徑多端，但讀經卻是首位。

㈡象數派

在北宋、南宋都有許多代表人物，突出的有邵雍、邵伯溫、朱震等。

《周易》經中，「象」指卦象，「數」則是兩爻交織、八卦排列的數字。象數學本是運用數字組合關係解釋《周易》爻、卦的形成與象徵的學問。漢代今文經學家用象數學解《易》，遠遠超出了《周易》爻卦的範圍。施、孟、梁丘、京房諸家和各種《易》緯均運用象數學特有的數字模式，解釋天地生化、宇宙構成的種種現象，成爲思想家表述宇宙觀的另一種經學方式。

王弼解《易》，盡掃象數，一主「義理」。此後象數學就銷聲匿跡了。直到五代末與宋初，道士陳摶始用象數解《易》，象數學才恢復起來。但宋代的象數學已與漢代大相逕庭，宋人根據漢儒關於河出圖、洛出書的傳說，虛構了《河圖》、《洛書》的圖式，並創立了一套先天學的理論。先天學及《河圖》、《洛書》的圖式爲解《易》開闢了一個新途徑。宋代象數學家紛紛效尤，按照《河》、《洛》的啓示，形象化地圖解《周易》。劉牧《易數鉤隱圖》中，便收集了五十五幅數圖，將太極生兩儀、天地之數、陰陽八卦、五行、乾坤生六子、三才等均用數圖標出。理學象數學家則更進一步，用數字、圖式解釋天地萬物和人類社會種種現象的發生、發展及演變的過程。

邵雍是理學象數學的創始者，他運用象數學的方法，系統闡發了自己的理學思想體系。邵雍認爲，天地萬物及人類社會都是由一個總體——「道」產生的，「道」生天地，「天爲陰陽，地分剛柔，則二分爲四。天生於動，地生於靜，此天之道；動之始陽生，靜之始陰生，此天之用；剛柔為地之用。天生出太陽、少陽、太陰、少陰，即日月星辰；地生出太柔、少柔、太剛、少剛，即水火土石」。這是道生萬物的基本秩序。但「以道明道，道非可明，以物明道，道斯見矣。物者道之形體也，生於道而道之所成也」。物是有具體數字的，因而數就成為物的抽象。這樣，天地生萬物的程序就可以用數字表示：「道生一，一為太極；一生二，二為兩儀；二生四，四為四象；四生八，八為八卦；八生六十四。六十四具而後天地之道備焉」（《皇極經世書》卷首上）。即：1×2＝2，2×2＝4，4×2＝8，8×8＝64。所有的數，皆歸源於「一」，「於一而推衍之，以為無窮」。「一者何也？天地之心也，造化之原也」（同上）。邵雍認為，宇宙生化發展的過程有兩個基本因素：「時」（時間）和「事」（事件、物體）。他將這個過程分為「元」、「會」、「運」、「世」四個層次，「元」就是「一」（道），一元十二會，一會三十運，一運十二世，一世三十年。十二萬九千六百年恰好是「道」生萬物，再回歸於「道」的一個循環過程。

元、會、運、世的比例是套年、月、日、明的比例而來的，與《周易》太極至六十四卦的比例（1：2：4：8：64）不相吻合。為了使二者協調一致，邵雍巧妙地設計了《皇極經世圖》，圖中元、會、運、世各按其數目由上至下排列，每層都用《易》卦相配，使「經世之圖」序與《易》卦完全同步。這彷佛宇宙生化和社會演進的過程就是按照《周易》的數字演變程序進行的。邵雍在《觀物篇》中把帝堯到五代的歷史納入這一圖式之中，企圖從歷代「天下離合、治亂」、「興廢」、「得失」、「邪正」之跡，窺測天時人事間的感應與驗證，解釋歷史變遷的必然性，推測社會未來的趨勢。其子邵伯溫評價此書「窮日月星辰、飛走動植之數，以盡天地萬物之理；述皇帝王霸之事，以明大中至正之道。陰陽消長，古今治亂，較然可見矣」（同上）。

理學象數學家還繼承了漢人「動爻」、「卦變」、「互體」、「五行」、「納甲」的方法，使象數解《易》更加複雜、繁瑣，從而有更多的形式表達理學思想。

㈢重訓詁的「義理」派

以南宋理學集大成者朱熹爲主要代表，包括其弟子門徒。

二程、張載爲純「義理」經學，曾爲理學思想的初創和發展開闢了新的領域，發揮經書「義理」逐漸成爲理學家人人用之的方法。但由於其不重訓詁章句，只根據自己學說的需要隨意解經，的確在許多方面明顯悖離原經義，因而很容易被論敵抓住把柄，攻其疏漏。朱熹顯然接受了教訓，一方面本質上仍然堅持張、程的解經原則，另一方面也開始注重對經書作一些學術研究性的工作，如文字訓詁、章句考訂、經書辨僞等。

朱熹與張、程的明顯不同，表現於對漢儒的態度上。他對漢儒章句之學並不排斥，說：「漢儒所謂善說經者，不過只說訓詁，使人以此訓詁玩索經文，訓詁經文不相離異，只做一道看了，只是意味深長也」（《朱子大全》卷三）。他對漢學的評價也很高；「漢儒之學，有補於世教者不小」（同上卷三八）。而對同代人空疏無物、經外作文的「義理」之學則產生反感。他說：「今人解書，且圖要作文，又加辯說，百般生疑，故其文雖可讀而經義殊遠。」（《朱子語類》卷一一）。

朱熹以訓詁字義、考訂章句作爲讀經、解經的首要步驟，認爲這些學問有助於理解經義，啓發思路。他說：「學者觀書，必須讀得正文，記得注解，成誦精熟。注中訓釋文意、事物、名義，發明經指，相穿紐處一一認得，如自己做出來底一般，方能玩味」（同上）。主張解經「只似漢儒毛、孔之流，略釋訓詁名物及文義理，致尤難明者，而其易明處更不須貼句相續，乃爲得體」（《朱子大全》卷七四）。其《四書章句集注》、《詩集傳》的確是本著這個精神寫成的，於經中難字難詞、名物典章都作了簡要解釋，不少字義一承漢儒，切合經旨。

然而，朱熹畢竟是一個思想家，他解經的目的仍然是爲了闡述理學思想。在許多場合，朱熹儼然以恪守先王經義的姿態講經解經，諄諄教誨門人學子嚴守古義，不要以私意解經，但有時卻不免露出馬腳。一次，他與弟子論及伊洛諸公經學時說，大抵前聖的話，後人未必能夠完全領會，所以解經也不可能與之一一相合，「且如伊川解經，是據他一時所見道理恁地說，未必便是聖經本旨。要之他那個說卻亦是好說」。並列舉《易》經與傳之義不合處證之，說《易經》的「元、亨、利、貞」，本來只是大亨而利於正的意思，但孔子《彖》傳卻釋之爲「四德」，明顯與經義不符。可是「文王者自不妨孔子之說，孔子者自不害文王之說，然孔子卻不是曉文王意不得，但他又自要說一樣道理也」（《朱子語類》卷一〇五）。這就一語道破天機，原來他解經的目的也就是借經文「自家說一個道理」，所謂恪守古義不過是一種表面文章，爲的是在更巧妙、更隱晦的形式下有利地表述自己的理學思想。

朱熹繼承了張載、二程的觀點，把讀經、解經與「格物致知」結合在一起，作了更明確的論述。朱熹認爲，宇宙間最高的精神本體——「天理」充塞於萬事萬物之中，「雖聖人不作，這天理自在天地間」（《朱子語類》卷九），「天理」集中反映於經書之中，「且如《易》只是一個陰陽之理而已，伏羲始畫只是畫此理，文王、孔子皆是發明此理，吉凶悔吝亦是從此出」（同上）。用心讀經，推求經義，體悟聖人作經之用心，就能獲得經中之理。因而讀書（主要是經書）是窮理格物的重要內容：「蓋爲學之道莫先於窮理，窮理之要必在於讀書」(《朱子語類》卷一四),「讀書是格物一事」(同上卷十)。讀經時若能反身求己,使心中之「理」與經中之理達到絕對同一,對「天理」的體悟就會更精深。

朱熹還繼承了理學象數學的解經方法。他雖然避而不談龍馬負圖的迷信傳說,卻對伏羲取法《河》、《洛》演爲八卦及禹取法《洛書》作「洪範九疇」的說法深信不疑。他說:「熹於世傳《河圖》、《洛書》之舊所以不敢不信者,正以其義理不悖而證驗不差爾」(《朱子大全》卷三八),「《河圖》、《洛書》蓋皆聖人所取以爲八卦者,而九疇亦並出焉」(同上卷三七)。他認爲「數」是「理」的往返運行,化生萬物的印跡,「有是理則有是象,有是象則其數便自在這裡」(《朱子語類》卷六七)。其《周易本義》便兼採象數與「義理」。

㈣心學派

以南宋陸九淵、楊簡和明代王陽明爲代表。

陸九淵出身於世代尊儒的書香門第,從小便熟讀《六經》、《語》、《孟》,及長,亦常與人談經論道,多次在太學講解經書。他反覆强調讀經的重要性,並主張不廢古注,勿以己見解經。有人問他讀《六經》應先看何人注解,他說:「須先精看古注,如讀《左傳》則杜預注不可不精看。大概先須理會文義分明,則讀之其理自明白」(《象山全集》卷三四)。然而正是這個陸九淵,在儒經至高無上的年代裡,卻提出一個經學史上駭世驚俗、聳人聽聞的觀點:「學苟知本,《六經》皆爲我注腳」。並聲稱:「《六經》注我,我注《六經》」(同上卷三四)。

陸九淵在治經中截然不同的兩種態度,反映出他既作爲世傳儒業的儒生,又作爲思想上另闢新徑的哲學家的雙重性格。「《六經》注我,我注《六經》」的提出,是由其不同於程朱學派的哲學思想決定的。程朱以客觀的精神本體「天理」為宇宙本原，而把「心」作為稟承「天理」的方所。「心」是氣聚之物，未免受到物欲之蔽，產生人欲。人生的宗旨，就是要通過讀經和事君事父、灑掃應對等「格物」活動以「窮理滅欲」，逐漸進入超凡入聖的境地。而陸九淵則把主觀的「心」與客觀的「理」完全等同，認為「宇宙便是吾心，吾心便是宇宙」（《象山全集》卷二二），「人皆有是心，心皆具是理，心即理也」（同上卷一一）。因此，他主張「切己自反」、「發明本心」的簡易工夫，直接從主體自身的主觀省悟中探求與客體的自同，達到心、理合一的目標。他接受了禪宗「頓悟」的學說，希冀在反身求己時猛省宇宙的眞諦，一概摒除了程朱格物致知、修己行事的繁瑣哲學。所以，陸九淵只是把讀經作為接受儒家文化教育的手段，探求本心的必要理論素養準備，所以其治經但求領會大意。陸九淵沒有一部經學著作，《象山全集》也只有短短幾篇經學講義。他的思想觀點，是通過借取儒經範疇、命題進行大段發揮、議論而闡述的，他還引用經中言論作為自己觀點的旁證，充分體現了「《六經》皆為我注腳」的精神，從而突破了宋儒通過箋注經書表達思想理論的框框。

王陽明不僅繼承了陸九淵的思想學說，也繼承了陸氏的經學方法論。他認為，孔子之時，道不明於天下，孔子懼怕繁文亂之，為使其返樸還淳，不得已而刪述《六經》。《六經》對天理（心）只能言其大概面貌，不能揭示本質。「如寫其傳神，不過示人以形狀大略，使人因此而討求其眞耳。其精神意氣，言笑動止，固有所不能傳也」（《傳習錄》上）。《六經》之實，就是「吾心」，「而世之學者，不知求《六經》之實於吾心，而徒考索於影響之間，牽制於文義之末，硜硜然以為是《六經》矣。」（《王文成公全書》卷七《稽山書院尊經閣記》），《六經》的眞諦只有在反躬自省、探求「吾心」良知時才能得到。明代王學也很少經學著述，王陽明的心學體系，大都在「

《六經》注我」的模式中表述出來的。

以上各派的異同表明，理學家之所以有不同的解經原則和經學方法論，歸根到底取決於理學思想的發展。從北宋純「義理」派與象數派的分立，到南宋朱熹融「義理」、「象數」於一爐，從張載、二程盡廢訓詁到朱熹兼採漢唐，從程朱之學與經學的結合日趨密切，到陸九淵、王陽明逐漸背離經學，展示了理學自身發展過程中與經學相互關係的規律。北宋理學初創時期，由於理學家需要依經立論，必須廢棄漢唐訓詁之學，因此純「義理」學應時而生。又因爲理學本身的不統一，理學家各從自己學說出發採用適當的經學形式，故有「義理」、「象數」之別。這時理學與經學的結合亦處在探索時期，經學形式還不統一，方法也不成熟。理學到朱熹時發展爲體系完整的學說，經學也相應趨於完善。朱熹不僅是理學的集大成者，也是經學的集大成者，他吸取「義理」、「訓詁」、「象數」三者之長，創立了與理學體系密切呼應的統一的經學模式，使依經立論的理論思維活動與訓解經義的學術研究活動有機地融爲一體，不易分辨，彷彿理學就是經學。《四書集注》的問世，是理學與經學的結合達到最密切程度的標誌。

與此同時，理學中也醞釀著背離經學的趨向，心學派就是這種傾向的反映。陸九淵、王陽明建立的以「心」爲本體，以「明心見性」的簡易工夫爲認識論和修養論的心學體系，首先就是從脫離經學找到突破口的。因爲程朱一派「格物窮理」的最主要內容，就是讀經，朱學之所以「支離」，正在於重「道問學」（通過讀經漸漸理會天理之奧），只有否定以讀經作爲窮理的途徑，才能建立起知行合一、直達本心的心學認識論。陸九淵把讀經只作爲文化修養的手段，正是爲了這一目的。既然經已不是通向天理的橋樑，就沒有必要再花費大氣力去連篇累牘地索解經書了，表達思想理論的方式，也有了多樣化的可能。然而，在宋明時期的歷史條件下，要完全突破經學的樊籬，就意味著與傳統儒學的徹底決裂，必須興起一場否定儒學的革命，破除人們濃厚的尊經崇儒的習慣心理才成爲可能。這項歷史的重任，陸王心學是無法承擔的，因爲他們仍然是儒生，心學體系仍然是儒學的變種，他們沒有力量與强大的經學傳統抗衡。對他們來說，在那樣的時代，能夠朝經學之外邁出小小的一步，就已經是非常可觀的變革了。這場思想文化領域的革命，一直到辛亥革命前後和「五四」時期，在西學傳入引起封建知識結構和傳統觀念的大變動之後才開始產生。

三

儒家經典有十三種，除《爾雅》、《公羊》、《穀梁》外，都對理學思想有不同程度的影響。《周易》體系龐大，內容豐富，言簡義約，一卦多義，爲從中發揮新的思想留有充分餘地，其奧妙無窮的數字結構，還爲象數解經開闢了得天獨厚的園地，對理學家最有吸引力。《論語》、《孟子》和《禮記》中《大學》、《中庸》二篇（合稱《四書》）也有思想豐富、理論性强、語言簡約的特點，非常適合據以發揮理學思想，同樣深得理學家重視。其餘諸經，如《詩經》、《尚書》、《周禮》、《禮記》、《儀禮》、《春秋》及《左傳》等，也在理學家闡述思想時起了不小的作用。

經書內容博雜、包羅萬象的特點，爲理學建立一個總括天、地、人的龐大哲學體系創造了有利條件。理學從儒家經典中直接繼承了先秦儒學的許多理論和觀點，理論體系中的絕大多數概念、範疇和命題，均出自經書。通過經學形式，先秦儒家的文化遺產在理學那裡得到全部繼承。

然而，經學形式的消極作用卻遠遠超過它的積極意義。運用經學形式表述思想，必然採用一種特殊的、與衆不同的語言組合形式——

經學注解文體，這種文體不是適應理學思想的需要產生的，而是事先存在的；理學必須使自身適合於這種固定形式，而不能像其他哲學那樣，隨意選擇多種多樣的語言形式。正因爲如此，經學直接影響著理學的體系結構、思維模式，造成理學理論自身一些無法彌補的缺陷。

第一，理學家都熱衷於用箋注、論說經書的方式表達思想。二程以後，宋儒中像李覯《平土書》、歐陽修《本論》那樣的論文體也見不到了，理學家的思想均散見於各自的經注及解說經文的語錄、書信之中。然而經書的章句順序，並非按理學思想體系的需要編排，一部經書亦非句句可用以發揮思想，不少章句僅言人言事，與理論無涉，但理學家卻不能避而不談。僅以《四書集注》爲例，雖然其中表達了朱熹基本的理學思想，可也不得不對大量無關緊要的章句作解。如《論語・八佾》：「子語魯大師樂。曰：樂其可知也。始作，翕如也；從之，純如也，皦如也，繹如也。以成」。孔子只是簡單地講述音樂幾個階段的不同特點，並未表達什麼思想理論，朱熹亦無以據此發揮新觀點，但他仍不厭其煩地釋曰：「語，去聲。大，音泰。從，音縱。○語，告也。大師，樂官名。時音樂廢缺，故孔子教之。翕，合也；從，放也；純，和也；皦，明也；繹，相繼不絕也；成，樂之一終也」。類似這種釋文在理學家經注中比比皆是，占相當大的份量。除經注外，語錄、文集中亦充斥著諸多與理學思想毫無關係的言論，諸如歷史事件、人物介紹，對經文字音字義的解釋，對名物、典章的解釋，以及詩賦、墓志銘、行狀、送往迎來之信函等等。上至天文，下至地理，應有盡有，無所不包。

這種狀況造成一個嚴重後果：有系統、有體系的思想內容被分割爲若干小塊，分散在相關的經文之下。理論體系的各個環節不是依據其內在的有機聯繫和邏輯順序排列，而是根據經文的順序，毫無規律地排列著，並淹沒在大量無關的言論之中，在經學框架的制約下，被迫以零亂的、鬆散的形式存在。而且很難避免重覆，因爲每條內容相近的經文都要按同一觀點去解釋。即使在語錄、文集等非箋注體的著述中，最多也只能就理學的某一範疇、命題展開論述，很難將理學思想的各個環節，按其體系本身的內在邏輯順序組合起來。這就給理學帶來一個致命傷；人爲地造成了理論思維的不連貫性。人們在閱讀理學著述時，很不容易順著理學家的思路，將其理論的各個環節連貫起來，以把握其內在的邏輯結構，也不易了解每一結論的判斷推理程序。人們得到的往往是現成的結論，以及對這些結論的通俗解說與比喻。這就削弱了理學的思辨性，使許多理論缺乏說服力，同時也給後人接受與理解整個理學思想體系添置了障礙，影響了理學的深入發展。

第二，理學絕大部分範疇來源於經。但經中許多範疇的內涵是被規定了的，經又有十多種，作者各不相同，一個範疇難免在不同經中有不同含義。加之古代漢語一詞多義的特點，某些範疇在同一經中有多種解釋的現象也屢見不鮮。而理學家對經書範疇的解釋，必須與原經義相差不遠，至少貌似神離。如果新義與原意相差太遠，格格不入，就失去了「聖人之意」的神聖光環。這樣，理學家對經書每一範疇的使用，都要受原經義限制，迫使他們不得不煞費苦心，巧爲解說，力圖使自已賦予的新義與各種不同經義協調一致，不相抵牾，以便自圓其說。

原經義的束縛，造成理學範疇多義性和不確定性。例如《論語·里仁》：「曾子曰：夫子之道，忠恕而已矣」。曾參以「忠恕」作爲孔子之「道」。而《中庸》則曰：「忠恕違道不遠」。認爲「忠恕」近於「道」，但不是「道」。其實，這兩個「道」的含義是不同的，前者指孔子的學說，後者指天地總原則，但由於「道」是理學的重要範疇，「道即理也」（《朱子大全》卷三二），代表宇宙的本原和主宰，許多理學家往往這一含義出發理解「道」，所以朱熹弟子在讀《

論語》和《中庸》時便搞糊塗了，問道：「到得忠恕已是道，如何又云違道不遠？」朱熹對這一尖銳的提問感到很棘手，他也不能解釋清這兩個「道」的不同含義，只得牽强附會地說，《中庸》之「忠恕」乃是「學者著力下功夫處，施諸己而不願，亦勿施於人，子思之說正爲下工夫。『夫子之道忠恕而已矣』卻不是恁地，曾子只是借這個說『維天之命，於穆不已』，『乾道變化，各正性命』，便是天之忠恕，純亦不已。萬物各得其所，便是聖人之忠恕；施諸己而不願，亦勿施諸於人，便是學者之忠恕」（《朱子語類》卷二七）。把「忠恕」分爲「聖人」、「學者」兩個級別，固然使兩種不同的經義協調一致了，但卻使「忠恕」範疇多義化了。

理學許多重要範疇都有兩種以上的含義，這些含義往往不能抹去原經義的痕跡。「理」作爲理學的最高範疇，是天地萬物的精神本原和主宰，人類社會政治、倫理的總原則。「理則天下只是一個理，故推至四海而準」（《二程遺書》卷二）。但「理」又有另外一層含義，朱熹說：「理是有條理，有紋路子」（《朱子語類》卷六），指具體事物的具體特點。「神」既是事物變化的內在能動性，又是一個人格化的宗教神；「陰陽」不但作爲宇宙間相互對立又相互作用的兩個方面，又作爲兩種有形可見的氣；「禮」一方面有禮儀形式的意思，另一方面又表示一種人的恭敬禮讓的道德自覺性。……

範疇的多義和意義不確定，必然導致理論上的不嚴密、不清晰、不準確。範疇是人們對事物本質及內在聯繫的概括與反映，範疇內涵的抽象程度、準確程度和外延的確定程度，直接反映著人們的認識水平和思維水平。因爲範疇是具有普遍意義的概念，在思維過程中，它們是構成判斷和推理的基本元素（項），如果概念內涵多義、外延不確定，定會影響判斷與推理的準確性和嚴密性，而由此推論的結果，其眞實性與可信性也值得懷疑。例如「道即理也」這個判斷，如果承認「形而上謂道」（《朱子語類》卷七五）的前提，並將「理」也定性為「形而上者，無形無影是此理」（朱熹：《太極圖說解》），則這是一個正確的全稱肯定判斷，但朱熹有時又將「道」與「理」區別開來，分別賦予不同的意義：「道是統名，理是細目」，「道字包得大，理是道字裡面許多理脈」（《朱子語類》卷六），照這樣下定義，「道即理」這判斷就犯了謂項周延的錯誤。此外，根據思維法則，總概念中的各個子項必然互不相容，但理學的範疇由於其多義性，往往違反了這條規則。例如：「天理只是仁義禮智之總名」（《朱子大全》卷四〇），仁、義、禮、智應當是全異關係，然而在朱熹的學說中，「仁」不僅是與義、禮、智並列的道德規定和品性，而且是「理」的本質，總括一切道德內容，「舉仁則義、禮、智在其中」（《朱子語類》卷六），「仁」有大、小不同的兩個外延，因而造成了子項相容的錯誤。由範疇、概念的多義性與不確定性導致的類似邏輯錯誤是不少的，因此嚴重影響了理學思想體系自身的嚴密性。理學的思辨水平之所以趕不上古希臘哲學，這是一個重要根源。

第三，象數學的解經方法，也在一定程度上影響了理學的理論思維向科學性、眞實性方面發展。

數是事物量的符號，由數字之間的相互關係組成的公式和法則（即數學），可以反映事物量變的規律性及各種事物之間的相互聯繫。用數的變化表示事物發展變化的軌跡，具有高度的抽象性、精確性和科學性。而數的另一種形式——圖表，又能使這種高度的抽象形象化。因此，只要從事物本身的量的變化及相互聯繫中總結數的法則和原理，不僅能夠更深刻地認識事物的本質及變化規律，而且也能夠促使哲學的科學化。

但理學的象數學卻相反，它不是從事物本身的量變過程中探索、總結數的公理與法則，而是從一個先驗的數字模式出發，將自然、社會的發展過程納入這個模式，似乎世界的變化發展均由某個神秘的精神本原事先規定好的，這個數字模式正是天意的顯現。不管天地萬物如何日新月異，氣象萬千，總脫離不了一分爲二、二分爲四、四分爲八、八八六十四的生化規程；不管社會如何治亂興衰，分分合合，都不能超越「元、會、運、世」的循環。理學家們所推崇的《河圖》、《洛書》、《太極圖》和《皇極經世圖》，也只是這種先驗數字模式的形象表示，與科學的數學圖表風馬牛不相及。象數學先驗的數字體系不是自然與社會量變規律的反映，而是人爲地套在自然與社會發展過程上的一個框子。它對促使人們從事物發展本身探索其變化的規律性，總結出科學的法則和定律毫無益處，不能產生出具有科學意義的數學，更不利於哲學向科學化發展。相反，只能爲其思想體系增添一層神秘主義色彩。

第四，理學在經學的土地上孕育、滋生，當它吸吮盡經學所供給的養料，充滿經學提供的空間後，就會達到一個飽和狀態，形成一個封閉系統，並對那些與傳統儒學體系格格不入的「異端」學說和在性質、方法上與儒學完全相異的近代科學與哲學產生自發的排斥力。與經學結合得越緊密，理學的自我調節功能和再生能力就越減弱，並越發僵化。因爲經書雖可任意解釋，但總有一個限度，即不能過分悖離經義。如果超過了這個限度，就會爲經學模式所不容。任何一種經學模式都不是一個無限開放的永恆體系，思想理論只有脫離這種模式，才有進一步發展的可能性。明代唯有稍稍悖離經學的王學有所發展，而恪守《四書集注》模式的述朱學派一直停留於原有水平，無任何創新，就是一證。

理學思想以經學的形式闡述，使理學家的思維限制在一個狹小的天地，不能任意馳騁，很難衝破經學的樊籬去探索新的世界，也使得宋以後的思想家養成一種習慣性思維：在創造新理論、新觀點時，總是尋找聖人經典中貌似相關的詞句進行發揮性解說，借經典的概念、範疇和命題立論，常常在經文的牽制下，順著經書原有學說的思路作延伸性思維。千百年來，這種思維方式代代相因，層層積澱，構成了華夏民族的思維傳統。明代以後，由於統治階級用提倡讀經、普及經學的方法傳播、灌輸理學思想，並將經術作爲科舉考試的最重要的內容，使這種思維傳統更加根深蒂固。

歷史的教訓告訴我們，一個民族如果習慣於把富有生命力的活潑潑的思想體系鑲嵌進爲某些經典作注解的經學框架中，就會使思想理論逐漸成爲僵死的教條，也將大大影響整個民族的思維水平。依經立論的思維傳統是中國封建蒙昧主義的集中表現，它限制了中華民族在精神文明生產中豐富想像力和創造力的發揮，造成了民族文化素質中保守、盲從的一面，是應當徹底剔除的封建糟粕。

——原載《中國史研究》一九八七年二期（一九八七年七月），頁八三——九六。

從疑傳到疑經

——宋學初期疑古思潮論述

陳植鍔

以講明義理而有別於漢唐注疏之學的宋學之開創，始自北宋中期的疑古思潮，這一點朱熹就已經提到過了。《朱子語類》卷八十載：

> 理義大本復明於世，固自周、程，然先此諸儒亦多有助。舊來儒者不越注疏而已，至永叔、原父，孫明復諸公，始自出議論，如李泰伯文字亦自好，此是運數將開，理義漸欲復明於世故也。

所謂不越注疏，即指墨守先儒爲經書所作的傳注而不敢異議。從字面上看，朱熹只提到了歐陽修等人對傳疏的懷疑（疑傳）。其實宋學初期的疑古思潮，矛頭也指向了封建時代奉若神明的經典本身（疑經）。如北宋司馬光在《論風俗札子》中抨擊當時科場風氣時說：

> 新進後生，未知臧否，口傳耳剽，翕然成風。至有讀《易》未識卦爻，已謂《十翼》非孔子之言；讀《禮》未知篇數，已謂《周官》爲戰國之書；讀《詩》未盡《周南》、《召南》，已謂毛、鄭爲章句之學；讀《春秋》未知十二公，已謂《三傳》可束之高閣。循守注疏者，謂之腐儒；穿鑿臆說者，謂之精義。

司馬光此奏撰於熙寧二年（一〇六九），顯對王安石變法而發，關於他的政治觀點，且暫置勿論。但其奏折中所抨擊的「新進後生」，把矛頭直指《周易》、《周禮》和《春秋》三傳的實例，是屬疑經。

宋學初期，大抵可區分爲疑傳、疑經兩派。其代表人物是，孫復字明復（九九二——〇五七年）、歐陽修字永叔（一〇〇七——〇七二年）、劉敞字原父（一〇一九——〇六八年）、李覯字泰伯（一〇〇九——〇五九年）等。孫復年代最早，是宋學疑傳階段或者說宋學疑傳派的代表人物。歐陽修、李覯年代相若，主要活動期在慶曆、嘉祐年間，是宋學疑經階段或者說是宋學疑經派的代表。劉敞的年輩最晚，屬於疑經派的後起之秀。宋學之疑經思潮到他，已經發展到登峰造極的地步。下面試逐一加以介紹。

疑傳派

從北宋太祖至仁宗即位初期，長達六七十年的時間裡，就學術而言，基本上沿襲漢、唐以來的注疏之學，即漢學。朝野謹守先儒注疏，莫敢異議。李燾《續資治通鑑長編》（以下簡稱《長編》）卷五九，景德二年（一〇〇五）三月甲寅條載：

> 上御崇政殿親試禮部奏名舉人，得進士李迪以下二百四十六人……先是，迪與賈邊皆有聲場屋，及禮部奏名，而兩人皆不與，考官取其文觀之，迪賦落韻，邊論「當仁不讓於師」，以「師」爲「眾」，與注疏異，特奏令就御試。參知政事王旦議落韻者，失於不詳審耳；捨注疏而立異論，輒不可許，恐士子從今放蕩無所準的。遂取迪而黜邊，當時朝論，大率如此。

「當仁不讓於師」，乃《論語·衛靈公》一篇的成句，賈邊應試以「師」爲「眾」，不爲無據，《爾雅·釋詁》即作：「師，眾也。」但因爲他沒有照咸平二年詔定的《論語正義》關於此句的訓詁立論，即使「有聲場屋」，終被斥逐。宋初三朝之學風，舉此一例，可以概見。

這種情況到了仁宗即位之初，大抵未變，孫復《寄范天章書㈡》

說：「國家以王弼、韓康伯之《易》，左氏、公羊、穀梁、杜預、何休、范寧之《春秋》，毛萇、鄭康成之《詩》、孔安國之《尙書》，鏤版藏於太學，頒於天下。又每歲禮闈設科取士，執爲準的。多士較藝之際，有一違戾於注說者，即皆駁放而斥逐之。」並說，專守先儒之注經，不但未能盡見諸經之義，且使「後之作疏者無所發明，但委曲踵於舊之注說而已。復不佞，遊於執事之牆藩者有年矣。執事病注說之亂六經，六經之未明，復亦聞之矣。」

這裡所謂的「執事」，係指范仲淹。據《范文正公集》卷末所附《范文正公年譜》，孫復始遊范氏之門牆，乃在天聖五年仲淹掌南京應天府學期間，應天府學，前身是應天書院，爲宋初四大書院之一。據《范文正公年譜》，仲淹在南京時，「四方從學者輻湊，其後以文學有聲，名於場屋朝廷者多其所教也」。足知范仲淹的疑傳態度，在當時必然會有較大的影響。

上引《寄范天章書》，可以看作宋學開創之初，在天聖、明道，景祐年間最先登上歷史舞台的疑傳派學者反對漢學遺風的宣言，范仲淹、孫復等人不惑傳注的懷疑精神，不唯代表了這一歷史時期年輕一代儒生對傳統儒學的大膽挑戰，而且爲風靡了兩宋的義理之學，鋪平了前進的道路。

范仲淹雖是一位在宋學初期開風氣的領導人物，但其學術著作留傳不多，而且平生志業別有所在，而孫復則是專力從事宋學草創的第一人。孫復自四十四歲開始，退居泰山，講學授徒。（註一）慶曆二年（一〇四二）因范仲淹薦任國子監直講，在經筵「講說多異先儒」。（註二）平生著述頗多，主要有《易說》六十四篇和《春秋尊王發微》十二卷。這些著述，特別强調抓住「心」和「用」兩個主要方面來改造和發展傳統的儒學，大抵代表了此後宋代新儒學的方向，可惜孫復的《易說》已久佚，無法窺知他在心性方面的論旨。《春秋尊王發微》一書則巋然獨存，此書不獨在《春秋》學，即令在整個宋代經學中，也是開風氣的著作。歐陽修在《孫明復先生墓志銘》中說：「先生治《春秋》不惑傳注，不爲曲說以亂經，其言簡易，「得於經之本義爲多。」（註三）孫復認爲自己所「得於經之本義」的乃是《春秋》專爲亂世而作，而明時之衰、諸侯大夫之罪。因此，他在《春秋尊王發微》開宗明義就說：「孔子之作《春秋》也，以天下無聖而作也，非隱公而作也。」（註四）他還歷數東周之亂政曰：「夫東遷之後，周室微弱，諸侯强大，朝覲之禮不修，貢賦之職不奉；號令之無所束，賞罰之無所加；壞法易紀者有之，變禮亂樂者有之，弒君戕父者有之，攘國竊號者有之。征伐四出，蕩然莫禁。（註五）以二個「不」字，二個「無」字，四個「有之」，對春秋時代的政治局勢所作的概括，皆是貶辭而無一褒語。這種觀點，同當時朝廷頒行的孔穎達《春秋正義》（杜預注，孔穎達疏）的有褒而無貶，正是背道而馳。對此，《四庫全書總目》卷二十六《春秋尊王發微》提要譏之曰：「使二百四十二年中無人非亂臣賊子，則復之說當矣；如不盡亂臣賊子，則聖人亦必有所節取。亦何至由天王以及諸侯大夫，無一人一事不加誅絕者乎？」而《四庫簡明目錄》卷三還認爲：「孫復以後說《春秋》者，名爲棄傳從經，實則强經以從己」。從篤守古訓的立場上看，孫復的《春秋》研究，主觀的成分的確太多了。所謂强經以從己，實則後來宋學大師陸九淵所說的「六經注我」，可知孫復對義理之學的貢獻，不獨開「不惑傳注」、「棄傳從經」之風於廬陵未作之先，而且以「强經從己」遙領南宋心學於前。

疑傳派以孫復爲首，其門人有石介、士建中、張洞等，皆以「不惑傳注」，非議漢唐注疏之學著稱於當時。如石介嘗撰《憂勤非損壽論》駁斥鄭玄說：（註六）

「文王世子」。鄭康成注曰：「文王以憂勤損壽，武王以安樂延年」。余謂憂勤所以延年，非損壽也；安樂所以損壽，非延年也。……且文王享年九十有七，所不至禹、湯者三歲，豈爲損壽乎？又謂武王以安樂延年，且武王繼父之諱，受天之命，順人之心，與八百諸侯同伐紂，以生萬民，以啓天下，天下有一夫橫行，武王則羞，爲安樂乎？康成之妄也如此。

鄭玄乃東漢經學大師，匯今古文兩派之所長，「遍注六經，立言百萬，集漢學之大成」。（註七）爲儒林北學之宗。他的注疏長期以來與先秦經典同時流行，其地位一度曾與經文本身相上下。所謂「寧信孔、孟誤，諱道鄭、服非。」（註八）石介竟敢以「康成之妄也如此」一言將他徹底罵倒，足見宋學初期的疑傳派氣勢之盛。士建中、張泂的著作均已失傳，但由石介對他們所作的評價可以間接了解一二。《徂徠先生文集》卷十三《上范思遠書》論士建中（字熙道）曰：「其人能通明經術，不由注疏之說，其心與聖人之心自會，能自誠而明，不由鑽學之至，其性與聖人之道自合。」同書卷十四《與張泂進士書》則曰：「明遠（張泂字明遠）始受業於子望（劉顏），又傳道於泰山孫先生，得《春秋》最精。近見所爲論十數篇，甚善，出三家之異同而獨會於經。」「出三家之異同而獨會於經」與「不由注疏之說，其心與聖人之心自合」意思相同，可知本派學風，正以「棄傳從經」、「不惑傳注」爲共同特徵。

疑傳派學者除了孫復及其弟子之外，值得一提的還有劉顏和周堯卿（九九五——〇四五）。《宋史・儒林傳二》說：「劉顏字子望，彭城人。少孤，好古，學不專章句……著《儒術通要》、《經濟樞言》復數十篇。石介見其書，嘆曰：『恨不在弟子之列。』」可知他的觀點，與孫、石等人基本相同，「學不專章句，」乃十一世紀三十年代學界時風之所尚。周堯卿《宋史》本傳載：「爲學不專於傳注，問辨思索，以通爲期。長於毛、鄭《詩》及《左氏春秋》。其學《詩》

，以孔子所謂『《詩》三百，一言以蔽之曰：思無邪』，《孟子》所謂『說《詩》者以意逆志，是爲得之』，考經指歸，而見毛、鄭之得失。曰『毛之傳欲簡，或寡於義理，非一言以蔽之也。鄭之箋欲詳，或遠於性情，非以意逆志也，是可以無去取乎？』其學《春秋》，由左氏記之詳，得經之所以書者，至三傳之異同，均有所不取。曰：『聖人之意豈二致耶？』」劉、周兩人的著作已久佚，然據此仍可略窺一斑。

上述諸人，活動年代大抵與孫復相近。除周堯卿外，餘人與孫復、石介均爲師友關係，因學風的一致而結成一個志同道合的學術流派——疑傳派。這一學派的共同特徵是疑傳而不疑經。前引孫復《上范天章書㈡》所謂「病注說之亂六經，六經之未明」，以及石介在他的《與柏侍講書》中所說的：諸經「皆聖人之書也。聖人沒，七十子散，微言絕，異端出，群子紛紛然，以白黑相渝、是非相淆，學者不知所趨」等話，都互相參證，疑傳派對經典權威地位是堅信不移的。而他們對傳注的懷疑，從實質上正是爲了捍衛經典的權威地位。這種態度，與後來興起的疑經派恰成一鮮明的對照。

疑經派

宋學疑經之風，一般認爲是從仁宗慶曆年間開始的。南宋王應麟《困學紀聞》卷八《經說》所引陸游的一段言論，是後世論者談到宋學疑經風氣時所常加稱引的史料根據，其曰：「唐及國初，學者不敢議孔安國、鄭康成，況聖人乎！自慶曆後，諸儒發明經旨，非前人所及；然排《繫辭》，毀《周禮》、疑《孟子》、譏《書》之《胤征》、《顧命》，黜《詩》之序，不難乎議經，況傳注乎！」慶曆是仁宗的第六個年號，正當十一世紀四十年代，陸游這裡提到的「疑《孟子》」者係指李覯和司馬光，「譏《書》之《胤征》、《顧命》」指蘇軾，「排《繫辭》」、「毀《周禮》」、「黜《詩》之序」，並出於歐陽修。而諸人之中，年代以歐陽修爲最早。

不過，據《歐陽文忠公文集》編年，歐陽修關於《繫辭》非孔子所著的懷疑，早在景祐四年（一〇三七）所撰的《易或問三首》中已經提出過了。在後來《易童子問》中，其疑「易」更加系統。該書卷三說：「童子問曰：《繫辭》非聖人之作乎？曰：何獨《繫辭》焉，《文言》、《說卦》而下，皆非聖人之作而衆說淆亂，亦非一人之言也。」自從司馬遷在《史記》中提出關於「孔子晚而喜《易》，序《彖》、《象》、《說卦》、《文言》」的說法迄至十一世紀三十年代，大約一千多年中，讀書人一直將《繫辭》、《文言》、《說卦》等當作聖經《易》的一部分加以尊奉，而歐陽修竟一概加以否定，在當時所引起震動之大，是可想而知的了。據記載，歐陽修好友韓琦，因此，「對歐陽公終身不言《易》」（註九），以沈默表示反對。歐陽修「排《繫辭》」時年方三十一，到晚年持之益堅，而士人亦稍稍以其言爲然。（註一〇）這不僅是因爲歐陽修具有「勇於敢爲、決於不疑」的堅强意志，而且是因爲他堅持了實事求是的態度和「聖人之經尙在，可以質也」的正確方法。（註一一）因此，自從歐陽修提出這個問題之後，越到後來相信的人越來越多。

歐陽修用以論證《繫辭》、《文言》、《說卦》等非孔子所撰的根據主要有兩個，一是找出比孔子更早的書證以斷其僞，二是找出原文的自相矛盾之處以斷其非出於一人之手。試以《易・乾卦》的《文言》部分爲例。歐陽修在《易或問三首》之一中說：

吾嘗以譬學者矣。「元者，善之長；亨者，嘉之會；利者，義之和；貞者，事之幹。」此所謂《文言》也。方魯穆姜之道此言也，在襄公之九年，後十有五年而孔子生。左氏之傳《春秋》也，固多浮誕之辭，然其用心，亦必欲其書之信後世也。使左氏知《文言》爲孔子作也，必不以追附穆姜之說而疑後世。

蓋左氏者，不意後世以《文言》為孔子作也。（註一二）

左氏生於孔子同時或稍後，其傳《春秋》而載孔子出生前十九年魯襄公九年穆姜之語與後世所傳《易・乾卦・文言》八句同，唯一合理的解釋就是《文言》為後人僞托，集古語以充之。

在《易童子問》卷三中，歐陽修進一步指出：「又有害經而惑世者矣。《文言》曰：『元者，善之長也；亨者，嘉之會也；利者，義之和也；貞者，事之幹也。』是謂之《乾》之四德。又曰：『乾元者，始而亨者也；利貞者，性情也。』則又非『四德』矣。謂此二說出於一人乎？則殆非人情也。」像這樣競相作僞而至於前後抵牾、漏洞百出，在《繫辭》中也比比皆是，《易童子問》列舉了不少，此不贅引。對於這種情況，歐陽修解釋道：「大抵學《易》者莫大欲尊其書，故務為奇說以神之，至其自相乖戾，則曲為牽合而不能通也」（註一三）。歐陽修還以《繫辭》等與孔門弟子追記孔子言行的《論語》「書其首必以『子曰』者」相比較，指出若《文言》出於孔子自作，則「不應自稱『子曰』」「又其作於一時，文有次第，何假『子曰』以發之？」（註一四）歐陽修認為：《繫辭》、《文言》等篇的眞正作者，乃是「漢之《易》師」（註一五）而所謂：「『子曰』者，講師之言也」（註一六）。

勇斷不惑，而又考證詳密，既有所破，又有所立，比起前此孫復、石介等疑傳派攻之有餘，立之不足，歐陽修已向前跨了大大的一步。

歐陽修還對歷來作為《詩經》一部的《小序》的眞僞提出了懷疑。如他在《詩本義》卷二《野有死麇論》中說：

「詩序」失于二「南」者多矣。孔子曰：「三分天下有其二，以服事殷」，蓋言天下服周之盛德者過半爾。說者執文害意，遂云「九州之內奄有六州」。……就如其說，則紂猶在上，文王之化止能自被其所治。然於「芣苢序」則曰：天下和平，婦人樂有子」；於「麟趾序」則曰：「『關雎』化行，天下無犯非禮者」；於「騶虞序」則曰：「天下純被文王之化」。既曰如此矣，；於「行露序」則反有「強暴之男侵陵貞女而爭訟」；於「桃夭」、「摽有梅序」則又云：「婚姻男女得時」，又似不應有訟。據「野有死麕序」則又云：「天下大亂，強暴相陵，遂成淫風，惟被文王之化者猶能惡其無禮也」。其前後自相抵牾，無所適從。

所謂互相抵牾，無所適從，與《繫辭》、《文言》的作僞手法不同，《四庫全書總目提要》說：「自唐以來，說《詩》者莫敢議毛、鄭，雖老師宿儒，亦謹守《小序》，至宋而新義日增，舊說幾廢。推原所始，實發於修。」（註一七）

歐陽修在開疑經之風方面所作出的貢獻，不只限於《詩》與《易》，幾乎所有古代流傳下來的經典，他都曾以懷疑的眼光加以審視和質問。如《居士集》卷四十八所收先後作於慶曆、嘉祐年間的問進士策十二篇，幾乎每篇都以疑經爲題。其中對《周禮》質疑說：「夫內設公卿大夫士，下至府史胥徒，以相副貳；外分九服，建五等，差尊卑，以相統理。此《周禮》之大略也。而大官之屬，略見於經者五萬餘人，而里閭縣鄙之長，軍師卒伍之徒不與焉。王畿千里之地，爲田幾井？容民幾家？王官王族之國邑幾數？民之貢賦幾何？而又容五萬人者於其間。其人耕而賦乎？如其不耕而賦，則何以給之？夫爲治者，故若是之煩乎！此其一可疑者也」。（註一八）六經雖稱先秦典籍，其實多出漢人所記誦，口耳相傳，僞作竄入的可能性很大。何況六經之中，《周禮》其出最後，但所載周代禮樂制度卻最詳備，歐陽修根據書中記事的悖於情理而提出懷疑，是有道理的。

關於《禮記》的《中庸》，歐陽修提出質疑道：

《中庸》出於子思。子思，聖人之後也，其所傳宜得其眞。而其說有異乎聖人者，何也？《論語》云：「吾十有五而志於學，三十而立，四十而不惑，五十而知天命。」蓋孔子自年十五而學，學十五而後有立，其道又須十年而一進。孔子之聖，必學而後至，久而後成，而《中庸》曰：「自誠明謂之性，自明誠謂之教。」「自誠明」，生而知之也；「自明誠」，學而知之也。若孔子者，可謂學而知之者。孔子必須學，則《中庸》所謂自誠而明、不學而知之者，誰可以當之歟？……故予疑其傳之謬也。吾子以爲如何？（註一九）

上述質疑，不僅指出經文前後的自相抵牾，而且是更進一步，觸及經典立論本身的正謬了。類似的議論，如《居士集》卷十八《泰誓論》斥《尙書》西伯稱王十年，武王治兵於盟津，《問進士策四首》之一的非孟子「井田」乃仁政之始等說，實已開蘇軾譏《尙書》和李覯、司馬光疑《孟子》之先聲。而《問進士策四首》之二，則抓住《論語》「子不語亂力怪神」一句遍斥《書》所謂「鳳凰之來舜」；《詩》乙鳥之生商；《易》河洛出圖書；《禮》龜龍遊宮沼；《春秋》元鴿鸜鴿等「於人事何干」之記載一并對「聖人之所書」提出綜合性的懷疑。六經在封建時代的政治、文化生活中具有至高無上的地位，歐陽修敢於提出如此激烈而又全面的質疑，沒有深廣的學問根柢和無畏的勇氣是不行的。而這兩點，正是宋學懷疑精神得以形成和發展的必要前提。到稍後的劉敞，這兩個方面又有了進一步的發展。

劉敞比歐陽修小十二歲，但學問淵博則過之。長於《春秋》，爲書四十卷。《四庫全書總目提要》卷二十六《春秋傳》說：「北宋以來，出新意解《春秋》者，自孫復與敞始。復沿啖、趙之餘波，幾於盡廢三傳。敞則不盡從傳，亦不盡廢傳，故所訓釋爲遠勝於復焉。」

「不盡從傳，亦不盡廢傳」，這是劉敞《春秋》學之所以遠勝前期疑古派孫復的原因，標誌著宋學疑古的視點由傳轉入經之後，已從疑傳派凡傳皆謬、唯經是從的絕對化立場轉為唯善是從，非善則經、傳皆所不取的靈活態度。劉敞對後世宋學發生重大影響的還有另一部著名經傳之作《七經小傳》。是書凡三卷，所謂七經，指《尙書》、《毛詩》、《周禮》、《儀禮》、《禮記》、《公羊傳》、《論語》。可知劉敞除《春秋》之外，對《詩》、《書》、《三禮》等經典也下過一番功夫。作為疑經派後起的重要代表人物，劉敞對宋學的貢獻和治學特點大致如下：

其一、自出新意。《七經小傳》卷下解《論語》「子曰：道不行，乘桴浮於海，從我者，其由與」一章說：「『浮於海』，非仲尼意，而仲尼爲若言者，蓋言已在天下，道不行，則去周流四方，若乘桴之浮海隨波轉薄矣。」以《論語》子曰「乘桴浮於海」為「周流四方」的比喻語，前人所未發。劉敞此解，從訓詁學上講，並無依據，自非定論。然就其自出新義之大膽與果斷而言，有啓發意義。

其二、增字為釋。《論語》關於孔子批評宰予晝寢的公案，歷來聚訟紛紜。劉敞《七經小傳》一空依傍，自標新意曰：宰予晝寢，子曰『朽木不可雕也』云云，學者多疑宰予之過輕而仲尼貶之重，此弗深考之蔽也。古者君子不晝夜居於內，晝居於內則問其疾，所以異男女之厲人倫也。如使宰予廢法縱欲，晝夜居於內，所謂亂男女之節，俾晝作夜，《大雅》之刺幽、厲是也。仲尼安得不深貶之？然則『寢』當讀為『內寢』之『寢』，而說者蓋誤為『眠寢』之『寢』。在『寢』字之前增一『內』字，將原文作動詞（「眠寢」）講的「寢」變作名詞（「內寢」），此即訓詁學家列為大忌的「增字為釋」。但劉敞置之不顧，自行其是。宋學與漢學之別，於此判若水火。

其三、改經就義。《四庫全書總目提要》卷二六評《春秋傳》說：「其經文雜用三傳，不主一家，每以經傳連書，不復區畫，頗病混淆。又好減損三傳字句，往往改竄失眞。如《左傳》『惜也，越竟乃免』句，後人本疑非孔子之言，敞改爲『討賊則免』，而仍以『孔子曰』三字冠之，殊爲踳駁。考黃伯恩《東觀餘論》稱考正書武成，實始於敞。則宋代改經之弊，敞害導其先，宜其視改傳爲固然矣。然論其大致，則得經意者爲多。」兩宋改經就義之習特盛，且多出大家之手，如二程、朱熹移易《大學》舊文次序，補綴傳文；胡宏、汪應辰刪改《孝經》舊文；王柏刪改《詩》、《書》舊文等。考其淵源，劉敞實導其先。王應麟《困學紀聞》卷八《經說》曰：自漢儒至於慶曆間，談經者守訓故而不鑿。《七經小傳》出而稍尙新奇矣。至《三經義》行，視漢儒之學若土梗。」此論宋學原始，捨歐陽修以及更早的孫復，將疑古尙新之功獨歸於劉敞，大抵出於以下兩個原因：㈠著眼於本人著述的成就，㈡著眼於對後世學術的影響。從前一方面講，劉敞的《七經小傳》，特別是關於《春秋》的五種四十卷著述，無論從質量還是數量上講，均超過了孫復的同類著作《春秋尊王發微》以及歐陽修的《詩本義》等經學專著。關於《七經小傳》對王安石《三經義》（也叫《三經新義》）的啓發，南宋吳曾《能改齋漫錄》和晁公武《郡齋讀書志》所引元祐史官之說，均有類似的記載，而以《三經義》爲代表的王安石新說，在兩宋之交足足統治了六十多年，足見劉氏之學影響之大。

對歷史人物個人來講，「以成敗論英雄」常常有失之片面之嫌。但整個一代學術文化思潮的變遷，沒有一定數量和質量的著述問世，是很難造成重大影響的。從這一點上講，宋學初期的疑古之風，由孫復經由歐陽修再到劉敞，的確已經達到了足以改變一代學術面貌的高峰。

實際上，從零星的史料來看，個別的初步的疑傳、疑經乃至改經、刪經，北宋初年就已經偶爾出現過了。如《宋史・儒林列傳》載太祖朝宿儒王昭素「博通《九經》，集究《莊》、《老》，尤精《詩》、《易》，以爲王、韓注《易》及孔、馬疏義或未盡是，乃著《易論》二十三篇」。即「疑傳」之一例。又據章如愚《群書考索前集》卷九，宋初樂史已謂《儀禮》有五可疑。這是「疑經」的例子。《宋史・儒林列傳》載太宗朝校《九經》時，已有「改經」和「刪經」的實例。但這些史事卻很少爲兩宋學者所提及，這是因爲它們本身在學術上沒有多少價值，而在當時和後世均未發生過足以引起學風轉移的影響。筆者論初期宋學從十一世紀三十年代的孫復等人開始，亦正有見及於此。

宋學疑經派除了歐陽修和劉敞之外，較有成就的還有朱熹提到的李覯。如前所述，歐陽修疑經的主要特點是根據經文的自相矛盾否定其出於「聖人」之手，劉敞側重於以己意解經乃至改易經文，李覯的特點則是直接從內容上不同意經典的權威論點並與之展開針鋒相對的辯論。其代表作除疑孟的《常語》三卷之外，還有《禮論》七篇等。與李覯風格相同的還有湖南衡山人廖偁。廖氏文集《朱陵編》論《洪範》，以爲「九疇，聖人之法爾，非有龜書出洛之事」。所見與歐陽修略同（註二〇）。據《李覯集》所附《直講李先生年譜》，李覯與歐陽修、劉敞並江西人，互有交往。廖偁的弟弟廖倚是歐陽修三十年的好朋友。但廖偁本人歐陽修並不認識，可知時代風氣所至，即使是從來沒見過面的人，也能得出不謀而合的結論。故本文所謂流派，也兼涵同一時期觀點一致、學風相近的學者。

不過疑傳也好，疑經也好，包括刪經、改經，均離不開傳統經傳，只是在先秦著作的眞僞和解釋中周旋。歐陽修、劉敞、孫復等人，無疑都是具有首創精神的第一流學者。所謂懷疑精神，本身就體現了一定的創造性。但他們的創造性，受到前代文字材料的局限，只能在「疑古」兩字上大作文章。比較徹底地擺脫經傳限制而自立新說，更進一步體現宋學創造精神的是在疑古基礎上形成的宋學擬古派。關於宋學初期之擬古派，筆者將另撰文評述。

【附註】

註　一　《徂來石先生文集》卷二《乙亥冬，富春先生以老儒醇師，屬我東齊，濟北張泂明遠、楚丘李緼沖淵，皆服道就義，與介固執弟子之禮，北面受其業，因作百八十二言相勉》。

註　二　《長編》卷一四九，慶曆四年五月壬申條。

註　三　《歐陽文忠公文集》卷二十七。

註四、五　《春秋尊王發微》卷一，（魯）隱公元年春正月條。

註　六　《徂徠石先生文集》卷十一。

註　七　皮錫瑞《經學歷史》。

註　八　皮錫瑞《經學歷史》引古諺。

註　九　清代朱彝尊《經義考》卷十八引方德操語。

註一〇　《歐陽文忠公文集》卷一三〇《試筆・繫辭說》。

註一一　《歐陽文忠公文集》卷七八《易童子問》卷三。

註一二　《居士集》卷十八《易或問三首》其一。

註一三　《歐陽文忠公文集》卷七八《易童子問三卷》。

註一四、註一五　《歐陽文忠公文集》卷六五《傳易圖序》。

註一六　《歐陽文忠公文集》卷十八《易或問三首》。

註一七　《四庫全書總目提要》卷一五《毛詩本義》。

註一八　《歐陽文忠公文集》卷四八《問進士策三首》之二。

註一九　《歐陽文忠公文集》卷四八《問進士策三首》之三。

註二〇　詳《歐陽文忠公文集》卷四三《廖氏文集序》。

——原載《福建論壇》一九八七年三期（一九八七年六月），頁三九——四六。

經學更新運動中的一個轉折點

——論慶曆之際的社會思潮

徐洪興

中國封建時代的統治學說，在唐宋間近四個半世紀中（公元八世紀中葉至十三世紀初），完成了它具有劃時代的轉變。這個轉變的過程，朱維錚先生稱之爲「經學更新運動」（註一）。更新了的封建統治學說，是哲學化了的經學，也就是現在常常所說的「理學」。經學更新運動肇端於中唐，但眞正拉開帷幕卻在北宋中期。宋仁宗慶曆年間（一〇四一——一〇四八），伴隨政治上求變呼聲的高漲和「新政」的一度施行，學壇上興起了一個批判的社會思潮。這一思潮的出現，標誌著唐代以來儒、佛、道三家鼎立的學術格局的終結，和經學更新運動由潛行期進入發展期。本文試就這一思潮作初步考察。

一

如所周知，「興文教，抑武事」是宋初的基本國策之一。「興文教」的結果，使大批文人得以躋身社會上層，成爲趙宋政權的主要依靠對象；也使諸如圖書收集、書籍刊刻、類書編修之類的文化事業呈興旺發達之象。然而，只消一瞥宋初學術狀況即可發現，「興文教」並沒有帶來思想學術上的繁榮和發展。導致宋初文化領域的這種不平衡狀態的因素是多方面的，但關鍵在於當時政治的影響。

根除「安史之亂」以來藩鎮跋扈的局面，確保甫建的趙宋不蹈五代覆轍，這是宋初統治者政權建設的著眼點。以防弊之政作立國之法，形成了文官爲核心龐大的官僚新體制；「內外相制」、「上下相維」的措施，使一切大權集中到皇帝個人手中。可是宋初的皇帝仍時感恐懼，「國家若無外憂，必有內患。外憂不過邊事，皆可預防。唯奸邪無狀，若爲內患，深可懼也。帝王用心，常須謹此。」（註二）宋太宗這段名言中所指的「奸邪」，與其說是領導民變、兵變的暴動領袖，不如說是執行制度、政策的國家官吏。史載宋初皇帝對黃老學說頗爲欣賞。他們是否信黃老值得懷疑，因爲對儒、佛兩家他們同樣表示出極大的興趣。不過，信與不信實際並不重要，重要的是黃老的「君人南面之術」對他們馭下有用。從中不難看出其爲防止大臣中出現「奸邪」、避免「黃袍加身」鬧劇重演的良善用心。爲此，他們不僅經常懷疑宰執，不讓宰執們在位時久，有意造成宰執間對立以相互牽制。而且，他們在遴選宰執時，往往把循規蹈矩、不喜生事視爲和精於吏道同等重要的標準。因而宋初所謂的「名相」大多反對更張，以默不能言爲賢，以「不用浮薄新進喜事之人」爲治道之先，遇事裝糊塗，動輒講「故事」。因循定制、墨守成規成爲宋初政治的一大特徵。

這一特徵反映在宋初知識分子政策上，那就是用其人而限制其思想言行。趙匡胤出於文官較武將爲害「百不及一」的考慮而重用文人（註三），以科舉考試方式吸收他們參與政權。但宋初的科舉除沿襲唐代舊制外，對考生有嚴格的規定，無論「進士」、「明經」，解釋儒家經典必須按照官定注疏，「多士較藝之際，一有違戾注說者，即皆駁放而斥逐之。」（註四）王旦爲相，士子李迪、賈邊應舉皆不合格，迪失於落韻，邊失於「當仁不讓於師」的「師」訓爲「眾」而與注疏異，旦取迪而黜邊，理由就是：「落失韻於不詳審耳。若捨注疏而立異論，不可輒許。恐從今士子放蕩，無所準的。」（註五）在統治者的倡導下，宋初的士大夫大多沈默畏謹、思想保守，「天下之士不以進取爲能，不以利口爲賢，歷三朝，而士之善論時政是非利害者，百不一、二也。」（註六）

在對待思想學說的態度上，宋初統治者是按需而取，不囿於一家，照搬唐代儒、佛、道並行的政策。既聲稱「儒術污隆，其應實大，國家崇替，何莫由斯」，又宣揚佛道二教「有裨政治」、「有助世教」，所謂「三教之設，其旨一也」。他們祭祀孔子，增葺孔廟，加封「聖裔」，恢復孔子後代免稅權，繼續唐代統一經學的工作；廢止周世宗毀佛法令，修佛寺，度僧尼，置譯經院，刻《大藏經》；祭祀老子，召見道士，興造道觀，編撰《道藏》，還僞造「天書」和趙姓的道教天神。上好下甚，宋初士大夫大多是以儒者面目出現，但不排斥佛、道，不少人或儒、佛，或儒、道，或三家兼修。

此外，宋初的科舉制度和唐代一樣首重以詩歌文賦擅場的進士科，而鼓勵經學的明經科則倍受冷落。因爲與仕途功名息息相關，所以宋初的士人普遍崇尚駢儷華藻的文辭，「父詔其子曰：『何必讀書？姑誦賦而已矣』」（註七）《文選》之學盛極一時，士大夫作文，草必稱「王孫」，梅必稱「驛使」，月必稱「望舒」，山水必稱「清暉」，至有「《文選》爛，秀才半」之說（註八）。

在現實政治的影響下，宋初學術界的狀況大致可概括如下：一、思想混亂，儒、佛、道三家學說並行不悖。二、作爲正統學術的儒家經學不受重視，而研經者只能墨守漢唐以來的章句注疏之學。三、四六美文風行文壇。這樣的格局足足持續約八十年之久，到了宋仁宗統治時期卻突然維持不下去了。衝擊來自一股新起的社會思潮，導致這一思潮產生的外因同樣是現實政治的影響。

宋仁宗親政後不久，陷入了一個難以收拾的困境之中。宋初確立起旨在强化中央專制集權的那一套制度，此時已走向它的反面，各種矛盾發展到十分尖銳的地步，外患內憂接踵而至。外有西夏入寇，遼朝勒索；內則官僚機構臃腫，官吏苟且偷安，民變、兵變紛起，自然災害頻仍，國家財政拮据。總之，北宋王朝已面臨立國以來從未遇到過的統治危機。

窘迫的時勢，把以范仲淹、歐陽修等爲代表的一小批「名士」推上了政治舞台。這些人可謂當時士大夫中的精英分子，他們注重學問修養，富於憂患意識，以天下爲己任。

衰頹的國勢强烈地震撼著這批「名士」，激發起他們對現行政治的反省，並力圖尋找到一個解決危機的方案。「歷代之政，久皆有弊，弊而不救，禍亂必生！……我國革五代之亂，富有四海垂八十年。綱紀制度日削月浸，官壅於下，民困於外，夷狄驕盛，寇盜横熾，不可不更張以救之。」（註九）革除現行制度中的弊端，就是范、歐之輩尋找到挽救統治危機的「藥方」。宋仁宗儘管頗諳「祖宗家法」，但形格勢禁，不得不起用這批要求改變現狀的「名士」，實行新政。范仲淹等雖然「日夜謀慮興致太平」（註一〇），但他們無意去觸動中央集權極端化這個危機的根源，只是把由這一根源帶來的結果作爲革除的對象。整頓腐敗的吏治成爲「慶曆新政」的主要內容。它包括兩個方面：一是改變已仕官吏偷閒淫惰、敷衍瀆職、因循苟且的風習。其措施是延長「磨勘」年限，加强「考詮」制度和嚴格「恩蔭」規定。二是改變後補官員即青年士子輕視經學和時務的風習。其措施是廢止以詩賦定去留的科場舊制，實行先策、次論、後詩賦，以三場考試的總成績和考生平時操行作爲錄取標準。范、歐之輩的改革雖然以不觸及最高統治者利益而換取了皇帝的批准，但其改革內容因觸犯既得利益階層而遭到群起攻之。這就使得「新政」步履維難，不久即在嚴防「朋黨」的一片喧囂聲中宣告失敗。

「慶曆新政」固然曇花一現，但由它引起的士林風尙和學術空氣的變化卻方興未艾。

范仲淹、歐陽修等「名士」在與守舊大臣呂夷簡、高若訥等針鋒相對的鬥爭中，言無回避，忠亮讜直，高標儒家「名教」，辨別「君子」、「小人」。他們的言論被目爲「天下正論」（註一一），他們的行爲受到不少士大夫的稱頌。於是，「中外搢紳，知以名節相高，廉恥相尙」（註一二），一個「以通經學古爲高，以救時行道爲賢，以犯顏納說爲忠」（註一三）的士林風氣開始出現。朱熹說「本朝唯范文正公振作士大夫之功爲多」（註一四），蘇軾認爲歐陽修在改變宋初士大夫「因陋守舊，論卑而氣弱」的風氣方面有功，這些評價基本是符合實際的。

范仲淹等改革時政的理論依據來自儒家的經學。他們抬出《周易》有關「變通」的理論爲自己的改革張目，認爲蕭規曹隨的守成只是「權」，修理政教，制禮作樂才是「道」，因此宋初以來政治上「重改作」的因循絕非長世御民之策。當呂夷簡等攻擊他們要求更張政治是「務名無實」時，他們以儒家的「名教」與之抗爭，「夫名教不崇，則爲人君者謂堯、舜不足法，桀、紂不足畏；爲人臣者謂『八元』不足尙，『四凶』不足恥，天下豈復有善人乎？人不愛名。則聖人之權去矣！」（註一六）「我先王以名爲教，使天下自勸。」（註一七）他們把當時吏治的腐敗歸咎於士大夫棄經學而尙文辭：「今士材之間，患不稽古，委先王之典，宗叔世之文，詞多纖穢，士唯偷淺，言不及道，心無存誠，既於入官，鮮於致化……責其能政，百有一焉。」（註一八）這一點連宋仁宗也不得不承認。爲了改變現狀，范仲淹等除以行政手段來「復古勸學」之外，還把當時一些著名的經師如胡瑗、孫復、石介、李覯等團結在自己的周圍，在學術上掀起一個復興經學的熱潮。於是，一個以振興經學，批判佛、道「異端邪說」和尙聲律浮華之詞文風的社會思潮應運而起。

二

慶曆之際社會思潮的倡導者無疑當推范仲淹和歐陽修，但從兩人在思潮中的實際作用看，歐陽修比范仲淹的影響更大，是眞正的領袖。整個思潮在經學、排斥「異端」和文風三個層面中展開，其內容的性質都是批判的。唐代韓愈對傳統經學的立異，對佛、道二教的抨擊，「文所以明道」的命題，在思潮中得到充分的肯定和發展。

如前所述，與以經學精神指導現實政治主張相映成趣，振興日益沒落的經學成爲慶曆之際學者高舉起的旗幟。然而，正如朱維錚先生在論及經學古典體系時指出：整個過程是一部變形記，在變形的每個轉折點上，與其說在保存先輩傳統而盡力，不如說都在爲否定先輩傳統而操勞（註一九）。名與實悖這個矛盾，又一次發生於慶曆之際復興經學的社會思潮中。其表現就是，當時的學者一面爲經學的中衰感到憤慨，强調「通經學古」，一面卻把批判的鋒芒對準了漢唐以來的傳統經學。

「泛通六經，尤長於《易》」的范仲淹，他沒有留下專門的學術著作，但從一些零星材料中我們仍可窺出其對傳統經學態度的一斑。在今存的《范文正公集》中有《說〈春秋〉序》一文，其中提到：孔子的《春秋》，「游、夏既無補於前，《公》、《穀》蓋有失於後；雖丘明之傳，頗多冰釋，而素王之言，尙或天遠。」（註二〇）明白地表示了范氏對早已成爲「經」的《春秋》「三傳」的批評。與范仲淹過往甚密的學者孫復，在給范的信中曾提到：「復不佞，游執事（指范仲淹）之牆藩有年矣。執事病注說之亂六經，六經之未明，復亦聞之矣。」（註二一）可見范氏對傳統經學的不滿並不只限於《春秋》「三傳」，而是包括漢唐以來的儒經注疏。

被譽爲「今之韓愈」的歐陽修，他對傳統經學的批判較范仲淹具體而嚴刻。他上書皇帝，攻擊被政府法定爲儒經標準解的唐代「九經正義」，「所載既博，所擇不精，多引讖緯之書以相雜亂，怪奇詭僻，所謂非聖之書，異於『正義』之名也。」（註二二）他撰《易童子問》三卷，公開宣稱《易經》的《繫辭》、《文言》以下「皆非聖人之作」，而是後儒講說的篡入，其中同異、是非歧出，「其擇而不精，至使害經而惑世也」（註二三）。他著《毛詩本義》，攻漢儒毛萇、鄭玄之失，以自己的見解取而代之。另外，他還在《進士策問》中對《周禮》的眞僞及能否施行問題提出質疑。

名列《宋元學案》卷首，以「明夫聖人體用」爲教學宗旨的著名教育家胡瑗，他在《周易口義》中，駁斥漢儒和唐初孔穎達有關《易》本義的說法，認爲其說「於聖人之經謬妄殆甚」（註二四）。他給學生講《易》，不用官定的王弼《易》注和孔穎達《疏》，代之以經他闡發過的儒家「義理」。在《洪範口義》中，他又批評僞孔《傳》「何失之遠哉！」（註二五）

以《春秋》學名冠當世，被時賢目爲「行爲世法，經爲人師」的孫復，他認爲「專主王弼、韓康伯之說而求於大《易》，吾未見能盡於大《易》者也；專守左氏、公羊、穀梁、杜預、何休、范寧之說而求於《春秋》，吾未見能盡於《春秋》者也；專守毛萇、鄭康成之說而求於《詩》，吾未見能盡於《詩》者也；專守孔安國之說而求於《書》，吾未見能盡於《書》者也。」進而提出要廣召天下鴻儒碩老，重注六經（註二六）。他在《春秋尊王發微》一書中已不再斤斤於對「三傳」及其注疏的逐條駁斥，而是乾脆拋棄它們，憑自己的主觀把握，暢抒胸臆，發「聖人」之「微旨」。

被認爲北宋「太學之盛自先生始」的國子直講石介，他把《春秋》「三傳」，說《易》二十餘家，《詩》之齊、韓、毛、鄭，《書》之今文、古文，《禮》之大戴、小戴，直斥爲「是非相擾，黑白相渝

，學者茫然慌忽，如盲者求諸幽室之中，惡睹夫道之所適從也。」（註二七）

此外，當時的一些學者，如李覯、周堯卿，劉顏、士建中、陳襄等等，無不具有一反傳統經學的傾向，正如李覯所說：「世之儒者，以異於注疏爲學」（註二八）。否定傳統的章句注疏，抨擊漢唐儒生的學術風尚，懷疑被神化了的「聖經賢傳」。這些現象雖然在當時的學者存在程度上的差異，但就對漢唐經學反動這一總的取向而言，他們是一致的。

有必要指出，長期以來學術界公認宋代經學「變古」始於劉敞及其《七經小傳》一說，與事實並不符合。劉敞學問博洽，尤以《春秋》學見長，號稱兩宋最優，他的《七經小傳》也曾流行一時。但一個簡單的事實卻被忽略了，那就是慶曆年間劉敞僅二十歲左右。當前述學者掀起批判傳統經學熱潮時，劉敞還不爲世人所知，有關史籍也從未見載他這段時期的事跡。當時他或許正忙於修舉子業，因爲直到慶曆六年他才進士及第。以後，在歐陽修的獎掖下劉敞漸漸出名。他的《七經小傳》，據清四庫館臣考定成於其《春秋》學五部著作之後，當爲劉敞晚年的作品。又據歐陽修撰於宋神宗熙寧二年（一〇六九）的《劉敞墓誌》云「今盛行於學者」（註二九），把此書的盛行期從該年前推二十年亦不及慶曆最後一年（一〇四八）。因此，所謂劉敞開宋代經學「變古」之風實不足爲信，他的「變古」，充其量是當時業已形成了的社會思潮影響下的產物。

爲什麼慶曆之際學者會對漢唐經學普遍表示不滿？歷來所論大抵是當時學者厭惡漢唐以來儒生拘泥於「師法」、「家法」，侷限於章句名物訓詁的學風，於是在佛、道學說的啓示下，反其道而行之，緣詞生訓、空言說經，闡發儒經中蘊涵的義理。此說當然不錯，但尚未進一步說明當時學者何以會產生這種厭惡感。我以爲它的產生是由經學歷史發展的必然取向所決定的，此點下面另有論述。就當時的現象分析，此種厭惡感是當時學者已經自覺不自覺地領悟到漢唐經學存在弊端後發生的。

慶曆之際的學者希望振興經學，可是經學中衰並非始自宋代，且宋以前的儒生也不乏類似要求，但經學依然沒落下去，而作爲經學外在對手的佛、道二教依然盛行不已。

這個顯而易見的事實不能不使時儒反省。反省的結論就是「儒失其守」（註三〇），「儒微而禮不守，故釋、老奪之……儒之强則禮可復，雖釋、老其若我何？」（註三一）而「儒失其守」的根源則在於漢唐經學。他們認爲：儒家學說在「三代」，在孔子那裡是完美無缺的。「秦火」使儒家精髓大量散失。漢代雖立經學爲正統，但漢儒捨本逐末，沈溺於章句名物典章制度，嚴守「師法」、「家法」，把儒家的「眞正精神」（即「大義」）丟失殆盡。後之疏義作者又恪守「首丘歸根」、「疏不破注」陋習，拾摭漢儒牙慧而無所發明。因此要振興經學就需拋棄漢唐經學，回到孔子去，直追三代，以自己的主觀體驗來把握「聖人」的精神。

唐代中後期出現的儒者要求提高儒家地位的活動，伴隨著對佛、道的抨擊和對古文的提倡，三者間的內在聯繫，范文瀾先生有過精到的論述。同樣，慶曆之際社會思潮是在振興儒家經學的旗號下進行的。作爲思潮的一翼，是對漢唐經學的反動，因爲它被視爲回歸到孔子、「三代」去的內在障礙；與此相關聯的思潮的另一翼，則是打擊造成經學每況愈下的外在對手，即佛、道「異端」和四六「時文」。於是，慶曆之際的學壇上，同時出了以排佛爲主的「攻乎異端」的熱潮，以及倡言以散體取代駢體的古文運動。歐陽修和石介成爲這兩項活動中的健將，而范仲淹、胡瑗、孫復、蘇舜欽、尹洙、蔡襄、李覯、章表民、黃鍪隅等學者，無不提倡古文或排擊佛道。「當是時，天下之士學爲古文，慕韓退之排佛而尊孔子。」（註三二）這裡簡單地提一下當時學者中有關言論最激烈的石介，和在排佛理論上有新意的歐陽修。

石介幾乎言必稱「道」。他排列出一個比韓愈要詳盡得多的儒家「道統」；提出了一個囊括儒家學說中幾乎所有重要概念的「文」的界說。他撰寫了《怪說》、《中國論》等名篇，把「佛、老妖妄怪誕之教」和「窮奸極態，綴風月，弄花草，淫巧侈麗，浮華篡組」的楊億「時文」，痛斥爲「壞亂破碎我聖人之道」的罪魁禍首。認爲只有「去此三者，然後可以有爲。」爲了把儒家正統抬到絕對的地位，他抛棄了歷來排佛者慣用的經濟因素；把中國的老子硬說成「自胡而來」，欲「以其道易中國之道」，名曰「聃」的「龐眉」；甚至還認爲楊億原來知曉「聖人之道」，只是因爲在文章上「好名爭勝」所以創制了「西昆體」（註三三）。由於石介在「慶曆新政」前後身居國家最高學府教官之職，所以一時「新進後學不敢爲楊（億）、劉（筠）體，亦不敢談佛、老。」（註三四）

歐陽修是當時主盟文壇的領袖，是北宋中期古文運動的關鍵人物，這在文學史上已成定論，毋需多說。他的排佛理論具有突破，倒值得注意。綜觀慶曆之際主張排佛道學者的理論，除歐陽修外，誰也沒有超過韓愈的論述，即從强調儒家正統，倫理綱常，夷夏之辨以及社會經濟這些方面立論。易言之，他們的批判都未脫出傳統排佛理論的窠臼。然而歐陽修認爲：光從上述內容批判佛道是不夠的，而韓愈提出的「人其人，火其書，廬其居」的强制手段也是行不通的。方法只有是「修其本而勝之」，拔本塞源取而代之，恢弘儒家「三代」的禮義，從根本上戰勝佛、道學說。要做到這一點，就要抛棄漢唐經學那一套煩瑣無用的東西。

慶曆之際排佛道思潮的興起與振興經學的要求相聯繫，但不可否認它有自己的政治和經濟動因，可以說，這是外族入寇、民生凋蔽、財用匱乏等一系列社會課題在當時學者頭腦中的曲折反映。

宋初行三教並尊，佛、道勢力發展迅速，眞宗繼位後愈發膨脹。眞宗在位期間，是趙宋僧侶數最多的時期，僅東禧三年一歲就度僧二三〇一二七人，尼一五六四三人（註三六）。眞宗又大興土木興建宮觀寺院，僅京一地就有天禧年間造的祥源觀，祥符年間造的崇眞院、開化院、法玄院、集禧觀、天慶觀、醴泉觀、景靈宮、東西太乙宮，而以玉清昭應宮為最巨：宮計二六一〇楹，預計二十五年完工，然主持者為了邀寵，晝夜緊逼，僅以七年完工；據統計，此宮的建築每天役工數達三、四萬人，從各地徵調的材料史籍上列出了一長串（註三七）。僧侶坐食和土木興作耗費了大量財力，因此仁宗一繼位就遇到了財用不足。這一點當時有不少士大夫都明白地指出過。

從政治上看，民族矛盾在兩宋始終非常尖銳，它是縈繞於當時學者頭腦中的一個現實矛盾。儘管宋初以「屈尊」換得邊境的基本安寧，眞宗在「澶淵之盟」後又極力粉飾太平，但矛盾依然存在。仁宗上台不久即爆發宋夏戰爭，宋師敗績頻告。現實的民族矛盾和「尊夏攘夷」的傳統文化心理交織在一起，不能不喚起那些憂國憂民的士大夫在學術文化上排斥「異端」的潛意識。石介何以會把老子强說成「夷狄之人」，答案恐怕要在這一潛意識中找。

還有，當時興起的古文運動與排斥「異端」的潛意識也不無干系。陳寅恪先生就唐中期的古文運動指出，「當時特出之士自覺或不自覺，其意識中無不具有遠則周之四夷交侵，近則晉之五胡亂華之印象，『尊王攘夷』所以為古文運動中心思想也。」（註三八）唐宋古文運動一脈相承，我同意陳先生的見解。

三

任何一個社會思潮，相對現實社會政治經濟都具有程序不等的獨立性質。慶曆之際社會思潮的產生，除了是現實社會政治經濟狀況的折射和回響外，又具有學術文化自身發展的內在邏輯，它是中國封建統治學說矛盾發展的必有產物。

自孔子開始，儒家學者結合封建社會的需要，對作爲唐虞三代直到春秋時期的學術文化總匯的「六經」進行了多方面的研究，建立起一套學術傳承系統，形成了經學。從先秦到西漢初期，儒家的經學雖然名入「顯學」之列，但仍屬於「諸子百家」中的一家之言。由於經學適應了漢代封建大一統帝國的需要，爲當時統治提供了一套符合他們利益和幻想的思維模式，因此自漢武帝以後取得了統治學說的地位。成爲中國封建主義的理論基礎和行爲準則，支配了中國的思想文化領域。經學成爲正統以後，廣泛地滲透到社會生活的各個方面，它的核心內容已得到全社會的普遍認同。就塑造漢民族的文化結構——共同的生活方式、價值系統、心理狀態、認知方式等而言，經學具有其它任何學說所不能比擬的作用。

由於經學成爲了漢民族文化正統的象徵，所以它的命運不再受封建王朝更替運動的支配。它並沒有因爲兩漢王朝的崩潰而消亡，卻是沿著相對獨立的行程前進。不過兩漢以後，學術格局出現了新的變化。隨著玄學思潮的風靡一時，佛教的東來以及道教的建立，經學遭遇了其它學說的挑戰，開始踏上時運不濟的蹇途，逐漸失去了以往「獨尊」的優勢。歷史演進到唐王朝，統治者與老子攀親，佛教在政治上擁有莫大的勢力，經學事實上已降格爲統治學說中的鼎足之一。隋唐開始的科舉取士制度，重「進士」而輕「明經」，乃至鼓勵經學的明經科舉成爲遭人奚落的「賤科」。人們更賞識的是「燕許大手筆」而不是「明經老學究」，這就說明了經學即使在教育領域裡的權威也一落千丈。

然而，經學既然成爲統治學說，自有其統治者不可或缺而又爲其它學說無法替代的功能，那就是經學能有效地維護正常運轉的封建統治秩序，能爲整個封建社會提供其必不可少的綱常名教。因此，經學的地位儘管在兩漢以後不斷遞降，但它在倫理領域裡的權威卻絲毫沒有動搖，無論哪個王朝，都不能不把經學作爲自己的統治學說。實際上，這是一種時代的選擇。只要封建主義還在中國進行，只要中國的經濟政治結構沒有發生什麼根本性的變化，就很難產生別的選擇。而已有的民族文化因素也會對這種選擇起到無意識的導向作用。

中國封建主義的必然歷史取向決定了經學成爲統治學說的命運，因此，經學地位的下降趨勢不可能長久下去。經學要想重新獲得至高無上的地位，就必須壓倒佛、道學說，更主要的是壓倒外來的佛學，依靠經學的舊有形態即漢唐經學形態——以「天人感應」神學目的論爲理論框架，以章句注疏、名物訓詁爲表現形式——是達不到這個目的，魏晉以來儒者屢次排佛、道鬥爭失敗的史實已對此作出證明。經學要壓倒佛、道學說，首先需要經歷自身的改造，以增强與佛、道學說抗衡的能力並最終戰勝它們。經學更新成爲勢在必行。

經學更新是一場具有劃時代意義的文化運動，它的實質是要重新確立經學作爲封建統治學說的「獨尊」地位。經學更新的方式是對佛、道學說進行整合。所謂「整合（integration），意爲「使一致」、「一體化」。作爲文化學概念的「整合」，指的是按照固有文化標準對一些龐雜乖離的文化因素加以修正協調，使之成爲比較一致的行爲或思想模式。整個是一個過程（Process），在過程中文化體系固然與時俱變，但又維持一種與以前相同的秩序，整合過程既是一個文化形態對創新的選擇，也是對借用的文化因素的修正使之適應該文化形態。「整合」概念具有主體文化對非主體文化選擇、改變、淘汰的機制，筆者以爲它較以往常用的「融合」、「合流」、「歸一」等概念更能準確地表達經學更新過程的性質，而後者往往容易造成不分主客體、沒有方向性的簡單合併的誤解。

經學更新過程就是經學對佛、道學說整合的過程。具體說來，就是調整經學的結構，摒棄經學中神學色彩的內容，把佛、道學說中有關宇宙、人生這些具有本體論性質的思辨的內容經選擇改變後整合到經學中來，使經學變成一種以封建倫理作爲宇宙萬物本原的本體論哲學。這種整合的條件，在從魏晉到隋唐數百年間儒、佛、道三家不斷衝突、涵化後已趨成熟。於是，經學更新成爲歷史賦予唐宋間思想家的時代課題。化作實踐，那就是經學更新運動在這一時期中崛起、發展並最終完成。

經學更新運動的崛起應當包含如下三個方面內容的出現：一是要求恢復經學的「獨尊」地位；二是否定過了時的舊經學形態；三是對佛、道學說的整合。這三個方面的現象，在唐朝經「安史之亂」而步入中期以後全都表露出來了。

要求恢復經學地位的表述集中體現在中唐韓愈的《原道》一文中。文中，韓愈痛斥佛、道二教，力主儒家正統。爲與佛、道抗衡，韓愈抬出《小戴禮記》中向來不爲儒者所重的《大學》一篇，把抽象的「正心誠意」與具體的「修齊治平」融匯貫通，以示經學比佛學光講個人「治心」要優越得多。韓愈又構造了一個從堯、舜到孔、孟一脈相承的儒家「道統」，以示儒家比佛教的「法統」更源遠流長。在韓愈的「道統」名單上，引人注目地是把已被唐玄宗封爲「亞聖」的顏回摒棄在外，又把被歷來經學家尊信的大部分經傳的先師荀況貶爲「擇焉而不精，語焉而不詳」；而把一直被列在儒家諸子、好談「性與天道」的孟軻，奉爲得孔子眞傳的「道統」代表。這實際說明了要提高經學的地位，離不開經學更新的後兩項內容。

否定過時了的舊經學形態，在武則天統治時期已初露端倪。長安年間（七〇一—七〇四），王玄感上《尙書糾謬》、《春秋振滯》、《禮記繩愆》三書，公開與著爲功令、頒行天下的「五經正義」立異。武則天命經學家審查，王玄感得到魏知古、徐堅、劉知幾等學者的支持，在辯論中獲勝。同時的劉知幾也在其名著《史通》中「疑古惑經」，從歷史學角度對《尙書》、《春秋》加以非議。「安史之亂」以後，不滿官定注疏的風氣日盛，進而出現蕩棄「師法」、「家法」，捨傳求經的現象。唐代宗大曆年間（七六六—七八〇），有關《春秋》、《詩》、《禮》、《易》諸經不守「正義」的著作相繼問世。其中最有代表性的是啖助、趙匡、陸淳師生的《春秋》學著作。他們變《春秋》學專門爲通學，「考三家得失，彌縫漏闕」，所論「多異先儒」（註三九），非但置「正義」於不顧，而且對「三傳」本身表示懷疑，憑己意詮解孔子筆削的「本意」。以後的盧仝作《春秋摘微》亦不守「三傳」成說。他們的做法，得到當時一些著名學者的讚賞。

對佛、道學說的整合則主要表現在韓愈學生李翺的《復性書》中。李翺把《小戴禮記》中的《中庸》篇地位大大抬高，認爲「性命之學」才是儒家學說的精髓所在。李翺的「善性」、「惡情」之論實際來自佛學，這是從朱熹、王夫之以來學界公認的事實。但值得注意的是，李翺吸取佛學思想素材並不是「陷於佛」，恰恰相反，他是把佛學因素整合到經學中來，而目的則在與佛教抗爭。他在祭韓愈文中首推的就是乃師攘斥二氏之功；他在《去佛齋》一文中更明白地表明了自己的排佛主張。此外，當時的柳宗元也表現出了「整合」的傾向：他對孔廟不及寺院十分感慨；又認爲「浮圖誠有不可斥者，往往與《易》、《論語》合。」（註四〇）不過柳宗元過於推崇佛學而近於佞佛，因而不爲包括他朋友韓愈在內的儒者們的首肯。

經學更新的事實在唐中葉以後已經出現，然而到了五代迄至宋初卻「如吃木札」似地偃旗息鼓了。究其原因，除以傳統的巨大惰性作用和學術文化發展總有一個嬗遞過程來解釋外，我以爲偶然性也起到了很大的作用。

對經學更新運動進程說來具有偶然性質的因素是唐末至五代間頻仍的戰亂，以及宋初「防弊」措施帶來的政治特點。這些偶然性或使學術研究成爲不可能，或使學術發展成爲不可能。甚至像韓愈這樣有名的人物，在宋初居然「遺稿悶於世，學者不復道」（註四一）。韓愈死後經歷了一個由被埋沒到被重新發現的過程。重新發現韓愈的首功當推柳開。但在宋初的學術氛圍之中，柳開卻只能「瑰然獨處，出無與交」，「行修而人不譽，辭成而眾不解」，乃至「市人目之爲狂」、「農夫相詬而笑」（註四三）。韓愈被列於「道統」，尊爲「文宗」，那是到了慶曆之際，在歐陽修、石介等極力推崇下才成爲事實的。

乍看起來，慶曆之際社會思潮所體現的經學更新活動與唐中後期的並沒有什麼兩樣，甚至可以說前者是後者的再現或回歸。然而就如同黑格爾在《歷史哲學》中提到過的：一個灰色的記憶不能抗衡「現在」的生動和自由。我們只要留心觀察一下，即可發現兩者間的區別。這區別就在於：唐中後期的經學更新只是個別的現象，而慶曆之際的經學更新則形成了社會思潮。假如前者是一種量的積累，是少數文化自新者的開創性活動，那麼後者則是質的飛躍，是多數學者的普遍性要求。正是因爲存在著這樣的區別，所以唐中後期出現的經學更新活動可以在五代、宋初消聲匿跡，而慶曆之際出現的經學更新活動卻一發而不可收。在慶曆以後短短的二、三十年間，漢唐經學已被學者視爲「土梗」，疑經風氣瀰漫士林；經學對佛、道學說的整合在後起的一批「有概括能力的思想家」中間以前所未有的速度或公開或隱蔽地進行著，而進行整合工作的學者又大多以儒者正統自居。

慶曆之際批判的社會思潮，它的首要目的在於喚起統治者恢復儒家學說的「獨尊」地位，它的最大作用在於拆除漢唐經學的「殿堂」，爲經學的更新形態——理學登上歷史舞台掃清了道路。作爲經學更新運動中的一個重要轉折點，這一思潮值得研究者的重視，本文的旨趣即在於此。

【附註】

註　一　見《周予周經學史論著選集》後記，上海人民出版社，一九八三年十一月版。

註　二　李燾《續資治通鑑長編》（下引略作《長編》）卷三十二。

註　三　參《長編》卷十三，趙匡胤語。

註　四、註二一、註二六　孫復《孫明復小集・寄范天章書二》。

註　五　蘇轍《龍川別志》卷上，又《宋史・王旦傳》。

註　六　陳亮《龍川文集》卷十一《詮選資格》。

註　七　《李覯集》卷二十七《上范待制書》。

註　八　陸游《老學庵筆記》卷八。

註　九　范仲淹《范文正公政府奏議上・答手詔條陳十事》。

註一〇　《宋史・范仲淹傳》。

註一一　邵博《郡氏聞見後錄》卷二十一，記「寶元、慶曆間，范公、富公、歐公，天下正論所自出」。

註一二　見《宋史・忠義傳序》。

註一三、註一五　蘇軾《居士集序》，見《歐陽文忠全集》卷首《蘇序》。

註一四　朱熹《朱子語類》卷一百二十九。

註一六　見田況《儒林公議》卷上。

註一七　《范文正公集》卷五《近名論》。

註一八　同上卷八《上執政書》。

註一九 見朱維錚《中國經學與中國文化》，《復旦學報》一九八六年二期。

註二〇 《范文正公集》卷六。

註二二 《歐陽文忠全集》卷一百十二《論刪去「九經正義」中讖緯札子》。

註二三 同上卷七十八《易童子問卷第三》。

註二四 胡瑗《周易口義・發題》。

註二五 胡瑗《洪範口義》卷上。

註二七 石介《徂徠集》卷十五《上孫少傅書》。

註二八 《李覯集》卷二十六《寄周札致太平論上諸公啓》。

註二九 《歐陽文忠全集》卷三十五。

註三〇 《李覯集》卷二十四《建昌軍景德寺重修大殿並造彌陀閣記》。

註三一 同上卷二十二《慶曆民言・孝原》。

註三二 陳舜俞《鐔津明教大師行業記》，見契嵩《鐔津集》卷首。

註三三 石介的這些言論均收在《徂徠集》中，又見歐陽修的《石介墓誌》。

註三四 朱熹《五朝名言行錄》卷十。

註三五 參歐陽修《本論》。

註三六 見湯用彤《隋唐佛教史稿》頁三〇一，中華書局，一九八二年版。

註三七 參李攸《宋朝事實》卷七「道釋」。

註三八 陳寅恪《金明館叢稿初編・論韓愈》，上海古籍出版社，一九八〇年版。

註三九 見《四庫全書總目》有關《提要》。

註四〇 見《柳宗元集》卷五《道州文宣王廟碑》，卷二十五《送僧浩初序》。

註四一 《歐陽文忠全集》《卷首》四朝國史本傳。

註四二 柳開《河東集》卷五《上大名府王祐學士書》，卷六《上洪興州書》。

——原載《復旦學報》（社會科學版）一九八八年六期，頁一〇二——一〇八。

北宋《洪範》學簡論

鄭涵

趙翼《廿二史箚記》卷二〇「唐初《三禮》、《漢書》、《文選》之學」條云：「六朝人最重《三禮》之學，唐初猶然。」並稱其特點曰：「唐人之究心《三禮》，考古義以斷時政，務爲有用之學，非徒以炫博也。」趙氏所說，似亦爲中國思想史上的通例之一。及至北宋一代，其時最爲重視的經書，除《易》與《春秋》外，則莫過於《尚書》之《洪範》。此篇相傳爲箕子所答周武王問治道者，先秦古籍多有稱述其說。兩漢以後，封建統治階級尊之爲人君治天下之大法，遂亦成爲學人探究之要典。然迄北宋建國，據《隋、唐・經籍志》及《新唐書・藝文志》著錄，其專論《洪範》之作，僅有伏生《洪範五行傳》及劉向《洪範五行傳》兩種。但到北宋之世，《洪範》之學大盛，除有關《尚書》全經者外，更爲此篇專作傳解，其數量之多，爲漢唐千餘年間所未有。此其故安在？其內容較之前代有何特點？在北宋政治思想史上其意義爲何？對後世又有何影響？凡此諸端，就宋代學術思想史而言，似均屬應加探討之課題。茲就研讀所得，試予論列，謬妄之處，至希教正。

一

《洪範》學之盛行於北宋，溯其始源，當上推之於太宗之世。關於太宗一朝的思潮，《朱子語類》卷一二九曾談及一頗可注意的現象：

> 太宗朝，一時人多尚文中子，蓋見朝廷事不振，而文中子之書頗說治道故也。

朱熹此說甚爲簡略，但對尋究北宋學術思潮之流變以及《洪範》學之所以盛行於北宋，卻頗富啓發，甚有助於釐清其發展線索。原來自北宋建國後，太祖、太宗兩朝一面集中軍、政、財權，一面次第削平割據。與之同時，則積謀恢復燕雲十六州，以鞏固北疆而完成統一。所以太宗於太平興國四年既滅北漢，旋即乘勝轉師伐遼。但至雍熙三年歧溝關大敗之後，宋太宗即召樞密院使王顯、副使張齊賢、王沔謂曰：「卿等共視朕，自今復作如此事否！」以示悔過。（《續資治通鑑長編》卷二七。以下簡作《長編》）實際上，北宋統治階級從此即放棄收復燕雲的打算，改取專一防守的國策，集中精力於加强中央集權的封建統治，而表面上則以行王道、致太平和固根本相標榜。於是，昌言王道的文中子之學，遂因適合此種加强君主專制之需要而成爲崇尚的對象。阮逸在其《文中子〈中說〉序》中曾追述此一過程云：

> 五季經亂，逮乎削平，則柳仲塗宗之於前，孫漢公廣之於後，皆云聖人也，然未及廣行其所。

柳仲塗即柳開，其稱頌文中子之說很多，具見於《河東集》。孫漢公名何，淳化三年進士，與丁謂齊名，時號孫、丁。《宋史》卷三〇六本傳謂其「有集四十卷」，惜久無傳本，其推廣文中之說已無可考見。但阮逸於仁宗之世述前代故實，當無大誤。（關於北宋崇尚文中子問題，另文詳述）

按王通，字仲淹，生於隋開皇四年，卒於大業十三年（西元五八四至六一七年）。嘗講學於河汾之間，卒後門人諡之爲文中子。著有《元經》、《中說》等。王通之祖王一，著有《皇極讜議》，亦稱《洪範讜議》，見《中說・王道、問易》諸篇。王通本人更以宣揚、推行《洪範》所陳治國之王道大法爲己任。如《中說・天地篇》載：

子在絳。程元者因薛收而來。子與之言六經。元退謂收曰「夫子載造彝倫，一匡皇極。微夫子，吾其左道失見矣。

同書《周公篇》在記述王通關於司馬談論六家要旨的評論之後又云：

子曰：安得圓機之士與之共言九流哉！安得皇極之主與之共敘九疇哉！

王通「載造彝倫」、「一匡皇極」之學，正適應北宋統治階級重整封建綱常以鞏固集權統治的需要；被視爲專陳治道的《洪範》一篇，遂亦爲北宋統治階級所特別重視。所以極力推崇王通的柳開曾對其弟子張景說：「吾於《書》，止愛《堯、舜典》、《禹貢》、《洪範》。斯四篇非孔子不能著之。」（《河東集・柳開行狀》）與王禹偁齊名當世的羅處約也在端拱元年上疏說：「伏望法天地簡易之化，建《洪範》大中之道。」（《長編》卷二九；《宋史》卷四四〇本傳）

而最足以反映當時朝廷之上的政治路線者，莫過於太宗與宰相趙普在端拱元年的下述對話：

上嘗謂宰相曰：「國之興衰，視其威柄可知矣。五代承唐季喪亂之後，權在方鎮，征伐不由朝廷，怙勢內侮。故王室微弱，享國不久。太祖光宅天下，深救斯弊。暨朕纂位，亦徐圖其事，思與卿等謹守法制，務振綱紀，以致太平。」上又曰：「至公之道，無黨無偏。有國者能行之，太平果不難致。」趙普曰：「天發生於春夏，肅殺於秋冬，不私一物，此所以能長久，王者所宜法也。」（《長編》卷二九）

於是，《洪範》所謂「建皇極」與「敘彝倫」之說，遂爲「務振綱紀以致太平」的北宋統治階級所重視而大盛於世。

二

北宋初期的《洪範》學之突出特點，在其不爲漢唐注疏所局囿，而能獨立思考，大膽提出新的訓解，以爲此時代需要服務。

從諸書著錄看，北宋有關《洪範》的論著，最早者當推王禹偁的《「五福」先後論》（《小畜集》卷九）。《洪範》陳「五福」之序原是：「一曰壽，二曰富，三曰康寧，四曰攸好德，五曰考終命。」王禹偁認爲，箕子此說以「富」「壽」爲先，而把「好德」置於「康寧」之下，是「誕」，即不正之說。他主張應該以「德」冠於「五福」之首。這種公然譏議所謂聖人之經爲「誕」而欲移易《經》文的態度，確爲漢唐時代所未曾有。但全面專究《洪範》一篇並有較大影響者，則爲眞宗時代張景的《洪範論》。

張景，字晦之，江陵公安（今湖北省公安縣）人。生於宋太祖開寶三年，卒於眞宗天禧二年（西元九七〇至一〇一八年）。嘗師事柳開，「爲古文，名震一時」（趙希弁《郡齋後志》）。景德三年（晁《志》誤作「景祐」，馬端臨《文獻通考·經籍志》亦誤據此說。詳見拙作《張景學術思想述評》），張景曾著《洪範論》七篇。此書與其另一著作《王霸論》，同爲仁宗時的李覯所極力稱道，認爲雖好爲議論的柳宗元也「尙未及也」。（《李直講文集》卷二八《答李覯書》）惜其書久已散佚，現僅從林之奇《尙書全解》中尙可約略窺見其論意旨趣。

林氏《全解》成書於南宋孝宗淳熙年間，在其《洪範》篇中曾七引張景之說。據此可知，張景在經文訓詁和經義闡釋上，對漢唐注疏多所駁議，並創出新解。如所謂孔安國《傳》於「向用五福，威用六極」云：「言天所以向勸人用五福，所以威沮人用六極。」張景則根本不承認「天」的權威，而把它解作「王者」之所能。他說：

> 「向」者，向而歸之謂。「威」者，威以畏之謂。王者用五福，則民向之而歸其治焉。王者用六極，則民威之而畏其亂焉。

他並進一步明確指出，《洪範》中凡言「用」者「皆人君之所用」。

他說：

> 王者體五行以齊正，謹五事以修身，厚八政以分職，協五紀以正時，建皇極以臨人，乂三德以適變，明稽疑以有為，驗庶徵以調氣。彝倫攸敘，是所謂至治；至治之世，五福被於民。彝倫攸斁，是所謂至亂；至亂之世，六極傷於民。是謂凡言乎「用」者，皆人君之所用也。

其次，針對漢唐注疏所宣揚的「无人感應」與災異附會之談，張景認為，人民的「福」或「極」，均來自統治者政教之得失，而災異則是可以不學的末節。他說：

> 仲尼沒，微言絕，學者殊塗異軌，各聘智辯。歷春秋，逮戰國秦漢之世，天地日月星辰多災變而妖興，是故學《洪範》及《春秋》者，以言災異多為能。班固述《五行志》，何休注《公羊春秋》，凡災異之起，又以時事配之，多非其義，皆失聖人之意。夫《洪範》九疇，其始也言五行之常性，其中也言政教之常道，其末也言五福六極之常理。學者宜先通政教之得失，則六福六極各知其所自矣。知五福六極之所自，則五行之變動自可推其類而察焉。政教者本也，災異者末也。學本而不學末斯可矣，學末而不學本不可也。

第三，根據上述「政教為福極之本」的觀點，張景對「福」「極」也給以新解。孔《傳》於「五福」原來僅從字面作同義語的反覆，如謂「壽」為「百二十年」，「富」為「財豐備」之類。張景則進一步指出其根源：

> 民舒泰則各盡其「壽」；樂業則各得其「富」，無疾憂所以「康寧」；知禮遜所以「攸好德」；不死於征戰，不陷於刑辟，所以「考終命」。

孔《傳》關於「六極」之說，原謂「惡」為「醜陋」、「弱」為「尪劣」；張景則對之明確加以駁正：

> 人有醜陋而好德、尪劣而立事，豈可以爲「極」乎？「惡」者，凶惡之謂；「弱」者，懦弱之謂。人情「惡」則凶，無所不至；「弱」則懦而無立。故此二者皆滅德之道也。

至於人民之所以陷於「六極」，張景則說：

> 民死於征戰而陷於刑辟，所以「凶短折」。陰陽不調所以「疾」。多失其所而「憂」。食貨人之重，斂繁所以「貧」。禮義廢，政教失，所以「惡」而「弱」也。

凡此訓解，自然還沒有接觸社會制度的本質，關於「死於征戰」之說尤爲籠統而缺乏分析；但總起來看，較之孔《傳》的同義語反覆或以體貌論人的皮相之談，不能不說是深入了一大步。特別對「貧」的問題，孔《傳》解爲「困於財」，孔穎達《疏》更稱述鄭玄依據《五行傳》之說，以之爲「聽不聰之罰」，並申其義云：「聽聰則謀當，所求而會，故致富。違而失計，故貧也。」這顯然是爲剝削階級與剝削制度辯護的謬論。因此張景以「斂繁」爲人民貧困的根源之說，確是較深刻地揭露了封建社會的現實，並在一定程度上代表了人民的心聲。

總之，張景的《洪範論》，在訓釋上多爲前人所未發，其駁正漢唐荒謬附會之處，尤爲此後《洪範》學中的清除此類謬論開一先河。因此，其說也很爲此後論《洪範》者所推重。如《國朝會要》云：

> 治平三年六月二十九日，改清居殿曰欽明，命直龍圖閣王廣淵書《洪範》一篇於屏……因訪廣淵先儒論《洪範》得失。廣淵對以張景所得最深，以景《論》七篇進。翌日，復召對延和，曰：「景所說，過先儒遠矣。」（轉引自《宋會要輯稿》方域一之一四。另參王應麟《玉海》卷二八與《宋史》卷三二九《王廣淵傳》。）

同書還載英宗之說云：「朕於《洪範》得高明沈潛之義，剛內以自强，柔外以應物，人君之體，無出於是。」雖未言及張景，但據《四庫提要》卷一三明吳世忠《尙書洪範考異》條，謂其解說「三德」，即「以剛克、柔克爲恩威之義，用張景之說」。可知張景對「三德」的訓釋，大旨當是匡正注疏所謂「臣當執剛以正君，君當執柔以納臣」之說，以申尊君抑臣之義。若然，這固然是反映北宋統治階級加强君主專制以鞏固統一的需要，同時也表明了張景思想的封建地主階級烙印。

稍後於張景，則有廖偁的《洪範論》。廖偁，衡州（今湖南衡州市）人，生卒年代不詳，僅知其第進士於眞宗天禧年間。所著有《朱陵編》（衡陽古稱朱陵），《洪範論》即其中之一。此《論》全文八二六字，載《宋文鑒》卷九四。其大旨爲以「天道」爲「在於人」，對「天錫」《洪範》之說提出新解，而駁斥孔《傳》與劉歆、班固之謬論。他說：

> 夫凡所謂天道，誠亦在於人耳。順於天，乃天道之與也；不順於天，乃天道之不與也。……諸儒不達於此，以「皇天震怒不畀洪範九疇」，即謂天果秘之而不與；「天乃錫禹洪範九疇」，即謂天果授而與之，斯實不明箕子之意也。

廖偁認爲「洪範九疇」乃「出於前聖之心」，而以孔《傳》所謂「洛出書」或「神龜負文」爲「怪」說。他强調指出，凡能「務蹈聖德」的「有道者皆受於天」，因爲《洪範》所陳乃「天下之達道」，「行之則受於天矣」。凡此解說，雖未明言其所謂「天」與「天道」者究爲何物，但他强調人君的「蹈德」「行道」即是「受於天」，則不僅是對漢唐注疏的駁正，同時也是對眞宗年間崇祀「天書」的清醒抗諍。因而他的文集遂爲堅斥「河圖洛書」的歐陽修所大加讚賞。（參見《歐陽文忠公文集》卷四三，《廖氏文集序》）

三

在張景、廖偁之後，《洪範》學的極度盛行是在仁宗時代。這是北宋社會矛盾日益尖銳、階級鬥爭日益劇烈的嚴酷現實在意識形態領域的反映。

如所周知，宋王朝的統治到仁宗之世，由於封建地主階級的殘酷剝削，農民起義「一年多如一年，一火强如一火」，而西、北二邊又有西夏的叛擾與遼國的侵逼，兵弱財匱，政事腐朽，統治階級已是惶惶然不可終日。爲求擺脫此種困境，朝廷君臣遂妄圖從傳統的《洪範》之學尋求出路。范祖禹說：「仁宗最深《洪範》之學，每有變異，恐懼修省，必求其端。」（《華陽語要》。轉引自《宋元學案補遺》卷二一）即其最突出的表現。

《長編》卷一二九載，康定元年十一月丙辰，「內出御撰《洪範政鑒》……以示輔臣。」關於此書的內容及其撰著經過，王應麟說「《政鑒》書以皇極爲本。上與王洙論五行五事之證，採五行六沴及前代庶應成此書，上自爲序。」（轉錄自朱彝尊《經義考》卷九六。參《玉海》卷三）此書雖已散佚，但從范、王二氏所說，可知其主旨仍不外「天人感應」之類的災異附會謬論。

最高統治者既如此重視《洪範》之學，朝野臣庶遂也據之以建言立說，議論朝政。其見於臣工章奏者，《宋史》列傳部分簡直連篇累牘，俯拾即是。在野之士如李覯，於其《安民策》中大講《洪範》休咎之說，釋氏之徒的契嵩也著文專論皇極之道，侈談休咎之征與福極之應（見《鐔津文集》卷一、四、六、九）而其最爲集中的表現，則莫過於制科的策問試題。

按宋代的科學制度，最爲統治階級重視者爲進士科與制科，制科之中選者更往往多至大用。（參李心傳《建炎以來朝野雜記》甲集卷九《制科宰執條》）凡應制舉之試，先由禮部考以六論，再由皇帝親加策問。關於策問試題的擬定，據景德四年詔書，「由兩制各上策問而擇之」，即由分掌內外兩制的知制誥與中書舍人分別撰擬，再由皇帝親加擇定。該詔書還明確規定策題均須以六經爲首而參之時務；皇祐元年詔書又進一步要求「先問治亂安危大體」。如所周知，宋代的兩制雖以文學侍從皇帝，但職要地親，實際上既爲皇帝的代言之官，又是皇帝的「智囊」人物。他們撰擬的策題，一般說來，都可看作當時統治階級占統治地位的思想。據《宋會要》所載，從宋太祖乾德四年始行制舉，至仁宗之世的近百年間，先後共計舉行十四次，其中除乾德四年與眞宗咸平三年的策題缺而未見外，其餘十二次的策問原文俱在。試就這些策題來看，景祐以前從無天人感應之說。如景德二年試題即謂「天災流行，國家代有，故水旱之作，雖堯、湯而病諸」，其視水旱災害，純爲與政事無關之自然現象。但自景祐以後，歷次策題不僅大量列舉水旱災異以及內憂外患等情勢，而且明白引導應試者依據《洪範》災異之說加以回答，其恐懼迫切之情，溢於文字。如：

> 向若大河決溢，水不順道，較時儳力，將議堙補。而年穀不登，人用流轉。軍事屯防，無事而厚費不給；奸宄盜寇，有時而竊發弗禁。求之彝倫，其咎安在？（皇祐元年）

又如嘉祐四年策問云：

> 災害消復之原，水旱變正之術，《洪範》之御六沴，皇極之斂五福，馴至之宜，必有其要。

嘉祐六年的策題亦云：

> 仍歲以來，災異數見……永思厥咎，深切在予。變不虛生，緣政而起。五事之失，六沴之作，劉向所傳，呂氏所紀，五行何修而得此性，四時何行而順此令？

凡此策題，無不滲透著以天人感應，實異附會爲內容的漢儒所傳

《洪範》之學。恩格斯在《路德維希‧費爾巴哈和德國古典哲學的終結》中曾經指出：「在一切意識形態領域內傳統都是一種巨大的保守力量。」（《馬克思恩格斯選集》第四卷，頁二五三）腐朽保守的北宋統治階級，面對日益深刻的社會危機，自必頑固堅持傳統的《洪範》之學以謀出路。他們或則藉以「責難於君」來諫諍時政，或則互相攻擊而各謀私利。此種傳統的《洪範》災異之說的沈滓泛起，只不過是宋王朝統治危機在意識形態領域的反映而已。

至於當時關於《洪範》的專門論著，據《經義考》可知，除仁宗「御撰」的《政鑒》外，尚有八種之多，但其存於世者僅有胡瑗、蘇洵、曾鞏、王安石等四家之書。這些書雖然都是對《洪範》的解說，但其旨趣則各有不同。今試分別敘述如下，並略加簡析。

首先關於蘇洵的《洪範論》。此書共一卷，《文獻通考》卷二九五曾節錄其文，但馬端臨謂「或云非洵作」。今本《嘉祐集》也未收此論。惟林之奇《尚書全解》屢引其說，未嘗致疑。邵博《聞見後錄》卷一五載，雷簡夫極稱蘇洵之才，曾謂「讀其《洪範論》，知有王佐才」，並以書薦之於韓琦、張方平、歐陽修。實則此書並無何創見。如該《論》雖然對董仲舒、劉向、劉歆與班固等深表不滿，自稱要「明其統，舉其端，削劉之惑，繩孔之失，使經意炳然，如從璣衡窺天文」。而其說則强調：「皇極之建，則貌恭、言從、視明、聽聰、思睿；則木曲直，金從革，火炎上，水潤下，土稼穡，而時雨、時燠、時寒、時暘、時風應之，於是五福咸備。皇極之不建則反是，而今六極之應。」這不過是在强調皇極在九疇中的重要性之下鼓吹天人感應的陳辭濫調，與他要削之「惑」，要繩之「失」並無本質之不同。至此所謂「五行之逆順，必視五事之得失」，而皇極則是「裁節五事者」仍只是宋仁宗所謂「以皇極爲本」的另一說法而已。

其次，再說曾鞏的《洪範傳》。此書全文共一卷，見《南豐類稿

》卷十。《黃氏日鈔》曾稱其「布置大致和荆公（《洪範傳》）相類」，但二者在思想上根本異趣。曾鞏此《傳》的特點，僅在於反駁歐陽修對「河圖洛書」傳說的批判，但他並未提出任何堅實的理據。其說有云：

> 其曰「天乃錫禹洪範九疇」，蓋《易》亦曰「洛出書」。然而世或以爲不然。原其説之所以如此者，以非其耳目之所習見也。天地之大，萬物之衆，不待非常之智而知其變之不可盡也。人之耳目之所及，亦不待非常之智而知其不能遠也。彼以非其所習見，則果於以爲不然，是以天地萬物之變爲可盡於耳目之所及，亦可謂過矣。爲是説者，不獨蔽於洪範之錫禹，至鳳凰麟麟，玄鳥生民之見於經者亦且以爲不然。執小而量大，用一而齊萬，信臆決而疑經，不知其不可，亦可謂惑矣。

就文辭論，曾鞏此說似乎相當辯博，但其中心意旨不過是盲目維護六經的尊嚴與絕對可信性。較之歐陽修對經學發展史的考察分析，這種反駁自然毫無說服力。

在仁宗時代最爲人們重視的則是胡瑗所著《洪範口義》一書。胡瑗，字翼之，海陵人，學者稱爲安定先生。生於太宗太平興國八年，卒於仁宗嘉祐四年（公元九八三年至一〇五九年），對北宋學校教育的發展曾有較大貢獻，在學術界也頗有影響。所著《洪範口義》二卷，晁公武《郡齋讀書志》謂乃胡氏門人所編錄，《四庫提要》認爲晁氏所說「固無顯證」，不以爲然。但該書久無傳本，《經義考》雖予著錄，仍注曰「未見」，《宋元學案》述《安定學案》，也無一言稱及此書。至四庫館臣從《永樂大典》輯錄有關引文重行編排，始成今本。此書關於經文本身，「多從孔《傳》」，僅於「明作晢」改爲「明作哲」，「恆若」之「恆」則避宋眞宗諱改爲「常」，「無偏無頗」則據唐玄宗詔書改「頗」爲「陂」。此外全同孔穎達《尙書正義》

。曾鞏、王安石之書，於經文也都遵從此本。（據《王文公文集》，王安石《洪範傳》爲避宋眞宗諱與仁宗嫌名，凡「恆」，「征」字皆缺末筆，此餘經文皆同《口義》。）

關於此書的內容，《四庫提要》曾給予極高之評價，其說有云：

> 瑗生於北宋盛時，學問最爲篤實，故其説惟發明天人合一之旨，不務新奇。如詔天錫洪範爲錫自帝堯，不取神龜負文之瑞；謂五行次第爲箕子所陳，不辨《洛書》本文之多寡；謂五福六極之應通於四海，不當指一身而言。俱駁正注疏，自抒心得。……其要皆歸於建中出治，定皇極爲九疇之本。辭雖平近，而深得聖人立訓之要，非讖緯術數者流所可同日語也。

但按之《口義》，凡此稱揚之辭，雖有中肯之論，亦多過當之譽。所謂「其說惟發明天人合一之旨」一語，確是道出此書的本質特點。如其解釋「惟天陰騭下民」便說：「言天不言而默定下民之命……或貧，或富，或貴，或賤，或夭，或壽，莫非天定之使然也。」於「休徵」云：「王者有美行之實，天從而有感應之徵，下文『雨若』『暘若』之類是也。」於「咎徵」云：「王者有惡行之實，天亦報之以咎徵之事也。」凡此解說，無不仍以「天」爲有意志之最高主宰，與董仲舒、劉向等並無區別。至於所謂「駁正注疏」之處，雖爲《口義》所有，但細按其文，多系剿襲成說，非盡胡氏之新解。如其明言指斥《注》文者共有五處，分見於「次九曰向用五福威用六極」，「一曰壽」、「二曰富」、及「六極一曰凶短折」各文之下。但凡此之處，胡氏所說幾與張景之《洪範論》全同。其釋九疇之序與福極之相反，與張景所說更無一字之異。總之，胡瑗的《洪範口義》一書，雖能利用前人成說，對漢唐注疏有所駁正，但其思想內容仍不脫傳統的《洪範》災異之學的窠臼。故而其學當時雖爲人們所宗尙，但也爲有識者所不滿。如陸佃在《付府君墓志》中即曾明言：

淮之南，學士大夫宗安定先生之學，予獨疑焉。及得荆公《淮南雜說》與其《洪範傳》，心獨謂然，於是願掃臨川先生之門。（《陶山集》卷一五）

事實上，眞正標誌《洪範》學之步入嶄新發展階段者，確是王安石的《洪範傳》而非其他。

四

王安石《洪範傳》（以下簡作《傳》）在當世之所以特出於衆，首先在他於仁宗年間，面對彌漫朝野的《洪範》災異之說，能獨抒己見，創爲新解，表現了鮮明而强烈的現實性與戰鬥品格。關於此點，他在《書〈洪範傳〉後》一文中曾慨乎言之：

孔子沒，道日以衰熄，浸淫至於漢而傳注之家作。……宜其歷年以千數而聖人之經卒於不明，而學者莫能資其言以施於世！予悲夫《洪範》者，武王之所以虛心而問與箕子之所以悉意而言，爲傳注者汨之，以至於今冥冥也，於是爲作傳以通其意。……夫予豈樂反古之所以教而重爲此撓撓哉？其亦不得已焉者也。（《王文公文集》卷三三）

此所謂「傳注之家」或「傳注者」，顯指董仲舒，劉向父子與所謂孔安國《傳》等。至其所謂「以至於今冥冥也」，據前所述，可知即指仁宗景祐以後《洪範》災異說之沉滓泛起而言。爲進一步明確王安石撰作此《傳》的歷史背景，於此有必要對其著作時間略加考察。

按傳世的兩種王氏詩文集均曾收錄此《傳》（《王文公文集》卷二五與《王臨川集》卷六五），但均未著明其撰作時間。顧棟高《王荆公年譜》與沈欽韓《王荆公詩文補注》於王氏詩文的撰作年代多有考定，惟於《傳》亦無一言及之。蔡上翔《王荆公年譜考略》最重視年數考訂，自稱「凡後人指公瑕疵，妄誕無稽」之處，「多於年數不合得之」。而對此《傳》則繫之於熙寧十年，並謂「其進御覽，必在於元豐之世，又無年月日可考，故錄於熙之末、豐之初」。實則該《傳》之「進御覽」既非當元豐之世（詳下），其撰成更遠在進呈宋神宗之前。蔡氏於此將二者混爲一事，遂使王安石撰作此《傳》的歷史背景及其意旨所在闇然不明。此外，廣東人民出版社《王安石詩文選注》定此篇爲作於熙寧三年，北京大學哲學系中國哲學史教研室編寫的《中國哲學史》則謂，王安石「對《洪範》的解釋是『三經新義』的一部分」，其意似亦認此《傳》爲熙寧年間所作（按《三經新義》成書於熙寧八年）。但考之史實，二說均屬將前作後，其欠妥當處與蔡氏之說正同。

今據上引《甸山集》，陸佃在從學於王安石之前，已經讀到王氏所著《淮南雜說》與《洪範傳》二書。於該《集》卷一六《沈君墓表》中，陸佃又曾追述其事云：「治平三年，今大丞相王公守金陵，以緒餘成學者，而某也實並群英之游。」是則其受學於王安石之時，正當英宗治平三年王氏丁母憂居金陵之際。由此可知，王安石之作此《傳》，決不在英宗治平三年之後，更非遲至神宗熙寧年間。又考仁宗嘉祐五年，王安石自提點江東刑獄入朝任三司度支判官，在此以前，其歷官皆在淮河以南的今江浙一帶，因此，其《淮南雜說》之成書，至遲亦不得晚於嘉祐四年。此書久無傳本，侯外廬同志主編之《中國思想通史》推斷，今本《臨川集》卷六五至七〇，可能即係久已散佚之《淮南雜說》；而《洪範傳》即列於今本《臨川集》卷六五之首。如此，則王安石所深爲不滿並不勝悲憤的「以至於今冥冥也」之「今」，顯然即指仁宗景祐以至嘉祐年間而言；其所斥責的「冥冥」，也無疑是針對當時朝野上下之大談《洪範》災異而發。

總上所述，可知王安石此《傳》不僅在中國經學史上是一部迥異漢唐傳注的創新之作，而且是卓然獨立於其當世的一家之言。

第二，王安石《洪範傳》的創新與卓異，集中體現於其「天人相分」的唯物主義觀點。在十一世紀中國的學術論壇上，這一觀點無異是光彩耀目的瑰寶。但自宋室南渡以後，王安石因變法革新而備受攻擊，其學術成就遂亦很少爲人所稱道。近代以來，梁啓超首先讚揚王安石的經學，並謂「欲求荊公治經之法，尤在於其所著《書〈洪範傳〉後》」（《王安石評傳》），但對該《傳》則未嘗涉及。一九四七年，郭沫若同志以馬克思主義爲指導，在其《王安石》的講演中明確指出，王安石的學問不僅「有正確的方法，而且也有相當淵博的成績」，並對其《洪範傳》力加稱讚，說「他是初步地了解到辯證唯物論的」。（《沫若文集》卷一二，頁四九三）一九五九年，侯外廬同志主編的《中國思想通史》第四卷問世，其中特闢專章，詳細論述了王安石的新學、變法思想和唯物主義哲學，顯微闡幽，王安石《洪範傳》的唯物主義光輝，遂於千年湮闇之後又得以彰明於世而重放異彩。筆者作爲晚生後學，於此本已無須妄議，惟覺此《傳》在北宋學術史上的地位與影響，似仍有究明之必要。故而不揣淺陋，試抒管見，略加探討，誤謬之處，至希教正。

在思想上，王安石此《傳》始終以「天」爲物質性的客觀存在，並以之與「人」相對待而言。如在該《傳》開首總論「九疇」之序時即明確肯定：

> 五行，天所以命萬物者也，故「初一曰五行」。五事，人所以繼天道而成性者也，故「次二曰敬用五事」。

此一觀點也屢見於王氏的其他著作，如：

> 禮始於天而成於人。知天而不知人則野，知人而不知天則僞。……天而無是則人欲爲之者，舉天下之物吾蓋未之見也。（《禮論》）

> 臣聞天下之物，大小有彝，後先有倫。敘者天之道，敘之者人

之道。(《進〈洪範〉表》)

始而生之者，天道也。成而終之者，人道也。(《郊宗議》)

對王安石此一觀點，程頤本其「天人合一」思想曾屢加指責，如謂「言乎一事必分爲二，介甫之學也。道一也，未有盡人而不盡天者也。以天人爲二，非道也。」(《二程粹言》卷一，另參見《二程遺書》卷一八、卷二二上)這顯然是兩條思想路線鬥爭的反映。

王安石《洪範傳》所謂「天所以命萬物」之「天」，乃無待人之力而存在的客觀世界。他在闡論「皇極」一疇所謂「於帝其訓」一語時，即曾指出「天」的本質特點云：

夫天之爲物也，可謂無作好、無作惡、無偏無黨、無反無側，會其有極、歸其有極矣。

這實際上就是明確肯定「天」的物質性，並根本否定其具有「感應」人事的意志。這與《荀子・天論》所謂「天行有常，不爲堯存，不爲桀亡」的唯物主義觀點正相一致。因此，在確認「五行」之爲物質性的「天」「所以命萬物者也」之後，王安石又强調指出「九疇以五行爲初」，此即是說，在《洪範》所述的「九疇」之序中，對於「繼天道而成性」的「五事」以及自「八政」至「庶徵」諸疇即屬於「人道」者而言，始生萬物的「五行」，即屬於「天道」者，則是具有始初性的一疇。這是王安石《洪範傳》天人相分觀點的基本體現。

其次，在進而闡明「五行」之本質屬性時，王安石不顧歷來陰陽五行家臆造之說，堅持按照水、火、金、木、土五者自身呈現於人們的生產、生活面前那樣來加以理解。如其《傳》中曾說：

蓋五行之爲物，其地、其位、其材、其氣、其性、其形、其事、其情、其色、其聲、其臭、其味，皆各有耦，推而散之，無所不通。

這些範疇雖屬歷來學者所習用，但王安石則是按照「五行」各自的本來面目加以考察，並從中抽象和概括出如實反映對象之諸範疇，於是在訓釋所謂「水曰潤下，火曰炎上，木曰曲直，金曰從革，土爰稼穡」一節中，遂作出迥異前人的精闢分析。如其《傳》云：

> 潤者，性也。炎者，氣也。上下者，位也。曲直者，形也。從革者，材也。稼穡者，人事也。

王安石還據此進而加以推衍，從而不僅使其闡述遠遠超過前人，而且使該節經文具有了更加豐富的內容：

> 水言「潤」，則火熯、土溽、木敷、金斂皆可知也。火言「炎」，則水洌、土蒸、木溫、金清皆可知也。水言「下」，火言「上」，則木左、金右、土中央皆可知也。……木言「曲直」，則土圓、金方、火銳、水平皆可知也。金言「從革」，則木變、土化、水因、火革皆可知也。土言「稼穡」，則水之井洫，火之爨冶、木金之爲械器皆可知也。

凡此訓釋，都稱得上是前無古人的創見。其中關於方位之說雖有傳統觀念的因襲痕跡，但總的說來，無一不是來自對事物本來面目的如實觀察。恩格斯在《路德維希·費爾巴哈和德國古典哲學的終結》中曾經指出：「人們在理解現實世界（自然界和歷史）時，決意按照它本身在每一個不以先入爲主的唯心主義怪想來對待它的人面前所呈現的那樣來理解，……除此以外，唯物主義根本沒有更多的意義。」（《馬克思恩格斯選集》第四卷，頁二三八）王安石《洪範傳》對「五行」屬性的分析，正是體現了這種唯物主義的精神。

再次，在闡述《洪範》所謂「庶徵」一疇時，王安石以其精湛的訓詁學爲武器，給予漢唐傳注中的「天人感應」說以殲滅性的打擊，從而使其「天人相分」的唯物主義思想具有鮮明的現實性與强烈的戰鬥性。

如前所述，西漢以後《洪範》學之流於「天人感應」謬說，其主要表現即在對「庶徵」一疇的訓釋。按所謂孔安國《傳》於「休徵：曰肅，時雨若；曰乂，時暘若……」，即云：「君行敬則時雨順之」，「君行政治則時暘順之」……；於「咎徵：曰狂，恆雨若；曰僭，恆暘若；……」，即云：「君行狂疾則常雨順之」，「君行僭差則常暘順之」……。一若天人相感，不爽毫厘。唐孔穎達遂亦謂：「此休、咎皆言『若』者，其所致者皆順其所行，故言『若』也。於是，「若」字之訓遂成為兩條思想路線鬥爭之關鍵問題。而王安石在其《傳》中，則揚棄以「若」為「順」的傳統謬訓，後取以「如」「似」訓「若」之正詁，遂從根本上推翻了「天人感應」的《洪範》災異之說而為《洪範》學開一新生面。如於「休徵」「咎徵」一節，其《傳》解云：

> 言人君之有五事，猶天之有五物（按：即雨、暘、燠、寒、風）也。

又如於「王省惟歲，卿士惟月，師尹惟日」一節，則云：

> 言自王至於師尹，猶歲、月、日三者相繫屬也。

再如於「庶民惟星」則云：「言星之好不一，猶庶民之欲不同」；於「日月之行則有冬有夏」云：「言歲之所以為歲，以日月之有行而歲無為也，猶王之所以為王，亦以卿士師尹之有行而王無也。」於「月之從星則以風雨」云：「言月之好惡不自用而從星，則風雨作而歲功成，猶卿士之好惡不自用而從民，則治教政令行而王事立矣。」王安石在此連用五個作為譬喻之詞的「猶」字，從而說明該疇所及之人事與天象二者之間，原只不過是互作比況而已，此外決無什麼「感應」云云的關係。此外，王安石在其所擬的策問試題（按：當為仁宗嘉祐七年任知制誥時所作）中，也曾對傳注之說給以辛辣的批判，原文具在，茲不贅述。

總上各點，可知王安石此《傳》堅持「天人相分」的唯物主義觀點，對漢唐傳注的傳統謬見則從訓釋經文本身加以根本性的駁正。於是，在意識形態領域長期占統治地位的《洪範五行傳》與災異附會說，在理論上遂不得不宣告終結而退出歷史舞台。對於宋仁宗時代風靡一時的休咎徵應等荒謬之論，王安石此《傳》也以其嚴肅的求實精神與無所畏懼的獨立思考而獨樹一幟。

第三，在政治思想上，與大講「九疇以皇極爲本」而爲皇帝專制立論之說相反，王安石此《傳》則闡述了對皇帝寓誨於尊、對庶民不違其欲等進步思想。這主要反映在有關「皇極」「庶徵」等疇的詮解上。

關於「皇極」之訓，向有二說。所謂孔《傳》云：「皇、大，極、中也。」即以皇極爲大中之道。班固《漢書・五行志》謂「皇、君也，極、中也」，以皇極爲人君所建之中。二說雖有不同，但均以此疇爲帝王所以教化人民之道。王安石此《傳》雖取班固之說，但在闡述經文時，則一反其義，而反覆強調人君「保中」之重要。如其解「皇建其有極，斂時五福，用敷錫厥庶民」，即謂「言君見（現）其有中，則萬物得其所，故能集五福以敷錫其庶民也」；於「惟時厥庶民於汝極，錫　保極」，即謂「言庶民以君爲中，君保中則民與之也」；於「凡厥庶民，無有淫朋，人無有比德，惟皇作極」，即謂「言君中則民人中也。庶民無淫朋、人無比德者，惟君爲中而已。蓋君有過行偏政，則庶民有淫朋，人有比德矣」。凡此諸解，其意無不在於強調人君「保中」與「見其有中」的重要。按此所謂「中」或「大中」，乃儒家思想的根本要義之一，也是中國思想史上的重大問題，自非此短篇所能詳。但在王安石看來，「中者所以立本」，人君之「見其有中」與「保中」，而能「無過行偏政」，乃「萬物得其所」、「民與之」以及「庶民無淫朋、人無比德」的前提條件。上摘三段《傳》文中的四個「則」字，其意正是爲了強調其間的內在連繫。因此，王安石此《傳》就不但與漢唐二孔所謂「君教民化」的舊解有別，而且與仁宗之世君臣唱和的「以皇極爲本」以及單純强調尊君之說劃清了界限。換言之，王安石對「皇極」一疇的訓解，其實質要義乃在對人君之「寓誨於尊」而非無條件地尊君。

此一對人君的態度，又見於有關「無虐煢獨而畏高明」的解說上。漢唐注疏對此經文，大致僅從勢之衆寡立說，如孔《傳》云：「煢、單，無兄弟也。無子曰獨。」並總釋其義爲「單獨者不侵虐之。寵貴者不枉法畏之」。王安石此《傳》則與經之上文「曰予攸好德」相連繫，以「好德」與「不好德」爲判別標準而賦予新解，並以「人君蔽於衆」而致「虐煢獨而畏高明」强調爲「人君之大戒」。其說有云：

> 「無虐煢獨而畏高明」，何也？曰：苟曰好德，則雖煢獨必進寵之而不虐；苟曰不好德，則雖高明必罪廢之而不畏也。……人君蔽於衆而不知自用其福威，則不期虐煢獨而煢獨實見虐矣，不期畏高明而高明實見畏矣。煢獨見虐而莫勸其作德，則爲善者不長；高明見畏而莫懲其作僞，則爲惡者不消。善不長，惡不消，人人離德作僞，則大亂之道也。然則虐煢獨而寬朋黨之多，畏高明而忽卑晦之賤，最人君之大戒也。

此所謂「人君蔽於名而不知自用其福威」云云，一般說來，在封建專制制度下而倡此說，類如「教猱升木」，以導專制君主於更加專制，似極可鄙。然就仁宗時代的朝政而言，王安石此說顯係有爲而發。蓋當仁宗之世，呂夷簡兩居相位，前後執政十三年之久，朋比親附者衆，凡所不喜，即斥之爲朋黨。於是，不同派別之間往往互相攻訐，其勢幾如水火。仁宗趙楨則懦弱無能，一切委任當政之大臣，以致政事腐敗，深爲有識之士所不滿。而當局者初則有景祐三年「戒群臣越職言事」之詔，寶元元年更「戒百官朋黨」，至慶曆四年復下詔「戒朋黨相訐」。正是在這一狀況下，歐陽修遂有《朋黨論》之作，並於「五代史・張文蔚傳贊》中極說朋黨之足以亡國易朝，大聲疾呼，警切時政。王安石此《傳》以「朋黨之多」與作僞之「高明」相提並論，正反映其對當時微風積弊的無限憤慨及其渴望澄治的激切之情。如與其《上仁宗皇帝言事書》比並而觀，可知也即其變法革新思想的反映。

另一方面，對待「庶民之欲」問題，王安石則一再强調其「不能違」，從而表現他對庶民的一定同情。如於「庶徵」所謂「庶民惟星，星有好風，星有好雨」一節。舊解均以「星」爲「民象」；於「月之從星，則以風雨」，則謂「喻人君政教失常，從民所欲，則致困亂，故不能從民欲也。」（《尙書注疏》卷一一）王安石雖同以「星」與「風雨」等自然現象爲比喻，但卻以此兩段與上文「王省惟歲」以下相貫串而通釋其義，遂作出迥異舊說的新解，如其解前段經文云：

> 言星之好不一，猶庶民之欲不同。星之好不一，待月而後得其所好，而月不能違也。庶民之欲不同，待卿士而後得其所欲而卿士亦不能違也。

於後段則謂：

> 言月之好惡不自用而從星，則風雨作而歲功成；猶卿士之好惡不自用而從民，則治教政令行而王事立矣。……夫民者，天之所不能違也，而況於王乎？況於卿士乎？

試如尋繹《洪範》原文，王安石此解似較二孔之說更爲符合原義。清人齊召南似也有見於此，故於其《〈尙書注疏〉考證》中曾說：「按（孔）《傳》意，是說王者不可違道以干民譽也。細味經意，是說不可咈百姓以從己之欲也。」從政治思想上看，王安石在此一再强調「庶民之欲不能違」的主張，與其一向關心人民疾苦的言行與變法革新的實踐之間也顯然正相一致。

總而言之，王安石此《傳》於千年傳統陳說大肆泛濫的仁宗之世，敢於本其所學，破舊立新，既所以「明」聖人之經，更為了「資其言而施於世」，宜其為當世有識之士所讚佩。至其鮮明一貫的唯物主義「天人相分」觀點而渴望改革、同情人民的政治傾向，遂使《洪範》學演進至一嶄新階段。但當十一世紀的中國，在封建社會生產力的客觀條件之下，王安石作為封建統治階級的思想家，還不可能不局囿於孔孟儒學，並且不得不從之出發。因而在其《洪範傳》的詁訓字義與闡解章句中，仍有許多傳統意識的痕跡與思想糟粕。如在論「五行」中對「五行生成數」臆說的因襲；關於「三德」之說，則為君主專制提供理論根據；以及論「福極不言貴賤」，則謂「貴賤有常分」而為封建等級制張目等等。但與其前輩以及同輩相較，王安石此《傳》的主要方面則是「提供了新的東西」，而其謬誤部分終歸屬於第二位，似亦可確信無疑。

五

如謂仁宗之世的《洪範》學之爭仍以意識形態為主要領域，則神宗時代的《洪範》學已成為變法派與反變法派鬥爭的思想武器，並成為政治鬥爭的一環。其突出表現即熙寧三年的孔文仲對策事件，這也是王安石《洪範傳》所以進呈宋神宗的歷史背景。

如所周知，王安石於熙寧元年奉神宗召，入朝為翰林學士，翌年二月被任為參知政事。於是特設制置三司條例司以議行新法，而變法、反變法之爭遂日趨激烈。熙寧三年八月，神宗命翰林學士司馬光等主持制科考試，應試者五人之一，即為翰林學士范鎮所薦台州司戶參軍孔文仲。九月二十四日舉行殿試，策題開首即據《洪範》而大談「天人感應」之說云：「在昔明王之治天下……建皇極以承天心，斂時福以錫庶民，然後日星雨露鳥獸草木效祥薦祉，書之不絕。」又說「

惟五事得其常，則庶徵協其應」然後就國內外形勢與時政發問，要求應試者提出對策。特別值得注意者爲最後所說：「毋以謂古人陳跡既久而不可舉，毋以謂本朝成法已定而不可改。惟其改之而適中，舉之而得宜，不迫不迂，歸於至當。」此一策問題，顯然反映了司馬光、范鎭等反變法派的主張，其末後數語，更無疑是暗斥當時變法爲未能「適中」與「得宜」，而其思想武器即爲「天人感應」的《洪範》災異之說。孔文仲在答卷中遂大放厥辭，《宋史》本傳稱其「對策九千餘言，力論王安石所建理財、訓兵之法爲非是」，並爲評定官宋敏求「第爲異等」，即第三等。按北宋制科雖設五等，但上二等皆虛設，僅以下三等取人。葉夢得《石林燕語》曾述其事云：「設科以來，止吳正肅（育）與（蘇）子瞻入第三等，故子瞻啓云『誤占久虛之等』。「孔文仲之所以被擢爲「久虛之等」，適足以說明他在思想、政治上與評定官們沆瀣一氣，故而才邀得青睞。

按孔文仲對策全文，今存《宋文鑒》卷一一〇，其主旨確爲攻擊變法。如在第三條中假借陰陽災異等說，吹捧保守派爲「君子」，詆毀變法派爲「小人」。如謂：「陽之與陰，君子小人之道也。君子道長，則陽氣發爲祥瑞；小人道長，則陰氣見於災變。——此天人相與，必然之應也。」又謂：「若夫舊勞不遷而新策必合，大臣依違而小臣執議，老成淪伏而弱齒簡拔，方直疏遠而柔諛親附……陰盛陽微之變，莫著於此矣……願陛下思所以應之。」亦即要求罷免王安石等變法派而重用反對變法的韓琦、富弼等人。其第十四條對策更指斥新法爲「未適於中，未得其宜」，並援引《易》之《革》卦，力言「革之必至于亨，然後可以議革；變之必至於當，然後可以言變」。這實際上是藉曲解經義以取消變法。因爲按當時頒於學官的孔穎達《周易正義》，其解《革》之卦辭「巳日乃孚，元亨利貞，悔亡」即云：「革之爲道，即日不孚，巳日乃孚，孚然後乃得『元亨利貞悔亡』也。」

至其所謂「必亨而後可議革，必當而後可言變」之說，在邏輯上顯屬不通，實際上等於取消一切變革。所以王安石曾指出其自相矛盾云：「若既亨，則安用革耶？」由此可見，孔文仲的對策，正是反映保守派的主張，成爲他們的代言人；因而也自必遭到變法派的還擊。於是，當宋神宗親自調閱其試卷後，便下手詔嚴加批駁：「詳觀其條對，大抵尙流俗而後是非，又毀薄時政，援正先王之經而輒失義理。」並指出「此人學識恐不足以收錄，以惑天下之視聽」，命令發赴本任。此後，保守派雖掀起一場軒然大波，抗拒力爭，但宋神宗、王安石終不爲所動。此即孔文仲對策事件。

與此相反，當時同應制科之試的侯溥，在對策中答稱「災異皆天數，又用王安石《洪範》說云：『肅、時雨若』，非時雨順之也，德如時雨耳。衆皆惡其阿諛而黜之。」（《續資治通鑑長編》卷二一五）兩相比較，可知《洪範》學上兩條思想路線之爭，此時已成爲兩條政治路線鬥爭中的工具，反變法派更公然用以攻擊變法革新，借以傾瀉其對變法派首腦的怨恨。

王安石「刪潤繕寫」其舊作《洪範傳》並進呈於宋神宗，看來可能就在上述制科事件之後。

按《王文公文集》卷二〇及《臨川集》卷五八，均載有《進〈洪範〉表》（《王文公文集總目上》作《進〈洪範傳〉表》），但注釋家從未詳其撰作時間，更未明其歷史背景。惟「恥讀王氏書」的李燾，對此給予特別的注意。他在《長編》卷二一六熙寧三年冬十月甲戌下，記載提點河東刑獄、屯田員外郎韓鐸調任一事，內稱神宗接受王安石的建議，遂以手詔促韓鐸赴任。其下接云：

> 安石嘗進所著《洪範傳》，上手詔答之，及奏事畢，因留身謝。

另特自注云：

促鐸赴任，按御集在十一月十二日。……《洪範傳》或於此附見；一、二、九月壬子亦可附。

其說似游移不定，頗可見其矜愼不苟之意。但李燾把王安石之進《洪範傳》一事確定於熙寧三年，並以王安石之謝神宗答詔一節「附見」於「促鐸赴任」之時，實屬有見，且與王安石《進〈洪範〉表》所謂「擢預大政，又彌寒暑」之說正相吻合。蓋自熙寧二年二月，王安石任參知政事，以迄熙寧三年十二月加同平章事，監修國史以前，即所謂「擢預大政」之時，而「又彌寒暑」一語，更明言其時正當熙寧二年二月起的一年之後，至於其確切日月，則雖不出於熙寧三年二月以後至十二月之前；但揆勢度理，王安石之進呈《洪範傳》似以該年九月即孔文仲對策事件之後較爲恰當。原來自熙寧二年開始變法革新以後，反變法之說日益沸騰，鬥爭愈演愈烈，王安石曾屢上奏札，懇求去職。《臨川集》卷四四有《謝手詔慰撫札子》及《答手詔封還乞罷政事表札子》，均曾說及當時的鬥爭形勢。如前札云：

自與聞政事以來，遂及期年，未能有所施爲。而內外交構，合爲沮議，專欲誣民，以惑聖聽。

後札亦謂：

臣蒙拔擢，備數大臣……今待罪期年，而法度未能一有所立，風俗未能一有所變，朝廷內外，詖行邪說乃更多於鄉時。

此二札明言均爲熙寧二年任參加政事一周年之後所作。又：《續通鑒長編拾補》記是年三月己未，宋神宗與王安石關於「三不足」說之問答有云：

三月己未，上諭王安石曰：「聞有三不足之說否？」安石曰：「不聞。」上曰：「陳薦言外人云，今朝廷（以）爲天變不足懼，人言不足恤，祖宗之法不足守。昨學士院進試館職策，專指此三事。此是何理？朝廷亦何嘗有此？已別作策問矣。

總此數事，可知《進〈洪範〉表》所謂「當考箕子之所述以深發獨智，趨時應變」云云，無疑就此而發。按王安石在其《傳》中曾說：「有皇極以立本，有三德以趨時，而人君之能事具矣。」而他之所以特爲「刪潤繕寫」其多年以前之舊作，進呈給宋神宗，顯然是既所以駁斥藉《洪範》災異之說以阻撓變法的種種謬論，更所以堅定宋神宗的變法主張，並促其利用皇帝的福威壓制反變法派的進攻。後來他在另一札子中追憶變法初期的心情時還說：「方陛下興事造功之初，群臣未喻聖志。臣當斯時，志存將順，而不知高明彊御之爲可畏也」（《臨川集》卷四四《乞解機務札子六道》之六），也可藉知其《洪範傳》所謂「人君蔽於衆而不知自用其福威」云云的用意所在。據此而論，該《傳》的進呈於宋神宗，當在王安石「擢預大政又彌寒暑」的熙寧三年，且於是年又當在三月己未君臣共議「三不足」說之後；換言之，即於是年九月孔文仲對策事件之後。李燾雖「恥讀王氏書」，但在處理《洪範傳》上，確可見其求實之意與獨到之識。於此還可指出，《二程遺書》卷二乃云：「介父當初只是要行己志，恐天下有異同，故只去上心上把得定，他人不能搖。」《黃氏日鈔》卷六九還特別不滿於《進〈洪範〉表》中「當考箕子之所述以深發獨智趨時應變」一語，直斥之爲「誤上之言」。他們從其反變法的立場，倒也看到王安石《洪範傳》與當時政治鬥爭的關係。

總之，《洪範》學之在北宋，始則因其適應鞏固封建集權統治之需要而爲統治階級所提倡，繼則由於社會階級矛盾之激化而加深了兩條思想路線之間的分野，及至熙寧年間，更成爲變法派與反變法派互相鬥爭的思想武器。恩格斯爲馬克思《路易・波拿巴的霧月十八日》第三版所寫序言中說：「一切歷史上的鬥爭，無論是在政治、宗教、哲學的領域中進行的，還是在任何其他意識形態領域中進行的，實際上只是各社會階級的鬥爭或多或少明顯的表現」。（《馬克思恩格斯選集》第一卷，頁六〇二）《洪範》學在北宋一代的發展，正是表現了不同時期的社會階級鬥爭。至於就學術思想來看，在與漢儒所造陰陽災異說相鬥爭的過程中，天人相分的唯物主義路線終於在王安石《洪範傳》中獲得長足之進展，唯心主義的「天人感應」說則已喪失統治地位而宣告終結。這畢竟是北宋時期中國封建社會較前有所進步的一個反映。

——原載《中州學刊》一九八一年二、三期，一九八一年七、十月。

宋代學風變古中的《詩經》研究

石文英

一

「《詩》有四家，《毛詩》獨傳，唐以前無異論，宋以後則衆說爭矣」（註一）。《詩經》的研究到了宋代，的確出現了一個頗爲熱鬧的新局面。

這個新局面的標誌之一是：有關《詩經》研究的論著驟然遽增。《漢書・藝文志》經部詩類十四部四一六卷，《補續漢書藝文志》詩類十三部，《隋書・經籍志》詩類（合亡佚書目）計七十六部六八三卷，《舊唐書・經籍志》詩類三十部三一三卷，其中除孔穎達《毛詩正義》外，均屬前代遺書。《新唐書・藝文志》唐代增錄了兩家：許叔牙《毛詩纂義》十卷和成伯璵《毛詩指說》一卷、《斷說》二卷。西漢至唐五代一千多年間，《詩經》研究論著實數總和充其量不到一二〇部。有宋一代，據《宋史・藝文志》，經部詩類就達八十八部一二八四卷，外加《宋史藝文志補》十家九十七卷，合計九十八部一三八一卷。這個數字等於漢唐以來《詩經》論著總數之百分之九十，比起唐代更是翻了將近一百倍，猛增之勢委實驚人。

自西漢末年展開的經今古文之爭，重點由《尙書》、《周禮》、《逸禮》轉到《左傳》和《公羊傳》。《詩經》雖亦有三家詩與毛詩之爭、王學與鄭學之此起彼落，但論爭的規模和氣勢遠不如其他經書，東漢以後，鄭箋《毛詩》一直處於比較穩定的統治地位，孔穎達的《毛詩正義》更是欽定讀物。唐代《詩經》研究分外沈寂，除了成伯璵《毛詩指說》等一兩部論著外，沒有其他花樣和品種。到了宋代，這九十多部私家論著一下子湧進《詩經》研究的世襲領地，其派頭有如雨後春筍，這不能不說是一件十分新鮮的大事。

新局面的另一個標誌是：《詩經》研究跳出了章句訓詁的老圈子，不按「先儒學問」的途徑走，觸角試探著伸出來。「按先儒學問，大抵淳實謹嚴，不敢放言高論。宋人學不逮古，而欲以識勝之，遂各以新意說詩。」（註二）《四庫全書總目提要》（以下簡稱《總目》）總編纂官紀昀是乾嘉時期的古文學家，站在漢學立場，對宋學免不了輕詆的，說「宋人學不逮古」，就至少犯了一刀切的毛病。被認爲開宋人放言議論毛鄭之端的歐陽修，是一代學術巨擘；劉敞寫《七經小傳》《總目》評曰：「開南宋臆斷之弊，敞不得辭。」這位劉敞也不見得「學不逮古」，《宋史》本傳說他：「學問淵博」，「自佛老、卜筮、天文、方藥、山經、地志、皆究其大略。」但宋代學者「欲以識勝之，遂各以新意說詩」，卻完全是事實。宋代《詩經》的研究，謹守先儒「爲名物訓詁之學者」，確是寥若晨星。據四庫著錄，僅有蔡卞一家，另外，王應麟《詩地理考》，勉強可以算過去。蔡卞撰《毛詩名物解》二十卷，內容有釋天、釋百谷、釋草、釋木等凡十一類，《總目》認爲這部書「徵引發明，亦有出於孔穎達《正義》、陸璣《草木魚蟲疏》外者」；宋代陳振孫卻譏爲「議論穿鑿，徵引瑣碎，無裨於經義。」（註三）可見即是如此少數遵「先儒學問途徑」的論著，在宋人目中也並不「物以稀爲貴。」宋人喜歡以新意說詩，喜談經義、義理，陳振孫對蔡卞的評刺可算是一個明顯的反證。

《詩經》研究在宋代出現新局面並非偶然，它是宋代學風變古的一種反映和表現，有它內部的和外部的因由。

董仲舒於漢武帝元光元年對策，獻出了一條千古妙計：「臣愚以爲諸不在六藝之科孔子之術者，皆絕其道，勿使並進：邪僻之說滅息，然後統紀可一，而法度可明，民知所從矣。」（註四）孔子在世對詩三百評價甚高，反復提起，並一再勉勵弟子學《詩》。董仲舒對策被採納，個人榮升了江都相，詩三百理所當然躍上儒家經典的寶座，和《易》、《書》、《禮》、《春秋》並列，成爲漢王朝推行封建教化、蕩滌邪僻之說以維護大一統局面的有力工具。詩三百的解釋權於是全歸於朝廷任命或認可的博士、經師。有名的今文十四博士中就有齊轅固生、魯申培公以及燕韓嬰三家詩。不管是立於學官的今文學派齊、魯、韓三家詩，還是最終不立於學官的古文學派毛詩，博士、經師、講郎，傳詩解詩都具有絕對的權威性，學者不能別出新意。經師博士說東，弟子不能道西。所謂「書理無二，義歸有宗，而碩學之徒莫之或徙。」當時的五經博士各有師承，各以家法教授（註五），師承家法，是漢人說經務須恪守的一條鐵的紀律。皮錫瑞說：「漢人最重師法，師之所受，一字毋敢出入；背師說即不用，師法之嚴如此。」（註六）皮錫瑞的話並不誇張，據《後漢書・儒林傳》記載，當年孟喜講《易》，由於「改師法」，不被擢用。怪不得范曄在《後漢書・儒林傳》裡不無感慨：「且觀成名高第，終能遠至者蓋亦寡焉，而迂滯若是矣！」

東漢末年政治上的動亂分裂，動搖了儒學在思想領域的絕對統治，三家詩於戰亂中也相繼失傳亡佚，鄭箋《毛詩》獨傳。唐繼大亂之後統一天下，頒布孔穎達《五經正義》作爲明經依據。「自唐至宋，明經取士，皆遵此本。夫漢帝稱制臨決，尚未定爲全書；博士分門授徒，亦非止一家數；以經學論，未有統一若此之大且久者。」（註七）這段話充分說明唐代孔疏《五經正義》的絕對壓倒優勢。漢代五經均有不同門派，經師不限一家，而唐頒布《五經正義》卻惟此一家，別無分店。「士子皆謹守官書，莫敢異議矣」。（註八）自此之後，孔疏鄭箋《毛詩》，天下更得奉爲圭臬了。

然而，物極必反。任何事物總會推移、變化、發展、突破的，否則成爲死物，失去了存在的條件。一種學說强制推行千百年，即使在我國進程緩慢的長期封建社會中，也不能不在內部起變化，何況孔疏鄭箋《毛詩》株守漢儒瑣碎的章句之學，令人望之生畏，讀來頭疼？唐代成伯璵寫了《毛詩指說》，雖然只有一卷，但可以看出來企圖另闢蹊徑。《毛詩指說》一卷四篇：興述、解說、傳受、文體，論及詩的篇章、修辭用字，所以《總目》評此書：「頗似《文心雕龍》之體，蓋說經之餘論也。」所謂「餘論」，就是說並非說經的正路，正如當日「詞」被認爲是「詩餘」一樣，然其後起之勢亦足以掩抑詩。與成伯璵類似的「說經之餘論」，到了宋代幾成爲說經的主流。

宋代有識之士懷疑和否定傳統的治學方法，他們對漢唐箋注千百年來於訓詁名物的孜孜以求感到厭倦。歐陽修就曾上書請刪諸經之疏，說唐「定九經之疏，號爲正義」，「著爲定論，凡不本正義者，謂之異端，然其所載既博，所擇不精，多引讖緯之書以相雜亂。」（註九）孫復上范仲淹書，欲召天下鴻儒碩老，識見出王、韓、左、穀、杜、何、毛、鄭、范、孔之右者，重爲注解，俾六經廓然瑩然，如揭日月。王安石《謝除左僕射表》：「章句之文勝質，傳注之博溺心，此淫辭詖行之所由昌，而妙道至言之所爲隱」。可見改變傳統的治學方法已是大勢所趨，人心所向。可惜的是宋代這八、九十部《詩經》研究論著在歷史的激浪和漫流中已大半亡佚失傳。至今能看到的已經有限，然而管中窺豹，也還可以領略到宋儒《詩經》研究的時代特色。這些論著正如當代及後世評論的，大多廢棄傳注，別立新意，橫生議論，大有自我作法，前無古人之概，的確有別於漢唐以來箋注的一路。

宋王應麟《困學紀聞》云：「自漢至於慶曆間，談經者守訓故而不鑿。《七經小傳》出而稍尙新奇矣。至《三經義》行，視漢儒之學若土梗」。這裡指出了一個事實，宋代學風的變，還有其外部的推動因素。王安石的變法是封建社會後期一場由上而下的經濟、政治改革。爲借助理論根據，熙寧中，置經義局，撰《三經新義》，頒發天下。醉翁之意不在酒，《三經新義》無非借題發揮。晁公武《郡齋讀書志》說得很清楚：「安石之意，本以宋當積弱之後，欲濟之以富强，又懼富强之說必爲儒者所排擊，於是附會經義以鉗儒者之口，實非其信周禮爲可行」。王安石這一番苦心是不能不花的，孔子說「君子喻於義，小人喻於利。」（註一〇）孟子說：「王何必曰利，亦有仁義而已矣。」（註一一）傳統的儒家觀念羞於言利，不講經濟效益。班固不滿司馬遷《史記》「是非頗謬於聖人」，根據之一也是「述貨殖則崇勢利而羞貧賤」。（註一二）王安石從理財入手的變法必然引起軒然大波，不能不製造强大的輿論，王安石乾脆搬出《周禮》、《尚書》、《詩經》三部經書來嚇人。改制必須托古，在封建社會裡幾乎成了一條規律。從輯錄的《詩經新義》來看，王安石說詩解詩主要目的就在抒發他的政治見解，寄托他的政治理想和抱負。新法的推行幾經反復，最後還是以失敗告終，可是《三經新義》的頒布和懸爲令甲，在客觀上卻推動了宋代學風的變古。「自王安石《新義》及《字說》行，而宋之士風爲之一變」，「先儒傳注，一切廢不用。」漢唐章句之學至此幾被全面掃蕩，疑古變古之風大熾，甚而成爲强勁的時代思潮，在中國學術史上大放異彩！《四庫總目提要》的編纂人在震驚之餘，對宋代《詩經》研究撻伐曰：「其弊至於誣經，其究乃至於非聖」，可見當時氣勢之猛。《詩經》研究的蓬勃興起、別開生面是勢在必行。

此外，刻書、印刷技術的改進發展，書籍比以前容易獲得，也提供了學術研究的物質條件。唐以前書籍的流傳基本上還靠手抄傳寫。晚唐至五代雕板流行，只應用於道家和釋家的典籍。至五代末，「周顯德中，始有經籍刻板，學者無筆札之勞，獲睹古人全書。」慶曆年間，活字印刷出現，讀書、寫書都輕省了。蘇軾《李氏山房藏書記》：「近歲市人轉相摹刻，諸子百家之書日轉萬紙，學者之於書，多且易致如此。」宋代《詩經》研究論著的劇增，沒有這方面的物質條件，估計也不大可能。

二

宋代的詩經研究，就現有的資料看，內容上大致可以歸納爲下列三方面。

一、**對傳統問題的探討**。這裡說的傳統問題是指漢代以來就已經接觸了的諸如以下問題：詩的概念、詩的原始、詩與樂、六義、四始、二南、採詩刪詩、正變、《詩經》的世次、國次、篇次等等。這些問題拿出來重新討論，雖有進展，但未有明顯突破，有的甚而後退。比如孔子是否刪詩，歐陽修、邵雍、二程，就都拘執舊說，曲爲解釋。

傳統問題探討比較集中而有所發展的是詩六義。孔疏在鄭箋的基礎上對對詩六義的解釋頗有可取之處：「風雅頌者，詩篇之異體；賦比興者，詩文之異辭耳。」「賦比興，是詩之所用；風雅頌，是詩之成形，用彼三事成此三事，是故同稱爲義。」把風雅頌歸爲「體」，賦比興歸爲「辭」一是「所用」，一是「成形」，可謂切中肯綮，抓住本質。孔穎達解釋賦比興之「異」，糾正了鄭玄以來僅僅將之侷限於美刺範圍之內並加以機械劃分的成說。鄭玄說：「賦之言鋪，直鋪陳今之政教善惡；比，見今之失，不敢斥言，取比類以言之；興，見今之美，嫌於媚諛，取善事以喩勸之。」孔穎達認爲：「詩文直陳其事不譬喩者，皆賦辭也。」「美刺俱有比興者也。」（註一五）他把賦比興作爲一種表現手法和內容分開來，這一點是很清醒明智的。但風雅頌「異」在何處，孔穎達就有些顧左右而言他，不著邊際了。這方面的解釋到宋代才深入一步。宋代關於風、雅、頌眾說紛呈，其中最有見地的要算鄭樵、朱熹。鄭樵：「風者出於風土，大概小夫賤隸婦人女子之言，其意雖遠，而其言淺近重複，故謂之風。雅出朝廷士大夫，其言純厚典則，其體抑揚頓挫，非復小夫賤隸婦人女子所能道者，故曰雅。頌者初無諷頌，惟以鋪張勳德而已；其辭嚴，其聲有節，不敢瑣語藝言，以示有所尊，故曰頌。」（註一六）這段解釋當然不能講是周全，但有兩點值得注意：一是認識到風、雅、頌的作者大致出自不同的階級階層；二是接觸到風、雅、頌的不同風格特色。朱熹：「大抵風是民庶所作，雅是朝廷之詩，頌是宗廟之詩。」指出風雅頌的不同應用，在《詩集傳》中他對「風」還說得更明白，說是「多出於里巷歌謠之作，所謂男女相與詠歌，各言其情者也。」鄭、朱的見解比較符合詩三百的實際，幾成為後世公認的定論。至於程大昌認為只有二南而無風詩，陳鵬飛《詩解》以為《商頌》可闕，《魯頌》可廢，雖有些「務為新奇」，也都各抒己見。

二、釐訂毛鄭之失，聚訟小序，廢去傳注。這一方面是宋代詩經研究疑古、變古精神的出色表現，也是宋代詩經研究的最大貢獻。《總目》經部詩類《毛詩本義》條：「自唐以來說詩者未敢議毛鄭，雖老師宿儒亦謹守小序。至宋而新義日增，舊說棄廢，推原斷始，實發於修。」這段評述不夠周密，對《詩序》的懷疑其實並不「發於修」，而起於韓愈。但歐陽修《毛詩本義》十六卷旨在釐訂毛鄭之失，這一點確是開了第一炮。《毛詩本義》卷十五《詩解統序》揭櫫：「毛鄭二學，其說熾，辭辯固已廣博，然不合於經者亦不少，或失於疏略，或失於謬妄。」「余欲去鄭學之妄，益毛鄭疏略而不至者合之於經。」此書十六卷共一百十四篇，在論述方法上都是「先辨毛鄭之失，然後斷以己意。」對於毛鄭的穿鑿曲說，歐陽修就其所見逐一駁難，並提出自己的正面看法，其間頗有入情入理者。所以《總目》不得不評說：「其所訓釋，往往得詩人之本意，」《毛詩本義》對宋代詩經研究的影響和貢獻相當大，南宋樓鑰稱譽「歐陽公《本義》之作始有以開百世之惑。」歐陽修對毛鄭的態度還算是折衷其間，所謂「出於和氣平心，以意逆志。」「立論未嘗輕議兩家，亦不曲徇兩家。」（註一七）屬於溫和派，其後的鄭樵、王質、朱熹就是旗幟鮮明，鋒芒畢露的激進派了。《宋史・藝文志》有鄭樵《詩傳》二十卷、《詩辨妄》六卷，明志、四庫均不載錄。清朱彝尊《經義考》注明「未見」，這兩本書只能從宋人援引及後人評述中得到一點消息。朱熹寫《詩序辨說》是直接受其啓迪的。「《詩序》實不足信。向來見鄭漁仲有《詩辨妄》力詆詩序，其間語言太甚，以爲皆是村野妄人所作，始者疑之，後來仔細看一兩篇，因質之《史記》、《國語》，然後知序不足信。」陳振孫《直齋書錄解題》評：鄭樵「《詩辨妄》者，專指毛鄭之妄。謂小序非子夏所作，可也，盡削去之，而以己意爲序，可否？樵之學自成一家，而其師心自是，殆孔子所謂不知而作者也。」可見即在學風變古中的宋代，鄭樵的這兩本著作也屬重磅炸彈。被《總目》譏爲「昌言排擊不顧者」的「倡之者」還有王質。王質，撰《詩總聞》二十卷，分別從不同角度考定三百篇的內容訓詁名物；又有聞南、聞風、聞雅、聞頌冠於四始之首，闡述他對南、風、雅、頌的見解。此書單從結構體系看，也煞費苦心，別出新裁。據說王質覃精研思了幾卅年，才成書付梓。書後有淳祐年間吳興陳日强跋，稱其解詩「以意逆志，自成一家。」王質解詩廢去傳注，別立新意。比如《王風・君子於役》反復二章，《詩序》云：「君子於役，刺平王也，君子於役無期度，大夫思其危難以風焉。」《詩總聞》解爲：「當是在郊之民，以役適遠，而其妻於日暮之時，約雞歸栖，呼牛羊來下，故興懷。大率此時最難爲別懷，婦人尤甚。」可以說深得此詩三昧。《

鄭風・女曰雞鳴》，《詩序》：「說德也。陳古義以刺今，不說德而好女色也。」《詩總聞》曰：「當是君子喜結客，婦人又好客，惟恐君子不得良友也，亦欲其來以觀其人。杜氏送王泵詩：『自陳剪髻鬟，鬻市充杯酒。上云天下亂，宜與英俊厚。向竊窺數公，經綸亦俱有。』此殆王珪之妻也。」詩三百既成了「經」，那就是無與倫比的，王質膽敢如此輕率擬類，也算是前無古人了。十分有趣的是《鄭風・山有扶蘇》二章。《詩序》云：「刺忽也，所美非美然。」《詩總聞》曰：「此媒妁之過也，今多或如此。」王質居然信筆聯繫實際，指控起封建包辨婚姻的罪過來，實在令人驚異，亦可見宋代《詩經》研究的「放言高論了。怪不得《總目》評他：「其毅然自用、別出新裁，堅銳之氣，乃視兩家（指鄭樵和朱熹）爲倍」。

朱熹被認爲是宋代詩經研究的集大成者。他撰《詩集傳》二十卷、《詩序辨說》一卷、弟子記錄的《詩傳遺說》五卷，《直齋書錄解題》尙載錄《詩風雅頌》四卷（佚）（《答呂伯恭書》提到早年著有《詩集解》，佚。），儘管朱熹的某些見解有前後不同之分，甚至有互相牴牾者，但在《詩經》研究史上還是建立了功勛。他的《詩集傳》不同於傳統的訓詁章句之學，而且言簡意賅，顯豁明瞭，至今還爲通行注本。《詩序辨說》，對《毛詩序》一一加以辨析，分別去取，表現出嚴肅的科學精神和科學態度。比如《召南》十一篇，朱熹認爲《詩序》「稍平」者只有《樛木》、《芣苢》、《汝墳》三篇，其它都有這樣那樣的毛病，或者「首句未安」、或「未詳是否」「未有見……之意」，「此乃不似詩意」，「如序所云者，此恐非是」，等等。《毛詩序》開章明義的「《關雎》，后妃之德也」，朱熹就持異議，認爲「序者徒見其詞，而不察其意」。結尾的「是以《關雎》樂得淑女以配君子，憂在進賢，不淫其色，哀窈窕思賢才，而無傷善之心焉，是《關雎》之義也」。

朱熹辨曰：「按《論語》，孔子嘗言《關雎》，樂而不淫，哀而不傷……序乃析哀樂淫傷各爲一事而不相須，則已失其旨矣。至以傷爲傷善之心，則又大失其旨，而全無文理也。」措辭相當尖銳。

鄭樵、王質、朱熹對詩序的辨難在當時也不免驚世駭俗，有些守舊說的穩健派或保守派起而攻之，如周孚的《非詩辨妄》，范處義的《詩補傳》就是專爲詩序申辯的論著。實際上從北宋到南宋，許多學者如王安石、蘇轍、程大昌、晁說之、葉夢得、曹粹中、晁公武、黃櫄、章如愚等，都在他們的研究論著中發表了對《詩序》的看法，捲入了《詩序》的論爭，他們或否定《詩序》，或肯定《詩序》、反對訾議《詩序》，或部分肯定、部分否定，或分別去取，或取長補短，無不提出各自的見解，聚訟紛如，推波助瀾，形成爲《詩經》研究的高潮。經過這一場來自多方面的論爭，《詩序》從根本上動搖，毛鄭之學、漢儒對詩三百的穿鑿曲說，可以說，受到致命的打擊。與朱熹同時，朱熹尊爲師執輩的呂祖謙，其《呂氏家塾讀詩記》，《總目》評價很高，認爲宋代「詩學之詳正，未有逾於此書」。此書特色是立場「仍堅守毛鄭」，但細加研讀就會發現，即使是如此「詳正」者，與孔穎達《正義》的死守「疏不破注」、只在鄭箋的基礎上闡發也不一樣；對毛鄭之說是時有評判，時有訾議的。比如《小雅・雨無正》的解題除引歐陽修的見解外，並加按語如下：「序曰雨自上而下者也，言眾多如雨而非正也。今考詩七章都無此義，與《詩序》絕異，當闕其所疑」。《大雅・蕩》，採蘇轍的意見：「《蕩》之所以爲蕩，由詩有『蕩蕩上帝』也。《詩序》以爲天下蕩蕩無綱紀文章，則非詩之意也。」《小雅・甫田》：「曾孫之稼，如茨如粱」一段注曰：「溥天之下莫非王土，王土所生，莫非曾孫之稼。鄭氏以稅言之，陋矣。」可見漢、唐以來毛、鄭之學的絕對權威的確是搖了！這不能不說是詩經研究的初步解放。

三、敢於別立新意解詩。當時有些新解已經接觸到詩三百篇的文學因素。儘管這一方面還屬於無意爲之的副產品，畢竟像是窗口吹進的了一股清新之氣。如朱熹的《詩傳遺說》就有許多可取乃至精闢的見解：「大凡物事須要說得有滋味方見有功，而今隨文解義，誰人不解？……須要見古人好處……須要自得它言外之意始得，須是看它物事有精神方好。」又，「詩是恁地說話，一章言了，次章又從而嘆詠之，雖則無義理而意味深長，不可於名物上尋義理。後人往往見其言如此平淡，只管添上義理，卻窒塞了他。如一源清水，只管將物事積堆在上便壅隘了。」「詩可以觀者，正謂其間有得，有失，有黑，有白；若都是正，卻無可觀，不若且置小序於後，熟讀正文爲善。如拾得一詩，其間說香，說白，說寒時開，雖無題目，其爲梅花詩必矣。」（以上卷一）「詩可以興，且須反覆讀，使書與心相乳入，自然有感發處……自家些心都不曾與它相粘，所以目燥無汁漿，如人開溝而無水，如此讀之何益？」「看詩義理外，更好看他文章，且如《谷風》，他只是如此說出來，然而敘事得曲折，先後皆有次序。」《摽有梅》詩，女子自言婚姻之事如此，看來自非正理，但人情亦自有如此者，不可不言。」（以上卷四）王柏《詩疑》：「《伐檀》之詩，造語健而意興遠。」「《陟岵》之詩，見父子兄弟相望之眞情，亦善作詩者也。」「《蒹葭》不類秦風也……體致亦佳。」「《黍離》周大夫之作，亦善於爲詩者，感慨深而言不迫切，初不言其宗國傾覆之事，反覆歌詠之後，見其悽愴追恨之意，出人意表。」「宋公《筆記》云：『蕭蕭馬鳴，悠悠旆旌』，見其整而靜也，顏之推愛之。『楊柳依依，雨雪霏霏』，寫物態人情也，謝玄愛之。『遠猶告辰』，謝安以爲佳語。」呂祖謙《呂氏家塾讀詩記》評《鄘風・君子偕老》篇曰：「一章之末云：『子之不淑，云之何，』責之也；二章之末云：『胡然而帝也』，問之也；三章之末云：『展如之人兮，邦之媛也』，惜之也。辭益婉而意益深矣」。

所以不厭其煩地作以上引述在於說明，擺脫小序，各抒己見，就可能從幾個側面說詩，就可能，而且也必然要接觸到「經」衣之下的文學因素。上面援引的例子觸及到詩的形象、意境、韻味、篇章結構、修辭煉字，乃至於詩的風格、詩的鑑賞、詩人情感的不由不發、讀者情感的有待共鳴等一系列問題，只是都翩若驚鴻，一閃而過，既未加發揮，更談不上開掘。而且十分遺憾，這種觸及並非有意，而無意爲之也要有意避開，就怕燙了手一樣。

三

宋代的《詩經》研究本應在文學批評史上有重大開拓乃至揭開新頁。釐訂毛鄭之說，否定小序，廢去傳注，實質上是一種企圖從經師絕對權威下掙脫出來的合理的學術要求；這種要求可以排除和澄清漢唐以來對詩三百篇的穿鑿曲說，進一步拔開雲霧直接進入作品形象，恢復其原有的文學面目。朱熹也認爲：「要人虛心靜氣，本文之下打疊交，空蕩蕩地不要留一點先儒舊說，莫問他是何人所尊、所親、所憎、所惡，一切莫問，而唯本文是求，則聖賢之旨得矣。」（註一八）這段話在當時可以說相當精彩，令人惋惜不已的，最後一句卻是個沈重的尾巴。這個大不掉的尾巴，終於拖住了全身，使一場生動的《詩經》研究顚進了另一條歧路。

儘管朱熹認識到「詩之所謂風者，多出於里巷歌謠之作」，是「所謂男女相與詠歌，各言其情者也」，「詩者，人心之所感而形於言之餘也」。可是又把國風中的《周南》、《召南》和其它十三國風區別開來，認爲《周南》、《召南》是「親被文王之化以成德，而人皆有以得其性情之正」，所以爲「風詩之正經」；「《邶風》以下」，則「其所感而發者，有邪正是非之不齊，而所謂先王之風者，於此焉變矣。」在他看來，「聖人在上，則其所感者無不正，而其言皆足以爲教」，邶以下諸國由於不是聖人統治，則人民感情有邪正之別，而這些詩歌所以被收採，無非「聖人因之而有勸懲之教。」（註一九）這種從封建主義出發，牢不可破的聖賢和群氓、上智和下愚的階級偏見以及聖上風化天下的詩教觀念，加上理學家的立場，使朱熹的疑古精神只能停留在半路上。他的理論陷入了無可救藥的矛盾，不但不能自圓其說、因而引起後代許多學者的不滿和非難，而且在客觀上適應統治階級的需要，成爲我國封建社會後期封建王朝用來箝制、鎮壓人民的重要思想工具。

衆所週知，朱熹在《詩經》研究中明目張膽地打出了一批「淫奔」之詩。這就是《邶風》以下的《靜女》、《桑中》、《木瓜》等二十四首。儒家禮教規定了嚴格的男女之防：男女異長，男女不雜坐，不同椸枷，不同沐節，授受不親。「男女非有行媒不相知名，非受幣不交不親。」婚娶而禮不備叫「奔」，「聘則爲妻，奔則爲妾。」（註二〇）不但自由戀愛不可想像，愛情的純潔性也不予承認，從而根本無視情詩的存在。朱熹這一位在經學、理學、文學幾方面都有很高造詣的一代碩儒，他了解情詩。比如他說《摽有梅》詩，是「女子自言婚姻之意」，是「人情亦自有如此者，不可不言」。他盛讚某些情詩，甚而對之愛不釋手：「鄭詩雖淫亂，然《出其東門》一詩卻如此好。又如《女曰雞鳴》一詩，意思亦好，讀之眞有不知手之舞之足之蹈之者。」（註二一）然而，作爲一個封建衛道士，朱熹卻又盡量擺出一副岸然道貌，對情詩表示深惡痛絕。宋代，在「文」與「道」的問題上，理學家是絕對强調「道」的，甚至排斥「文」。周敦頤提出「文所以載道也」，（註二二）程頤甚至認爲「作文害道」，（註二三）朱熹的學術思想在理學淵源方面，和他們有直接的師承關係。朱熹在《詩經》研究中不可能，也不敢發揮他的文學見解，他不是也說「情」，說「滋味」，說「感發」，說「義理外的文章」麼？但是上述那些涉及《詩經》文學因素的見解，至多只能口頭上對弟子們提提，在《詩集傳》裡則銷聲匿跡。這是一方面。另一方面，所謂「道」，在理學家眼中即「天理」，而「天理」，據說和「人欲」對立，張「天理」就得滅「人欲」。理學家企圖撲殺人性的正常而合理的表現，當然也就否定愛情的健康抒發。這就是爲什麼朱熹必得把情詩打成「淫奔」的根本緣由。「鄭衛之音，便是今邶、鄘、鄭、衛之詩，多道淫亂，故曰鄭聲淫，聖人存之，欲以知其風俗且以示戒，所謂詩可以觀者也，豈以其詩爲善哉！」（註二四）他認爲情詩淫邪，非正、非善，之所以留下來無非爲了示戒後人。漢儒無視《詩經》中的情詩，穿鑿曲說，把情詩解爲對政教的美刺；朱熹了解情詩，卻忍心把污泥濁水往上潑。

打爲「淫詩」的數字總不能太多，其他的情詩怎麼辦呢？朱熹就不得不採用《詩序》的說法了。比如《關雎》，上文已經提到，朱熹批判小序，但對詩中的「窈窕淑女」又解釋爲「蓋指文王之妃太姒爲處子時而言也。」這難道不仍是《詩序》的「《關雎》，后妃之德」麼？實在是換湯不換藥。再如鄘風的《柏舟》，這一首充滿情趣的詩篇，朱熹則全然採用《詩序》舊說，强與史合。事實上，也不限於情詩，一部《詩集傳》，表面上雖然廢序，骨子裡並未擺脫《詩序》的束縛。這一點是大家都心照不宣的。而這也正是朱熹《詩經》研究無法克服的矛盾。

朱熹是宋代《詩經》研究的集大成者，影響至爲深遠。他的卓見和庸腐、清醒和蔽闇，他在《詩經》研究方面的種種矛盾和牴牾，歸根到底是時代思潮的折光。朱熹的研究成果代表宋代《詩經》研究的最高水平，他的謬誤也成爲宋代《詩經》研究的最大弊病。

在朱熹打出淫奔之詩的基礎上，他的三傳弟子王柏（柏嘗師何基，何基師黃幹，黃幹師朱熹）承受衣缽，變本加厲，更是推向極端。

王柏把淫詩從二十四首加碼到三十二首，增加了《野有死麕》、《晨風》、《綢繆》等八首，並主張乾脆把這三十二首淫詩從國風中清除出去。他說：「學者吟哦其醜惡於唇齒間尤非雅尙，讀書而不讀淫書未爲缺典」；聲稱「愚敢記其目以俟有力者請於朝而放黜之，一洗千古之蕪穢云。」（註二五）這種荒唐的、極端的主張引起後世群議沸騰，不滿宋學者將之視爲宋學游言的最高典型，譏之爲「誣經」。「經」動不得，否則曰「誣」，這當然是迂腐之見，但王柏的這一主張卻確是誣詩、殺詩，舉起封建禮教的大刀惡狠狠地向情詩砍來。王柏的著作不少，以「疑」名書者，除《詩疑》外，尙有《書疑》，看來頗以疑古自命；《詩疑》之中也不乏眞知灼見，而且在治學方法上頗多建樹，只是他的疑古，和他的改號有異曲同工之妙。他原先自號「長嘯」，一股豪氣噴薄欲出，和友人合撰《論語傳旨》後，自省「長嘯非聖門持敬之道」，遂改號「魯齋」。他的死，《宋史・儒林傳》亦特加記載，說是「其卒，整衣冠端坐，揮婦人勿近」。爲人如此，《詩疑》以發散腐味告終也就順理成章了。《詩疑》的黜情詩，成了宋代學風變古中《詩經》研究的最後一筆諷刺。

王安石的《詩經新義》隨變法的失敗而廢黜失傳。鄭樵《詩經》研究的論著也亡佚了，朱熹的《詩集傳》自元代仁宗時定科舉法，成爲士子必讀書後，一直到清代，又獨霸詩經研究的陣地，前後統治了六百年之久，這想來不是當初「欲以識勝之」，希圖從毛鄭束縛中解脫出來的宋儒所能估計到的。

漢儒說詩，《毛詩》獨傳，《詩序》非美即刺，把詩三百篇侷限於政教的美刺之中。白居易發展了漢儒美刺言詩的精神，又拘於模式，以美刺論詩人。唐代詩人，除陳子昂、鮑防外，白居易只肯定了小半個杜甫和不到十分之一的李白。宋儒研究《詩經》，朱熹集其大成，亮出了「淫奔之詩」的靶子，於是詩有貞淫之分，詩人所感有邪正之別。以此論詩，恰與張戒相呼應：「自建安七子、六朝、有唐及近世諸人，思無邪者，惟陶淵明、杜子美耳，餘皆不免落邪思也。」（註二六）一棍子打下了百分之九十五以上的詩人！歷史進程中有些現象何其相似乃爾。

如果說，宋代學風變古在《易經》等方面的研究，由於不自覺地揉入佛、道，援道、佛入儒，開拓了理學本體論探討的領域，把中國的哲學帶上一個新的高度，那麼，《詩經》的研究卻遠沒有取得應有的成績，沒有達到應有的文學水平。困守儒家的詩教觀念，朱熹等理學家在道德觀方面還進一步强化了儒家的綱常倫理，使得這一場原先頗爲生動活潑的《詩經》研究，在有聲有色地熱鬧了一陣子以後，沒跨出幾步，就折向老路，兜回原地，仍然在陰霉、窒息的經學廟殿裡踏步，有些步子甚至踏得比以前更酷烈些：這眞是一場喜劇，也是一場令人深感痛惜的悲劇。《詩經》要恢復其絢麗奪目的文學原貌，這個歷史任務還得交由後世來完成。

【附註】

註　一　《四庫全書總目提要》卷十五。

註　二　同上，經部詩類范處義《詩補傳》。

註　三　陳振孫《直齋書錄解題》。

註　四　《漢書・董仲舒傳》。

註　五　《後漢書・儒林傳》。

註　六、註七、註八　皮錫瑞《經學歷史》。

註　九　《論刪去九經正義中讖緯箚子》。

註一〇　《論語・里仁》。

註一一　《孟子・梁惠王上》。

註一二　《漢書・司馬遷傳》。

註一三　見邱漢生《詩義鉤沈》。

註一四　《宋史・藝文志》。

註一五　《毛詩正義》卷一。

註一六　鄭樵《六經奥論》、朱彜尊《經義考》。

註一七　《四庫全書總目提要》。

註一八　朱鑑《詩傳遺說》卷四。

註一九　以上見《詩集傳・序》。

註二〇　《禮記・內則》。

註二一、註二四　《詩傳遺說》卷二。

註二二　周敦頤《周子通書》第二十八。

註二三　《二程語錄》卷十一。

註二五　王柏《詩疑》。

註二六　張戒《歲寒堂詩話》。

——原載《廈門大學學報》（哲學社會科學版）一九八五年四期，頁一〇九——一一七。

宋儒關於《周禮》的爭議

姚瀛艇

《周禮》歷來就是一部有爭議的書。西漢末年的劉歆和東漢末年的鄭玄都認爲《周禮》是周公致太平之跡；與劉歆同時的太常博士則斥《周禮》爲劉歆所僞造，與鄭玄同時的何休則目《周禮》爲六國陰謀之書，二者形成尖銳的對立。到了宋代，由於疑古惑經風氣的盛行，又由於王安石援引《周禮》進行變法，遂使圍繞《周禮》所開展的爭議更趨複雜激烈。分析這些爭議，應是宋代經學史乃至思想史研究中的一個重要課題。

研究《周禮》在宋代是一門「顯學」。南宋理宗時期的王與之寫了一部《周禮訂義》，書中引用前人之說共五十一家；而唐以前卻只有杜子春、鄭興、鄭衆、鄭玄、崔靈恩、賈公彥六家，其他四十五家全是宋代人。本文不能也不必將這四十五家之說一一徵引，僅擇其有代表性者論之。

一

北宋時期較早較系統地對《周禮》提出疑問的是歐陽修。《歐陽文忠全集》卷四十八，收錄了他所寫的策問十二道。其中《問進士策》三首中的第一首，就是問《周禮》的。文中對《周禮》提出兩點疑問。他說：

> 夫內設公卿大夫士，下至府史胥徒，以相副貳；外分九服，建五等，差尊卑，以相統理；此《周禮》之大略也，而六官之屬

略見於經者五萬餘人，而里閭縣鄙之長、軍師卒伍之徒不與焉。王畿千里之地，爲田幾井，容民幾家，王官王族之國邑幾數，民之貢賦幾何，而又容五萬人者於其間？其人耕而賦乎？如其不耕而賦，則何以給之？夫爲治者，固若是之煩乎？此其一可疑者也，秦既誹古，盡去古制，自漢以後，帝王稱號，官府制度，皆襲秦故，以至於今，雖有因有革，然大抵皆秦制也，未嘗有意於《周禮》者，豈其體大而難行乎？其果不可行乎？夫立法垂制，將以遺後也。使難行而萬世莫能行，與不可行等爾。然則，反秦制之不若也。脫有行者，亦莫能興；或因以取亂，王莽後周是也。則其不可用決矣，此又可疑也。

在《南省試進士策問》三首中的第二首又對《周禮》提出了疑問。他寫道：

《周禮》之制，設六官以治萬民而百事理。夫公卿之任重矣。若乃祭祀天地日月宗廟社稷四郊明堂之類，天子大臣所躬親者，一歲之間有幾？又有巡狩朝會師田射耕燕饗，凡大事之舉，一歲之間又有幾？而爲其民者，亦有畋獵學校射鄉飲酒凡大宗聚會，一歲之間有幾？又有州黨族官歲時月朔春秋酺禜詢事讀法，一歲之間又有幾？其齋戒供給期召奔走，廢日幾何？由是而言，疑其官不得安其府，民不得安其居，亦何暇修政事、治生業乎？何其煩之若是也。然說者謂周用此以致太平。豈朝廷禮樂文物、萬民富庶豈弟，必如是之勤且詳，然後可以致之歟？後世苟簡不能備舉，故其未能及於三代之盛歟？然爲治者，果若是之勞乎？

歐陽修這三問，問得有道理，有意義。說他有道理，是因爲這幾點確實可疑；說他有意義，是因爲這三問之中包含有疑古惑經的精神。我們今天誰也不會相信《周禮》是周公親自所作，也不會相信西周時期確有《周禮》書中所描繪的那樣的制度。但自劉歆、鄭玄、賈公彥以來，這兩點卻是深入人心。賈公彥的《周禮注疏》，雖不是奉敕修撰的官書，但卻得到朝廷的提倡，成爲科學考試的定本。它和唐朝官修的五經正義，實際上都起了束縛人心、禁錮思想的作用。歐陽修這三問，正是對唐代官修正義的反動，具有衝破桎梏的意義。他不僅對《周禮》提出疑問，而且對《周易》、《毛詩》也提出了疑問。他在《易童子問》中，力主《繫辭》、《文言》以下非孔子之言；在《詩本義》中，又力辨毛、鄭之失。他不僅疑注，而且惑經。這種懷疑精神，在當時起了解放思想的作用，在經學研究中掀開了新的一頁。所以，歐陽修在我國經學史中，也是一個有貢獻的人物。

二

與歐陽修同時的李覯，對《周禮》卻是另一種態度。他在《周禮致太平論》的敘中寫道：「昔劉子駿、鄭康成皆以《周禮》爲周公致太平之跡；而林碩謂末世之書，何休云六國陰謀。然鄭義獲申，故《周官》遂行。覯竊觀六典之文，其用心至悉，如天焉有象者在，如地焉有形者載，非古聰明睿智，誰能及此！其曰周公致太平者信矣！鄙儒俗士各滯所見，林之學不著何說。公羊誠不合禮。盜憎主人，夫何足怪。」這段話表明了他對《周禮》的看法。接著又說：「今之不識者，抑又譊譊，將使人君何所取法？是用摭其大略而略述之。……命之曰：《周禮致太平論》。噫！豈徒解經而已哉！唯聖人君子知其有爲言之也。」這段話說明他寫《周禮致太平論》的目的。「有爲言之」，就是要針對社會現實，發揮自己的政治主張。而這「有爲之言」，卻援引《周禮》，而不援引其他經典，則正是基於他對《周禮》的認識，二者緊密相連。

《周禮致太平論》連敘共五十一篇，論述了內治、國用、軍衛、刑禁、官人、教道等六個方面的問題，而其核心則在國用；國用十六篇所著重論述的又在「平土」、「免役」兩個方面。其所以如此，則又與李覯的社會地位及其對現實問題的觀察密切相連。

李覯屢次自稱是「邑外草萊之民」（註一）、「南城賤民」（註二）、「南城小草民」（註三），自稱其家世是「家世儒素」（註四），「身不被一命之寵，家不藏擔石之糧」（註五），看起來是屬於鄉戶地主中的中小地主階層。他在二十三歲時曾自述他的志願是「雞鳴而起，誦孔子孟軻群聖人之言，纂成文章，以康國濟民爲意；余力讀孫吳書，學耕戰法，以備朝廷犬馬驅指」（註六）。這說明他不是「皓首窮經」的書呆子，而是關心社會現實的思想家。由於他的社會地位比較低下，對現實有比較清醒的觀察，因而他多少看到了當時的階級矛盾和統治階級內部的矛盾。《周禮致太平論》就是他針對這些矛盾所提出的解決方案。

關於階級矛盾，早在他二十三歲時所寫的《潛書》中就已指出當時嚴重存在著的「耕不免饑，蠶不得衣，不耕不蠶，其利自至」（註七）的不合理現象；分析了這種不合理現象產生的根源：「耕不免饑，土非其有也；蠶不得衣，口腹奪之也」（註八）；提出了解決這種不合理現象的主張：「井地立則田均，田均則耕者得食，食足則蠶者得衣；不耕不蠶不饑寒者稀矣。」（註九）五年以後，他又根據《周禮》、《司馬法》等書，寫了《平土書》二十章，提出了平均土地的藍圖。在《周禮致太平論．國用第四》裡，又提出了「人無遺力」、「地無遺利」的主張。他說：「言井田之善者，皆以均則無貧各自足也。此知其一，未知其二。必也人無遺力，地無遺利，一手一足無不耕，一步一晦無不稼，穀出多而民用富，民用富而邦則豐者乎？」下文即列舉《周禮》大司徒、遂人、載師等職，說明《周禮》所規定的制度，就是人無遺力，地無遺利的制度，來爲自己的主張尋找理論根據和歷史根據。

關於統治階級內部矛盾，他看到了當時嚴重存在著的「官戶」地主與「鄉戶」地主之間的矛盾。宋代的「官戶」地主享有種種特權，而「鄉戶」地主則沒有這些特權。政治上的進身之路，為「官戶」所阻，經濟上又負擔沈重「差役」，往往破產。在這方面，李覯有親身的體會。他青壯年時期，多次應進士試，均未登第。以後經范仲淹、孫沔等人的多次推薦，直到皇祐二年（西元一〇五〇年），才由朝廷授予「試太學助教」的職務，階官為將仕郎。在元豐改官制以前，宋代文階官共九品二十九階，將仕郎是最低一階。他自己也知道這是「冗散一官，品秩至下」（註一〇），但就是這樣一個微不足道的小官已可使他「稍殊編戶，便可安居」（註一一）。這兩句話很值得注意。沒有這個芝麻大的小官，即令是地主，也不得安居，這很能說明「鄉戶」地主的處境。正因為李覯自己有親身的體會，所以在他的著作裡多次大聲疾呼，提出「免役」或「均役」的主張。在《周禮致太平論．國用第十六》裡，更慷慨陳詞地說：

大司徒以保息六養萬民，六曰安富，謂平其徭役不專取也，大哉先王之法，其所以有天下而民不斁者乎！孔子謂既庶矣富之，既富矣教之。管子有言：倉廩實知禮節，衣食足知榮辱。然則民不富，倉廩不實，衣食不足而欲教以禮節，使之趨榮而避辱，學者皆知其難也，及其為國家，則有反是者矣。田皆可耕也，桑皆可蠶也，材皆可飭也，貨皆可通也；獨以是富者，心有所知，力有所勤，夙興夜寐，攻苦食淡，以趣天時、聽上令也。如此而後可以為人之民，反疾惡之何哉！疾惡之，則任之重，求之多，勞必於是，費必於是，富者幾何其不黜而貧也！使天下皆貧，則為之君者利不利乎？故先王平其徭役，不專取以安之也。

這段話中所說的「夙興夜寐，攻苦食淡，以趣天時、聽上令」的「富者」，顯然不是享有特權的「官戶」地主。所以這段話可以說是李覯代表「鄉戶」地主而發出的一篇情辭懇切的呼籲書！

總上可知，李覯對當時的社會現實有一定的了解。他深信《周禮》爲周公致太平之跡，他寫《周禮致太平論》就是援引《周禮》來發揮自己的政治主張，提出救時的方案。他提出的「平土」，當然只是一幅不能實現的藍圖。但他能看出「耕不免饑，土非其有也」這樣一個問題，而且力圖加以解決，作爲一個封建時代的地主階級的思想家，已是非常可貴的了！至於「均役」，當時提出這一問題的，不乏其人。這說明「鄉戶」的差役負擔，已引起普遍的注意。但李覯卻能援引《周禮》，爲自己的主張提供理論根據和歷史根據，這又是他人所不及的。

李覯與歐陽修是同時代人，對《周禮》的態度卻截然相反。他們之間，是否發生過直接的爭議，無法斷定。李覯的《周禮致太平論》寫於慶曆三年（西元一〇四三年），敘中批評了「今之不識者」，但未指名道姓，確指其人。歐陽修的《南省試進士策》寫於嘉祐二年（西元一〇五七年），文中批評了「謂周用此以致太平」的「說者」，亦未確指其人。但歐、李二人卻可以作爲當時對《周禮》持不同態度的兩派人的代表。李覯罵過去懷疑《周禮》的人是「盜憎主人」，批評「今之不識者」，「抑又譊譊，將使人君何所取法」，言辭相當激烈。這就反映了圍繞《周禮》所進行的爭議所達到的程度，雖然這些爭議不一定直接發生在歐、李二人之間。

三

李覯只是援引《周禮》來發揮自己的政治主張，王安石則用《周禮》指導自己的政治實踐。在他執政時期，親自訓釋《周禮》，寫了十餘萬字的《周禮義》，作爲新法的理論根據。本文不可能全面論述這部書，只想指出以下幾點。

第一，王安石對《周禮》一書的認識。他說：「其人足以任官，其官足以行法，莫盛乎成周之時。其法可施於後世，其文有見於載籍，莫具乎《周官》之書」（註一二）。但是，「自周之衰，以至於今，歷歲千數百矣。太平之遺跡，掃蕩幾盡，學者所見，無復全經」（註一三），因而完全「追而復之」（註一四），又是不可能的。

第二，既然不能「追而復之」，爲什麼還要訓釋《周官》？這裡牽涉到王安石的一個根本思想。他在《上仁宗皇帝書》中，早就指出：「法先王」不是「一二修先王之政」，而是「法其意」而已。但孔子所傳的經籍，經秦火之後，源流失正；漢儒的章句傳注，又是煩瑣破碎，陷溺人心，因而先王精義，隱而不見，淫辭詖行，卻到處泛濫，所以必須重新訓釋（註一五）。

第三，憑什麼訓釋《周禮》？他說：「以所觀乎今，考所學乎古，所謂見而知之者，臣誠不自揆，妄以爲庶幾焉」（註一六）。也就是用他自己的思想來訓釋《周禮》，使其義理明白；同時，通過訓釋《周禮》，更進一步闡明自己的思想。下面，我們舉出一些例證，略作說明。

《周禮・天官・大宰》「以九職任萬民」條所列九職，前八項都是具體職務，即：三農生九穀，園圃毓草木，虞衡作山澤之材，藪牧養蕃鳥獸，百工飭化八材，商賈阜通貨賄，嬪婦化治絲枲，臣妾聚斂疏材；第九項則是「閑民無常職，轉移執事。」八項具體職務之外，爲什麼必須還要有「閑民」？王安石釋之曰：「閑民則八職所待以成事者也，故九曰『閑民無常職，轉移執事』。夫八職之民，其事有時而用衆，則轉移執事曷可少哉！蓋有常以爲利，無常以爲用者，天道也」（註一七）。離開「閑民」，八職就有可能完不成任務。這個道理，一般人還能說得出。但從這個具體問題引申出「有常」、「無常」這一對矛盾，並把這一對矛盾的相互關係，作爲「天道」，即普遍規律來看待，卻是只有王安石才做得到。這段話，一方面表明王安石具有深刻的辯證法思想；另一方面也說明只有具有辯證法思想的王安石，才能對這一條作出這樣的解釋。試把這段話與賈公彥的舊疏相比較，就可清楚了。

《周禮・春官・大卜》「以邦事作龜之八命」條說：「八命：一曰征，二曰象，三曰與，四曰謀，五曰果，六曰至，七曰雨，八曰瘳。」這八件，都是國之大事，待蓍龜而決者。「征」是行役討伐；「象」是天象變動；「與」是與或不與；「謀」是謀議；「果」是辦事能否成功；「至」是至或不至；「雨」是下雨與否；「瘳」是疾病能否痊癒。八項之中，有天事，有人事。爲什麼按這樣的順序排列？王安石訓釋說：「征，事大及衆，故征爲先；瘳不及衆，私尤而已，故瘳爲後。象，則天事之大，雨，則天事之小。天事之大而在征後，則天道遠，人道邇故也。先雨後瘳，則雨及衆故也」（註一八）。這段話說明王安石認爲「人事」比「天事」重要；「人事」之中，關係到多數人的事，比關係到少數人的事重要。「大卜」這段話，本來是講占卜的，具有濃厚的神秘色彩。但就在這些地方，王安石仍能巧妙地發揮他的唯物主義思想。這又是其他訓釋《周禮》的人所不能做到的。

《周禮・秋官・大行人》有一段話說：「王之所以撫邦國諸侯者：歲遍存；三歲遍頫；五歲遍省；七歲屬象胥諭言語，協辭命；九歲屬瞽史諭書名，聽聲言；十有一歲達瑞節，同度量，成牢禮，同數器，修法則；十有二歲，王巡守殷國」。這段話羅列了「王之所以撫邦國諸侯」所要辦的種種大事。賈公彥在解釋「修法則」時僅說：「據大宰云八法治官府，八則治都鄙。諸侯國有都鄙、官府，以此法則治之，故須修之」（註一九）。王安石則解釋說：「道有升降，禮有損益，則王之所制，宜以時修之。修法則，爲是故也。」（註二〇）把這兩段話相比較，顯然新義比舊疏爲勝。王安石這段話，除了表明王安石變法改革的主張以外，更把「法」與「道」、「禮」聯繫起來，深刻闡明了必須變法改革的理論根據。

以上略具數例，說明王安石訓釋《周禮》，不是作煩瑣的章句注疏，而是用自己的哲學思想和政治觀點來闡明義理。這不僅賦予《周禮》以新義，使之成爲變法的指導思想，而且開宋儒義理之學的先聲，在中國經學史上具有重要的意義。

四

王安石變法，在北宋統治階級內部激起軒然大波。反對變法的人，不僅反對新法，而且反對王學。由於王安石親自訓釋《周禮》，於是《周禮》和《周禮義》遂成爲衆矢之的。反對王學的人，或維護《周禮》藉以攻擊《周禮義》；或因攻擊《周禮義》，進而攻擊《周禮》。這種攻擊，斷斷續續，一直持續到南宋末年，成爲兩宋經學史上的一個重要問題。

首先是二程。二程不懷疑《周禮》，但攻擊《周禮義》，並認爲王安石不能實行《周禮》。《二程遺書》卷十八載：「問《周禮》之書有訛缺否？曰：甚多。周公致治之大法亦在其中，須知『道』者觀之，可決是非也」。在二程看來，王安石是不識「道」的，「只佗說『道』時，已與『道』離。佗不知道只說『道』時，便不是『道』也」（註二一）。王安石既不識「道」，當然就不能決《周禮》訛缺之是非。連這一點都作不到，那十餘萬言的《周禮義》還有什麼價值？《龜山文集》卷十一也載；「明道常曰：有《關雎》、《麟趾》之意，然後可以行《周官》之法度，」即是說只有王者行王道，才能實行

《周禮》所規定的法度。而王安石則是「圖王而實霸，行義而規利」（註二二）的，當然就不能實行《周禮》了。

接著是蘇轍。他不僅攻擊《周禮義》，而且懷疑《周禮》。他的言論見於《欒城後集》卷七所收《歷代論》第一篇《周公》。文章一開頭就說：「言周公所以治國者莫詳於《周禮》。然以吾觀之，秦漢諸儒以意損益之者眾矣，非周公之原書也」。接著就指出了《周禮》之三不可信：第一，《周禮》所描繪的王畿，四方相距千里如畫棋局，近郊、遠郊、甸地、稍地、小都、大都相距皆百里十里之方，完全是空言，事實上決無可能。第二，《周禮》所說諸公之地方五百里，諸侯四百里，諸伯三百里，諸子二百里，諸男百里，與《尙書》、《孟子》諸書皆不合。第三，《周禮》所說王畿之內公邑爲井田，鄉遂爲溝洫，此二者皆一夫而受田百畝，五口而一夫爲役，百畝而稅十之一等等，皆與實際情況不符。最後作出結論說：「三者既不可信，則凡《周禮》之詭異遠於人情者皆不可信也。古之聖人，立法以便民者有矣，未有立法以強人者。立法以強人，此迂儒之所以亂天下也」。蘇轍對《周禮》的疑問，不無道理。但由此得出結論，說王安石是「亂天下」的「迂儒」，則只能說是政治偏見了。

接著是司馬光的私淑弟子晁說之。《嵩山文集》卷十四收錄了他的一篇著作，題爲《辨誣》。文中辨了五個問題，第四個就是辨《周禮》。他比蘇轍更進一步，直斥《周禮》爲「殘僞之物」，說《周禮》是「煩禮瀆儀，靡政僭刑，苛令曲禁，重賦專利，忌諱祈禳」之書，即令沒有殘缺，「王者猶損益之，況殘僞之物乎？」王安石據殘僞之物以變法，這樣的變法，還有什麼道理？王安石爲殘僞之物作訓釋，這樣的訓釋，還有什麼價值？所以，晁說之短短一句話，既徹底否定了《周禮》，又徹底否定了《周禮義》和王安石變法。

接著是二程的門人楊時。他不攻《周禮》，而專攻《周禮義》。

他寫了一本《周禮義辨》，就是用來攻擊《周禮義》的。這本書筆者未見到，不知具體內容如何。現存《龜山語錄》中，有三處涉及《周禮義》。一條辨「王燕飲則膳夫爲獻主」，一條辨「凡用皆會，唯王及后不會」，一條辨「平頒其興積」，均見《龜山文集》卷十。前兩條無關宏旨，後一條是否定青苗法，而《周禮義》中有關這一條的訓釋已經佚失，因而無法與楊時的話相比較。這三段話是楊時在甲申、乙酉之間（崇寧三年—四年，西元一一〇四——一一〇五年）任荊州府學教授時對門弟子講的，言辭尚不偏激，是個講道理的樣子。二十年後，當金兵包圍汴京，形勢危殆之際，他上書欽宗，攻擊王安石「挾管商之術，飾六藝以文奸言，變亂祖宗法度」（註二三）；又攻擊王安石「著爲邪說以塗學者耳目，敗壞其心術者不可縷數」（註二四）；並歪曲王安石所釋《鳧鷖》之詩，說王安石「倡爲此說，以啓人主之侈心」（註二五），從而把宋徽宗的一切弊政都歸之於王安石的經義。從此以後，王學壞人心術，王學爲北宋敗亡之根，就成爲一切反對王學的人的基調。

接著是楊時的門人胡宏。《五峰集》卷四收錄了他寫的《皇王大紀論》八十餘條，其中有三條是專論《周禮》的。他直斥《周禮》爲亂臣賊子劉歆的僞作，證據之一就是冢宰的職掌及屬官。他認爲冢宰是天子之副貳，職掌是統百官，均四海。而《周禮・天官》所載冢宰的屬官，沒有一個是符合冢宰的職責的。如小宰、司會、司書、職內、職歲、職幣，類皆期會簿書之末，俗吏掊克之所爲；如宰夫則爲聚斂之臣；如醫師、酒正、漿人、醢人則爲技藝之末；如夏采則爲不祥之人，沒有一個是贊助冢宰進退百官，均一四海之治的。他斷定「漢興經五霸七雄聖道絕滅大亂之後，陳平爲相，尚不肯任廷尉、內史之事；周公承文武之德，相成王爲太師，乃廣置宮閫、猥褻、衣服、飲食、技藝之官以爲屬，必不然矣」（註二六）。天官之屬如此，其他五官之屬，不問可知。像這樣的《周禮》豈可與《詩》、《書》並列而稱之爲經？而「王安石乃確信亂臣賊子僞妄之書，而廢大聖垂死筆削之經；棄恭儉而崇汰侈，捨仁義而營貨財；不數十年金人內侵，首足易位，塗炭天下，未知始終。原禍之本，乃至於是」（註二七）。接著他就罵王安石爲「奸人」，鄭康成爲「周公之罪人」。言辭之偏激，達到了最高峰。

接著是朱熹的私淑弟子魏了翁。《鶴山先生大全文集》卷一百九、一百十兩卷，收錄了他的著作《師友雅言》，其中有一條涉及《周禮義》。他說：「王介甫錯看膳夫一義，以爲王者受天下之奉。後王黼等置應奉司，以爲當受四海九州之奉。不知他經元無此義，獨《周禮》膳夫一職有備享之事。介甫差處，只爲大荒大札不舉；今無此，可以備享。解經如此，最關利害。政宣之誤，至於亡國，皆膳夫一句誤之。古今只說共儉菲飲食底事，此一職幾乎開後世人主之心，釋經者可不嚴哉！」

楊時、胡宏、魏了翁都說王安石的經義啓人主汰侈之心，造成政宣之誤，乃至亡國。其實都是不實之辭。試就「膳夫」一義來作一具體分析。王安石在訓釋「唯王及后不會」時，只是說：「所謂不會，非不會其所出，不爲多少之計而已。王與后之膳禽飲酒皆不會者，至尊不可以有司法數制之」（註二八）。在訓釋「大喪則不舉」時說：「王以能承順天地和理神人，使無災害變故，故宜饗備味，聽備樂。今不能然，宜自貶而弗舉矣」（註二九）。前一段話只是說王與后是至尊，不能以有司法數制之，並不含有獎勵奢侈浪費的意思。後一段話則更說明王如不能承順天地，和理人神，發生大喪（自然災害），就不應當饗備味，聽備樂，而是應當「自貶而弗舉」，這就更沒有獎勵皇帝奢侈浪費的意思了。何況王安石在《周禮義》中，還反覆說過：「斂欲狹，散欲廣，王之道也」（註三〇），「所以自養取薄，所以養人從厚，夫是之謂王德」（註三一），「不於一役家起二人，所以寬民也」（註三二）等等的話，這那裡是鼓勵皇帝奢侈浪費呢？宋徽宗奢侈腐化，是由他的本性決定的。如果有人助長的話，那是蔡京及其所倡的「豐亨豫大」之說，與王安石的經義毫不相涉。

從西漢末年到清朝末年，一千八九百年間，在我國學術史上，圍繞《周禮》，屢起波濤。兩宋時期，這個波濤，似乎更顯得洶湧澎湃，而且曠日持久。其所以呈現這種情況，既有學術上的原因，又有政治上的原因，二者又往往交織在一起。由於情況複雜，就不能一概而論。肯定《周禮》者，未必皆是，懷疑《周禮》者，未必全非。同是肯定《周禮》，二程不同於王安石；同是懷疑《周禮》，蘇轍有別於歐陽修。對每一家都應作具體的分析。要而言之：歐陽修對《周禮》並無專著，但他對《周禮》提出疑問，開宋儒疑古之先聲，對兩宋經學發生深遠影響。李覯援引《周禮》發揮自己的政治主張，具有卓見。王安石訓釋《周禮》，確有新義。二程以下以《周禮》爲政治鬥爭的工具，實無助於《周禮》之研究。這就是我們對這場波濤的粗淺的認識。

【附註】

註　一、註五、註六　《直講李先生文集》卷二七《上孫寺丞書》。

註　二、註四　同上書卷《上蘇祠部書》。

註　三　同上書卷《上余監丞書》。

註　七、註八、註九　《直講李先生文集》卷二十《潛書》第一。

註一〇、註一一　《直講李先生文集》卷二十六《謝范資政啓》。

註一二、註一三、註一四、註一六　《王文公文集》卷三十六《周禮義序》。

註一五　參見《王文公文集》卷十八《謝除左僕射表》。

註一七　《周官新義》卷一「大宰以九職任萬民」條。

註一八　《周官新義》卷十「太卜以邦事作龜之八命」條。

註一九　《周禮注疏》卷三十七。

註二〇　《周官新義》卷十六「大行人」條。

註二一　《二程遺書》卷一。

註二二　《龜山文集》卷十《語錄一》。

註二三、註二四、註二五　《龜山文集》卷一《上欽宗皇帝書第七》。

註二六、註二七　《五峰集》卷四《皇王大紀論・極論周禮》。

註二八、註二九　《周官新義》卷三「膳夫」。

註三〇　《周官新義》卷一「冢宰」。

註三一　《周官新義》卷七「澤虞」。

註三二　《周官新義》卷六「小司徒」。

——原載《史學月刊》一九八二年三期（一九八二年六月），頁一二——一八。

《大學》、《中庸》和宋明理學

余敦康

《大學》、《中庸》是收編在《小戴禮記》中的兩篇西漢初年的儒學論文。唐代以前，並沒有引起人們特別重視。經過韓愈、李翺的表彰，二程、朱熹的推崇，這兩篇著作獲得了新的生命和新的意義，上升成爲儒家的主要經典，與《論語》、《孟子》並列，合稱《四書》。《大學》、《中庸》在宋明理學中的地位實際上超過了儒家的其他經典，理學家不僅是主要依據其中的思想資料來建立自己的體系，而且也圍繞著其中的基本命題形成了學派的分化。從認識史的角度來看，宋明理學對《大學》、《中庸》的繼承和發揮，凝結著中國封建社會一千多年哲學思想發展的主要線索。究竟宋明理學從《大學》、《中庸》繼承了什麼，發揮了什麼，有哪些分歧的解釋？爲什麼要這樣繼承、發揮、以至產生分歧？深入研究這些問題，我們將可以看出哲學思想是如何按照自身固有的規律而螺旋式地向前發展，同時也可以看出它是如何受中世紀社會經濟條件的制約而具有不同於近代的特殊的歷史風貌。

《大學》、《中庸》的作者，如今已不可詳考，但是時代特徵是比較鮮明的。它們和《禮記》中的其他各篇著作一樣，屬於西漢初年的作品。雖然其中貫穿著儒家所一貫提倡的封建宗法主義思想，但是在理論的表述和論證方面，在理論的歷史形態方面，既不同於西漢中期已經取得統治地位的董仲舒的神學目的論，也不同於先秦百家爭鳴時期的那種原始的儒學。它們是先秦儒學演變爲董仲舒儒學的一個中間環節。因此，爲了確定《大學》、《中庸》的本義，應該聯繫《禮記》全書，從分析思想內容的時代特徵著眼。

西漢初年，封建統治者通過總結秦王朝覆亡的教訓，認識到無論是消除農民群眾的反抗心理還是維護統治集團內部的團結，都有必要提倡宗法思想。宗法思想以三綱五常爲基本內容，是封建社會中普遍存在的家族制度在思想上的反映，能夠有效地穩定封建社會的等級秩序，調整各個社會成員的相互關係。儘管當時統治者爲了休養生息，恢復殘破凋敝的社會經濟，選擇了主張清靜無爲的黃老思想作爲指導思想，但是建設封建統一大帝國的實際需要迫使他們經常到儒家那裡去請教。在這個歷史時期，儒家逐漸受到重視，開始復興起來。他們不僅依據周代的一套朝廷、宗廟以及冠、昏、喪、祭的禮儀爲漢代擬訂開國制度，而且也綜合總結了先秦儒家的成果，提出了一套供統治者採納的系統的政治哲學和倫理哲學。《小戴禮記》的四十九篇著作就是這個歷史時期的產物。其中有些篇章分別論述各種禮儀制度，有些則著重論述政治哲學和倫理哲學。雖然各篇論述的角度有所不同，但是都圍繞著封建宗法主義這個核心而彼此有機聯繫在一起。從思想內容方面來看，這個封建宗法主義的體系既是對先秦儒家的綜合總結，所以比先秦儒家更系統、更完整，同時就其尚未轉化爲神學目的論的理論形態而言，也帶有先秦儒學的流風，不難從中找出直接來源於孔子、孟子和荀子的痕跡。這種時代特徵反映在《禮記》的各篇之中，《大學》、《中庸》也不例外。

《大學》所著重論述的是封建宗法主義的政治哲學，它的基本思想就是後來宋儒所概括的「三綱領」、「八條目」。所謂「三綱領」包括「明明德」、「親民」、「止至善」。「八條目」包括「格物」、「致知」、「誠意」、「正心」、「修身」、「齊家」、「治國」、「平天下」。《大學》指出：「自天子以至於庶人，壹是皆以修身爲本。」意思是說，「修身」是「三綱領」、「八條目」的根本，無論統治者和被統治者都要講究道德修養，自覺地維護封建秩序。《大學》的這個思想，可以追溯到孔子。孔子說：「苟正其身矣，於從政乎何有？不能正其身，如正人何？」（《論語・子路》）孟子進一步發揮說：「人有恆言，皆曰天下國家。天下之本在國，國之本在家，家之本在身。」（《孟子・離婁上》）荀子專門寫了一篇題爲《修身》的文章，並且論證了修身是治國的根本。他說：「請問爲國？曰：聞修身，未嘗聞爲國也。君者儀也，民者景也，儀正而景正。君者槃也，民者水也，槃圓而水圓。」（《荀子・君道》）《大學》把先秦儒家關於修身的功用和方法的一些零散的說法集中概括起來，表述爲簡潔明瞭的公式，對儒家的政治哲學顯然是一個很大的發展。

儒家把政治歸結爲修身，因爲這是推行德治以維護家族制度的前提。封建社會政治的穩定是建立在家族制度穩定的基礎之上的。就統治階級方面來說，只有妥善地處理好他們家族成員中的各種關係，才能使權力和財產的繼承有章可循，不致因相互爭奪而陷入混亂。就被統治階級方面來說，以一家一戶爲單位的小農生產是在家長的領導下進行的，也只有使他們的家族成員和睦相處，尊重家長的權威，封建社會的經濟生活才能正常運轉。儒家所主張的德治，就是要求統治者以自己的模範的道德行爲對被統治者實行感化。如果統治者以身作則，在自己的家族中做到父慈、子孝、兄友、弟恭，被統治者就會跟著仿效，也在自己的家族中做到父慈、子孝、兄友、弟恭。這樣，封建社會的秩序就穩定了。相反，如果統治者自己不行正道，整個社會風氣也將隨之而敗壞。因此，修身就很自然地成爲搞好政治的根本。《大學》進一步闡述這個道理說：「《詩》云：其儀不忒，正是四國。其爲父子兄弟足法，而後民法之也。」「一家仁，一國興仁。一家讓，一國興讓。一人貪戾，一國作亂。」「堯舜帥天下以仁，而民從之。桀紂帥天下以暴，而民從之。」儒家的這種政治思想是一種宗法主義的政治思想，反映了生活在封建家族制度中的宗法式的人與人的關係。在整個封建社會，這種封建家族制度一直是社會結構的基本單位，適應於這種封建家族制度的政治思想，也就超不出《大學》所提出的「三綱領」、「八條目」的範圍。宋明理學從《大學》中所繼承的主要就是這一套封建宗法主義的政治思想。

《中庸》所著重論述的是封建宗法主義的倫理哲學，它和《大學》一樣，也特別強調修身，所不同的是，《大學》著重於政治的意義，《中庸》則著重於倫理的意義。它說：「修身以道。」所謂道，指的是封建社會中的五種倫理關係，包括君臣、父子、夫婦、昆弟、朋友。《中庸》認爲，這五者是「天下之達道」。因此，按照禮的規範把這五種倫理關係處理得和諧融洽，也就是修身的內容。它說：「齊明盛服，非禮不動，所以修身也。」「修身則道立。」「和也者，天下之達道也。」在這五種倫理關係中，夫婦是其他各種關係的起源，父子又是各種關係的根本。它說：「君子之道，造端乎夫婦。」「故君子不可以不修身。思修身不可以不事親。」可見這五種倫理關係實質上都是從封建家族制度中派生出來的。這種封建家族制度要求維護家長的父權，所以《中庸》特別推崇孝道，認爲是修身的一項最重要的內容。它說：「武王周公，其達孝矣乎！夫孝者，善繼人之志，善述人之事者也。」「修道以仁。仁者人也，親親爲大。」《中庸》的這些說法其實是儒家一貫的主張，並沒有提供什麼新東西。但是，只要與封建經濟相結合的家族制度沒有解體，君臣、父子、夫婦、昆弟、朋友這五種倫理關係也就是不可超越的，宋明理學的一套宗法主義倫理思想就是從《中庸》這裡繼承過來的。

《中庸》從天人關係的哲學高度來論證宗法倫理的合理性，這一條思路對宋明理學有很大啓發。《中庸》說：「天命之謂性，率性之謂道，修道之謂教。」這三個命題的意思是說，宗法倫理爲人性所固有，人性的本原源於天命，率性而行就是道，不能率性而行，則通過教化來使之修道。可以看出，《中庸》的這個說法既有孟子的影響，也有荀子的影響，實際上是對二者的綜合總結。孟子主張人性本善，擴充善端自然合乎禮義。荀子主張人性本惡，必須「化性起僞」才能合乎禮義。《中庸》認爲，「道並行而不相悖」，孟子和荀子的說法並不矛盾，擴充善端就是「率性」，「化性起僞」就是「修道」。「自誠明謂之性，自明誠謂之教，誠則明矣，明則誠矣。」無論是「率性」還是「修道」，都可以達到同樣的目的。因此，《中庸》一方面讚揚那種「不勉而中，不思而得」的聖人，也鼓勵那種生來愚笨柔弱的人，認爲只要作堅持不懈的努力，就能「雖愚必明，雖柔必强」。《中庸》認爲，如果人們能夠誠心誠意履行道德規範，處理好君臣、父子、夫婦、昆弟、朋友這五種倫理關係，就可以成己成物，盡性知天，贊天地之化育，與天地相參。這是一種天人合一的崇高境界，是致力於修身所追求的理想。

《中庸》把誠看作是貫通天人的手段，用了大量的朦朧的詞句來描繪。有些研究者認爲《中庸》所描繪的誠就是世界的本體，天地萬物存在的基礎。其實在《中庸》的體系中，最高的範疇是天、天命、天道，而不是誠。誠只是概括了道德實踐者的一種心理狀態。《中庸》對誠的描繪也不是用理性邏輯作哲學的論證，而是以抒發感情的方式表達了道德實踐者所體驗的心理境界。在道德實踐中，實踐者的自覺性是一個必要的前提，如果沒有誠，也就談不上道德。儒家一貫重視道德實踐，他們一方面爲道德的本原積極從事哲學的論證，同時也用種種比喻和形象化的語言描繪了他們的心理體驗。這兩個不同性質的問題往往交織在一起，不易分辨。《中庸》也是如此。《中庸》認爲，道德的本原在於天。這個天主要不是指的自然之天，而是義理之天，實際上是封建社會中五種倫理關係的主觀的投影。這種看法顯然是一種歪曲，但是爲了把道德抬到神聖的高度，使人們不敢去懷疑它的合理性，不作這種歪曲幾乎是不可能的。根據這種看法，《中庸》所說的天人關係其實就是封建社會秩序中的人與人的關係，而不是人與自然的關係。貫通天人關係的手段也不在於如何去認識自然，而教人如何進行道德實踐。本來封建社會中的五種倫理關係是當時人們時刻都接觸到的，極爲普通平常，但是要把它們處理得合乎中庸之道，也很不容易，需要戒慎恐懼以保持主體的高度自覺，誠心誠意地去履行道德規範，這就是所謂誠。《中庸》認爲，這種誠應該是貫徹始終，永不停息。如果做到了誠，就能貫通天人，可以去配天了。它說，「故至誠無息，不息則久，久則徵，徵則悠遠，悠遠則博厚，博厚則高明。博厚所以載物也，高明所以覆物也，悠久所以成物也。博厚配地，高明配天，悠久無疆。」由誠所達到的高明境界不在普遍平常的道德實踐之外，就在普遍平常的道德實踐之中，這就是所謂「極高明而道中庸」，它受到宋明理學的特別推崇。宋明理學所極力探索的，正是建立一種新的「極高明而道中庸」的思想體系，既能把人們的思想行爲結束在封建宗法制度的範圍之內，又能指出一條與佛教的天堂相抗衡的精神出路。《中庸》的這種思想在宋明理學中起了很大的作用。

在整個封建社會，儘管宗法思想的核心受封建家族制度的制約，不能有什麼變化，但是論證這種宗法思想的理論形態，卻受時代思潮的影響而有不同的表現形式。到了漢代中期，統治者需要一種神學的世界觀，爲王權神授提供理論根據。漢武帝策問的問題是：「三代受命，其符安在？災異之變，何緣而起？」「蓋聞善言天者必有徵於人，善言古者必有驗於今。故朕垂問乎天人之應。」（見《漢書・董仲舒傳》）董仲舒適應這種需要，吸收了陰陽五行的思想，把儒學的理論形態轉化成天人感應的神學目的論。到了東漢時期，儒學又和當時流行的讖緯迷信相結合，而表現爲《白虎通》的神學世界觀。魏晉時期，神學化的儒學逐漸失去羈縻人心的作用，道家思想則發展爲主流，蔚爲風尙，於是儒家又借用道家的自然無爲的思想來論證宗法思想的合理性，把儒學的理論形態轉化成玄學。這幾種理論形態都是當時占統治地位的思想，能夠抵制非正常思想的衝擊，起到維護封建宗法制度的作用。因此，在這一段歷史時期，《大學》、《中庸》僅只作爲一種歷史資料保存在《禮記》之中，沒有必要去特別表彰它們。

從南北朝到隋唐時期，佛教和道教興起，迅速擴大了勢力，與正統儒學互爭雄長。儒學受到了嚴重的挑戰，從漢武帝以來所取得的統治地位岌岌可危了。在儒、釋、道三教的激烈鬥爭中，儒家的長處在於它堅持了以三綱五常爲基本內容的宗法思想，這種思想最適合於穩定封建秩序，任何一個封建統治者都不能背離這種思想，佛、道二教也不能不在這種思想面前屈服。儒家的短處在於邏輯思辨和宗教修養方面比不上佛教、道教。佛教是一種外來的宗教，它以自己特有的一套精緻的思辨哲學和超凡成佛的修行方法征服了玄學，成了儒家的一個勁敵。玄學衰歇以後儒家所保留的陣地就只剩下經學了。這種思想鬥爭的形勢規定了儒家的戰略方針，他們只有發揮自己的長處，克服自己的短處，才能立於不敗之地。

就發揮自己的長處來說，《大學》、《中庸》所表述的宗法思想最適合他們的需要。因爲這兩篇著作的宗法思想比先秦儒學更系統，更完整，又不像董仲舒、《白虎通》的神學以及王弼、郭象的玄學中的宗法思想那樣，淹沒在過時的理論形態之中。把《大學》、《中庸》表彰出來，就成了儒家克敵致勝的一張王牌。就克服自己的短處來說，《大學》、《中庸》的一些涵義朦朧詞句和命題留出了任意解釋的餘地，後人可以對它們作出更多的發揮，來建立一種比漢代的神學和魏晉的玄學更爲高級的理論形態。韓愈、李翺在反釋、老的鬥爭中，分別選中《大學》和《中庸》作爲主要的思想武器，是在廣泛深入研究儒家經典的基礎上，經過細致周密地比較鑒別作出的一項具有重大戰略意義的決策，並不是偶然的。

韓愈在《原道》中根據《大學》中的一段話直接推演出了反佛教的結論。他說：「然則古之所謂正心而誠意者，將以有爲也。今也欲治其心而外天下國家，滅其天常，子焉而不父其父，臣焉而不君其君，民焉而不事其事。」這是說，《大學》講正心誠意，也和佛教的所謂治心一樣，重視個人的身心修養，兩家的目的卻根本相反。《大學》的目的是齊家治國平天下，維護君臣父子的宗法等級制度，而佛教的目的則在於拋棄這種封建倫常關係，去追求所謂清淨寂滅之道。佛教在修養身心的方法和理論方面比儒家高明，但是它的出世的主張始終不能適應鞏固君臣父子關係的需要。韓愈引用《大學》關於「修齊治平」的言論來進行批判，目的在於發揮儒家的長處，鞏固儒家的陣地。

韓愈只把《大學》的正心誠意和佛教的所謂治心相比附，認爲儒家也有一套身心修養的學問。李翺則把《中庸》抬出來，認爲《中庸》正是儒家的一部「性命之書」，這部書自秦以後被埋沒了幾百年，使得一些人誤認爲儒家「不足以窮性命之道」，紛紛跑到莊列老釋那裡去尋求。爲了繼承儒家的道統，李翺不用傳統的注解方法，而採用「以心通」的方法來發揮《中庸》中的性命之道，力圖建立一套帶有儒家特色的身心修養的學問。李翺這個工作的理論意義實際上是超過了韓愈。因爲如果不進行這個工作，就不能對付佛道二教的挑戰，不能推進儒學的發展，不能把那些從莊列老釋那裡尋求性命之道的人籠絡在儒家的門下。

李翺對《中庸》的發揮，其實是援佛入儒，以儒解佛，把佛教的宗教修養和儒家的宗法思想結合成一個新的理論形態。這是一個相當艱巨的工作，不僅要解決一系列理論難題，還要練出一付嫻熟的技巧，做到援佛不露痕跡，解佛不失立場。朱熹在《中庸集解序》中批評李翺說：「至唐李翺始知尊信其書，爲之論說。然其所謂滅情以復性者，又雜乎佛老而言之，則亦異於曾子、子思、孟子之所傳矣。」（《朱文公文集》卷七十五）朱熹認爲李翺的工作做得不成功。儘管如此，李翺的《復性書》在思想史上的意義是不可忽視的，這是一部最早依據《中庸》來結合佛理的劃時代的作品，宋明理學實際上是沿著李翺所開闢的道路向前發展的。

宋明理學是三教合流的產物。三教合流是在當時中國特殊的社會歷史條件下孕育出來的一股强大的時代思潮。就佛道二教來說，這種合流表現在屈服於宗法思想的壓力而與儒家合流。就儒家方面來說，則表現爲屈服於宗教思想的壓力而與佛道合流。中國的中世紀的政治不同於當時的西方和阿拉伯世界，始終是一種世俗的政治，而不是神權政治，王權一直是凌駕於各種哲學流派和宗教勢力之上，擁有極大的選擇、干預和扶植的權力。由於這是一種世俗的政治，所以那種能從世俗的角度來鞏固王權的思想最適合它的需要。但是另一方面，由於中世紀普遍存在的社會苦難，又迫使世俗的王權不能不利用宗教來補充，以安慰那些蒙受不幸的心靈。在南北朝和隋唐三教鼎立時期，統治者根據這種雙重需要有時扶植佛道，有時又毀佛滅道，佛道二教在政治力量的强大的干預之下曲折地發展，但是從來沒有發生過像秦始皇時期的那種「焚書坑儒」的事件。佛道二教不能上升爲統治的地位，形成像西方那種神權政治，是受中國特殊的社會歷史條件所決定的。它們只能依附於王權，被迫與論證世俗統治的儒家思想合流。但是儒家如果不把佛道二教的宗教思想吸收到自己的體系中來，也不能滿足統治者的雙重需要，無法代替佛道二教發揮作用，以保持自己的統治地位。所以在三教合流的時代思潮的推動下，宋明理學適應了統治者的雙重需要而具有雙重性格，一方面它是一種維護封建倫常關係的世俗的政治倫理哲學，同時它又爲這種封建倫常關係塗上一層宗教的神聖色彩，指引一條超脫現實到達彼岸世界的精神出路。這種世俗性格與宗教性格應該有機地結合在一起，熔鑄成一種新的理論形態，而不能露出生硬拼湊的痕跡。朱熹認爲李翺的工作做得不成功，原因在此。

宋明理學的最高範疇是理，也叫天理。程顥說：「吾學雖有所受，天理二字都是自家體貼出來。」（《二程全書・外書十二》）理或天理的概念雖說古已有之，但是程顥借用這個概念綜合總結了歷代思想發展的成果，賦予了新的哲學含義，它成功地把佛教的思辨哲學和儒家的宗法思想結合在一起，充分體現了宋明理學的雙重性格。宋明理學認爲，儒佛的根本區別只在於一個是「實」，一個是「空」。佛教談「空」，道理是高妙的，不能說有什麼不對，但是由於佛教拋棄封建倫常關係去談「空」，所談的那些高妙的道理便全無著落，一齊差卻。因此，二程、朱熹從華嚴宗那裡把論證世界空幻不實的理的範疇接受過來，用封建倫常關係來充實，使之具有世俗的內容，這就劃清了儒佛的界限，吸收佛教而又超出了佛教。既然封建倫常關係就是理，而理又是世界的本體，萬事萬物都逃不出理的支配，所以封建倫常關係又具有和佛教所說的那種眞如佛性的神聖色彩。這就用佛教的宗教哲學對封建倫常關係的合理性重新作了論證，在宗法思想上繼承了以往的儒家，而在理論形態上則超過了他們。

二程、朱熹根據理學的最高範疇對《中庸》進行發揮，認爲「其書始言一理，中散爲萬事，末復合爲一理。放之則彌六合，卷之則退藏於密。其味無窮，皆實學也。善讀者玩索而有得焉，則終身用之，有不能盡者矣。」（《中庸章句》引程子語）前面說過，在《中庸》

原書中，最高的範疇是天、天命、天道，根本沒有提到理。在先秦哲學中，比如莊子、孟子、荀子、韓非，都曾提到理的概念，但都不具有理學家們所說的「理一分殊」的哲學含義。二程、朱熹的發揮可以說完全歪曲了《中庸》的本義。但是這種發揮卻推進了儒學的發展，是符合哲學思想發展規律的。中世紀哲學思想的發展往往是通過經注的形式表現出來。二程、朱熹把《中庸》解釋成一部講「理一分殊」的書，這個命題所蘊含的哲學意義以及所反映的思維發展水平就不能侷限從《中庸》本身來尋求，而必須聯繫唐、宋以來三教合流的歷史背景才能理解。

歷史上以理論的形態表現出來的儒家思想，如果不爲封建倫常關係找出一個最高的本原，是不能建立起來的。《中庸》講的「天」帶有從西周天命神學初步蛻化出來的樸素的特徵。「上天之載，無聲無臭」，說明義理之天是以自然之天爲物質的載體。「質諸鬼神而無疑，知天也」，說明義理之天沒有完全擺脫有意志的人格神的屬性。在西周天命神學中，天的這三重含義是有機地結合在一起，《中庸》只是突出了義理之天的含義，使之轉化成一個哲學範疇，但是另外兩重含義的痕跡仍然依稀可辨。董仲舒的「道之大原出於天」的命題，則是突出了有意志的人格神的含義，使天又變成了一個宗教神學的範疇。董仲舒講的天雖然也有自然和義理的含義，但是主要是以百神之長的身分，任德而不任刑，爲封建倫常關係提供神學的依據。《中庸》和董仲舒對天的理解是和秦漢時期哲學思維所達到的水平相一致的。儒學的本體論的理論形態直到魏晉時期的玄學才建立起來。玄學不以天爲最高範疇，而採用了道家的思想，以無或自然來論證綱常名教的合理性。無或自然是世界各種現象的本體，也是綱常名教的最高依據，二者的關係是一種體用本末的關係。這種說法顯然比秦漢時期的儒家高明，因爲它擺脫了具體的形跡，從世界統一性的根本原理來論證綱常名教。但是這種說法在佛教的那種思辨性更强的本體論面前，卻未免相形見絀。因爲它不能圓融地解決體用本末之間的同一和差別的辯證關係。程頤吸收了佛教的本體論，把它的精髓概括成八個字，叫做「體用一源，顯微無間」。（見《伊川易傳序》）所謂體就是理，所謂用就是事，理雖爲根本，但不與事分離，即體即用，不像玄學那樣割裂爲兩橛。這種「體用一源」的關係朱熹叫做「理一分殊」。可以看出，理這個範疇概括了歷代哲學思維發展的成果，代表了儒學發展的新水平，雖然二程、朱熹也沿用天、天命、天道這些概念，但都把它們解釋成爲理，其哲學含義和《中庸》根本不同。通過二程、朱熹的發揮，《中庸》所說的那種封建倫常關係以及「禮儀三百，威儀三千」，儘管是普通平常，細小瑣碎，統統從本體論的高度重新作了論證，它們都是天理的體現，只能遵循而不能違反。

宋明理學的雙重性格在道德修養的問題上也表現得十分突出。它接受了佛教的一套修養的理論和方法，不同於傳統的儒家而具有宗教的性質。但是它也反對斬斷塵緣，遁入空門，主張恪守封建倫常關係，所以又不同於佛教而具有世俗的性質。佛教所追求的最高目標是成佛。佛教認爲，佛性只有一個，心有眞妄之別，心迷爲衆生，心悟則成佛。因此，成佛的關鍵在於保存常往清淨的眞心，消除無明妄想的污染。這種說法把眞如本體、佛性、人心以及超凡成佛的宗教修養方法聯成爲一個整體，解決了儒家長期以來爭論不休的人性善惡的理論難題。宋明理學套用了佛教的這個說法，認爲性就是理，心則區分爲人心和道心，人心支配道心是迷，反之則爲悟。因此修養的方法就是「存天理，滅人欲」，用道心去支配人心。如果做到了這一點，就像佛教的成佛那樣，可以超凡入聖。「天理」、「人欲」之辨以是否符合封建倫常關係的價值標準爲轉移，著眼點在於維護世俗的封建統治秩序，但是它又帶有濃厚的宗教禁欲主義的性質，要求人們克制現實的人欲，去追求虛幻的天理。

李翺在《復性書》中說：「問曰：『昔之注解《中庸》者，與生之言皆不同，何也？』曰：『彼以事解者也，我以心通者也。』曰：『彼亦通於心乎？』曰：『吾不知也。』」這是說，只有根據自己的理解來引申發揮而不拘守於文字名物的訓釋，才能闡明《中庸》的性命之道。這是宋儒義理之學的先聲。二程、朱熹正是用了這個方法，把《中庸》推崇爲「孔門傳授心法」，發揮了他們的一套修養的思想。「傳授心法」這個概念不見於儒家經典，而來源於佛教。二程首先提出這一說法，朱熹把它進一步具體化了。照朱熹的解釋，這個「孔門傳授心法」就是「人心惟危，道心惟微，惟精惟一，允執厥中」十六個字。其實在《中庸》原書裡，根本找不到這十六個字的蹤影，但是這十六個字也確實最適合表述理學的修養思想，所以朱熹要把它們附會到《中庸》中去。他說：「其曰天命率性，則道心之謂也。其曰擇善固執，則精一之謂也。其曰君子時中，則執中之謂也。」（見《中庸章句序》）因此，理學家所發明出來的一套「存天理、滅人欲」的學說便在《中庸》裡找到了依據。

二程、朱熹對《大學》的發揮，主要是圍繞著「致知在格物」這個命題展開的。值得注意的是，韓愈表彰《大學》，卻不曾認識這個命題的意義，李翺表彰《中庸》，反而要連帶《大學》，把這個命題突出出來，以發揮他的「滅情以復性」的學說。這是因爲這個命題接觸到主體和客體的關係問題，但又含混不清，能夠作出各種各樣的解釋，是建立性命之學的最合用的思想資料。二程、朱熹既然把理說成是世界的本體，而理又是體現在萬事萬物之中，如何通過萬事萬物把理體認出來，就成了理學的一個特別重要的問題。於是他們也借用這個命題作爲傳聲筒，發揮了一套大大超出《大學》本義的理學的方法論、認識論和體驗論的思想。

鄭玄注《禮記》，解釋「致知在格物」說：「知，謂知善惡吉凶之所終始也。格，來也。物，猶事也。其知於善深，則來善物。其知於惡深，則來惡物。言事緣人所好來也。」這是一種樸素的解釋，沒有理學氣味，比較切合《大學》本義。《大學》的八個條目，「修身」是根本。「齊家」、「治國」、「平天下」是「修身」的功用，「正心」、「誠意」、「致知」、「格物」是「修身」的方法。爲了强調「修身」的重要，《大學》處處都把方法和功用聯繫起來，論證道德修養的好壞會直接招來善惡吉凶的後果。它說：「是故言悖而出者，亦悖而入。貨悖而入者，亦悖而出。《康誥》曰：惟命不於常。道善則得之，不善則失之矣。」「好人之所惡，惡人之所好，是謂拂人之性，災必逮夫身。」「小人之使爲國家，災害並至，雖有善者，亦無知之何矣。」因此，鄭玄訓「格」爲「來」。訓「物」爲「事」，把「格物」解釋成「事緣人所好來也」，和貫穿《大學》全書的基本思想是一致的。照這個解釋，所謂「致知在格物」就不是一個一般的認識論的命題，也沒有什麼特別深奧的道理，而只是討論道德實踐中行爲主體和客觀的關係，屬於道德修養的範圍。人們進行道德實踐，應該考慮到自己的行爲對於客體的影響，同時也應該反過來根據這種影響來調整自己的行爲。前一個過程是「致知」，後一個過程是「格物」。《大學》認爲，把這兩個過程結合起來，就可以「好而知其惡，惡而知其美」，克服個人主觀好惡的偏頗，全面地反映客體的本來面目，使自己的行爲符合「絜矩之道」。這種「絜矩之道」是搞好「正心」、「誠意」的前提，由此擴展開去，就可以「上老老而民興孝，上長長而民興弟，上恤孤而民不倍」，進一步去治國平天下了。《大學》沒有明確地把「格物致知」和「絜矩之道」聯繫起來，但是從它的基本思想和八個條目的內在邏輯來看，「格物致知」的對象主要是君臣父子之間的封建倫常關係，「絜矩之道」就是處理這些關係的行爲準則，二者的意義完全是相通的。究竟「格物致知」的本來意義如何，需作進一步的研究討論，不是一下子能確定的。但是可以肯定它們的本來意義沒有摻雜佛理，而宋明理學正是由於用佛理去解釋它們，才把它們的本來意義弄得模糊起來。

李翺在《復性書》中解釋「致知在格物」說：「物者萬物也。格者來也，至也。物至之時，其心昭昭然明辨焉，而不應於物者，是致知也，是知之至也。」李翺把「格物」解釋成萬物紛至沓來而與人心相接觸，把「致知」解釋成「不應於物」而始終保持心的「昭昭然明辨」的狀態。李翺認爲，如果做到了這一點，就能不受萬物的影響，滅情以復性，可以去治國平天下了。實際上，李翺的這個理論根本不能有效地維護世俗的封建倫常關係，去治國平天下。因爲李翺的「格物致知」不在世俗封建倫常關係上下功夫，而只是用儒家的語言簡單地復述了佛教的清靜寂滅之道，和佛教的缺點完全一樣，「空」而不「實」。這個理論沒有把世俗性格和宗教性格有機地結合起來，不適合於封建統治者的雙重需要。

二程、朱熹對「格物致知」的解釋就克服了李翺的這個缺點。在《大學章句》中，朱熹獨出心裁地補寫了一章《格物致知傳》。他說：

> 右傳之五章，蓋釋格物致知之義，而今亡矣。間嘗取程子之意以補之，曰：所謂致知在格物者，言欲致吾之知，在即物而窮其理也。蓋人心之靈，莫不有知，而天下之物，莫不有理。惟於理有未窮，故其知有不盡也，是以大學始教，必使學者即凡天下之物，莫不因其已知之理，而益窮之，以求至乎其極。至於用力之久，而一旦豁然貫通焉，則眾物之表裡精粗無不到，而吾心之全體大用無不明矣。此謂物格，此謂知之至也。

程朱把「格物」解釋成「即物而窮其理」，認爲「格物」的目的在於明「吾心之全體大用」。「理」和「全體大用」這些範疇是三教合流的產物，概括了佛教的哲理和儒家的宗法思想。在抽象思辨的高度上，這些範疇和佛教的哲理不相上下，但是它們又具有世俗性的內容，不像佛教那樣「空」而不「實」。因此，程朱理學的所謂「格物」，便落實到君臣父子之間的封建倫常關係上來，要求就這些關係窮盡其理，「爲君盡君道，爲臣盡臣道，過此則無理。」（《二程全書·遺書五》）就這一點說，程朱倒是忠實地繼承了《大學》的本義，站穩了儒家的立場。但是另一方面，程朱把「理」和「全體大用」這些範疇强加於《大學》，則又歪曲了《大學》的本義。

二程、朱熹的「格物致知」說，實質上是一種帶有宗教特色的體驗論。因爲他們雖然認爲「天下之物，莫不有理」，但是又認爲理具於一心，所謂「格物致知」無非是通過一番宗教修養工夫把心本來固有的理體認出來，做到「吾心之全體大用無不明」。這種體驗論以天人合一、物我不分的理論爲基礎，和近代哲學中的那種以主體和客體、思維和存在的對立爲基礎的認識論根本不同。這種體驗論强調的是悟，悟與迷相對，是一個明心見性的過程，而不是認識的過程。在《大學章句序》中，朱熹說：「蓋自天降生民，則既莫不與之以仁義禮智之性矣。然其氣質之稟或不能齊，是以不能皆有以知其性之所有而全之也。」因此，所謂今日格一物，明日格一物，目的不在於去認識客觀事物固有之理，而只是爲「一旦豁然貫通」積累功力，去悟出那個上天所賦與的仁義禮智之性。天人合一、物我渾然的思想本來古已有之，在《中庸》裡就有突出的表現，但是程朱理學吸收了佛教哲理，從體用一源的本體論的角度重新作了論證，思辨性更强了。佛教的體驗論有頓悟、漸修兩派，程朱的主張和佛教的漸派相似。

爲了和佛教劃清界限，二程、朱熹也注重認識一個一個的具體事物，認爲佛教之所以陷入「空」而不「實」，原因在於缺少一段「格物」工夫。因此，他們的「格物致知」說也包含有認識論的內容，不全是一種體驗論。「人心之靈，莫不有知」，這說的是認識的主體。「天下之物，莫不有理」，這說的是認識的客體。由於體用一源的本體論把自然和社會看作是統一的，所以「格物」就不僅是格社會界的君臣父子之理，也要格自然界的一草一木之理。這就擴展了《大學》的「格物致知」說的本義，把一個只涉及道德實踐中主體和客體的關係的命題變成了一個一般的認識論的命題。朱熹是中世紀的一位百科全書式的淵博的學者，這和他的那種今日格一物、明日格一物的認識論的思想是分不開的。

從以上的分析，我們可以看出，二程、朱熹對《大學》、《中庸》有繼承，也有發揮。他們繼承了其中的一套封建宗法主義思想，同時也依據其中的思想資料全面地發揮了一套理學的本體論、修養論、體驗論和認識論的基本觀點。這套理學觀點是三教合流的產物，反映了宋代的社會歷史條件。但是二程、朱熹卻把它們說成是「孔門傳授心法」，爲《大學》、《中庸》所固有，於是這套理學觀點便取得了儒家經典的權威，在與佛道二教的鬥爭中起了重要的作用。這套理學觀點把儒家的宗法思想宗教化，也把佛道二教的宗教思想宗法化，充分地滿足了封建統治者的需要。自從儒家建立了這種新的理論形態之後，維護封建世俗統治的三綱五常就變成了宗教教條，追求性命之道的人也可以在人倫日用之常中去「極高明而道中庸」。這種具有雙重性格的理學思想在中國中世紀後期的七百年間，一直保持著統治地位，佛道二教的勢力一落千丈，再也無力重整旗鼓和儒家爭雄長了。

如同任何事物都要分化一樣，理學也很快分化出了一個與程朱學派相對立的陸王學派。學術界習慣上稱陸王學派爲心學，程朱學派爲理學。其實心學也是理學，陸象山和王陽明都承認理是世界的本體，他們的思想體系也和程朱一樣，是以理爲最高範疇的體用一原的本體論，二者的分歧主要在於心理的位置究竟如何擺法，是把理擺在心之外以增强客體的神聖性呢，還是把理擺在心之內來提高主體的自覺性。理學的這種分化和佛教的分化有著驚人的相似之處。佛教的禪宗和天台、華嚴等宗都承認眞如佛性是世界的本體，但是禪宗打出心宗的旗號反對天台、華嚴等宗派，目的是爲了破除對權威的信仰，恢復信仰的權威，以提高主體的自覺性。看來在一個體系中，很難同時做到既增强客體的神聖性又提高主體的自覺性，如果强調前者，勢必削弱後者，反之亦然。前面說過，二程、朱熹做了一系列的論證，樹立了理的權威，但是這個理對於一般人來說，未免過於神聖，變得高不可攀了。人們窮年累月去今日格一物，明日格一物，不知什麼時候能「豁然貫通」，把理體認到手。聖人境界始終是一個遙遠的彼岸，作聖之功艱巨得令人望而生畏。程朱學派的理學可以約束防範人們的思想行爲，使之不越出封建秩序的軌道，卻不能激發人們「自作主宰」的積極精神，鼓勵他們去做自覺維護封建秩序的聖人。無論是從理學本身的內在矛盾還是從維護封建秩序的實際需要來看，都必然要分化出一個以提高主體的自覺性爲目的的陸王學派出來。既然程朱學派的理學觀點主要是依據《大學》、《中庸》發揮出來的，爲了駁倒它們，陸王學派也不能不依據《大學》、《中庸》提出針鋒相對的解釋。

陸象山談到他和朱熹的分歧時說：「朱元晦曾作書與學者云：『陸子靜專以尊德性誨人。故遊其門者多踐履之士，然於道問學處欠了。某教人豈不是道問學處多了些子？故遊某之門者踐履多不及之。』觀此，則是元晦欲去兩短，合兩長。然吾以爲不可，既不知尊德性，焉有所謂道問學？」（《陸九淵集．語錄上》）「尊德性」、「道問學」出於《中庸》，本來沒有對立的意思，陸象山卻賦與了新的含義，把它們對立起來，概括了理學中兩派的主要分歧。所謂「尊德性」，就是把理擺在心之內，「先立乎其大者」、「收拾精神，自作主宰」。所謂「道問學」，就是把理擺在心之外，泛觀博覽，即物窮理，涵養體認。陸象山認爲，前者「易簡」，後者「支離」。如果依著「道問學」做去，只能做到「揣量模寫之工，依仿假借之似，其條畫足以自信，其習熟足以自安」（《與朱元晦》），結果將失去本心。

陸象山反對朱熹的天理、人欲之辨和對十六字心傳的解釋。他說：「天理人欲之言，亦自不是至論。若天是理，人是欲，則是天人不同矣。」「《書》云：『人心惟危，道心惟微。』解者多指人心爲人欲，道心爲天理，此說非是。心一也，人安有二心？」（《語錄上》）他自己解釋《中庸》的「天命之謂性」說：「天之所以命我者，不殊乎天，須是放教規模廣大。若尋常思量得，臨事時自省力，不到得被陷溺也。」（《語錄下》）因此，通向天人合一的道路是簡易直截的，只在一念之間。他說：「吾於踐履未能純一，然才自警策，便與天地相似。」（《語錄上》）其實朱熹也是主張天人合一的，但是由於他把理擺在心之外，所以在理論上不得不區分天理與人欲、道心與人心，在方法上也免不了「艱難其途徑，支離其門戶」。因此，陸象山批評朱熹分割天人，不是沒有道理的。

陸象山也承認「格物」是爲學的下手處，「格物」在於「研究物理」。由於理不在心之外，而就在心之內，他對「格物」的解釋也就和朱熹針鋒相對。他說：「格物者，格此者也。伏羲仰象俯法。亦先於此盡力焉耳。不然，所謂格物，末而已矣。」（《語錄下》這是說，「格物」只是發明本心，離開了發明本心，無所謂「格物」。本心之不明，是由於受外物所蔽。儒家的經典傳注，也算是一種外物。讀書愈多，擔子愈重。因此，所謂「格物」也就是「減擔」，減去壓在人們身上的重擔，「只此便是格物」。

王陽明認爲，陸象山的學說「心上用過功夫」，但是不夠細緻，「只是粗些」。（《陽明全書・傳習錄下》）意思是，陸象山對朱熹的批評確實抓住了要害，他提出「心即理」的命題也很有見地，但是缺少細微周密的論證，理論形態比較粗糙。這種評價是很公允的。爲了把「心即理」的命題發揮成一個完整的體系，需要做一系列的理論工作，特別是要把程朱學派在《大學》、《中庸》中創造的論據一一駁倒，根據「心即理」的命題重新作出系統的解釋。

王陽明抬出古本《大學》來反對朱熹的《大學章句》就是這一系列理論工作的重要組成部分。哲學家和注疏家是不相同的，注疏家力求恢復古本的原義，哲學家不過是利用已有的思想資料來發揮自己的哲學思想。《年譜》記載：「先生在龍場時，疑朱子《大學章句》非聖門本旨，手錄古本，伏讀精思，始信聖人之學本簡易明白。其書止爲一篇，原無經傳之分。格致本於誠意，原無缺傳可補。以誠意爲主而爲致知格物之功，故不必增一敬字。以良知指示至善之本體，故不必假於見聞。」他自己在《大學古本序》中說：「《大學》之要，誠意而已矣。誠意之功，格物而已矣。誠意之極，止至善而已矣。止至善之則，致知而已矣。……是故至善也者，心之本體也。……聖人懼人之求之於外也，而反復其辭。舊本析而聖人之意亡矣。是故不務於誠意而徒以格物者，謂之支。不事於格物而徒以誠意者，謂之虛。不本於致知而徒以格物誠意者，謂之妄。支與虛與妄，其於至善也遠矣。合之以敬而益綴，補之以傳而益離。吾懼學之日遠於至善也，去分章而復舊本，傍爲之本以引其義，庶幾復見聖人之心，而求之者有其要。」很顯然，朱熹妄改古書，編定章句，是爲了把「即物而窮其理」的一段話塞進《大學》，宣傳自己的一套理在心之外的觀點。王陽明抬出古本，目的也不在於恢復古本的原義，而只是爲了推翻朱熹的依據，便於按照理在心之內的觀點重新解釋《大學》。

程朱學派和陸王學派的對立是圍繞著主客關係問題展開的，如何解釋《大學》中的「格物致知」就成了兩派鬥爭的一個焦點。王陽明既然把「誠意」看作是《大學》的要領，把明心之本體看作是「誠意」的目的，所謂「格物致知」當然就不是求之於外而必須求之於內了。在《大學問》中，他說：「致知云者，非若後儒所謂充廣其知識之謂也，致吾心之良知焉耳。」「然欲致其良知，亦豈影響恍惚而懸空無實之謂乎？是必實有其事矣。故致知必在於格物。物者，事也。凡意之所發，必有其事，意所在之事謂之物。格者，正也，正其不正以歸於正之謂也。正其不正者，去惡之謂也。歸於正者，爲善之謂也。夫是之謂格。」這種解釋發展了陸象山的思想，而更爲系統、完整。王陽明不用「尊德性」和「道問學」來概括兩派的分歧，而用「致良知」和「即物窮理」來概括，也更能把握兩派分歧的實質。

陸王學派和程朱學派一樣，也具有世俗和宗教的雙重性格。他們把理擺在心之內，這個心不同於近代哲學中的那種高度抽象化了的純粹思維的主體，而是灌注了中世紀的三綱五常的內容。程朱學派把三綱五常說成是信仰的對象，陸王學派則把它們說成是內在的信仰。前者向人們證明必須「存天理，滅人欲」，後者則證明「存天理，滅人欲」只在一念之間，人人都能作聖人。這兩個學派都留下了很深的佛教思想的印跡，但又十分强調儒釋之辨。正是由於這種雙重性格，才使得它們構成了理學內部的一對矛盾的統一體。

《大學》、《中庸》在理學的建立和分化的過程中占有特別重要的地位，這是中國哲學史上的一個應當引起注意的現象。在西方中世紀的神學中，亞里士多德的著作也曾起過類似的作用。一位古希臘時期的世俗的哲學家，竟然爲基督教的上帝提供神學的論證。實際上，是基督教的神學要用亞里士多德去論證。宋明理學把《大學》、《中庸》的本義弄得面目全非，有人統計，關於「格物致知」的解釋，中國學者有七十幾種，如果合日本學者的解釋，當在二百種以上。我們不必像封建時代的學者那樣，去爭辨哪一種解釋合乎聖人之意，而要從這些分歧解釋的演變中理出一條思想發展的線索。

——原載《歷史論叢》第四輯（濟南：齊魯書社，一九八三年四月），頁一二一——一四四。

歐陽修對「經學」上的貢獻

趙貞信

在北宋時候有十分的見識和百倍的勇氣不顧一切非難敢於疑古惑經的便是歐陽修。我們知道宋朝學人遠勝漢、唐學人的地方就是敢於發抒己見，自出議論，對經書不局於一家言，不死守古注疏，能說去漢、唐舊注的桎梏用新的意思來解說，這是學術思想上的一大解放，一大進步，而歐陽修便是開創這種風氣的一個主要人物。這從朱熹的話裡可以看出：

> 理義大本復明於世，固自周程；然前此諸儒亦多有功。舊來儒者不越注疏而已，至永叔、原父、孫明復諸公始自出議論。……此是運數將開，理義欲復明於世故也。（《朱子語類》卷八十）

他在「始自出議論」的諸公中第一個就舉的是歐陽修，而說這是「運數將開」，沈晦了的理義要恢復光明的緣故。可見歐陽修的說經必然是要求在「發得本眞」方面努力了。

歐陽修死後，他的兒子撰了一篇的《事跡》，當中有這樣幾句話：

> 其於經術，務明其大本，而本於情性。其所發明，簡易明白。……先儒注疏有所不通，務在勇斷不惑。……其於《詩》、《易》多所發明。（《歐陽文忠公集》附錄）

「先儒注疏有所不通，務在勇斷不惑」，這就是他和「舊來儒者不越注疏」的不同之處，也就是他「自出議論」之處。但爲什麼獨說他「

其於《詩》、《易》多所發明」呢？這是因爲他著有十四卷《詩本義》和三卷《易童子問》，而裡面所講的則是「皆前世人不以爲非，未有說者」（《事跡》中語）的。《詩本義》是怎樣的一部書呢？我們可以看一看宋時樓鑰的話：

> 由漢以至本朝千餘年間，號爲通經者不過祖述毛、鄭。莫詳於孔穎達之《疏》，不敢以一語違忤。二家自不相侔者，皆曲爲說以通之。……惟歐陽公《本義》之作，始有以開百世之惑。曾不輕議二家之短長，而能指其不然以深持詩人之意。其後王文公、蘇文定公、伊川程先生各著其說，更相發明，愈益昭著。其實自歐陽氏發之。（《經義考》卷一百四引）

他先罵倒了從漢到宋的許多經師們，說是通經其實不過死守毛、鄭的《傳》、《箋》。孔穎達的《疏》儘管解釋得很詳盡，但沒有一句話敢和《傳》、《箋》不相合。《傳》、《箋》有互相衝突的地方，都很牽强的硬替它說通來。再指出歐陽修對《詩經》學的貢獻，他的貢獻就在於能指出毛、鄭二家解釋得不對的地方來保存詩人的原意。從他開了頭以後，後來有許多學者就都跟上來照樣做，使《詩經》的原面目越來越清楚，這都是由他啓發的功績。樓鑰的話是眞實的，所以直到清朝撰《四庫全書總目提要》的四庫館臣也還是這樣說：

> 自唐以來，說《詩》者莫敢議毛、鄭，雖老師宿儒亦謹守《小序》。至宋而新義日增，舊說幾廢。推原所始，實發於修。（《四庫全書總目》卷十五《毛詩本義提要》）

樓鑰還只說指出毛、鄭解釋得不對「自歐陽氏發之」。這裡則「推原所始實發於修」的還添出了不「謹守《小序》」一項。照《詩本義》看來，他確是不但「敢議毛、鄭」，而且也是不「謹守《小序》」的。不但不「謹守《小序》」，他認爲「《風》《雅》有變正」是沒有「得《詩》之大旨」，則就是對《大序》也是不贊成的。

他爲什麼要和老師宿儒立異不肯謹守《小序》的意思來釋《詩》呢？這是因爲根據了《小序》的說法去解釋《詩經》有許多解釋不通的地方，既然解釋不通，那就不可能謹守了。

照他的看法，《小序》錯誤得最多的地方在二《南》。他曾說：

二《南》其《序》多失，而《麟趾》、《騶虞》所失尤甚，特不可以爲信。……據詩直以國君有公子如麟有趾爾，更無他義也。若《序》言「《關雎》之應」，乃是《關雎》化行，天下太平，有瑞麟出而爲應。不惟怪妄不經，且與詩意不類。《關雎》，《麟趾》作非一人，作《麟趾》者了無及《關雎》之意。（《詩本義》卷一《麟之趾論》）

《周南》第一篇詩名《關雎》，末一篇詩名《麟趾》，《召南》第一篇詩名《鵲巢》，末一篇詩名《騶虞》。都是以禽開頭，以獸終結。因爲作《詩序》的人抱定了一個《詩經》開頭的《周南》、《召南》是文王、周公、召公時候的詩，那時政治最盛，德化流行，有了《關雎》之化，便應該有《麟趾》之應，有了《鵲巢》之化，便應該有《騶虞》之應的見解，所以作《麟之趾序》就說：

《麟之趾》，《關雎》之應也。《關雎》之化行，則天下無犯非禮，雖衰世之公子，皆信厚如麟趾之時也。

作《騶虞序》就說：

《騶虞》，《鵲巢》之應也。《鵲巢》之化行，人倫既正，朝廷既治，天下純被文王之化，則庶類繁殖，蒐田以時，仁如騶虞，則王道成也。

歐陽修認爲《關雎》化行，就有瑞麟出而爲應，是「怪妄不經」之談；而且《麟之趾》這首詩裡也並沒有包含這個意思。同時《關雎》和《麟趾》這兩首詩也並不是一個人作的，作《麟趾》的也沒有一點牽涉到《關雎》的想法。《騶虞》這一篇的論說，雖則在現在的《詩本義》裡已缺佚了，但從他的「《麟趾》、《騶虞》所失尤甚」的話看來，他也必定和《麟趾》同樣的認為作《詩序》的在胡拉瞎扯，把兩不相干的詩串聯在一塊來說，既不符合詩的原意，又平添了一些沒有根據的事實，是毫無疑義的。

照上面所引已可看出《詩序》這樣的說詩是很不合情理的了，這還不算，《詩序》裡還有很明顯的自相矛盾。他說：

> 《詩序》失於二《南》者多矣。孔子曰：「三分天下有其二，以服事殷」，蓋言天下服周之盛德者過半爾。說者執文害意，遂云「九州之內奄有六州」。……就如其說，則紂猶在上，文王之化止能自被其所治。然於《芣苢序》則曰，「天下和平，婦人樂有子」；於《麟趾序》則曰，「《關雎》化行，天下無犯非禮者」；於《騶虞序》則曰，「天下純被文王之化」。既曰如此矣，於《行露序》則反有「彊暴之男侵陵貞女而爭訟」。於《桃夭》、《摽有梅序》則又云，「婚姻男女得時」，又似不應有訟。據《野有死麕序》則又云，「天下大亂，彊暴相陵，遂成淫風，惟被文王之化者猶能惡其無禮也」。其前後自相牴牾，無所適從。（《詩本義》卷二《野有死麕論》）

同在《周南》、《召南》裡面的詩，既然說「天下和平」，「天下無犯非禮者」，「天下純被文王之化」，為什麼又說「天下大亂，彊暴相陵，遂成淫風」呢？既然說「婚姻男女得時」，又為什麼會有「彊暴之男侵陵貞女而爭訟」呢？且不說這些《序》的意思是不是和詩的意思相符合，只要看看它這些自相矛盾的地方，便可知道《詩序》是怎樣的不值得「謹守」，而歐陽修在當時是何等的有見識了。

他舉出《詩序》的誤謬是怎樣？他辨毛、鄭《詩傳》、《箋》的誤謬怎麼樣呢？三百零五篇詩解，他改正的有一百十多篇。現在就引他駁毛、鄭對《野有死麕》這首詩的《傳》、《箋》來看看吧。他說

> 《詩》三百篇，大率作者之體不過三四爾。有作詩者自述其言以爲美刺，如《關雎》、《相鼠》之類是也。有作者錄當時人之言以見其事，如《谷風》錄其夫婦之言，《北風其涼》錄去衛之人之語之類是也。有作者先自述其事，次錄其人之言以終之者，如《溱洧》之類是也。有作者述事與錄當時人語雜以成稿，如《出車》之類是也。然皆文意相屬以成章，未有如毛、鄭解《野有死麕》文意散離不相終始者。
>
> 其首章方言貞女欲令人以白茅包麕肉爲禮而來，以作詩者代貞女吉人之言，其意未終，其下句則云「有女懷春，吉士誘之」，乃是詩人言昔時吉士以媒道成思春之貞女，而疾當時不然。上下文義各自爲說，不相結以成章。其次章三句言女告人欲以茅包鹿肉而來，其下句則云「有女如玉」乃是作詩者歎其女德如玉之辭，尤不成文理。（《詩本義》卷二《野有死麕論》）

朱熹曾說「歐陽會文章，故詩意得之亦多」（《朱子語類》卷八十）。這裡他就是從「文意不屬」和「不成文理」來駁毛、鄭的解釋不對的。《野有死麕》首兩句「野有死麕，白茅包之」，毛、鄭以爲是詩人代一個正經女人說的話，想人家用了白茅包著麕肉作爲禮物來向她求婚。而底下的「有女懷春，吉士誘之」兩句，毛、鄭則認爲是詩人自己的話，說從前的吉士是用媒人導成思春的貞女的，而現在則不是這樣了。第二章的前三句：「林有樸樕，野有死鹿，白茅純束」，又以爲是那個正經女人希望人家如果沒有麕肉，用白茅包裹了鹿肉來也可以的話。而底下的一句「有女如玉」，則又以爲是詩人嗟歎那個女人的道德堅實潔白得和玉一樣。把八句詩分成這樣文意不相貫串的四截，忽然是詩人記錄人家的話，忽然又是詩人自己說的話，又在各說各不相干的事，簡直搞得沒頭沒腦，不成爲一首詩，那當然決不會符合原詩的意旨了。

像這樣的解釋還不算奇怪，還有更奇怪的。他在「詩時世論」裡說：

《周頌·昊天有成命》曰：「二后受之，成王不敢康」，所謂「二后」者，文、武也，則「成王」者，成王也。猶「文王」之文王，「武王」之爲武王也，然則《昊天有成命》當是康王已後之詩。而毛、鄭之說以《頌》皆是成王時作，遂以「成王」爲「成此王功，不敢康寧」。《執競》曰：「執競武王，無意維烈。不顯成康，上帝是皇。自彼成康，奄有四方」，所謂「成康」者，成王、康王也。猶文王，武王謂之文、武爾。然則《執競》者當是昭王已後之詩。而毛以爲「成大功而安之」，鄭以爲「成安祖考之道」，皆以爲武王也。據詩之文當云「成康」爾，而毛、鄭自出其意，各增字以就其己說，而意又不同，使後世何所適從哉？

《噫嘻》曰：「噫嘻成王」者，亦成王也。而毛、鄭亦皆以爲武王，由信其己說以《頌》皆成王時作也。

詩所謂「成王」者，成王也，「成康」者，成王、康王也，豈不簡且直哉？而毛、鄭之說豈不迂而曲也。以爲成王、康王則於詩文理易通，如毛、鄭之說則文義不完而難通。

然學者捨簡而從迂，捨直而從曲，捨易通而從難通。（《詩本義》卷十四）

鄭玄《詩譜序》說：

成王、周公致太平，制禮作樂而有《頌》聲興焉。

《周頌譜》說：

《周頌》者，周室成功致太平德洽之詩，其作在周公攝政，成王即位之初。

這都是說《周頌》是成王時候所作。既然《周頌》是成王所作，它裡面自然不會有稱頌成王、康王的詩，但是事實上《周頌》裡面偏有不少稱頌成王、康王的詩，這怎麼辦呢？就閉著眼睛硬把一切「成王」或「成康」字樣另作解釋。因此把《昊天有成命》中「成王不敢康」的「成王」解爲「成此王功」；《執競》中「不顯成康」的「成康」，毛解爲「成大功而安之也」，鄭解爲「成安祖考之道」；「自彼成康」的「成康」，毛解爲「用彼成安之道」，鄭解爲「用成安祖考之道」；《噫嘻》中「噫嘻成王」的「成王」，毛解爲「成是王事」，鄭解爲「能成周王之功」：這是何等荒謬的曲解！

毛公、鄭玄是漢代經學界的權威，他們的解說後人是沒有敢不唯命是從的。他們歪曲了，後人也只好跟著歪曲。如《昊天有成命》的這首詩，在春秋時候的晉叔向就說：

> 是道成王之德也。成王能明文昭，能定武烈者也。（《國語》《周語》下）

這還不解釋得很清楚。但注《國語》的韋昭，因有毛、鄭的說法在先，所以解「成王不敢康」就說：文、武　　……修己自勸以成其王功，非謂周成王身也。而解「是道成王之德也」則說：

> 是詩道文、武能成其王德也。

解「成王能明文昭能定武烈者也」則說：

> 言能明其文使之昭，定其武使之威也。

因爲要順從毛、鄭的說法，就只好硬撇開成王，所以把很明白很具體的一首稱頌成王的詩，解釋得使人莫名其妙。

我們看了上面所擧的這些例子，可以認識到毛、鄭的解釋《詩經》是何等的荒謬，而歐陽修的指駁是何等的明確，怪不得朱熹要說：

> 如《詩本義》辨毛、鄭處，其說直到底不可移易。（《朱子語類》卷八十）

所以他著《詩集傳》，像上面所引的幾首《周頌》，都採取了歐陽修的說法而清除了毛、鄭的謬釋。他在《詩序辨說》中對《昊天有成命》這首詩曾說：

> 此詩詳考經文而以《國語》證之，其爲康王以後祀成王之詩無疑。而毛、鄭舊說定以《頌》爲成王之時周公所作，故凡《頌》中有「成王」及「成康」字者，例皆曲爲之說以附己意。其迂滯僻澀，不成文理，甚不難見；而古今諸儒無有覺其謬者。獨歐陽公著《時世論》以斥之，其辨明矣。然讀者狃於舊聞，亦未遽肯深信也。

在歐陽修之前的「古今諸儒無有覺其謬者」，在歐陽修以後的讀者還「狃於舊聞，亦未遽肯深信」，在他這幾句話中很可見出在歐陽修前後的學者是何等的固蔽，而歐陽修在當時對《詩經》的識見是何等的卓絕。

話不是這麼容易說的，我們看了朱熹的「《詩本義》辨毛、鄭處，其說直到底不可移易」的話，必定以爲朱熹對《詩經》的解釋總不會「狃於舊聞」，對歐陽修的話已沒有「未肯遽深信」的了，其實並不是這樣。我現在來舉一個例子。

《詩經・大雅・生民篇》有「厥初生民，時維姜嫄。生民如何？克禋克祀，以弗無子。履帝武敏歆，攸介攸止，載震載夙，載生載育：時維后稷」的話，這是周朝的王族講他們這支種族的起源，是由上帝特地降下來的。所以司馬遷作《周本紀》，就根據了這段材料說：

> 姜原出野，見巨人跡，心忻然說，欲踐之。踐之而身動，如孕者。居期而生子。

《詩經・商頌・玄鳥篇》有「天命玄鳥，降而生商」的話，這是商朝的王族講他們這支種族的起源，也是由上帝特地降下來的。所以司馬遷作《殷本紀》也根據了這段材料說：

殷契母曰簡狄，……見玄鳥墮其卵；簡狄取吞之，因孕生契。

到鄭玄箋《生民》，就說：

帝，上帝也。……祀郊禖之時，時則有大神之跡，姜嫄履之，足不能滿，履其拇指之處，心體歆歆然，其左右所止住，如有人道感己者也，於是遂有身；而肅戒不復御。後則生子。……是為后稷。

箋《玄鳥》就說：

降下也。天使鳦下而生商者，謂鳦遺卵，娀氏之女簡狄吞之而生契。

這兩個故事，本來是商、周兩族自己誇張他們的來歷不凡的一種神話性的傳說，按理性來說，自然可以肯定是決定沒有的事，但像在司馬遷、鄭玄的時代和象他們這樣的人，還都認為是眞事，倒還情有可原，不應該的是在歐陽修很明白的指出了以後，除了蘇洵曾作《嚳妃論》和他的見解相同以外，有許多人連朱熹在內，都仍舊當作一件眞的事實來看待，那就更加顯得歐陽修的眼光見識，確是高人一等了。

歐陽修是怎樣指出這兩個故事的不足信來駁鄭玄的呢？他說：

所謂天生聖賢者，其人必因父母而生，非天自生之也。《詩》曰：「維嶽降神，生甫及申」，申、甫皆父母所生也。鄭則不然，直謂后稷天自生之爾。夏有天下四百餘歲而為商，商有天下六百歲而為周。如鄭之說，是天不因人道自與姜嫄歆然接感而生后稷，其傳子孫一千歲後為周而王天下。且天既自感姜嫄以生后稷，不王其身而王其一千歲後之子孫，天意果如是乎？無人道而生子，與天自感於人而生之，在於人理皆必無之事，可謂誣天也。（《詩本義》卷十五《生民詩論》）

鄭謂吞鳦卵而生契者，怪妄之說也。秦、漢之間學者喜為異說，謂高辛氏之妃陳鋒氏女感赤龍精而生堯，簡狄吞鳦卵而生契，姜嫄履大人跡而生后稷。高辛四妃，其三皆以神異而生子。蓋堯有盛德，契、稷後世皆王天下數百年，學者喜爲之稱述，欲神其事，故務爲奇說也。至帝摯無所稱，故獨無說。鄭學博而不知統，又特喜讖緯諸書，故於怪說尤篤信。（《詩本義》卷十三《取捨義》）

這前一段是責鄭玄不應認爲后稷是天直接生的，後一段是責鄭玄不應信呑卵生契的怪妄之說。說「鄭學博而不知統，又特喜讖緯諸書，故於怪說尤篤信」，是很恰當的話。這兩段話是對鄭玄「聖王感天而生」的說法很有力的駁斥。但這兩個故事確有來源，並非後人僞造。鄭玄的不合處，只在不應把神話性的傳說認爲實事，而且點染得更加完整逼眞。

其實在鄭玄以前的王充，對聖王感天而生的怪說，已經有很清楚很深刻的辨說，但沒有被鄭玄采取。王充說：

儒者稱聖人之生不因人氣，更稟精於天。禹母吞薏苡而生禹，故夏姓曰姒；卨母吞燕卵而生卨，故殷姓曰子；后稷母履大人跡而生后稷，故周姓曰姬。……其言神驗，文又明著，世儒學者莫謂不然。如實論之，虛妄言也。……

夫薏苡，草也；燕卵，鳥也；大人跡，土也。三者皆形，非氣也，安能生人？說聖者以爲稟天精微之氣，故其爲有殊絕之知。今三家之生，以草，以鳥，以土，可謂精微乎？

夫令鳩雀施氣於鴈鵠，終不成子者，何也？鳩雀之身小，鴈鵠之形大也。今燕之身不過五寸，薏苡之莖不過數尺，二女吞其卵實，安能成七尺之形乎？

爍一鼎之銅以灌一錢之形，不能成一鼎，明矣。今謂大人天神，故其跡巨。巨跡之人，一鼎之爍銅也；姜原之身，一錢之形也。使大人施氣於姜原，姜原之身小，安能盡得其精？不能盡

得其精，則后稷不能成人。（《論衡》卷三《奇怪篇》）

他譬諭得這樣切至，把道理說得這樣明白，但並不能對在他以後的鄭玄發生影響，可見「莫謂不然」的「世儒學者」在當時的勢力是怎麼樣的大了。離開他一千多年以後的歐陽修，再來竭力申說，想不到這個時候的「世儒學者」並沒有和漢代的兩樣。如朱熹作《詩集傳》，於《生民》、《玄鳥》兩篇講后稷和契降生的事，完全採取鄭玄的說法。這對歐陽修、王充們的話將怎樣解釋呢？他說得很神妙，簡直使你會非常驚訝的。他說：

巨跡之說先儒或頗疑之；而張子曰：「天地之始固未嘗先有人也，則人固有化而生者矣。蓋天地之氣生之也。蘇氏亦曰：「凡物之異於常物者，其取天地之氣常多，故其生也或異。麒麟之生異於犬羊，蛟龍之生異於魚鼈，物固有然者矣，神人之生而有異於人，何足怪哉」？斯言得之矣。

他引了張載和蘇轍的話認爲人是可以氣化的，而神人之生是可以和平常人不同的，所以他不顧先儒的「頗或疑之」而說「斯言得之矣」。他是一個理學家，像這樣的事情在理上說得過去嗎？照我們說自然是說不過去的；但他以爲是說得過去的。爲什麼呢？他說：

天下之理一而已，而有常變之不同。夫二氣交感，化生萬物者，理之常也。若姜嫄、簡狄之生稷、契，此理之變也。（《詩經傳說彙纂》卷十八引）

履巨跡之事有此理，且如契之生，詩中亦云玄鳥降而生商，蓋以爲稷、契皆天生之耳，非有人道之感，非可以常理論也。漢高祖之生亦類此。此等不可以言盡，以意會之可也。（同上）

他肯定的說「有此理」，「此理之變也」，「非可以常理論也。」這是他給這種神話傳說製造的理論。他又拉出漢高祖來作陪襯，因爲《史記》上說漢高祖是他的母親「夢與神遇」，有蛟龍在她的身上，遂懷孕生子的。最後則說「此等不可以言盡，以意會之，可也。」眞是全憑主觀想像，全憑熱情，全憑書本的一種說法。他所說的「理」，安全是他所認爲的理，而不是我們所認爲的理。

爲什麼他們都要咬定「稷、契皆天生之」的說法呢？我們可以回顧一下歐陽修的話。

> 高辛四妃，其三皆以神異而生子。蓋堯有盛德，契、稷後世皆王天下數百年，學者喜爲之稱述，欲神其事，故務爲奇說也。

這幾句話可以說已經抓住了不管是漢代的世儒學者還是宋代的世儒學者的眞象了。爲什麼學者「喜爲稱述」，就在因爲他們或者如堯，是一個著名的帝王，或者如稷、契，他們的後代都做了好幾百年的帝王，這樣的人，就該是天生的。照蘇轍的說法，他們是異於平常人的神人，所以他們的降生就應該和平常人不同。他的哥哥蘇軾也說：

> 帝王之興，其受命之符，卓然見於《詩》、《書》者多矣，……《玄鳥》、《生民》之詩豈可謂誣也哉？（《郡齋讀書志》卷一引）

他們說來說去，給我們說明白了，歸根到底一句話，只要是統治階級的帝王，就是天生的神人，這不但凡是王族自己都這麼說，一切幫閒幫腔的「世儒學者」也無不盡量替他們這樣的吹嘘，而且替他們描繪得更加神奇，更加出色。他們既然是天生的神人，自然應該統治萬民，作威作福。「惟辟作福，惟辟作威，惟辟玉食。臣無有作福、作威、玉食。臣之有作福、作威、玉食，其害於而家，凶於而國」（《尙書・洪範》）。這是由統治階級嘴裡定出來的制度。而被統治階級呢？只好嘆息著說：「驕人好好，勞人草草。蒼天！蒼天！視彼驕人，矜此勞人」（《詩經・小雅・巷伯》）了。所以我感覺這裡有一點很值得我們注意的，把許多年許多人尊奉爲天生的神人的帝王拉下來，認爲也是父母所生，並無特別的奇跡，這不光是反對迷信，也包含著平等思想，歐陽修在這一點上的見解是具有進步性的，是值得我們稱道的。而有許多如朱熹等的只肯接受歐陽修在「詩經」上像對「昊天有成命」等的錯誤的糾正，一遇到如「生民」、「玄鳥」等的見解就不敢接受了，儘管他們生得比歐陽修還晚，但在思想上卻反而比他要來得落後。

歐陽修在《詩經》的解釋方面，敢於辨毛、鄭，議《詩序》，因爲他所辨議的對象不是聖人，儘管其中有一些還不爲後來的「世儒學者」所深信，但在廓清謬說方面有不小的貢獻，是爲很多後來的學者所承認了的。如晁公武說：

> 歐陽修解《詩》毛、鄭之説已善者因之不改。至於質諸先聖則悖理，放於人情則不可行，然後易之。故所得比諸儒最多。（《郡齋讀書志》卷一）

《四庫總目提要》也說：

> 修作是書，本出於和氣平心，以意逆志。故其立論未嘗輕議二家，而亦不曲徇二家。其所訓釋往往得詩人之本志。（卷十五《毛詩本義提要》）

一個說他「所得比諸儒最多」，一個說他「往往得詩人之本志」，都是肯定他的成績的。但一到《易傳》方面，因爲他所辨的對象是聖人，所以在他的「事跡上雖也說他「多所發明」，但一切的「世儒學者」對他的態度就完全不同了，幾乎很不容易得到同情他的人。現在試鈔錄朱彝尊《經義考》」卷十八所引的幾條材料來看看，大家就可以明白。

> 施德操曰：「歐陽公論《易》，謂《文言》、《大繫》皆非孔子所作，乃當時《易》師爲之，韓魏公心知其非，然未嘗與辨，但對歐陽公終身不言《易》」。
>
> 朱子曰：「歐陽作《易童子問》，正王弼之失數十事；然因《

圖》，《書》之疑並《繫辭》不信，此是歐公無見處」。

王應麟曰：「歐陽公以《河圖》、《洛書》爲怪妄。東坡云：『著於《易》，見於《論語》，不可誣也』。南豐云：『以非所習見則果於以爲不然，是以天地萬物之變爲可盡於耳目之所及，亦可謂過矣』」。

胡一桂曰：「《易》之不可無《十翼》，審矣。歐陽公乃致疑於其書，《童子問》中直以《繫辭》與《文言》爲非夫子作，是何其無見於《易》一至此耶」？

最早說「孔子晚而喜《易》，序《彖》，《繫》、《象》、《說卦》、《文言》」的是《史記·孔子世家》，最早說「孔子……究作《十翼》」的是《周易乾鑿度》。以後班固《藝文志》就說「孔子爲之《彖》、《象》、《繫辭》、《文言》、《序卦》之屬十篇」。到了唐朝陸德明作《經典釋文》，便說孔子作《彖辭》、《象辭》、《文言》、《繫辭》、《序卦》、《說卦》、《雜卦》謂之《十翼》。」孔穎達作《周易正義》說，「其《彖》、《象》等《十翼》之辭，以爲孔子所作，先儒更無異論」。像這樣一個傳了千餘年的定案，到了歐陽修卻提出來說：

《繫辭》……《文言》、《說卦》而下，皆非聖人之作，而眾說淆亂，亦非一人之言也。（《易童子問》卷三）

把十篇向來認爲是孔子的著作，一下削奪了六篇，這怎麼能不使學術界大受震驚，而對他表示很大的不滿呢？但是不是他沒有見識的胡疑呢？一點也不是，事實上他的懷疑是有很充足的證據的。他的主要證據就在「眾說淆亂」上，也就是他所說的：

余之所以知《繫辭》而下非聖人之作者，以其言繁衍叢脞而乖戾也。（同前）

他所舉出來的例，如說：

《乾》之初九曰，「潛龍勿用」，聖人於其《象》曰，「陽在下也」，豈不曰其文已顯而其義已足乎？而爲《文言》者又曰，「龍德而隱者也」；又曰，「陽在下也；」又曰，「陽氣潛藏」；又曰，「《潛》之爲言隱而未見。」（同前）

這是他說《文言》的繁衍叢脞的。

《文言》曰：「元者，善之長也；亨者，嘉之會也；利者，義之和也；貞者，事之幹也。」是謂《乾》之四德。又曰：「乾元者，始而亨者也；利貞者，性情也；」則又非四德矣。謂此二說出於一人之手乎，則殆非人情也。（同前）

這是他說《文言》的自相乖戾的。

《繫辭》曰，「《乾》以易知，《坤》以簡能。易則易知，簡則易從。易知則有親，易從則有功。有親則可久，有功則可大。可久則賢人之德，可大則賢人之業。」其言天地之道，《乾》、《坤》之用，聖人所以成其德業者，可謂詳而備矣。故曰「易簡而天下之理得矣」者，是其義盡於此矣。俄而又曰：「廣大配天地，變通配四時，陰陽之義配日月，易簡之善配至德。」又曰，「夫《乾》，確然示人易矣；夫《坤》，隤然示人簡矣」。又曰，「夫《乾》，天下之至健也，其德行常易以知險；夫《坤》，天下之至順也，其德行常簡以知阻」。（同前）

這是他說《繫辭》的繁衍叢脞的。

《繫辭》曰，「河出《圖》，洛出《書》，聖人則之。」所謂《圖》者，八卦之文也，神馬負之自河而出以授於伏羲者也。蓋八卦者，非人之所爲，是天之所降也。又曰，「包羲氏之王天下也，仰則觀象於天，俯則觀法於地，觀鳥獸之文與地之宜，近取諸身，遠取諸物；於是始作八卦。」然則八卦者，是人之所爲也，《河圖》不與焉。斯二説者已不能相容矣，而《説卦》又曰，「昔者聖人之作《易》也，幽贊於神明而生蓍，參天兩地而倚數，觀變於陰陽而立卦。」則卦又出於蓍矣。八卦之説如是，是果何從而出也？謂此三説出於一人之手乎，則殆非人情也。（同前）

這是他說《繫辭》、《說卦》的自相乖戾的。因爲在《易傳》中有很多繁衍叢脞的文字，所以他說：

謂其説出於諸家而昔之人雜取以釋經，故擇之不精，則不足怪也。謂其説出於一人，則是繁衍叢脞之言也。其遂以爲聖人之作，則又大繆矣。（同前）

因爲在《易傳》中有很多自相乖戾的文字，所以他說：

人情常患自是其偏見，而立言之士莫不自信；其欲以垂乎後世，惟恐異説之攻之也，其肯自爲二三之説以相牴牾而疑世，使人不信其書乎？故曰非人情也。（同前）

單就他所舉出的許多這種繁衍叢脞和自相乖戾的地方已很可以證明《易傳》不出於一人之手，一定不是孔子所作的了。問題還不止於此，《文言》中的「元者善之長也」到「貞固足以幹事」的八句也見於《左傳》襄公九年，據襄公九年的記載，是魯穆姜說的話。所以他說：

方魯穆姜之道此言也，在襄公之九年，後十有五年而孔子生。左氏之傳《春秋》也，固多浮誕之辭；然其用心亦必欲其書之信後世也。使左氏知《文言》爲孔子作也，必不以追附穆姜之説而疑後世。蓋左氏者不意後世以《文言》爲孔子作也。（《居士集》卷十八《易或問》）

但也有人說也許是左氏「竊取孔子《文言》以上附穆姜之說。」他說：

不然。彼左氏者胡爲而傳《春秋》？豈不欲其書之信於世也？

乃以孔子晚而所著之書爲孔子未生之前之説，此雖甚愚者之不爲也。蓋方左氏傳《春秋》時，世猶未以《文言》爲孔子作也，所以用之不疑。然則謂《文言》爲孔子作者出於近世乎？（《易童子問》卷三）

這是用左氏引用穆姜四德的話來證明《文言》不是孔子所作的。《文言》中又有許多《子曰》字樣，因爲《論語》中稱引孔子的話都作「子曰」，兩相比較，似乎《文言》也應該是孔子的話。他說：

昔孔子門人追記其言作《論語》，書其首必以「子曰」者，所以別夫子與弟子之言。又其言非一事，其事非一時，文聯屬而言難次第，故每更一事必以「子曰」以起之。若《文言》者，夫子自作，不應自稱「子曰」；又其作於一時，又有次第，何假「子曰」以發之？（《居士外集》卷十五《傳易圖序》）

這是他用《文言》中有「子曰」來證明《文言》不是孔子所作的。就他所舉的這些證據來看，是何等的切實，何等的明確，《文言》《繫辭》等不出於孔子，不是一人所作，應該可以肯定的了。但相知如韓琦，一生不同他談《易》；而在他死後，史官替他作傳，也說：

修文一出，天下士皆向慕，爲之唯恐不及，一時文章大變，庶幾乎西漢之盛者，由修發之。然至論《易》，則以《繫辭》非孔子之言，論《周禮》，則疑非周公所作，是以君子之愛其文者，猶嘆息於斯焉。……史臣曰：「……至其以《繫辭》爲非孔子所作，此道隱於小成言隱於浮華者歟？」（《歐陽文忠公集》附錄）

可見當時有許多「世儒學者」在疑經上對他是如何的不了解，認他爲不過是一會寫文章的文人，連後來的朱熹、胡一桂等也都說他對《易》沒有見識，實則大家不過「狃於舊聞」，因《易傳》傳爲作於孔子，聖人的威嚴不敢冒犯罷了。

至於《河圖》、《洛書》，他更加反對。他說「如《河圖》、《洛書》，怪妄之尤甚者」。「『河出《圖》，洛出《書》，』非聖人之言。」「洛不出《圖》、《書》，吾昔已言之矣。」但《河圖》除在《易傳》中的根據外，《尙書・顧命》和《論語》也都曾提到；而宋朝正是得之陳摶的僞河、洛《圖》、《書》爲學者所尊信的時代，自然他更要被人訾議了。

爲什麼他很反對《河圖》、《洛書》，說「《河圖》、《洛書》怪妄之尤甚者」呢？這因「河龍《圖》發，洛龜《書》感」等話本出於緯書，後人遂有在伏羲王天下的時候，有龍馬背了《圖》從河裡出來給他，他看了圖就畫成了八卦的話。讖緯眞是一種「滿紙荒唐言」的書，是歐陽修所最反對的。他曾在《詩本義》裡說：

> 鄭惑讖緯，其不經之說汩亂《六經》者不可勝數。學者稍知正道，自能識爲非聖之言。然今著於《箋》以害詩義，不可以不去也。（卷十二《長發論》）

他又有論刪去《九經正義》中讖緯的劄子，說：

> 唐太宗時，始詔名儒撰定《九經》之疏，號爲《正義》。……然其所載既博，所擇不精，多引讖緯之書以相雜亂，怪奇詭僻，所謂非聖之書，異乎《正義》之名也。臣欲乞特詔名儒學官，悉取《九經》之《疏》，刪去讖緯之文，使學者不爲怪異之言惑亂。然後經義純一，無所駁雜，其用功至少，其爲益則多。（《歐陽文忠公集》卷十三）

從上面的兩段文字看來，可見照他的意思，凡注疏中的讖緯之文是義在必去的；而讖緯的話的荒謬，也實在無法使得像他這樣理性很强的人來接受；《河圖》、《洛書》的這些說法既然出自緯書，他自然要說怪妄之尤甚者」，「非聖人之言」了。

他議毛、鄭，疑《繫辭》，是不是認爲毛、鄭不足重，而《繫辭

》以下各篇都可以廢棄了呢？不是的，在議毛、鄭方面，他說：

昔者聖人已沒，《六經》之道幾熄於戰國而焚於秦。自漢以來，收拾亡逸，發明遺義而正其謬，得以粗備。傳於今者，豈止一人之力哉？後之學者，因跡前世之所傳而較其得失或有之矣。若使徒抱焚餘殘脫之經，倀倀於去聖人千百年後，不見先儒中間之說而欲特立一家之學者，果有能哉？吾未之信也。先儒之論，苟非詳其終始而牴牾，質諸聖人而悖理，害經之甚，有不得已而後改易者，何以徒為異論以相訾也？（《詩譜補亡後序》）

先儒於經不能無失，而所得已多矣。正其失，可也。力詆之，不可也。盡其說而理有不通，然後得以論正。予非好為異論也。（《歐陽文忠公集》附錄《事跡》）

這是他對在他以前的傳注家的一種態度。他並不非薄「收拾亡逸，發明遺義而正其謬」的經學家，而且以為如果「不見先儒中間之說而欲特立一家之學」是不可能的。所以只可論正改易他們有「牴牾」「悖理」的地方，而不能「徒為異論以相訾」。這種態度是很正確的，《詩本義》一書頗博後人好評，是和這種態度有關係的。

在疑《繫辭》方面，他說：

童子曰：「……然則繁衍叢脞之言，與夫自相乖戾之說，其書皆可廢乎？曰：「不必廢也。古之學經者皆有大傳，今《書》、《禮》之傳尚存。此所謂《繫辭》者，漢初謂之《易大傳》也。至後漢，已為《繫辭》矣。語曰：『為趙、魏老則優，不可以為滕、薛大夫』也。《繫辭》者，謂之《易大傳》，則優於《書》、《禮》之《傳》遠矣。謂之聖人之作，則僭偽之書也。蓋夫使學者知《大傳》為諸儒之作，而敢取其是而捨其非，則三代之末，去聖未遠，老師名家之世學，長者先生之餘論，雜於其間者在焉，未必無益於學也。使以爲聖人之作，不敢有所擇而盡信之，則害經惑世者多矣。此不可以不辨也，吾豈好辨者哉！」（《易童子問》卷三）

這裡他以爲《繫辭》不必廢，但一定要恢復它《易大傳》的原名，因爲一恢復它的原名，就可以知道它是諸儒之作而不是聖人之作。既然不是聖人之作，學者就敢「取其是而捨其非」。取是捨非，自然「未必無益於學」。這裡看出了那個時候聖人的威權，也看出了他的說法的近情合理。但許多「世儒學者」正在利用這聖人的威權來鞏固自己的地位，所以儘管他的說法近情合理也是不可能讚同的。

他無論是辨《詩序》，議毛、鄭，疑《繫辭》、目的都是爲了不使僞說亂經。但這些亂經的僞說怎麼會產生的呢？他說：

自孔子沒而周益衰，接乎戰國，秦遂焚書，《六經》於是中絕。漢興，蓋久而後出，其散亂磨滅既失其傳，然後諸儒因得措其異説於其間。（《居士集》卷四十三《廖氏文集序》）

妄儒不知所守而無所擇，推所傳則信而從焉。而曲學之士好奇，得怪事則喜附而爲說。前世以此爲《六經》患者，非一也。（《詩本義》卷十《生民詩論》）

這是他說的經學的總的情況。因爲《六經》在秦焚滅，到漢再出，當中失了傳授，所以當時的儒者就有機會把許多異說攙雜在裡面。遇到「無所擇」的妄儒和「好奇」的曲學之士，不是一起信從，就是「附而爲說」，這樣就造成了「僞說亂經」的局面。單對《詩經》方面呢？他說：

戰國、秦、漢之際，《六經》焚滅，《詩》以諷誦相傳，易爲差失。漢興，承其訛謬，不能考正，遂以至今。（《詩本義》卷四《有女同車》、《山有扶蘇論》）

蓋自孔子沒，群弟子散亡，而《六經》多失其旨。《詩》以諷誦相傳，五方異俗，物名字訓，往往不同：故於《六經》之失《詩》尤甚。《詩》三百餘篇，作者非一人，所作非一國，先後非一時，而世久失其傳；故於《詩》之失時世尤甚。周之德盛於文、武，其詩爲《風》、爲《雅》、爲《頌》，《風》有《周南》、《召南》，《雅》有《大雅》、《小雅》，其義類非一。或當時所作，或後世所述：故於《詩》時世之失周詩尤甚。自秦、漢以來學者之說不同多矣，不獨鄭氏之失也。（《詩本義》卷十四《詩時世論》）

這是具體到《詩經》方面的情況。因爲《詩》是諷誦相傳，所以沒有標準本。各地風俗不同，物名字訓不同，免不了發生錯誤。另一方面因「作者非一人，所作非一國，先後非一時」，所以哪一篇詩要定爲是哪一國哪一時哪一個人作的是很不容易的事。因爲有這兩方面的情況，所以就有許多訛謬乖異的說法傳下來。這是《詩經》被僞說所亂的原因。單對《繫辭》等方面呢？他說：

昔之學《易》者，雜取以資其講說，而說非一家，是以或同，或異，或是，或非，其擇而不精，至使害經而惑世也。（《易童子問》卷三）然有附托聖經，其傳已久，莫得究其所從來而覈其眞僞，故雖有明智之士，或貪其雜駁之辨，溺其富麗之辭；或以爲辨疑是正，君子所愼，是以未始措意於其間。（同前）

大儒君子之於學也，理達而已矣。中人已下，指其跡，提其耳而譬之，猶有惑焉者，溺於習聞之久，曲學之士喜爲奇說以取勝也。（《居士集》卷十八《易或問》）

今之所謂《繫辭》者，……是講師之傳，謂之《大傳》。其源蓋出於孔子而相傳於《易》師也。其來也遠，其傳也多，其間轉失而增加者，不足怪也。故有聖人之言焉，有非聖人之言焉

。(《居士外集》卷十《易或問》)

這是具體到《繫辭》等的情況。據他說，這些是講《易》的講師，雜取了《易》師的話，來做講說的資料用的東西，因爲所採的不止一家，而採擇得又不精，所以內容方面有相同的，有不相同的；有對的，也有不對的；有是聖人的話，也有不是聖人的話。但因爲它附托了聖經而傳，傳久以後，後人已經不知道它的本來面目，所以在「明智之士」當中，有的由於喜歡它的駁辨得有趣和文辭的富麗，而有的則因爲不願意隨便懷疑，他們就都不去研究它的眞相了。中等已下的人，就是指出了不可信的地方告訴他，他因爲聽慣了從前的說法，決不會信你，而曲學之士則正喜歡這種奇說好在論辯的時候取勝，更不會相信了。這是《易經》被僞說所亂的原因。因爲他對經書有這樣的一些看法，所以他深哀「學者知守經以篤信，而不知僞說之亂經」。

《詩經》雖從前學人也認爲是孔子所手定，但歐陽修所辨的毛、鄭，而得失又比較顯著，所以他得到的反應還不乏讚同的。《繫辭》的地位就不同了，歷來公認是孔子的作品，裡面包含有精深微妙的意義，所以他的懷疑，初時簡直沒有人讚同他。他曾說：

> 余嘗哀夫學者知守經以篤信，而不知僞說之亂經也，屢爲說以黜之；而學者溺其久習之傳，反駭然非余以一人之見決千歲不可考之是非，欲奪衆人之所信；徒自守而莫之從也。(《居士集》卷四十三《廖氏文集序》)

他的「屢爲說以黜之」的反應是學者駭然相非，因爲沒有人信從他，他只好徒然自守罷了。但他在這種情形之下，一點也不氣餒，還是信心百倍。他說：

> 余以謂自孔子沒至今，二千歲之間，有一歐陽修者爲是說矣，又二千歲，焉知無一人焉與修同其說也？又二千歲，將復有一人焉，然則同者至於三，則後之人不待千歲而有也。同予說者

既眾，則眾人之所溺者可勝而奪也。夫「《六經》」非一世之書，其將與天地無終極而存也。以無終極視數千歲於其間，頃刻爾，是則余之有待於後世者遠矣，非汲汲有求於今世也。（同前）

這是何等自信！又是何等氣魄！他希望在二千年後能夠得到一個同情他的人，四千年後有兩個，以後不到一千年就有，年數越長同情的人越多，就可以把不信的人都使他們相信起來。因爲他期待得這麼遠，所以他並不急求當世的人對他同情。但事實怎麼樣呢？後來他看到了廖偁的《朱陵編》，裡面談到廖偁也不信龜書出洛的事情，他高興極了，知道同時兩不相知的人也可以有不謀而合的看法的，不必等到幾千年後的人因爲看了他的話而和他同情。所以他說：

嗚呼！知所待者必有時而獲，知所畜者必有時而施，苟有志焉，不必有求而後合。（同前）

他這幾句話是絕對不錯的，只要是眞理，儘管起始的時候力量微小，久後一定變爲强大，只有時間問題，必定沒有能不能實現的問題。而一個人的眞理就是千萬人的眞理，所以不必你去尋求也必定有和你的看法相合的。果然到他晚年的時候，慢慢有人在相信他的說法了。他說：

余謂《繫辭》非聖人之作，初若可駭。余爲此論，迨今二十五年矣，稍稍以余言謂然也。六經之傳，天地之久，其爲二十五年者將無窮，而不可以數計也，予之言，久當見信於人矣，何必汲汲較是非於一世哉！（《試筆・繫辭說》）

他作《易或問》是在三十一歲的時候，他說「《繫辭》非聖人之作」當在此以前，過了二十五年大約已有五十幾歲，在他五十幾歲的時候，社會上已稍稍認爲他的話是對的了，所以他也只須拿二十五年來做比較數了。用千年做比較數的一下子縮短爲二十五年，他的話「

久當見信於人」已很有把握，自然可以不必汲汲於同人家爭辨是非了。

我們說歐陽修是開創發抒己見，自出議論，脫去漢、唐舊注的桎梏而用新的意思來說經的風氣的主要人物，這個影響並不要等到很遠，他生存的時候就已很大，一看下面的材料就可知道。

> 新進後生，未知臧否，口傳耳剽，翕然成風。至有讀《易》未識卦爻，已謂《十翼》非孔子之言；讀《禮》未知篇數，已謂《周官》爲戰國之書；讀《詩》未盡《周南》、《召南》，謂毛、鄭爲章句之學；讀《春秋》未知十二公，已謂《三傳》可束之高閣。循守注疏者謂之腐儒，穿鑿臆說者謂之精義。（《司馬溫公文集》卷六《論風俗箚子》）

這是宋神宗熙寧二年司馬光上皇帝的奏疏中的話，這時候歐陽修年六十三歲。他所指斥那時的新進後生的非《十翼》，僞《周官》，議毛、鄭，固然都是歐陽修所提倡的，就是對《春秋》信《經》不信《傳》也未嘗不是歐陽修的主張。歐陽修曾說：

> 孔子，聖人也，萬世取信一人而已。若公羊高、穀梁赤、左丘明三子者，博學而多聞矣，其傳不能無失者也。孔子之於《經》三子之於《傳》，有所不同，則學者寧捨經而從《傳》，不信孔子而信三子，甚哉其惑也！……予非敢曰不惑，然信於孔子而篤者也，《經》之所書，予所信也；《經》所不言，予不知也。（《居士集》卷十八《春秋論》上）

司馬光那時的情況是「循注疏者謂之腐儒，穿鑿臆說者謂之精義」，「口傳耳剽，翕然成風」，可見這種革新的精神在當時青年學子中已形成巨大的力量。但司馬光認爲這是「疑誤後學，敗亂風俗」，而要用考試不取的方法來加禁遏。這眞是當時在學術思想上一個革新派和守舊派的大鬥爭。

自然這個鬥爭是長期的。《六經》和孔子有不可分割的關係，而《六經》和孔子的地位則由於歷代帝王的尊重而崇高，而歷代帝王的所以樂於尊重，則和傳注家的曲說可資帝王利用有莫大的關係。從晚唐後，因中小地主階級興起，在文章方面固然以復古之名行解放之實，在經學方面也同樣有這種要求。歐陽修即是實現這種要求的一人。從表面看來，他和司馬光同是崇孔尊經的人，他們的鬥爭不過是儒家內部經學上的鬥爭。但在實質上則有保守和革新之別，迷信和反迷信之別，盲從和求眞之別。雖革新派的主張並不徹底，但在當時來說，無疑的革新派是進步的，而守舊派則是落後的。自然進步派的主張必然會日益光大，過渡到更進步的境地中去；而落後派的力量終究要逐漸縮小以至於消滅。但帝王的名位一日存在，《六經》和孔子總不可能回到應有的地位。所以歷代雖不乏有和他同樣疑經議古的人，在《易傳》方面，如趙汝談、葉適、劉濂等；在《詩經》方面如鄭樵、朱熹、王柏等；在《周禮》方面，如萬斯大，方苞、袁枚等；其它如《中庸》、《論語》、《爾雅》等後人也都有繼起補充，但也總有正統派的頑固守舊分子竭力維護。非到封建統治完全消滅，這個鬥爭不能完全停止，而且鬥爭的雙方儘管有革新和守舊的區別，而最後依然是爲封建統治階級服務的這個目的則始終相同。現在我們對經書的看法自然已早比歐陽修更徹底更前進許多倍，但我們不能要求他和我們相比，而只能要求他和他以前的人相比，則在九百年前經書至上聖賢至上無人敢議傳注何況聖經的社會裡，他能有疑古惑經的精神，以百倍的信心和勇氣，開創了革新的風氣，終究獲得了勝利，爲後來產生有宋一代光輝的新哲學打下了基礎，提供了條件，在這一方面是不容我們不佩服的。

歐陽修在文辭和史學上的名聲很大，爲一般學者所習知；在金石學方面的貢獻，近代也已常爲學人所提起；在經學上以獨立無俱的精神開創了打破前人陳說，發揮自己獨得的見解的風氣，在當時是一大解放，一大進步，也是一大鬥爭，而對後代也實有大小的影響，我覺得也很應該提起我們的注意和給他適當的評價。

——原載《文史哲》一九五八年三期（一九五八年三月），頁一九——二八。

周敦頤《太極圖說》思想探索

——兼述朱陸《太極圖說》論辯的意義

李耀仙

宋代理學，舉其表率，向稱濂（指周敦頤，濂溪爲其道州故居與廬山新居名，亦以爲號），洛（指程顥、程頤弟兄，爲洛陽人）、關（指張載，爲關中郿縣人）、閩（指朱熹，生於閩中延平，其後又講學閩中建陽，立考亭學派）四家，以濂居其首。可是在北宋時代，濂溪並不著名，就連曾向他問過學的程氏弟兄，亦不傳其所學。到了南宋後，經過張栻、朱熹（下稱考亭）的提倡，始受人重視。就在這時，濂溪的《太極圖說》，也還引起了陸九韶（講學梭山，因以爲號，下稱梭山）、陸九淵（講學象山，因以爲號，下稱象山）弟兄和考亭的一場爭論。

本文擬對濂溪《太極圖說》進行一番探討並對朱陸《太極圖說》辯表示自己的看法。

一

《太極圖說》是否爲濂溪所作的呢？梭山曾就這個問題給考亭寫信表示自己的意見說：

> 《太極圖說》與《通書》不類，疑非周子所爲；不然，則或是其學未成時所作；不然，則或是傳他人之文，後人不辨也。（原書已亡，引自象山與考亭辨《太極圖說》第一書）

我們認爲，梭山所分析的三種情況，第一三兩種情況是可以排除的，理由有以下幾點：㈠、當時人潘興嗣在爲濂溪所作的墓志銘中，就明明說《圖說》是周敦頤所作的（見同上），我們不能因潘非「當時名賢」之選和「其之孫之不能世其學」，就懷疑潘《志》的眞實性。㈡、程門的再傳弟子朱震作《漢上易傳》，談到濂溪所得《太極圖》的由來，儘管後代有人懷疑朱震言《圖》的傳授關係，但對濂溪曾得《圖》是並不懷疑的；程顥程頤弟兄不傳濂溪《太極圖》，不能就此否定他們從濂溪那裡看到過《圖說》。㈢、《通書》與《太極圖說》的內容雖不盡同，卻可尋出它們的精神有相通之處。《通書》不言「無極」，與《太極圖說》開端就講「無極而太極」，固然這是兩書顯著的不同。但《圖說》講宇宙的起源，從「太極動而生陽」，到「五行，一陰陽也；陰陽，一太極也」，與《通書》講宇宙的本體說：「二氣五行，化生萬物。五殊（指五行）二實（指陰陽二氣）。二本則一（一指太極）。是萬（指萬物）爲一（指太極），一實萬分。萬一各正，大小有定」，兩者的著重點雖有所不同，而它們的精神卻是相通的。又《圖說》言立人極云：「聖人定之以中正仁義而主靜」，其下自注：「無欲故靜」，與《通書》言聖學云：「一爲要，一者無欲也，無欲則靜虛動直」，它們的精神也是相通的（「靜虛動直」一語，好似把動靜作平行相待，其實仍以靜爲主，「靜虛」然後「動直」。關於這點，只要和《通書》言聖學云：「寂然不動，感而遂通」聯系來看，便可得知）。從上述對兩書內容的分析來看，《圖說》與《通書》並非完全「不類」，後者乃是對前者的修訂和補充，亦可說是在修訂前者的基礎上的進一步的發展。因而梭山所認爲「疑非周子所作」與「或是傳他人之文，後人不辨」的兩種情況，都是不存在的，《圖說》當是濂溪早期的著作。

濂溪的《太極圖》究竟是他的創見？還是所有依據？朱震在《漢

上易傳》上說：「陳摶以《太極圖》授種放，放授穆修，修授周子。」象山在他與考亭辯《太極圖說》第一書中亦肯定了這點，還接著說：「希夷（陳摶）之學，老氏之學也。無極二字，出自《老子・知其雄》章，吾聖人之書所無有也。」我們從這段話可以明確兩點：㈠、濂溪的《太極圖》來自陳摶，非他所自創；㈡、《圖》中的「無極」二字又是來自《老子・知其雄》章（註一），與道家有關。

清初，毛奇齡著《太極圖說遺議》曾說：《太極圖》出於陳摶，其主要部分是模仿孟蜀彭曉的魏伯陽《周易參同契》注本中的《水火匡廓圖》和《三五至精圖》而來的。（註二）彭曉注本有七至九個圖，《水火匡廓圖》和《三五至精圖》僅爲其中的兩個圖。考亭著《周易參同契異義》後，盡刪其圖，以後彭曉注本中的圖就流入道藏去了。（註三）《遺議》說明此圖雖出於陳摶，卻與彭曉《周易參同契》注本中的圖有關。

黃宗羲的仲弟，黃宗炎著《圖學辨惑》說：此圖原名《無極圖》，乃方士修煉之術，陳摶得於其師，刻之華山石壁上，經穆修傳之濂溪。「其圖自下而上，以明逆則成丹之法」，是方士「長生之秘訣」。「周子得此圖，而顛倒其序，更易其名（指其易名爲《太極圖》），附以大易，以爲儒者之秘傳。蓋方士之訣，在逆而成丹，故從下而上；周子之意，以順而生人，故從上而下。」《辨惑》不僅說明了濂溪的《太極圖》是源於陳摶的《無極圖》，而且還說明了濂溪如何改造方士煉丹術的《無極圖》使之成爲發明儒學秘奧的《太極圖》的過程。全祖望肯定了黃宗炎的敢於「立異」的精神說：「世雖未能深信，而亦莫能奪也。」（註四）其實當時就有人採納他的見解，譬如朱彝尊在《經義考》中說：「《無極圖》乃方士修煉之術。……在道家未嘗詡爲千聖不傳之秘。周子取而轉易之以爲圖，……更名之曰《太極圖》」，不就是對他的見解表示「深信」的態度嗎？

當然，黃宗炎的《辨惑》在敘述《無極圖》的來源上也存在一些問題，如它說此圖創自河上公，後爲魏伯陽所得，由呂洞賓授與陳摶等等，多不可考。我們認爲，與其說陳摶的《無極圖》是得之於呂洞賓，倒不如說他是受了彭曉的《周易參同契》注本中的兩個圖的影響。因爲陳摶的身世，僅略晚於彭曉，其隱於華山與孟蜀亦相隔不遠，而上距呂洞賓的生年就要相差大半個世紀了（註五）。追尋《太極圖》的來源，在它與《無極圖》和彭曉兩圖的關係問題上，應奉《無極圖》爲祖，而對彭曉兩圖，則只能以「祧」處之了。

二

我們在上面已經說明了《太極圖說》是濂溪早年的著作和濂溪的《太極圖》是由陳摶的《無極圖》改造過來的兩個問題，下面就當介紹濂溪《太極圖說》的主要精神了。《圖說》全文不過二百餘字，現抄錄於下：

> 無極而太極。太極動而生陽，動極而靜，靜而生陰，靜極復動，一動一靜，互爲其根，分陰分陽，兩儀立焉。陽變陰合，而生水火木金土。五氣順布，四時行焉。五行一陰陽也，陰陽一太極也，太極本無極也。五行之生也，各一其性。無極之眞，二五之精，妙合而凝，乾道成男，坤道成女。二氣交感，化生萬物，萬物生生而變化無窮焉。惟人也得其秀而最靈。形既生矣，神發知矣，五性感而善惡分，萬事出矣。聖人定之以中正仁義而主靜（自注云：「無欲故靜」），立人極焉。故聖人以天地合其德，日月合其明，四時合其序，鬼神合其吉凶。君子修之吉，小人悖之凶。故曰：「立天之道曰陰與陽，立地之道曰柔與剛，立人之道曰仁與義」，又曰：「原始反終，故知生死之說」。大哉！易也，斯其至矣！

《圖說》的全文只有如此一點，它在北宋時代並未引起當時儒林中人的重視，可是到了南宋，竟一躍成了理學的經典文獻。它爲什麼能夠起著這樣的作用呢？

首先，《圖說》反映了《易傳》的思想。如《圖說》中說：「太極動而生陽，動極而靜，靜而生陰，一動一靜，互爲其根。分陰分陽，兩儀立焉。」就是對於《周易・繫辭》中的「易有太極，是生兩儀」的解釋。《圖說》中說：「二氣交感，化生萬物，萬物生生而變化無窮焉。」就是對於《繫辭》中的「生生之謂易」一語的闡述。《圖說》講「人極」、講「吉凶」、講「剛柔」，都是符合《繫辭》和《說卦》的精神。《圖說》的最後還引用《說卦》中的「立天之道曰陰與陽，立地之道曰柔與剛，立人之道曰仁與義」和《繫辭》中的「原始反終，故知生死之說」的原話來作爲它的結束語。因此，我們可以說，《圖說》的立論，從宇宙的起源到人道的建立，都基本上是繼承和發揚了《易傳》的思想。

其次，《圖說》吸取了陰陽五行家說明宇宙起源的一部分內容。如《圖說》中：「陽變陰合，而生水火木金土。五氣順布，四時行焉」，「五行之生也，各一其性」和「……二五之精，妙合而凝，乾道成男，坤道成女」等，都是屬於五行說的內容。早在戰國末期，儒家著作《禮記・禮運篇》就開始吸取了五行說來建設自己的宇宙起源說（註六），《圖說》繼承這個精神，特別闡發了它的「人者，……五行之秀氣也，」的思想，而有「惟人也得其秀而最靈」的命題。但《圖說》對《禮運篇》所吸取的五行說並非完全抄襲，砍去了它的一些無關緊要的內容。

最後，《圖說》採納了道家和道教思想中的「無極」一個概念和「無欲故靜」一個命題來充實它的宇宙論和倫理學，《圖說》文中三次談到「無極」：一則曰「無極而太極」，再則曰：「太極本無極也」，三則曰「無極之眞」，可以看出「無極」這個概念在它的宇宙起源說中所居的重要地位，已經成爲它的哲學範疇。考「無極」一詞出於《老子》二十八章的「常德不忒（差錯），復歸於無極」，它在《老子》思想中還不是一個重要概念，但到陳摶的《無極圖》中便成了方士修煉術的歸宿點，而濂溪則把它改造成爲《圖說》建立宇宙起源說的範疇。又《圖說》在講「聖人定之以中正仁義而主靜」下自注「無欲故靜」，把「主靜」和「無欲」作爲立人道之極——「人極」的不可缺少的組成部分。考「無欲」一詞出於《老子》五十七章的「我無欲而民自樸」和三十七章的「無名之樸，夫亦將無欲。不欲以靜，天下將自定」，是侯王聖人用以自守，而能使百姓純樸、天下自定的至德要理。「主靜」之說亦出於《老子》，它認爲清靜是躁動的主宰（「靜爲躁君」——二十六章），心靈虛靜是考察事物全部眞象的先決條件（「致虛極，守靜篤，萬物並作，吾以觀復」——十六章），和萬物歸到自己的根本就是清靜（「萬物芸芸，各歸其根，歸根曰靜，是謂復命」——同上）。「無欲故靜」也就是上述的「不欲以靜」，本是《老子》書中的安百姓定天下之術，後來經過方士移用到個人的養生方面（《莊子》書中已經有了端倪），也就成了他們的「長生久視之術」，而濂溪則把它改造爲人的道德修養的主要內容。所以，「無極」這個概念和「無欲故靜」這個命題，本是道家和道教的東西，與儒家思想無關，濂溪是第一個把它們收編過來，納入《圖說》，作爲充實儒家思想的人。

儒家要建立一個比較合理而又相當完備的宇宙起源的學說，單憑《易傳》的思想是不夠的，不得不從別的學派那裡吸取一些自己認爲有益的東西，來修訂和豐富自己的思想體系。譬如《周易・繫辭》中的「易有太極，是生兩儀（陰陽）」，作爲宇宙起源的開端是可以的，但如繼續說下去，就是「兩儀生四象（少陽，老陽，少陰，老陰）

，四象生八卦（乾、坎、艮、震、巽、離、坤、兌），八卦定吉凶，吉凶生大業」，便會引入神秘的象數之學和占筮之術的領域內去了。所以有的儒家，只保留了《易傳》的陰陽，下面就拋掉四象八卦，換以五行家的五行，來說明四時之行、萬物之生和人的出現。《禮運篇》就是這樣來敘述宇宙的起源的（《禮運篇》關於宇宙起源的學說，頗受《管子・四時》的影響（註七）；它的成篇晚於《繫辭》，已能看到《繫辭》（註八））。濂溪的《圖說》基本上是走的這條路子，他還從《易傳》中找到更多的東西，來豐富他的思想體系，譬如他把《繫辭》的太極鮮明地置於陰陽五行之前，以爲圖名；又將得「五行之秀氣」的人向前推進一步，以其中出類拔萃的聖人來立人極，使與天地、日月、四時、鬼神的德性、秩序相合，來闡明《說卦》和《繫辭》的幾個重要命題，確是建立起一個揚《易傳》之長而避其短和取五行之說以爲儒家所用的比較合理而又相當完備的宇宙起源的學說。近時的學者中有人把濂溪的《圖說》和邵雍的《先後天圖》、劉牧的《河圖》、《洛書》一樣劃到象數之學的範圍裡面去，是不很適合的。

濂溪的《圖說》是從改造道教徒陳搏的《無極圖》（包括彭曉《周易參同契》注本中的兩圖）而來的，他的改造手法，不妨用黃宗炎的話說，是「顛倒其序，更易其名，附以大易，以爲儒者之秘傳」（當然，對彭曉的兩圖不是「顛倒其序」，而是具有不同的解釋，讀者一看毛奇齡的《遺議》，便可知曉）。如何「顛倒其序」呢？亦不妨用黃宗炎所說的，原來的《無極圖》是「逆而成丹，故從下而上」，是煉丹術；經過濂溪的一番「顛倒」後，則「順而生人，故從上而下」，成了宇宙起源說。其實濂溪的「顛倒其序」，只是形式上的顛倒，原來的道教徒，就應有「順」和「逆」兩個方面的看法，沒有由「順」以啓「逆」的理論依據，怎會有由「逆」以返「順」的修煉之術呢？不過道教徒側重的是由逆以返順的一面，來作他們養生和煉丹的秘訣，並把它制成圖，將其意秘密地傳之後人罷了。所以濂溪《圖說》所建立的宇宙起源說的架子，可以說是從道教徒那裡來的，只不過是它把道教徒未製出的圖制出來，未說明的話說出來而已。甚至《圖說》中的「附以大易」，也可以說是從道教徒那裡來的。因爲道教徒老早就注意到《周易》這部書，要從它的裡面找出「順」的一面的道理，來作爲他們從事於「逆」的工作的依據，魏伯陽的《周易參同契》不就是導乎先路嗎（註九）？因此，有人要說濂溪的《圖說》是源於「道士易」，亦未爲不可。但是，認眞地來說，黃宗炎認爲《圖說》的改造工作，僅僅是在「顚倒其序，更易其名」後，「附」以《大易》，未免把《圖說》的價値貶低了一點，應該說是「主」以《大易》。因爲《圖說》的宇宙起源說，雖取於道教徒，畢竟是旨在闡明《周易》的思想，專重「順」的一面，來建設一個比較合理而又相當完備的宇宙起源說。這樣，《圖說》雖源出於「道士易」，由於它「主」以《大易》，旨在講明如何「順而生人」，就不同於「道士易」的目的和要求了。

三

要說濂溪《圖說》的改造工作，是在於「主」以《大易》，將會碰到一個困難的問題，就是關於「無極」的問題。梭山之疑《圖說》，就是由「無極」二字引起。曾致書考亭說：

《圖說》不當於太極上加無極二字。

又說：

著無極字，便有虛無好高之弊。（註一〇）

考亭第一次回書爲《圖說》辯護說：

不言無極，則太極同於一物，而不足爲萬化根本；不言太極，則無寂淪於空寂，而不能為萬化根本。

第二次回書又繼為辯護說：

未知尊兄（指梭山）所謂太極，是有形器之物邪？無形器之物邪？若果無形，而但有理，則無極只是無形，太極只是有理明矣。又安得虛無而好高乎？

接著，象山致書考亭，支持其四兄梭山的意見說：

自有大傳（指易傳）至今幾年，未聞有錯認太極別有一物者，……何足上煩先生（指濂溪）特地於太極上加無極二字以曉之乎？……蓋極者，中也。言無極，則是猶言無中也，是奚可哉！

又說：

「無極」二字，出於《老子・知其雄》章，吾聖人之書所無也。老子首章言「無名天地之始，有名萬物之母」，而卒同之，此老氏宗旨也。「無極而太極」，即是此旨。……《太極圖說》以無極二字冠首，而《通書》終篇未嘗一及無極字，二程言論文字至多，亦未嘗一及無極字。

考亭復象山書說：

伏羲作易（指《易經》中的八經卦、六十四別卦），自一畫以下，文王演易（指《易經》中的卦辭、爻辭），自乾元以下，皆未嘗言太極也，而孔子言之，孔子贊易（指《易傳》），自太極以下，未嘗言無極也，而周子言之（指濂溪的《圖說》）。夫先聖後聖，豈不同條而共貫哉！若於此有以灼然實見太極之眞體，則知不言者不為少，而言之者不為多，何至若此之紛紛哉！

象山再致書考亭，繼續堅持其意見說：

老兄（指考亭）未嘗實見太極，若實見太極，上面必不更著無極字，下面亦不必更著眞體字。

又說：

此理乃宇宙之所固有，豈可言無？

又說：

極亦此理也，中亦此理也。……《中庸》曰：「中也者，天下之大本也；和也者，天下之達道也。致中和，天地位焉，萬物育焉。」此理至矣！外此豈復有太極哉！

又說：

《通書》云：「中者和也，中節也，……聖人之事也。故聖人之立教，俾人……自致其中而止矣。」周子之言中，如此亦不輕矣，外此豈更別有道理。

考亭再復象山書說：

老氏之言有無，以有無爲二；周子之言有無，以有無爲一。正如南北水火之相反。更請仔細著眼，未可容易譏評也。

又說：

極是名此理之至極，中是狀此理之不偏，雖然同是此理，然其名義各有攸當，雖聖賢言之，亦未敢有所差互也。……中者天下之大本，乃似喜怒哀樂之未發，此理渾然，無所偏倚而言；太極固無偏倚，而爲萬化之本，然其得名，自爲至理之極，而兼有標準之義，初不以中而得名也。

又說：

太極固未嘗隱於人，然人之識太極，則少矣，往往只是於禪學中，認得個昭昭靈靈能作用底（指人的本心），便謂此是太極。而不知所謂太極，乃天地萬物本然之理，亘古亘今，顚撲不破者也。（註一一）

朱陸這場關於「無極」問題的爭論，亦即所謂「《太極圖說》辯」，雖由梭山引起，夠得上成爲考亭的對手的，還是象山。我們現把他們兩家的意見概括如下：象山的主張是：㈠、訓「極」爲「中」；㈡、「太極」就是《中庸》上所謂的「中和」，就是「喜怒哀樂之未發謂之中，發而皆中節謂之和」，外此不再有別的「太極」；㈢、《圖說》在「太極」之上更著「無極」，就是「床上疊床」，大可不必；何況「無極」乃「老氏宗旨」，義爲「虛無」，「太極」「此理乃宇宙之所固有，豈可言無」？㈣、濂溪《通書》不僅「終篇未嘗一及無極字」，而且言「聖人立教」，使人「中而止矣」即是以「太極」爲最高義，絕不會承認有一個「無極」更著其上。考亭的主張是：㈠、訓「極」爲「此理之至極」，「兼有標準之義」（此外，還有如象山所指出的，有訓「極」爲「形」的意思，譬如以「無極」爲「無形」便是）；㈡、「太極」乃「天地萬物本然之理」，「無極而太極」就是「無形而有理」；㈢、「無極」和「太極」就是一回事，爲了不把太極同於一物（亦即「見太極之眞體」），說了「無極」二字是「不爲多」的；㈣、《圖說》中的「無極」和老氏之學的「無極」含義不一樣，《圖說》中的「無極而太極」，在表明「無形而有理」是以「有無爲一」（即理雖「無形」而「實有」），不離儒家的精神；與老氏之學的「有生於無」，以「有無爲二」（即把「有」與「無」分爲兩段，而以「無」爲本）正如「南北水火之相反」，是截然不同的。

我們從象山和考亭爭論的不同主張中，不僅可以看出他們對「無極」和對《圖說》有不同看法；而且還可以看出他們各自不同的思想體系以及他們各自對儒家思想的發展有不同看法。他們的思想體系和對諸問題的看法，都各有其錯誤的地方和正確的地方。象山雖言「太極」實有此理，「乃宇宙之所固有」；但他又以「太極」爲《中庸》中的「中和」（即「喜怒哀樂之未發謂之中，發而皆中節謂之和」），更濃縮爲一「中」字（即所謂「極亦此理，中亦此理」），這個「

中」是全在人心中的。他又引《中庸》所說的「致中和，天地位焉，萬物育焉」，則此人心中的「中」，就是「宇宙之所固有」的「理」。他的著名的哲學命題「宇宙即是吾心，吾心即是宇宙」（註一二）就是從這裡引申出來的。他的這種把人心中的「中」與宇宙之所固有的「理」，或「吾心」與「宇宙」等同起來的思想，也就含蘊了不能外人心中的「中」以求宇宙之所固有的「理」，不能外「吾心」以求「宇宙」的思想，這不能不是一種主觀唯心論的思想。考亭認為「太極乃天地萬物本然之理，亘古亘今，顛撲不破者也」，這個「本然之理」，顯然是在人心之外的。但這個「本然之理」的客觀的意義，非原來就有，而是他的思想所創造出來而賦予它的。所以它是屬於客觀唯心論的範圍。按照他的觀點來解釋《圖說》，這個「本然之理」（「太極」）要「動」而「生陽」、「生陰」後，才有「二氣」的出現，這也就是他的著名的「理在氣先」（註一三）的客觀唯心論的理論的闡發。考亭的這個「本然之理」，比起象山的人心中的「中」，要更為接近唯物論。因為他無論如何總承認有一個不能和「吾心」等同的「亘古亘今，顛撲不破」的「天地萬物本然之理」我們從這裡可以多少看得到一點「客觀唯心論轉變為唯物論的『前夜』」（註一四）的徵兆。

象山認為儒家思想的發展，不需要講明一個宇宙起源的宇宙論，只需要講明一個人的本心如何具有宇宙固有之理的本體論就行了。所以他主張闡明儒家的思想，應不假外求，用《中庸》的「中和」來作《大易》的「太極」的注腳，就是識得「太極」之旨，「此外豈更復有太極哉」！「外此豈更別有道理」？他認為《圖說》引「無極」以明「太極」，是走錯了路子；《通書》言「中而止矣」，倒是見得「太極」，見得宇宙的本體。他從肯定濂溪的《通書》出發，懷疑《圖說》是濂溪所作，或為其思想未成熟時所作。考亭認為，儒家思想的發展，需要沿著《易傳》的路子，來建立一個比較合理而又相當完備的從宇宙起源講到人道建立的宇宙論，因而後人比較前人多說幾句是理所當然的。但是單憑《易傳》的一些辭句，要來建設這座理論的大廈是不夠的，只要在不離儒家精神的原則，不妨借用或改造別的學派的概念，來爲這座大廈加添一瓦一木，那怕是建瓴立棟的東西，也沒有什麼不可的。濂溪《圖說》之取「無極」就是這樣做的，夠得上與先聖「同條而共貫」。他反對那些明儒暗釋的人，雖明說「不用外求」，卻暗地裡把禪學中的「認得昭昭靈靈能作用底」東西（指人心）來冒充「太極」（意指象山的「存本心」，有暗中乞求於禪學之嫌）。由此看來，朱陸的異同，除了在哲學觀點上，有主觀唯心論與客觀唯心論的不同；還有在對待儒家思想發展的問題上，有主張只要本體論、不要宇宙論和既要本體論、又要宇宙論的不同。關於後一問題的得失，可以從他們過去的互相攻擊中，看出他們的自供互認：前者之得在「簡易」，失在「空虛」；後者之得在「邃密」、「深沈」，失在「支離」、「瑣細」（註一五）。

從我們現在看來，前者直接接觸到哲學的基本問題（宇宙的本體，歸根結底，還是一個思維和存在的問題），可是象山的答案（指上述他的著名的哲學命題）完全錯了；後者重視知識學問（因爲一個宇宙論要包括從宇宙的起源到人類社會中的政治道德的系統知識），可是考亭當時所重視的知識，名爲「格物」，實則均從書本與推想中來，多屬封建的道德與先驗的事理，很少反映客觀事物的特性及其規律。考亭一派（閩學）之所以成爲宋代理學後期的正宗，就在於考亭建立了一個龐大的儒家思想體系和把封建禮教也說成是「亘古亘今，顛撲不破」的「天理」，對維護封建社會秩序所起的作用要比象山一派爲大。至於談到「無極」和《圖說》的問題，象山訓「極」爲「中」，考亭訓「極」爲「至」或「標準」，都是有根據的，但以考亭的訓

「極」爲「至」更接近原始義（《說文》訓「極」爲「棟」，有「高」與「甚」之義）。象山以「無極」一詞出於《老子》，是不錯的；但他以爲《圖說》的「無極」與《老子》的「無極」含義一樣，是未能加以分辨所致。考亭以《圖說》的「無極」，經過濂溪的改造，已不同於《老子》中「無極」的含義，是正確的；但他對《圖說》中「無極」的理解，是不符合濂溪的原意的。我們認爲《圖說》中的「無極」是實體，「太極」是虛理。「無極」是混沌未開的實體；「無極」在運動中有規律地分判、變合爲「二氣五行」，和「二五之精」的妙合感動而生萬物、萬事，以及聖人之「立人極」，都是「太極」的體現。應對「無極」與「太極」作如此的理解，才比較符合濂溪的原意。如果這個理解不錯，那麼濂溪《圖說》所立的宇宙起源說，並非客觀唯心論的體系，而是屬於樸素唯物論的範圍。象山看出濂溪《通書》是講本體論，《圖說》是立宇宙論，二者「不類」，和《通書》講本體論已放棄了「無極」這個範疇，是沒有什麼錯的；但他支持梭山懷疑《圖說》爲濂溪之作的看法是站不住腳的，因爲《圖說》爲濂溪之作如此確鑿有據，而且《通書》與《圖說》畢竟有相通之處，要說《圖說》是濂溪「其學未成時所作」，倒是可以的，不過還不如說是濂溪早年所作爲更適當。濂溪由作《圖說》而到作《通書》，他的思想是有發展變化的，其發展變化的過程，既是一個由立宇宙論轉變爲講本體論的過程，也是一個由唯物論轉化爲唯心論的過程。考亭在這個問題上倒不如象山感覺銳敏，但他認爲《圖說》爲濂溪所作是正確的。

四

現在我們應該轉到對濂溪《圖說》的評價了。濂溪《圖說》對儒家思想的發展（或者說對宋代理學的形成）作了什麼貢獻呢？首先是，他以儒家的《易傳》精神爲主，吸收別的學派對於自己有益的東西，第一個建立起比較合理的樸素唯物論的宇宙起源說。他的「無極」說與張載的「太虛」說有相近處，就在於它們都承認有一個類於「氣」的原始實體的存在，屬於樸素唯物論的體系。一件值得令人注意的事是，宋代理學形成階段的濂溪（至少是他初期的著作）和關學，都不是像程朱一派被稱爲理學正宗的主張以理爲主的客觀唯心論的世界觀。不過後代學者多相信考亭對《圖說》中「無極」的錯誤解釋，卻把它劃到以理爲主的客觀唯心論一面去了。其次是，他在吸取別的學派的東西時，不是隨便抄襲，而是經過自己的選擇和改造，才使他所吸取的東西能夠成爲對自己有益的東西，前者如採用陰陽五行家的五行說，後者如採用道教徒的圖和道家的「無極」便是。在哲學史的發展上，一個學派改造別的學派的東西來爲自己的哲學觀點服務，是正常的現象，譬如馬克思的唯物辯證法是由改造黑格爾的唯心辯證法而來（註一六），就在哲學的改造工作上給我們作出了很好的範例。濂溪的改造工作確已爲宋代理學的發展開闢了一條路子，不過關於道家的「無極」問題，會有同志要說，濂溪並沒有做什麼改造的工作，《老子》書中的「無極」，本來就含有「混沌未開的實體」的意思。這個意見是有一定的根據的，近人馮友蘭先生曾用希臘哲學家阿那克西曼德的「無限」來解釋《老子》書中的「無極」，就具有「混沌未開的實體」的意義（註一七）。但是我們研究歷史上的問題，不能脫離當時的實際，我國從魏晉以來，對《老子》的「無」的看法，都是以「虛無」說占主要的地位，對「無極」的解釋亦不例外。即便濂溪以「無極」爲「混沌未開的實體」就是從《老子》書中體會到的，別人卻無此體會，而且他不用來解釋《老子》，而是引入《圖說》，自成一說，能與儒家先輩「同條而共貫」，使人有創新之感，亦具有改造的意義。

濂溪的「無極」，畢竟沒有像橫渠（張載號）的「太虛」那樣，明確地說爲「氣之本體」，這是《圖說》不如《正蒙》的地方。正因爲這樣的緣故，《圖說》容易爲唯心論者所曲解，而不易爲唯物論者所重視，所以考亭願意解《圖說》，而王夫之則寧願注《正蒙》了。還有濂溪的「主靜」說（以「無欲故靜」爲其內容），仍是保留了道家原來的清靜說（即《老子》書中所講的「無名之樸」和「不欲以靜」）與儒家經典《禮記・樂記》所講「人生而靜，天之性也；感於物而動，性之欲也」，從而主「制禮樂以爲節（欲）」不一樣。他的「主靜」說之具有識得宇宙本體的意義，給他的「無極」這個範疇帶來了限制，就是說，這個混沌未開的實體並不是一直在運動著的實體，而其最初階段還是處於靜止的狀態，這種先驗的推想是不符合宇宙起源的實際的。他的「無欲故靜」的主張也給程朱一派倡導「存天理，滅天欲」（註一八）打下了理論基礎（「天理」、「人欲」兩詞雖亦見於《樂記》，但《樂記》只反對「窮人欲」，並不意味要「滅人欲」），這派理學家講「存天理」到了「以理殺人」的地步，不能說不受濂溪首倡「無欲」的影響。

濂溪生前好與釋道人士交往，《圖說》又與道教徒的修煉圖關係甚爲密切，這是標榜儒家正宗的二程弟兄之所以雖問學於濂溪，僅讚揚其善於樂道誨人（註一九）而不稱道其著作的緣故；至於他們談到濂溪，只表其字，不尊爲先生，顯係二程弟子的門戶之見，在編定《遺書》時的有意篡改所致，這一點前人早就予以指出了（註二〇），但他們在其建立自己的思想體系中也受到濂溪的影響，是有脈絡可尋，不容否認的。從二程弟兄不稱道濂溪的《圖說》，到考亭爲《圖說》作解，替《圖說》爭辯，直至在與《圖說》有關的《周易參同契》上下工夫，說明宋代理學的發展；即使是標榜爲正宗的理學家，也越來越感到儒家思想的發展，特別是要建立一個比較合理而又相當完備的宇宙論，有吸取別的學派的東西來豐富自己思想體系的必要（不過考亭這個態度，似乎只為道家和道教開門，而對佛家的門是關著的，至少還不敢把門大敞開，關於這點，我們可以從他與象山的爭辯中看得出來）。職是之故，《圖說》始成了宋代理學的經典文獻，濂學始能按序居於宋代理學的首席地位。

上述對濂溪《圖說》思想的初探，及兼對朱陸《圖說》爭辯提供的芻見，不當之處，請大家批評指正。

【附註】

註　一　《老子・知其雄》章（即該書二十八章）云：「知其白，守其黑，為天下式。為天下式，常德不忒，復歸於無極。」

註　二　濂溪的《太極圖》與彭曉的《水火匡廓圖》、《三五至精圖》分別如下所繪，從圖示可以看出，濂溪的《太極圖》與彭曉兩圖當有一定的繼承關係。

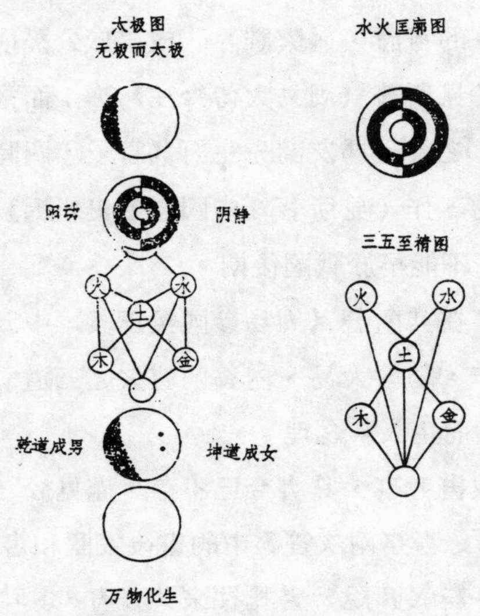

濂溪的《太极图》与彭晓的《水火匡廓图》、《三五至精图》

註 三 見《毛西河先生全集》第七冊。

註 四 黃宗炎《圖學辨惑》與全祖望的評語，均見《宋元學案・濂溪學案下》。

註 五 宋吳曾《能改齋漫錄》十八稱呂洞賓在唐咸通（八六一—八七四年）中及第，距陳摶之死（九八九年）相差一百一十餘年。

註 六 《禮記・禮運》吸取五行說來建設自己的宇宙起源說有以下幾段話：「人者，其天地之德，陰陽之交，鬼神之會，五行之秀氣也。」「天秉陽，垂日星。地秉陰，竅於山川。播五行於四時，和而後月生也。是以三五而盈，三五而闕。五行之動，迭相竭也。五行、四時、十二月，還（旋）相為本也。五聲、六律、十二管，還相為宮也。五味、六和、十二食，還相為滑（原誤作「質」，依阮元校改）也。五色、六章、十二衣，還相為質也。」「人者，天地之心也，五行之端也。」

註 七 見拙著《子思孟子五行說考辨》。

註 八 據近人高亨的考證，《繫辭》「成書於公孫尼子（《樂記》作者）之前」（見所著《周易大傳今注》）；而《禮運》則作於《管子・四時》之後，馮友蘭先生訂《管子・四時》為戰國時齊國稷下唯物派的著作（見所著《中國哲學史新編》第一冊），則《禮運》成書，不能早於戰國後期。

註 九 清人董德寧在其所著《周易參同契正義》中云：「（周易參同契）三篇之作，總敘大易、內養、爐火之三道」，其言「大易」，即敘述「順而生人」之理。

註一〇 梭山兩次致書考亭，其書今已不存，僅見於《宋元學案・梭山復齋學案》附錄考亭兩次答書中的書後案語和書中引語。

註一一 象山與考亭辯《圖說》書札往來共五書，其中象山三書，考亭兩書，《宋元學案》把它們匯集起來，編入《濂溪學案下》與《象山學案》。

註一二 見《象山先生全集》卷二二《雜說》。

註一三 《朱子語類》卷一云：「問：『先有理抑先有氣？』曰：『理未嘗離乎氣，然理形而上者，氣形而下者，自形而上下言，豈無先後？……」又「或問：『必有是理然後有是氣，如何？』曰：『此本無先後之可言，然必欲推其所以來，則須說先有是理。……」又「或問：『理在先，氣在後？』曰：『理與氣本無先後之可言。但推上去時，卻如理在先，氣在後相似。』」都是闡述他的「理在氣先」的理論。

註一四 見列寧《哲學筆記》中對黑格爾《邏輯學》的批語。

註一五 黃宗羲《宋元學案》的《梭山復齋學案》中記陸九齡（梭山弟，象山兄，稱復齋）曾在鵝湖之會上賦詩示同志，象山當即和韻說：「墟墓興哀宗廟欽，斯人千古不磨心。涓流積至滄溟水，拳石崇成太華岑。簡易工夫（自謂）終久大，支離事業（譏考亭）竟浮沈。欲知自下升高處，眞僞先須辨只今。」考亭於三年後和韻寄與陸氏弟兄說：「德義風流夙所欽，別離三載更關心。偶扶藜杖出寒谷，又枉藍輿度遠岑。舊學商量加邃密，新知培養轉深沈（自謂）。卻愁說到無言處（譏陸氏弟兄），不信人間有古今。」

註一六 馬克思在《資本論》第一卷第二版的跋文中說：「我的辯證法，在基礎上就不只與黑格爾的辯證法不同，並且是它的正相反對。……辯證法在黑格爾手中神秘化了，……在他手上，辯證法是倒立著。必須順過來，我們方才能在神秘的外殼中，發現合理的核。」馬克思做的「順過來」的工作，就是做的對黑格爾哲學的批判和改造的工作。

註一七 見馮友蘭：《中國哲學史新編》第一冊第九章。

註一八　《朱子語錄》卷十三云：「人之一心，天理存，則人欲亡；人欲勝，則天理滅。」

註一九　《宋元學案・濂溪學案下》附錄記明道（程顥號）述與濂溪有關數事：一曰：「昔受學於周茂叔（濂溪字），每令人尋仲尼顏子樂處，所樂何事？」再云：「自再見周茂叔後，吟風弄月以歸，有吾與點也之意。」三云；茂叔謂，欲除舊好（明道少時好田獵），「何言之易也，但此心潛隱未發，一曰萌動，復如初矣。」皆道其善誨人處。四云：「周茂叔窗前草不除去，問之？云與自家意思一般。」乃賞其善樂道處。

註二〇　全祖望《周程學統論》云：「遺書中直稱周子之字，則吾疑以為門人之詞。蓋因其師平日有獨得遺經之言，故遂欲略周子而過之也。」其說可信。全氏之說亦附見於《濂溪學案下》。

——原載《世界宗教研究》一九八一年四期（一九八一年十二月），頁三四——四四。

關於二程的《易》學思想及其他

張豈之

一

《宋史・道學傳》從周敦頤開始寫起，然而從一個歷史時代的主要思潮的特徵來看，理學是始於程顥和程頤爲代表的「洛學」。

程顥（一〇三二——〇八五）稱明道先生，字伯淳。程頤（一〇三三——一一〇七）稱伊川先生，字正叔。河南（今洛陽）人。他們的思想體系和觀點基本一致，故以「二程思想」相稱。

程顥舉進士後，做過地方官。神宗初，改任御史。神宗鑒於內外交困，很想有一番作爲，召見過程顥，想聽聽他的高見。程顥寫的《論十事札子》中以土地和兵役這兩件最爲重要。大量土地被官僚地主、即所謂「官戶」所壟斷，致使國家財政收入減少，而農村佃戶即所謂「客戶」的人數急劇增加，他們中間不少人難以爲生，或流亡，或進行反抗。其次是遼、西夏、金等北方少數民族先後向南發展，嚴重威脅了北宋統治，而政府豢養了大量禁兵、廂兵，並沒有多大戰鬥力。所以北宋時期著名政治家和思想家都要談兵役和土地問題。

程顥說：「……唐尙能有口分授田之制，今則蕩然無法，富者跨州縣而莫之止，貧者流離餓殍而莫之恤。幸民雖多，而衣食不足者，蓋無紀極，生齒日益繁，而不爲之制，則衣食日蹙，轉死日多，此乃治亂之機也，豈可不漸圖其制之道哉？」（註一）他憂心忡忡地談到京師（開封）的情況：「今京師浮民，數逾百萬，遊手不可貲度，觀其窮蹙辛苦，孤若疾病，變詐巧僞，以自求生，而常不足以生。日益

歲滋，久將若何？事已窮極，非聖人能變而通之，則無以免患，豈可謂無可奈何而已哉？」（註二）

程頤於仁宗皇祐二年（一〇五〇）寫《上仁宗皇帝書》，其中談到：京師內沒有糧食儲備，如有凶歲，朝廷將如何應付？還有「强敵（按：指西夏）乘隙於外，奸雄生心於內，則土崩瓦解之勢，深可虞也。」再加上百姓勞弊，而「陝西之民，苦毒尤甚，及多逃散，重以軍法禁之，以至人心大怒，皆有思寇之言，悖逆之深，不敢以聞聖聽，……非民無良，政使然也。」這些都是北宋中期社會情況之眞實寫照。和二程同時的王安石也寫有《上仁宗皇帝言事書》，其中也說當時「財力日益困窮，而風俗日以衰壞，四方有志之士，諰諰然常恐天下之久不安。」就在這樣一個動蕩不安的時代，許多政治家和思想家都想挽救社會危機，以穩定封建統治。

王安石有一套新法措施，如青苗、方田均稅、勞役、保甲、農田水利諸法。在短期實踐中收到一定效果，多少可以限制官僚地主和富商大賈，而有利於農業生產的發展。二程反對新法，不談功利，是衆所皆知的事，這裡不述。問題是：二程究竟提出了什麼樣的解決方案？事實上他們提不出切實可行的辦法，只能說「固宜漸從古制，均田務農，公私交爲儲粟之法，以爲之備。」（註三）神宗召見程顥，他只是說「古制」如何好，講不出當前如何做，故神宗說「此堯舜之事，朕何敢當？」（註四）而程頤只是强調「勸講」、給皇帝講經書，哲宗時爲崇政殿說書，他每次給皇帝進講，神色莊重，繼以諷諫。他聽說皇帝在宮中洗盥而避免傷害螞蟻，便問道：「有是乎？」回答：「然，誠恐傷之爾。」接著程頤說：「推此心以及四海，帝王之要道也。」（註五）顯然這就切近於迂腐了。

從總的方面看，二程的政治思想比較傾向於唐代中葉以前中國封建社會前期的某些制度，他們肯定鄉里血緣的宗法關係和以家族出身和門第身份來認定其富貴貧賤的關係，以及依據門第資格的薦舉制。他們不贊成通過自由買賣而取得土地，也不贊成科學取士制。他們說，科舉中的「明經科」無用，而進士科以「詞賦聲律爲工，詞賦之中，非有治天下之道也。人學之以取科第，積日累久，至於卿相，帝王之道，教化之本，豈嘗知之？」（註六）他們主張恢復「宗子法」，强調說「今無宗子法，故朝廷無世臣。若立宗子法，則人知尊祖重本，人既重本，則朝廷之勢自尊。……且立宗子法，亦是天理。」（註七）可見說他們守舊，並不是誇大之詞。

從思想發展的淵源看，北宋時期可稱之爲儒家經學的復興時期，但它不同於漢代的經學。由於佛教對中國文化思想發生了重大影響，經學遇到了勁敵。唐代佛教大盛，太宗時孔穎達撰《五經義疏》，高宗永徽二年（六五一）頒行全國，名《五經正義》，是朝廷批准的經學教科書。至武后時期，《五經正義》已逐漸不占主要地位，而華嚴宗等佛教宗派則受到當時統治者的大力扶持。這說明經學如果還像漢代那樣「恪守師法」，背誦老師的經注，而在注疏上提不出新義來，那是很難站住脚的。由於佛教各宗派提出了許多關於世界和人生新問題，如：現實世界是眞是妄？如何認識現實世界的變動不居？人生的意義是什麼？如何看待生死苦樂？如何看變動和靜止？什麼是永恆？等等。中國佛教的不同宗派都對上述問題作出了自己的回答。不管思想家們是否同意或喜歡這些回答，有一點可以肯定的，就是他們不但不能迴避這些問題，而且要對它們作出評論。這就是說，思想家們在反對佛學的同時又必須吸收並改造佛學的某些方面，這樣才能豐富自己的思想觀點。從這個意義上可以說北宋時期是儒學經學的改造和復興時期，因而學術思想比較活躍。思想家們對經書作出了一些新解釋。劉敞著《七經小傳》，孫復著《春秋尊王發微》，胡瑗著《周易口義》，李覯講《周禮》與《周易》，王安石主持《三經新義》的修撰等，都表明了這種傾向。其中關於《周易》的解釋，形成了諸說並存的局面。如孫復的弟子劉牧認爲「太極」在象數之先，它們都屬於形而上的「道」，此外則是形而下的「器」。而李覯解《周易》又和劉牧的象數學不同，主張研究《周易》之理以切實用。

二程很重視經學，以復興儒家經學爲己任。程顥年輕時受過周敦頤的思想影響，後來「出入於老、釋者幾十年，返求六經而後得之。……」（註八）程頤爲學「以《大學》、《語》、《孟》、《中庸》爲標指，而達於《六經》」（註九）。可見研究《六經》是他們爲學的歸宿。漢代今文經學家董仲舒說：「道之大原出於天」，而二程則說「道之大原在於《經》」（註一〇），主張以經書統一天下之是非，以經書教百官，以經書治天下，這就是他們所說「窮經以致用」（註一一），當然這是改造了的經學。

他們把經書的地位抬高，這和佛學的影響有關，因爲佛學的各個宗派都有自己的經典，爲了與佛學相抗衡，二程必須有自己的歷史權威。另外，佛學有些宗派很注意通俗宣傳，注意法師的日常言談，這對二程也有影響。他們解釋經書比較通俗，而師徒間的問學回答也被輯爲「語錄」，與其著作有同樣重要的地位。

總之二程思想的產生有其必然性。它曲折地反映了北宋時期封建統治的危機，以及某些守舊勢力力求解決危機的意圖，同時又從文化思想方面開闢了儒家經學的新階段，使之更加適合於封建主義統治的需要。

二

二程經學的主幹是《周易》之學。范文瀾說「宋學以《周易》來代替佛教的哲學」（註一二），這是很精闢的見解。《二程全書》中有《經說》，首篇即《易說‧繫辭》。還寫有《伊川易傳》。

《易傳·繫辭》第一章說明「天」有神性，天地分成貴賤的等級，又說陰陽二爻代表剛柔兩種性質，八卦代表天地水火風雷山澤等八種自然事物，由此形成日月、寒暑、男女及萬物。最後說從卦象（即八卦與六十四卦所象之事物）和爻象（即陽陰二爻所象之事物）中所表明的天尊地卑的道理是簡約易知的，能認識這一道理，就能掌握「天下之理」。這些就是《繫辭》第一章的要點。

程頤《經說》卷之一《易說·繫辭》關於上述第一章的解釋基本符合原意，不過也有出入。他特別強調「理」，說「有理而後有象」，認爲卦象和爻象都取決於「理」。這裡他所謂「理」已超出《繫辭》第一章所謂「天下之理」的含義。

二程對佛學深有研究，將華嚴宗的「事理」說概括爲「不過曰萬理歸於一理」（註一三），可謂抓住了要害，一語道破其底蘊。二程認爲，凡事皆有理，萬理出於一理，這是正確的。不過，華嚴宗以理爲障，這是不對的。這樣就把人的認識與「理」割裂爲二了。二程強調說：「天下只有一個理，即明此理，夫復何障？」（註一四）可見他們對華嚴宗的「事理」說有所取捨。他們依據「凡事皆有理」、「萬理出於一理」的二重邏輯去解說《周易》，這是以前從未有過的。

二程對《周易》之解說與發揮，其中關於「凡事皆有理」這一層邏輯的論述，其「理」泛指自然事物及法則，其中有不少合理的因素，它們豐富了中國思想史。

(1)事物轉化之「理」

《易·否》第十二，上九：「傾否，先否反喜。」言否運即逝。《伊川易傳》這樣解釋：「上九否之終也。物理極而必反，故泰極則否，否極則泰。」這裡從「物理極而必反」說明先否後泰，先危後安，事物是有轉化的。此處之「物理」含有法則的意義。

《易·泰》第十一：「《象》曰：『……無往不復，天地際也。

』」《釋文》：「無往不復」作「無平不陂」，指有往必有復，有平必有陂。「際」，高亨注：「當讀為蔡」，法則之意（註一五）。再看《伊川易傳》的解釋：「無往不復，言天地之交際也。陽降於下必復於上；陰升於上必復於下，屈伸往來之常理也。因天地交際之道明，否泰不常之理以為戒也。」此處區別「常理」與「不常之理」。

二程認為「物極必反」，「其理須如此，有生便有死，有始便有終。」（註一六）他們指出，佛教言住、空，是不正確的。因為事物只有成、壞，沒有住、空。如樹木有生長也有毀壞；人的生命有生成和死滅，而且在生成中就有死滅的因素，「嬰兒一生，長一日便是減一日」（註一七）。自然事物不是凝固不變的，也不是空幻的，這些就是「天下之理」。可見二程在一定的範圍內以辨證觀點批判了佛學。

⑵動中才有恆

《易・恆》第三十二「《恆》『亨無咎利貞』，久於其道也。天地之道恆久而不已也。『利有攸往』，終則有始也。……」高亨注：「云『利有攸往者，言人之出行終則有始，至而又返，勝利而歸也。』（註一八）對此程頤發揮出一種哲理。《伊川易傳》說：「天地之所以不已，蓋有恆久之道。人能恆於可恆之道，則合天地之理也。」所謂「可恆之道」即天地之常理。他認為動中才有恆，「天下之理未有不動而能恆者也」，有了行動，才能行走到目的地，又由此返回出發點。推而廣之，「凡天地所生之物，雖山岳之堅厚，未有能不變者也。故恆非一定之謂也。一定則不能恆矣。唯隨時變易乃常道也。」這裡說明「一定」（靜止不動）與「變易」之關係，前者沒有恆道，唯變動中才有，故「變易」才是「常道」。日月星辰有「往來盈縮」，才能久照。四時陰陽之氣「往來變化」，方始生成萬物。

再如《易・歸妹》第五十四，「《彖》曰：歸妹天地之大義也。天地不交，而萬物不興。……」以此說明男女相配乃是天地之大義。

程頤將此引申開來，在《伊川易傳》中說「一陰一陽之謂道，陰陽交感，男女配合，天地之常理也。」這裡所說「天地之常理」，指陰陽相交而萬物化生。

⑶「萬物莫不有對」

何謂「天地之常理」？程頤注《易·萃》卦時說，「凡有者皆聚也」，凡是存在的自然事物都是氣聚時的狀態。他在別的地方講得更清楚：「物生，氣聚也；物死，氣散也」（註一九），認爲在氣聚與氣散中即包含著天地萬物之理。

在自然事物的範圍內，一切皆有二，「萬物莫不有對」（註二〇），氣有陰陽；陰陽有動，有上下、開合、升降；陰陽運動之理便謂之「道」。有陰陽才有開合之道，不能說誰先誰後，「老氏言虛而生氣，非也。」（註二一）可見在所謂「形而下」的自然界，二程認爲道與陰陽不可分；從這個意義上說，二程哲學思想的下半截有合理因素。然而從其整個哲學體系看，在「形而下」的自然界之上還有一個無形氣可求的「天理」世界，在這個領域內，自然法則是不適用的，「道」成了氣的始源和基礎，「氣是形而下者，道是形而上者，形而上者則是密也」（註二二），這就走向了唯心論。

在自然界，二程承認自然法則，反對鬼神怪異之說。他們指出，人們惑於鬼神怪異之說，是由於「不明理故也」（註二三），其實世界上沒有什麼鬼神。

二程以後的唯物主義思想家批判理學，並不是全盤否定，而是批判地吸取了關於「形而下」即自然界的若干理論思維的資料，並否定其「形而上」的「天理」世界。從這個意義上說，二程思想是從佛教宗教哲學過渡到唯物哲學思想體系的中間環節，是思維發展史上不可缺少的環節、階段。因此研究思維發展史，是不能忽視理學的。

三

二程「易學」還有另外一面。這裡從《伊川易傳》裡舉些例證來看。如《易・履》之卦象是「上天下澤」，據此，程頤發揮出關於上下尊卑之分的哲理來，說「天在上，澤居下，上下之正理也。」認爲上下尊卑有嚴格區分，君子覩《履》卦，是爲了使富貴貧賤各安其位，不得僭越。有了這一條才能治天下。由此可以看出，儘管二程承認自然界事物有變易和轉化，但在社會生活裡，特別是道德規範和封建禮制卻被說成是永恆之物。

又如《易・艮》卦，「艮者，止也。」（註二四）艮爲止，引申爲靜止之意。對此程頤也有發揮，說「有物必有則」，凡物皆有規則、法規、等級。從社會生活看，「父止於慈，子止於孝，君止於仁，臣止於敬，萬物庶物莫不各有其所。得其所則安，失其所則悖。聖人所以能使天下順治，非能爲物作則也。唯止之各於其所已。」（註二五）認爲人皆各有其固定的地位（「所」），聖人治理天下，使各級人等皆安於其「所」。父慈、子孝、君仁、臣敬都是各有其「所」的表現，是他們各自應當遵守的道德規範。在二程看來，「上下之分，尊卑之義，理之當也，禮之本也」（註二六），永遠不會改變。

再如《易・坤》卦：「坤厚載物，德合無疆」，意爲地德普及萬物而無邊。程頤這樣解釋：「資生之道，可謂大矣。乾既稱大，故坤稱至。至義差緩，不若大之盛也。聖人於尊卑之辨，謹嚴如此。……」（註二七）這樣說來，封建社會的等級名分不但不可變易，而且被神化爲產生一切的始源；在二程看來，這就是所謂「萬理歸於一理。」二程《易》學的主旨在於說明封建主義等級制是合理的，並且要人們通過道德修養去恪守這個等級制度的種種法律的和倫理的規定。這樣的思想體系完全符合封建主義需要。我們知道，封建的所有制也可稱爲等級所有制，馬克思用了「封建的或等級的所有制」（註二八）這種提法。在中國歷史上爲維護封建主義的思想家都要去論證等級制的神聖不可侵犯性，二程也是如此。

由於理論上的這種需要，二程提出「天理」說。程顥謂「吾學雖有所授受，『天理』二字，卻是自家體貼出來」（註二九）。他們借用《孟子》、《中庸》和《大學》的思想資料，對「天理」說作了充分的論證。

《孟子》認爲仁義禮智爲人心所固有，用以區別人與禽獸、君子與小人：「人之所以異於禽獸者幾希，庶民去之，君子存之。」（註三〇）依據同樣的邏輯，二程也說「人之所以爲人者，以有『天理』也。天理之不存，則與禽獸何異矣？」（註三一）從這方面說，「天理」相當於封建道德觀念，被認爲是絕對的「善」，並用以區分人之善惡。人們經過修養，使自己的思想行動符合「天理」之準繩，就克服人性中惡的因素，而使本來的善性得到充分發揮。

「天理」既是封建道德規範的總稱，其中的一項重要內容即「忠君」。二程強調說，臣對君必須竭誠相待，忠心耿耿，「君不正」也不能埋怨。只要做臣的「誠積而動，雖昏蒙可開也，雖柔弱可輔也，雖不正可正也。」（註三二）所以「君不正」，過錯不在君而在臣，因爲臣沒有「誠積而動」，沒有使君變「不正」而爲「正」。如果做臣的不按臣之道來做，必將使「皇天」震怒。「皇天」爲何物？「皇天」即「天理」。這樣「天理」就有了神性。

除此，「天理」中還有「男尊女卑」一項。二程說「男女有尊卑之序，夫婦有唱隨之禮，此常理也。」（註三三）又由此推論出所謂「餓死事極小，失節事極大。」對此是要全文摘引的。

問：孀婦，於理似不可取（娶）。如何？曰：然。凡取以配身也，若取失節者以配身，是己失節也。（註三四）

「天理」規定男子不可取孀婦；孀婦不可再嫁。如若娶了孀婦，不但孀婦失節，男子也有失節之罪。接著：

> 又問：「或有孤孀，貧窮無托者，可再嫁否？」曰：「只是後世怕寒餓死，故有是說。然餓死事極小，失節事極大。」（註三五）

「怕寒餓死」二程稱之為「人欲」，與「天理」相違背，是罪惡之淵藪；修養的目的就在於克服「人欲」。因此孀婦餓死算不了什麼，再嫁罪莫大焉，是不能饒恕的。

封建社會裡區別貧富貴賤的種種禮制和法律，以及子以父貴、妻以夫貴和地主官僚所享有的種種特權，二程也稱為「天理」。他們說「視聽言動，非理不為，即是『禮』。『禮』即是理也。不是天理，便是人欲。人雖有意於為善，亦是非禮。無人欲，皆是天理。」這樣看來「天理」就成為封建禮教的總括，是被神化了的封建主義「權威」原理。人的思念與它稍有不合即是「非禮」，因此二程的「天理」說便著重論述如何才能使人的思念與「天理」相合。

佛學的某些宗派說，人人皆有佛性。何以有人成佛，有人不能成佛？它們有各種不同的解釋。二程的「天理」說也碰到類似問題。既然說「天理」是絕對的善，而且是人人心中皆有的，那麼為何有人為善，又有人為惡？二程的回答是：「寂然不動，感而遂通者，天理具備，元無欠少，不為堯存，不為桀亡，父子君臣，常理不易，何曾動來？因不動，故言寂。然雖不動，感便通，感非自外也。」（註三六）按「感」出自《易傳·繫辭》上：「《易》無思也，無為也，寂然不動，感而遂通天下故。」就是說《易》本身無思無為，人用《易》占事，誠心誠意，感而通之，就能明白天下之至理。這裡已經把《易》神化了。二程將此引申開來，說只是人們誠心誠意，心存虔敬，篤信「天理」，並按照「天理」行事，「天理」即可響應人的要求，使人成爲聖人。這樣的推論方法也是脫胎於《易傳・繫辭》上：「夫《易》，聖人之所以極深而研幾也。……唯神也，故不疾而速，不行而至。」可見二程的「天理」說不僅將儒家經學哲學化，而且把它宗教化。從來封建主義「權威」原理總是需要宗教的神力的。

依照二程觀點，「天理」豈不成了客觀的神嗎？它既是神，又是人心。二程用「誠」這一範疇，加以改造，用它來溝通「天理」與「人」，聯結客觀與主觀。他們說「天理」即誠，只要人們心存誠敬就能感知「天理」。按「誠」出於《禮記・中庸》。《中庸》云：「誠者，天之道；誠之者，人之道。」這裡說「誠」即是「天道」，向「誠」的方面努力即是人之道。眞正達到「誠」的境界，即可成爲「先知」者，預見禍福之將至。因而說「至誠如神」。這樣「誠」就從客觀的神物轉變爲神秘主義的主觀精神狀態。二程沿著《中庸》的思維路徑，稱「誠者理之實，然致一而不可易者也。天下萬古，人心物理皆所同然，有一無二，雖前聖後聖若合符節，是乃所謂『誠』。誠即天道也。」（註三七）就是說「天理」即「誠」，它溝通古今、上下、前後、左右，而且是人心所同然、前聖和後聖相一致的普遍效準性。可見二程雖然强調時間、空間和主客觀的統一，然而這些都不是在物質基礎上的統一，而是「天理」的統一。由此二程更强調說「天理」「須是質諸天地，考諸三天，不易之理」（註三八），人們在它的面前除了膜拜頂禮，其他是無能爲力的。

封建主義「權威」原理講的不是科學的眞理，所以它需要借助於宗教的神力。生活於封建社會的人民夢想依賴某種神力去擺脫貧困與苦難，所以他們的心靈很容易被套上神學的枷鎖。因此二程以封建主義等級制和道德規範爲核心的「天理」說在中國封建社會後期才成爲統治思想，影響不小。我們爲認識中國封建主義思想的影響，也必須研究理學。

【附註】

註 一、註二、註三 《論十事札子》，見《二程文集》卷之一《表疏》。

註 四、註八 《明道先生行狀》，見《二程文集》卷之十。

註 五 《本傳》，《二程文集》。

註 六 《上仁宗皇帝書》。

註 七、註一三、註一四 《二程遺書》第十八。

註 九 《宋史・程頤傳》。

註一〇 《南廟試九敘惟歌論》，見《二程文集》卷二。

註一一 《二程遺書》卷四。

註一二 《范文瀾歷史論文選集》頁三二五。

註一五、註一八 《周易大傳今注》卷一、卷三。

註一六、註二二 《二程遺書》第十五。

註一七 《伊川易傳二》，見《二程全書》。

註一九、註二一、註二三、註三二 《粹言二》，見《二程全書》。

註二〇、註二一 《二程遺書》第十一。

註二四 《周易・序卦》。

註二五、註二六、註三三 《伊川易傳四》，見《二程全書》。

註二七 《伊川易傳》卷一。

註二八 《德意志意識形態》，《馬克思恩格斯選集》卷一，頁二十八。

註二九 《宋元學案・明道學案上》。

註三〇 《孟子・離婁上》。

註三四、註三五 《二程遺書》第二十二下。

註三六、註三八 《二程遺書》第二上。

註三七 《程氏經說・中庸解》。

——原載《西北大學學報》（哲學社會科學版）一九八一年二期（一九八一年五月），頁九——一五。

論胡安國及其《春秋傳》

盧鍾鋒

《春秋》是儒家的重要經典之一，也是宋代理學家說經的一個重點。考宋儒說經，其著錄之繁富，除《周易》外，當以《春秋》爲最。清人謂「說《春秋》者莫夥於兩宋」，不無道理，足見《春秋》之學在宋代經學研究中所處的重要地位。

宋儒治《春秋》，大體循著唐代經學家啖助、趙匡、陸淳一派的學術路徑，棄專門而求通學，雖名爲「棄傳從經」，實則兼採《春秋》三傳，斷以己意。敘事多採《左傳》，述義多採《公》、《穀》，而尤著重於《春秋》「大義」的闡發，其最顯者，應首推胡安國。

胡安國是宋代經學家，以治《春秋》見長，撰有《春秋傳》三十卷名於世，爲元、明兩朝科舉取士的經文定本，對後代有相當的影響。本文著重研究胡安國《春秋傳》（下簡稱《胡傳》）的學術觀點及其在學術史上地位。

一、胡安國的生平事跡和學統師承

胡安國（西元一〇七四——一一三八年）字康侯，謚文定，北宋建寧崇安（今福建建安）人，哲宗紹聖四年（西年一〇九七年）進士，擢爲太學博士，旋提舉湖南學事。其時哲宗親政，廢除元祐舊制，崇復神宗熙寧、元豐新法，重新起用推行新法的新黨，罷黜反對新法的元祐舊黨。而此時的胡安國，政治上偏於保守。他傾向舊黨，主張復古，不以重行新法爲然。如他在紹聖四年的進士策試中，不但沒有反對元祐舊黨的言論，而且竟「以漸復三代爲對」（《宋史》本傳），主張恢復古制。這無疑是對哲宗重行新法的異議，其政治傾向性甚明。然而，胡安國政治上並非一味守舊，泥古不化。欽宗時，他針對北宋末年政治黑暗、吏治敗壞、奸佞弄權、朋黨猖獗的種種弊端，建議欽宗革新朝政，認爲只有行「新政」，「中興」才有希望；「若不掃除舊跡，乘勢更張，竊恐大勢一傾，不可復正」（同上）。其時金人南向，逼近汴京，威脅著宋王室的安全。有近臣建議：「分天下爲四道，置四都總管，各付一面，以衛王室、捍强敵」。胡安國表示異議，指出「一旦以二十三路之廣，分爲四道，事得專決，財得專用，官得闢置，兵得誅賞，權恐太重；萬一抗衡跋扈，何以待之？」（同上）他主張分散四都總管之權，由二十三路帥府行使。這種防範地方專權的思想主張，旨在尊君抑臣，加强中央集權。這一思想觀點在他後來治《春秋傳》中，得到了進一步的發揮。

高宗紹興元年（西元一一三一年），詔胡安國爲中書舍人兼侍講。安國獻《時政論》，講劃軍國大計，建議人主「當必志於恢復中原，祇奉陵寢；必志於掃平仇敵，迎復兩宮（指徽宗、欽宗）」，積極主張抗金，收復失地。其時高宗欲起用故相朱勝非都督軍務。安國據實直諫，力闢朱勝非討好金人，貽誤社稷，循致中原淪陷，宋室南渡。高宗遂改朱勝非爲侍讀。安國持錄黃不下，鮮明地表明其堅決抗金的立場以及同主和派勢不兩立的態度。

紹興五年（西元一一三五年），詔胡安國爲經筵舊臣，令纂修所著《春秋傳》；八年（西元一一三八年）書成，高宗謂「深得聖人之旨」，進安國爲寶文閣直學士；同年卒，終年六十五。

胡安國一生，雖在官四十年，而實歷職不及六載。其爲人、處事，「以聖人爲標的」；重操守、講忠信，性格耿直，不趨炎附勢，阿諛權貴。欽宗曾問中丞許翰識胡安國否？許答：「自蔡京得政，士大夫無不受其籠絡，超然遠跡不爲所汙如安國者實鮮。」（《宋史》本傳）胡安國不但不與權貴爲伍，而且每逢召對言事，敢於直諫，「偏觸權貴」。因此他屢遭權貴們的排斥、打擊。他處事無論巨細，從不苟且。有人勸他「事之小者，蓋姑置之」。他說：「事之大者無不起於細微，今小事爲不必言，至於大事又不敢言，是無時而可言也。」（同上）這種不阿權貴，對事無所顧忌的態度，是胡安國爲人、處世的顯著特點。

宋儒特別強調忠、孝等封建綱常，胡安國行之尤篤。靖康中，金人圍困京城。其時安國之子胡寅尙在城中，有客爲之擔憂。安國則首先以人主之安危爲念。他說：「主上在重圍中，號令不出，卿大夫恨效忠無路，敢念子乎！」（同上）其忠君之心，溢於言表。紹興二年（西元一一三二年）赴闕途中，有從臣家居者設宴用音樂，安國愀然說：「二帝蒙塵，豈吾徒爲樂之日？敢辭。」（《宋元學案》卷三四《武夷學案》）安國最講孝道，爲學官，京師同僚勸其買妾。他說：「吾親待養於千里之外，曾以是爲急乎？遽寢其議。」（同上）徽宗政和二年（西元一一一二年），安國時提舉成都學事，父沒終喪，他對子弟說：「吾昔爲親而仕，今雖有祿萬鍾，將何所施？」遂稱疾不仕，築室墓旁，耕稼自給，聊以此終身（《宋史》本傳）。上舉數端，足見其忠臣孝子的眞儒本色。

胡安國十分注重個人品格的修養，雖一生屢遭權貴貶斥，轉徙流寓，遂至空乏，然而「貧」字爲口所不道、手所不書。他以此告誡子弟：「對人言貧，其意將何求？」（《宋元學案》卷三四《武夷學案》）自稱：「吾平生出處皆內斷於心，浮世利名如蠛蠓過前，何足道哉！」（《宋史》本傳）他這種安貧樂道、不求利達、「蕭然塵表」的處世態度，與理學大師程頤「安貧守節，言必忠信，動遵禮法」，「不求仕進」（《宋史》卷四二七），又何其相似！無怪乎胡安國的同時代人把他與理學開派人物「二程先生」相提並論。謝良佐論年輩居安國之長，但對其人格卻十分敬服，稱他如大冬嚴雪中昀蒼松翠柏，可見其氣節不凡，堪稱爲宋代儒林的表率。《宋史》讚他「進退合義」，爲渡江以來儒者之冠，絕非虛語。

從學統看，胡安國本人並非二程嫡傳，然其學術上宗程頤則是定論。他自稱其學問多得之於「伊川書」。高宗時，曾有諫官詆安國爲「假托程頤之學者」，安國直言不諱，對程頤之學大加稱讚：「孔、孟之道不傳久矣，自頤兄弟始發明之，然後知其可學而至。今使學者師孔、孟而禁不得從頤學，是入室而不由戶。」（《宋史》本傳）他建議朝廷，「加之封爵，載在祀典」，詔「館閣裒其遺書，校正頒行，使邪說者不得作」（同上），公然奉程頤之學爲正宗。全祖望稱安國爲「私淑洛學而大成者」（《宋元學案》卷三四《武夷學案》），是符合事實的。

至於胡安國學術的直接師承，歷來說法不一。爭論的焦點是：他與「程門高弟」謝良佐、楊時、游酢的關係。多數學者認爲，二程之後，有兩個分支：楊時得之而南傳於羅從彥，羅從彥傳於李侗，李侗傳於朱熹，此爲一派；謝良佐得之傳於胡安國，胡安國傳其子胡宏，胡宏傳於張栻，此爲又一派。胡安國與謝良佐之間是師承傳授關係的看法，實始於朱熹。朱熹在《上蔡祠記》中嘗說：胡安國「以弟子禮稟學」。清人黃宗羲沿襲其說，謂「先生（安國）之學，後來得於上蔡者爲多」，遂列胡安國於謝良佐門下。全祖望以「師友」說力闢上述的「弟子」說，指出：「文定從謝、楊、游先生以求學統，而其言曰：『三先生義兼師友，然吾之自得於《遺書》者爲多。』然則後儒因朱子之言，竟以文定列謝氏門下者，誤矣。」他還認爲，「南渡昌明洛學之功，文定幾侔於龜山（楊時）」，而朱熹、張栻、呂祖謙「皆其再傳」（《宋元學案》卷三四《武夷學案》）。這樣，全祖望不但認爲胡安國與程門謝、楊、游三先生之間是師友關係，而且還充分肯定他在南宋洛學中的地位，與程門高足楊時齊觀。

據《宋史》本傳，全祖望的「師友」說似乎更接近於事實：

> 安國所與遊者，游酢、謝良佐、楊時皆程門高弟。良佐嘗語人曰：「胡康侯如大冬嚴雪，百草萎死而松柏挺然獨秀者也。」安國之使湖北也，（楊）時方爲府教授，良佐爲應城宰，安國質疑訪道，禮之甚恭，每來謁而去，必端笏正立目送之。

《宋史》本傳這段記載，用「所與遊者」的提法，說明安國與游、謝、楊像是朋輩間交往、互訪的關係；所謂「質疑訪道」，也像是同人於學問上往返切磋的關係，從中很難看出安國與游、謝、楊是師生間上下傳授的關係。謝良佐稱安國如大冬嚴雪中的松柏，也足以說明胡安國在謝氏心目中的地位，絕非「門人」所能比擬。黃宗羲本人也承認，「先生（安國）氣魄甚大，不容易收拾」（《宋元學案》卷三四《武夷學案》），像這樣的品評也與「弟子」的身份不相稱。胡安國在論其傳授時也稱「自有來歷」，「龜山所見在《中庸》，自明道先生所授。吾所聞在《春秋》，自伊川先生所發」（同上卷二五《龜山學案・附錄》）沒有提到受教於謝、楊、游三先生。因此，我們可以排除胡安國爲「謝氏門下」的說法。《宋史》本傳曾提到胡安國對楊、謝「禮之甚恭」。全祖望也提到安國曾向「三先生以求學統」。因爲「三先生」畢竟是「程門高弟」，論年歲也居安國之長，所以胡安國本人稱謝、楊、游三先「義兼師友」是自有其道理的。

總之，從學統看，胡安國上宗二程，尤其是「程頤之學」，下接「程門高弟」謝、楊、游，尤其是謝良佐；從師承看，胡安國與謝、楊、游之間是師友關係。

二、胡安國的治學路徑與《胡傳》的成書

胡安國的學問重在匡世，其爲學以「匡濟時艱」爲職志。他說：

> 聖門之學，則以致知爲始，窮理爲要，知至理得，不迷本心，如日方中，萬象皆見，則不疑所行，而內外合也。故自修身至於家國天下，無所處而不當矣（《宋元學案》卷三四《武夷學案》）。

顯然，這種以「格」、「致」、「正」、「誠」爲起點，以「修」、「齊」、「治」、「平」爲旨歸的治學路徑，是宋代理學家「通經致用」的學術風格。自二程以來，宋儒特別推崇《大學》，將其冠於《四書》之首，與《五經》並行，就是旨在「致用」。朱熹說：「通得《大學》了，去看他經，方見得此是格物致知事，此是正心誠意事，此是修身事，此是齊家、治國、平天下事。」（《朱子語類》卷一四）胡安國所以盡畢生之力治《春秋》，其意也在於「經世」。因爲在他看來，《春秋》是「經世大典」。《宋史》本傳曾記載高宗與安國講論《春秋》事：

> 高宗曰：「聞卿深於《春秋》，方欲講論。」遂以《左氏傳》付安國點句正音。安國奏：「《春秋》經世大典，見諸行事，非空言比。今方思濟艱難，《左氏》繁碎，不宜虛費光陰，耽玩文采，莫若潛心聖經。」高宗稱善。尋除安國兼侍讀，專講《春秋》。

誠然，胡安國所講的「經世」，主要是指人主的「經邦濟世」。他說：「百王之法度，萬世之準繩，皆在此書。」（《胡傳序》）說明《春秋》是一部可以供人主「經世」取法的書。他認爲，這也是孔子作《春秋》的本意：「假魯史以寓王法，撥亂世反之正」，「故曰：『知我者其惟《春秋》乎？罪我者其惟《春秋》乎？』知孔子者，謂此書之作，遏人欲於橫流，存天理於既滅，爲後世慮至深遠也。」（同上）。他把孔子作《春秋》和宋儒的「遏人欲，存天理」的道德說教引爲同調，不免過於牽强。然而，綜觀其論說的主旨，在於闡明《春秋》爲「經世大典」，則是十分清楚的。

必須指出，胡安國這一觀點並非其獨創，而是有所本。如所周知，孟子最先提出《春秋》「經世」說：「世衰道微，邪說暴行有作，臣弑其君者有之，子弑其父者有之。孔子懼，作《春秋》。《春秋》，天子之事也。」（《孟子・滕文公下》）爾後公羊家大張其說。《春秋公羊傳》哀公十四年：「君子曷爲爲《春秋》？撥亂世反諸正，莫近諸《春秋》。」《史記・太史公自序》引董仲舒言曰：「周道衰廢，……孔子知言之不用，道之不行，是非二百四十二年之中，以爲天下儀表，貶天子、退諸侯、討大夫，以達王事而已矣。子曰：『我欲載之空言，不如見之於行事之深切著明也。』」何休、徐彥《春秋公羊傳注疏》哀公十四年：「（孔子）以爲《春秋》者，賞善罰惡之書，若欲治世反歸于正道，莫近于《春秋》之義。」至宋，學者多力主「通經致用」，故沿襲孟子、公羊學家言。孫復著《春秋尊王發微》，謂《春秋》「盡孔子之用」，爲「治世之大法」（《宋元學案》卷二《泰山學案》黃百家案語）；程頤著《春秋傳》（僅成二卷），也謂《春秋》「爲百王不易之大法」（《春秋傳・序》）。

由此可見，胡安國的《春秋》「經世」說，遠本孟子，中經公羊家，近接孫、程，確有所本。他尤其服膺孟子和程頤的《春秋》說，在《胡傳》中多次稱引他們的觀點，奉爲「綱領」，謂「有精者大綱本孟子，而微詞多以程氏之說爲證」（《胡傳序》）。他作《春秋傳》就是本著這一精神，聲稱其書「雖微詞奧義，或未貫通，然尊君父、討亂賊、闢邪說、正人心，用夏變夷，大法略具，庶幾聖王經世之志，小有補云」（同上）。

胡安國從治《春秋》到著《春秋傳》歷時三十載。他說：

某初學《春秋》用功十年，徧覽諸家，欲博取，以會要妙，然

> 但得其糟粕耳。又十年，時有省發。遂集眾傳，附以己說，猶未敢以爲得也。又五年，去者或取，取者或去，己說之不可於心者，尚多有之。又五年，書成，舊說之得存者寡矣。及此二年，所習似益察，所造似益深，乃知聖人之旨益無窮，信非言論所能盡也（《宋元學案》卷三四《武夷學案》）。

這樣看來，安國在著《春秋傳》之前，曾用十年時間「徧覽諸家」，想以「博」求「約」，這是治《春秋》的階段；又用十年時間「集眾傳，附以己說」，這是著《春秋傳》的階段；又用五年時間「去者或取，取者或去」，這是修改《春秋傳》的階段；最後五年是成書階段。根據胡安國自述所提供的這個著作年表，可以推斷出《胡傳》著作的具體時間來。

據《宋史》本傳：高宗紹興五年令纂修所著《春秋傳》，說明在這之前已有《胡傳》一書。胡安國自述裏所講的「書成」就是指奉旨纂修前已著的《春秋傳》。理由有二：其一，自述裏在講「書成」之後又有：「及此二年」云云，而奉旨纂修的《春秋傳》，書成之年亦即安國之卒年。顯然自述裏講的「書成」絕非指奉旨纂修以後的事。其二，據《宋元學案》，胡安國自壯年即服膺於《春秋》，「至年六十一，而書始就」。此所謂「書始就」，當指《春秋傳》。按胡安國卒於紹興八年，年六十五；年六十一當在紹興四年。這和上述推斷：《胡傳》在紹興五年奉旨纂修之前已成書相合。由此上溯三十年，安國始治《春秋》當在徽宗崇寧四年，始著《春秋傳》當在其後十年，即徽宗政和四年。就是說，安國於三十歲時始治《春秋》，四十歲始著《春秋傳》，《宋元學案》所說自壯年即服膺於《春秋》正合。指出這一點是很有意義的。因爲自王安石廢棄《春秋》，不列學官，至崇寧年間，循而未改，且「防禁益甚」。《春秋》學不絕如縷，胡安國正於此時「潛心刻意」於《春秋》，立意著《春秋傳》，表明他以繼絕學爲己任。

從胡安國著《春秋傳》的過程中，可以看出兩個顯著的特點：一是「徧覽諸家」，「遂集衆傳，附以己說」。就是說，他不專主一家，而是兼採衆傳，然後斷以己意。說明《胡傳》並非「述而不作」的傳注彙編，而是亦述亦作的一家之言。二是《胡傳》成書時間長，從屬稿到初次成書，歷時二十年，「舊說之得存者寡」；從奉旨修纂所著書到最後定稿，又用了三年時間。後人稱其「自草創至於成書，初稿不留一字」（《四庫全書總目提要》卷二七），足見胡安國治學之勤奮和態度之謹嚴。所以《胡傳》堪稱爲著者畢生之力作。

三、《胡傳》的《春秋》「大義」及其特點

《春秋》「大義」始倡於孟子。他認爲，《春秋》之作，有「事」有「義」。其「事」根據當時各國的史書，其「義」則別出孔子的心裁，由他所創發（《孟子·離婁下》）。此後，對於《春秋》的「事」與「義」，說經者辯難紛紜，持論不一。古文學家詳事不詳義，或重事不重義，《左傳》及主其傳者，即屬於這一派。北宋王安石雖以「荊公新學」聞於世，非古文學家，然其持論最激烈，直斥《春秋》爲「斷爛朝報」，毫無意義可言。今文學家略事詳義，或借事明義，實則重在明義，《公羊》、《穀梁》及主其傳者，即屬於這一派。

宋儒治經主「義理」，故多以「義理」說《春秋》，於《春秋》「大義」倡言甚力。孫復治《春秋》，特發「尊王」大義；程頤治《春秋》，謂「其義雖大，炳如日星，乃易見也」（《春秋傳·序》）；張載雖不專治《春秋》，但也認爲該書「非理明義精，殆未可學」（《近思錄拾遺》）。說明宋代理學諸家論《春秋》都重在明其「大義」。這與今文學家的觀點確有相通之處。難怪胡安國著《春秋傳》自稱「事按《左氏》，義採《公羊》、《穀梁》」（《凡例》），謂

《春秋》爲「仲尼親加筆削，乃史外傳心之要典」（《序》）。

《胡傳》言《春秋》「大義」，在其《序》、《綱領》和《凡例》中已見端倪，特別是《隱公傳》「後論」對隱公在位十一年的史事所作的綜述，更有助於我們對《胡傳》的《春秋》「大義」的了解。如：「謂周正爲春」，所以「知立制度，改正朔，以夏正爲可行之時」；「王正月」，所以「知天下之定於一」而不「謬於《春秋》大一統之義」；「隱公不書即位」，所以「知父子、君臣之大倫不可廢」；「來賵仲子，而冢宰書名」，所以「知夫婦人倫之本，而嫡妾之名分不可亂」；「大叔出奔共，而書曰鄭伯克段」，所以「知以親親爲主，而恩義之輕重不可偏」；「祭伯朝魯，書曰來」，所以「知人臣義無私交，而朋黨之原不可長」；「大夫書卒」、「不書葬」，所以「見君臣之義」、「明尊卑之等」（《胡傳》卷三）。

上述諸義雖然還不能包括《胡傳》關於《春秋》「大義」的全部，但是可以看作是其中的要點，而最富於時代特色的是以下兩點：

㈠強調封建綱常

封建綱常作爲封建倫理道德規範，既是封建等級制度的產物，又是維護這一制度的精神支柱。自西漢董仲舒首倡「王道之三綱」以來，歷代封建統治者及其正宗學者都大力加以提倡，至宋更是如此，胡安國自不例外。他著《春秋傳》，言《春秋》「大義」，就特別強調封建綱常，認爲綱常爲「國政」、「人倫」之「大本」，其中他又特別強調夫婦之倫、嫡妾之分。例如，《春秋》隱公元年載：「秋七月，天王使宰咺來歸惠公仲子之賵。」《胡傳》說：

> 咺者，名也。王朝公卿書官，大夫書字，上士、中士書名，下士書人。咺位六卿之長而名之，何也？仲子，惠公（按：隱公父）之妾爾，以天王之尊，下賵諸侯之妾，是加冠於屨，人道之大經拂矣。……（咺）承命以賵諸侯之妾，是壞法亂紀自王

朝始也。《春秋》重嫡妾之分，故特貶而名，以見宰之非宰也。或曰：「僖公之母成風，亦莊公妾也。其卒也，王使榮叔歸含且賵；其葬也，王使召伯來會葬。下賵諸侯之妾而名其宰，榮、召何以書字而不名也？」於前仲子則名冢宰，於後葬成風，王不稱天，其法嚴矣（卷一）。

這裏，胡安國對經文所作的解釋，顯然是斷以「重嫡妾之分」的《春秋》「大義」。雖深文納義，卻也自圓其說。他認爲，以天王之尊而「下賵諸侯之妾」，派遣冢宰爲其喪事送財物，是冠屨倒置，亂了「嫡妾之分」。爲此，《春秋》力加貶損：或冢宰稱名不稱字，「以見宰之非宰」；或「王不稱天」，以見周王之不被尊爲天王，其法甚嚴。

胡安國由「重嫡妾之分」進而提出明夫婦之倫。《春秋》隱公二年載：「十有二月乙卯，夫人子氏薨。」《胡傳》說：

邦君之妻，國人稱之曰「小君」，卒則書薨，以明齊也；先卒則不書葬，以明順也。有夫婦然後有父子，有父子然後有君臣。夫婦，人倫之大本也。《春秋》之始於子氏，書薨不書葬，明示大倫。苟知其義，則夫夫、婦婦而家道正矣（卷一）。

所謂「明齊」、「明順」，意在說明夫婦之間的主從關係，肯定「夫爲妻綱」的封建權威原理的正當性；而置夫婦之倫於父子、君臣諸倫之前，視爲「人倫之大本」，這原爲《易傳・序卦》的觀點，《胡傳》用以說明《春秋》「大義」，按其實質，正是古代東方的以血緣爲紐帶的宗法關係在觀念形態方面的反映。根據這種觀念形態，有家才有國，國是家的擴大，王權是父權的擴大。因此，由「夫爲妻綱」必然延伸爲「父爲子綱」、「君爲臣綱」的封建三綱，並成爲維護封建等級制度的支柱。

必須指出，胡安國的倫理觀念是宋代理學家的正統觀念。《春秋

》莊公二年載：「冬十有二月，夫人姜氏會齊侯於禚。」《胡傳》說：

> 婦人無外事，迎送不出門。……在家從父，既嫁從夫，夫死從子。今會齊侯於禚，是莊公不能防閑其母，失子道也。……曰：「子可以制母乎？」夫死從子，通乎其下，況於國君……不能正家，如正國何？（卷七）

《春秋》襄公三十年載：「五月甲午，宋災，宋伯姬卒。」《胡傳》說：

> ……世衰道微，暴行交作，女德不貞，婦道不明，能全其節，守死不回，見於《春秋》者，宋伯姬耳。（卷二三）
>
> 宋伯姬在家爲淑女，既嫁爲賢婦，死於義而不回，此行之超絕卓異者，既書其葬，又載其謚。（卷一二）

宋伯姬「能全其節」，「死於義而不回」，據《穀梁傳》，是指其舍失火，左右呼其避火，伯姬不避，謂「婦人之義，傅姆不在，宵不下堂」，遂被燒死一事。胡安國對上引經文持一褒一貶的態度。他以違「三從四德」貶魯莊公之母姜氏會齊侯於禚，而又以「死於義」、「全其節」褒宋伯姬臨火不避的「女德」。他所立的褒貶，完全以理學家宣揚的所謂「婦道」爲依據。宋儒有「餓死事小，失節事大」的道德說教。胡安國顯然是以理學家的眼光來看待宋伯姬的言行的。只要把「餓死」改成「燒死」，宋伯姬就成了實踐這一封建道德說教的巾幗楷模了。可見，《胡傳》是以宋儒的倫理觀念和道德標準來評騭、衡量《春秋》的人與事的，因而帶有宋代理學的鮮明特色。

㈡突出尊王攘夷

尊王攘夷的《春秋》「大義」並非胡安國的發明，但卻爲他所發揮，使之更富於鮮明性，更具有理論色彩，因而構成《胡傳》的又一特點。

綜觀《胡傳》全書，所謂《春秋》尊王之義，係指尊周王和諸侯國君，主要表現在如下三個方面：

⑴定周王於一尊。

《胡傳》訓《春秋》隱公元年「王正月」說：「謂正月爲王正，則知天下之定於一也。」何謂「定於一」？胡安國特別提到「士無二王」、「尊無二上」。說明「定於一」的實質在於定周王於一尊。他認爲這符合「《春秋》『大一統』之義」（卷三）。按《春秋》「大一統」本爲公羊家言。《公羊傳》隱公元年：「何言乎王正月？大一統也。」顏師古注：「此言諸侯皆繫統天子，不得自專也」（見《漢書・董仲舒傳》）。《胡傳》訓「王正月」爲「定於一」，正是發揮了公羊家「大一統」之義，意在明周王一尊的地位，這和顏師古注是一致的。

《胡傳》在解說《春秋》隱、莊、閔、僖諸公何以不書即位時，進一步申論了上述觀點，指出「有一國而即諸侯之位者，受之於王者也」，因此諸侯即位必請命於周王。隱、閔、僖諸公繼位而「上不請命」，所以《春秋》「不書即位」，以「正王法」（卷一一）。同樣，諸侯之世子也「必誓於王」，否則即使繼位，《春秋》也不書即位。如莊公不書即位，就是因其「雖嫡長而未誓」，所以不能「爲國儲君副稱世子」（卷七）。說明諸侯均統屬於天子，其即位、立嫡爲世子皆聽命於周王而不得自專，以示王權之獨尊。

⑵誅討篡弒之賊。

《胡傳》認爲，春秋時代，「周衰道微，乾綱解紐，亂臣賊子接迹於世，人欲肆而天理滅矣」（《序》），孔子懼，作《春秋》，誅亂臣賊子，以示王法，明尊王之義。如果說，諸侯「上不請命」，《春秋》「不書即位」，以示尊王之義；那麼，弒君篡國更是罪不得赦，爲《春秋》所不容，故說：「夫篡弒之賊，毀滅天理，無所容於天地之間，身無存沒，時無古今，其罪不得赦也」（卷一六）。

《春秋》誅討篡弒之賊，其法不一：或「書即位」、或書「王正月」、或「書葬」等等，其意均在著明篡弒者之罪。這是《胡傳》對《春秋》尊王之義的進一步發揮。如隱公被弒，桓公繼位，《春秋》書即位，《胡傳》認爲，這是「著其弒立之罪，深絕之也」，「以示王法、正人倫、存天理，訓後世不可以邪汩之也」（卷四）。又如桓公十八年，《春秋》書「春王正月」。是年桓公已薨，爲何又書「王正月」？《胡傳》說：《春秋》「於十八年復書正者，明弒君之賊雖身已沒，而王法不得赦也」，其罪「皆得討而不赦」（卷六）。在《胡傳》看來，《春秋》諸侯「書即位」或書「王正月」有美惡之分，而以其是否符合尊王之義爲準，所以「美惡不嫌同辭」（卷四）。這乃是對《春秋》誅討篡弒之賊的新解。

《胡傳》進而指出，《春秋》誅討篡弒之賊還表現在：君弒而賊不討，與篡弒者同罪，均在誅討之列。如魯宣公爲弒君者所立，受之而不討賊，《胡傳》說：「是亦聞乎弒也，故如其意而書即位，以著其自立之罪。」（卷一六）《春秋》宣公元年夏：「公會齊侯於平州。」據《左傳》：「會於平州，以定公位」。《胡傳》說：「然欲定其位者，魯宣（公）宜稱及齊，而曰會者，討賊之法也。」（同上）「《春秋》大法，君弒而賊不討則不書葬」。蔡景公爲世子般所弒而《春秋》獨書葬。《胡傳》說：「偏刺天下之諸侯也。」（卷二三）因爲其時諸侯不以世子般爲弒君之賊而討之，反而與之「往會其葬」。《春秋》書葬，就是意在譏刺諸侯廢棄君臣、父子之倫，其罪與弒君者同。可見，《胡傳》所謂「偏刺」，是對當時諸侯不討篡弒之賊的普遍貶斥。

必須指出，《胡傳》對《春秋》上述經文所作的解釋，可謂發《左》、《公》、《穀》三傳之所未發，雖不免有「《六經》注我」之嫌，然其意在突出《春秋》尊王之義則是十分清楚的。

⑶力戒權臣。

春秋時代，政在大夫，權臣當國，屢見不鮮。《胡傳》認爲這是違背周公成訓：「昔周公戒成王，以繼自今，我今立政立事，夫不自爲政而委於臣下，是以國之利器示人而不知寶也。……使政在大夫而諸侯失國，又豈所以愛之也。」（卷一一）《春秋》力戒權臣就是爲此而發。如定公元年書王不書正月，《胡傳》說：「元年必書正月，謹始也。定何以無正月？昭（公）薨於乾侯，不得正其終；定公制在權臣，不得正其始」。其時季氏當政，任意廢立，「非先君所命」，「故不書正月」（卷二七），意在貶抑權臣。又如僖公十七年「滅項」，《春秋》爲何直書其事而不隱？《胡傳》說：「季孫所爲耳」。就是說，其時季孫爲「執政之臣，擅權爲惡」，故「不與之諱」（卷一二），其意也在貶抑權臣。

《胡傳》指出《春秋》力戒權臣的目的在於明「聖人尊君抑臣之旨」。如僖公五年，「公及」諸侯「會王世子於首止」，《胡傳》說：「及以會，尊之也。……《春秋》抑强臣、扶弱主、撥亂世、反之正，特書及以會者，若曰：『王世子在是，諸侯咸往會焉』，示不可得而抗也。……此聖人尊君抑臣之旨也，而班位定矣。」（卷一一）又如《春秋》成公六年載：二月「取鄟」。《胡傳》說：「鄟，微國也。書取者，滅之也。滅而書取，爲君隱也」（卷一九）。如果說，《春秋》書「滅項」是意在抑權臣；那麼，書「取鄟」則是意在尊君。《胡傳》謂：「此《春秋》尊君抑臣，以辨上下，謹於微之意也。」（同上）可見，無論是力戒權臣還是誅討篡弒之賊，都是爲了闡明《春秋》尊王之義，從而使這一《春秋》「大義」的內容更富於鮮明性。這是《胡傳》闡明《春秋》尊王之義的一個特點。

《胡傳》還從名實關係方面闡明《春秋》尊王之義，因而使其觀點帶有明顯的理論色彩。名實關係問題，是春秋時代思想領域中所面臨的新課題。從形式上看，它指的是事實與其名稱之間的關係：是「取實予名」還是「以名正實」？從內容上看，則是反映了春秋時代已經出現的社會變動的情況，即：原來西周奴隸制的等級名分與已經出現的僭越這種等級名分的客觀事實之間的矛盾關係。孔子提出「正名」的主張，就是試圖以辨正「名分」的方法來維護行將崩潰的等級制度。據說在《春秋》中，孔子也採用這種辨正「名分」的方法來保全周王的稱號，以明尊王之義。《胡傳》把《春秋》這一辨正「名分」的方法概括爲兩點。

其一，謂「去其實以全名」。就是說，刪去有損周王尊嚴的事實記載以保全其稱號，如魯僖公二十八年五月「踐土之會」。其時晉文公爲盟主，大會諸侯於踐土（晉地）。周王赴會，「下勞晉侯」。此事有損周王之尊，《春秋》「削而不書」，因爲名實不符。周王名雖爲天子，「其實不及一小國之諸侯」；晉文雖名爲「侯伯」，「而號令天下，幾於改物，實行天子之事」。《胡傳》認爲，「與其名存實亡，猶愈於名實俱亡。是故天王下勞晉侯於踐土，則削而不書，去其實以全名」（卷一三），意在爲周王諱。

其二，謂「正其名以統實」。就是說，以周王之名號去改正有損於這個名號的事實記載。如僖公二十八年冬「天王狩於河陽」。據《左傳》，實則「晉侯召王，以諸侯見」。《胡傳》認爲，《春秋》不直書其事而改書「天王狩於河陽」，是旨在「尊周而全晉也」（同上）。就名實關係而言，謂之「以名正實」。

《胡傳》的上述經解，從名實關係方面揭示了《春秋》辨正名分的尊王實質，這在歷來主《春秋》尊王說的經解中確無先例，即使是像孫復那樣的宋初大儒，也未曾從名實關係方面予以說明。可見《胡傳》從名實關係面對《春秋》辨正名分的實質所作的理論概括，確是發前代說經家之所未發。這也是《胡傳》不同於前人說經的又一個特點。

關於《春秋》「攘夷」之義，《胡傳》指出，其要在「謹於華夷之辨」，認爲「此《春秋》之旨也」（卷一）。按照《胡傳》的觀點，《春秋》「謹於華夷之辨」，早在隱公二年就提出來了。是年春，「公會戎於潛」。《胡傳》說：「戎狄舉號，外之也。……《春秋》天子之事，何獨外戎狄乎？曰：中國之有戎狄，猶君子之有小人。內君子外小人爲泰，內小人外君子爲否。《春秋》，聖人傾否之書，內中國而外四夷，使之各安其所也。」（同上）這裏，《胡傳》對「華夷之辨」所作的解釋，包含著兩個不同的概念：一是內與外的地域概念，二是君子與小人的倫理道德概念。用內與外的地域概念辨華、夷，這是歷來說經家，尤其是公羊家的觀點。他們用內與外的地域概念辨華、夷，以明「夷狄」必攘之理。不過，有的說經家認爲，《春秋》「攘夷」之義但見宣、成之世，因「治近升平，故殊夷狄」，而其後之世，因「著太平」，「內外無異」，故「不必攘，遠近大小若一，且不忍攘」（皮錫瑞：《春秋通論》頁九）。有的說經家則認爲昭公以前，「天下之政，中國之事」，皆屬「諸夏」內部的問題，而昭公以後，「夷狄」才「迭制之」（孫復：《春秋尊王發微》卷一二）。就是說，《春秋》「攘夷」之義但見於昭、定之後，而不見之於前。《胡傳》不但以內與外的地域概念辨華、夷以明必須「攘夷」之理，而且認爲「攘夷」之義貫串於《春秋》全經。這是《胡傳》突出《春秋》「攘夷」之義的具體表現。

至於用君子與小人的倫理道德概念辨華、夷也非自胡安國始。但他卻又有所發揮，這就是同《易》理聯繫起來。《胡傳》提到的「內君子外小人爲泰，內小人外君子爲否」，原出自《易》泰、否兩卦的彖辭。胡安國借用《易傳》以自然現象論證社會人事的方法來闡明《

春秋》華、夷之辨。他從陰陽變化的自然現象中說明君子、小人之道的消長，又從君子、小人之道的消長說明內「中國」外「戎狄」之理。這就爲他的華、夷之辨提供了自然哲學的依據，使他對《春秋》「攘夷」之義的說明富有哲理性。這是《胡傳》突出《春秋》「攘夷」之義的又一表現。

《胡傳》關於華、夷之辨不僅給予一般的倫理道德方面的說明，並且還直接同父子、君臣之義的封建綱常聯繫起來，指出「中國之所以貴於夷狄，以其有父子、君臣之義耳」（卷二三），「中國之爲中國，以其有父子、君臣之大倫也，一失則爲夷狄矣」（卷一一）。正因爲華、夷之辨事關封建綱領的興廢，所以《胡傳》極力反對「親戎狄」，積極主張「攘夷」，認爲「以諸夏而親戎狄，致金繒之奉，首顧居下，其策不可施也。以戎狄而朝諸夏，位侯王之止，亂常失序，其禮不可行也。以羌胡而居塞內，無出入之防，非我族類，其心必異，……爲此說者，其知內外之旨而明於馭戎之道」（卷一）。因此，儘管「盟雖《春秋》所惡」，然而只要其旨在「攘夷狄」則「許是盟」。如僖公二年九月齊桓公與諸侯盟於貫（按：宋地），《春秋》獨言江、黃等「東方之與國」。《胡傳》說：「二國來定盟，則楚人失其右臂矣，……其服荊楚之慮周矣，其攘夷狄免民於左衽之義著矣。」（卷一一）這說明《胡傳》關於《春秋》「攘夷」之義不僅有拒「夷狄」於「中國」之外的意思，並且還有變「夷」爲「夏」，以「華夏文明」開化「夷狄」的意思。誠然，這是以「華夏」爲中心，而把歷史上的少數民族排除在「中國」之外的儒家正統觀念。這種儒家正統觀念又同《春秋》尊王「大一統」之義互爲表裏：「尊王」必「攘夷」，「攘夷」必「尊王」，所以《胡傳》往往將兩者並提。如僖公二十一年秋，宋襄公大會諸侯於盂（按：宋地），爲楚成王所執。《胡傳》說：「《春秋》爲賢者諱。宋公見執不隱之何？夫盟主者，所以合天下之諸侯，攘夷狄尊王室者也。宋公欲繼齊桓之烈而與楚盟會，豈攘夷狄尊王室之義乎！故……直書其事而不隱，所以深貶之也」（卷一二）。按儒家的傳統觀點，春秋時代的荊楚仍屬未開化的「南蠻」。宋襄公名爲「尊王」，卻與「楚蠻」爲盟，不攘「楚蠻」豈能「尊王」？可見《胡傳》看來，尊王必「攘夷」，其義甚明。

胡安國闡明《春秋》「大義」所以強調封建綱常，突出「尊王攘夷」是著眼於現實，立足於「經世」的。宋經唐末和五代之亂以後，封建綱常大遭破壞。宋王朝爲了鞏固其統治，就必須重整綱常，所以宋儒說經，多借經文以明綱常之理，對君臣、父子、夫婦之義倡之尤力，視爲治國、立政之根本。北宋王朝加强中央集權，故學者多提倡尊王之義。孫復著《春秋尊王發微》，特標「尊王」以明《春秋》「大義」，正是爲了適應封建統治階級的政治需要。南宋時，金人南侵，宋王室偏安於江左。爲了收復中原失地，維護宋王室的安全，學者在主張尊王的同時，又突出「攘夷」，意在抗金。《胡傳》就是這樣的代表作，因而不能不打上時代的烙印，顯示鮮明的歷史特點。

四、《胡傳》的《春秋》「筆法」

相傳孔子據魯史而作《春秋》，或筆或削，均有一定之法，且於字裏行間，寓褒貶之意。《史記》稱孔子爲《春秋》，「筆則筆，削則削，子夏之徒不能贊一辭」（《孔子世家》），足見其法至嚴。後世將孔子行「筆削」、立褒貶，稱爲《春秋》「筆法」。

胡安國力倡《春秋》「大義」，故也最講求《春秋》「筆法」。因爲在他看來，《春秋》「大義」即寓於其「筆法」之中。例如，魯隱公見弒，《春秋》書「公薨」。《胡傳》說：

> 隱公見弒，魯史舊文必以實書。其曰公薨者，仲尼親筆也。……仲尼筆削舊史，斷自聖心，於魯君見弒，削而不書者，蓋國

史一官之守，《春秋》萬世之法，其用固不同矣。不書弒，示臣子於君父有隱避其惡之禮。不書地，示臣子於君父有不沒其實之忠。不書葬，示臣子於君父有討賊復仇之義。非聖人莫能修，謂此類也（卷三）。

聖人假魯史以示王法，其於魯事，有君臣之義，故君弒則書「薨」，易地則書「假」，滅國則書「取」，出奔則書「孫」，屈己而與王國之大夫盟則書「及」，叛盟失信而莫適守則沒公而書「會」。凡此類，雖不沒其實，示天下之公，必隱避其辭以存臣子禮（卷二〇）。

這是說，古代史官「以直爲職而不諱國惡」，因此隱公見弒「魯史舊文必以實書」。然而，《春秋》書「公薨」不書「弒」，顯然是經過孔子「筆削」的。孔子之所以削而不書，是因爲與「魯事有君臣之義」，故君弒書「薨」不書「弒」，以示臣子對君父有「隱避其惡之禮」。同樣，隱公見弒不書地，不書葬，也是爲了明「君臣之義」。孔子這樣的「筆削」，一「不沒其實」，即隱公已死之事實，二可以「隱避其辭」，即「見弒」之辭，因而「君臣之義」得以明，「臣子之禮」得以存。這就是《胡傳》對於《春秋》「筆法」所作的解釋。它想表明：所謂《春秋》「筆法」，是孔子借「筆削」以明「大義」，所以說「斷自聖心」。

至於《春秋》「筆法」的褒貶問題，歷來就有爭議，清人皮錫瑞曾歸結爲三說：「以《春秋》爲一字褒貶，《公》、《穀》之古義也；以爲有貶無褒，孫復之新說也；以爲褒貶俱無，後世習左氏者之讆言也」（《春秋通論》頁七九）。他把《胡傳》歸入主「一字褒貶」之說，認爲「胡氏《春秋》大義本《孟子》，一字褒貶本《公》、《穀》，皆不得謂其非」（《經學歷史》中華書局一九五九年版，頁二五〇）。

按皮氏斷《胡傳》主「一字褒貶」之說，其論似是而非：

其一，《胡傳》雖主《春秋》「一字褒貶」之說，但並不認爲其中「字字有褒貶之義」。所謂「一字褒貶」，是指《春秋》經文中的某些措詞、用語有一字之褒、一字之貶。如宋伯姬卒，《春秋》書「葬」，就是一字之褒；弒君之臣，《春秋》書「弒」，就一字之貶。《胡傳》主「一字褒貶」之說，即指此而言。然而，皮氏謂《胡傳》主「一字褒貶」之說，實際上是指「字字有褒貶之義」。這就與《胡傳》主褒貶說的原意相乖了。例如，按「字字有褒貶之義」，《春秋》「闕文」必均有精義存。而《胡傳》與這種看法不同，認爲《春秋》「闕文」「有斷以大義削之而非闕者，有本據舊史因而不能益者，亦有先儒傳授承誤而不敢增者」（卷一）。前者係「削之」而「非闕者」，故有褒貶之義；後兩者是「闕文」，故無褒貶之義。例如，《春秋》經文中的「甲戌，己丑，夏五，紀子伯，莒子盟於密之類，……闕疑而慎言其餘可矣，必曲爲之說則鑿矣」（同上），說明《春秋》經文雖有褒貶之義，但不可泥於字字求其義，否則就會失實悖理，鑿枘乖謬。

其二，《胡傳》雖主《春秋》「筆法」有褒貶，因而與孫復的「有貶無褒」說有別，但重點則在突出其貶義。這除了表現在上文已經指出的凡違反君臣之義、人倫之本、華夷之別均予以譏貶外，還表現在：

(1)以貶義釋「王不稱天」

《春秋》「王不稱天」不乏其例。《胡傳》認爲其中含「譏」、「貶」之意。如《春秋》桓公五年秋「王伐鄭」，「王不稱天」。《胡傳》說：「《春秋》書王必稱天者，所章則天命也，所用則天討也。王奪鄭伯政而怒其不朝以諸侯伐焉，非天討也，故不稱天」，謂這是「既譏天王以端本矣」（卷五）。又說「王與諸侯不奉天討，反行朝聘之禮，則皆有貶焉，所以存天理、正人倫也。」（卷四）又如《春秋》莊公元年冬「王使榮叔來錫（錫）桓公命」，也「王不稱天」。《胡傳》認爲，「《春秋》書王必稱天」，「今桓公弒君簒國而王不能誅，反追命之，無天甚矣，……其失非小惡也。」（卷七）《胡傳》這樣「譏」、「貶」周王，似與其力倡尊王之義相左，然按其實質，或尊或貶，都是以能否符合封建綱常這一權威原理爲進退的，合者則尊，違者則貶。所以，《胡傳》在解釋《春秋》上述經文時特稱引啖助之言：「不稱天王，寵簒弒以瀆三綱也。」（同上）必須指出，《胡傳》的上述義解均不見於《左》、《公》、《穀》三傳，而見之於孫復的《春秋尊王發微》。孫復說：「賞所以勸善也，罰所以懲惡也。善不賞，惡不罰，天下所以亂也。威（按：桓公）弒逆之人，莊王生不能討，死又追錫之，此莊王之爲天子可知也，不書天者脫之。」（卷三）這說明在解釋《春秋》「王不稱天」方面，胡安國與啖助、孫復的學術觀點有相通之處。

⑵以貶義釋「有年」、「大有年」

按「有年」、「大有年」分別見於《春秋》桓公三年和宣公十六年，意爲豐年、大豐年。先儒說經，多以慶瑞解之。如《公羊傳》：「有年何以書？以喜書也。」《穀梁傳》：「五穀皆熟爲有年也」。《胡傳》力反先儒之說：「夫有年、大有年一耳。古史書之則爲祥，仲尼筆之則爲異。此言外微旨，非聖人莫能修之者也。」（卷一八）爲什麼說「仲尼筆之則爲異」？其「言外微旨」又何所指呢？《胡傳》認爲，桓、宣二公均簒弒而立，「逆理亂倫」，「獲罪於天，宜得水旱凶災之譴。今乃「有年」、「大有年」則是「反常也，故以異」；又說：「桓、宣享國十有八年，獨此二年書有年，他年之歉可知也。」（卷四）這就是《春秋》「言外微旨」。雖然這種義解未免過於牽強，但是卻與釋「王不稱天」一樣，均以是否符合封建綱常爲標準的，並以此立褒貶、定是非。孫復於桓公三年「有年」無解，而於宣公十六年「大有年」則說：「宣公立十八年，唯此言大有年者，民大足食也。書者以見宣公不道，重斂於民，常不足也。」（《春秋尊王發微》卷七）這與《胡傳》所說的「言外微旨」可謂文異而義同。胡安國稱「記異」爲程氏所發明的奧旨，表明自己師承程頤之說。但是，無庸諱言，在《胡傳》與《春秋尊王發微》之間仍可一一尋求其學術脈絡的聯結。

(3)以「災異」譏貶人事

這是《胡傳》突出《春秋》「筆法」譏貶之義的又一表現。《胡傳》說：「《春秋》災異必書，雖不言其事應而事應具存。惟明於天人相感之際，響應之理，則見聖人所書之意。」（卷三）於是，《春秋》桓公元年秋「大水」，《胡傳》解釋爲：「大水者，陰逆而與怨氣並之所致也。桓行逆德而致陰沴，宜矣。」（卷四）《春秋》莊公十八年秋「有蜮」，《胡傳》引北宋人陸佃之語作解：「蜮，陰物也。……是時莊公上不能防閑其母，下不能正其身，陽淑消而陰慝長矣，此惡氣之應」，並加以發揮說：「世衰道微，邪說作，正論消，小人長，善類退，天變動於上，地變動於下，禽獸將食人而不知懼也，亦昧於仲尼之意矣。」（卷八）此外，諸如日食、星隕、山崩、地震、雷擊、電閃等等自然現象的變化，《胡傳》也都用以比附人事，同春秋時代的人倫物理直接聯繫起來，譏刺時政，貶斥人主悖綱常、行逆德。這種天人感應說，其實質是神學目的論。自董仲舒治「公羊春秋」大倡此說以來，至宋代循而未改，《胡傳》更大肆發揮，認爲「《春秋》書物象之應，欲人主之慎所感也。」（同上）因此，對於《春秋》所記的天時物象的變化，《胡傳》不但每事必書，而且都以「災異」解之，任意比附，寓譏貶之意於其中，試圖借此儆戒時世君主。總之，在《胡傳》看來，《春秋》關於「天象」只書「災異」不書

「祥瑞」，目的在於使人主「鑒觀天人之理」而「有恐懼祇肅之意」。《胡傳》這一觀點與其强調《春秋》「筆法」的譏貶之義是相一致的。

綜觀《胡傳》一書，其於《春秋》「筆法」力主於「筆削」中寓褒貶，於褒貶中見「大義」；而於褒貶則又重在闡發其譏貶之意。可見《胡傳》的《春秋》「筆法」雖本於《公》、《穀》古義，然而又有其特色，自成一家之言。這是我們在論述《胡傳》的《春秋》「筆法」時必須給予足夠的注意的。

五、《胡傳》在學術史上的地位

《胡傳》自南宋初年成書以來，爲封建統治者所推崇。宋高宗贊其「深得聖人之旨」，列爲經筵讀本。元仁宗皇慶二年（公元1313年）下詔行科舉新制，更以《胡傳》定經文，與《春秋》三傳並行。明代定科舉之制，漸棄經不讀，惟以《胡傳》爲主。明永樂年間，胡廣等奉敕修《春秋大全》，經文以《胡傳》爲依據。清人謂「其書所採諸說，惟憑胡氏定去取而不復考論是非」（《四庫全書總目提要》卷二八），「當時所謂經義者，實安國之傳義而已」（同上卷二七）。自此尊崇《胡傳》蔚爲風尙。至清康熙年間敕撰《春秋傳說彙纂》，「於安國舊說，始多所駁正」（同上），尊崇《胡傳》之風遂漸止息。元、明兩朝所以《胡傳》盛行，清人認爲「蓋重其淵源」（同上）。就是說，元、明正統學術，宗法程、朱，而程頤《春秋傳》僅成二卷，闕略太甚，朱熹則無成書。因胡安國之學出自程頤，遂獨用《胡傳》，這固然是一個原因。但是，胡安國强調以義理說《春秋》，從而使《胡傳》更具鮮明的正宗儒學的特色，是更重要的原因。再者，從治學路徑來看，《胡傳》說經不主專門，但求通學，與宋明理學「三教合一」的會通精神是一致的。至清代，理學勢頹，漢學崛起，治經主專門，因而對《胡傳》打破專門、兼採眾說的治學路徑多加指斥；《胡傳》以義理說經，其繁文曲說之弊，尤爲漢學所忌。所以《胡傳》隨著清代理學勢頹、漢學崛起而其影響逐漸消失是必然的。

歷來學者品評《胡傳》，毀譽參半，而以朱熹的論斷最具有代表性。朱熹謂「胡氏《春秋傳》有牽強處，然議論有開合精神」，清人稱此論爲「千古之定評」（同上）。這是不無道理的。《胡傳》作於理學盛行之時，而又志在「匡濟時艱」，爲此往往借經文以申其「經世」之意，所以穿鑿附會、過於深求之弊自是難免，然而也有其不囿於舊說的創新之見，即朱熹所說的「開合精神」，其中最根本的一條是：它兼採《春秋》三傳而又突破三傳。例如，公羊家最喜言「素王改制」，且認爲孔子以「素王」自命。《胡傳》力反舊說，釋「素」爲「空」，意即《春秋》空設一王之法，有王者起必來此取法，否認孔子以「素王」自命之說。《胡傳》此說深受朱熹所稱道，以爲符合孟子義旨。又如，三傳均以《春秋》正朔用周曆，《左傳》更於「王正月」之前加一「周」字，謂「周王正月」，以明《春秋》所用爲周曆。後人稱左氏增此一字，可謂「一字千金」，宋以前對此幾無異議。《胡傳》據孔子答顏回問爲邦之語「行夏之時」云云，而斷《春秋》所書正朔是「夏時冠周月」，「以夏時冠周月垂法後世，以周正紀事示無其位，不敢自專也。」（卷一）與其「素王改制」說聯繫起來，從而於素王說與非素王說二者之間持居中態度，這也是發人之所未發。至於《胡傳》對《春秋》「大義」的闡發具有鮮明的理論色彩，不僅爲前人所不及，而且還影響到後世。例如，從名實關係闡明《春秋》尊王大義，元代趙汸在論《春秋》「筆削」時，就提出了「去名以全實」和「去名以責實」的「辨名實」之義。這與《胡傳》在這個問題上的觀點可謂如出一轍。由此可見，《胡傳》在歷代《春秋》學的研究中，是起著承前啓後的作用的。

——原載《中國史研究》一九八二年三期（一九八二年九月），頁一一四——一二八。

鄭樵研究《詩經》之實學批判精神論析

臧世俊

鄭樵研究《詩經》專著有《詩傳》二十卷，《詩辨妄》六卷，《辨詩序妄》一百二十七篇，《原切廣論》三百二十篇，《詩名物志》等；兼論之者尚有《六經奧論》及《通志》中的《昆蟲草木略》，《藝文略》，《校讎略》等。散佚之作雖不得見，但可以從僅存的史料和前人有關記載中窺見一斑。本文擬對其《詩經》研究成果作點分析。

一、力詆大小《序》之非和毛《傳》鄭《箋》之失

《詩經》是我國最早的一部詩歌集，因爲孔子曾經刪詩，從而獲得經的尊崇地位。鄭樵認爲「古者詩三千餘篇，及至孔子，去其重，取可施於禮義，上採契、后稷，中述殷周之盛，至幽、厲之缺始於衽席，故曰《關雎》之亂以爲《風》始，《鹿鳴》爲《小雅》始，《文王》爲《大雅》始，《清廟》爲《頌》始。三百五篇孔子皆弦歌之，以求合韶武、雅、頌之音，禮樂自此可得而述，以備王道、成六藝。」（註一）孔子刪詩講詩，傳之弟子。在以後的講傳過程中，序詩、箋詩者很多，在《通志・藝文略》中，鄭樵就收入十二種九十部九百四十二卷，其中影響較大的有所謂「四家詩」，後來只剩下《毛詩》。鄭樵對此做了記述，他說：「詩舊唯魯、齊、韓三家而已。魯申公

、齊轅固、燕韓嬰也。終於後漢，唯此三家並立學官。漢初，又有趙人毛萇者，自言其詩傳自子夏。蓋本《論語》『起予者，商之言也。』河間獻王雖好之，而漢世不以立學官。毛公嘗爲北海相，其詩傳於北海。鄭玄，北海人，故爲之箋。《毛詩》自鄭氏既箋之後，而學者篤信鄭玄，故此信專行，三家隨廢。齊詩亡於魏，魯詩亡於西晉，隋唐之世猶有韓詩可據，迨五代之後，韓詩亦亡。致今學者只憑毛氏，且以爲《序》爲子夏所作，更不敢擬議。蓋世無兩造之間，則獄有偏聽之惑。臣爲作《詩辨妄》六卷，可以見其得失。」（註二）鄭樵分析了《毛詩》獨傳的原因，一是「自言其詩傳自子夏」，從而以聖賢爲護符獲得不可侵犯的地位；二是鄭玄「爲之箋」，因鄭玄是經今古文學派的集大成者，備受後人推崇，所以《毛詩》如虎添翼；三是後世「以爲《序》爲子夏所作，更不敢擬議。」

鄭樵對於這種借聖人爲護符的行爲極爲憤慨。他說：「樵每嘆天下本無事，庸人擾之而事多，載籍本無說，腐儒惑之而說衆，仲尼之道，傳之者不得其傳，而最能惑人者，莫甚於《春秋》、《詩》耳。」（註三）因此，鄭樵決心還本「仲尼之道」，力詆《詩序》和毛《傳》鄭《箋》之非，專門寫了《辨詩序妄》和《詩辨妄》（其中有「詩序辨」和「毛鄭之失」兩條）。虞集《鄭氏〈詩傳〉序》中說：「集之幼也，嘗從《詩》師得鄭氏經說，以爲大序不出於子夏、小序不出於毛公，蓋衛宏所爲而康成之爲說如此。」（註四）其實，這是鄭樵所力倡。儒學大師朱熹也爲此說所折服。朱熹說：「舊曾有一老儒鄭漁仲，更不信小序，只依古本與疊在後面。某今亦只如此，令人虛心看正文，久之其義自見。」又說：「《詩序》實不足信。向見鄭漁仲有《詩辨妄》，力詆《詩序》，其間言語太甚，以爲皆是『村野妄人』所作，始亦疑之，後來仔細看一兩篇，因質之《史記》、《國語》，然後知《詩序》之果不足信。因是看《行葦》、《賓之初筵》、

《抑》數篇，《序》與《詩》全不相似。以此看其它《詩序》，其不足信者煞多。」（註五）朱熹研究《詩經》主要是依靠鄭樵的方法，不泥古訓，自作經解。無怪乎《四庫全書總目》認爲「以爲村野妄人所作，昌言排擊而不顧者，則倡之者鄭樵、王質，和之者朱子也。」（註六）

鄭樵此說使一些正統經學家極爲反感，他們認爲「鄭樵將其才辨、無故面發難端，南渡諸儒始以掊擊毛、鄭爲能事」，還竭力把朱子與鄭樵區別開來，說什麼「朱子從鄭樵之說，不過攻小序耳，至於詩中訓詁、用毛、鄭者居多。」（註七）並指責「鄭樵作《詩辨妄》，決裂古訓，橫生臆解，實汨亂經義之渠魁。」鄭樵則認爲此舉實是不得已而爲之，因爲「以學者所以不識《詩》者以大小序及毛、鄭爲之蔽障也」，故而「作《原切廣韻》三百二十篇，以辨《詩序》之妄，然後人知自毛、鄭以來所傳《詩》者皆是錄《傳》，……觀《原切廣論》，雖三尺童子亦知大小序之妄說。……豈孤寒小子欲斥先賢而爲此輕薄之行哉！蓋無彼以傳其妄，則此說無由明，學者亦無由信也。」（註八）鄭樵力詆毛、鄭之失和大小序之非的目的是爲建設他的詩學新觀點作鋪墊，這是他批判和創新精神的又一表現，與傳統史家相比，鄭樵的可貴之處就在於他不盲目崇拜權威，求眞求實，獨闢蹊徑，創立新說。

二、提出「詩主在樂章而不在文義」的觀點

過去很多學者認爲詩所以傳信，旨在美刺諷論，包含著聖人的大義微言。對此，鄭樵不去苟合，而是提出「詩主在樂章而不在文義」的觀點。他認爲「詩主本在聲」，風、雅、頌是由聲音上分別的，「詩爲人心之樂不以世之興衰而存亡。」在《關雎辨》中說「古人學詩，最要理會《詩》之聲」。《國風辨》又說：「詩者，聲詩也，……

古者三百篇之詩皆可歌，歌則各從其國之聲。」「夫風之詩出於土風，而雅之詩則出於朝廷大夫爾。」「雅、頌之音與天下同，列國之音隨風土而異。若謂降《黍離》而爲國風，則《豳》詩亦可降耶！」（註九）鄭樵研究《詩經》主要是把《詩經》建設在樂章上，不但反對拘泥古訓，而且反對空談義理。他很痛恨「學者皆操窮理盡性之說，而以虛無爲宗。至於實學，則置而不問」的學風，認爲「當仲尼之時，已有此患。故曰『小子何莫學夫詩。詩可以興，可以觀，可以群，可以怨，邇之事父，遠之事君。』」顯然，對於孔子這一說法，鄭樵是首肯的。

鄭樵對孔子之後各家各派多持貶抑之詞，對於孔子則一直是維護的，爲了給自己「樂之本在詩，詩之本在聲」的觀點尋找依據，他又追溯到孔子，說「竊觀仲尼，初亦不達聲。至哀公十一年，自衛反魯，質正於太師氏，而後知之。故曰『吾自衛反魯，然後樂正，雅、頌各得其所。』此言詩爲樂之本，而雅、頌爲聲之宗也。其曰『師摯之始，關雎之亂，洋洋乎盈耳哉。』此言其聲之盛也。又曰『關雎 而不淫，哀者聞歌，則感而爲傷，惟關雎之聲和而平，樂者聞之而樂，其樂不至於淫；哀者聞之而哀，其哀不至於傷。』此關雎所以爲美也。」（註一〇）鄭樵分析孔子之說不傳的原因是「漢人立學官，講詩專以義理相傳。是故衛宏序詩，以樂爲樂得淑女之樂，淫爲不淫其色之淫，哀爲哀窈窕之哀，傷爲無傷善之傷。如此說關雎，則洋洋盈耳之旨安在乎？（註一一）對漢代今文經學派研究《詩經》時的牽强附會、恣意發揮的作法是持批判否定態度的，立志遠紹孔子，正本清源。

鄭樵崇尚創新求實，他研究《詩經》不爲前人所蔽，多是出自胸臆。他說：「臣之序詩，於風、雅、頌則曰『風土之音曰風，朝廷之音曰雅，宗廟之音曰頌』，而不曰『風者，教也；雅者，正也；言王政之所由廢興也。頌者，美盛德之形容也。』於二南則曰『周爲河洛，河洛之南瀕江，岐雍之南瀕漢。江漢之間，二南之地，詩之所起在於此。屈宋以來，騷人墨客，多生江漢，故仲尼以二南之地爲作詩之始。』而不曰『南，言化自北而南』。於《王・黍離》、《豳・七月》則曰『王爲王城，東周之地；豳爲豳豐，西周之地；《七月》者，西周之風；《黍離》者，東周之風。而不曰『黍離，降國風。』」（註一二）鄭樵的解釋實非淺解家所能爲，有些乃是不易之論，對今天研究《詩經》者來說尙有很大參考價值。

《詩經》在流傳過程中，聲歌漸失，只剩下詩辭。鄭樵探索這一過程，並分析其原因，指出：「仲尼編詩，爲燕享祀之時用以歌，而非用以說義也。……不幸腐儒之說起，齊、魯、韓、毛四家，各爲序訓，而以說相高。漢朝又立之學官，以義理相授，遂使聲歌之者，湮沒無聞。然當漢之初，去三代未遠，雖詩主學者不識詩，而太樂氏以聲歌肄業，往往仲尼三百篇瞽史之徒例能歌也。奈義理之說既勝，則聲歌之學日微。東漢之末，禮樂蕭條。曹操平劉表，得漢雅樂郎杜夔，僅能歌《鹿鳴》、《騶虞》、《伐檀》、《文王》四篇而已。餘聲不傳。太和末，又失其三。左延年所行惟鹿鳴一笙。」「至晉室《鹿鳴》一篇又無傳矣，自《鹿鳴》一篇絕，後世不復聞詩矣。」（註一三）對於前人詩之六亡篇焚於秦火的說法，鄭樵加以駁斥，他認爲「詩有六亡篇，乃六笙詩，本無辭，」（註一四）並不因秦火，這種看法是符合實際的。

鄭樵的「詩主在樂章而不在文義」的主張，在詩學史上代表一派觀點，它實際上是對腐儒空談義理的唾棄。但是，鄭樵也不否認詩有美刺諷諭之意，在《詩辨妄》中還特立「詩有美刺」一條加以論述。值得注意的是他對詩的社會作用估計很高，甚至認爲「秦以詩廢而亡」，他說：「嘗觀之詩，刑政之苛，賦役之重，天子諸侯朝廷之嚴，而后妃夫婦衽席之秘。聖人爲詩，使天下匹夫匹婦之微，皆得以言其上。宜若啓天下輕君之心，然亟諫而不悟，顯戮而戾，相與攜持去之而不忍，是故湯武之興，其民急而不敢去，周之衰，其民衰而不敢離。蓋其抑鬱之氣抒，而無聊之意不蓄也。嗚呼！詩不敢作，天下怨極矣，卒不能勝其起而亡秦，秦亡而後快。於是始有匹夫匹婦存亡天下之權。嗚呼！春秋之衰以禮廢，秦之亡以詩廢。」（註一五）這裡鄭樵分析秦亡原因是刑政之苛、賦役之重從而造成「天下怨極矣」的局面，這倒抓住了秦亡的某些因素，看到了「匹夫匹婦」在歷史變革中的作用，但認爲秦亡之根本原因在於「詩廢」和「詩不敢作」，則是唯心史觀的表現。

三、「已得鳥獸草木之真，然後傳詩」的治詩方法

鄭樵研究六經主要從名物訓釋著手，這與他對六經的認識有關，他說：「何物爲六經？集言語、稱謂、宮室、器服、禮樂、天地、山川、草木、蟲魚、鳥獸而爲經，以義理行乎其間而爲緯，一經一緯，錯綜而成文。」（註一六）所以研究《詩經》就特別注重「經」。他記述自己治詩經驗時講道：「以詩之難可以意度明者，在於鳥獸草木之名也，故先撰《本草成書》，……《外類》，二書既成，乃敢傳詩。」（註一七）這反映了鄭樵做學問是相當踏實嚴謹的。

爲什麼必須識「鳥獸草木之眞」才可以傳詩呢？鄭樵認爲有兩個原因。一是人情事理，可即己意而求，「乃若天文、地理、車輿、器服、草木、蟲魚、鳥獸之名不學問，雖讀千回萬復，亦無由識也。」（註一八）可是「後之箋注家反是，於人不應識者則略，應釋者則詳；捨經而從緯，背實以從虛，致後學昧其所不識而妄其所識也。蓋人所不應識者，經也，實也，不得釋則惑，得釋則明。若曰『關關雎鳩，在河之洲』，不得釋則人知『雎鳩』爲何禽，『何洲』爲何地哉！

人所應識者，緯也，虛也，釋則不顯，不釋則顯。董遇有言『讀百遍，理自見』者，爲此也。若『睢鳩』，『河洲』不得旨，言雖千誦何益哉！」（註一九）鄭樵認爲人們讀詩困難之處在名物，而不在義理，所以他反對「捨經而從緯」的作法，主張從草木蟲魚等名物的訓釋入手來治詩。

二是因爲「鳥獸草木乃發興之本」。他批評漢儒之言詩者，既不論聲，又不知興，從而造成鳥獸草木之學廢的結局。爲了說明鳥獸草木之學對理解詩義的作用，他還舉例說：「若曰『關關睢鳩，在河之洲』，不識睢鳩，則安知河洲之趣與關關之聲乎？凡雁鶩之類，其喙褊者，則其聲關關；雞雉之類，其喙銳者，則其聲呦呦。此天籟也。睢鳩之喙似鳧雁，故其聲如是，又得水邊之趣也。《小雅》曰『呦呦鹿鳴，食野之苹』，不識鹿，則安知食苹之趣與呦呦之聲乎？凡牛羊之屬有角無齒者，則其聲呦呦；駝馬之屬，有齒無角者，則其聲蕭蕭。此亦天籟也。鹿之喙似牛羊，故其聲如是，又得蔞蒿之趣也。使不識鳥獸之情狀，則安知詩人之關關呦呦之興乎？若曰『有敦瓜苦，蒸在栗薪』者，謂瓜苦引蔓於籬落間，而有敦然之繫焉。若曰『桑之未落，其葉沃若』者，謂桑葉最茂，雖未落之時，而有沃若之澤。使不識草木之精神，則安知詩人敦然沃若之興乎？」（註二〇）可見，鄭樵深刻體會到只有識鳥獸之情狀，識草木之精神才能眞正領悟到詩人之興，並爲此做過大量的科學研究工作。

爲眞正了解鳥獸草木之眞，鄭樵深入實際，親自觀察，『結茅夾漈山中，與田夫野老往來，與夜鶴曉猿雜處，不問飛潛動植，皆欲究其情性。」（註二一）並把獲得的成果撰成《詩名物志》、《本草成書》、《本草外類》、《昆蟲草木略》等文，這就使得他的詩學建立在實學基礎之上，受到後人推崇。朱德潤在《鄭氏詩傳序》中就說：「今觀鄭氏傳引山川、草木、蟲魚之辨，五音、六律、六呂之所諧，誠可以發揮後學之未究，而渙明千載之微辭奧義者也。如以『雀無角』爲雀之角，以『龍盾之合』爲二盾之衛，『露被菅茅』非雨露之露，『有豕白蹢』爲江豚之豕，豳之風、雅、頌爲四器、十二器之聲合，其他如國風、二雅、三頌名物度數，毫分釐析，豈非《詩傳》之大備者乎！……德潤於朱、鄭之學有得焉，蓋朱氏之學淳，故其理暢；鄭氏之學博，故其理詳。學者不可不兼賅而並進也。」（註二二）這一評論確實反映了鄭樵治詩是有雄厚功力的，故而能夠「發揮後學之未究」，「渙明千載之微辭奧義」。

鄭樵研究《詩經》成就卓著，《莆田縣志・鄭樵傳》記載他「說詩，則辨大小序之文，别風、雅、頌之音，正二南王化之地，明鳥獸草木之學。」這與他追求實學的態度和勇於批判的精神密切相聯的。當然，我們也應該看到鄭樵捨箋注而泥己意的目的是維護孔子，他直言不諱地說：「臣之序詩，專爲聲歌，欲以明仲尼之正樂。臣之釋詩，深究鳥獸草木之名，欲以明仲尼教小子之意。」（註二三）作爲封建時代的學者，鄭樵雖然欲標新立異，獨樹一幟，推翻前賢，開啓後學，但缺乏打破偶像的決心，最終跳不出封建名教思想的窠臼，去宣揚「詩者正所以維持君后之道，其功用深矣。」（註二四）這就使我們很容易理解鄭樵治詩之眞實用意何在了。

【附註】

註　一　《通志》（中華書局一九八七年版），卷八十八《孔子列傳》，頁一一四二。

註　二　《通志略・藝文略》（世界書局一九二六年版），頁五六四。

註　三、註八、註一七、註一八　《夾漈遺稿》卷二《寄方禮部書》。

註　四、註一二、註二二　《經義考》卷一〇六。

註　五　《朱子語類》卷八十。

註　六、註七　《四庫全書總目》（中華書局，一九八五年版）卷十五，頁一一九，頁一二〇。

註　九　《詩辨妄》。

註一〇、註一一、註一二、註二〇、註二一、註二三　《通志略·昆蟲草木略序》（世界書局一九二六年版），頁七八五。

註一三　《通志略·樂略》（世界書局一九二六年版），頁三四五。

註一四　《通志略·校讎略》（世界書局一九二六年版），《秦不絕儒學論》，頁七二一。

註一五、註二四　《夾漈遺稿》卷二《論秦以詩廢而亡》。

註一六、註一九　《爾雅鄭注·自序》。

——原載《學術界》，一九九〇年六期，頁六〇——六三，轉頁六八。

朱熹的易學思想

鍾肇鵬

《周易》一書「致廣大而盡精微」，是中國哲學史上一部重要的經典。歷代爲之注釋解說的何止千百家。大致可分爲象數、義理、圖書三派。三易掌於太卜，本是卜筮之書。《左傳》所記的許多占卜是其遺法。漢代焦延壽、京房專以卦氣（註一）陰陽災異說《易》，後漢鄭玄習《京氏易》以爻辰（註二）爲說，虞翻傳《孟氏易》又參以納甲（註三），這些都屬於象數派。王弼注《易》，摒棄象數，以《老》《莊》玄虛之理解《易》，到了宋朝，胡瑗作《周易口義》，程頤作《易程傳》，借《易》以言道德人事性理之學。李光作《讀易詳說》、楊萬里撰《誠齋易說》、又以史證《易》，這些都屬於義理一派。宋代的邵雍以先天、後天圖解《易》，先天圖說出於李之才，李之才得之穆修，穆修得之華山道士陳摶，所謂先天之學，爲易學圖書一派。

朱熹平生重視《易經》，認爲五經中《易經》最爲難讀。這是因爲：㈠講《易》的派別繁多，眾說紛紜，可以說是如畫鬼魅。所以朱熹說：「後人好用己意，解得不是。」（《朱子語類》卷七三，以下簡稱《語類》）㈡《易經》中包含著許多道理，這些道理看來是抽象的，其實是從大量的具體事物中抽象出來的。只有有豐富的實際經驗的人，才能體會這些道理，而未經世事的人，從中得到的就只能是一些表面的辭句和空洞的道理，並不會眞有所得。所以朱熹說：「《易》中詳識物情，務極人事，都是實有此事。今學者平日只在燈窗下習讀，不曾應接世變，一旦讀此，皆看不得。」（《語類》卷七二）現在就朱熹易學思想的主要論點，分述如下。

吸取各派而不專主程易

朱熹爲程頤的四傳弟子，他的唯心主義理學是繼承和發展了程頤的思想，但在對《周易》的看法上，程朱則頗不相同。

《易經》是「廣大悉備」，即是說它包含著一切道理，可以用它來指導各個方面。據《繫辭》說，應用在言語上，就應該重視它的卦辭和爻辭；用來指導行動，就應該重視卦爻的變化，去決定去取進退；用它來指導製作器物，就應該重視卦象來體會創造的方法；用來卜筮，就應該重視它的占驗，來預決吉凶。但是程頤則認爲：「吉凶消長之理，進退存亡之道備於辭，推辭考卦，可以知變，象與占在其中矣。」（《易程傳序》）他把指導行動的「變」，指導制作的「象」和卜筮所尙的「占」都包括在「辭」裡面，所以說：「辭無所不備」（同上）。《程氏易傳》就是用「辭」來闡明義理。他說：「有理而後有象，有象而後有數。《易》因象以明理，由象而知數。得其義，則象數在其中矣。必欲窮象之隱微，盡數之毫忽，乃尋流逐末，術家所尙，非儒者之所務也。」（《伊川文集》卷五）可見他鄙視象數，認爲「非儒者之務」。這就忽視了《易經》中「變」「象」「占」的重要性。

朱熹在學術上不株守一先生之言，他兼收並蓄，博採衆人，所以能集理學之大成。全祖望謂：「朱子致廣大，盡精微，綜羅百代。……善讀朱子之書者，尙遍求諸家，以收去短取長之益。若墨守而摒棄一切焉，則非朱子之學也。」（《宋元學案》卷四八）對於《易》學，朱熹也具有這樣的特點。他對《易經》的象數、義理、圖書三派都有所吸取，但也有所批評。他說：「諸儒之言象數者，例皆穿鑿；言義理者，又太汗漫，故其書難讀。」（《晦庵文集》卷六十）《易學啓蒙序》又說：「近世學者類喜談《易》而不察乎此，專於文義者既支離散漫而無所根著，其涉於象數者又皆牽合附會。」前者指程頤一派的流弊，後者指邵雍一派的缺點。朱熹在《易》學上注意圖書象數。他在《周易本義》和《易學啓蒙》兩部書的開端都畫出河圖、洛書，兩書裡都繪有伏羲的先天四圖，文王的後天二圖，還有一幅卦變圖。朱熹說：「《易》之圖九，有天地自然之《易》，有伏羲之《易》，有文王、周公之《易》，有孔子之《易》。自伏羲以上，皆無文字，只有圖畫，最宜深玩，可見作《易》本原精微之意。」（《周易本義・卦變圖後》）他認爲精微奧妙之意都包含於圖畫中，應該很好地深刻玩味，可見他對圖書的重視。朱熹說：「《易》學不可離卻象數。」（《朱文公易說》卷二十，以下簡稱《易說》）正因爲這樣，他對忽視圖書象數的程頤《易傳》自然會有不少的意見。

朱熹說：「伊川《易傳》，亦有未盡處，當時康節傳得數甚佳，卻輕之不問。」（《語類》卷六七）這是公開批評伊川忽視象數。朱熹認爲程氏《易傳》乃是一家之言，並非《易》的本義。他說：「《易傳》義理精，只是於本義不相合。《易》本卜筮之書，卦辭爻辭無所不包，看人如何用。程先生只說得一理。」（同上）《易經》爲卜筮的書，用卦爻來表示含義。卦爻只是簡單的符號，三爻重疊構成八卦，六爻重疊構成六十四卦。它就好像代數學上用ｘ、ｙ代替一切的未知數。《易經》的象數派就認爲天地萬物，宇宙間的一切道理都包含在卦畫裡面，所以朱熹說：「一卦一爻足以包無窮之事，不可只以一事指定說。……《易》之爲用，無所不該，無所不遍，但看人如何用之耳。」（《易說》卷一八）他認爲對卦爻、象數應該深刻地、很好地去體會研究、默識心通，明了這個道理能靈活運用，就可以預見未來，指導實際。程頤《易傳》講的道理並不是不對，只是把它講死了。朱熹說：「《易》之卦爻，所以該盡天下之理。一爻不只於一事，而天下之理無不具備，不要拘執著。」（《語類》卷六七）「程子解《易》，卻又拘了。」（《語類》卷六八）所謂「拘」、「拘執」就是說失去了靈活性。例如《易程傳》把乾卦「初九潛龍勿用」，解釋爲虞舜「側微」時。因爲他是平民，身分微賤，居於下位，若龍之潛藏，不可自用。「九二見龍在田」，解爲「舜之田漁時也」。「九三君子終日乾乾」釋爲「舜之玄德聞時也」。「九四或躍在淵」，解釋爲「舜之歷試時」，即堯通過各種方式對舜進行試用考驗之時。《易》爲卜筮之書，因卜筮而產生卦爻，由卦爻之象而產生占辭，占辭裡就包含著許多道理和解釋。比如筮得乾之初九，這是一陽處於最下的位置，就像龍之潛藏，所以占辭就告訴你「勿用」。凡占筮得到這一爻的就應該「觀其象而玩其占」，隱晦勿用，這就是《周易》的本義。《易程傳》卻把它講成舜一生的經歷，做爲舉例是可以的，但如果認爲這是《易》的本義就把乾卦的爻辭講死了。朱熹說：「潔淨精微謂之易，易自是不惹著事，只是懸空說一種道理，不似他書，便各著事上說。所以後來道家取之，與《老子》爲類，便是《老子》說話，也不就事上說。」（《語類》卷六七）朱熹認爲《易經》與《老子》是同類性質的書，講的都是抽象的道理，搞通了這些道理就可以靈活運用到各個方面。程頤專以義理說《易》，楊誠齋以史證《易》，皆不免於「拘」。「《易》是虛設之辭，不可以實跡論。」（《易說》卷一八）講成實在的事，就把《易》講死了，失去了它的本旨。朱熹說：「《程易》所以推說得無窮，然非本義也。先通得本指後，道理無窮，推說不妨，便以所推說者解《易》則失《易》之本指矣。」（《語類》卷六七）說經有本義，有推演義，朱熹認爲必須先明了本義，才可以進行推說。透徹了解，掌握了本義，自然可以引申發揮出許多道理來，但不能以推演義爲本義。如果不了解本義而任意引申發揮，愈說愈支離，隔本義愈遠，就不免差之毫釐，謬以千里，走上歧路。所以朱熹很强調本義的重要性。他說：「大概看《易》，須謹守彖象之言，聖人自解得精密平易。後人看得不仔細，好自用己意，解得不是。」（《語類》卷七三）又說：「伊川要立議論教人，可向別處說，不可硬配在《易》上說。」（《語類》卷六九）正指出他離開《易經》本義說到一邊去的毛病。

由象數以探索《周易》本義

程氏《易傳》專講義理。朱熹認爲《易經》本來是一部卜筮之書，並不是專爲講義理而作的。若只爲講道理，那麼寫篇論文像《大學》《中庸》一樣，豈不講得更清楚，畫卦幹什麼呢？但在卜筮的卦爻、象數中又包含著許多道理。所以說：「蓋《易》本卜筮之書，今卻要就卜筮中推出講學之道，故成兩節工夫。」（《語類》卷六六）《易》爲卜筮之書，但又不止於卜筮，研究《易》學就是要把卜筮與義理兩者很好地結合起來。《易經》中有三個要素，一個「理」，一個「象」，一個「辭」。朱熹認爲「理」是根本的，但要明「理」，又必須通過「象」與「辭」。所以通過卦爻象數是探索《周易》本義的必經途徑。弄清楚它的本義，再加以引申推演，這樣講出的道理既不違背《易經》的本旨，也是有根有據的。朱熹說：「象數乃作《易》根本，卜筮乃其用處之實。今乃一向摒棄闊略，不復留意，卻恐不見制作綱領。」（《晦庵文集》卷四十）所以由「象」「辭」以明「理」就是朱熹探索《易經》本義的途徑。如果不了解《易》的本旨，而空談道理，任意引申發揮，這就難免牽强附會，以至走向邪路。朱熹說：

> 《易》本卜筮之書，後人以爲止於卜筮。至王弼用《老》《莊》解後，人便只爲理，而不以爲卜筮，亦非。（《語類》卷六

六）

這是說要善於把卜筮與義理結合起來，所謂「兩節工夫」，二者不可偏廢。又說：

> 近世言《易》者，直棄卜筮而虛談義理，致文義牽強無歸宿，此弊久矣。要須先以卜筮占決之，求經文本意，而復以傳釋之，則其命詞之意，與其所自來之故，皆可漸次而見矣。（《朱公文別集》卷三）

這是講必須先由卜筮著手去了解《易經》的本意，然後再結合「傳」，看是怎樣解釋的，從而知道它發展變化的來龍去脈。朱熹曾舉例說：「乾、元亨利貞。」文王重卦只是說：「大亨利於守正。」孔子則把元、亨、利、貞講成四德，所謂：「元者，善之長也；亨者，嘉之會也；利者，義之和也；貞者，事之幹也。」（《易·乾文言》）這說明文王、孔子的解釋不同。朱熹認爲文王是文王的意思，孔子是孔子的意思。他說：「伏羲自是伏羲之《易》，文王自是文王之《易》，孔子自是孔子之《易》。」（《語類》卷六六）不能認爲那一說是，那一說非，因爲《易經》裡面本來就包含著這許多道理。因此他說：「大凡有人解經，雖一時有與經意稍遠，然其說底自是一說，自有用處，不可廢也。」（《語類》卷七六）這是頗爲通達之論。

朱熹說：「《易》本卜筮而設，推原陰陽消息之理，吉凶悔吝之道，先儒講解，失聖人意處多。」（《語類》卷一五）這說明許多注釋解說《易經》的，並不是《易》的本義。朱熹於四十八歲作《周易本義》，五十七歲作《易學啓蒙》。《易學啓蒙》是爲初學《易》的人編寫的一本入門指導書。其中包括《本圖書》《原卦畫》《明蓍策》《考變占》四篇。這兩部書正表明他主張由卜筮象數以探索本義來研究《易經》。他認爲伏羲畫卦，文王作卦辭，這些都是爲卜筮而作，只有孔子贊《易》偏於從義理闡述，但也並未離開卜筮。但孔子對

《易》的解釋有的就並非《易》的本義。朱熹說：

> 既濟、未濟所謂濡尾濡首，分明是說野狐過水。今孔子解云飲酒濡首，亦不知是如何？只要孔子說，人便不敢議。他人便恁地不得，只是而今也著與孔子分疏。（《語類》卷七三）

這說明孔子的解釋也不是既濟、未濟的本意，而是孔丘自己的理解。只不過「孔子說了」，大家不敢再議論罷了。朱熹提出這一問題加以分析很重要，這說明：㈠孔子之《易》與文王、伏羲之《易》不同，孔子解《易》，不一定是《易》的本義。㈡後人因爲是孔子說的，不敢再加評議。㈢朱熹並不因爲這是孔子講的就不加分析，還是指出這一解釋與本意不合，說明他並不遵守「聖人所到處，後世安足論」的清規戒律。

漢代《易》學重視象數，只有王弼注《易》才摒棄象數，專以義理爲說。因此朱熹批評他是「捨經而自作文」（程川編《朱子語類·易七》），又說：「王弼《周易》巧而不明。」（《易說》卷二十）即是說王弼講的是自己的一套，而非《周易》本義。什麼才是《周易》的本義呢？朱熹說：

> 伏義當時，偶然見一便是陽，二便是陰。從而畫放在那裡。當時人一也不識，二也不識，陰也不識，陽也不識，伏義便與他剔開一這機。然才有一二，後來便生出許多象數來。（《語類》卷六六）

他認爲《易經》的陽（⚊）陰（⚋）兩爻是在還沒有文字以前，人類計數的符號，後人把兩儀解釋成天地、乾坤都是後起義。原始社會的人從不識不知到有一二這樣「數」的概念，不能不說是人類思維上的一大進步。一和二的區別，這是最簡單的象數，然後才有三的多數。由象數而產生卜筮，由卜筮而產生卦爻的占辭，又產生出許多義理，這正是《易》的發展過程。在甲骨文中已有千、萬等數字，那麼像一、二這種最簡單、最基本的「數」的概念，應該在文字出現之前的圖畫時期，這是原始人類的一大發明，傳說時代的伏羲畫卦的實質大概就是如此。朱熹說：「今人便要說伏羲如神明樣，無所不曉。伏羲也自純樸，也不曾去理會許多事來。自他當剔開這一個機，後世間生出許多事來。但也自不奈何，他也自不要得恁地。」（《語類》卷六六）這裡暗示著人類的思維發展的一種客觀必然性。

> 古時人蠢蠢然，事事都不曉做得是也不是，聖人便作《易》教人去占，占得恁地便吉，恁地便凶，所謂通天下之志，定天下之業，斷天下之疑，即此是也。（《語類》卷六六）

這裡講到古代卜筮是怎樣產生的。原始社會由於生產力低下，人與禽獸鬥爭，人體受到自然和疾病的威脅，無法抗御，這就會產生對自然力人格化的「神」的崇拜，原始的宗教迷信就是這樣產生的。從殷墟卜辭裡就可見當時的迷信是非常嚴重的，不論大大小小的事都得求神問卜，這正是朱熹說的「古時人蠢蠢然」的蒙昧表現。殷商奴隸社會，奴隸主貴族也就利用這種神權迷信來進行統治。這就是《易・繫辭》所謂的「聖人以神道設教」。這是朱熹講的聖人作《易》教人去占的實質。

朱熹的這些看法是否爲《易經》本義是可以進一步探討的，但也包含著某些合理的因素。特別是朱熹强調對「本義」的探索是值得重視的。在中國古代哲學著作中，《易經》和《老子》的注解可以算是最多的，但朱熹說：「《莊》《老》二書，解注者甚多，竟無一人說得它本義出。」（《語類》卷一二五）過去許多學者解說古書往往都是把古人的幾句話加以引申發揮來講自己的思想，或者根據自己的意思借用古書的幾句話講出來。《易程傳》正是這樣的。朱熹說：「伊川見得個大道理，卻將經來合他這道理，不是解《易》。」（《語類》卷六七）這兩種方式概括起來就是陸九淵說的「六經注我」的辦法。用這種方法來研究哲學史，既歪曲了古人的意思，對自己的思想也難於充分表達。所以朱熹揭示「本義」、「本旨」的思想，包含著還歷史本來面目的意思，這一觀點的提出，對研究中國哲學史是很重要的。

關於《易》的哲學思想

朱熹的客觀唯心主義理學認爲「理」是天地萬物的本原。這就是他說的「未有這事，先有這理」（《語類》卷九五）。「有此理便有此天地，若無此理，便亦無天地，無人無物」（《語類》卷一）。他認爲各種事物都各自有其不同的「理」，而一切「理」的總合就是「太極」，所以「太極」是理的大全，萬理之總匯。太極是天地萬物的總根源，這叫「理一」；但就其在各種具體事物中的體現來看，則各種事物又各自有其不同之理，這叫「分殊」。

《易・繫辭上》說：「《易》有太極，是生兩儀。」什麼叫「太極」呢？「太極」一詞實質上就是「道」的別名。就這個哲學範疇的來源考查，《老子》曾說：「道生一，一生二，二生三。」在《老子》書裡「道」是比「一」高的範疇，所以才說「道生一」。因此在《莊子・天下篇》裡把「道」稱爲「太一」（又作「大一」）。《呂氏春秋・大樂篇》說：「道也者，至精也；不可爲形，不可爲名，强名之謂之太一。」《老子》又說：「吾不知其名字之曰道，强爲之名曰大。」（二五章）這裡「道」、「大」、「太一」、「大一」、「太極」實質上是同義語，就詞義上講，本來是指無所不包的，統歸於一，所以叫「大一」。《莊子・天下篇》說：「至大無外，謂之大一」。這是絕對的「大」。從哲學意義上講，「太極」「太一」是指天地萬物，一切事理的最後終極，宇宙萬物的本原。（註四）就哲學發展史來看，「太極」「太一」範疇的提出，標誌著由陰陽、五行等二元論或多元論走向一元論，由原始的多神教走向一神教，這是思想的深化和提高。但是由於對這一最高的哲學範疇「太極」理解的不同，使中國哲學分爲唯物和唯心兩大陣營。例如：

《易・繫辭上》：「易有太極。」鄭玄注：「極中之道，淳和未分之氣也。」孔穎達《周易正義》：「太極，謂天地未分之前，元氣混而爲一，即太初，太一也。」《淮南子・覽冥篇》：「引類於太極之上。」高誘注：「太極，天地始形之時也。」《禮記・禮運》：「夫禮必本於大一。」孔疏：「謂天地未分，混沌之元氣也。極大曰天，未分曰一，其氣既極大而未分，故曰大一也。」由此可見，孔穎達對《周易》「太極」的解釋與疏《禮運》「大一」觀點是一致的。王肅注《孔子家語・禮運》：「太一者，元氣也。」這些都是唯物主義或傾向唯物主義的解釋。宋代的張載說：「一物而二體，其太極之謂與？」（《正蒙・大易》）又說：「一物兩體，氣也。」（《正蒙・參兩》）明代的王廷相說：「太極」是「天地未判之前，太始混沌清虛之氣是也。」（《太極辯》）王夫之說：「太極雖虛而理氣充凝，亦無內外虛實之異。」（《思問錄》）這些都是上述以太極爲氣的思想的繼承和發展，屬於唯物主義陣營。

《史記・封禪書》：「天神貴者太一，太一佐曰五帝。」方士以「太一」爲最尊貴的神，五帝則是太一神的輔佐。《文選・高唐賦》：「禮太一。」五臣注：「太一，天神也。」《史記・天官書》：「太一常居之。」張守節《正義》：「太一，天帝之別名也。劉伯莊云：太一，天神之最貴者。」這些都是沿襲秦漢方士之說。漢代緯書本是神學迷信的產物，緯書中也把「太一」說成是「神」。《樂緯・叶圖徵》：「鼓和樂於東郊，致魂靈，下太一之神。」（《初學記》卷一五引）又說：「天宮，紫微宮北極，天一太一。」宋均注：「天一太一，北極神之別名。」（《史記・封禪書》索隱引）《淮南子・天文篇》：「太一之庭。」高誘注：「太一，天神也。」《淮南子·精神篇》：「至人登大皇，憑太一。」高注：「太一，天之形神也。」《淮南子·詮言篇》許愼注：「太一，元神，總萬物者。又若未有形，謂之眞人。眞人者，未始分於太一者也。」把太一說成是創造萬物的眞人與把太一說成最尊貴的神都同基督教的上帝創造萬物是一樣的。《易·繫辭上》「太極」韓康伯注：「夫有必始於無，故太極生兩儀也。太極者，無稱之稱，不可得而名，取有之所極，況之太極者也。」韓康伯與王弼的思想是一致的，從玄學的觀點把「太極」釋爲「有必生於無」，以「無」爲萬化之本。陸德明《周易·繫辭·釋文》：「太極，無也。」直接把「太極」講成「無」，正是繼承了王弼、韓康伯之說。宋代的邵雍說：「道爲太極。」又說：「心爲太極。」（《觀物外篇》）把「太一」說成是神，把「太極」解釋爲「無」，爲「心」，這些都屬於唯心主義陣營。

《老子》的成書時代在《易傳》之前，它是中國哲學史上最早提出「道」一元論的。但是由於《老子》書裡對「道」的規定性解釋得「恍惚」迷離，沒有很明確的定義，所以後人對《老子》的「道」就可做各種不同的理解。這就造成中國哲學史上，對《老子》的「道」是唯心還是唯物長期爭論不休的原因。

朱熹是客觀唯心主義者，他在哲學上的黨性是很鮮明的。在「太極」的理解上，他明確地站在唯心主義一邊。朱熹說：「太極只是天地萬物之理。」（《語類》卷一）「易者陰陽之變，太極者，其理也。」（《周易本義·繫辭上》注）又說：「太極者象數未形，而其理己具之稱。」（《易學啓蒙·原卦畫》）過去傳說伏羲本河圖畫八卦，所謂「象數未形」，就是說在圖書未出現以前，八卦及構成八卦的陰（--）陽（—）爻也還未產生而一切道理已經俱備，這個理之大全就是「太極」。「極」是窮極、究竟的意思，朱熹說：「以其究竟至極，無名可名，故特謂之太極，猶云舉天下之至極，無以加之云耳。」「至於太極則又無形象、方所之可言，但以此理至極而謂之極耳。」（《晦庵文集》卷三六）至極就是至高無上、最終極、最根本的原理。「太極」是先天的，所以周敦頤說：「無極而太極。」（《太極圖說》）邵雍說：「須信畫前元有易。」畫前之「易」，指的就是「理」。朱熹說：「太極者，道也。」（《周易本義序》）他認爲太極就是「道」，以其運動流行言之謂之「道」；以其究竟、終極言之，就叫「太極」；從最高統一、大全的意義來說就叫「太一」，其實質是相同的。

過去講經學的人認爲《易經》和《春秋》都是講哲學的書。司馬遷說：「《春秋》推見至隱，《易》本隱以之顯。」（《漢書・司馬相如傳贊》）隱指理而言，顯指事而言。朱熹說：「至微者理也，至著者事也。」（《語類》卷六七）《春秋》是歷史的記述，是就已有的事去分析事件的產生、發展、結果等隱微的背景和原因，所以說：「《春秋》推見至隱。」《易經》則是從道理上，萌芽狀態的各種跡象上來推測尙未發生的事情，這叫「《易》本隱以之顯」。朱熹也是這樣看的。他說：「《易》與《春秋》天人之道也。《易》以形而上者說出在形而下者上，《春秋》以形而下者說到那形而上者去。」（《語類》卷六七）哲學是明天人之故的，中國古代的哲學就在於貫通天人之道。

天地萬物是存在的，這點朱熹也是承認的，但是他並不滿足於此。他認爲只承認事物的存在，這是「自然」，就認識論來講知道自然而然，只能算知其然，但對事物的所以然還不認識。「不求其所以然，只說一個自然，是顢頇也」（《語類》卷一四）。哲學就不僅要求知其然，還應該知其所以然之「故」。朱熹認爲事物的所以然即是事物之「理」。他說：「天地之間，只有動靜兩端循環不已，更無餘事，此之謂易，而其動其靜則必有所以動靜之理焉，是則所謂『太極』者也。」（《晦庵文集》卷四五）動靜的循環轉化就是「易」，所以動靜的道理就是「太極」。《易・繫辭》說：「形而上者謂之道，形而下者謂之器。」在朱熹的唯心主義理學中很注重形上、形下之分。《易・繫辭》說：「一陰一陽之謂道。」朱熹認爲陰陽是氣，這是物質性的，屬於形而下者；而所以一陰一陽之理，才是道，這是形而上者。過去道家講的「道」均是隨順自然，而不知其所以然，結果是說得惝恍迷離，莫明其妙就算「道」。朱熹則明確地以所以然之理爲「道」。不但要求知其然，還應求其所以然之理，這顯然是哲學思想的深化。

「太極」爲宇宙萬有的本原，它是形而上的理之大全。正因爲這樣，所以朱熹對於周敦頤的《太極圖說》很重視。他說：「先生《周敦頤）之學其妙具於太極一圖。《通書》之言亦皆此圖之蘊，而程先生兄弟語及性命之際，亦未嘗不因其說。」（《太極圖說解序》）由於《太極圖說》正好可以做爲他的心性理氣論的有力根據，爲此他曾與陸九淵反覆辯論《太極圖說》中「無極而太極」的含義。在《易・繫辭傳》上只講到「太極」，並沒有「無極」，所以陸九淵認爲在「太極」之上更加一個「無極」，這是疊床架屋，沒有必要。從思想淵源上講，這也是受《老子》「復歸於無極」的影響。朱熹認爲「無極而太極」並不是說太極之上還有個無極，而是說太極是最高最全的絕對眞理，是理之極至，再沒有什麼本原了，所以叫「無極」。他的《太極圖說解》云：「上天之載無聲無臭，而實造化之樞紐，品匯之根柢也。故曰『無極而太極』，非太極之外，復有無極也。」即是說太極是天地萬物之理，它並不是「物」，但萬物的產生必須以它爲根據。「太極」不是物質性的，雖無形質，但這個道理卻是永恆存在的，它是宇宙的本體。周敦頤畫的《太極圖》是圓形虛中之象，圓圈像循環無端，中間是空虛的，像太極無所不包，無所不容，包羅萬象，無始無終，無窮無盡，是萬化的本原。朱熹說：「蓋恐人將太極做一個有形象底物看，故又說無極，言只是此理也。」（《語類》卷九四）無極和太極名號雖不同，實際上是一個東西。既然無極就是太極，為什麼說：「太極本無極」（《太極圖說》）呢？朱熹認為提出「無極」範疇有兩點必要性：㈠怕人誤會以為天地萬物的本原「太極」（＝理）為一「物」，把它當成一個具體的事物看。㈡怕人誤會「一陰一陽之謂道」，把陰陽變易看成有個「主宰者」。這樣的「太極」就有類於「上帝」，所以周敦頤提出「無極」來杜絕它，表明這是最後的終極。朱熹的邏輯是這樣的，他認為由物生物，可以至於無窮。但是「物物者非物」，即是說萬物之前不能有「物」存在。「物」為「有」，
在「物」之前則「無物」而只有「理」，「理」不可謂「有」。他說：「以理言之，則不可謂之有；以物言之，則不可謂之無。」（《語類》卷九五）「有」指客觀存在的事物，「理」非事物，故理不可以說是「有」。事物是客觀存在的，因此以物言之，則不可說是「無」。朱熹同陸九淵弟兄往復辯論中說：「不言無極，則太極同於一物，而不足以為萬化之根本；不言太極，則無極淪於空寂，而不能為萬化之根。」（《晦庵文集》卷三六）朱熹認為萬物都是同類相生。譬如人生人，馬生馬，桃生桃，李生李。但人、馬不能生桃、李。同樣桃、李也不能產生人、馬、牛、羊。這說明由物生物只能同類相生。要是「太極」是一物，也只能以類相生，如桃李一樣，因此說：「太極同於一物，因不足以為萬化根本。」所以能夠產生天地萬物而為萬化之根本就不能是「物」，而是一切事物的總原理——「無極」。「無極」雖不是具體事物，但它為萬物之「理」，這個「理」是存在的，並非虛無空寂，所以管它為「太極」。朱熹的哲學認為理在氣先，由

理、氣而生萬物，在這點上與《老子》講的「有生於無」有原則性的區別。他說：「熹詳老氏之言有無，以有無爲二；周子之言有無，以有無爲一；正如南北水火之相反。」（《晦庵文集》卷三六）又說：「《老子》所謂物生於有，有生於無，而以造化爲眞有終始者，正南北矣。」（《晦庵文集》卷四五）這裡說明周敦頤的「無極」與《老子》所謂的「無」有三點區別：㈠《老子》講「有生於無」，把「無」看成是「有」的開始，認爲造化眞是有個起點，這就不免陷於形而上學的泥坑，而周子的《太極圖》則是循環無端，無終無始，無窮無盡的。㈡《老子》認爲無能生有，有是由無產生的，它把有無割裂，絕對對立起來。周敦頤的「無極而太極」、「太極本無極」，則是把「有」「無」統一起來。認爲無極即是太極，太極雖爲二氣、五行、萬物的本原，但是太極不在二氣、五行、天地萬物之外，而在二氣、五行、天地萬物之中，也就是說無極在天地萬物之中，而不像《老子》說的「有生於無」，以「有無爲二」。㈢由於《老子》把「有」和「無」絕對對立起來，所以《老子》的「無」即虛無之意。朱熹認爲「太極」乃是實理並非虛無，所以他說：「太極乃兩儀、四象、八卦之理，不可謂無，但未有形象之可言耳。」（《晦庵文集》卷七一）

由上剖析可見朱熹的《易》學思想是與他的理學唯心主義思想體系完全一致的。他對《易經》的重視，正表明他的理學思想從儒家的經典裡找到了理論根據。《易・繫辭》說：「易有太極，是生兩儀。」照朱熹的理解，「太極」是理，陰陽是氣。他在《太極圖說解》裡指出：「太極，形而上之道也；陰陽，形而下之器也。」通過對太極、陰陽等《易》的基本範疇的研究和闡述，更證明了他的哲學理論。朱熹對周敦頤的《太極圖說》推崇備至，周敦頤說：「無極之眞，二五之精，妙合而凝。」（《太極圖說》）「無極之眞」指的是理，「二五之精」指陰陽、五行之氣，理與氣巧妙地結合凝聚在一起，萬物就是這樣產生的。濂溪的《太極圖說》既是朱熹哲學思想的淵源，也是他理氣說的有力論據。朱熹的理氣論雖然顛倒了理、氣，道、器的關係，但從哲學發展史來看，朱熹建立了完整的以理為本原的唯心主義體系，他明確提出不僅要認識事物的自然、當然，而且要了解事物的所以然之「理」，在理論思維上是深入了一步。

朱熹學問廣博，觀其會通。在《易》學上，他推崇周敦頤和邵雍，正因為他察覺到濂溪的《太極圖說》和邵雍的先天之學都是論證他的唯心主義理學的有力根據，至於這些學術的來源，如《先天圖》出自陳摶（註五），《太極圖》也出於道家（註六），則是很次要的問題。因為學術總是在矛盾對立和統一中發展的，各學派只有既互相批評，也互相吸收，捨短取長，才能不斷地前進發展，那種排斥異己，堅守壁壘的門戶之見是不足取的。就此而言，朱陸的太極無極之辯則覺陸局促而朱宏通。朱熹博大，學無所不窺。他在對道家的《周易參同契》、《陰符經》進行考異時，雖礙於風氣，化名鄒訢（註七），卻大膽地為之注釋。他說「《參同契》本不明《易》，……此雖非為明《易》而設，然《易》中無所不有，苟其自成一家，可推而通，則亦無害於《易》。」（《參同契考異》）又說：「邵子發明《先天圖》，圖傳自希夷，希夷又自有所傳。蓋方士技術用以修煉，《參同契》所言是也。」（同上）可見邵雍的《先天圖》出自陳摶，而其淵源則是道家的《參同契》。朱熹認為《易》理無所不包，不僅《周易參同契》易學、周子的《太極圖說》、邵雍的先天之學，就是術數類的《火珠林》等都可以納入《易》學中。實際上宋代道學的形成本來就是以儒學為核心融會釋、道。釋則吸取禪宗為主，道則出自陳摶。朱熹之學不僅直接繼承和發展了二程的思想，實遠紹濂溪，兼採康節、橫渠，融周、張、邵、程北宋五子於一爐，構成其博大的唯心主義理學體系，這正是朱熹集理學之大成，度越宋代各家的主要特徵。在《

易》學思想上，也反映出這一特點。

【附註】

註 一 孟京《易》學講卦氣，以六十四卦中坎、震、離、兌稱爲四正卦，主管春、夏、秋、冬四季，每卦六爻，四卦共二十四爻主一年二十四節氣。又以十二消息卦每卦六爻，凡七十二爻主七十二候，稱爲「卦氣」。

註 二 以乾坤兩卦的十二爻配子、丑、寅、卯、辰、巳、午、未、申、酉、戌、亥十二辰，謂之「爻辰」。

註 三 以八卦配十天干，乾納甲、壬，坤納乙、癸，其餘艮、兌、坎、離、震、巽六卦，分別配丙、丁、戊、己、庚、辛，故稱「納甲」。

註 四 《呂覽・大樂》：「萬物所出，造於太一。」高誘注：「太一，道也。」《莊子・徐無鬼》：「大一通之。」郭注：「道也。」《莊子・在宥》：「一而不可易者道也。」《莊子・齊物論》：「道通爲一。」以上都是講道是天地萬物最高的統一，即「大一」之義。

註 五 朱熹《周易本義》於《伏羲六十四卦方位圖》下說：「伏羲四圖其說皆出自邵氏，蓋邵氏得之李之才挺之，挺之得之穆修伯長，伯長得之華山希夷先生陳摶圖南者，所謂先天之學也。」可見先天之學出於陳摶。

註 六 黃宗炎《太極圖辯》云：「考河上公本圖名《無極圖》，魏伯陽得之以著《參同契》，鍾離權得之以授呂洞賓，洞賓後與陳圖南同隱華山，而以授陳，陳刻之華山石壁。陳又得《先天圖》於麻衣道者，皆以授种放，放以授穆修與僧壽涯，……修以《無極圖》授周子，周子又得先天地之偈於壽涯」。可見《太極圖》本原於道家，亦出自陳摶。

註　七　《周易參同契考異》、《陰符經考異》並署名鄒訢。鄒本邾國，去邑為朱。《禮記・樂記》「天地訢合。」鄭玄注「訢讀為熹」，故鄒訢即朱熹的化名。

——原載《論宋明理學（宋明理學討論會論文集）》（杭州：浙江人民出版社，一九八三年十月），頁二八一——二九八。

朱熹《詩集傳》的特色及其貢獻

張宏生

在《詩經》研究史上，朱熹的《詩集傳》有著很高的地位。在這部著作中，朱熹以思辯的精神，求實的態度，對前人《詩經》研究的遺產進行了總的清理，在名物、訓詁、義理、文學等方面都有所發明，開拓了《詩經》研究的新領域。

在朱熹的著作中，除了《四書》外，《詩經》是他用力最深的一部書。他治《詩經》，始終以本書爲第一手資料，細加體會，嚴格甄別，將「一部《詩》並諸家解都包在肚裏」（註一），從而形成了自己鮮明的特色。這種特色主要表現在兩個方面：大膽懷疑的精神和對《詩經》文學性的闡發。下面分別闡述如次。

一、大膽懷疑的精神

宋學的建立，是以帶有强烈的懷疑色彩的學說爲基礎的。這種學風，肇自歐陽修、蘇轍，經過鄭樵、王質，到朱熹而集其大成。具體表現在《詩集傳》中，可以以下幾點作爲代表：

㈠敢於簡化注疏

衆所周知，自東漢鄭玄混淆今古文家法，爲《毛傳》作箋後，《詩經》學漸漸趨於一尊，《毛詩傳箋》在相當長的時期內成爲《詩經》的占統治地位的注本。而到了唐代，孔穎達採取「疏不破注」的原則爲《毛傳》、《鄭箋》再作疏釋，成《毛詩正義》，並被統治階級作爲標準注本頒布全國後，《詩經》學遂完全統一。儒生們習《詩》

必須信守《正義》，不能有絲毫違背，長此以往，《正義》不免流於僵化，其過於繁瑣的弊病則更表現了出來，極大地限制了人們對《詩經》的深入探討，朱熹作《詩集傳》，雖然是上承《毛傳》、《鄭箋》、《孔疏》這樣一條漢學體系，但他的思想卻決不爲這一體系所牢籠。他敢於向多年來已趨於定型的《正義》所規定的訓詁和義疏挑戰，大膽進行簡化，從而使他的注釋「簡當精密」（註二），便於掌握。下面試舉例說明。如《詩・王風・中谷有蓷》：「中谷有蓷，暵其乾矣」。《毛傳》：「推，鯡也。」《釋文》：「鯡音佳，《爾雅》又作萑，音同」。《孔疏》：「《釋草》云：萑，蓷。李巡曰：臭穢草也。郭璞曰：今茺蔚也，葉似萑，方莖白花，花注葉間，又名益母。陸璣《疏》云：舊說及魏博士濟陰周元明皆云菴蕳是也。韓詩及三倉說悉云益母，故曾子見益母而感。按《本草》云：益母，茺蔚也，一名益母。故劉歆曰：蓷，臭穢。臭穢即蔚也。」《集傳》：蓷，鯡也，葉似蓷，方莖白花，花生葉間，即今益母草也」。

又如《詩・曹風・鳲鳩》「鳲鳩在桑，其子在梅。淑人君子，其帶伊絲。」末句毛公無傳。《鄭箋》「其帶伊絲，謂大帶也。大帶用素絲，有雜色飾焉。」《孔疏》：「《玉藻》說大帶之制云：天子素帶朱裏，終辟；諸侯素帶，終辟；大夫素帶，辟垂；士練帶，率下辟。是大夫以上，大帶用素，故知「其帶伊絲」謂大帶，用素絲，故言絲也。《玉藻》又云：雜帶，君朱綠，大夫玄華，士緇辟。是其有雜色飾焉。」《集傳》：「帶，大帶也。大帶用素絲，有雜色飾焉」。

又如《詩・豳風・七月》「春日遲遲，採蘩祁祁。」《毛傳》：「遲遲，舒緩也」《孔疏》：「遲遲者，日長而暄之意，故爲舒緩。計春秋漏刻，多少正等，而秋言淒淒，春言遲遲者，陰陽之氣感人不同。張衡《西京賦》云：人在陽則舒在陰則慘。然則人遇春暄則四體舒泰。春覺晝景之稍長，謂曰行遲緩，故以遲遲言之。及遇秋景，四體褊躁，不見日行急促，唯覺寒氣襲人，故以凄凄言之。凄凄是涼，遲遲非暄，二者觀文似同，本意實異也」《集傳》：「遲遲，日長而暄也」。

以上三例很有代表性，《集傳》或集毛、鄭、孔的疏釋而簡化之，或僅就鄭或孔加以取舍，總之，都是遵循簡明、易懂的原則。這一點，在今天看來似乎微不足道，但在當時那種傳統的《詩經》注疏系統占據統治地位的情形下，敢於簡明訓詁是需要很大勇氣的，朱熹的這一舉動，充分反映了他作爲一個開創學風的學者的宏偉氣魄。

㈡衝破《毛詩正義》體系的束縛

自從孔穎達《毛詩正義》出，三家《詩》更無市場，在一個相當長的時期內，《詩經》研究領域是一花獨放，一家獨尊，帶有相當大的片面性。朱熹對這種狀況很不滿意，他在《呂氏家塾讀書記後序》中說：「《詩》自齊、魯、韓氏之說不得傳，而天下之學者儘宗毛氏，毛氏之學，傳者亦衆，而王述之類，今皆不存，則推衍其說者又獨鄭氏之《箋》而已。唐初，諸儒爲作疏義，因譌踵陋，百千萬言，而不能有以出乎二氏之區域。至于本朝，劉侍讀、歐陽公、王丞相、蘇黃門、河南程氏、横渠張氏，始用己意，有所發明。雖其淺深得失有不能同，然自是之後，三百五篇之微詞奧義，乃可得而尋繹。蓋不待講於齊、魯、韓氏之《傳》，而學者已知《詩》之不專於毛鄭矣」。（註三）他回顧了自毛氏之學大行後《詩經》的傳播情況，對後世諸儒「因譌踵陋」的風氣深表厭惡，並强調了獨立思考，大膽立說的重要性，在這個意義上，他充分肯定宋初歐陽修等「始用己意，有所發明」的貢獻，而他的《詩集傳》也正是繼承了他的前輩的這種精神，敢於衝破《毛詩正義》的束縛，雜取各家《詩》說的精義。《集傳》的這一特色得到了前人的注意和贊許，如王應麟評曰：

朱文公《集傳》閎意眇指，卓然千載之上。言《關雎》則取匡衡；《柏舟》婦人之詩，則取劉向；笙詩有聲無詞，則取《儀禮》；上帝甚神，則取《戰國策》；何以恤我，則取《左氏傳》；《抑》戒自警，《昊天有成命》道成王之德，則取《國語》；陟降庭止，則取《漢書注》；《賓之初筵》，飲酒悔過，則取《韓詩序》；不可休思，是用不就，彼岨者岐，皆從《韓詩》；禹敷下土方，又證諸《楚辭》。一洗末師專己守殘之陋。（註四）

朱熹胸懷博大，眼界開闊，不循故常，勇於創新，「閎意眇指，卓然千載上」之言，殆非虛譽。下面僅就王氏所論，舉例加以證明。如《詩·商頌·長發》「禹敷下土方」《集傳》：「《楚辭·天問》：禹『降省下土方』，蓋用此語」。按《楚辭·天問》：「禹之力獻功，降省下土方。」朱熹《楚辭集注》卷三：「『下土方』，蓋用《商頌》語。」蔣驥《山帶閣注楚辭》亦從朱說。又如《詩·周南·漢廣》：「南有喬木，不可休息。」《集傳》：息，「《韓詩》作思。」「思，語辭也。」按王先謙《詩三家義集疏》卷一：「《韓》息作思。又如《詩·小雅·賓之初筵》，《集傳》：「《毛詩序》曰：衛武公刺幽王也。《韓詩序》曰：衛武公飲酒悔過也。今按詩意，與《大雅·抑》戒相類，必武公自悔之作，當從韓義。」按王先謙《詩三家義集疏》卷十九：「《後漢·孔融傳》李注引《韓詩》曰：衛武公飲酒悔過也。朱子《集傳》引作《韓詩序》。《易林》：大莊之家人，舉觴飲酒，未得至口，側弁醉酗。撥劍斫怒，武公作悔。《齊》、義與《韓》說同。……《齊》、《韓》以為悔過，當從之。」朱熹能夠衝破門戶之見，「一洗末師專己守殘之陋，」對後世《詩經》研究的深入開展，起了不可低估的影響。

㈢疑《序》和廢《序》

千百年來，《詩序》問題可謂「說經之家第一爭詬之端。」（註五）《毛詩正義》這一體系，以爲《詩序》爲聖人所作，故本《序》說《詩》，不敢有絲毫違背。一直到北宋歐陽修、蘇轍等人，始對《詩序》進行重新評價，而因南宋鄭樵倡導，疑《序》、廢《序》遂形成了時代的風氣。

朱熹最初治《詩》，一本《序》說，呂祖謙《呂氏家塾讀詩記》中所引，便代表了他早年的意見。後來，他受時代風氣的影響，滋長了懷疑精神，曾著《詩序辨說》，對《詩序》進行批評。他的《詩集傳》，也貫穿著這種精神，全部廢《序》不錄，並時常指摘《詩序》之誤。如《詩・小雅・節南山》，《集傳》云：「《序》以此爲幽王之詩，而《春秋》桓十五年，有家父來聘，於周爲桓王之世，上距幽王之終已七十五年，不知其人之同異。大抵《序》之時世皆不足信。」又如《詩・大雅・民勞》，《集傳》云：「《序》說以此爲召穆公刺厲王之詩，以今考之，乃同列相戒之辭耳，未必專爲刺王而發。」朱熹對《詩序》的批判多以對歷史的嚴格考證和對詩歌的仔細玩索爲基礎，因此，言之有理，持之有據，具有一定的說服力。

然而，朱熹對《詩序》的認識卻又有著自己的出發點。他說：「舊曾有一老儒鄭漁仲，更不信《小序》。只依古本依疊在後面。某今亦只如此。令人虛心看正文，久之其義自見。蓋所謂《詩序》者，類多世儒之談，不解詩人本意處甚多」。（註六）這段話裏有兩點值得我們注意，一是他認爲研究《詩經》應「將元詩虛心熟讀，徐徐玩味，候髣髴見箇詩人本意，卻從此推尋將去，方有感發。」（註七）這就是說，要端正研究方法。以《詩經》本身爲第一手材料，從而避免那種只「知有《序》而不知有《詩》」（註八）的弊病。二是他認爲《詩序》只是「世儒之談」，而非聖人所作。這是對待《詩序》的一種正確方法。既然《詩序》是「世儒之談，」亦即後世儒生對《詩經》的研究成果，那麼，固然有「不解詩人本意處，」但也一定有合理處。這就是爲什麼朱熹常在《詩集傳》中引用《詩序》的原因。如《詩・大雅・常武》，《集傳》云：「王道甚大，而遠方懷之，非獨兵威然也。《序》所謂『因以爲戒』者是也。」又如《詩・周頌・有瞽》，《集傳》云：「《序》以爲始作樂而合乎祖之詩。」對於這一點，後人常譏之爲廢《序》不徹底，如姚際恒便指責他「陽違《序》，而陰從之，」（註九）實在是一種誤會。朱熹廢《序》，是從宏觀的研究方法著眼的，而他用《序》，則是將其視爲前人的研究成果來加以選擇的，本身並無矛盾之處。

另外，在其他一些地方，也能見出朱熹的懷疑精神。如《集傳》常以疑似的口吻提出判斷（如釋《大雅・行葦》、《周頌・酌》）；或本事不明，便注以「未詳」（如釋《小雅・鼓鐘》、《周頌・般》）；倘二說皆同，則並列之，（如釋《小雅・常棣》、《小雅・巷伯》）。這些本是一個嚴肅的學者所採取的實事求是態度，但考慮到當時《毛詩正義》的權威注疏地位，朱熹對已經定型的注疏表示不信任，便是對傳統的挑戰，雖然他並不一定提出新解。

二、對《詩經》文學性的闡發

自從漢代儒生將《詩》三篇冠之以「經」後，在很長的一個時期內，對《詩》三百篇的研究只是停留在經學的範圍，直到梁劉勰《文心雕龍》出，《詩經》的文學價値才得到了一定的重視。以後，歷經鍾嶸、陳子昂、李杜、元白、韓柳等人，《詩經》的文學研究逐步向深入發展。這些寶貴的遺產，理所當然地要對朱熹產生影響。但朱熹以前的批評家對《詩經》進行文學研究，多半是印象式和總結性的，至於結合具體的注疏，從表現手法、創作經驗藝術風格等各個方面對《詩經》進行綜合性文學研究，朱熹當是第一人，下面我們就從三個方面進行討論。

㈠注重賦比興的表現手法

賦、比、興，在《詩・大序》中提到「六義」時就已並列而言了。但是，眞正將這三者置於文學的領域並給予較爲合理的解釋的是朱熹。他說「賦者，敷陳其事而直言之也。」「比者，以彼物比此物也。」「興者，先言他物以引起所詠之詞也。」（均見《詩集傳》）這些貫穿在《詩集傳》中的原則，很富有創造精神。尤其是對「興」的理解，朱熹比其前輩是有所發展的。「毛公述《傳》，獨標興體」。（註一〇）《毛傳》在這方面確有開創之功。可是，《毛傳》所標出的一百一十六例「興」，都帶有譬喩的性質，不過是從經學的角度來表現某種教化的觀念罷了。即使是後來劉勰撰《文心雕龍》，專辟《比興》一章，其對「興」的理解仍超不出「托喩」（註一一）的限制。在這個意義上，相對而言，朱熹更能夠抓住詩歌本身的特點深入挖掘，所論較爲客觀。如《詩・鄘風・鶉之奔奔》：「鶉之奔奔，鵲之疆疆。人之無良，我以爲兄。」《集傳》云：「興也。鶉鵪屬。奔奔、疆疆，居有常匹，飛則相隨之貌。人，謂公子頑。良，善也。衛人刺宣姜與頑非匹耦而相從也。」又如《詩・衛風・芄蘭》：「芄蘭之支，童子佩觿。雖則佩觿，能不我知。容兮遂兮，垂帶悸兮」。《集傳》云：「興也。芄蘭，草，一名蘿摩，蔓生，斷之有白汁，可啖。支，枝同。觿，錐也，以象骨爲之，所以解結。成人之佩，非童子之飾也。知，猶智也。言其才能不足以知於我也。」以上二例說明，興作爲詩歌意群的發端，可以有含義，也可以沒有含義，朱熹雖未在理論上明確指出這一點，但其注疏實踐顯然以此爲原則。百餘年後，朱熹的後學劉玉汝著《詩纘緒》，專門發明《集傳》，曾指出「有取義之興，有無取義之興」，正是見到了這種特色。（註一二）

關於賦、比、興，另一點需要提及的，是朱熹創造的兼體說。《詩集傳》共一一四一章，其中賦七二七，比一一一，興二四七，兼體二七。所謂兼體，便是一章詩中，兼有賦、比、興中的二體，或竟全部包括。這一點，雖然頗能引起非議，但從文學的角度去理解，也是不無道理的。文學作品是非常豐富、很有彈性的，「以意逆志」的不易，除了對「知人論世」的要求外，文學本身的諸因素也不可忽視。因此，以讀者之心度之，文學作品（尤其是詩歌）常常是多義的，而同一作品，並列或交叉著幾種表現手法，也很正常。作爲一個才華卓著的文學家和富有眞知灼見的批評家，朱熹對此當然深有體會，他的兼體說，正是在這個意義上提出來的。下面試舉兩例看朱熹對兼體的運用。如《詩・鄭風・野有蔓草》：「野有蔓草，零露漙兮。有美一人，清揚婉兮。邂逅相遇，適我願兮」《集傳》云：「賦而興也。蔓，延也。漙，露多貌。清楊，眉目之間婉然美也。邂逅，不期而會也。男女相遇於野田草露之間故賦其所在以起興」。這章詩是體兼賦興。從詩意來看，首二句交待了主人公所處的環境，與後四句成爲一個嚴密的整體，故爲賦，而同時，透剔晶瑩的露珠凝聚在青草上，這一象與「清揚」的美人又有著某種程度上的關合，顯然屬於有義之興。朱熹解釋增强了詩的內涵。又如《詩・小雅・頍弁》：「有頍者弁，實維伊何。爾酒既旨，爾殽既嘉。豈伊異人，兄弟匪他。蔦與女蘿，施于松柏。未見君子，憂心奕奕。既見君子，庶幾說懌。」《集傳》云：「賦而興又比也。……此亦燕兄弟親戚之詩，故言有頍者弁，實維伊何乎，爾酒旨，爾殽既嘉，則豈伊異人乎，乃兄弟而匪他也。又言蔦蘿施以木上，以比兄弟親戚纏綿依附之意，是以未見而憂，既見而喜也。」這章詩體兼賦、比、興，雖然略顯含糊，但用朱熹的原則來檢驗，還是可以成立的。朱熹對賦、比、興表現手法的這種運用，多層次地揭示了詩歌所涵詠的意蘊，其藝術探索的價值得肯定的。（註一三）

㈡對《詩經》民歌特色的體認。

朱熹的前輩多對《詩》三百篇進行經學研究，即使是進行文學研究的，也從未對其文學樣式諸問題加以體認。朱熹是第一個提出《詩經》具有民歌性質進行了切實研究的批評家。他在《詩集傳・序》中認爲：「凡《詩》之所謂風者，多出於里巷歌謠之作，所謂男女相與詠歌，各言其情者也。」風詩作爲《詩經》的主體，大部分是民歌，而且多與愛情有關，這一見解非常精闢。基於這一點，《詩集傳》常常抓住民歌特色作註，特別是對那些愛情詩，每每指出民歌中所特有的「戲謔」之意。如《詩・鄭風・山有扶蘇》：「山有扶蘇，隰有荷華。不見子都，乃見狂且」。《集傳》云：「淫女戲其所思者曰：山則有扶蘇矣，隰則有荷華矣，今乃不見子都，而見此狂人何哉」！又如《詩・鄭風・褰裳》：「子惠思我，褰裳涉溱。子不我思，豈無他人。狂童之狂也且。」《集傳》云：「淫女語其所思者曰：子惠然而思我，則將褰裳涉溱以從子；子不我思，則豈無他人之可從，而必於子哉，狂童之狂也且！亦謔之之辭。」這些生動、形象，富於生活氣息的語言，將戀人之間的微妙關係活靈活現地表現了出來，具有濃厚的民歌風味。另外，在其他一些反映農事、狩獵、行役的詩篇中，也能看到早期民間文學的形象。朱熹的這一發現，其意義不僅在於衝破了傳統的聖賢立言之說，而且，也爲研究上古文學史作出了巨大貢獻。

㈢對《詩經》風格特徵的揭示。

《詩經》既然是文學作品，那麼，這些分布在當時的不同國家、不同地區的詩歌，在風格上的區別如何呢？《漢書・地理志》曾從地理、風俗等方面進行過一定的論述。如論鄭國之詩曰：

鄭國，今河南之新鄭，本高辛氏火正祝融之虛也。……土陿而險，山居谷汲，男女亟聚會，故其俗淫。《鄭詩》曰：「出其東門，有女如雲。」又曰：「溱與洧，方灌灌兮，士與女，方秉蕑兮」。「洵訏且樂，惟士與女，伊其相謔。」此其風也。

這段話，不管有何偏見，其論述風格的角度卻是值得注意的。千百年後，這一理論被朱熹繼承下來，生發開去。作爲一個文學家，朱熹敏感地意識到不同的國家和地區的詩歌具有不同的風格。在《詩集傳》中，他進一步探究風格不同的原因。如《詩・秦風・無衣》，《集傳》云：「秦人之俗，大抵尙氣概，先勇力，忘生輕死，故其見詩如此。……雍州土厚水深，其民厚重質直，無鄭衛驕惰浮靡之習」。又如論及《詩・衛風》，《集傳》引張子說曰：「衛國地濱大河，其地土薄，故其人氣輕浮。其地平下，故其人質柔弱。其地肥饒，不費耕耨，故其人心怠惰。其人情性如此，則其聲音亦浮靡。」以地理和風俗的不同來區別風格，是否能完全說明問題，還需進一步研究。而朱熹將這種理論應用於具體說詩之中，的確是很富有創造性。他的成就在於，不僅指出了詩歌所具有的風格，而且指出了風格的區別以及這種區別所以形成的原因，這在《詩經》風格學的研究上當有篳路藍縷之功。如果我們從此生發開去，聯系現在風格學的研究者對地理、風俗諸因素的忽視，那麼從《詩集傳》中得到的啓示就更顯得寶貴了。

以上兩點，是《詩集傳》的主要特色。此外，我們還想約略談一下《集傳》在名物訓詁上的成就。《四庫提要》曾評「朱子《詩傳》，詳於作詩之意，而名物訓詁僅舉大凡。」（註一四）似乎只肯定其長於義理，而對其名物訓詁則不以爲然。的確，朱熹作註多取《毛詩正義》的注疏，但他卻在訓詁學上花過一定的功夫，不像有的宋學家，只重義理，以致於流於空疏。如釋《詩・鄘風・載馳》之「控於大邦，誰因其極」句，《集傳》不從毛、鄭，明其致誤。《毛傳》：「控，引。極，至也。」《鄭箋》：「今衛之欲求援引之力助於大邦之諸侯，亦誰因乎，由誰至乎，閔之故欲歸問之。」《集傳》：「控，持而告之也，……思欲爲之控告於大邦，而又未知其將何所因而所至乎。」對這兩句的解釋，《毛傳》背離詩義，《鄭箋》傅會《毛傳》，二者俱不足為訓，《集傳》能從歷史背景、作者心情、通篇文勢立論，是其過人處，為毛鄭所不及。（註一五）可見，朱熹並不輕視在訓詁學上的修養。

當然，朱熹《詩集傳》也有不足之處，如他以道學家思想貫穿始終，甚而定出二十多篇淫佚之詩；又如他以彤管為淫奔之具，城闕為偷期之所等，前人論列已多，此不贅述。儘管如此，《詩集傳》的光彩仍是難以掩蓋的。它承上啓下，標誌著《詩經》研究又攀登了一座新的高峰。它所倡導的懷疑精神，培養了後世自由研究的風氣，對《詩經》學的不斷深入化和多樣化，起到了不可忽視的影響。它對《詩經》文學特色的全面探討，不僅啓發人們深入研究《詩經》本身，而且對文學的各個部類的研究，也起了一定的指導作用。直到今天，對我們仍有一定的參考價值。

【附註】

註　一　《朱子語類》卷八十一。

註　二　周子文《藝藪談宗》卷一。

註　三　《朱文公全集》卷七十六。

註　四　王應麟《詩考語略序》，《四明文獻集》卷一。

註　五　《四庫全書總目》卷十五《詩序》提要。

註　六　《朱子全書》卷三十五。

註　七　同註六。

註　八　朱熹《書臨漳所刊四經後》，《朱文公全集》卷八十二。

註　九　《詩經通論・自序》。

註一〇　劉勰《文心雕龍・比興》。

註一一　同註一〇。

註一二　《四庫全書總目》卷十六《詩纘緒》提要引。

註一三　當然，這只是朱熹的一家之言。無論是對賦、比、興的涵義有不同認識，還是對《詩經》本身的涵義有不同認識，都會得出不同的看法。因此，朱熹的見解雖然獨特。可怎樣進一步對其利弊作出判斷，還需專門撰文討論。這裏只想指出一點，即他創造的兼體說對後世起著一定影響。如翁方綱《石洲詩話》卷二云，「元相《望雲雅歌》，賦而比也。玉川《月蝕》詩點逗恒州事，則亦賦而比也」。可見，這一藝術手法引起了後世批評家的相當的關注，值得重視。

註一四　《四庫全書總目》卷十六《詩傳旁通》提要。

註一五　參見于省吾先生《澤螺居詩經新證》頁一〇四。

——原載《運城師專學報》一九八七年二期，頁一五——二〇。

朱子《家禮》真偽考議

陳　來

《家禮》一書，分通禮、冠禮、婚禮、喪禮、祭禮五卷，傳爲宋朱子所撰。但自元應氏作《家禮辨》以來，此書究竟是否爲朱子所作，已是聚訟紛紜。近年學者（如錢穆、上山春平），皆以此問題已得解決，實則未然。今將各家之說略爲梳理，且更爲考核，以見其實。

一、宋人論家禮

1.朱子死後，門人李方子作《朱子年譜》，於「乾道六年庚寅」下有「家禮成」一條，並說：

> 乾道五年九月，先生丁母祝令人憂。居喪盡禮，參酌古今，因成喪葬祭禮。又推之於冠昏，共爲一編，命曰《家禮》。

李氏年譜原本已不可得見，此數語見於《家禮附錄》，白田王氏謂此即李氏年譜本語。依此說，朱子居母喪時作成喪祭禮，後來又作成冠婚之禮，最後合喪、祭、冠、昏爲一編，定名爲《家禮》。這是明確肯定朱子曾著家禮。

2.朱子門人黃幹言：

> 先生既成《家禮》，爲一行童竊以逃。先生易簀，其書始出，今行於世。然其間有與先生晚歲之説不合者，故未嘗爲學者道也。（引自《家禮附錄》）

據黃幹此說，朱子著成家禮於中年，後爲人竊走。朱子晚年在家禮方面的觀點又有改變和發展，所以從未對學生談到家禮一書。而家禮的刊行是在朱子死後。

3.朱門高弟陳淳說：

> 嘉定辛未歲過溫陵，先生季子敬之倅郡，出示《家禮》一編，云此往年僧寺所亡本也。有士人錄得，會先生葬日攜來。因得之。（引自《家禮附錄》）

這是說，嘉定辛未（一二一一）即朱子死後十一年，陳淳在泉州遇到朱子第三子朱在（字敬之）。據朱在說，在慶元六年朱熹下葬之日，有人將往年失竊的家禮複本攜來。照此錄看，家禮的遺失在朱門好像是一件盡人皆知的事情。陳淳自己則是在朱子死後十一年才見到此書。

4.《性理大全》家禮小注：

> 北溪陳氏曰：廖子晦廣州所刊本降神在參神之前，不若臨漳本降神在參神之後爲得之。

北溪即陳淳號，廖子晦名德明，亦朱門高弟。據此，朱子死後不久，廖德明、陳淳都曾分別在廣州和臨漳刊行家禮一書，但二本略異。疑閩廣二本皆本於朱在所得本。

5.朱子女婿（亦朱門高弟）黃幹在《朱子行狀》中說：

> 所輯家禮，歸多用之，然其後亦多損益，未暇更定。

黃幹又在《書晦庵先生家禮後》說：

> 先儒取禮之施於家者，著爲一家之書，爲斯世慮至切也。晦庵朱先生以其本末詳略猶有可疑，斟酌損益，更爲《家禮》。務從本實以惠後學。迨其晚年討論家、鄉、侯、國、王朝之禮，以復三代之墜典，未及脫稿而先生歿矣，此百世之遺恨也。則是書已就，而切於人倫日用之常，學者其可不盡心乎。（《勉齋文集》卷二十）

黃幹所跋乃趙師恕嘉定丙子（一二一六）餘杭刊本。這裡的「先儒」

指司馬溫公及其所著《書儀》。黃幹說，司馬氏的《書儀》用意甚好，但朱子以爲詳略取捨不盡恰當，所以以《書儀》爲基礎，加以增刪修正，寫成朱子自己的家禮。由於朱子晚年所作《儀禮經傳通解》沒有完成，所以這部已經完成的《家禮》就顯得更爲需要。

6.李性傳亦私淑朱子之學，嘉熙二年（一二三八）他在饒州刊行的《朱子語續錄》後序中亦云：「先生家禮成於乾道庚寅。」

陳淳遇朱在在嘉定四年（一二一一），趙師恕刊印《家禮》而黃幹爲跋在嘉定九年，黃幹作《朱子行狀》在嘉定十四年，李性傳《朱子續錄後序》在嘉熙二年（一二三八）。趙師恕刊本《家禮》後又爲朱門弟子楊復附注，淳祐五年（一二四五）周復刊行楊注本（五卷，附錄一卷，今存影宋本）。由此可見，朱子死後十到四十年間，《家禮》從發現到附注刊行，在朱門未曾引起懷疑和爭論。正是根據上述材料，後人洪去蕪本《朱子年譜》在庚寅年下稱：

> 先生居喪盡禮，既葬日居墓側，朔望則歸奠几筵，自始死至祥禫，參酌古今，咸盡其變，因成喪祭禮。又推之於冠昏，共爲一編，命曰家禮。既成未嘗爲學者道，易簀之後其書始出人家。其間有與先生晚歲之論不合者，黃幹直卿云：家禮世多用之，然其後亦多損益，未暇更定，覽者詳擇焉。

不過，照此中所說，喪祭禮成於祥禫之後，則朱子母既卒於己丑秋，喪祭禮必不能成於庚寅。而冠昏之禮又成於喪祭禮已成後之數年，則作《年譜》者緣何以「家禮成」一條係於庚寅？

二、元明人論家禮

《家禮》一書嘉定後流布，朱門高弟與朱在皆加首肯，本似無可疑，世人亦未有以爲疑。至元至正間武林應氏作《家禮辨》，首提出《家禮》非朱子所作：

文公先生於紹熙甲寅八月《跋三家禮範》云：「某嘗欲因司馬公之書，參考諸家之說，裁訂損益，舉綱張目，以附其後，顧以衰病不能及。」勉齋先生《家禮後序》云「文公以先儒之書本末詳略猶有可疑，斟酌損益，更爲家禮，迨其晚年討論家鄉侯國王朝之禮，未能脫稿而先生沒，此百世之遺恨也。」今且以其書之不同置之，如以年月考之，宋光宗紹熙甲寅文公已於《三家禮範》自言「顧以衰病不能及」，豈於孝宗乾道己丑已有此書？況勉齋先生亦云未及脫稿而文公沒，則是書非文公所編，不待辨而明矣。（引自《家禮儀節》）

應氏的問題是，既然《年譜》謂朱子四十一歲時即已寫成《家禮》（乾道庚寅），何以朱子在六十五歲時（紹熙甲寅）不但不曾提及，反而卻說「顧以衰病，不能及已」呢！今之所傳《家禮》一書，正是因司馬光之《書儀》，加以損益，去繁存簡，使便施用，何以朱子卻說因病不及作呢？既然黃幹已說明「未及脫稿」，那麼現傳這部有完整序文的《家禮》一定不是朱子所作了。

《三家禮範》本是張栻淳熙初在廣西結集了司馬光、張載、程頤關於家禮的著作加以刊行的。朱子守長沙時邵淵再刻此書，請序於朱子。朱子跋之曰：

嗚呼！禮廢久矣。士大夫幼而未嘗習於身，是以長而無以行於家。長而無以行於家，是以進而無以議於朝廷，施於郡縣，退而無以教於閭里、傳之子孫，而莫或知其職之不修也。長沙郡博士邵君淵，得吾亡友敬夫所次《三家禮範》之書而刻之學宮，蓋欲吾黨之士相與深考而力行之，以厚彝倫而新陋俗，其意美矣。然程張之言猶頗未具，獨司馬氏爲成書，而讀者見其節文度數之詳，有若未易究者，往往未見習行而已有望風退怯之意。又或見其堂室之廣，給使之多，儀物之盛，而竊自病其力之不足。是以其書雖布，而傳者徒爲篋笥之藏，未有能舉而行之者也。殊不知禮書之文雖多，而身親試之，或不過於頃刻。其物雖廣，而亦有所謂不若禮不足而敬有餘者。今者乃以安於驕佚，而逆憚其難，以小不備之故，而反就於大不備，豈不誤哉！故熹嘗欲因司馬氏之書，參考諸家之書，裁訂增損，舉綱張目，以附其後，使覽者得提其要以及其詳，而不憚其難，行之者雖貧且賤，亦得以具其大節、略其繁文，而不失其本意也。顧以衰病，不能及已。今感郡君之意，輒復書以識焉。嗚呼，後之君子其尚有以成吾之志也夫。（《文集》八十三《跋三家禮範》）

明代邱濬反對應氏之說，其《家禮儀節》正確地指出了應的一個錯誤，即黃幹所謂「未及脫稿」是指晚年所編《儀禮經傳通解》中的家鄉侯國王朝之禮，而明明指《家禮》爲「是書已就」。至於《跋三家禮範》所說的「顧以衰病未能及已」，邱氏也給了一個解釋，即不是說不曾寫過家禮，只是因爲家禮成於中年，朱子晚年思想更加成熟，所以並不認爲早年的《家禮》已眞正完成了「裁訂損益、舉綱張目」、「略其繁文、而不失其本意」的任務，而重新撰寫已因病不及了。

三、清儒及近人辨家禮

至清初，王白田懋竑又提出這一問題。白田王氏一生考訂朱子書文行事，用力極深，所撰《朱子年譜》及其《考異》，世所稱許。其論《家禮》非朱子之書亦極辯：

按《年譜》及《家禮附錄》，則《家禮》爲朱子之書無疑。考之《文集》《語錄》，則有《祭禮》《祭說》而無云《家禮》者。所以被人竊去亡之者，亦《祭禮》而非《家禮》也。唯《與蔡季通書》有「已取《家禮》四卷並附疏者一卷納一哥」之語，此丁巳後書，所云《家禮》即《經傳通解》中之《家禮》，亦非今之《家禮》也。《年譜》《家禮》成於庚寅居母喪時，而《序》絕不及居憂一語。所謂因喪祭而推之於冠婚，《序》中亦無此意。勉齋《行狀》及《家禮後序》但言其後多損益、未暇更定，既不言其居喪時所輯，亦不言其亡而復得，是皆有所不可曉者。姑類集諸錄及《文集》《語錄》諸說於此，以俟後之人考而訂焉。（《年譜考異》）

白田更作《家禮考》一文，明白肯定《家禮》非朱子之書。其文云：

《家禮》非朱子之書也。《家禮》載於《行狀》，其《序》載於《文集》，其成書之歲月載於《年譜》，其書亡而復得之由載於《家禮附錄》，自宋以來，遵而用之，其爲朱子之書，幾無可疑者。乃今反覆考之，而知決非朱子之書也。李公晦敘年譜《家禮》成於庚寅居祝孺人喪時，《文集》序不紀年月，而《序》中絕不及居喪事。《家禮附錄》陳安卿述朱敬之語，以爲此往年僧寺所亡本。……其錄攜來不言其何人，亦不言得之何所也。黃勉齋作《行狀》，但云「所輯《家禮》，世所遵用，其後多有損益，未及更定」，既不言成於居母喪時，亦不言其亡而復得；其《書家禮後》亦然。敬之朱子季子，公晦、勉齋、安卿皆朱子高第弟子，而其言多參錯不可據如此。

按《文集·朱子答汪尚書》、《與張敬夫書、呂伯恭書》，其論祭儀祭說往復甚詳。《汪、呂書》在壬辰癸巳，《張書》不詳其年，計亦其前後也。壬辰癸巳距庚寅僅二三年，《家禮》既已成書，何爲絕不之及，而僅以祭儀祭說爲言耶？陳安卿錄云「向作《祭禮》甚簡，而易曉，今已亡之矣，則是所亡者乃《祭禮》而非《家禮》也明矣。（《白田雜著》卷二）

王白田認爲，如果《家禮》是在母喪時所作，爲何在《家禮序》和黃幹《行狀》中都沒有說到這一點？如果如《年譜》所說，因喪祭之儀又推之於冠婚，何以《家禮序》中沒有說起？如果確如陳淳、黃幹所說《家禮》是失而復得，何以黃幹作爲朱門最重要的傳人在《家禮後序》中沒有提及？王白田特別提出，在全部朱子《文集》、《語錄》中沒有一個地方提到朱子曾作過名爲《家禮》的著作，成爲對比的是，朱子多次提到著過《祭禮》和《祭禮》曾經亡失。基於如上理由，王白田以爲朱子曾經被竊去的並不是《家禮》，而是《祭禮》，《家禮》並不是朱子所作。《四庫提要》完全採取了白田的這一說法。

就朱子是否著過《家禮》這一根本點說，白田的這些論難在邏輯上並非十分有力。如果根據各種證據表明朱子四十一歲（庚寅）時並未著成《家禮》一書，那也只是否定了《家禮》成於庚寅的可能，並不能排除《家禮》在以後才完成的可能性。事實上，《年譜》也說，四十一歲居母喪時先成喪祭禮，服除之後年歲間，又推之於冠婚。所謂「又推之於冠婚」本來也不即是說庚寅年即推之冠婚，「又」即後來之意。《年譜》將《家禮》成一年繫於庚寅年下，亦出於無奈，因爲《家禮序》沒有年月，既然《家禮》中的《祭禮》的寫作可以追溯到居喪時，所以也就只得繫在庚寅了。其實，庚寅朱子確乎沒有寫過《家禮》，這一點王白田是正確的。但白田發現的舊譜的這一年代差誤，並不能從根本上推翻朱子曾在後來其他時候寫成《家禮》的可能性。至於《家禮序》何以沒有提到居喪或由喪祭推之冠昏的寫作過程，也並不是十分重要的，因爲沒有任何東西能要求作者序文中必須提及此事。甚至於，即使序文是僞作的，也並不能就排除本文是朱子所作的可能性。比較重要的倒是，《家禮》一書朱子一生從未提起，朱子平生著作甚多，其他著作，《文集》或《語類》皆有論及，獨《家禮》一書不見提起，這確實十分奇怪。

對此，清朝另一位學者夏炘提出，不能因爲朱子沒有提到過《家禮》的名稱就否定此書，如果朱子談到過與《家禮》內容相同的著述，則可以經過考訂而確認之。他說：

> 《家禮》一書，朱子所編輯，以爲草創未定則可，以爲他人之所僞托則不可。黃勉齋、楊信齋、李果齋、陳安卿、黃子耕諸公皆朱子高第弟子，敬之亦能傳其家學，甫易簀而此書即出，六先生不以爲疑，直至元至正間應氏作《家禮辨》，以爲非朱子書，明邱瓊山斥之，以《家禮序》非朱子不能作，王白田發明應氏之說，吾未之敢信。葉味道問喪祭之禮今固難行，冠昏自行可乎？曰：亦自可行，某今所定，前一截依溫公，後一截依伊川。楊信齋《家禮附錄》注引朱子曰：某定昏禮，親迎用溫公，入門以後則從伊川。此二條，雖不明言《家禮》，然所定必有一書。今《家禮》之昏禮親迎用書儀，入門以後用伊川說，與葉楊所記者合，則所定即《家禮》無疑。《文集·答汪尚書》云：嘗因程子之說，草具祭寢之儀，將以行於私家，而遭年遭喪，未及盡試。《答張敬夫書》云：祭禮修定處甚多，大抵多本程氏而參以諸家。《與蔡季通書》云：祭禮只是於溫公書儀內少增損之。葉味道錄云：某之祭禮不成書，只是將司馬溫公書減卻幾處。陳安卿錄云：某嘗修祭禮，只就溫公儀中間行禮處分作五六段，甚簡易曉，後被人竊去，亡之矣。以上諸條，曰草具，曰修定，曰嘗修，非祭禮明有一書乎。今細校《家禮》皆合。然則曰草具、修定、嘗修，非指今之《家禮》乎。（《述朱質疑》卷七《跋家禮》）

夏炘所引《語錄》婚禮兩條是否可以證明《家禮》，容後討論，其引答汪、張、蔡書及葉、陳所錄關於祭禮的材料以證《家禮》，嚴格說來，也是不妥的。因爲朱子與數人書皆論乾道中所成之《祭禮》一書，未及《家禮》，雖然後來的《家禮》一書中包括有祭禮的部分，但不能用朱子論《祭禮》的材料證明《家禮》。

近人錢穆於《朱子新學案》中亦提及此書眞僞問題，錢氏指出，「朱子卒及其葬，値黨禁方嚴，謂有人焉，據其跋文，僞造專禮，又僞作序文，及朱子之卒獻之於家，有是人，有是理乎？」（《朱子新學案》第四，頁171）這個詰問也是很有力的。朱子晚年遭慶元黨禁，列爲僞學之魁，落職罷祠，常人避之猶不及。朱子死後當政尙禁止門人因葬事聚會，設想在這個時候有人熱衷於僞作朱子之書，且在下葬之日攜到朱子家中，是極不合理的。

四、《祭禮》小考

以上已將昔賢關於《家禮》的辯論略爲敘述，總上所論，須解決以下問題：乾道庚寅朱子是否著成《家禮》？如果沒有，庚寅後朱子於乾末淳初是否著成《家禮》？朱子是否著過《祭禮》，其與今傳《家禮》關係如何？《家禮》序是否朱子所作，《家禮》本文是否朱子所作？此節專論祭禮。

朱子確有祭禮一書，且完成於喪母之前，《朱子答林擇之書》云：

> 某所請未報，元履聞有添差台學之除。……《祭儀》稿本納呈，未可示人。（《文集》《別集》卷六）

此書作於己丑春夏間，朱子喪母則在己丑秋，此時《祭儀》已有稿本。實際上在此之前，朱子也曾寄給張栻，故朱子《又與林擇之書》云：

> 敬夫又有書理會《祭儀》，以墓祭節祠爲不可。然二先生皆言墓祭不害義理，又節物所尚，古人未有，故止於時祭。今人時節隨俗燕飲，……方欲相與反復，庶歸至當。但舊僅亦甚草草，近再刊削，頗可觀。一歲只七祭爲正祭，自元日以下皆用告

朔之禮以薦節物於隆殺之際，似勝舊儀，便遽未及寫去。（《文集》四十三）

此書首云「熹奉養祖安，得擴之朝夕議論」。朱子喪母在己丑秋，此云奉養，必在其前。又云擴之朝夕講論，林擴之從遊乃在乾道戊子，故此書在朱子喪母前一年戊子。據此書「舊儀」之說，《祭儀》成稿似已有年。朱子嘗言：

某十四歲而孤，十六而免喪。是時祭祀，只依家中舊禮。禮文雖未備，卻甚整齊。先妣執祭事甚虔。及某年十七八，方考訂得諸家禮，禮又稍備。（《語類》九十）

以此參之，舊儀者即朱子十七八時所訂祭禮，至是頗加刊削，起於張栻之不滿此儀。張栻致朱子書「示以所訂祭禮，……時祭之外，冬至祭始祖，立春祭先祖，秋季禰，義則精矣。元日履端之祭亦當然也，而所謂墓祭節祠者亦有可議者」。（《南軒文集》卷二十）朱子因答其書云：

祭說辨訂精審，尤荷警發。然此二事初亦致疑，但見二先生皆有隨俗墓祭不害義理之說，故不敢輕廢。至於節祠則又有說，蓋今之俗節，古所無有，故古人雖不祭而情亦自安。今人既以此爲重，至於是日必具殽羞相宴樂，而其節物亦各有宜，故世俗之情至於是日不能不思其祖考，而復以其物享之。……至於元日履端之祭，禮亦無文，今亦只用此例。又初定儀時，祭用分至，則冬至二祭相仍，亦近煩瀆，今改用卜日之制，尤見聽命於神而不敢自專之意。其他如此修定處甚多，大抵多本程氏而參以諸家，故特取二先生之說，今所承用者爲《祭說》一篇，而《祭禮》、《祝文》又各爲一篇，比之昨本稍復精密。（《文集》卷三十《答張敬夫》）

朱子之意，今人各種俗節如端午等，古之所無，故古禮無此文。但今人過節，必有思祖之情，故當隨俗有祭。後來朱子對門人亦說：「向南軒廢俗節之祭，某問至午日能不食粽乎？重陽能不飲茱萸酒乎？不祭而自享，於心安乎？」（《語類》九十）

由上與張栻書可見，朱子確有《祭儀》（或稱《祭禮》）一書，其書今分爲三篇：《祭說》、《祭禮》、《祝文》，在喪母前已成規模，故《年譜》言居喪始作，非也。但朱子後來又屢修改，也是事實。

朱子喪母後二年，乾道壬辰呂祖謙喪父，亦欲考訂祭禮，嘗問於朱、張。張栻回書云：「祭儀向來元晦寄本頗詳，亦有幾事疑，後再改來，往往已正，今錄去。但墓祭一段鄙意終不安，尋常到山間，只是頓顙酒掃而已，時祭只用二分二至，有此不同耳。」（《南軒文集》二十五《與呂伯恭》）而朱子復呂書云：

> 《祭禮》略已成書，欲俟之一兩年徐於其間察所未至，今又遭此朞喪，勢須卒哭後乃可權宜行。考其實而修之，續奉寄求訂正也。（《文集》三十三《答呂伯恭》）

此二書在壬辰，這說明，朱子本來認爲此書理論上已經完成，但須在實踐中「察其未至」以修定之，但因己丑秋喪母，未能即施行之。

朱子寄《祭禮》給呂祖謙，見於其另一書：「《祭禮》已寫納汪丈處，托以轉寄，然其間有節次修改處，俟旦夕別錄上呈，求訂正也。」（同上）這是因爲壬辰、癸巳間汪應辰問祭禮於朱子，朱子癸巳年有《答汪尚書論家廟書》：

> 熹又嘗因程氏之說，草具祭寢之儀，將以行於私家，而連年遭喪，未及盡試。（《文集》卷三十《答汪尚書論家廟》）

此書原注癸巳，朱子44歲，此書與前引《答呂書》意同，都是說本來計劃在家中試行所訂祭禮，但連年有母、叔母、舅氏之喪，不及施行。

朱子又有《答蔡季通》一書：

題辭協律恨未得聞，且愧其聞義之不稱也。祭禮只是於溫公儀內少增損之，正欲商訂，須俟開春稍暇乃可爲也。程氏冬至、立春二祭，昔嘗爲之，或者頗以僭上爲說，亦不爲無理，亦並俟詳議也。（《文集》四十四《答蔡季通》）

此書所作之年不詳，按《答張敬夫、汪尙書》皆云《祭儀》多本於程氏，此書謂於溫公書儀內增損之，略不同。疑《祭儀》中的《祭說》多取二程之說，而《祭禮》之節文則以《書儀》爲基礎加以增刪。

呂祖謙晚年作成《家範》一書，亦是訂定家禮，其中多次引用「朱氏祭儀」，可見朱子確有《祭儀》一書。呂祖謙卒於淳熙八年，時朱子52歲，於此推斷，至少在朱子52歲時，還沒有著成一部名爲《家禮》的書，否則呂祖謙的《家範》一定會援用。根據朱熹、張栻、呂祖謙乾淳之間的往來情況，如果在這一時期朱子確曾寫成《家禮》，不論是否後來爲人竊去，一定會寄張、呂共同研討，何況呂祖謙訂定《家範》，張栻在廣西結集《三家禮範》，三人皆對家禮如此重視呢。

在《語類》中也有不少地方提到祭儀：

問：嘗收得先生一本《祭儀》，時祭皆是卜日，今聞卻用二至二分祭，如何？曰：卜日無定，慮有不虔。溫公亦云只用分至亦可。問：如此則冬至祭始祖，立春祭先祖，季秋祭禰，此三祭如何？曰：覺得此個禮數太遠，似有僭上之意。又問禰祭，曰此卻不妨。（《語類》九十）

某之《祭禮》不成書，只是將司馬公書減卻幾處。（同上）

溫公儀人所憚行者，卻爲閑辭多，長篇浩瀚，令人難讀。其實行禮處無多。某嘗修《祭禮》，只就中間行禮處分作五六段，甚簡易曉，後被人竊去亡之矣。李丈問：《祭儀》更有修改否

？曰大概只是溫公儀，無修改處。（同上）

向所作祭儀祭說甚簡而易曉，今已亡之矣。(引自《家禮考》)

堅持《家禮》爲朱子所作的人常引以上數條爲據，但是，從本節考察來看，這幾段材料都只說是《祭禮》一書，而不是作爲《家禮》中一部份的《祭禮》。尤其是陳淳所錄「溫公儀人所憚行者」，已說到溫公《家禮》，若朱子自己已有《家禮》，應當提起，但朱子卻只提到曾作《祭儀》。當然，也不能以此即斷定朱子不曾作《家禮》，但至少這幾條只能進一步證實朱子確有《祭儀》一書，而此書確被人竊去而亡失。

根據以上考察，可知《祭儀》稿本在朱子早年即成，而改訂於戊子己丑。實際行於家者則屢有改變。沒有材料可以證明朱子在50歲以前已著成《家禮》。

五、幾條新證

夏炘在反駁王白田時曾提出兩條語錄作爲新證，這兩條語錄是：

問：喪祭之禮今之士固難行，冠昏自行可乎？曰：亦自可行，某今所定，前截依溫公，後一截依伊川。（《語類》八十九）

某定昏禮，親迎用溫公，入門後則從伊川。（引自楊復《家禮附錄》）

夏炘說：「此二條雖不明言《家禮》，然所定必有一書，今家禮昏禮親迎用書儀，入門以後用伊川說，與葉楊所記者合，則所定即指《家禮》無疑。」（《述朱質疑》卷七《家禮跋》）但夏氏此說過於武斷，因爲僅就「某今所定」、「某定昏禮」，這兩句話來說，也都可以是指朱子家中所行之禮，不必指爲一書，所以這裡不僅「不明言《家禮》」，亦未明言「所定」爲一書。楊復所引一條，不見於《語類》，此條語錄見於楊與立《朱子語略》卷八，頁九十一（嘉慶程氏刻本）。但首句爲「某向定昏禮」。《語類》有一條近似「迎婦以前，溫公底是；婦入門以後，程儀是」（《語類》八十九），但僅此亦不足以爲證。因爲作僞者必然要根據朱子思想爲依據，除非在具體節文而不僅僅是基本思想上找出《家禮》與朱子自述相合之處。

錢穆亦曾引出一條新證。朱子《答呂伯恭》：

> 熹近讀《易》，覺有味，又欲修呂氏《鄉約》《鄉儀》，及約冠昏喪祭之儀，削去書過行罰之類，爲貧富可通行者，苦多出入，不能就，又恨地遠，無由質正，然旦夕草定，亦當寄呈。（《文集》三十三《答呂伯恭》）

此書作於淳熙乙未冬，時朱子46歲，表面上看，「及約冠昏喪祭之儀」，正與《年譜》「又推之冠昏」，「共成一編」相合，上山春平亦以此爲說（參見上山春平《朱子家禮與儀禮經傳通解》，《東方學報》五十四冊）。但是，此處所說「及約冠昏喪祭之儀」是指約簡呂氏《鄉約》《鄉儀》中的冠昏喪祭之儀，下接所說「削去書過行罰」也是針對鄉約而發，故修、約、削，都是指呂氏《鄉約》及《鄉儀》，是說要修改《呂氏鄉約鄉儀》，減去《鄉儀》中冠昏喪祭的儀節，去掉《鄉約》中書過行罰的條文，以使成爲貧富皆可以行的地方規約。

淳熙乙未春夏間，朱熹曾刊行《鄉約》和《鄉儀》，當時曾寄給正在廣西的張栻，張栻曾復書朱子：

> 陸子壽兄弟如何？肯相聽否？……昨寄所編《祭禮》及《呂氏鄉約》來，甚有益於風教。但約細思之，若在鄉里，願入約者是只得納之，難於擇揀。……兼所謂罰者可行否，更須詳論。（《南軒文集》二十二）

此書在乙未夏，時張栻帥廣西一路，推行禮教，頒布《三家禮範》（但闕冠禮），以化民成俗，朱子寄《祭禮》及《鄉約》，是否應張栻之請，亦不得知。但朱子《祭禮》張栻早已得本，不知此處所說是指改訂之《祭儀》還是淳熙元年所編《古今家祭禮》。要之此時朱子尙無《家禮》一書，否則必亦寄呈南軒。

《朱子文集》有《增損呂氏鄉約》一文，當亦作於淳熙乙未丙申間。《增損呂氏鄉約》於原《鄉約》第一節「德業相勸」增損無多，第二節之「過失相規」中則於書過一事略緩之。而改動最大者爲第三節「禮俗相交」。朱子將鄉儀中造請拜揖等增入之，又增入鄉儀之吊哭入慶等。但鄉儀中原有的吉儀（祭）、嘉儀（冠昏）及凶儀中的居喪皆未載入，這就是朱子所說的「欲修呂氏《鄉約》《鄉儀》，及約冠昏喪祭之儀，則去書過行罰之類」，朱子之意欲將《鄉約》《鄉儀》合併爲一，減去冠昏喪祭部分，只存通禮。所以答呂伯恭此書亦不能證明朱子當時正在或已經撰寫《家禮》一書。

那麼，是否找不到任何進一步的材料可以幫助證實《家禮》的眞實性呢？這也不然，茲就《家禮》一書與朱子平時所論思想略加比較，試提出幾條有助於證實家禮之眞實性的材料。

今《家禮》之昏禮中，議昏、納采、納幣、親迎及最後婿見婦之父母五節皆依溫公《書儀》，而簡化之。婦見舅姑一節兼用溫公、伊川之意。廟見《書儀》本無此節，《家禮》立此一節，蓋有取於伊川昏禮（《二程文集》十一）。但家禮三日即見於祠堂，與伊川亦不同。朱子曾云：「迎婦以前溫公底是，婦入門後程儀是，溫公儀親迎只拜妻之父兩拜，便受婦以行，卻是，程儀遍見妻之黨，則不是。溫公儀入門便廟見，不是。程儀未廟見，卻是。大概只此兩條。」（《語類》八十九）今《家禮》之昏禮與朱子此說合，親迎部分與朱子晚年所訂《趙婿親迎禮大略》亦相合。但程儀婦入門後三月始廟見，雖爲古禮，朱子嫌其太長，故改爲第三日見於祠堂，這一點《語類》有很多解釋。

伊川《祭禮》，冬至祭始祖，立春祭先祖，季秋祭禰。今《家禮

》亦繼承此意，朱子曾說他的祭儀「多本程氏而參以諸家」「因程氏之說草具祭寢之儀」，從《家禮》中的祭禮部分來看與朱子所說的這個原則是相合的。朱子與南軒辨祭儀時，南軒著意反對節祠、墓祭二條。考今《家禮》，祭禮中有墓祭，節祠則入於通禮之中，亦與朱子堅持墓祭節祠相合。惟朱子《與林擇之書》、《張南軒書》皆曾提及《祭儀》本有「元日履端之祭」，而爲今之《家禮》所無，此是否因後來訂定時刪去，亦不得而知。

近檢呂祖謙晚年所定《家範》，其中祭禮部分提到張栻和朱熹的《祭儀》，玆將呂伯恭《家範》之祭禮中論及朱子《祭儀》的三處錄之如下：

陳設

設香案於廂中，置香爐香合於其上，束茅於香案前地上。設酒架於東階上，別以桌子設酒注一、酒盞盤一、匙一、盤一、巾一於其東，對設一桌於西階上，以置祝版，設火爐、湯瓶、香匙、火匙於階上。（小注：以上朱氏《祭儀》）（《東萊別集》卷四《家範四・祭禮》）

祭饌

果六品，醢醬蔬共六品，饅頭、米食、魚肉、羹飯共六品。（小注：以朱氏《祭儀》參定）（同上）

朱子《祭儀》一書今已不得見，但查之今《家禮》之祭禮，與呂氏所引相合。《家禮》載：

前日設位陳器

……設香案於堂中，置香爐香合於其上，東茅聚沙於香案前，（文據《四庫全書》本，此句中「東茅」當爲「束茅」之誤。）及逐位前地上。設酒架於東階上，別置桌子於其東，設酒注一、酹酒盞一、盤一、受胙盤一、匙一、巾一、茶合茶筅茶盞托鹽碟醋瓶於其上。火爐、湯瓶、火筯置於西階上，別置桌子於其西，設祝版於其上，設盥盆帨巾各二，於阼階下之東西，其西者有台架，又設陳饌大床於其東。（《家禮・祭禮》）

省牲滌器具饌

……每位果六品，菜蔬及脯醢各三品，肉、魚、饅頭、糕各一盤，羹、飯各一碗，……。（同上）

根據呂祖謙《家範》引述朱氏《祭儀》的材料，我們可以斷定，今《家禮》中之《祭禮》確實爲朱子所作。《家禮》中之《祭禮》文字頗詳，不可能抄自呂氏《家範》。《家禮》之《祭禮》當即由朱子早年著成的《祭儀》修定而來，這可以說是《年譜》所謂「因成祭禮，又推之於冠昏」的佐證。呂祖謙乾道末丁憂時曾向張栻索要朱子《祭儀》稿本。呂氏死於淳熙八年辛丑，其《家範》之書究竟成於何時，已無可考，可以肯定的是，呂氏著《家範》時朱子尚無《家禮》之書，否則呂氏不會稱朱子書爲「朱氏祭儀」，且在昏喪等禮中亦必引述之。

考定今《家禮》一書中之祭禮部分確爲朱子所作，雖然還不就是百分之百地證實了《家禮》全書爲朱子所作，但在證實《家禮》爲朱子之書方面進了一大步。因爲《祭禮》可以說是《家禮》中最重要的部分。在證實了《家禮》中之《祭禮》部分爲朱子所作的基礎上，我們才有根據確信《語類》中「某今所定冠昏之禮」、「某向定昏禮」是指曾有《家禮》一書，而不只是行於私家之禮數。事實上，如果黃幹和朱在不是朱子生前確實知道朱子曾著過《家禮》一書，是決不可能僅憑某人在葬日攜來的書本即輕易相信的。黃幹是朱子女婿，又是朱子的學術繼承人，朱在是當時唯一活著的兒子，對於朱子這樣一位在當時爲「泰山喬岳」的人物，他們是決不會輕率地相信一部無有來歷的著作並把它作爲朱子遺著加以刊行的。所以，以黃幹、朱在及朱門其他高弟對《家禮》直信不疑的態度而言，本足以使我們相信《家禮》爲朱子所作，而呂氏《家範》保留的朱子《祭儀》的材料使我更加確信這一點。至於王白田提出的何以朱子平生文字從未提及此事的詰難，的確是一個不易解釋的問題。我現在的解釋是，張南軒、呂東萊生時，朱子有所編著，必送二人參訂，二人有所著亦呈朱子商訂。張、呂分別死於朱子51、52歲時，《家禮》的完成當在二人死後，此時朱子已無可以討論的親密朋友，故此後未曾與人論起，這不是不可以解釋的。（按：《朱子文集》三十三《答呂伯恭第四十七書》中云「禮書亦苦多事，未能就緒，書成當不俟脫稿首以寄呈，求是正也。」其書在丙申，但考前後諸書，皆不明「禮書」何指，故難以爲據。）

——原載《北京大學學報》（哲學社會科學版）一九八九年第三期，頁一一五——一二二。

王柏、金履祥的疑經思想

黃宣民

王柏（西元一一九七——二七四年），字會之，號魯齋，出身於理學世家，從學於朱熹高弟黃榦門人何基。金履祥（西元一二三二——三〇三年）字吉父，號次農，學者稱仁山先生，從學於王柏並登何基之門。何基、王柏、金履祥以及履祥弟子許謙均係浙江金華（婺州）地區人，因其以傳播程、朱理學著名，被稱爲「金華四先生」。他們是金華朱學的主要傳人。

金華朱學是一個重視儒學經傳的正統學派，而在這一學派中恰好產生了懷疑經傳的思想。他們既要護衛「聖人之道」，而又懷疑「聖人之經」，從表面看來，二者似相矛盾。其實，在理學的發展過程中，衛道與疑經是相輔相成的，而且是宋學取代漢學時的重要特徵之一。

金華朱學的疑經思想，以王柏、金履祥爲最著。他們都是學識廣博而有懷疑精神的學者。據《宋史・何基傳》載：「王柏既執贄爲弟子，基謙抑不以師道自尊。柏高明絕識，序正諸經，弘論英辯，質問難疑，或一事至十往返。……基文集三十卷，而與柏問辯者十八卷。」何基認爲，對於傳統的經書應當謹守精玩，不必多起疑論，故其重在「發揮」經傳（註一）。王柏則不然，著《詩疑》、《書疑》、《大學沿革後論》、《中庸論》等，對經傳多所疑論。金履祥雖然兼有何、王的特點，但亦偏重於懷疑經傳，其所著《尙書注》、《論孟集注考證》等書，對於傳統的經書乃至朱熹的注解也提出了不少疑難。

在王、金的疑經思想中，頗有一些有見地的觀點。它是金華朱學中最具特色和最有價值的部分。

經學是漢儒傳授、講解古代儒家經典的專門學問，亦稱「漢學」。自漢武帝「罷黜百家、獨尊儒術」以後，經學取得了學術思想的正宗地位，自漢至宋的千餘年間，在儒學營壘中，出現過兩種不同的疑經思想：一種是直接批判「聖人之道」的異端思想，如東漢王充的《問孔》、《刺孟》，唐代劉知幾的《疑古》、《惑經》者是；另一種是反對漢儒曲解經典的思想。宋代劉敞作《七經小傳》，歐陽修著《詩本義》，鄭樵撰《詩辨妄》開啓了宋學反對漢學的先河。朱熹作爲理學之集大成者，從所謂「聖人之道備於《六經》」的觀點出發，對漢儒錯亂經文深致不滿。他在一首詩中寫道：「大易圖象隱，詩書簡編訛。禮樂矧交喪，春秋魚魯多。瑤琴空寶匣，絃絕將如何？興言理餘韻，龍門有遺歌。」因此，他承二程的餘韻，作《周易本義》、《詩集傳》、《詩序辨說》（按：王應麟謂其說「多取鄭漁仲《詩辨妄》」（註二）），臨死前，囑其門人蔡沈作《書集傳》，力圖矯正漢學之弊。何基稱讚他「訂正四古經，《詩》、《書》則斥去（漢儒）小序之陋，而求經文之正意。《易》則還古《易》篇第之舊，而義主象占，以窮羲、文之本旨，以上接鄒魯之正傳，自濂洛開端以來，汎掃廓大之功，未有倘焉者也。」（註三）隨著理學的興起，在學術文化領域內出現了一股疑經思潮，形成了宋學與漢學的對立。經學本身也就在宋學批判漢學的過程中獲得了進一步的發展。

王柏、金履祥是正宗學者，他們的疑經思想不是來自王充和劉知幾，而是繼承並發展了朱熹否定漢學的宋學學風。王柏在《詩辨序》中寫道：

> 聖人之道以書而傳，亦以書而晦。夫天高地下，萬物散殊，皆與道爲體，然載道之其全者莫如書。……及其專門之學（按：

指漢代經學）興而各主其傳，訓故之義作而各是其說。或膠於淺陋，或騖於高遠，援據傅會，穿鑿支離，詭受以飾私，駕古以借重，執其詞而害於意者有之，襲其說而誣其義者有之，遂使聖人之道反晦蝕殘毀，卒不得大明於天下，故曰以書而晦。此無他，識不足以破其妄，力不足以排其非，後世任道者之通病也。

紫陽朱夫子出而推伊洛之精蘊，取聖經于晦蝕殘毀之中，專以《四書》爲義理之淵藪，於《易》則分還三聖之舊，於《詩》則掇去小《序》之失，此皆千有餘年之惑，一旦汎掃平蕩，其功過於孟氏遠矣。然道之明晦也皆有其漸，蓋非一日之積。集其成者不能無賴於其始，則前賢之功有不可廢；正其大者不能無遺於其小，則後學之責有不可辭。大抵有探討之實者不能無所疑，有是非之見者不容無所辨。苟輕於改而不知存古以闕疑，固學者之可罪，狃於舊而不知按理以復古，豈先儒所望於後之學者！雖後世皆破裂不完之經，而人心有明白不磨之理；縱未能推人心之理以正後世之經，又何忍徇破裂不完之經以壞明白不磨之理乎！（註四）

這裏，王柏從天理的高度申述了經之所以必疑必辨的理由，極力攻擊漢儒，强調欲使「聖人之道」大明於天下，就必須恢復被漢儒所割裂破碎的經書的本來面目。這在形式上是主張復古的，而在實質上則是要求按照宋代理學的觀點改造傳統的經學，以便將其納入理學的思想體系。這從他們對於《詩》、《書》諸經的懷疑可以得到進一步的證明。茲略舉於下：

一、關於《詩經》

王柏認爲，《詩》三百篇並非一個時代的作品，不是盡出於周公之所定，孔子之所刪。周公時代的舊詩不滿百篇，孔子所刪定的詩不是周公已定的詩，而是周公以後龐雜之詩，合而爲三百篇。然今之所謂三百篇，是否周公、孔子之舊，値得懷疑。因爲《詩》、《書》後來同遭秦始皇的焚禁，至漢初，《書》雖有伏生口授和孔壁之藏，仍有四十餘篇不得復見，而所存者也不勝其錯亂訛舛。奇怪的是，《詩》忽出魯、齊、燕三地，且「三百篇之目，宛然如二聖人之舊，無一篇之亡，一章之失，《詩》《書》同禍，而存亡之異遼絕乃如此，而斯之未能信。」（註五）王柏用比較方法指出了現今之《詩》並非孔子時代的原詩。他的學生金履祥後來又重申了這一觀點，說：「王文憲（王柏諡號）有《詩辨》，……因嘗考之秦火之後，《書》失幾半，《禮》失幾亡，而《詩》三百篇何以皆無恙？雖云詩托於聲音之流傳，豈盡夫子之三百篇乎！」（註六）清儒閻若璩頗贊成王柏的見解（註七）。從學術思想發展史上看，王柏、金履祥的這種看法是比較符合歷史實際的。他們對於漢儒的批判，在歷史觀和方法論方面也有其一定的進步意義。

然而，王柏、金履祥因其狂熱的「衛道」，便從疑《詩》進而主張刪《詩》，由此而陷入謬誤。他們以理學家的眼光看待一切事物，當然也以同樣的眼光看待《詩經》。他們把這部彙集我國古代詩歌的典籍中有關男女之間的愛情詩視之爲「淫詩」，並且主觀地斷定這些言情詩是早已被孔子刪去了的，它只是在民間流傳著，而漢儒則把這些「淫奔之詩」攙雜進《詩經》裹來，這就不合「聖人」刪《詩》的本旨。因此，他們要求「有力者請於朝而再放黜之」，以免玷污「聖道」的純潔。王柏寫道：

> 愚嘗疑今日三百五篇者，豈果爲聖人之三百五篇乎？秦法嚴密，《詩》無獨全之理。竊意夫子已刪去之詩，容有存於閭巷浮薄者之口。蓋雅奥難識，淫俚易傳。漢儒病其亡逸，妄取而攙

> 雜，以足三百篇之數，愚不能保其無也。不然，則不奈聖人「放鄭聲」之一語終不可磨滅，且又復言其所以放之之意，曰「鄭聲淫」，又曰「惡鄭聲之亂雅樂也」。愚是以敢謂淫奔之詩，聖人之所必削，決不存於雅樂也審矣。妄意以刺淫亂，如《新臺》、《牆有茨》之類凡十篇，猶可以存懲創人之逸志；若男女自相悅之詞，如《桑中》、《溱洧》之類，悉削之以遵聖人之至戒，無可疑者。所去者亦不過三十有二篇，使不得滓穢《雅》、《頌》，淆亂《二南》，初不害其爲全經也。……今夫童子淳質未漓，情欲未開，或於誦習講說之中反有導其邪思，非所以爲訓。且學者吟哦其醜惡於唇齒間，尤非雅尚。讀書而不讀淫書，未爲缺典。……愚敢記其目（註八），以俟有力者請於朝而再放黜之，一洗千古之蕪穢云（註九）。

王柏把他要求刪《詩經》研究中，拋開依傍漢儒小《序》的傳統方法，直求本經。他肯定《桑中》、《溱洧》一類詩「爲淫奔之詩」，指出漢儒否認其爲「淫詩」的謬誤。在經學史上，這是他的一個貢獻。然而，朱熹並沒有因爲《詩經》裏存在「淫詩」而求予以「放黜」。他提出所謂「凡詩之言，善者可以感發人之善心，惡者可以懲創人之逸志」（註一〇）的理論，借以「衛道」。但這樣一來，那些屬於「惡者」的「淫奔之詩」，也就可以作爲「懲創人之逸志」的反面教材而有其保留的價值了。

王柏在表面上是贊成朱熹的「懲創」說的，但他認爲這種說法只適用於《新臺》、《牆有茨》一類刺淫詩，而於《桑中》、《溱洧》一類「淫詩」則是不適用的。實際上，這是他對朱熹「懲創」說的一種修正。及至金履祥更直接反對了朱熹的這個觀點。他說：「鄭聲之淫，夫子嘗欲放之，而今鄭聲俱在，雖序者巧以爲他事及刺人，然其淫醜之態不可掩也。……以此觀之，其間淫詩固夫子之所去，而世俗之所傳者，諸儒得之，例以爲古詩而不察也。不然，則若《溱洧》、《桑中》諸詩幾於勸矣，而何『懲創』之有哉！」（註一一）事實上，王柏、金履祥只有在否定漢儒的同時，修正或否定朱熹的「懲創」說，才能使自己的「放黜」論得以成立。

應當指出，王、金二氏的「放黜」論並非個人的隨意之談，而是理學思想發展必然得出的論點。在宋元之間，要求按照理學的觀點重新修訂經書，蔚然成風。與王柏同時代的沈朗就曾向朝廷奏請重訂《國風》。其理由是：「《關雎》，夫婦之詩，頗嫌狎褻，不可冠《國風》。」故別撰《堯》、《舜》二詩以進，並因此受到理宗的嘉奬，賜帛百匹。可是，這位封建統治者也沒有膽量代行孔子的職權而刪《詩》。

對於沈朗這場小小的鬧劇，清人袁枚評論道：「敢翻孔子之案，迂謬已極。……余嘗笑曰；『《易》以《乾》、《坤》二卦爲首，亦陰陽夫婦之義，沈朗何不再撰二卦以進乎？』且《詩經》好序婦人，詠姜嫄則忘帝嚳，咏太任則忘太王。律以宋儒夫爲妻綱之道，皆失體裁。」（註一二）這位著名文學評論家以辛辣的筆觸嘲笑了理學家的愚妄。

至於王柏的「放黜」論，更加引起了後世的非議。《四庫》館臣從「衛道」觀點斥其刪《詩》之妄，說：「柏何人斯，敢奮筆而進退孔子哉！」（註一三）一個虔誠的「衛道者」竟因此而變成了狂妄的「異端」，自然是王柏始料所未及的。近代經學家皮錫瑞譴責王柏「《詩疑》刪《鄭》、《衛》，《風》、《雅》、《頌》亦任意改易，可謂無忌憚矣。……經學至斯，可云一阨。」（註一四）章太炎則從「國粹」觀點批評王柏一派「欲自行刪《詩》，亦可謂膽大妄爲者矣。」（註一五）顧頡剛肯定了王柏《詩疑》的疑古精神，但也指出他要「把《詩經》刪掉許多，這是他的罪。」（註一六）王柏對漢儒《

詩序》的批判還是有些歷史眼光的，然其對待《詩經》本身卻採取了一種不顧歷史的態度，企圖削古代經典之足，以適理學思想之屨，這就是他之所以未能審慎對待歷史文化遺產的癥結之所在。

二、關於《書經》

王柏首先反駁了一種傳統觀點，即信古而不可疑經。他說：「在昔先儒篤厚信古，以為觀《書》不可以脫簡疑經，如此則經可盡疑，先王之經無復存者。」王柏不同意這種觀點，認為「先王之經」本不可疑，只是在經過秦始皇焚禁之後，「後世不得見先王之全經」，「經既不全，固不可得而不疑」。還說，所疑者非疑先王之經，而是疑後世之經。因此，他批評了漢唐諸儒「泥古護短」（註一七）的保守習氣。

對於《書經》（又名《尚書》）的懷疑，並非始自王柏。在他之前，已有吳棫、朱熹疑《尚書》古文，趙汝談則並疑今文。王柏也是既疑古文，又疑今文，全面排擊漢儒。

朱熹曾從語言之難易的角度，提出他對於《書》古文的懷疑。他說：「孔壁所出《尚書》，如《禹謨》、《五子之歌》、《胤征》……皆平易，伏生所傳皆難讀。如何伏生偏記得難底，至於易底全不記得，此不可曉。」（註一八）王柏則從駁斥所謂「孔壁之書皆蝌蚪文字」之說，進一步論證了《書》古文之可疑：第一，所謂蝌蚪之書體，求之而不可得，後世所傳夏、商時代的彝、鬲、盤、匜之類器物，舉無所謂蝌蚪之形；第二，謂蝌蚪始於顓帝，不過是因襲《書序》作者對遠古時代的傅會；第三，既然說「蝌蚪書廢已久，時人無能知者」，又不知何以參伍點畫，考驗偏旁而更為隸古文字的？第四，或曰「以所聞伏生之書，考論文義，定其可知者」，則可見「古文之書，初無補於今文，反賴今文而成書，本欲尊古文而不知實陋古文也」；第五，「孔氏之遺書，如《周易・十翼》、《論語》、《大學》、《中庸》之屬，皆流傳至今，初不聞有蝌蚪之字於它書，而獨記載於《書・大序》，其張皇妄誕，欺惑後世無疑。」（註一九）金履祥更疑孔安國《尙書序》爲東漢人之僞作，指出「不惟文體可見，而所謂『聞金石絲竹之音』，端爲後漢人語無疑也。蓋後漢之時，讖緯盛行，其言孔子舊居，事多涉怪，……則此爲東漢傳古文者托之可知也。」（註二〇）他們從歷史的考察中，表示對《書》古文的懷疑，這種方法給後儒以很大的影響。

王柏認爲，《書》今文同樣値得懷疑，因爲漢初，伏生已年老，口不能正言，使其女傳言以授鼂錯，而且伏生、女子爲齊人，鼂錯爲潁川人，語音各異，只能以意屬讀，故錯訛甚多，因此，《今文尙書》也是不可靠的。於是，他由疑經進而要求改經。他說：

> 讀《書》者，往往困於訓詁而不暇思經文之大體，間有疑者又深避改經之嫌，寧曲說以求通，而不敢輕議以求是。……然伏生、女子之口傳，孰不知其訛舛？聖人之經不可改，伏氏之言亦不可正乎？糾其謬而刊其贅，訂其雜而合其離，或庶幾得乎聖人之舊，此有識者之不容自已。……嗚呼，歐陽公（修）曰：「經非一世之書也，傳之謬非一日之失也，刊正補緝非一人之能也，使學者各極其所見而明者擇焉，以俟聖人之復生也。」予深有感於斯言（註二一）。

王柏據此作《書疑》九卷，略於訓注而重訂錯簡、移易補綴全經。如他據孟子所讀之《堯典》，認爲戰國之時二典未嘗分離，故併《舜典》於《堯典》；以文意不順，合《益稷》於《皐陶謨》；又以《論語》所引「堯曰：咨！爾舜，天之歷數在爾躬，允執其中，四海困窮，天祿永終」二十四字補「舜讓於德，弗嗣」之下，作爲《堯典》經文。又刪去蕭齊姚方興於《舜典》「愼徽五典」之上所增二十八字

（按：即「曰若稽古帝舜，曰若重華，協於帝。濬哲文明，溫恭允塞，玄德升聞，乃命以位」）俾二典不致相離，等等。他以爲經過這樣一番刪改、移易補綴，即可使這部「二帝三王之書」得「復聖人之舊」。然而，如同他因爲刪《詩》而受到後人批評一樣，其改《書》也不能不遭非議。《四庫全書總目提要》作者斥其「師心杜撰，竄亂聖經」，「排斥漢儒不已，並集矢於經文」，有違「濂洛關閩諸儒立言垂教之本旨」（註二二）。近人劉師培也批評他「妄疑《大誥》、《洛誥》不足信，移易本經，牽合附會。」（註二三）

王柏的《書疑》誠然不是一部嚴謹的學術著作，其中紕謬甚多，但它也有某些不可忽視的學術成就。例如，他指出姚方興所增二十八字中「玄德」二字不見於《六經》，而是晉代所崇尙的老莊之言，故知其絕非本語（註二四），這就從思想史上揭露出《古文尙書》之僞。他的《堯典疑》，實際上反映了他對上古歷史的懷疑。如說堯時「四岳」位尊德厚，爲什麼卒無姓名聞於後？堯有天下七十載，爲什麼與之共治者稀闊寂寥如此之甚？又如在疑「宅南交」與「在璿璣玉衡」的注文時，他應用地理和天文學知識，指出了朱熹、蔡沈的注解有美化上古歷史的錯誤（註二五）。關於「宅南交」，蔡沈《書集傳》謂指交趾之地。王柏說：「愚恐未然。交趾在舜時爲要荒之外，而洞庭、彭蠡之間三苗方負固不服，則何以萬里建官於獸蹄鳥跡之中乎？」關於「璿璣玉衡」，《書集傳》謂爲渾天儀。王柏問道：「若果爲渾天儀之類，制度精巧如此之至」，爲什麼史臣不略提其綱，而但以「在璿璣玉衡」五字而止之？王柏疑「璿璣玉衡」爲古人稱北斗之名未必即是，但他指出堯時尙無渾天儀之制則不可以爲非（註二六）。

在《大誥疑》中，他尤其批判了宗教神學世界觀，指出所謂「寧王遺我大寶龜」，「何異於唐德宗遭奉天之難而委之以先定之數也」。由於王柏不了解殷周時代是一個迷信天命的歷史時代，因此，他不相信「聖如周公，經國制事，而肯出是言」，進而懷疑這篇文獻的眞實性。這裏，他也因爲缺乏歷史觀點而犯了美化古代「聖人」的錯誤。王柏還認爲，《大誥》不以「義」討伐武庚，「拳拳只說一個『卜』字」，「乃欲假蓍龜以鎭壓天下之邪心」（註二七），這一方面反映他以理學家眼光看待歷史的迂腐之見，另一方面又說明他是反對宗教迷信和命定論的。聯繫到他對邵雍象數學的批判（註二八），可以看出王柏這種非命論是他疑經思想中的進步成分。王柏因疑《大誥》而被責爲「集矢於經文」，看來，他在這個問題上比後世某些封建衛道者倒還要高明一點。

王柏的學生金履祥「推本父師之意」（註二九），對《尙書》做了更爲深入的研究，取得一些超越前人的成果。例如，他推翻了《書序》和《史記》關於《高宗肜日》爲武丁祭成湯的舊說，肯定此篇爲「祖庚之時繹於高宗之廟」而作（註三〇）。他的這個觀點長期沒有得到應有的重視，只是到了王國維的時候才使它得到肯定。王國維在其《高宗肜日說》一文中，通過對卜辭的研究，詳細論證了金履祥這一說法的正確性。他說：「仁山之說雖與《書序》及古文家說不同，然得其證於後出之卜辭，可知殷之史事在周世已若存若亡，此孔子所以有文獻不足之嘆歟！」（註三一）

由上可見，王柏、金履祥如果沒有對前人的批判精神，他們在學術上就不可能取得這樣的成就。但也必須指出，王柏、金履祥作爲理學家，他們疑經的根本目的在於發展理學。他們摒棄兩漢經學的讖緯迷信思想，而又代之以道統心傳之學，爲理學尋找歷史的或理論的依據。例如，王柏竟說《大學》原出於《堯典》，「『明德』、『新民』、『至善』皆在其中」，「其體用、本末、先後，已極分明。」（註三二）又說，「天命之性」始於《湯誥》，《大禹謨》所言「危微精一」，得唐、虞之心傳，爲「萬世帝王之寶典。」（註三三）他甚至說，殷高宗「恭默思道之時，無跡之可尋，無法之可受，商家一箇天下，密運於方寸之間。」（註三四）金履祥也說：「恭者，敬身以處。默者，不言而思。思道者，想此道體何如也。此高宗舊學處」（註三五）又說：「然惟其恭默思道，所以心無異念，純乎誠敬，故夢帝賚於良弼，此所謂至誠之道可以前知，動乎四體者也。」（註三六）他們如此「師心杜撰」，按照理學的模式改鑄歷史，正是爲了把道統推溯到比孔子更遠的上古時代。不屬於金華學派的朱學學者王應麟也說：「《仲虺之誥》，言仁之始也。《湯誥》，言性之始也。《太甲》，言誠之始也。《說命》，言學之始也。皆見於《商書》。……孔子之傳，有自來矣。」（註三七）王應麟的觀點雖不盡同於王柏、金履祥，但他所謂「孔子之傳有自來」，則是指理學道統源遠流長，反映出他們以理言經，以經證理的共同特色。

王柏、金履祥的懷疑精神，並及《四書》與理學諸儒。他們像其他理學家一樣，特別推崇《四書》。王柏稱之爲「經天緯地之具，治世立教之書」，說「苟能於《大學》以求其用，於《論語》以求其教，於《孟子》以求其通，於《中庸》以求其原，如是則義理沛然。」（註三八）然而，他們對《四書》以及朱熹的《集注》又有不少疑論。如王柏疑《大學》、《中庸》皆出於《子思》二十三之篇之內；（註三九）疑《論語》出於古《家語》，爲子思所集，疑《孟子》是自著之書（註四〇）。他對於《大學》、《中庸》、《論語》的懷疑，尙可略備一說，然其所謂「《孟子》疑是自著之書，故首尾文字一體，無些小瑕玼。若是弟子集，則其人甚高，不可謂軻死不傳」（註四一）之說，顯係他爲了維護「道統」而不顧事實的臆斷。

對於朱熹的《四書集注》，王柏、金履祥亦頗致疑詞。王柏說：「朱子之說《中庸》，至矣精矣，而某妄有所疑。朱子平時謂《家語》爲《孔叢子》僞書，今於《集注》反取之以證《中庸》之誤，愚尤惑焉。」（註四二）他還認爲，《中庸》一書，章節散漫，易於錯簡，而朱熹於該書次第尚承漢儒之舊，所分章節太密，「恨不及質正朱子，既不敢自以爲然，又不敢自欺曰無疑。」（註四三）朱熹於《大學》，謂「格物致知之義而今亡矣」，故補傳一章。王柏批評他「勇於補而不勇於移」，竟以傳文爲經文（註四四）。又說，「《大學》格致章不亡」，無待於補，而「考亭後學，一時尊師道之嚴，不察是否，一切禁止之」（註四五），對此表示不滿。爲了把《論語》抬到經書的地位，王柏還「以《論語》屬詞聯事，集爲《魯經章句》，而以《大學》、《中庸》爲之傳，整比成卷」（註四六），企圖樹立以《論語》爲中心的四書體系。但這種鹵莽的做法受到了朱熹門人葉由庚的批評。

金履祥撰《論孟集注考證》，用陸德明《經典釋文》之例爲朱熹《集注》作疏解，自稱：「或疑此書（與《集注》）不無微牾，既是再考，豈能免此。但自我言之則爲忠臣，自他人言之則爲讒賊爾。」（註四七）事實上，此書與《集注》確有不少牴牾處，如朱熹贊孟子「傷惠傷勇」說是「恐人過予輕死」，而金履祥認爲孟子此說只能爲當時之戒，「使如後世吝予偷生之習勝，則孟子之戒又須別矣。」（註四八）金履祥作爲南宋的主戰派，他否定朱熹此解，顯然是針對當時士大夫偷生苟安風氣而發的。在他看來，否定《集注》的某些觀點，正是出於他對朱學的忠誠。這固然反映出金氏以正宗朱學自居，但也表現其治學的獨立思考精神。《四庫全書總目提要》作者籠統地斥其爲「門戶之見」，「殊不可訓」（註四九），未免失之於偏。

王柏疑難朱熹並不限於經書，對理學的一些重大問題同樣置疑。如朱熹在與陸九淵兄弟關於「無極太極」的辯論中，謂「無極即是無形，太極即是有理」，爲陸氏所駁難。王柏對此也有非議。他說：「『無極而太極』一句，某非敢妄疑先哲，但疑其既是無形而有理，則

（太極）圖中圓象非形而何？」（註五〇）他從周惇頤《太極圖說》本身揭露朱說的矛盾，這比陸九淵反覆辯論「太極非物」要機智得多。當然，王柏沒有、也不可能站在陸學一邊，他僅僅是從「未必起象山之疑議」的觀點來責難朱熹的。

王柏、金履祥對朱熹的疑論是從維護朱學的根本立場出發的。黃百家對王柏之學有這樣一段評論：

> 魯齋之宗信紫陽，可謂篤矣。而於《大學》則以為「格致」之傳不亡，無待於補，於《中庸》，則以為《漢志》有《中庸說》二篇，當分「誠明」以下別為一篇；於《太極圖說》，則以為「無極」一句當就圖上說，不以無極為無形，太極為有理也。其於《詩》、《書》，莫不有所更定，豈有心與紫陽異哉！……後世之宗紫陽者，不能入郛廓，寧守注而背經，而昧其所以為說，苟有一言之異，則以為攻紫陽矣。然則魯齋亦攻紫陽者乎？甚矣，今人之不學也！（註五一）

這番話頗為深刻。王柏、金履祥因其宗信之篤，而能成為朱學的傳人；又因其敢於質疑問難，而能入朱學之郛廓，促進理學的發展。反之，他們的後學對朱熹傳注不敢有一言之異，由宗信變成迷信，完全失去了獨立思考精神。一個學派一旦失去了探索精神，其自身也就停止了發展而逐漸衰微。如金履祥的門人許謙是元代著名理學家，著錄弟子千餘人，門牆極盛。《四庫》館臣稱讚他「醇正則遠過其師」（註五二）。由於他主張「由傳以求經」，篤守傳注，故其在學術上缺乏創造性。全祖望曾經指出：「予嘗謂婺中之學，至白雲（許謙）而所求於道者，疑若稍淺，漸流於章句訓詁，未有深造自得之語，視仁山遠遜之。婺中學統之一變也。」（註五三）金華朱學自許謙以後拋棄了王柏、金履祥的疑經思想，卻發展了朱學的支離煩瑣學風，從此走向下坡路。及至明清時代的朱學末流，則更加成了抱殘守闕，仰承封建統治者鼻息的腐儒。

【附註】

註 一 何基著有《大傳發揮》、《易啓蒙發揮》、《大學發揮》、《中庸發揮》、《通書發揮》、《近思錄發揮》等書。

註 二 王應麟：《困學紀聞》卷三。

註 三 《何北山遺集》卷三《解釋朱子齋居感興詩二十首》。

註 四 《詩疑》卷二。

註 五 《詩疑》卷二《毛詩辨》。

註 六 《論語集注考證》卷一。

註 七 閻若璩云：「呂東萊公於《詩》一說，朱子於《詩》又一說，故各解『思無邪』之旨，前輩謂之未了公案。王魯齋出，則謂《詩》非聖人之原本。余頗然其說。」（見王應麟：《困學紀聞》卷三按語，商務印書館一九五九年版，頁三二一）。

註 八 王柏所列應刪篇目有：《野有死麕》、《靜女》、《桑中》、《氓》、《有狐》、《大車》、《丘中有麻》、《將仲子》、《遵大路》、《有女同車》、《山有扶蘇》、《蘀兮》、《狡童》、《褰裳》、《東門之墠》、《丰》、《風雨》、《子衿》、《野有蔓草》、《溱洧》、《晨風》、《東方之日》、《綢繆》、《葛生》、《東門之池》、《東門之枌》、《東門之楊》、《防有鵲巢》、《株林》、《澤陂》等三十二篇。

註 九 《詩疑》卷一《總說》。

註一〇 《論語集注》卷一。

註一一 《論語集注考證》卷一。

註一二 《隨園詩話》卷六，人民文學出版社一九六一年版，頁一六七。

註一三 《四庫全書總目提要》卷一七，《詩疑》條。

註一四　皮錫瑞：《經學歷史》，中華書局一九五九年版，頁二六四。

註一五　見《申報》一九二二年五月十四日章氏講學報導，轉引自湯志鈞：《章太炎年譜長編》下冊，頁六七九。

註一六　《詩疑》卷首《序》，樸社一九三〇年版，頁一、二。

註一七　上引均見《魯齋集》卷四《書疑序》，《金華叢書》本。

註一八　《朱子語類》卷七八。

註一九　上引均見《書疑》卷一《大序疑》。

註二〇　《尙書表注》卷上。

註二一　《魯齋集》卷四，《書疑序》。

註二二　《四庫全書總目提要》卷一三，《書疑》條。

註二三　劉師培：《經學教科書》。按：劉氏該書以王柏爲「元人」，誤。柏卒於南宋度宗咸淳十年（西元一二七四年），距宋亡五年，故其非元人無疑。

註二四　見《書疑》卷一《二典三謨總疑》。

註二五　按：王柏《堯典疑》中所謂「說者」，係指蔡沈《書集傳》之說，實則指朱熹。因爲蔡沈在其《書集傳序》中說：「《二典三謨》，先生（朱熹）蓋嘗是正，手澤尙新。」金履祥在其《尙書注》中則逕稱爲「朱子曰」。

註二六　關於「璿璣玉衡」，歷來聚訟紛紜，可參見李約瑟博士《中國科技史》第四卷第一分冊（天學），中譯本頁一四六——一四八、頁三八八—四〇〇。

註二七　上引均見《書疑》卷六。

註二八　王柏認爲，邵雍精於數學，「因用心推得天地萬物之理」，「是以程朱以來推尊之而不敢非也」，然康節之學，終究「是不可學者」，「若一一定之於數，則王道可廢，世教可息，三綱五常任他作壞不必扶持，亂臣賊子任他縱橫不必誅戮，何者？其數當如是也。」（《金華王魯齋先生正學編·回葉成父》）在理學家當中，像他這樣批判象數學中命定論思想的，實不多見。

註二九　《尚書表注》自序。

註三〇　《尚書注》卷六。

註三一　《觀堂集林》卷一。

註三二　見《書疑》卷一《二典三謨總疑》。

註三三　《書疑》卷二《湯誥論》。

註三四　《書疑》卷三《說命疑》。

註三五　《尚書表注》卷上。

註三六　《尚書注》卷六。

註三七　《困學紀聞》卷二。

註三八　《魯齋集》卷八《答王栗山》，《續金華叢書》本。

註三九　《魯齋集》卷一〇《中庸論上》。

註四〇　王柏認為，《家語》有三種，即古《家語》、後《家語》、今《家語》。他說：「《論語》者古《家語》之精語，《禮記》者後《家語》之精語，今之《家語》十卷，凡四十有四篇，意王肅雜取《左傳》、《國語》、《荀子》、《孟子》、《二戴》之緒餘，混亂精粗，割裂前後，織而成之。」（《魯齋集》卷九《家語考》）。

註四一　《金華王魯齋先生正學編》下卷《朱子讀書法》。

註四二　《魯齋集》卷八《通趙星渚》。

註四三　《魯齋集》卷一〇《中庸論下》。

註四四　《魯齋集》卷九《大學沿革論》。

註四五　《魯齋集》卷一〇《大學沿革後論》。

註四六　王虎文：《金華徵獻略》卷四《葉由庚傳》。

註四七　《論孟集注考證跋語》。

註四八　《論孟集注考證》卷四。

註四九　《四庫全書總目提要》卷三〇《論語孟子集注考證》條。

註五〇　《魯齋集》卷八《回趙星渚》。

註五一　《宋元學案》卷八二《北山四先生學案》。

註五二　《四庫全書總目提要》卷一六《詩傳名物鈔》條云：「（許）謙雖受學於王柏（按：此言誤。柏死時，謙方五歲，未嘗受學。胡鳳丹《讀四書叢說序》因襲此說，亦誤），而醇正則遠過其師。研究諸經亦明古義，故是書所考名物音訓，頗有根據，足補《集注》之闕遺。」

註五三　全祖望：《宋文憲公畫像記》，引自《宋元學案》卷八二《北山四先生學案》。

——原載《中國史研究》一九八三年四期（一九八三年十一月），頁四九——五七。

吳澄的道統論與經學

侯外廬

吳澄（西元一二四九——三三三年），字幼清，號草廬，撫州崇仁（今屬江西）人。他在二十七歲以前，生活在南宋。其後，他的大半生是在元代度過的。他與許衡同爲元代名儒，有「南吳北許」之稱。許衡是北方人，由金入元，於元初傳朱學於北方，然其學尙屬「粗跡」。吳澄是南方人，直承宋代的理學端緒，因而他比起許衡，是「正學眞傳，深造自得」。

吳澄世代業儒。十五歲始讀朱熹《大學章句》；十六歲在場屋中識饒魯學生程若庸，拜程爲師，遂爲饒魯的再傳弟子。其後，吳澄又師事程紹開；程以「和會朱陸」爲學旨。入元以後，吳澄受同門程鉅夫荐邀，四次入京，任國子司業、國史院編修、制誥、集賢直學士，「官止於師儒，職止於文學」。但「旋進旋退」，時間很短。其大半的歲月是僻居鄉陋，孜孜於理學，「研經籍之微，玩天人之妙」。他早年校注《五經》，晚年成《五經纂言》。遺著尙有集、外集。清人合其所有文字爲《草廬吳文正公全集》（以下簡稱《全集》）。

吳澄還在年輕的時侯，就不以學「聖賢之學」爲滿足，他還要躋身於「聖賢」之列。十九歲，爲邵雍《皇極經世書》作續篇，稱《皇極經世續書》。同年，又作《道統圖》，以朱子之後道統的接續者自居。對於道統，據《元史·吳澄傳》，有這樣一段話：

> 道之大原出於天，神聖繼之。堯舜而上，道之元也；堯舜而下，其亨也；洙泗鄒魯，其利也；濂洛關閩，其貞也。分而言之

，上古則羲皇其元，堯舜其亨，禹湯其利，文、武、周公其貞乎！中古之統，仲尼其元，顏曾其亨，子思其利，孟子其貞乎！近古之統，周子其元，程、張其亨也，朱子其利也。孰爲今日之貞乎？未之有也，然則可以終無所歸哉？

同樣的議論，還見於他給別人的信中，這也是一篇不可多得的皇皇大文。他在信中以「豪傑」比之於儒學「聖賢」：

天生豪傑之士不數也。夫所謂豪傑之士，以其知之過人，度越一世而超出等夷也。戰國之時，孔子徒黨盡矣，充塞仁義若楊、墨之徒，又滔滔也。而孟子生乎其時，獨願學孔子，而卒得其傳。當斯時也，曠古一人而已，眞豪傑之士哉！孟子沒，千有餘年，溺於俗儒之陋習，淫於老、佛之異教，無一豪傑之士生於其間，至於周、程、張、邵，一時迭出，非豪傑其孰能與斯時乎？又百年而朱子集數學之大成，則中興之豪傑也。以紹朱子之統而自任者，果有其人乎？（《全集》卷首，虞集所作吳澄《行狀》）

儒家道統說，始於韓愈。韓愈爲闢佛反老，學《佛祖統紀》傳法世系，提出儒家聖人傳道的道統。這個聖傳的道，是强調仁義道德，以別於佛、老的道。此說一倡，遂爲後來儒家所祖述，他們各以繼承道統自居，自謂直接孔門而得其心傳。小程說大程「自孔子之後一人而已」。黃榦說孔、孟而後，中經周、程、張載，「至熹而始著」。陸九淵在論及道統時，「謂當今之世，捨我其誰」。而朱熹又把陸九淵排斥在道統之外。吳澄的道統論，比他的前輩，是有過之而無不及。

首先，韓愈在《原道》中，謂道始於堯舜，而吳澄則借董仲舒之說，張大爲「道之大原出於天」，天爲「道之原也」，然後才是堯舜「繼之」。顯然，這是反映宋以來儒家對宇宙本體的重視。

其次，吳澄據《周易》的元、亨、利、貞排列，道統的歷史順序爲上古、中古、近古三個歷史階段，每一階段又分爲元、亨、利、貞四個小段。把兩宋諸儒列入近古階段，大體上符合儒家思想發展的過程。值得注意的是，吳澄把兩宋的理學排列在儒學發展的最後「近古」階段，成爲終結的「貞」，在「貞」之下不見「起元」，不見周而復始，這彷彿是「眞理」就到此終結了。這似乎也是對宋以後中國封建社會開始衰微的不祥預兆，雖然這在吳澄說來不是自覺的。

最後，吳澄在《道統圖》中，將近古的理學階段，從周惇頤到朱熹，按元、亨、利、貞細加排列，朱熹只是處於「利」，而不是終結的「貞」，這並不符合朱熹在這個階段是理學集大成者的歷史地位。但吳澄所以要這樣去排列近古階段，顯然是他自己儼然想以「貞」爲己任，以躋身於宋儒諸子的地位。故《元史》作者說他「以斯文自任如此」，並非是武斷之詞。實際上，早在他作《道統圖》之前，已萌此念。他在《謁趙判簿書》中，自述他在十六歲，即已「厭科舉之業，慨然以豪傑之士自期」。於是他「用力於此」，果然「豁然似有所見，坦然若易行，以爲天下之生我也，似不偶然也，吾又何忍自棄於是」，「所學固未敢自是，然自料所見則於人一等矣」（《吳文正公外集》卷三）。到十九歲，他就自比程、朱，說「程、朱夫子皆十七、八時，已超然有卓絕，……今愚生十有九年矣」（《吳文正公集》《雜識》十一）。這種溢於言表的話，足以說明他在《道統圖》中，是想以「貞」自任，自許爲朱子之後一人。

以後，吳澄在經學上，也確是以接續朱熹爲己任，完成《五經纂言》。尤以其中的《三禮》，是完成朱熹的未竟之業。關於《三禮》，漢以來因其「殘篇斷簡，無復銓次」，在《五經》中號爲難治。朱熹曾與李如圭（寶之）校定，後又與呂祖謙「商訂《三禮》篇次」，但終老「不及爲」。尤其《三禮》中的《儀禮》，朱熹認爲它是禮之根本，而《禮記》只是秦、漢諸儒解釋《儀禮》之書。他提出當「《

儀禮》爲經，而取《禮記》及諸經史雜書所載有及於禮者，皆附於本經之下」（《朱子大全》卷十四《乞修三禮札子》。此說並見於同書卷五十四《答應仁仲書》）。朱熹以此摭拾他經，條分臚序，編爲《儀禮經傳通解》，但也只是留下「草創之本」，且內多缺略。其後，朱熹的弟子黃榦、楊復，雖然也曾用心於此，但也沒有完成。

直到元代的吳澄，費時幾十年，從年輕時進行《五經》校注，到中年以後，又「採拾群言」，「以己意論斷」，「條加記敘」，並「探索」朱熹「未盡之意」，於晚年成《五經纂言》（以上據《宋元學案・草廬學案》）。黃宗羲季子黃百家稱「朱子門人多習成說，深通經術者甚少，草廬《五經纂言》，有功經術，接武建陽（朱熹），非北溪（陳淳，朱熹又一高弟）諸人可及也」（同上）。而其中的《三禮》，全祖望謂其「蓋本朱子未竟之緒而由之，用功最勤」（同上）。吳澄述及他對三禮的編纂，謂依朱熹的端緒和規模，「以《儀禮》爲綱」，「重加倫紀」。他在《諸經序說》中說：

> 朱子考定《易》、《書》、《詩》、《春秋》四經，而謂《三禮》體大，未能敘正，晚年欲成其書，於此至惓惓也。《（儀禮）經傳通解》，乃其編類草稿，將俟喪祭禮畢而筆削焉，無祿弗逮，遂爲萬世缺典，每伏讀而爲之惋惜。然三百三千，不存蓋十之八九矣，朱子補其遺缺，則編類之初，不得不以《儀禮》爲綱，而各疏其下。夫以《易》、《詩》、《書》、《春秋》之四經，既幸而正，而《儀禮》一經，又不幸而亂，是豈朱子之所以相遺經者哉？徒知尊信草創之書，而不能探索未盡之意，亦豈朱子所望於後學者哉！嗚呼，由朱子而來，至於今將百年，以予之不肖，猶幸得私淑其書，用是忘其僭妄，輒因朱子所分禮經，重加倫紀。（同上）

吳澄「輒因」朱熹籌畫之意，以《儀禮》十七篇爲經，仿朱熹《儀禮經傳通解》例，將《禮記》（大小戴記和鄭注）分類編次，纂成《儀禮逸經》八篇。具體是把《禮記》中的《投壺》、《奔喪》、《大戴禮記》中的《公冠》、《諸侯遷廟》、《諸侯釁廟》（此二篇並與《小戴禮記》相參校），又把鄭玄《三禮注》中的《中霤》、《禘於太廟》、《五居明堂》，共成二卷八篇。另外，又將大、小戴記中的《冠儀》、《昏儀》等八篇，和《禮記》中的《鄉射儀》、《大射儀》二篇，輯成《儀禮傳》十篇。這樣，吳澄把漢以來流傳的《禮記》（《大、小戴記》，以至鄭玄《三禮注》等）肢解，核訂異同，重新編纂，使之成爲《儀禮》的傳注。這不僅完成朱熹生前的夙願，而且經過這樣的整理，使流傳千百年來「難讀」的一部《儀禮》，得見崖略，誠是經學史上的一大貢獻。

吳澄在編次整理的同時，還對其內容以義理加以疏解，探其大義，張大朱熹之說，擺脫漢、唐局限於文字訓詁的方法，使禮經與《易》、《詩》、《書》、《春秋》四經一起，完成了由漢、唐的典制訓詁，轉入到宋、元的義理疏注的過程，這確是「朱子門人（所）不及也」。即使在元代，治《禮》學的雖然也不乏其人，但只有吳澄成就較大。

這裏還要指出，由朱熹完成的《易》、《詩》、《春秋》四經纂疏，與吳澄完成的《三禮》，尤其是《儀禮》經、傳的纂疏，其意義還在於他們對《五經》的疏解中所發揮的義理，具有主觀探討的精神，而不是漢、唐那樣把《五經》只是作爲文字訓詁。雖然這種主觀探討的精神；僅限於封建禮教的範圍；而且這種主觀探討，又不免穿鑿臆斷，橫發議論，而爲後來那些固守漢、唐訓詁的經生們所訾議。但是，這種主觀探討的精神，比起漢、唐拘泥於名物制度的訓詁來說，畢竟還是具有思想解放的一面，因而它促進了宋代以後理論思維的發展。這就是吳澄繼朱熹之後，纂疏禮經的意義。因此，吳澄在天道心性的理學上，雖然遭人物議，但他的經學，尤其是《三禮》，卻一直被一些人所肯定。直到近代治經學的錢基博，謂「南宋入元」，其禮學「最著者崇仁草廬吳澄」，「疏解《三禮》，繼往開來」（《經學通志・三禮志》）。

當然，這不是說吳澄所治的《五經》，全都是嚴守朱學門戶。例如，他的《易纂言》，自稱「用功至久，皆自得於心，有功於世爲最大」（《宋元學案・草廬學案》）。但在這部《易》學中，就有和會朱陸的地方。這點，我們將在他的理學天道、心性部分，結合他的《原性》、《答問》等篇，進行分析。

——原載《宋明理學史・上卷》（北京：人民出版社，一九八四年四月）第二十六章，第二節，頁七三一——七三六。

郝經的《經史論》及其社會意義

白　鋼

「《六經》皆史」的命題是元初郝經率先提出的

在中國思想史和中國史學史的研究中，「《六經》皆史」是一個重要的命題。傳統的觀點認爲：「這是章學誠的一種創見」（《中國史學史論集》㈡，頁五三七、五六四）。其實，這是一個莫大的誤會。

早在一九三五年，葉長青作《文史通義注》時，就曾對此提出疑義。他說：「謂『《六經》皆史』之說，創於王守仁或章氏者，皆非也」。其主要論據有三條：

㈠《文中子・王道》：「聖人述史三焉，《書》、《詩》、《春秋》三者同出于史」。

㈡《唐文粹・陸魯望復友人論文書》：「記言記事，錯參前後，曰經、曰史，未可定其體也」。

㈢袁枚《隨園隨筆》「古有史無經」條引「劉道原曰：歷代史出於《春秋》。劉歆《七略》、王儉《七志》，皆以《史》、《漢》附《春秋》而已。阮孝緒《七錄》，才將經史分類，不知古有史而無經。《尚書》、《春秋》皆史也；《詩》、《易》者，先王所傳之言；《禮》者，先王所立之法，皆史也。故漢人引《論語》、《孝經》皆稱傳不稱經也。《六經》之名，始於莊子，經解之名，始於戴聖。歷考《六經》，並無以經字作書名解者」。

我們知道，《文中子》是隋人王通所著，他只講了《六經》中的「《書》、《詩》、《春秋》三者同出於史」，與「《六經》皆史」說是有差別的。《唐文粹》係宋人姚鉉所編，葉長青引《陸魯望復友人論文書》，也只是說，「記言記事，錯參前後，曰經、曰史，未可定其體也」。這主要還是從體裁形式上說經史不分，尙沒有明確提出「《六經》皆史」的問題。至於袁枚，乃清人，他的「有史無經」條，把劉道原的話與他自己的觀點混在一起，需要作些分析。劉道原，即宋人劉恕。袁枚所引「劉道原曰」，語出劉恕《資治通鑑外紀》卷首。原文是這樣的：「劉恕曰：……案歷代國史，其流出於《春秋》。劉歆敘《七略》。王儉撰《七志》，《史記》以下皆附《春秋》。荀勗分四部，史記舊事入丙部。阮孝緒《七錄》，記傳錄紀史傳，由是經與史分」。劉恕的話有兩層意思：一是歷代國史的體裁形式都是從《六經》中的《春秋》演化過來的；二是「經與史分」，始於梁人阮孝緒。因此，劉恕的話仍不能視作「《六經》皆史」說的發端。至於袁枚在引述劉恕的話之後所發揮的議論。如「《尙書》、《春秋》皆史也；《詩》、《易》者，先王所傳之言；《禮》者，先王所立之法，皆史也」。因袁枚早於章學誠，用來否定「《六經》皆史」說是章氏創見，當然是可以的。但袁枚晚於王陽明（守仁），後者在《傳習錄》上明確提出：「《五經》亦只是史」。因此，葉長青用袁枚的話來否定王陽明，則是沒有說服力的。

一九五八年出版的陳登原先生的《國史舊聞》第一分冊，提出了「廣《六經》皆史論」，對認爲「《六經》皆史」論爲章學誠「創獲」說，進行了詰難，作者引述了漢、宋、明、清十九條史料加以論證。其貢獻在於：通過歷數漢、宋、明、清學者有關經史關係的言論，揭示了王陽明「於《六經》皆史，標之甚明」，並廣徵博引清代學者的論斷，指出：「《六經》皆史論，清人亦大體言之。固非章學誠所得矜爲創獲者矣」。然而，他所列舉漢儒、宋儒關於經史關係的言論，屬於引伸，「《六經》皆史」的命題在所舉漢儒、宋儒的心目中，並不明確。尤其是對元代學者關於經史關係的論述，闕略不講，乃是其缺陷。

讀郝經《陵川集》（以下凡引此書者，只注篇名），發現在元代學者中，比劉因更早的郝經，對「古無經史之分」，有更全面的論述。郝經寫過一篇十分精彩的《經史論》，其云：

> 古無經史之分。孔子定《六經》，而經之名始立，未始有史之分也，《六經》自有史耳，故《易》即史之理也；《書》、史之辭也；《詩》、史之政也；《春秋》，史之斷也；《禮》《樂》，經緯於其間矣，何有於異哉！至司馬遷父子爲《史記》，而經史始分矣，其後遂有經學、有史學，學者始二矣。

顯而易見，郝經對經史關係的理解，比宋代以前的所有論者都大大前進了一步。他不是空泛地講「古無經史之分」，而是結合《六經》的特點，具體地論證了爲什麼說它們都是史的道理。儘管郝經使用的是「《六經》自有史耳」，而不是「《六經》皆史」來加以概括的，但是，他所論證的內容，卻從實質上肯定了這一命題。因此，我們說：「《六經》皆史」論，實質上是郝經率先提出來的。

郝經對六經性質的論定

《宋書・樂志》載稱：「秦焚典籍，《樂》經用亡」所以後人所謂《六經》，實際上只有《五經》。大概是《禮》爲「樂之用」的緣故，歷代論及《五經》者，均將《禮》樂合而爲一。郝經曾專門作過一篇《五經論》，詳細論定了《五經》的性質：

一、《易》。郝經在論《易》中，提出了「《易》也者，盡天下之心者也」的命題。他認爲：「昔者聖人之於詩《書》也，刪定之而已矣；於《春秋》也，筆焉、削焉而已矣；其於《易》也，則上下數千載、歷四聖人焉，或畫焉，或重焉，不敢率易而備爲之，沒齒刳心焉，始就於一端而已」。爲什麼孔子這麼爲難呢？原因在於「而爲大經大法也哉，非至明者與至聖者迭興繼作，艱且遠而爲之，則不能也。」郝經在論《春秋》中，又提出「《易》、《春秋》之學」，「相捍蔽」；「《易》載聖人之心」的問題。可見，所謂「盡天下之心」，即是「聖人之心」；而「聖人之心」，就是「大經大法」。既然是「大經大法」，當屬史料無疑。此其一。其二，郝經在論《春秋》中，也提出了「《易》，窮理之書」，「《易》，由正推變」的命題。他在論《易》中說：由於民之「性」甚善甚靈，所以要有《易》來「假天地萬物，畫而爲卦，以垂道之統」，由於民之「情」易遷，所以要有《易》，「重其卦，明夫雖變而主焉在也」；由於民之「欲」甚大、而惡易長，爲了「懼其淪於非類」，所以要有《易》來「作爻象彖繫之辭，發理形象數之幾，命性心跡之本，以明夫吉凶消長之道，進退存亡之理。而垂教焉」。由此可見，《易》包括人情風俗在內，當然也可作爲史料看待。其三，郝經認爲，《易》並非「忽恍不可測」的東西，而是「與天地準」。何謂「與天地準」？原來就是「聖人垂世立教，以有徵者傳信也」。既然如此，應當屬於政制的範圍。因此，也可以作史料看待。總之，郝經基於這樣一些認識，確定「《易》即史之理」。

二、《書》。郝經在論《書》中寫道：「觀夫《書》，自宓犧至於帝嚳、則泯而不錄；唐虞二代之聖也，五篇而已；而夏后氏之書、四商之書，十有七；周之書，三十有二」。這就是說，《書》是關於唐虞、夏、商、周的記載，因此，《書》之爲史，自無需論。在郝經看來，「言，心聲也。心有所用，則言以宣之」。而《書》，能「盡天下之辭」，所以，他認定「《書》，史之辭也」。

三、《詩》。郝經在論《詩》中，提出了「天下之治亂，在於人情之通塞」的觀點，說：「《詩》者，述乎人之情者也。情由感而動，故喜怒哀樂，隨所感而發」。「薪翁、笱婦有所感，而必有所作，君而知之，天下之情無不通矣」。他認爲，《詩》之於王政、人情、治亂，至關重要。「文武周召之所以治，宣王之所以中興」，就是因爲他們通過《詩》，「盡天下之情」；「厲之奔幽之死，平桓之所以失政」，就是因爲他們對於「萬民怨嗟，四海扼腕」而作的《詩》，充耳不聞。「故有國君人者，不可以不讀《詩》」。正是從這個意義上，郝經得出「《詩》，史之政也」的結論。

四、《春秋》。郝經在論《春秋》中寫道：「《春秋》載聖人之迹」。迹者，史也。他又說：「孔子之著書也，於《易》則翼，於《書》則定，於《詩》則刪，而其於《春秋》也，則謂之作。何哉？權天下之輕重，定天下之邪正，起王室之衰，黜五伯之僭，削大夫之專。治亂臣賊子之罪，以魯國一儒，行天子之事，而斷自聖心」。正因爲如此，所以郝經斷言：「《春秋》，史之斷也」。

五、《禮樂》。郝經在論《禮樂》篇揭示禮樂的產生時寫道：「天下有僭越之姦、狂狡之戾，則有《禮》以折之，有忿疾之亂，鬱塞之慝，則有《樂》以釋之」。而對其內容及效用，郝經認爲：「《禮樂》者，王政之大綱也。得則治，否則亂，聖人政治之功。必於此乎」。他甚至說，「孤秦燔燒詩書，削禮瘖樂，遂至於亡」。由此可以看出，既然認爲《禮樂》是「王政之大綱」，那麼，當屬典制之類無疑。典制屬史，不容爭辯。而「綱」者，乃網之大繩也。郝經據此判定「《六經》自有史耳」，「《禮樂》經緯其間矣」。

統覽上述，可以斷言：㈠郝經提出的「古無經史之分」、「《六經》自有史耳」，不是從體裁形式上，而是從內容上論定的；㈡他的經即史的觀點。不像隋人王通，宋人劉恕那樣只把《六經》中的某部分視作史料，而是指六經全部，因而帶有系統性的特點。

「六經自有史耳」的社會意義

郝經生於金末，他十二歲時金亡，他死於元初，翌年南宋亡。中間曾以大蒙古國國信使的身分出使南宋，被南宋當局拘禁了十六年。他的《經史論》，反映了他的理學思想的某些特點，帶有時代的印記。他針對宋代理學以《四書》爲根本，從《四書》中矜談妙悟，大講「天理」的傾向，提出重《六經》，反對離《六經》而言「道」（天理）。他在論《道》篇，闡述了「道」與《六經》的關係：「天地萬物以載人，聖人著書以載道，故《易》即道之理也；《書》，道之辭也；《詩》，道之情也；《春秋》，道之政也；《禮樂》，道之用也」。如果我們將這段話與前述「《易》，史之理也」，「《書》，史之辭也」等等加以對照，就很容易明白在郝經的心目中，「道」與「史」的關係，或者說「道」在郝經心目中的實際地位。由此可見，郝經之重《六經》，是把《六經》視作實質，並以此去塡實宋代理學的空悟：而他的「《六經》自有史耳」，則是把《六經》納入歷史學的範疇，認爲它們不過是古代的史料或史書，這就從實質上貶低了《六經》作爲儒家經典的神聖性。傳統的看法視《六經》爲經世理論的根本，把《六經》當作萬古不變的教條。郝經則不然，他認爲：「《六經》一理爾，自師異傳、人異學，各窮其所信，而遂至於不一」（《五經論・春秋》）。後人治經有「三變」：「訓詁於漢，疏釋於唐，議論於宋」（《經史論》）。而訓詁往往流於穿鑿。議論常常泥於高遠，不足爲訓。在郝經看來，《六經》不過是「萬世常行之典」，所以，「以昔之經而律今之史可也，以今之史而正於經可也」。「若乃治經而不治史。則知理而不知跡，治史而不治經，則知經而不知理。」郝經的《經史論》，就是他的經世理論。這在學術思想史上，顯然不無進步意義。

另一方面，「《六經》自有史耳」，既然是把《六經》當作古代社會生活的記錄，當作古史研究的資料，那麼，隨著這一觀點的提倡，無形之中就擴大了歷史學的範圍。郝經作《續後漢書》，就是具體地實踐了他的這一觀點，即所謂「典則而原於道德，推本《六經》之初」（《續後漢書序》）。這種把《六經》視作史料的做法，對於改變人們的史學觀點是有促進作用的。在《經史論》中，郝經還公開聲明反對「務于博記注、滋談辯、釣聲譽，以愛憎好尚爲意，混淆蕪僞」的治史方法和學風，認爲只有從史實出發，「不昧于邪正，不謬于是非，不失于予奪，不眩于忠佞，而知所以興廢之由，不爲矯詐欺、不爲權利誘。不爲私嗜蔽，不以記問談說爲心」，才能算作一個好的歷史學者。這些史學思想，在史學史上也是應當予以肯定的。

此外，郝經提出的「古無經史之分」、「《六經》自有史耳」的命題，還爲後來的學者提供了寶貴的思想資料。前述劉因所說的「古無經史之分」，可能就是因襲郝經的提法。劉因是保定容城人，郝經全家曾在保定溝城居住了很長時間，他死的時候，也歸葬保定西城外，劉、郝兩家都在保定，相去不遠。劉因小於郝經二十歲，至元十九年（一二八二）劉因發跡時，郝經已經死了七年。劉因與郝經的弟弟郝季常過從甚密，寫過一篇《送郝季常序》，稱其爲「名家子弟」，文中還述及郝經出使南宋被扣押之後，郝季常曾三次請求元廷遺師問罪之事，可見劉因與郝家是很熟的。郝經的著述，劉因可能讀過，因而他的「古無經史之分」，或許就是從郝經那裡接受過來的，這可以說是郝經的《經史論》對元人的影響。非但如此，明清時期的一些學者，如王陽明、李贄、章學誠等人，也都從郝經的《經史論》中得到啓迪。王陽明所說的「以事言謂之史，以道言謂之經，事即道，道即事。春秋亦經，《五經》亦史」；李贄所說的「經史相爲表裡」，章學誠所說的「《六經》皆史也」、「《六經》皆先王之政典也」等等，顯然與郝經的「古無經史之分」、「《六經》自有史耳」不無承續關係。這可以從他們對《六經》性質的論證相去不遠而得到檢證。不過，明清時期的一些論者論證「《六經》皆史」這一命題的角度、時代環境，均與郝經不同，因而，它們所產生的社會意義，也是不可同日而語的。

——原載《光明日報》第三版，一九八三年十月五日。

明太祖的《孟子節文》

容肇祖

朱元璋（一三二八——一三九八）做過和尚，是中國第二個平民出身的皇帝，叫做明太祖。從他自己的平凡而卑下的地位，登上不可侵犯的神聖的寶座，他的精神起了一種極其衰弱的恐怖症，他怕那些有才能又有武力、能夠聯合群衆的人像自己一樣的取而代之，陞上寶座，加上皇冠。因此，他就了皇位以後，爲了子孫萬世一系打算，疑神疑鬼的在極度矛盾不安中，去施行違反正義和道德的恐怖政策。他一面大殺功臣、良將，卻一面又極需要勤謹、溫柔和忠心主子的各階層的幹部人才。在矛盾中，他想出了一個聰明而在國家民族的發展上是犯罪的方法，就是用經義取士，用這種文體叫做八股的去考試，相傳這是劉基和他親自議定的。行政用人的標準，必需經過秀才、舉人、進士的八股文考試。八股文有兩樣的特色：第一，題目只用《四書》、《五經》，《四書》、《五經》只許用宋朝朱熹和一些指定解釋，不許作者有自己的意見，而只許代古聖賢立言，依指定的注解去說話；第二，文體是依唐朝、金朝的律賦式，開頭必需用兩句話破題，以後便用對偶的體裁，鋪排成六至八大段，每段爲一股，故此名爲八股。這思想的限制和文體的迷惑，足夠把若干的讀書人變成爲迂腐無能和潦倒的一生了（明趙南星《趙忠毅公文集》卷七《周元合文集序》和清廖燕《二十七松堂集》卷一《明太祖論》都說明太祖以八股取士，和秦始皇焚書，都是愚民政策，但明巧而秦拙）。

八股的考試制度是朱元璋在洪武二年（一三六九）定出的。以這樣的方法去統治思想，殘酷地愚弄了和腐化了中國的聰明和智慧的學者至五個世紀的久長（合明清兩代用八股考試共五百多年）。然而朱元璋在洪武三年（一三七〇）即刻就感覺到他所定的經書中有了個大漏洞，他困惑，他不安，忽然大大的憤怒了。大約從那時起，他才開始去讀《四書》中的《孟子》，讀後，他感著最大的頭痛。那年他命國子監撐出了孟子的配享孔子的牌位（《明史》卷五十《禮志四》說洪武五年罷孟子配享。全祖望《鮚埼亭集》卷三五《辨錢尙書爭孟子事》，以爲孟子罷配享應在洪武二年。明李之藻《頖宮禮樂疏》卷二說「洪武三年黜孟子祀」。鄙意以爲應在洪武三年，較有據，和全祖望說沒衝突。「三」字極易訛爲「五」）。全祖望引《典故輯遺》說：

> 上（明太祖）讀《孟子》，怪其對君不遜，怒曰：「使此老在今日，寧得免耶？」時將丁祭，遂命罷配享。明日，司天奏文星暗。上曰：「殆孟子故耶？」命復之（《鮚埼亭集》卷三五，頁三《辨錢尙書爭孟子事》引）。

這是活畫出一個統治者暴怒無常、疑鬼疑神的心理。孟子的聖廟豬肉幾乎吃不成了，幸而朱元璋的心理極度不安，以爲天上的文星暗，和孟子罷配祀孔子是有關係的，故此孔聖廟裏又恢復孟子的牌位，而《孟子》仍列爲《四書》之一。

朱元璋晚年殺戮功臣的慘酷，那比起劉邦更爲殘忍。胡惟庸、藍玉的兩次的大獄，株連殺死的四萬餘人，功臣中最馴良的李善長自殺，傅友德亦賜死。洪武二十六年（一三九三），正是窮治藍玉黨的大獄，論死的有二萬人。洪武二十七年（一三九四），被認爲議論荒謬的《孟子》，也被閹割了八十五章。這恐怖政治狰獰的面目對付了活人，由對付活人的疑忌，轉向到了已死的孟夫子的頭上。對《孟子》執行刑罰的是一位八十二歲的老頭子劉三吾。

劉三吾是湖南茶陵人，在元朝做廣西省靖江路儒學副提舉。洪武十八年（一三八五），他已七十三歲了，在朱元璋面前說話，很會迎合元璋的意思，元璋喜歡他，即用他做詹事府左贊善，後來陞做翰林學士，許多禮制和三場考試法，都是由他商議定的。洪武二十五年（一三九二），朱元璋心愛的太子死了，元璋在東閣門召見大臣，許多大臣都哭。三吾跪向前說：「皇孫嫡子，繼承皇統，這是古禮呵！」他摸中了元璋的心意，因此定立皇太孫。洪武二十七年（一三九四），他奉命做《孟子節文》，這時他已八十二歲，他當然是盡阿諛逢迎的能事。他的《孟子節文題辭》，罵孟子說的行仁政於民，省刑罰、薄稅斂、深耕易耨的養育人民而可以無敵於天下爲迂遠；罵孟子引《湯誓》指斥夏桀，要和太陽一起滅亡爲太過；又說雪宮之樂只有統治者們是該享受的，如果人民找不到生活的快樂，就要非議他們君主是太過；君主看人臣同草芥，人臣用同樣的漠視去報復是不該的；大臣諫君主的大過不聽時，就換掉了這君主；諸侯危害國家時，就換掉這諸侯，這些話都不是「學者扶持名教的本意」。因此他的《題辭》又說：「在當時列國諸侯可也。若夫天下一君，四海一國，人人同一尊君親上之心……於所不當言，不當施者，概以言焉，概以施焉，則學非所學而用非所用矣。」他以爲這是「扶持名教」，而孟子好些話是不合「名教」的。他又說：「《孟子》一書，中間辭氣之間抑揚太過者八十五條，其餘一百七十餘條，悉頒之中外校官，俾讀是書者知所本旨。自今八十五條之內，課士不以命題，科舉不以取士，壹以聖賢中正之學爲本。」《孟子節文》一書這年十月奏上，自然即刻就將它刻了出來。劉三吾這樣的奉承主子，自然還是完全秉承主子指示的。然而「狡兔死，走狗烹」，是一切殘暴君主對付奴才的例子。洪武三十年（一三九七，朱元璋死前的一年），朱元璋對這個八十五歲的老頭子，並沒有因他的高齡而放棄刻忌之心，恰巧這年劉三吾和紀善、白信蹈等主考會試，所取的進士，江西泰和縣宋琮第一，北方人都沒有取錄。密封的卷子，本來怪不了誰，然而卻動了朱元璋的猜忌，白信蹈等皆處死刑，劉三吾也判了一個充軍到邊遠地方的罪。這老頭子幸虧提議過立皇太孫，洪武三十一年（一三九八）朱元璋死了，得奉召還朝。（見《明史》卷一三七《劉三吾傳》）。

現在國立北平圖書館有一部《孟子節文》，是洪武二十七年刻本，藍皮包裝，仍是明代的裝釘，完善地保留殘酷的統治者統治思想的材料，冷諷著愚民主義和過於操心計的無聊。我摩挲著這書，不免多少感今悼古！拿《孟子節文》和《孟子》足本比對，就可以看出檢查古人著作而刪去的話是什麼的一類了：

一、不許說人民有尊貴的地位和權利

民爲貴，社稷次之，君爲輕。（《盡心篇》）

諸侯之寶三：土地、人民、政事。寶珠玉者殃必及身賢。（《盡心篇》）

左右皆曰賢，未可也；諸大夫皆曰賢，未可也；國人皆曰賢焉，然後察之；見賢，然後用之。左右皆曰不可，勿聽；諸大夫皆曰不可，勿聽；國人皆曰不可，然後察之；見不可焉，然後去之。左右皆曰可殺，勿聽；諸大夫皆曰可殺，勿聽；國人皆曰可殺，然後察之；見可殺焉，然後殺之，故曰國人殺之也。如此然後可以爲民父母。（《梁惠王篇》）

桀、紂之失天下也，失其民也。失其民者，失其心也。得天下有道，得其民，斯得天下矣。得其民有道，得其心，斯得其民矣。得其心有道，所欲，與之聚之；所惡，勿施爾也。民之歸仁也，猶水之就下，獸之走壙也。（《離婁篇》）。

《泰誓》曰：「天視自我民視，天聽自我民聽。」（《萬章篇》）

天與賢則與賢，天與子則與子。昔者舜薦禹於天，十有七年。舜崩，三年之喪畢，禹避舜之子於陽城，天下之民從之，若堯崩之，不從堯之子而從舜也。（《萬章篇》）

二、不許說人民對於暴君污吏報復的話

吾今而後知殺人親之重也。殺人之父，人亦殺其父；殺人之兄，人亦殺其兄。然則非自殺之也？一間耳。（《盡心篇》）

君之視臣如手足，則臣視君如腹心；君之視臣如犬馬，則臣視君如國人；君之視臣如土芥，則臣視君如寇讎。（《離婁篇》）

鄒與魯鬨。穆公問曰：「吾有司死者三十三人，而民莫之死也。誅之，則不可勝誅；不誅，則疾視其長上之死而不救，如之何則可也？」孟子對曰：「凶年饑歲，君之民，老弱轉乎溝壑，壯者散而之四方者，幾千人矣；而君之倉廩實，府庫充，有司莫以告，是上慢而殘下也。曾子曰：『戒之戒之，出乎爾者，反乎爾者也。』夫民今而後得反之也，君無尤焉。君行仁政，斯民親其上、死其長矣。」（《梁惠王篇》）

古之人與民偕樂，故能樂也。《湯誓》曰：「時日害喪，予及汝偕亡。」民欲與之偕亡，雖有臺池鳥獸，豈能獨樂哉？（《梁惠王篇》）

三、不許說人民有革命和反抗暴君的權利

賊仁者謂之賊，賊義者謂之殘，殘賊之人謂之一夫。聞誅一夫紂矣，未聞弒君也。（《梁惠王篇》）

暴其民甚，則身弒國亡；不甚，則身危國削。名之曰幽、厲，雖孝子慈孫，百世不能改也。《詩》云：「殷鑒不遠，在夏后之世。」此之謂也。（《離婁篇》）

君有大過則諫，反覆之而不聽，則易位。（《萬章篇》）

無罪而殺士，則大夫可以去；無罪而戮民，則士可以徙。（《離婁篇》）

四、不許說人民應有生存的權利

無恆產而有恆心者，惟士為能。若民，則無恆產，因無恆心；苟無恆心，放辟邪侈，無不為已。及陷於罪，然後從而刑之，是罔民也。焉有仁人在位，罔民而可為也？是故明君制民之產，必使仰足以事父母，俯足以畜妻子，樂歲終身飽，凶年免於死亡，然後驅而之善，故民之從之也輕。今也，制民之產，仰不足以事父母，俯不足以畜妻子，樂歲終身苦，凶年不免於死亡，此惟救死而恐不贍，奚暇治禮義哉？王欲行之，則盍反其本矣。五畝之宅，樹之以桑，五十者可以衣帛矣。鷄豚狗彘之畜，無失其時，七十者可以食肉矣。百畝之田，勿奪其時，八口之家可以無饑矣。謹庠序之教，申之以孝悌之義，頒白者不負戴於道路矣。老者衣帛食肉，黎民不饑不寒，然而不王者，未之有也。（《梁惠王篇》）

五、不許說統治者的壞話

庖有肥肉，廄有肥馬；民有飢色，野有餓殍，此率獸而食人也。獸相食，且人惡之。為民父母，行政不免於率獸而食人，惡在其為民父母也。仲尼曰：「始作俑者，其無後乎！」為其象人而用之也，如之何其使斯民飢而死也？（《梁惠王篇》）

不信仁賢則國空虛，無禮義則上下亂，無政事則財用不足。（《盡心篇》）

不仁而得國者有之矣，不仁而得天下，未之有也。（《盡心篇》）

恭者不侮人，儉者不奪人。侮奪人之君，惟恐不順焉，焉得爲恭儉？恭儉豈可以聲音笑貌爲哉？（《離婁篇》）

伯夷目不視惡色，耳不聽惡聲，非其君不事，非其民不使。治則進，亂則退。橫政之所出，橫民之所止，不忍居也。思與鄉人處，如以朝衣朝冠坐於塗炭也。當紂之時，居北海之濱，以待天下之清也。故聞伯夷之風者，頑夫廉，懦夫有立志。（《萬章篇》）

六、不許說反對徵兵徵實同時並舉

有布縷之征，粟米之征，力役之征。君子用其一，緩其二。用其二而民有殍，用其三而父子離。（《盡心篇》）

七、不許說反對捐稅的話

古之爲關也將以禦暴；今之爲關也，將以爲暴。（《盡心篇》）

八、不許說反對內戰

爭地以戰，殺人盈野；爭城以戰，殺人盈城。此所謂率土地而食人肉，罪不容於死。故善戰者服上刑。（《離婁篇》）

有人曰：「我善爲陳，我善爲戰。」大罪也。國君好仁，天下無敵焉。（《盡心篇》）

孟子曰：「不仁哉，梁惠王也！仁者，以其所愛及其所不愛。

不仁者，以其所不愛及其所愛。」公孫丑曰：「何謂也？」「梁惠王以土地之故，糜爛其民而戰之，大敗。將復之，恐不能勝，故驅其所愛子弟以殉之。是之謂以其所不愛及其所愛也。」（《盡心篇》）

今夫天下之人牧，未有不嗜殺人者也。如有不嗜殺人者，則天下之民，皆引領而望之矣。誠如是，民歸之猶水就下，沛然誰能禦之？（《梁惠王篇》）

魯欲使愼子爲將軍。孟子曰：「不教民而用之，謂之殃民，殃民者，不容於堯、舜之世。」（《告子篇》）

九、不許說官僚黑暗的政治

今之事君者曰：「我能爲君辟土地、充府庫。」今之所謂良臣，古之所謂民賊也。君不鄉道，不志於仁，而求富之，是富桀也。「我能爲君約與國，戰必克」，今之所謂良臣，古之所謂民賊也。君不鄉道，不志於仁，而求爲之強戰，是輔桀也。由今之道，無變今之俗，雖與之天下，不能一朝居也。（《告子篇》）

惟仁者宜在高位，不仁而在高位，是播其惡於眾也。上無道揆也，下無法守也。朝不信道，工不信度，君子犯義，小人犯刑，國之所存者，幸也。（《離婁篇》）

十、不許說行仁政救人民

民之爲道也，有恆產者有恆心，無恆產者無恆心，苟無恆心，放僻邪侈，無不爲已。及陷乎罪，然後從而刑之，是罔民也。焉有仁人在位，罔民而可爲也？是故賢君必恭儉禮下，取於民有制。陽虎曰：「爲富，不仁矣；爲仁，不富矣。」……樂歲粒米狼戾，多取之而不爲虐，則寡取之；凶年糞其田而不足，則必取盈焉。爲民父母，使民父母，使民盻盻然，將終歲勤動，不得以養其父母，又稱貸而益之，使老稚轉乎溝壑，惡在其爲民父母也？……夫仁政必自經界始。經界不正，井地不均，穀祿不平。是故暴君污吏，必慢其經界。經界既正，分田制祿，可坐而定也。（《滕文公篇》）

王者之不作，未有疏於此時者也。民之憔悴於虐政，未有甚於此者也。飢者易爲食，渴者易爲飲。……今之時，萬乘之國，行仁政，民之悅之，猶解倒懸也。故事半古之人，功必倍之，惟此時爲然。（《公孫丑篇》）。

得百里之地而君之，皆能以朝諸侯，有天下。行一不義，殺一不辜而得天下，不爲也。（《公孫丑篇》）

若殺其父兄，係纍其子弟，毀其宗廟，遷其重器，如之何其可也？天下固畏齊之彊也，今又倍地而不行仁政，是動天下之兵也。（《梁惠王篇》）

其君子，實玄黃於匪，以迎其君子，其小人，簞食壺漿，以迎小人。救民於水火之中，取其殘而已矣。……苟行王政，四海之內，皆舉首而望之，欲以爲君。齊楚雖大，何畏焉？（《滕文公篇》）

十一、不許說君主要負善良或敗壞風俗的責任

君仁莫不仁，君義莫不義，一正君而國定矣。（《離婁篇》）

夫國君好仁，天下無敵，今也，欲無敵於天下，而不以仁，是猶執熱而不以濯也。（《離婁篇》）

人有恆言，皆曰：天下國家。天下之本在國，國之本在家，家之本在身。（《離婁篇》）

夫人必自侮而後人侮之，家必自毀而後人毀之，國必自伐而人伐之。（《離婁篇》）

仁則榮，不仁則辱；今惡辱而居不仁，是猶惡濕而居下也。如惡之，莫如貴德而尊士。賢者在位，能者在職，國家閒暇，及是時，明其政刑，雖大國必畏之矣。……今國家閒暇，及是時，般樂怠敖，是自求禍也。禍福無不自己求之者。（《公孫丑篇》）

看了上列的一些話，我們可以知道只要說到應該把人民當作人看待，而不能奴役他們的話，那怕那些話是孟子說的，也要被查禁。但是常常有些極平常的話，沒有提到人民和君主的也被刪節，可見統治者的疑鬼，正如我們的世紀有一部《紅樓夢》或《馬氏文通》都有被麻煩一通的危險。孟子中有一段說笑的故事，也是被刪去的，那就是：

齊人有一妻一妾而處室者，其良人出，則必饜酒肉而後反，其妻問與飲食者，則盡富貴也。其妻告其妾曰：「良人出，必饜酒肉而後反，問其與飲食者，盡富貴也；而未嘗有顯者來。吾將瞯良人之所之也。」蚤起，施從良人之所之，徧國中無與立談者。卒之東郭墦間之祭者，乞其餘；不足，又顧而之他。此其爲饜足之道也。其妻歸，告其妾曰：「良人者，所仰望而終身也，今若此。」與其妾訕其良人，而相泣於中庭，而良人未之知也。施施從外來，驕其妻妾。由君子觀之，則人之所以求富貴利達者，其妻妾不羞也，而不相泣者幾希矣。（《離婁篇》）

這故事大約是反對虛僞的粉飾，扯穿了說的是好聽的話，而做的是可恥的事的假面目。朱元璋曾仿《書經》作《大誥》，自以爲是愛人民，爲人民謀福利，而實在是殘暴無比。「人之所以求富貴利達」

的卑鄙的而驕傲的行爲，給孟子說穿了眞不值一文。這樣的著作檢查，眞是無微不到了。

——原載《容肇祖集》（濟南：齊魯書社，一九八九年九月），頁一七〇——一八三。

王陽明論「經學即心學」

——《稽山書院尊經閣記》之疏解

蔡仁厚

平常有「程朱理學」「陸王心學」之說，這個說法可以成立，但也必須有所簡別。所謂可以成立，是因爲程朱講性即理，陸王講心即理，雖同是理學，但陸王特別彰顯心，所以說二人是「心學」，固未爲不可。所謂必須有所簡別，則有三點說明：㈠將理學與心學相對而言，容易使人產生望文生義的誤解，以爲陸王之學不是理學，只是心學。㈡陸王實與程朱一樣，都是心性之學。陸王既講心即理，亦講性即理；而本心即是性，心、性、理三者名異而實同。㈢程朱則只講性即理，而不講心即理，所以他們所謂「性即理也」一語並不能概括陸王「本心即性」之義。在程朱（實際是伊川與朱子，明道則有所不同，須另講），心性不一，因而心與理亦爲二。——據此，可知陸王心學，亦可稱爲理學，而程朱理學，則不可稱之爲心學。

陽明說：「聖人之學，心學也。」他這裏所說的心學，其含義並不是與「理學」相對而言的「心學」，而是說「聖人之學，只是學以求盡其心」而已。所以他又說：「《四書》《五經》，不過說這心體。」可見陽明是直接認爲「經學即心學」的。關於陽明的學說思想，筆者已撰有《王陽明哲學》一書，已由三民書局出版，本文不擬再作重述。玆特取沒有編入《傳習錄》的一篇文章——一篇最能發明「經學即是心學」之基本義旨的文章，略加疏解，亦可視爲拙著的一點補充。

一、聖人之學，心學也

《稽山書院尊經閣記》，是陽明五十四歲所作。書院在浙江山陰（今紹興），境內有會稽山，故名稽山書院。尊經閣即在書院內。其文曰：

> 經，常道也。其在天謂之命，其賦於人謂之性，其主於身謂之心。心也、性也、命也，一也。通人物、達四海、塞天地、亙古今，無有乎弗具，無有乎弗同，無有乎或變者也；是常道也。其應乎感也，爲惻隱、爲羞惡、爲辭讓、爲是非。其見於事也，則爲父子之親、爲君臣之義、爲夫婦之別、爲長幼之序、爲朋友之信。是惻隱也、羞惡也、辭讓也、是非也，是親也、義也、序也、別也、信也，一也；皆所謂心也、性也、命也。通人物，達四海，塞天地，亙古今，無有乎弗具，無有乎弗同，無有乎或變者也；是常道也。

經，常也。經典所垂訓的，總是恆常不變之道。此道在天而言，謂之「命」；天道天命下降而貫注於人，則謂之「性」；而道又爲吾身視聽言動之主宰，此即謂之「心」。雖有「心」「性」「命」之異名，而其爲道則一。此道通貫人物，遍達四海，充塞天地，綿亙古今，萬事萬物無不具此道、同此道，而且永遠不變，所以是常道。常道無聲無臭、即寂即感，當其應物而感，便是惻隱、羞惡、辭讓、是非之心，亦即仁義禮智之四端。當其表現在事實上，則是父子之親、君臣之義、夫婦之別、長幼之序、朋友之信。亦即五倫之理。四端之心與五倫之理，名有不同而其義則可通而爲一，皆同是所謂心、性、命，亦同是天地間凡有血氣之倫所共同具有而永恆不變的常道。「常」可從二面了解，一是恆常，言其不改變；一是平常，言其不特殊。人人所共由，人人所能行，而且達之天下，行之久遠，而莫能改變，此即常道之所以爲常道。

二、《六經》乃是常道

> 是常道也，以言其陰陽消息之行焉，則謂之《易》；以言其紀綱政事之施焉，則謂之《書》；以言其歌詠性情之發焉，則謂之《詩》；以言其條理節文之著焉，則謂之《禮》；以言其欣喜和平之生焉，則謂之《樂》；以言其誠僞邪正之辨焉，則謂之《春秋》。是陰陽消息之行也，以至於誠僞邪正之辨也，一也；皆所謂心也、性也、命也。通人物、達四海、塞天地、亙古今，無有乎弗具，無有乎弗同，無有乎或變者也。夫是之謂《六經》。《六經》非他，吾心之常道也。故《易》也者，志吾心之陰陽消息者也；《詩》也者；志吾心之歌詠性情者也；《禮》也者，志吾心之條理節文者也；《樂》也者，志吾心之欣喜和平者也；《春秋》也者，志吾心之誠僞邪正者也。

此段首句「是常道也」的「是」，作「此」字解。開頭數句，說明《六經》之理，皆是常道之發用流行：⑴就其陰陽消息之變化流行而言，便謂之《易》。消、滅也，息、生也。《易傳》云：「一陰一陽之謂道」。陰陽消息循環不已之理，正《易經》之所盛言。⑵就其綱紀政事之實施而言，便謂之《書》。《書經》大要，皆二帝三王政教綱紀之記述，故《荀子・勸學篇》云：「《書》者，政事之紀也。」⑶就其歌詠性情之抒發而言，便謂之《詩》。孔子曰：「詩三百，一言以蔽之，曰：思無邪。」詩以「溫柔敦厚」爲教，所以最得性情之正。⑷就其條理節文之明著而言，便謂之《禮》。《禮》乃事物之條理，生活之節文，自修己以至於治人，一皆以《禮》爲規範。故條理節文，粲然明備，莫非《禮》之顯現。⑸就其欣喜和平之引生而言，便謂之《樂》。《莊子・天下篇》云：「《樂》以道和」。《荀子・勸學篇》云：「《樂》之中和也」。故引生其中正和悅之音，是即為《樂》。(6)就其誠偽邪止之辨正裁判而言，便謂之《春秋》。《春秋》正名分，別善惡，以行其褒貶，故「孔子作《春秋》，而亂臣賊子懼」。

自《易》而《書》、《詩》、《禮》、《樂》以至於《春秋》，其義雖各有所重，而其旨歸，則皆是心性天命之理，皆是通貫人物、遍達四海、充塞天地、綿亙古今，而永恆不變的常道。經，即常道之謂。所以說「《六經》非他，吾心之常道也」。志，記也。《六經》是吾心之常道，分別記述吾心之陰陽消息、綱紀政事、歌詠性情、條理節文、欣喜和平、誠偽邪正等等。故陽明有言：「《四書》《五經》，不過說這心體。」

《四書》《五經》講的是聖賢學問。聖賢學問是「生命的學問」，此屬內容眞理（與科學邏輯之屬於外延眞理者不同）。凡內容眞理，皆繫屬於一念之覺醒，皆繫屬於心體。脫離了心體，便沒有聖賢學問。故陽明直判曰：「《四書》《五經》，不過說這心體」。蓋《論語》以「仁」為主，《孟子》以「性善」為主，《中庸》以「誠」「中和」「慎獨」為主，《大學》以「明明德」「誠意」為主；《詩》以「溫柔敦厚」為教，《書》以「百王心法」為教，《易》以「窮神知化」為教，《春秋》以「禮義大宗」為教，《禮》以「親親尊尊」為教。——凡此，皆是屬於內容眞理而不能脫離主體者，故陽明以為「不過說這心體」。人若視《四書》《五經》為文字書冊，推出去而日事於訓詁考訂，而不能會歸於心體，不能契悟其中的眞理，如此，豈得謂之通曉《四書》《五經》？陸象山云：「學苟知本，《六經》皆我註腳」。後儒不明所以，以為這是象山的狂悖之言。其實，象山說的卻是最為平實的話。他只是表示：《六經》千言萬語，不過為我的本心仁體多方印證而已。由「明心體」以明聖人之道，乃是儒家之通義。程明道所謂「學者須先識仁」，象山教學者「明本心」「先立其大」，以及陽明之「致良知」，全是爲學入道的緊切之言，亦是聖賢之學的血脈門徑。

三、尊吾心之常道即是尊經

> 君子之於《六經》也，求之吾心之陰陽消息而時行焉，所以尊《易》也；求之吾心之紀綱政事而時施焉，所以尊《書》也；求之吾心歌詠性情而時發焉，所以尊《詩》也；求之吾心之條理節文而時著焉，所以尊《禮》也；求之吾心之欣喜和平而時生焉，所以尊《樂》也；求之吾心之誠僞邪正而時辨焉，所以尊《春秋》也。

此段言所以尊經之道：反求吾心之陰陽消息，而應時化行之，便是「尊《易》」之道。反求吾心之紀綱政事，而應時實施之，便是「尊《書》」之道。反求吾心之歌詠性情，而應時抒發之，便是「尊《詩》」之道。反求吾心之條理節文，而應時明著之，便是「尊《禮》」之道。反求吾心之欣喜和平，而應時引生之，便是「尊《樂》」之道。反求吾心之誠僞邪正，而應時辨正之，便是「尊《春秋》」之道。所以，尊經即是尊吾心之常道，亦即尊性、尊命。（心、性、命、一也。）《中庸》云：「君子尊德性而道問學」。不尊德性而道問學，則是舍本逐末而已。

> 蓋昔者聖人之扶人極、憂後世，而述六經也，猶之富家之父祖，慮其產業庫藏之傳其子孫者，或至於遺忘散失，卒困窮而無以自全也；而記籍其家之所有而貽之，使之世守其產業庫藏之積而享用焉，以免於困窮之患。古《六經》者，吾心之記籍也；而《六經》之實，則具於吾心。猶之產業庫藏之實積，種種

> 色色具存於其家；其記籍者，特名狀數目而已。而世之學者，不知求《六經》之實於吾心，而徒考索於影響之間，牽制於文義之末，硜硜然以爲是《六經》矣；是猶富家之子孫，不務守視其庫藏產業之實積，日遺忘散失，至於窶人丐夫，而猶囂囂然指其紀籍曰：「斯吾庫藏之積也」。何以異於是？

人極，即人倫常道。此一節陽明取喻說明聖人之扶持人倫綱常，憂念學絕道喪，而述《六經》以垂後世；正如富家之父祖慮其子孫不能守產業，所以記籍其產業財物之名目，付之子孫，使之世代守其產業庫藏之積，以免遺忘散失而陷於困窮。富家之產業財物，具存於其家，此是本；所記載之名狀數目，則是末。同理，《六經》之實理（四端五倫，皆是實理），具於吾心，此是本；《六經》之文字，則是末。當然，若無有經典文字，則後人亦無由詳悉聖賢之道，但聖賢之道，實即吾心之常道，聖人不過「先得我心之同然耳」。並非在「我心之同然」之外，別有一個聖人之道。後世學者不知求《六經》之實理於吾心，而唯知考求其名物度數之形跡，拘牽於文義訓詁之末，以爲《六經》大義不外於是。如此，則與富家子孫既失其家業而淪爲乞丐，而猶大言不慚，以爲其財富具存於記籍之中者，有何不同？此正所謂「貧兒說富」而已。

四、斥世儒亂經侮經之非

> 嗚呼！《六經》之學，其不明於世，非一朝一夕之故矣！尚功利、崇邪說，是謂亂經。習訓詁、傳記誦，沒溺於淺聞小見，以塗天下人之耳目，是謂侮經。侈淫辭、競詭辯，飾奸心盜行，逐世壟斷，而猶以爲通經，是謂賊經。若是者，是併其所謂記載而割裂棄毀之矣！寧復知所以爲尊經也乎？

此段斥世儒不知尊經，直是亂經、侮經、賊經而已。董仲舒有二句話極好：「正其誼不謀其利，明其道不計其功。」須知天下萬物，未有義正而不利者，亦未有道明而無功者；故不謀其利而利自至，不計其功而功自成。反之，若棄仁義而功利，則其所成之功必是一時之功，其所得之利必只是私己之利，絕不足以功垂後世而利濟天下。故崇尙功利與崇尙「非仁義、棄人倫」之異端邪說，皆足混亂《六經》之義旨。至於訓詁記誦，並非一無價值，即使淺聞小見，亦不是毫無可取，但本末大小不可不辨。經學自應以發明常道爲本，以尊此常道爲大。若只以此訓詁記誦與淺聞小見，塗飾天下人之耳目，使之不知正見，不聞大義；而誤以爲《六經》之學，只是訓詁記誦而已，則終將斷喪本源，蔽塞大道。而《六經》所受之侵侮，孰大於此！此外，又有一輩人喜以放蕩不實之言，而競爲詭辭巧辯，以掩飾其奸詐之心與盜竊之行（欺世盜名），甚而父以傳子，師以傳弟，藉此以求取功名利祿，於是結徒黨、立門戶，而自以爲累世通經，而世俗之人，多不具眼，遂亦以經學稱之。經學落到這步田地，眞可謂奄奄一息。然則戕賊《六經》，莫此爲甚矣。如上述亂經、侮經、賊經之類，不但不能發明《六經》之道，連《六經》之文亦已遭其割裂毀侮；如此講經傳經，尙有何尊經之可言？是故，陽明慨歎道：「寧復知所以爲尊經也乎？」

> 越城舊有稽山書院，在臥龍西岡，荒廢久矣！郡守南君大吉，既敷政於民，則惋然悼末學之支離，將進之以聖賢之道。於是使山陰令吳君瀛，拓書院而一新之，又爲尊經之閣於其後，曰：「經正則庶民興，庶民興斯無邪慝矣」。閣成，請予一言，以諗多士。予既不獲辭，則爲記之若是。嗚呼！世之學者，得吾說而求諸其心焉，其亦庶乎知所以爲尊經矣！

越城，指會稽山陰，即今紹興縣。南大吉，字元善，號瑞泉，陝西渭南人。時入郡守，並從陽明學而爲弟子。正，謂正其不正以歸於正。

興，謂興起爲善。慝音特，藏於心中之惡念。諗意審，告也。——陽明此記，乃發明心學之重要文字。全文主旨在發明「經學即心學」之義。而最主要的二句話：一是「《六經》即吾心之常道」，一是「尊吾心之常道，即所以尊經」。此義，正與象山「尊德性」之學遙相承接，而且亦可視爲象山「《六經》皆我（心之）註腳」一語之闡釋發揮。

附識：

對於陸王，常有一個誤會，以爲陸王之學空疏，實則，此乃不切之談。象山《與曾宅之書》有云：「宇宙自有實理。所貴乎學者，爲能明此理耳。此理苟明，自有實行，自有實事，德則實德，行則實行。」象山所謂實理，亦即陽明所謂「良知之天理」。此天所與我、心所本具的理，是有根的，是眞實的，故曰「實理」。實理顯發爲行爲，即是「實行」；表現爲家國天下之事，即爲「實事」；得之於己而凝爲孝弟忠信等等，即是「實德」。象山嘗謂天下學問，只有二途：一途議論，一途樸實。他自稱其學爲「樸學」「實學」，並且說「十虛不博一實。吾平生學問無他，只是一實」。由本心實理流出而爲實事實行，此即陸學精神之所在。象山常引述《易傳》之言：「舉而措之天下之民，謂之事業。」他爲官之時甚暫，但出知荊門軍十五個月的政績，朝野交口讚譽，而且他是眞的積勞成疾，死於任所。至於陽明的事功，更不是任何譏議陸王之學爲空疏的人所能望其項背。且陽明亦是爲國勞瘁，而死於道路的。陸王心學絕對不尙空談，因爲不安不忍的本心，必然要通出去，以與社會生民、天地萬物、渾然而爲一體，此亦正是儒家學問的血脈，而陸王之學正緊切地握了此一精神。據此可知，陸王之學不但不空疏，而且最有實踐性（而此正爲當前一般知識分子所最欠缺）。——相應道德本性而爲道德實踐，內以作己，外以成物。此即心學之所以爲心學的最本質之宗趣。「先立其大」、「致」其「良知」，必然是：一面表現建立個人與國家社會之必然關連，一面發爲人人對國家社會事業負責之生命力的發皇，此即陸王學之實踐性及其所以爲正大之所在。

附：陸王「心學」釋義

㈠「心學」，是以儒家的「道德心」爲準，而開出來的學問。所以，它不涉及道家講的道心，亦不涉及佛家講的如來藏心或般若智心。同時，亦不可拿西方的唯心論來隨意比附，以免滋生混淆與誤解。

㈡心學，是指陸象山與王陽明所代表的學問。故通常有所謂「程朱理學」「陸王心學」的分別。但這個分別容易望文生義，以爲程朱講理不講心，陸王講心不講理，這當然是誤解。象山說「心即理」，陽明說「良知即天理」，陸王不豈能不講「理」乎？所以，分而言之，雖然心學與理學相對而說；統而言之，則程朱陸王皆稱理學。

㈢象山言「心」，是根據孟子而來。「本心、良心、不忍之心、怵惕惻隱之心、羞惡之心、恭敬辭讓之心、是非之心」，皆是孟子的詞語。象山主張「明本心、復本心、先立其大」，正是順孟子的義理而講說。即使「宇宙便是吾心，吾心即是宇宙」、「此心同，此理同」，亦仍然是孟子所謂「萬物皆備於我」、「君子所過者化，所存者神，上下與天地同流」、「心之所同然者，理也、義也、聖人先得我心之同然耳」諸語的引申與發揮。

㈣「心學」的義理綱維，可舉三點而言之：⑴本心即性：孟子從惻隱羞惡等四端，以言仁義禮智之性，乃是「即心而言性」。依據孟子的義理，心性本是一（不只是二者合而爲一），故本心即是性。⑵心即理（良知即天理）：陸王所說的本心良知，是自具理性的道德心。它自主自律，當惻隱自能惻隱，當羞惡自能羞惡，當孝弟自能孝弟；它自己即是道德的律則，是即所謂天理。不是外在的抽象的理，而是在於良知本心的眞誠惻怛，此眞誠惻怛昭明地朗現出來便是天理。所以天理之朗現，就在本心良知處發見。理由心發，滿心而發，則充塞於天地之間者，莫非此心，莫非此理。而一切事物，皆在良知天理之潤澤中而得其眞實之成就。攝物以歸心，心以宰物、以成物，此便是道德的創生、形上的直貫。所謂「心與理一，心外無理」，乃至「心外無物」，皆須在這個意義上乃能得其正解。⑶心同理同：象山所謂「吾心即是宇宙」，這個「吾」字，是指天下古今每一個人而言。象山說，千萬世之上、千萬世之下、以及東西南北海有聖人出焉，皆同此心，同此理。這心同理同的心，乃是超越時空之限隔而絕對普遍的心。我們的本心既與天地萬物通而爲一，則它就是天心，就是天理，此之謂「心同理同」。

㈤陸王之學是孟子學，是「一心之朗現、一心之申展、一心之遍潤」的心與理通而爲一的「心學」。

——原載《新儒家的精神方向》（臺北：學生書局，一九八二年三月），頁二二七——二三七。

論徐光啟的《詩經》研究

程俊英

徐光啟是我國十七世紀初傑出的自然科學家，他以淵博精湛的學問，繁富等身的著作，在中國科學史上寫下了光輝燦爛的一頁。他的大貢獻，久爲國內外學者所敬仰。而他在社會科學方面，特別是關於《詩經》的研究，就很少爲人們所注意。當然，徐氏這方面研究，在他整個學術貢獻中，只佔很小的部分，但對此作一初步的分析和適當的評價，有利於探索徐氏早期的奮鬥目標、思想發展，有利於認識這位偉大學者的全部貢獻。

一、徐光啟關於《詩經》的著作

《詩經》是我國第一部詩歌總集，是祖國文學史上現實主義與比興藝術手法的起點，作爲《五經》之一，它又是封建社會知識分子必修的經典。徐氏關於《詩經》的著作，有《毛詩六帖講意》、《詩經傳稿》和《葩經嫡證序》三種。

《詩經傳稿》四卷，收集了徐氏有關《詩經》經義的制義文九十三篇。他的孫子徐爾默輯，曾孫徐以嘉等校。卷首有康熙十二年癸丑（一六七三）同郡王光承（玠右）的序，每篇後有王光承和徐時勉的評語，爲清初徐氏淵源堂家刻本。原書不見於各家藏目及《徐氏宗譜·翰墨考》，國內已無藏本。三十年代，史學家向覺明先生遊學歐洲，在倫敦牛津大學發現此書，這本流失海外已久的徐氏佚著，才爲國人所知。近承英國李約瑟博士從牛津攝來照片，始得據以影印。上海古籍出版社出版《徐光啟全集》，將其收入。此書的寫作年代很難確定，估計約在萬曆三十二年（一六〇四）徐氏中進士之前。制義文章由於受形式的限制，發揮經義又必須根據當時朝廷規定的朱熹《詩集傳》，在經學上很難有什麼創見。但我們通過閱讀這近百篇的八股文，可窺見作者早年的部分思想觀點，對於全面了解、評價徐氏還是有裨益的。

徐光啟另一篇關於《詩經》的文章是《葩經嫡證序》。《葩經嫡證》的全稱，爲《重鐫張徐兩太史審定葩經嫡證》，雲間張以誠（字君一，松江人，萬曆三十九年狀元）訂正，徐光啟參閱，朱輅（字殷如，松江人，自署存拙齋主人）輯著。全書八卷四冊，卷首有張以誠、徐光啟序及朱輅小引各一篇。徐序撰於萬曆四十四年（一六一六），爲徐集各種刊本所未收。徐氏在序中說：「予少嗜風雅，未窺三百藩籬，第其中溫柔敦厚之脈，粗得其概。經緯之奧旨，唱嘆之餘韻，會心所到，時抽玄解。……每曰：安得以古人欲言之微，逐一拈出，以發明經傳，爲攻詩一助。」他稱讚此書爲「宣聖功臣，而與紫陽共不朽也」。從這些話裡，我們可以看到幾點：第一，他對《詩經》的研究，很感興趣。第二，徐氏治詩，仍以朱熹《詩集傳》爲標準。第三，在尊崇《集傳》的同時，他時有心得，另作別解。《葩經嫡證序》只有短短三百餘字，我們從中只能窺其消息。要研究徐氏的詩學，必須依據他最重要的著作——《毛詩六帖》。

《毛詩六帖》，又名《毛詩六帖講意》。專門收集明人著作的《千頃堂書目》著錄而無卷數，《明史・藝文志》著錄爲六卷。清初經學家朱彝尊《經義考》有目亦無卷數，恐怕是因爲沒有見到原書。《四庫全書總目提要・經部・詩類存目》著錄范方重訂本十四卷，但這已經范方擅自刪移，不復原本次第。此書傳世者有拜經樓吳氏所藏舊抄本，僅存第二卷《小雅》。此外，還有羅振玉藏的萬曆刻本，上海圖書館藏的金陵廣慶堂刻本。

關於《毛詩六帖》成書的年代，唐國士《毛詩六帖序》云：「詩六帖乃徐太史玄扈先生下帷時所輯。」徐氏於萬曆十一年（一五八三）開始教授里中」，「以館穀自給」，直到萬曆三十二年（一六〇四）春中進士爲止，前後凡二十年。其中除因赴試或他故偶輟外，絕大部分時間都用在下帷教授生徒。他平時「於物無所好，惟好學，目不停覽，手不停毫」，故著述頗富。但《毛詩六帖》究竟纂輯於何時呢？梁家勉教授所撰《徐光啟年譜》認爲在萬曆三十一年（一六〇三），這是成書可能的最遲年限了。因爲次年春，徐氏會試中式，派赴都察院觀政，是年秋，又考選爲翰林院庶吉士，從此不再回鄉授徒。他自考取進士以後，專攻自然科學，兼及經濟、軍事，對經學似無暇旁顧了。唐國士序中還提到，當時弟子對《毛詩六帖》「爭相傳錄，借以指南者非一日矣。第寒儒繕寫無資，咸冀殺青。又十餘年，書賈始購善本，議剞劂，命余序之」。唐序撰於萬曆二十六年（一五九八）。徐氏於萬曆二十五年（一五九七）秋，應順天府鄉試，中第一名舉人。次年三月，應會試不第，自京回鄉，仍以教授爲業，「日與其徒咀嚼詩書之精華，斟酌文章之醇醨，詠歌彈琴，惟日不足」。這時候，徐氏所教的已不是童蒙子弟，而是有相當程度的學生了。因此，如果我們說《毛詩六帖》是徐氏在這五六年中，爲了傳授生徒以應科舉而編輯的《詩經》講義，恐怕切合實際情況的。

《毛詩六帖》的書名就和科舉有關。程大昌《演繁露》云：「白樂天作類書名《六帖》，《通典・選舉門》載唐制曰：『開元中，舉行課試之法。帖經者，以所習經掩其兩端，中間惟開一行，裁紙爲帖，凡帖三字，隨時增損，可否不一；或得四得五，得六者爲通。』此六帖之名所從起也。六帖云者，取中帖之數以名其書，期於必遂中選也。」所以《四庫全書總目提要》評論說：「白居易以名類書，殊無所取義。光啟以名經解，爲轉不失其初。」可見徐氏此書的性質，確實是爲幫助學生應考之用。

《毛詩六帖》分爲《翼傳》、《存古》、《廣義》、《攬藻》、《博物》、《正叶》六目。《翼傳》者，「依附紫陽，研尋經旨」，即以朱熹《詩集傳》爲標準，來探索詩的主題。《存古》者，「《毛傳》、《鄭箋》存其雅正」，即對西漢毛亨的《毛詩故訓傳》和東漢鄭玄的《毛詩箋》等中有意義的部分予以輯錄。《廣義》者，「《傳》《箋》以外創立新意」，即徐氏闡發自己不同於前賢的獨特見解。《攬藻》者「詩賦雜文，憲章六義」，即從作文方法、文學評論、文學歷史的角度來研究《詩經》。《博物》者，「鳥獸草木搜緝異聞」，即對《詩經》中的名物加以訓詁。《正叶》者，「考求音韻審詳訛舛」，即徐氏以自己對詩韻的理解，列出各首詩的韻譜。

我所見到的《毛詩六帖講意》，是上海圖書館藏金陵廣慶堂刻本，全書四卷，《國風》、《小雅》、《三頌》各一卷。前有唐國士《序》、《毛詩六帖目》及《毛詩韻譜說》各一篇。對於每首詩來說，皆不錄經文。篇名之後，首列《毛詩序》，然後徵引各家之說以講解全詩的意義。所引者上起先秦兩漢，中涉唐宋，下及時賢，雜以己意。內容方面，有講解詩旨、疏釋字句、闡發義理、推求音韻、體會詩味、探索淵源、述其流變，範圍很廣。接下來，是以白圈、黑圈及標出押韻字眼的形式，開列該篇的韻譜。對篇幅較長的詩，在韻譜後作逐章的分析或說明。綜觀全書，包羅繁富，足見徐氏於《詩經》研究用力之勤，造詣之深。我於徐氏詩學，只有初步接觸，現就個人心得，作一些粗略的分析。

二、徐光啟《詩經》研究的成就

徐光啟早年「自六籍百氏，靡不綜覽而攬其精華，肆爲宏詞，精深奧衍，見者辟易」，「而尤以治《詩經》名家」。唐《序》云：「太史爲藝林宗匠，詩說尤多創見……是書妙處，能補紫陽之缺略，闡箋傳之精微者也。」可見當時士林對它推崇的程度。徐氏治詩，我覺得主要有如下四個方面成就：

㈠在宋學末流壟斷經學領域的明末時候，能獨具隻眼，綜合漢、宋兩派說詩之長，批評朱熹釋詩之短。

兩漢以來，《詩經》的今文學和古文學相繼興起，形成了《詩經》的漢學流派。之後今文學寖微，古文學轉盛，至唐孔穎達《毛詩正義》出，漢學發展到頂峰，然而也開始走下坡路。宋初，經學界發揚獨立思考的精神，懷疑漢人詩說的宋學開始萌芽，至南宋朱熹撰《詩集傳》而完成《詩經》的宋學體系。宋學在宋、元、明三代封建帝王的提倡下，取得「一統天下」的地位。元劉瑾撰《詩傳通釋》，專門闡明《詩集傳》之旨，委曲遷就，爲人所譏。明胡廣等奉敕撰《詩經大全》，剽竊劉氏舊文，陳陳相因，全無創見。像這樣的著作，卻被奉爲明代科舉取士的準則，宋學末流空疏之弊，可見一斑。

在這樣僵化的經學環境中，徐氏能於《毛詩六帖》裡提出《存古》一目，吸取《毛傳》、《鄭箋》的長處，在當時來說，確實是一件難能可貴的事。他在注釋《小雅·出車》時說：

> 注書只消訓詁，不須翻案。講解增添意見，造作語言，得者固多，失者不少。漢儒未必全非，宋儒未必全是。

「注書只消訓詁，不須翻案」，反映了徐氏認眞、踏實的治學態度。正因爲如此，他能客觀地作出「漢儒未必全非，宋儒未必全是」的結論。在《商頌·那》的注中，他引別人的說法，來辨明《鄭箋》與《朱傳》之間的是非：

> 「綏我思成」，朱子既詳引《鄭箋》，而又謂其有脱誤，今正之。蓋鄭注本云安我心所思而成之也。夫心之所思，思祖考也

。始尚茫然，既而若有見聞，則成之矣，心於是乎安矣。《箋》語渾融，亦自明白無疑。愚殆疑朱子之贅，而不當謂鄭注爲脫誤也。

在講解《邶風・凱風》時，徐氏直接駁斥朱注的牽强附會。他說：

勞苦莫慰母心，朱注云：「微指其事」，太穿鑿。此注與「展我甥兮，明非齊侯之子」一類，俱非詩旨。詳七子之意，無非痛自刻責爾。

《凱風》一詩，《毛序》認爲：「衛之淫風流行，雖有七子之母，獨不能安其室。故美七子能盡其孝道，以慰母心，以成其志。」朱熹依附《毛序》之說，照抄不誤。他解釋「有子七人，母氏勞苦」二句，兒子認爲母親要改嫁，不便直言，以「勞苦」二字婉辭幾諫。徐氏反對這種歪曲詩旨的說法，按就詩論詩的原則，批評朱熹「太穿鑿」，眞是切中要害。徐氏在注《魯頌・駉》時說：

思無邪是本，夫子凡思出於正，便無厭斁，便不淺近。舊說如此，看來亦未必然。爲此說者，亦因夫子「一言以蔽」之義，遂欲歸重此句。殆所謂伯樂一顧，增價什倍；豈非矮人看場，可笑之甚也！不知夫子所云，亦斷章取義之法。大凡古人引詩，都是借詩爲用，不宜以彼之說便謂詩人之旨。

這段話直接涉及孔子對《詩經》的評論了。可是他說「夫子所云亦是斷章取義之法」，是完全正確的。他認爲注釋家不宜以古人借詩爲用的說法，來解釋詩旨。他所駁斥的「舊說」，看來就針對朱熹《集傳》的。朱熹在《駉》詩說：

孔子曰：「詩三百，一言以蔽之，曰思無邪。」蓋詩之言美惡不同，或勸或懲，皆有以使人得其情性之正。然其明白簡切，通於上下，未有若此言者，故特稱之；以爲可當三百篇之義，以其要爲不過乎此也。學者誠能深味其言，而審於念慮之間，必使無所思而不出於正，則日用云爲，莫非天理之流行矣。

徐氏用「伯樂一顧，增價什倍」的幽默語來嘲笑朱熹這段的注解，可謂痛快淋漓。徐氏認爲：「大抵詩人之言，惟淡知平，不必求之以深。不然，反失其旨。」他對「失其旨」的注釋，無論是出自漢儒，或出自朱熹，都予以駁正。其中雖有過當之處，但較之當時一些株守門戶之見、字字阿附《朱傳》，以毛鄭爲罪人的腐儒，則不可同日而語了。明代自胡廣書出，應舉與窮經，久分兩事。《毛詩六帖》雖然也是爲士子應試所撰，然能折衷漢、宋，並存毛、鄭，提出「漢儒未必全非，宋儒未必全是」的主張，參以己見，務得詩意。顯出徐氏在詩學研究領域裡是別樹一幟，不同凡俗。唐國士在《毛詩六帖序》中說：

蓋昭代尊崇紫陽，傳注外一概抹殺，即《毛傳》、《鄭箋》確有正見，亦不敢竄入一二，僅襲紙上陳言，互相影附。沉痼日久，將千古風人性靈，都不及探索，又安望其漱芳而資博耶？太史恪遵考文，首《翼傳》，次《存古》，既能調劑兩家之說，……于明經者固大有裨益。

唐氏這一段的評語，是有根據的，非常中肯的，並指出了《毛詩六帖》的特色及其效果。

㈡對詞義訓詁，時有獨特的見解。

《毛詩六帖》的訓詁，採取集注的方式，多引《毛傳》、《鄭箋》、《孔疏》以及名家之說。但是，徐氏亦間抒己見，頗見功力。《周南・葛覃》有「薄污我私，薄澣我衣」兩句，徐氏解釋道：

薄，發語詞。猶《楚辭》之言「蹇」、言「羌」也。或云：薄是略施其功，不爲過飾。則「薄言采之」是略采、「薄言往愬」是略愬耶？

這個「薄」字，孔穎達《毛詩正義》串講爲：「薄欲煩撋我之私服，薄欲澣濯我之褻衣。」很不易懂。揣度其義，恐怕就是「略施其功」的意思。朱熹就望文生義地說：「薄，猶少也。」這裡的薄是發語詞，《毛傳》在《芣苢》下注：「薄，辭也。」很空泛。清人王引之《經傳釋詞》考證甚詳。徐氏也認識到這一點，定爲發語詞，並舉楚方言「蹇」、「羌」作比，就顯得具體而又明白，從而駁斥《孔疏》之誤，可見他對《詩經》的虛詞是有研究的。又如《小雅．棠棣》：「棠棣之華，鄂不韡韡。凡今之人，莫如兄弟。」《毛傳》：「興也。」《鄭箋》：「承華者曰鄂，『不』當作『柎』，『柎』，鄂足也。鄂足得華之光明，則韡韡然盛。興者，喻弟以敬事兄，兄以榮覆弟，恩義之顯亦韡韡然。古聲不、柎同。」朱熹《詩集傳》又望文生義地說：「興也。……不，猶豈不也。韡韡，光明貌。……故言棠棣之華，則其鄂然而外見者，豈不韡韡乎？凡今之人，則豈有如兄弟者乎？」徐氏在此加了一段按語：

> 「不」字古文作𣎴，華之足，象形字也。假借爲可不之不，轉注爲不然之不。不必改作柎字，乃爲華足。棠棣今各處有之，吳人呼爲「玉馬鞭」。其華與他華異，一柎輒生兩萼，兩兩相麗，故稱韡韡。以爲興者，取兄弟同生之義也。若止謂韡韡然盛，則華之盛者多矣，何必棠棣以比兄弟乎？因嘆古人比興定非漫然者。聖門學詩，稱多識於鳥獸草木之名。其在當時，必有此種傳授，如《爾雅》之類，當非一家，直爲秦火失傳；而漢儒毛、鄭之徒，極力鑽研，止得十之七八。宋儒則長於義理，略於名物，並毛鄭之說芟削無遺。以此今世說詩，於比興之義，大段鹵莽耳。

從這段按語中，我們可以得到幾點啟發：首先，徐氏對文字學很有研究，精通古文。鄭玄認爲不、柎古聲同，「不」是同音通假，本作「柎」。徐氏則上溯古文，指出造字之初即爲「花足」，象形，不勞通假。此較《鄭箋》更有根據，更爲直截明白。朱熹訓「不」爲「豈不」，未免相形見拙，暴露了宋儒的缺點。徐氏早年曾著《方言轉注》一書，可惜遺佚不傳，否則，我們對他的小學成就，當有更多的了解。其次，徐氏在明訓詁的基礎上講解興義，可謂卓見。《棠棣》是一首歌詠兄弟情誼的詩，「棠棣之華，鄂不韡韡」，毛公標興，鄭玄解釋爲華足得華之光明則韡韡然，以興兄弟之間恩義顯然，亦韡韡然。徐氏反問道：「若謂韡韡然盛，則華之盛者多矣，何必棠棣以比兄弟乎？」指出鄭氏混淆了一般與特殊的區別，解釋就顯得牽强空泛。徐氏進一步指出，棠棣不同於其他花的地方，在於「一柎輒生兩萼，兩兩相麗」，以爲興者，「亦取兄弟同生之義」。詩人看到並柎而生的兩朵棠棣花，就象同胞兄一樣，觸動了他的感情，於是唱出了這首歌來。這樣的解釋，比起鄭、朱來，不但符合詩的本意，也形象生動多了。徐氏有感於經師不識古文，不明訓詁之弊，批評他們「大段鹵莽」，是很正確的。最後，我們還可以看到，徐氏講解名物，除了廣引典籍之外，還借助於自己淵博的自然知識。他說：「棠棣今各處有之，吳人呼爲玉馬鞭，其華與諸華異。」這是他親身的經歷，親眼看到的，較之古人記載在書本上的知識爲親切可信。

關於這方面的例子還可以再舉一些，如《小雅·鴻雁》：「之子於垣，百堵皆作。」《鄭箋》：「《春秋傳》曰：五版爲堵，五堵爲雉，雉長三尺，則版六尺。」徐氏按語說：

> 《箋》説是也。《冬官》：「約大汲其版，謂之無任。」是版欲短欲挾，則築土堅。高二尺，廣六尺，此其制矣。五升其版爲一堵，則是高一丈廣六尺矣。如是者五爲一雉，高一丈廣三丈也。《考工記》：「雉廣三丈，高一丈。」度高以高，度廣以廣。

又如《小雅·鶴鳴》：「鶴鳴於九皐。」徐氏說：

按鶴軒前垂後腳，青黑，朱頂，白身，長頸，凋尾，頸翼有黑，尾則未嘗黑也。錄此以證《疏》、《傳》之誤。

又如《周頌・載芟》「千耦其耘，……緜緜其麃。」徐氏曰：

「千耦其耘，緜緜其麃」，據朱子總訓作去苗間草也，則「播厥」三節爲申明次節之意，總是既苗而耘。據鄭氏《箋》，則以「千耦其耘」爲既耕而耘，「緜緜其麃」爲既苗而耘。前之耘，爲反土而除草木之根株；後之麃，爲除去苗根之草。第如今人治田，則朱子爲是。然耘而後播，於今亦間有之，疑此是古法，漢人注疏必非漫然者也。

從以上三例我們可以看到，無論是增廣古人的注義，還是辨正注疏之誤；無論是發現問題，還是存疑待考，徐氏都能提出他所知道的實際知識或書本知識作爲依據。當時他雖未在自科學方面著書立說，但因自幼家道中落，他的父親不得不「課農學圃自給」，他的祖母和母親也是「早暮紡績，寒暑不輟」，他在這樣的環境中長大，所以多能「鄙事」，有生產方面的知識和實際經驗。張溥《農政全書序》談到徐氏爲諸生時，「有田數弓，茀不治，稍施疏鑿功，植柳其地，歲獲薪燒利反倍於租入。」可見他早年是頗諳農事的。

徐氏以其「博物」常識，對《詩經》中草木蟲魚等名物間出新詁，有所發明，這是他治詩的長處。但是，我們也要實事求是地看到，書中這一類的新詁，數量畢竟是很少的，絕大部分的名物訓詁，還是徵引前人（如陸璣《詩草木鳥獸蟲魚疏》等）之說。如果說，這是《毛詩六帖》「最大的特點」，恐怕言之過當。

㈢重視《詩經》的文學性和語言藝術。

李杕《徐文定公行實》說：徐光啟「章句、帖括、聲律、書法，均臻佳妙」，他在翰林館的課藝，被選入《甲辰翰林館課》者共詩文二十六題。這些，都可見徐氏在文學方面的修養。所以他研究《詩經

》，於訓詁義理之外，處處留意其文學性，特在《六帖》中立《攬藻》一目，旨在「詩賦雜文，憲章六義」。這可說是《毛詩六帖》一大特點。

1.賦、比、興是《詩經》最主要的藝術手法，尤其是比興，濫觴於《詩經》，在中國文學史上源遠流長。徐氏是非常重視比興的，他在《周南・關雎》中引徐士彰的話來說明自己的觀點。徐說：「《詩》之取興，若《易》之取象，未有無意義者。」興句比較隱晦，劉勰說：「《詩》文弘奧，包韞六義；毛公述傳，獨標興體，豈不以風通而賦同，比顯而興隱哉？」蘇轍說：「夫興之爲體，猶曰其意云爾，意有所觸乎當時，時已去而不可知，故其類可以意推而不可以言解也。」他們都認爲興句不容易理解。徐氏能看出興句和全詩意義的聯繫，足見他對興法的研究是比較深刻的。他在分析《曹風・下泉》的比興時說：

> 此篇本是比體，而因以爲興，與他詩不同。說者多於首二句講，末攙入正意，又作興語以起下意，是一語重出，既非詩體。或將正意先說在前，卻將首二句貼正意說明，而因詠嘆其詞，以興末二句。此則先正後比，尤非托物之旨。要知首二句中即具比興二意（即含比的興），今只順本文說去，而比興之意自在；不必畫蛇添足，亦不必頭上安頭也。說詩到此等處只宜領取意旨，更勿向語言文字委曲周旋，愈巧愈拙，愈近愈遠。

《詩經》中的興，多以大自然的景物起興，這種形象思維，有其特定的環境條件。譬如《關雎》詩人看見河洲上的水鳥，關關地叫著，追求它的伴侶，因而聯想起自己夢寐以求的善良美貌的淑女。那麼，「關關雎鳩，在河之洲」的興句，不是和君子追求淑女的主題產生有機的聯繫嗎？如果不從詩人觸物聯想和當時的思想感情去體會，單從字句上去推求，就會像徐氏所說的那樣，「愈巧愈拙，愈近愈遠」。他提出「只宜領取意旨」的主張，確能體會興句的三昧。鑒於此種認識，徐氏頗不滿於一些說經者，認爲他們解釋比興「大段鹵莽」。故常將比興重點講解，多有新意。如《唐風・采苓》「采苓采苓，首陽之巔」，《毛傳》標興，《鄭箋》曰：

> 皆云采此苓於首陽山之上，首陽山之上信有苓矣。然而今之采者未必於此山，然而人必信之。興者，喻事有似而非。

徐氏說：

> 此詩之比（徐所說的比，即含比義的興），與《碩鼠》同體，俱不欲斥其事，姑指一物言之。「人之爲言」上不必補出正意，緊承采苓說去，但又不必說采苓。凡托言之比，只借一事發端，下言彼即言此也。

又如《小雅・節南山》「節彼南山，有實其猗」，《毛傳》標興，朱熹說：「未詳其義」，徐氏說：

> 「有實其猗」，言草木長大，滿於山谷，見山之生物均平如一，以興人之不平也。

以上二例，都是徐說超過前人之處。據我個人的體會，他理解比興有各種各樣的形式，有象徵性的、反比性的等等。象徵性的如《碩鼠》，反比性的如「有實其猗」。他用這樣的方法去分析比興，確實符合劉勰所說的「詩人比興……擬容取心」的過程。

2.徐氏在研究比興的同時，還注意《詩經》語言文字分析。他將詩篇分爲字法、句法、章法三類，每一類又有能品、妙品、神品高下之分。他在分析《邶風・北門》時說：

> 「適」字、「一埤益」字、「讁」字、「敦」字、「一埤遺」字、「摧」字，各有意義，一一認取內外俱困情緒如何。後人《士不遇賦》極力摹擬，能過此寥寥數言否？俱字法妙品。

《北門》是一位小官吏哀嘆王事堆積，家境貧寒的詩。徐氏認爲詩人抒寫內外交困的痛苦，是靠上述幾個動詞描繪出來的，實際上是指出了文學語言的形象性和精確性。又如《秦風・蒹葭》「宛在水中央」一句，徐氏評論說：

「宛在水中央」，想像、模擬，恍然想見之意。若彷若彿、若滅若沒。此等語言，吾不自知其所從來，殆神化所至。句法神品。

這句詩表現了一種夢幻般的意境，反映出含蓄蘊藉的風格。徐氏最推崇「可想其義，莫得其端」的神韻說，所以對這類詩句極口讚賞，但尚未道出其所以然。在《小雅・白駒》注中，他說出所以然了。指出《白駒》詩人運用「含蓄」的修辭，表達自己的思想感情。他說：

末章淒涼悲婉，大有含蓄。末二句旨深調遠，所謂如怨如慕，如泣如訴，餘音嫋嫋，不絕如縷。故曰長歌之哀，過於痛哭，其此之謂。緣情之妙，一至於斯。章法神品。

徐氏以神韻說解詩，當然只能是一家之言；但他重視詩歌的藝術性，重視字、句、章的語言分析，都是可取的。

3.徐氏常對詩歌的感染力加以分析，他通過談詩，發揮了自己的文學理論。在講《唐風・葛生》時說：

「夏之日，冬之夜。」《古詩》：「愁多知夜長，仰觀眾星列。」陶潛《怨歌楚調》：「未夕思鷄鳴，及晨願烏遷。」江淹《別賦》：「夏簟青兮晝不暮，冬釭凝兮夜何長！」此等翻案最多，終是本初二語宛轉無盡，含蓄有餘，愈諷愈深，愈尋愈遠。

含蓄，這是徐氏最欣賞的藝術手法，他說詩，大都以含蓄當之，要求學生只須體會詩味，不可太過著實。當然，《詩經》中最多比興，如果從「文已盡而意有餘」，「稱名也小，取義也大」的角度來看，徐氏強調含蓄，確是道出了《詩經》藝術特點之一。他又說：

> 大概風人之致，多是借有為機，倚無為用；說處不是詩，詩在不說處。譬如車輪之轉，非轂非軸，妙在於空。又如鼓響於桴，聲不在木；火傳於薪，光不在燼。若將意思一句說盡，便如嚼蠟無味。

徐氏肯定詩歌的弦外之音、言外之意，這無疑是正確的。但是，詩三百篇的作者個性眞是五彩紛陳，藝術手法也非比興一途，如果用含蓄以當全部「風人之致」，恐失之偏頗。

(四)分析《詩經》音韻有新見。

對《詩經》音韻的研究，是《毛詩六帖》的另一特點。徐氏在《毛詩韻譜說》中說：「自恨淺劣，於詩理本無所見也，僅此一事，似為獨得」可見他對詩韻的研究，是很自信的。確實，他對詩歌與韻律的關係，有精采的論述：

> 大抵說詩固要析肌分理，但其條理脈絡，頗與他書不同。他書記述古人議論事跡，其對待照應，言下粲然。詩則古人聲音，其對待分析，只論其音律，不宜論其事理。風雅之體，大率二句一節，惟《三頌》稍有變體，然如常為多。要其大部，全要認取韻腳。審其用韻，便可得其節奏。嗚呼！目前近事，至易至簡，而數百年來，遂無知者，豈不可惜！豈不可笑！詩義不明，亦復安足怪乎！

他認為詩歌是口頭歌唱，和議論文，記敘文不同，要搞清詩篇的思想內容以至詩人的感情，必須從「認取韻腳入手」，他把詩的音樂性提到首位，是符合《詩經》民歌產生的實際情況的。

徐氏對音韻的觀點是：「樂有古今，韻無古今。徒以方俗不同，故一字有至數十音。」他認為韻分古今，是沈約始為作俑，後人相沿蹈襲，致使說古韻者，「任意以數字為主，而以餘字强效其聲。試尋其所以然之故，了不可得」。他還認為「詩本體格不同，至其疾徐輕重，緩急抑揚，如天籟之鳴，咸歸自然，不由造作」，所以要正確理解《詩經》，「唯循其音韻，倘可得其脈絡節奏於萬一耳」。爲此，他專設《正叶》一帖，並在每首詩後開列韻譜，標明韻腳。

據我個人粗淺之見，徐氏對於《詩經》音韻的觀點，是精粗雜陳的。首先，他批評吳棫的叶音說，認爲「自韻學久廢，盛用吳才老叶音，雖朱子未免據此，此義寥寥，千古絕響矣」，確有見地！吳棫的叶韻理論由於爲朱熹所採用，以致「謬種流傳，古韻乃以益亂」，到明陳第出，著《毛詩古音考》，始闡明「古人之音原與今異，凡今所稱叶韻，皆即古人之本音，非隨意改讀，輾轉遷就」。《四庫全書總目提要》極推崇陳著，稱爲：「開除先路，則此書爲首功。」按陳第書撰成於萬曆三十四年丙午（一六〇六），而徐氏的《毛詩六帖》，至遲成於萬曆三十一年癸卯（一六〇三），稍早於陳書數年。那麼，徐氏的「正叶」觀點，確實是得風氣之先，在《詩經》音韻研究中應佔一席之地。其次，徐氏認爲《詩經》韻腳，當根據各地的方言俗音，如《秦風》則以秦音，《齊風》則以齊音。他說：

> 嘗謂古今沿革，多所不同，惟方俗音韻，日用相傳，當中古不變。古人人爲詩，那得韻書，如今人對本子咿唔。止是用其方言，稱情而作。若了此旨，便能宛轉相通，並無窒礙，何須用叶？……又五方之音，各自所習，從來久遠，不能相變，亦未可相非。若細求之，則古人文字與今人俗語大半相合。不論中州齊魯，雖荊楚閩越，莫不皆然。

徐氏欲以方言俗音讀《詩經》各地區的詩，可說是很新穎的見解，在理論上也是很敏銳的。但是，他沒有認識到《詩經》中的詩歌，雖在采風之初有各地方音的不同，然一經樂官太師整理潤色之後，韻律便趨於一致，古代的方音不復可知。徐氏欲以今日的方音去讀古韻，以爲「韻無古今」，方言「中古不變」，則顯有固滯之失。再者，《詩經》詩人歌唱，只取韻律和諧，行歌互答，此唱彼和，既無韻書，亦不知有四聲之別，四聲是可以通押的。徐氏辨韻卻仍分爲四聲，這是一個可商討的問題。我們要知道，《詩經》音韻學的發展，雖陳第、顧炎武已發其端，但一直到清代才得以實現。我們是不必苛求於徐氏的。何況《詩經韻譜》爲他未竟之業，他曾說：

> 啟自早歲窺見此義，欲著一書，就正於當代通人、後來學者，庶幾一洗千古。而困於公車之業，逡巡數載，厥圖未遂。然自恨□淺，自非更讀數千卷書，涉數萬里路，未便可率爾下筆也。

作爲一份草稿，且撰成於對古音尙茫然的時代，徐氏《毛詩六帖》審音叶韻部分，是值得肯定的。

以上四個方面，對徐光啟《詩經》研究的成就作了初步的分析。徐氏早年致力經籍，於《詩》用力尤勤。他的詩學，在空疏誕妄的明末經學界，可說是佼佼者。可以同何楷《詩經世本古義》、朱謀瑋《詩故》等幾種較踏實的《詩經》研究著作相提並論。

當然，一方面徐氏受當時流風所及，他的《詩經》著作也帶有共同的時代弊病，另一方面，《毛詩六帖》爲應舉所作，又受時文的桎梏，所以徐氏對詩篇主題分析，脫不了《毛序》、《朱傳》的窠臼。而且常常借詩發揮，宣揚一些封建的倫理綱常。我們要看到他受時代局限，是不足爲奇的。

三、從徐光啟詩學看他早年思想

徐光啟是一位愛國的科學家，他除了科學譯著之外，還有一些關於軍事和經濟方面的文章奏疏，表現著强烈的忠君愛國思想。我們在《毛詩六帖》及《詩經傳稿》中亦可見其端倪。他在講解《魏風・園有桃》時說：

我愈以爲憂，彼愈以爲是，而以我爲非。衰世之情，大抵不越此二端。此國是所以日非，而亂亡接跡也。若以憂者爲是，便能警悟圖迴，則何亡國敗家之有乎？

在講解《小雅・鴻雁》時說：

「惠鮮鰥寡」，文王之所以王也。「哀此惸獨」，幽王之所以亡也。「哀此鰥寡」，宣王之所以中興也。煢煢小民，國繫統，民繫命，可忽也哉！

在講解《小雅・正月》時說：

天地生財，止有此數，小人富則民必貧，自然之理。勞役之甚者，自較其輕重，故曰：「土國城漕，我獨南行。」困苦之甚者，自較其淺深，故曰：「哿矣富人，哀此惸獨。」民生至此，亦可憐矣！

從以上的引文看來，徐氏憂國憂民的拳拳之心，同情勞動人民的懇切之意，都很明顯的表露出來。後人在敘述徐氏生平時，說他自幼言志，便云：「論爲人，當立身行道，……治國治民，崇正辟邪，勿枉爲一世。」及入仕，更「每以國計民生爲念。」這些話，和他上述的詩評聯繫起來看，徐氏精忠報國之心，不但可貫日月，亦足垂範後昆，爲無數青年的法式。

徐氏幼年，他的家鄉遭外寇蹂踐，梓里丘墟，所以他從小就學習兵書。及長，每爲人言富强之術，說「富國必以本業（農業），强國必以正兵」。他的軍事著作有《兵機要略》等。徐氏在講授《詩經》時，也不忘發揮這一思想。他說：

讀《小戎》、《無衣》二詩，可見秦人用兵有本教。鼂錯有言：「合刃之急有三：一曰，得地形；二曰，卒服業；三曰，器用利。」夫以雍州之固，河山百二，而加以《小戎》之利器，《無衣》之練卒，能合其三，故世世有勝，非常也。

在《詩經傳稿》的「比物四驪」一篇制義文中，他說：

> 國家之患，莫大於北虜，彼蓋輕中國之無備，而其究也，三垂騷動，五位焦勞，豈非卿大夫之恥乎！……凡戰之道，驂服□□者，乏也。馳驅不能習者，殆也。後發而制於人者，敗也。行百里而趨利者，危也。

以上二例，足見他對行陣作戰還是很有一番辦法的。同他任左贊善時上給萬曆皇帝的《敷陳末議以殄凶酋疏》中所陳述的軍事意見也是息息相通的。他的備戰思想，是從保家衛國出發的，無怪乎後來朝廷要委任他訓練新兵了。

徐光啟對祖國、對人類的貢獻，主要在自然科學方面，對社會科學的造詣也很深，兼長詩賦，書法遒勁，多才多藝。憂國憂民，居官清廉，生活儉樸，家無婢妾。封建時代的知識份子，恐怕很少有人能望其肩背。《毛詩六帖》於萬曆四十五年爲書賈所刊行，但徐氏認爲此書係「未竟之業」，特命毀版。唐國士在《序》中說：「太史忠兼三立，雅不喜以文字炫長。」張溥《農政全書序》說：「詩賦書法，素所善也。既謂雕蟲不足學，悉屏不爲。專以神明治曆律兵農。」《啟禎野乘．徐文定傳》說：「嘗學聲律，工楷隸，及是，悉棄去，習天文、兵法、屯、鹽、水利諸策，旁及工藝、數學，務可施用於世者。」這些話，都可以証明，徐氏命毀《毛詩六帖》刻版的原因，並非全爲它是「未竟之業」，恐怕含有不滿意這部書的意思。更有力的證明，是徐氏自己的話。他在家書中說：「我輩爬了一生的爛路（指時文），甚可笑也。」在《面對三則》中，他更直捷了當地說：「若今之時文，直是無用。」大有今是昨非之意。

綜上所述，我想可以作一個簡單的、實事求是的結論。明末的《詩經》研究，雖出了幾位傑出的音韻學家，如陳第、顧炎武等；但在整個詩經學上屬於衰微時期。徐氏對《詩經》有一定的研究，也有一些可稱道的見解。特別是重視《詩經》的文學性、音樂性，在《詩經》研究史上有一定的地位。但他並不滿意這部著作。對此，是值得我們慶幸的，正因爲徐文定公中年之後不屑於尋章摘句，不再致力完成《詩經》研究的「未竟之業」，而「專以神明治曆律兵農」，才得以產生《農政全書》、《幾何原本》、《徐氏庖言》、《甘薯疏》等等多方面的科學著作和譯作，成爲我國近代自然科學的偉大先驅者。

——原載《中華文史論叢》一九八四年三輯（一九八四年九月），頁一——一七。

張岱《四書遇》的發現及其價值

朱宏達

人們熟知張岱是明末清初的一位著名散文家、史學家。他的《陶庵夢憶》、《西湖夢尋》和《石匱書後集》早已傳世，並且膾炙人口。卻很少有人知道他同時是個對經學有相當研究的人，他有一部經學著作《四書遇》，幾乎沒有人睹其全貌。最近，浙江古籍出版社將塵埋了三百餘年的《四書遇》點校整理，作爲浙藏善本書研究叢刊編印出版。這不但是古籍整理研究工作的一個收穫，而且對張岱的深入研究、全面考察，乃至爲探討明清之際的學術文化，也提供了重要的資料。

《四書遇》是一部未刊抄稿本，題張岱纂，係浙江省圖書館的甲級特藏稿本，共六冊，不分卷。原書僅是作者心得札記，不附錄《四書》原文。次序按《大學》、《中庸》、《論語》（分上《論》下《論》）、《孟子》（分上《孟》下《孟》）排列。以讀《論語》心得爲最多，篇幅最長，共三冊。餘則爲讀《孟子》心得二冊，讀《大學》、《中庸》心得合一冊。書係白棉紙藍格，端楷謄抄，並有張岱手筆的眉批、增刪和另加浮箋共約十數處。其中浮箋三紙，即《論語・爲政・能養章》「孔子論孝」條；《論語・八佾・器小章》「正義曰婦人謂嫁曰歸」條；《論語・公冶長・子路章》「古人惟安車乃坐」條。親筆增易二條，即《論語・鄉黨・廄焚章》「金罍子言廄焚」條；《論語・微子・逸民章》「虞仲次夷齊之後」條。由上述正楷謄抄及張岱親筆增易等情形來看，抄稿本《四書遇》是一部清抄本，已經張岱訂審增改，最後覆核，只是來不及付梓罷了。

《四書遇》係浙江圖書館於一九三四年購得，原藏寓杭常熟周氏鴿峰草堂。首頁有「虞山周左季鴿峰草堂藏書印」記，長方白文，下《孟》卷《首》有「周大輔」白文方記，「曾經鴿峰草堂周氏所得」朱文方記。一九三六年浙江善本圖書文獻展覽會曾將此書展出，並加說明稱：《四書遇》係「鄉賢手澤，三百年來輾轉遷流，完好無恙，不至如《史闕》之難免劫灰，而顛倒錯亂，有賴後人之爬梳整輯者，爲尤可珍矣。」

今考周大輔，字左季，江蘇常熟人，室名「鴿峰草堂」，民國初年藏書家。喜藏抄當時罕見之孤本、傳抄稿本和清代忌諱之禁書。藏抄書積萬卷，家財殆盡，終窮而不悔，其保存古籍之功實不可沒。（關於周大輔材料係周釆泉先生提供。）

《四書遇》其書並不見諸前人著錄。清初黃虞稷撰寫的考查明代典籍的重要目錄《千頃堂書目》和《明史・藝文志》及以後的《四庫全書總目》均失載。雖然，《四書遇》確係張岱所著則殆無可疑。因爲：

㈠張岱《自爲墓誌銘》說自己平生「好著書，其所成者，有《石匱書》、《張氏家譜》、《義烈傳》、《瑯嬛文集》、《明易》、《大易用》、《史闕》、《四書遇》、《夢憶》、《說鈴》、《昌谷解》、《快園道古》、《傒囊十集》、《西湖夢尋》、《一卷冰雪文》行世。」可見在他自己所開列的書目中，《四書遇》是明白地寫著的。

㈡《四書遇》抄稿本無序跋，但《瑯嬛文集》中有《〈四書遇〉序》一篇稱：余「幼遵大父教，不讀朱注。凡看經書，未嘗敢以各家注疏橫據胸中；正襟危坐，朗誦白文數十餘過，其意義忽然有省，間有不能强解者，無意無義，貯之胸中，或一年，或二年，或讀他書，或聽人議論，或見山川雲物，鳥獸蟲魚，觸目驚心，忽與此書有悟，取而出之，名曰《四書遇》。」敘其著述主旨及經過甚詳，與抄稿本《四書遇》內容完全相符。另有《與祁文載》（收入《瑯嬛文集》）稱：「余解《四書》《五經》，未嘗敢以注疏講章先立成見，必正襟危坐，將白文朗誦數十餘過，其意義忽然有省……故人能熟讀經文，深思義味，莊子所謂『思之思之，神鬼通之』正謂此也。諸解具在，皆弟於朗誦白文，忽然有得，弟恐錯入魔境，耑望明眼人爲弟指迷。顒禱顒禱。」這裡的「諸解」可能就是指已經完篇的《四書遇》。

㈢近代著名學者、張岱的同鄉馬一浮先生在抄稿本《四書遇》的扉頁上有親筆題記一篇，稱「明人說經，大似禪家舉公案，張宗子（即張岱）亦同此血脈。卷中時有雋語，雖未必得旨，亦自可喜，勝於碎義逃難、味同嚼蠟者遠矣。」馬一浮不但認定張岱是抄稿本《四書遇》的作者，而且對該書作出自己的評價。

《四書遇序》說：張岱讀《四書》，不因襲前人注腳，强調在電光石火般的一閃中間悟出某些妙解。隨有所得，即有所記。而《四書遇》又是語錄體著作。所以《四書遇》絕非一時一地之作，而其起訖的年代，可以從下引兩條材料中約略推知：

其一，「刺虎不斃，斷蛇不死，其傷人愈多。君子之遇小人政不可不慎。近日楊、左之御魏璫是其鑒也。」（《四書遇》《論語・泰伯・好由章》）這裡的「楊、左」指東林黨人楊漣、左光斗。「魏璫」指魏忠賢。據《明史紀事本末》載，熹宗天啟四年（一六二四年）楊、左等人彈劾魏忠賢二十四罪，「先是漣疏成，意欲於午朝面奏，出疾雷掩耳之計。繕寫甫竟，次日免朝。恐再宿則機泄且害也，遂循例封進，故忠賢得以彌縫。」從第二年，即天啟五年（一六二五）秋七月開始，魏閹興大獄，把楊、左等人投入監獄，施以酷刑，竟至慘死。其時，張岱當而立之年，是所目睹親聞者。「近日」二字說明，

《四書遇》的寫作，其上限至晚是明代天啟年間，即張岱卅歲之前。

其二，「余遭亂世，見夷狄之有君，較之中華更甚，芟荑宗黨，誅戮功臣，十停去九，而寂不敢動。如吾明建文之稍虐宗藩而靖難兵起，有愧於夷狄多矣。」這裡的「亂世」，是指清兵入關後對中國的統治。「夷狄」是對滿清政府的貶稱。明建文元年（一三九九）明惠帝削藩不成而靖難兵起，已是歷史的陳跡。而清政府芟削宗藩務求盡去，卻是張岱親見體驗的。事實並不如孔子所說「夷狄之有君，不如諸夏之亡也。」由此可以推知《四書遇》的寫作一直延至明亡入清以後。然《四書遇序》云：「余遭亂離兩載，東奔西走，身無長物，丟棄無餘，獨於此書，收之篋底，不遺隻字。」以此記載看來，《四書遇》在甲申明亡之前已經基本定稿，入清以後或有續補摻入。其結集下限最遲不得超過康熙四年（一六六五）張岱六十九歲自爲墓誌銘以前。

總之，《四書遇》是張岱以全副精神而爲的一部著作。自四部七略乃至宋明時人關於儒道釋薈粹瑣屑之論，無不旁徵博引，計引書數十種，引諸語錄涉及的人物達二百六十七人之多，張岱之苦心孤詣於是書亦可就此見其一斑矣。且同一人物前後稱呼又頗有異同，如對蘇軾就有蘇子、蘇長公、坡公、東坡、子瞻六種不同稱呼。此雖屬末節細微，然亦可佐證《四書遇》寫作時間前後遷延之長。

整理出版張岱《四書遇》至少有以下意義：

第一，爲研究張岱的思想，特別是他的哲學思想，提供了較爲完整的資料。

從《四書遇》可以看出張岱的哲學思想是宗陸而悖朱，即以陸（象山）王（陽明）心學反對程朱理學。《四書遇》全書對宋儒程朱有所非議，有所批判。或校定句讀，或詮釋字句，或調整章次，或訂正學脈，計有三十來條。這對於自封建社會中期以來奉爲正統的理學權威著作《四書集注》，無疑是個不小的衝擊，表現出張岱能擺脫某些傳統思想的束縛和他對程朱理學的蔑視。

然而，張岱批判程朱的武器和理論根據，仍不免是明末思想界十分流行的陸王心學。例如《中庸・無息章》：「博厚配地，高明配天，悠久無疆。」朱注：「此言聖人與天地同體。」張岱批駁說：「博厚六字是功，不可云同體，聖人與天地同體在至誠，不在博厚、高明、悠久。」就是說只要具備至誠之心，就可與天地同體。這和王陽明「心是宇宙的本體」，陸象山「宇宙就是吾心，吾心便是宇宙」，幾乎是一脈相承的。張岱明確說過：「總見心學不可少有間斷，孟子拔茅和孟母斷機是一般教法。」（《四書遇・孟子・盡心・山徑章》）「拔茅」典出孟子對高子的批評：「今茅塞子之心矣。」「斷機」本來是孟母以客觀具體事物喻學習之不可中斷。張岱將兩者合為一談，把認識主體的自我（心），凌駕於被當作喻體的客觀事物之上，附會心學，顯然是主觀唯心論，它可以說是貫串《四書遇》全書的核心。陸象山認為只要向內探索認識本心，就可了解宇宙萬物，客觀事物不待外求。王陽明主張「心外無物」。張岱同樣認為：「聖人論人，必論其心」。（《四書遇・論語・述而・衛君章》）「故學者不可輕語通達，先務正心」。（《四書遇・孟子・盡心上・孤孽章》）「認得本心，一生更無餘事」。（《四書遇・孟子・盡心上・如此章》引張侗初語）「心體中打迭得乾淨，聖賢學問自一了百當」。（《四書遇・孟子・盡心上・如此章》引家大父語）這種「本心」高於一切、決定一切的觀點，自然是「心為本體」論。以此批判程朱理學，雖然是以新理學批判舊理學，以主觀唯心論批判客觀唯心論，兩者似乎沒有本質區別，但這是傳統的主張向內凝聚的方法論的繼續，在封建社會末期的明季，還是帶有批判正統和啟發自覺的意義。

應當指出的是，張岱雖然已經打出陸王心學旗號，但同時也偶而主張調和陸朱，意圖異中求同，合二而一。他說：「世爲陸象山者則曰我尊德性，爲朱晦庵者則曰我道問學。昔有兄弟兩分其遺產，諸几桌椅之屬，悉中裂而半破之，雖曰無不均之嘆，兩不適於用矣，豈不惜哉！」（《四書遇・中庸・大哉章》）這裡張岱似乎又採取了不偏不倚的態度。然而貫串全書的還是和陸、王相同的觀點和方法論，甚而至於發爲情不自禁的讚嘆。如「顏子博我以文，約我以禮，遂有卓爾之見，全重『我』字，此但云博學以文，約之以禮，則僅可以弗畔而已。此陸象山入微之見，程朱皆不及」（《四書遇・論語・雍也・吾憂章》）。

明中葉以後，力圖復興陸象山心學，用以取代程朱理學者不乏其人，除王陽明外，還有王的弟子王畿、王艮等。他們一方面看到了作爲封建社會正宗思想的程朱理學已日趨腐朽，因而表示不滿；一方面又急不暇擇地從傳統中尋求出路，力圖從道德上政治上挽救明朝社會危機。歷史證明他們的努力不會有多大積極效果，但在客觀上有利於打破封建思想長期桎梏的沈悶局面。張岱崇拜心學，顯然是這種哲學思潮影響下的產物。章學誠說，黃宗羲以後的浙東經學特點是「宗陸而不悖於朱」，而深受王學影響的張岱則「宗陸而有悖於朱」，這是經學著作《四書遇》反映出來的張岱的一個基本觀點。

張岱的《四書遇》還常常喜歡吸取佛學禪宗和道學中的所謂微言大義或論證方法，來解釋天命心性等儒學基本觀點。尊儒佛合一論，以禪理陶冶儒經。例如其對《論語・子罕・蘊袍章》的解釋是：「此即佛家破執之說。蓋一執則非獨未得者不得進，即已得者亦塊壘不化之物矣。」對《孟子・盡心下・寡視章》的解釋是：「養心在盡心下一等功夫，道曰：『不見可欲，使心不亂。』釋曰：『心如牆壁，可以入道。』即此寡欲養心之旨。」又引劉元城語曰：「孔子佛氏之言相爲表裡，孔子言毋意、毋必、毋固、毋我；而佛言無我、無人、無

眾生、無壽者，其意若出一人。」（《四書遇・論語・子罕・絕四章》）

當然，張岱《四書遇》還稱不上陽儒陰釋，但明季儒道釋雜糅的風氣他是有所沾染，而且津津樂道之。如他以佛典《涅槃經》「眾盲摸象」的故事，來說明孟子性善說、荀子性惡說、告子性無善惡諸說的片面和不合理性。（《四書遇・孟子・告子上・性善章》）以釋家言「心地平則盡世界一切皆平」，來解釋孔子語「君子坦蕩蕩，小人常戚戚。」（《四書遇・論語・述而・坦蕩章》）以參禪絕處逢生法，來論證《論語・雍也・從井章》。（《四書遇・論語・雍也・從井章》）甚至概括說：「孔子是佛，子貢是菩薩，佛惟清淨無為，而菩薩則神通廣大。」（《四書遇・論語・子張・宮牆章》）這些解釋未必完全符合《四書》的原意，但張岱以散文家大手筆，把儒家經典語、諸子百家語和禪宗機鋒語陶冶在一起，說得煞有介事，娓娓動聽，文采斐然，這是枯燥乏味的高頭講章和酸腐味極重的理學著作所不能比擬的。

儒學與佛道本為異端互相排斥，但經過程朱改造的新儒學，已對佛道採取既排斥又吸取的態度，陸王心學則更吸取佛道的某些思想資料和論證方法，以建立和完善自己的思想體系，陸王心學則更吸取佛道的某些思想資料和論證方法，以建立和完善自己的思想體系。在這一點上，張岱和陸王主觀唯心哲學恰恰也是相一致的。

封建社會中期以後，孟子的地位已經抬得很高，他跟孔子的不同只是「亞聖」、「至聖」之別而已。再說張岱的思想和孟子的主觀唯心論一脈相承，彼此契合，所以《四書遇》是基本上肯定孟子的。像孟子「失其本心」說、「求其放心」說、「攻其邪心」說，即「誅心」說等，張岱就不止一次地加以引申，掘井及泉，發為讚嘆。但當孔孟立說舛互之時，張岱則大膽訂孟以尊孔，絕不如程朱那樣曲為之辯而自圓其尊孟之說。例如：

> 孟子說性善，亦只說得情一邊，性安得有善之可名？且如以惻隱爲仁之端，而舉乍見孺子入井以驗之，然今人乍見美色而心蕩，乍見金銀而心動，此亦非出於矯強，可俱謂之眞心耶！（《四書遇・孟子・告子上・性善章》）

這是批評孟子「性善」論。

> 三說紛紛，一傍著「性相近」立說，一傍著「習相遠也」立說，一傍著「唯上智下愚不移」立說。故引孔子作斷案，三說不攻自破。（《四書遇・孟子・告子上・性善章》）

這裡，不僅批評孟子性善說，連荀子性惡說，告子人性無善惡說，都加以非議了。

《孟子》一書無非說仁義，道性善。批判性善說就有可能從根本上否定孟子。然而應當說明的是，張岱一方面要攻破性善說，一方面對以性善立說的具體觀點，如「良知」「良能」說等又取肯定態度。這類自相矛盾的例子，在《四書遇》中還不少。究其原因可能在於：在認識論上，張岱接受了孟子的唯心論先驗論，而對封建經學中的道統論又持懷疑的態度，這是張岱尊孟而又訂孟的原因。

張岱在讀了《孟子・盡心下・道統章》後說：「此孟子一片憂危惕厲之心，蓋既以私淑，而又恐其不得與斯文道統幾絕也。作自任看者，吾不謂然。」這裡，張岱明確反對的「自任」說，其矛頭所向，與其說是指孟軻，不如說是指程朱。因爲《孟子集注》在此章終了歷序群聖之統後說：「先生（指程頤）生乎千四百年之後，得不傳之學於遺經，以興起斯文爲己任。辯異端、闢邪說，使聖人之道煥然復明於世。」朱熹的意思是指二程在孟軻死後千四百年，繼承了儒家的道統，而朱熹自己自然是二程的當然繼承者了。這種道統新論的觀點，是張岱所絕對不會同意的。因此，確切地說張岱的反道統論，主要不是反對韓愈發明的孟軻傳宗論，而是反對朱熹發明的儒家道統新模式，否定程朱在儒學道統傳授中的地位。

由這點出發，張岱竭力推尊本眞的孔子，反對程朱神化孔子。他說：「固知後之以文宣王謚孔子者，俱不知孔子者也。」（《四書遇・論語・子罕・爲臣章》）

同時，張岱對空談性理的俗儒非常反感，敢於提出：「儒者全無實用」，「吾儒大而無用，只爲倚門傍戶，體既不眞，用亦不實」等看法，像這類對俗儒的有力鞭撻和批判的言論，可以說是作者有感於明季積貧積弱的現實的一腔針砭社會的牢騷，也可以說是稍後的黃宗羲、顧炎武提倡經世致用這一進步主張的同調。

近幾年來，學術界對宋明理學以及它與文學的關係方面的研究有濃厚的興趣，取得了令人欣喜的新成果。作爲明清之際大散文家撰寫的儒學著作《四書遇》，它的發現和整理出版，肯定是有助於對張岱這一方面的深入研究的。

第二，爲張岱著作的發掘整理提供了借鑒。

張岱是一位著述等身的學者，他在《自爲墓誌銘》中開列的一大批經史文書目就說明了這個問題。但由於張岱著作中流露出懷戀朱明故國的情緒，以及觸犯清廷忌諱等原因，生前編就付梓的並不多，許多著作散落民間。日本學者、《陶庵夢憶》的日文譯者松枝茂夫教授，在一九三〇年留學中國期間，從周作人的介紹和魯迅《朝花夕拾》中知道了《陶庵夢憶》，引起了對張岱著作的興趣。自稱「有關張岱的書籍，只要力所能及就多方搜集。一九四二年，得到了一個訪問紹興的機會，就攜同此書（指《陶庵夢憶》），前往旅遊。終於得稍微接觸了一下會稽的山水風物，和補齊了一些紹興的府縣圖志以及有關書籍。」（《讀張岱陶庵夢憶》，據日本岩波書店出版的《文學》一九七九年八月號翻譯）。這裡沒有具體說明究竟收集了那些張岱的著作。但他接著又說：張岱的著作「大半已經亡佚，無由得見了。」這說明松枝茂夫並未將張岱的著作全部收羅去。《四書遇》就是松枝茂夫訪書搜書過程中交臂而失之的一種。此外，目前我們能夠舉出來的還有抄稿本《夜航船》（今藏寧波天一閣）和抄稿本《義烈傳》（今藏浙江省圖書館）、《快園道古》（今藏紹興圖書館）。這些著作也正在或將要整理出版。

張岱的一生是坎坷不仕的一生。他的一些著作也是輾轉流遷，然後問世。例如：他的《越中三不朽圖贊》最早刊於清乾隆年間，《西湖夢尋》最早刊於康熙年間；《陶庵夢憶》最早刊於乾隆中葉；其《瑯嬛文集》編定於張岱生前，係王雨謙、祁止祥所編。後爲越地大觀樓所藏，轉入越人王介民（個峰）收藏，直到光緒年間始刊出。其《石匱書》，或說是谷應泰《明史紀事本末》之藍本，原書反不存；或說尙存殘卷。根據謝國楨的《增訂晚明史籍叢考》記載，他曾親見《石匱書》殘卷，浙江圖書館舊藏亦有書目著錄。《石匱書後集》在上海圖書館和南京圖書館均有抄本，而排印出版則是在建國以後的一九五九年四月。還有僅存書名而不見其書的。所以，《四書遇》的點校出版，對於張岱著作的進一步發掘整理，和編輯張岱全集是一個有益的嘗試。

又，《四書遇》書後附有白棉紙兩張，有張岱親筆書寫的《壽王白岳八十》七言古詩一首：

雉巒曾不住頑仙，都是文人抱慧業。
紫陽溪水翰墨香，晚年得證長生訣。
方曉還丹在典墳，白岳先生恣饕餮。
先生持世八十年，自識之天至耄耋。
日夜鑽研故紙堆，筆冢書倉爲窟穴。
屋前足跡砌當穿，檐際微明捧卷接。

含毫呵凍嚙冰霜，揮汗鈔書休日月，
廣搜直欲逐痴龍，博采有時類魏蝶。
《廉書》千卷積如山，儕輩見之皆吐□。
□書無不洞筋骸，牛背眼光如缺列。
生金頑鐵入陶冶，一到紙爐同點雪。
更能端確似溫公，字字楷書敢褻越？
立言不朽自千秋，金籙丹書藏柳篋。
第恐人言行秘書，後車將到磻溪碣。

全詩名爲賀壽，實際上是著重讚揚王白岳孜孜以求、寒暑不輟、潛心學術的刻苦鑽研精神；並對白岳編撰的《廉書》作了高度的評價，認爲這是一部不朽的著作。全詩一氣呵成，情摯意切，感人至深。

據《紹興府志》卷六十二《隱逸傳》：「王雨謙初名佐，後更今名，字白岳，山陰人也。幼精敏，工爲博士家言，更肆力古文，漁獵甚富。性倜儻，好任俠，沈勇多力。明末海內大亂，諸名士皆掉臂談兵，雨謙亦受沈將軍刀法。揮霍起舞，悉中程度。倪元璐戒雨謙藏鋒鍔，爲萬人敵。遂折節，一意讀書。崇禎癸酉舉於鄉。南都再破，雨謙跋涉入閩中，後潛身歸家。」

「國初，網羅前代遺逸，雨謙同年生王三俊聞於津要，以監司聘，婉辭之。遂鍵戶與女夫俞公穀共輯《廉書》若干卷，年九十卒。」

「又公穀字康先，會稽人。父邁生，明崇禎丙子舉人。魯王監國授戶部郎中，明亡隱居不仕，自號耐園灌者。公穀承父志，以布衣終。性好古，與雨謙著《廉書》成，置酒高會，相視而笑曰：『後世必有知我者矣！』卒年七十。」

今按王雨謙不但是張岱的同鄉，且摯友。曾代爲編定《瑯嬛文集》，並爲《西湖夢尋》作序，序文今存。其所作《廉書》已佚，然《瑯嬛文集》卷一有張岱《廉書小序》一篇，序云：「先生瀏覽群書，博中求約。如燒丹抱朴，止取九轉靈砂；煮海張生，但索百朋寶母。烹天得渣，煉道取髓，四庫五車，收拾略盡……蓋先生以俊俏眼從書隙中偶然覷著幾筆，勾勒其書法、章法、句法、字法，與人各別，遂成異書。」以此可知《廉書》是王白岳積三十年之功，編撰而成的一部探討文章修辭的類書。又《瑯嬛文集》載有《書王白岳》一文，又稱：「其所廣搜博覽者，上入九天，下入重淵，摘星辰於弱水，探驪龍於延津，想見其一股銳氣、一片苦心、一番猛力。熱則揮汗成漿，冷則呵冰出水，埋頭折肱，穴硏禿毫。三十年以來，眞非一朝一夕之功，亦非一手一足之烈也。」記王白岳勤苦寫作《廉書》狀甚詳，與上引古詩內容相表裡。且古詩手跡與張岱《四書遇》親筆眉批、浮箋完全相同。所以，這首古詩雖失載於今存的張岱著作，而實屬張岱遺墨則是毫無疑問的。

張岱的詩作存世不多，佚詩《壽王白岳八十》的發現，是整理《四書遇》過程中的一個意外的收穫，不但有助於我們對張王兩人的考察，也爲研究張岱、評介他的文學成就，提供了一份不可多得的珍貴資料。

第三，爲明季學者及其著作，提供校勘、辨訛、考證之資。

張岱在《四書遇》中旁徵而博引。在所引語錄涉及的二百六十七人中，除唐宋元明著名學者及有著作傳世的人之外，肯定還有不少張岱同時代人得賴《四書遇》以傳世。就所引證的典籍來說，亦可作校勘、辨訛、考證之資。例如：學術界對李贄《四書評》之眞僞頗有疑辭，而僞作之說幾占上風。容肇祖《李贄年譜》和《中國古代哲學家評傳》第三卷《李贄》篇所附著作目錄，均不載《四書評》。

今按《四書評》僞作說源出周亮工《因樹屋書影》第一卷：「當溫陵（按指李贄）《焚》《藏》書盛行時，坊間種種借溫陵之名以行世者，如《四書》第一評、第二評，《水滸傳》、《琵琶》、《拜月

》諸評，皆出文通（按指葉文通）手。」

我們在整理《四書遇》中發現張岱對李贄的《四書評》深信不疑。《四書遇》引李贄語共十八條（其中一條注明是《四書評》），經過查核，其中十二條與今本（即以萬曆刻本爲底本的一九七五年排印本）相同或基本相同，另有六條則不載今本《四書評》。這六條或可補萬曆本之不足，或出諸李贄其他著作。

據此即可證明：⑴張岱每以李贄語釋《四書》，而不以爲狂悖，是引爲知己者。⑵《四書評》實有其書，爲李贄所作，至少張岱是這樣認爲的。因爲張岱距離李贄約後半個世紀，而比周亮工早半個世紀左右。李贄死時，張岱約當年少及冠，對於李贄種種，想必有所實聞。以張岱之博識洽聞。豈至以贋亂眞，眞僞不辨？周亮工《書影》載《四庫全目》，張岱《四書遇》則失載。世僅知《四書遇》之書名，而未見《四書遇》其書，故誤以爲《書影》所論，是李贄死後評論《四書評》眞僞的最早的權威性評論。殊不知張岱早在《書影》前，就對《四書評》加以引用，並且陶冶發揮，表達了他對《四書評》其書深信不疑的態度。這個例子說明，《四書遇》在校勘、辨訛、考證方面的價值也是值得我們重視的。

——原載《杭州大學學報》第一五卷一期（一九八五年三月），頁四三——四九轉頁五九。

顧炎武與清代學風

陳祖武

顧炎武是清初學壇一位繼往開來的大師。他崇實致用的學風，不但稱著於當世，而且，在整個清代都留下了積極的影響。本文準備就這個問題試作一些闡述，以求正於同志們。

一

社會存在決定社會意識。一個有作爲的學者，其學術風尙總是同自己所生活時代的經濟、政治條件和理論背景分不開的。顧炎武的學術風尙，也鮮明地打上了他那個時代的歷史印記。明清之際社會經濟、政治的急劇動盪，理論思維領域反理學新思潮的醞釀，學術風尙從空疏到健實的深刻轉變，孕育了顧炎武的務實學風。

顧炎武原名絳，字忠清，明亡，改名炎武，字寧人，自署蔣山傭，學者尊爲亭林先生。他生於明萬曆四十一年（一六一三年），卒於清康熙二十一年（一六八二年）。他所在世的這七十年，正値中國封建社會晚期極度動盪的時代。明末社會經濟的崩潰，政治的黑暗腐朽，以及作爲它們在文化思想領域反映的心學泛濫，學風空疏，向那個時代的思想家、學者提出了一系列尖銳的問題。這些問題有經濟的，有政治的，也有文化思想的。譬如，如何去抑制土地的兼併，如何去合理分擔賦役，如何去更易國家的政治制度、官吏制度、教育制度等等。總而言之，就是如何去維護封建地主階級的統治，讓封建的國家機器得以正常運轉下去。扭轉空疏學風，成爲當時學術界一個迫在眉睫的課題。

明朝二百七十餘年間，其學風為八股時文所蔽，尤其是當其末季，心學泛濫，流於禪釋，公安、竟陵文體風靡朝野，一時文士竟以靈性相尚，最為空疏不學。因之，每為後世學者所譏。清代乾嘉學者江藩在他的《漢學師承記》中寫道：「有明三百年，四方秀艾困於帖括，以講章為經學，以類書為博聞，視天夢夢，可悲也夫。在當時豈無明達之人，志識之士哉？然皆置於所習以求富貴。此所以儒罕通人，學多鄙俗也。」（註一）近代學者梁啟超，就說得更加直截了。他認為：「明朝以八股取士，一般士子除了永樂皇帝欽定的《性理大全》外，幾乎一書不讀。學術界本身，本來就像貧血症的人，衰弱得可憐。」（註二）至於清初學者的貶抑之詞，更是所見甚多，不遑備舉。《明史》就有過如下的議論：「有明諸儒，衍伊、洛之緒言，探性命之奧旨，錙銖或爽，遂啟歧趨，襲謬承訛，指歸彌遠。至專門經訓授受源流，則二百七十餘年間，未聞以此名家者。經學非漢唐之精專，性理襲宋元之糟粕，論者謂科舉盛而儒術微，殆其然乎。」（註三）從這一段話，我們即可窺見清初學者對明季學風持論之一斑了。而顧炎武恐怕當屬其中的最激切者，他說：「劉石亂華，本於清談之流禍，人人知之，孰知今日之清談有甚於前代者。昔之清談談老莊，今之清談談孔孟，未得其精而已遺其粗，未究其本而先辭其末。不習六藝之文，不考百王之典，不綜當代之務，舉夫子論學、論政之大端一切不問，而曰一貫，曰無言。以明心見性之空言，代修己治人之實學，股肱惰而萬事荒，爪牙亡而四國亂，神州蕩覆，宗社丘墟。昔王衍妙善玄言，自比子貢，及為石勒所殺，將死，顧而言曰：『吾曹雖不如古人，向若不祖尚浮虛，戮力以匡天下，猶可不至今日。』今之君子，得不有愧乎其言？」（註四）

明末學風的空疏不學，不但清人這樣說，就是明末的有識之士，也已痛加針砭。崇禎十一年（一六三八年），陳子龍、徐孚遠等人所輯《皇明經世文編》就集中反映了這一點。陳子龍序寫道：「俗儒是古而非今，文士擷華而捨實。夫保殘守缺，則訓詁之文充棟不厭；尋聲設色，則雕繪之作永日以思。至於時王所尙，世務所急，是非得失之際，未之用心。苟能訪求其書者蓋寡，宜天下才智日以絀，故曰士無實學。」（註五）黃澍的序文則云：「乃文人柔弱，既已論卑氣塌，無當上旨，凡而呫哦誦記，自章句而外無聞焉。」（註六）徐孚遠的序文也說：「今天下士大夫無不搜討緗素，琢磨文筆，而於本朝故實，罕所措心，以故剡藻則有餘，而應務則不足。」（註七）許譽卿的序文更喟嘆：「予惟學士大夫平生窮經，一旦逢年，名利嬰情，入則問舍求田，出則養交持祿，其於經濟一途蔑如也。國家卒有緩急，安所恃哉。」（註八）又說：「士大夫俯仰自若，轉展推避，急則首鼠兩端，緩則泄沓一意。」（註九）寥寥數語，活畫出了明末文人學士的空疏腐朽。足見，明清之際，扭轉空疏不學之風，已是歷史發展的必然趨勢。

吳晗先生說過，《皇明經世文編》的「編輯、出版，對當時的文風、學風是一個嚴重的挑戰，對稍後的黃宗羲、顧炎武等人講求經世實用之學，也起了先行者的作用」（註一〇）這是完全正確的，其實，在明亡前的二三十年間，向空疏學風挑戰的，又何止《明經世文編》的編者呢！宋應星、徐弘祖、方以智等有作爲的探索者，就曾經進行過大膽的嘗試。較他們更早一些的焦竑、陳第等人，都以博洽而著稱一時。焦竑博極群書，究心考據訓詁、版本目錄之學，寫成《國史經籍志》，在目錄學上作出了貢獻。陳第精研古音，著有《毛詩古音考》、《屈宋古音義》等書，開後來顧炎武等人治古音學的先聲。特別值得一書的是，自萬曆年間利瑪竇等西方耶穌會士的東來，也傳入了較爲先進的科學文化知識，興起了晚明的科技文化熱流。當時的封建士大夫徐光啟、李之藻等人聞風而起，尤其是徐光啟不但與利瑪竇合譯《幾何原本》，而且還獨力編寫了不朽的農業科學巨著《農政全書》，在中國科技、文化史上留下了燦爛的一頁。晚明的東林學派，自顧憲成、高攀龍到劉宗周，以修正王陽明心學為職志，學風已趨於健實。

所有這些，在轉變明末空疏學風上，其功績實在是不可磨滅的。顧炎武正是上承其先行者的步履，力矯明末學風之弊，為開啓一代健實學風建樹了篳路藍縷之功。

二

顧炎武的學風，經歷了一個不斷學習，努力實踐，鍥而不捨地長期探索的形成和深化過程。其學風，概言之就是崇實致用。話雖如此簡單，然而就中的內涵卻方面甚廣，至為豐富。

當顧炎武青年時代自科舉帖括之學中掙脫出來以後，直到逝世，其為學即可以崇實、致用兩方面賅括。所謂崇實，就是摒棄「明心見性之空言」，代之以「修己治人之實學」（註一一）。「鄙俗學而求《六經》，舍春華而食秋實」，以「務本原之學」（註一二）。所謂致用，就是不但學以修身，而且更要以之經世濟民，探索「國家治亂之源，生民根本之計」（註一三），「以躋斯世於治古之隆」（註一四）。顧炎武以一生的學術實踐告訴世人，崇實不以致用為依歸，難免流於迂闊；致用而不以崇實為根據，更會墮入空疏。崇實、致用二者相輔相成，渾然一體，構成了顧炎武為學的實學思想。

顧炎武的實學思想，首先是建立在踏實而廣博的讀書基礎之上。他一生「自少至老，未嘗一日廢書」（註一五）。十四歲以前，即先後讀過《大學》、《周易》、《孫子》、《吳子》及《左傳》、《國語》、《戰國策》、《史記》、《資治通鑒》等書。此後，科舉帖括之學雖然耗去了他十餘年的寶貴時光，但是自二十七歲起，顧炎武便斷然棄絕帖括之學，到康熙初年，他已經「歷覽二十一史以及天下郡縣志書，一代名公文集及章奏文冊之類」（註一六），「凡閱志書一千餘部」（註一七）。在他四十五歲棄家，直至七十歲逝世，二十五個年頭的北遊歷程中，始終「以二馬二騾載書自隨。所至厄塞，即呼老兵退卒詢其曲折。或與平日所聞不合，則即坊肆中發書而對勘之。或徑行平原大野無足留意，則於鞍上默誦諸經注疏。偶有遺忘，則於坊肆中發書而熟復之」（註一八）。正如顧炎武自己所述：「炎武之遊四方……，未嘗干人，有賢主人以書相示者則留，或手鈔，或募人鈔之。」（註一九）筆者曾做過一個概略的統計，僅在《日知錄》中，顧炎武所徵引的各類書籍，除十三經、二十一史、明歷朝實錄及各地府州縣志外，就達一百七十九種之多。顧炎武一生以踏實刻苦的讀書，推倒了晚明「束書不觀，游談無根」的惡劣風氣，樹立了「君子之學，死而後已」（註二〇）的楷模。

顧炎武爲學主張「博學於文」，他認爲：「君子博學於文，自身而至於家國天下，制之爲度數，發之爲音容，莫非文也。」（註二一）他這裡所說的文，當然絕不僅僅限於文字、文章之文，而是文獻，是包涵了廣泛內容的社會知識。明末文士「聚賓客門人之學者數十百人，……一皆與之言心言性，舍多學而識以求一貫之方，置四海之困窮不言，而終日講危微精一之說」的風氣（註二二），顧炎武至爲鄙棄。晚明士大夫寡廉鮮耻，趨炎附勢，當明清易代之時「反顏事仇」（註二三），更是爲他所深惡痛絕。於是，顧炎武把「博學於文」與「行己有耻」合而爲一，提到了「聖人之道」的高度，予以大聲疾呼。他說：「愚所謂聖人之道如之何？曰『博學於文』，曰『行己有耻』。自一身以至於天下國家，皆學之事也；自子臣弟友以至出入、往來、辭受、取與之間，皆有耻之事也。耻之於人大矣，不耻惡衣惡食，而耻匹夫匹婦之不被其澤，故曰『萬物皆備於我，反身而誠』。嗚呼，士而不先言耻，則爲無本之人；非好古而多聞，則爲空虛之學。以無本之人而講空虛之學，吾見其日從事於聖人，而去之彌遠也，」（註二四）。

實事求是，這是顧炎武實學思想的根本風格。顧炎武一生爲學，反對內向的主觀學問，主張外向的客觀學問，他說：「自宋以下，一二賢智之徒病漢人訓詁之學，得其粗迹，務矯之以歸於內，而『達道』、『達德』、『九經』、『三重』之事置之不論，此眞所謂『告子未嘗知義』者也。」（註二五）又說：「『學問之道無他，求其放心而已矣』。然則但求放心可不必於學問乎？與孔子之言『吾嘗終日不食、終夜不寢，以思無益，不如學也』者，何其不同邪？他日又曰：『君子以仁存心，以禮存心』。是所存者非空虛之心也，夫仁與禮，未有不學問而能明者也。孟子之意蓋曰，能求放心，然後可以學問。」（註二六）顧炎武不但主張讀書，而且同樣提倡走出門戶，到實踐中去。他說：「人之爲學，不日進則日退。獨學無友，則孤陋而難成；久處一方，則習染而不自覺。不幸而在窮僻之域，無車馬之資，猶當博學審問，古人與稽，以求是非之所在，庶幾可得十之五六。若既不出戶，又不讀書，則是面牆之士，雖子羔、原憲之賢，終無濟於天下。」（註二七）崇尙實踐，提倡外向的實際學問，成爲顧炎武爲學的一個突出特色。道光年間，唐鑒著《清學案小識》，將顧炎武歸入程朱理學的《翼道學案》，他寫道：「夫先生之爲通儒，人人能言之，而不知先生之所以通，不在外而在內，不在制度典禮，而在學問思辨也。」（註二八）這樣的議論，與顧炎武的爲學風尙南轅而北轍，實在是强人就我的門戶之見。事實上，顧炎武的崇實致用之學，斷非漢學、宋學所可拘囿。同强顧炎武入漢學的藩籬一樣，把他强入宋學門戶也是不妥當的。

與崇尚實踐，提倡外向的務實學問相一致，顧炎武的一生爲學，充滿了求實的精神。他對前人的成說，不盲從，不依傍；對古代的典籍，信其所當信，疑其所當疑，形成了自己的一家之言，體現了爲學的獨立風格。這種求實的獨立風格，在顧炎武的經學研究中，得到了集中的反映。

「信古而闕疑」，這是顧炎武經學研究的根本態度。他說：「《五經》得於秦火之餘，其中固不能無錯誤，學者不幸而生乎二千餘載之後，信古而闕疑乃其分也。」（註二九）由此出發，顧炎武對宋明以來輕疑經文，甚至妄意刪改的風氣作了批評。他說：「近代之人，其於諸經鹵莽滅裂，不及昔人遠甚。又無先儒爲之據依，而師心妄作，刊傳記未已也，進而議聖經矣；更章句未已也，進而改文字矣。此陸游所致慨於宋人，而今且彌甚。徐枋有言：『今不依章句，妄生穿鑿，以遵師爲非義，臆說爲得理，輕侮道術，寖以成俗』。嗚呼！此學者所宜深戒。」（註三〇）但是，信古並不是泥古。在顧炎武看來，經學是很平實的學問，《六經》實在就是古代的史籍。他說：「《詩》之次序猶《春秋》之年月，夫子因其舊文，述而不作也。頌者，美盛德之形容，以告宗廟。魯之頌，頌其君而已，而列之《周頌》之後者，魯人謂之頌也。世儒謂夫子尊魯而進之爲頌，是不然。魯人謂之頌，夫子安得不謂之頌乎，爲下不倍也。《春秋》書公、書郊禘亦同此義。孟子曰：『其文則史』，不獨《春秋》也。雖《六經》皆然。今人以爲聖人作書，必有驚世絕俗之見，此是以私心待聖人。」（註三一）能撥去罩在《六經》之上的「驚世絕俗」外衣，還其以平實史籍的本來面目，顧炎武這樣的見解確實是卓越的。後世乾嘉學者章學誠的「《六經》皆史」說，顯然是從顧炎武的主張中獲得了有益的啓示。

顧炎武反對「援今而議古」的傾向，認爲這無異於「圓鑿而方枘」。他主張：「經學自有源流，自漢而六朝而唐而宋，必一一考究，而後及於近儒之所著，然後可以知其異同離合之指。如論字者必本於《說文》，未有據隸楷而論古文者也。」（註三二）他對諸經的研究，實事求是，不立門戶，不分畛域，故而能見前人之所未見，能發前人之所未發。譬如他對《周易》的研究，既肯定程頤的《易傳》和朱熹的《周易本義》，提出了「復程朱之書以存易」的主張（註三三），同時，又對理學家說《易》的比附穿鑿予以駁斥。顧炎武直斥陳摶、邵雍的圖書象數之說爲「方術之書」、「道家之易」（註三四），是「强孔子之書以就己之說」（註三五）。這確實是不苟同於朱熹之說的大膽議論。乾嘉學者錢大昕對此至爲推許，他說：「先生不信康節先天之學，其識高於元明諸儒遠矣。」（註三六）《尙書》在諸經中，聚訟最多。顧炎武根據文獻記載，對《尙書》作了實事求是的歷史考查。他提出了「《泰誓》之文出於魏晉間人之僞撰」的疑問（註三七），陳述了「書《序》……未可盡信」（註三八），「古時有《堯典》無《舜典》，有《夏書》無《虞書》，而《堯典》亦《夏書》」的見解（註三九）。顧炎武在追溯《尙書》的演變源流之後，重申了孟子的「盡信書不如無書」之說。他認爲：「今之《尙書》，其今文、古文皆有之三十三篇，固雜取伏生、安國之文，而二十五篇之出於梅賾，《舜典》二十八字之出於姚方興，又合而一之。孟子曰『盡信書不如無書』，於今日而益驗之矣。」（註四〇）

顧炎武這種實事求是的學風，在對《春秋》的研究中，同樣得到了具體的體現。他博稽載籍，除將其研究成果收入《日知錄》之外，還專門寫了一部三卷的《左傳杜解補正》。他在該書序文中寫道：「《北史》言，周樂遜著《春秋序義》，通賈、服說，發杜氏違。今杜氏單行，而賈、服之書不傳矣。吳之先達邵氏寶有《左觿》百五十餘條，又陸氏粲有《左傳附注》，傅氏遜本之爲《辨誤》一書。今多取之，參以鄙見，名曰《補正》，凡三卷。若經文大義，《左氏》不能盡得，而《公》、《穀》得之；《公》、《穀》不能盡得，而啖、趙及宋儒得之，則別記之於書而此不具也。」（註四一）按照經今古文學的分野，《左傳》是古文家的路子，而《公羊傳》是今文家的路子，《穀梁傳》雖其說不一，但也多歸之於今文經學之類。顧炎武治《春秋》却一掃門戶之見，博採三家之長，而且對前人有所譏刺的唐人啖助的《春秋》研究，尤加稱許。他不同意所謂啖助「不本所承，自用名學，謂後生詭辯，爲助所階」（註四二）之說，認爲：「啖助之於《春秋》，卓越三家，多有獨得。」（註四三）乾隆年間修《四庫全書》時，對顧炎武的《春秋》研究予以了肯定的評價：「炎武甚重杜解，而又能彌縫其闕失，可謂掃除門戶，能持是非之平矣。」（註四四）這樣的評價是允當的。

再就顧炎武的古音學研究而論，作爲一個經世致用的學者，他之痛感於古音學的沉淪絕非偶然。顧炎武說：「言詩者，大率以聲音爲末藝，不知古人入學自六藝始。孔子以游藝爲學之成，後人之學好高，以此爲瞽師、樂工之事，遂使三代之音不存於兩京，兩京之音不存於六代，而聲音之學遂爲當今之絕藝。」（註四五）由於聲音之學的斷絕，所以後世往往有率臆改經之病，顧炎武對此深致不滿道：「三代《六經》之音，失其傳也久矣。其文之存於世者，多後人所不能通，以其不能通，而輒以今世之音改之，於是乎有改經之病。始自唐明皇改《尚書》，而後人往往效之，然猶曰，舊爲某，今改爲某，則其本文猶在也。至於近日鋟本盛行，而凡先秦以下之書率臆徑改，不復言其舊爲某，則古人之音亡而文亦亡，此尤可嘆者也。」（註四六）在顧炎武看來，這又是「一道德而同風俗」不可忽略的大事。他說：「《記》曰『聲成文謂之音』。夫有文斯有音，比音而爲詩，詩成然後被之樂，此皆出於天而非人之所能爲也。三代之時，其文皆本於六書，其人皆出於族黨庠序，其性皆馴化於中和，而發之爲音無不協於正。然而《周禮》大行人之職：『九歲屬瞽史，諭書名，聽聲音。』所以一道德而同風俗者又不敢略也。」（註四七）於是，他斷然提出了「讀九經自考文始，考文自知音始」的主張（註四八），踏踏實實地對古音學進行潛心研究，以從中求得「一道德而同風俗」的根本。至於能否求得，那又當別論了。經過三十餘年的努力，他終於寫成了《音學五書》這樣一部清代學術史上的巨著。關於這部書，顧炎武曾這麼寫道：「炎武潛心有年，既得《廣韻》之書，乃始發悟於中而旁通其說，於是據唐人以正宋人之失，據古經以正沈氏、唐人之失，而三代以上之音部分秩如，至賾而不可亂。乃列古今音之變，而究其所以不同，爲《音論》二卷；考正三代以上之音，注三百五篇，爲《詩本音》十卷；注《易》爲《易音》三卷；辨沈氏部分之誤，而一一以古音定之，爲《唐韻正》二十卷；綜古音爲十部，爲《古音表》二卷。自是而六經之文乃可讀，其他諸子之書，離合有之，而不甚遠也。」（註四九）

顧炎武的古音學研究，儘管承襲有自，從宋人吳棫、鄭庠，尤其是明人陳第等人的著述中，都得到不少有益啓示，但是，由於他能實事求是地進行獨力研究，因而創獲甚多。無論在音學演變源流的審訂，古韻部類的離析，「古人四聲一貫」之說的鈎稽，「古人未嘗無入聲」、「入聲可轉爲三聲」的古韻通轉之說的闡述，顧炎武都取得了有創見的成果，使他無可爭辯地成爲清代音韻學的開派宗師。正如紀昀等人在《四庫提要》中所述：「自陳第作《毛詩古音考》、《屈宋古音義》，而古音之門徑始明，然創闢榛蕪，猶未及研精邃密。至炎武乃探討本原，推尋經傳，作《音學五書》以正之。……全書持論精博，百餘年來，音韻學者雖愈闡愈密，或出炎武所論之外，而發明古義，則陳第之後，炎武屹爲正宗。」（註五〇）

顧炎武爲學，具有創新的精神。他反對依傍、抄襲，主張「文須有益於天下」。他說：「文之不可絕於天地間者，曰明道也，記政事也，察民隱也，樂道人之善也。若此者，有益於天下，有益於將來，多一篇，多一篇之益矣。若夫怪力亂神之事，無稽之言，剿襲之說，諛佞之文，若此者，有損於己，無益於人，多一篇，多一篇之損矣。」（註五一）顧炎武認爲：「毋剿說，毋雷同，此古人立言之本。」（註五二）而「近代文章之病，全在摹仿。即使逼肖古人，已非極詣，況遺其神理而得其皮毛者乎。」（註五三）所以他說：「效《楚辭》者必不如《楚辭》，效《七發》者必不如《七發》。蓋其意中先有一人在前，既恐失之，而其筆力復不能自遂。此壽陵餘子學步邯鄲之說也。」（註五四）論文如此，論詩亦復如此。他在《日知錄》卷二十一《詩體代降》條中論道：「詩文之所以代變有不得不變者，一代之文沿襲已久，不容人人皆道此語。今且千數百年矣，而猶取古人之陳言，一一而摹仿之，以是爲詩可乎？故不似則失其所以爲詩，似則失其所以爲我。李、杜之詩所以高於唐人者，以其未嘗不似而未嘗似也。知此者，可與言詩也已矣。」類似的見解，還見於他爲友人詩文糾謬的書札，他這麼寫道：「君詩之病在於有杜，君文之病在於有韓、歐，有此蹊徑於胸中，便終身不脫依傍二字，斷不能登峰造極。」（註五五）

顧炎武把「古人之所未及就，後世之所不可無而後爲之」做爲治學座右銘。他說：「子書自孟、荀之外，如老、莊、管、商、申、韓，皆自成一家言。至《呂氏春秋》、《淮南子》，則不能自成，故取諸子之言彙而爲書，此子書之一變也。今人書集一一盡出其手，必不能多，大抵如《呂覽》、《淮南》之類耳。其必古人之所未及就，後世之所不可無而後爲之，庶乎其傳也與！」（註五六）因之，他極端鄙棄剽竊他人成果的齷齪行徑，他說：「漢人好以自作之書而托爲古人，張霸《百二尙書》、衞宏《詩序》之類是也。晉以下之人，則有以他人之書而竊爲己作，郭象《莊子注》、何法盛《晉中興書》之類是也。若有明一代之人，其所著書無非竊盜而已。」（註五七）顧炎武萃一生心力所結撰的《日知錄》，便是這一嚴謹學風的極好說明。關於這一點，他自己寫道：「愚自少讀書，有所得輒記之，其有不合，時復改定，或古人先我而有者，則遂削之。」（註五八）所以，一部三十二卷的《日知錄》，儘管徵引他人論述占至全書十之七八，自我見解不過十之二三，然而，却不但絕無絲毫掠美之嫌，而且處處顯出作者求實創新的學風來。無怪乎《四庫提要》要讚許《日知錄》「網羅四部，熔鑄群言」（註五九）。「炎武學有本原，博贍而能通貫，每一事必詳其始末，參以證佐，而後筆之於書，故引據浩繁而牴牾者少。」（註六〇）

顧炎武的爲學風尙，還有一個極爲可取之處，這就是他的虛懷若谷，一絲不苟。他平生的代表作《日知錄》和《音學五書》的結撰過程本身，就集中地體現了這一學風。顧炎武在談到《音學五書》的纂輯時寫道：「余纂輯此書三十餘年，所過山川亭障，無日不以自隨，凡五易稿而手書者三矣。然久客荒壤，於古人之書多所未見，日西方暮，遂以付之梓人，故已登版而刊改者猶至數四。又得張君弨爲之考《說文》，採《玉篇》，仿《字樣》，酌時宜而手書之，二子葉增、葉箕分書小字，鳩工淮上，不遠數千里累書往復，必歸於是。」（註六一）這樣一部卷帙浩繁的著述，他在北遊之中，隨身携帶，精雕細琢，以至五次易稿，三次手書，已經付刻還四次修改，其嚴謹精勤的學風，令人肅然起敬。他暮年的摯友王弘撰說得好，顧炎武「四方之遊，必以圖書自隨，手所鈔錄，皆作蠅頭行楷，萬字如一。每見予輩或宴飲終日輒爲攢眉，客退必戒曰：『可惜一日虛度矣。』其勤厲如此。所著《昌平山水記》二卷，巨細咸存，尺寸不爽，凡親歷對證，三易稿矣，而亭林猶以為未愜。正使博聞强記或尚有人，而精勤不苟未見其倫也」（註六二）。顧炎武把自己的《日知錄》喻作「採山之銅」，他在致友人的書札中寫道：「嘗謂今人纂輯之書，正如今人之鑄錢。古人採銅於山，今人則買舊錢，名之曰廢銅，以充鑄而已。所鑄之錢既已粗惡，而又將古人傳世之寶舂剉碎散，不存於後，豈不兩失之乎？承問《日知錄》又成幾卷，蓋期之以廢銅。而某自別來一載，早夜誦讀，反復尋究，僅得十餘條，然庶幾採山之銅也。」（註六三）一年之中，勤苦攻讀，僅得十餘條，而千餘條的《日知錄》，又凝聚了顧炎武的多少心血！然而，顧炎武並不以此為滿足，他說：「炎武所著《日知錄》，因友人多欲鈔寫，患不能給，遂於上章閹茂之歲刻此八卷。歷今六七年，老而益進，始悔向日學之不博，見之不卓，其中疏漏往往而有，而其書已行於世不可掩。漸次增改，得二十餘卷，欲更刻之，而猶未敢自以為定，故先以舊本質之同志。蓋天下之理無窮，而君子之志於道也，不成章不達。故昔日之得，不足以為矜，後日之成，不容以自限。」（註六四）不自滿假，鍥而不捨，這種學風又是何其的感人！

顧炎武曾經有過《廣師》之作，他在篇中寫道：「苕文汪子刻集，有《與人論師道書》謂：『當世未嘗無可師之人，其經學修明者，吾得二人焉，曰顧子寧人、李子天生。其內行淳備者，吾得二人焉，曰魏子環極、梁子曰緝。』炎武自揣鄙劣，不足以當過情之譽。而同學之士有苕文未知者，不可以遺也。輒就所見評之。夫學究天人，確乎不拔，吾不如王寅旭；讀書為己，探賾洞微，吾不如楊雪臣；獨精《三禮》，卓然經師，吾不如張稷若；肖然物外，自得天機，吾不如傅青主；堅苦力學，無師而成，吾不如李中孚；險阻備嘗，與時屈伸，吾不如路安卿；博聞强記，群書之府，吾不如吳任臣；文章爾雅，宅心和厚，吾不如朱錫鬯；好學不倦，篤於朋友，吾不如王山史；精心六書，信而好古，吾不如張力臣。」（註六五）顧炎武不但這麼說，而且還將其付諸實踐。在他的《日知錄》、《音學五書》和其他文論書札中，稱引上述諸人及陸桴亭、朱鶴齡等同時人的見解之處，屢見不鮮。他在致其弟子潘耒的書札中，還這樣寫道：「讀書不多，輕言著述，必誤後學，吾之跋《廣韻》是也。雖青主讀書四五十年，亦同此見。今廢之而別作一篇，並送覽以志吾過。平生所著，若此者往往多有，凡在徐處舊作，可一字不存。」（註六六）一位名著一代的學者，能夠如此的謙虛自知，嚴於責己，既是其學的可貴處，也是其學的得力處。正是這種嚴謹精勤、謙虛自知的學風，賦予了顧炎武的實學思想以歷久而不衰的生命力。

顧炎武的實學思想，其落腳之點就是要經世致用。他一生廣泛地涉足於經學、史學、音韻小學、金石考古和輿地詩文之學，其目的甚爲明顯，就是爲了對自己的國家和民族，對自己所生活的社會能有所作爲。這就是他在致其門人潘耒的書札中所說的「志」。他說：「凡今之所以爲學者，爲利而已，科舉是也。其進於此，而爲文辭著書一切可傳之事者，爲名而已，有明三百年之文人是也。君子之爲學也，非利己而已也，有明道淑人之心，有撥亂反正之事，知天下之勢之何以流極而至於此，則思起而有以救之。……故先告之志以立其本。」（註六七）正是有了這種經世致用之志於胸中，所以顧炎武一生爲學能與日俱進，對當代及後世產生了深遠的影響。

顧炎武一生拳拳於《日知錄》的寫作，只是爲了「明學術，正人心，撥亂世以興太平之事」（註六八）。他之所以歷時三十餘年潛心研治古音學，是因爲他認爲「目擊世趨，方知治亂之關必在人心風俗（註六九）」，而音韻之學又正是「一道德而同風俗者又不敢略」的大事（註七〇）。他的究心經史，是因爲在他看來，「孔子之删述《六經》，即伊尹、太公救民於水火之心」，儒家的經典乃是「天下後世用以治人之書，將欲謂之空言而不可也」（註七一）。所以，顧炎武的治經史之學絕非遠離世事，徒發思古之幽情。恰如他自己所述：「夫史書之作，鑒往所以訓今。」（註七二）「引古籌今，亦吾儒經世之用。」（註七三）他積二十餘年的苦心所編纂的《天下郡國利病書》、《肇域志》，也是「感四國之多虞，耻經生之寡術」的有所爲之作（註七四）。正因爲這樣，所以，顧炎武一生所寫下的大量詩文，縱然其間也確有不少封建糟粕，然而却無一不是牢牢地立足於他所生活的社會現實中。這就是他自己所說的：「凡文之不關於《六經》之指、當世之務者，一切不爲。」（註七五）晚清，徐嘉爲顧炎武詩作箋注，譽之爲「一代詩史，踵美少陵」（註七六），顧炎武確是當之無愧的。

康熙三十四年（一六九五年），顧炎武的門人潘耒將《日知錄》在閩中建陽付刻時，曾在序文中寫道：「先生非一世之人，此書非一世之書也。魏司馬朗復井田之議，至易代而後行；元虞集京東水利之策，至異世而見用。立言不爲一時，錄中固已言之矣。異日有整頓民物之責者，讀是書而憬然覺悟，採用其說，見諸施行，於世道人心實非小補。如第以考據之精詳，文辭之博辯，嘆服而稱述焉，則非先生所以著此書之意也。」（註七七）這是一段很得顧炎武實學思想實質的議論。至於《四庫提要》所云：「潘耒作是書序，乃盛稱其經濟，而以考據精詳爲末務，殆非篤論矣。」（註七八）實在是門戶之見太深。無怪乎後世學者朱一新要予以「葉公之好龍，鄭人之買櫝」的譏刺了（註七九）。

三

顧炎武與黃宗羲、王夫之同爲清初顯學。他們都在各自爲學的廣闊領域內，以自己崇實致用的學風和卓有成效的學術實踐，爲轉變明季空疏學風作出了貢獻。三家之學，不但對當世，乃至在整個清代，都產生了積極而深遠的影響。我以爲，僅就爲學的風尚而論，顧炎武的影響確實要較黃王二人爲大。

清朝二百六十餘年間，學風曾幾經變化。其間，儘管有漢宋的分野，有經今古文的頡頏，然而顧炎武學風的影響，却是始終有轍迹可尋的。清朝初年，是以顧炎武、黃宗羲、王夫之等大師爲代表的經世致用的健實學風。清初諸儒之學，以博大爲其特色。正如晚清學者王國維所論：「國初之學大，乾嘉之學精，而道咸以來之學新。」（註八〇）但是，王夫之的晚年僻居猺鄉，潛心編纂，其著述是在他去世百餘年後才得大行於世，這就極大地局限了他對清初學壇的影響。黃宗羲雖名重朝野，然而其晚年也是局處故土，不敢渡江，這同樣限制了他予清初學壇以更深刻的影響。顧炎武與黃、王二人晚年的經歷頗不相同。他自四十五歲起，即棄家北遊，到七十歲逝世，一直輾轉於河北、河南、山東、山西、陝西各地。同現實生活的密切結合，使他的詩文感時撫世，能予時人以應有的影響。他的《日知錄》還在結撰過程中，即「因友人多欲鈔寫，患不能給」（註八一）。影響可見一斑。北遊二十餘年間，與其交往的人，除昔日南方學壇友好歸莊、萬壽祺、張弨、王錫闡、路澤濃、戴笠、楊雪臣等人外，還有陸續結識的名儒孫奇逢、傅山、李顒、朱彝尊、屈大均，以及閻若璩、張爾岐、吳任臣、李因篤、王弘撰、馬驌等等。與各地學者的廣泛交遊，不但加速了顧炎武學問的成熟過程，而且對他學風的傳播，也是不無益處的。閻若璩雖世稱「博極群書，睥睨一代」（註八二），可是對顧炎武却很推重。他在悼念黃梨洲的《南雷黃氏哀詞》中，曾這樣寫道：「當發未燥時，即愛從海內讀書者遊。博而能精，上下五百年，縱橫一萬里，僅僅得三人焉：曰錢牧齋宗伯也，曰顧亭林處士也，及先生而三之。先生之亡，上距牧齋薨已三十有二年，即亭林歿亦且十四五年。蓋至是而海內讀書種子盡矣。」（註八三）閻若璩肯定了顧、黃二人在清初學壇的地位，確是實事求是的。顧炎武晚年已是聲名大著，所以朝中貴顯也與他有交往。康熙十年（一六七一年），熊賜履打算推荐他佐修《明史》，十七年（一六七八年），葉訒庵、韓菼又要荐他應博學鴻儒科，翌年，葉氏再要招炎武入史局。（註八四）顧炎武聲名之重，更是可見。

顧炎武暮年的經歷，使他的學術風尙得以較黃、王二人更深刻地影響於當世。他嚴謹健實的學風，經世致用的治學宗旨，樸實歸納的爲學方法，諸多學術門徑的開拓，以及對明季空疏學風斬釘截鐵般的抨擊，與其傲岸的人格相輝映，同樣使他對後世學風的影響要較黃、王二人深刻、廣泛。而且，清初政治局勢的演變，也更爲此提供了客觀的必然性。康熙中葉以後，明末的空疏不學之風，經過清初諸儒的蕩滌，已爲歷史的陳迹。健實的學風形成了，治學的門徑闢啓了，爲學的方法開創了。與顧、黃、王同時而稍後的閻若璩、胡渭、毛奇齡等人，其爲學汲汲於名物的考究、文字的訓詁、典章制度的鈎稽，依然走的是樸實的路子。可是，隨着清廷封建文化專制的日益加劇，他們却也漸漸地把經世致用的思想撇開了。此時的學風，由於封建專制政治禁錮的强化，已經在醞釀一個實質性的轉變。雍、乾兩朝，封建文化專制尤爲酷烈，文字冤獄遍於國中，社會的現實問題，成爲文人學士不得問津的禁地。清廷給他們提供的，就是埋頭故紙，遠離世事的唯一選擇。乾嘉之世，惠氏祖孫繼起，以漢易爲家學，惟漢是尊，惟漢是信，揭開了乾嘉漢學的一頁。乾嘉漢學，以其樸實的考據學風，向高踞堂廟的宋學挑戰，至戴震、段玉裁、王念孫、王引之，空前鼎盛，風靡朝野，儼若一時學壇霸主。乾嘉漢學家，無論是惠氏祖孫所創的吳派，還是江永、戴震所創的皖派，都推顧炎武爲「不祧之祖」。他們也確實在不同的領域，將顧氏之學愈闡愈密，做出了超邁前代的成就。然而，顧炎武爲學的崇實致用之風，却爲他們割裂爲二，取其小而捨其大，把一時學風導向了純考據的死胡同。顧炎武經世致用的實學思想，到此烟消雲散，繼響無人，徒然留下了樸實的軀殼。是爲清代學風之一變。

嘉、道之時，漢學偏枯。爲學問而學問，爲考據而考據，繁瑣餖飣，呫哦吟嗶，漢學已經走到了末路。在日益加劇的社會危機之中，文網也無形鬆弛，今文經學若異軍突起，代漢學而興。莊存與、孔廣森首倡於前，劉逢祿出，爲之一振，及至龔自珍、魏源而大盛。清代學風至此再變。同、光兩朝，《春秋》公羊學日漸深入朝野，康有爲、梁啟超等人大張旗幟，倡變法以圖強，將其推向了高峰。在自清中葉崛起，直到戊戌變法失敗而漸趨沉寂的清代今文經學盛衰史中，今文經學諸大師的爲學風尙，雖然與顧炎武不盡相同，然而，爲學以經世致用這一精神却是一脈相承的。正如身歷其境的梁啟超先生所論：「最近數十年，以經術而影響於政體，亦遠紹炎武之精神。」（註八五）清末，漢學於山窮水盡之中，得俞樾、孫詒讓兩大師堅守壁壘，居然又做出了值得稱道的成就。尤其是章炳麟，重倡顧炎武經世致用之學，用以服務於反抗清廷統治的政治鬥爭，使顧氏學風在晚清放出了異樣的光彩。當然，如同顧炎武的思想和學風一樣，章炳麟的思想和學風也遠非漢學所能拘囿。正當晚清學風再變的時候，清廷的統治也在辛亥革命的硝烟之中壽終正寢了。

顧炎武的學風及其所體現的實學思想，同他的社會政治思想及哲學思想一樣，也有着明顯的「法古」傾向。所以，他津津樂道他的先祖遺訓：「著書不如鈔書。凡今人之學，必不及古人，今人所見之書之博，必不及古人。」（註八六）事實上，這與其說是顧炎武的家訓，倒不如說就是他自己的主張。因爲他一生的爲學，從某種意義上說，也就是這種主張的實踐。儘管這種主張是針對明末的空疏不學，有所爲而發，自有其立論的依據，也有其補偏救弊的積極一面，然而，惟古惟是的傾向却是不值得肯定的。後世乾嘉漢學的偏枯，也無論如何不能排除這一主張的消極影響。譬如，顧炎武著《音學五書》，試圖「舉今日之音而還之淳古」（註八七），他的摯友歸莊就大不以爲然，曾經致書駁詰。這場辯難的眞理，自然是在歸莊手中。無怪乎乾隆年間修《四庫全書》，後人要獨拈此事譏刺顧炎武了。《四庫提要》寫道：「觀所作《音學五書後序》，至謂聖人復起，必舉今日之音而還之淳古，是豈可行之事乎！」（註八八）再如顧炎武晚年的「篤志經史」，固然是爲了「引古籌今」，「鑒往所以訓今」，與乾嘉學派的自考古始至考古終迥然異趣，然而，也無可掩飾地含有保持晚節、全身遠禍之意。乾嘉漢學家的遠離世事，治經史以紓死，從顧炎武晚年的爲學中，還是接受了消極影響的。此外，顧炎武爲學中，也存在繁瑣傾向。這種傾向在他的《日知錄》中考究禮制的部分尤爲明顯，在其音韻學研究中，同樣也有反映。這裡就不一一列舉了。

顧炎武的學風，儘管存在着若干消極因素，有着明顯的時代和階級的局限性，但是，其基本方向是値得肯定的，在整個清代是起了積極作用的。後世學者或是繼承了他的爲學方法，或是發揚了他的治學精神，沿着他所開闢的路徑走去，不僅演成了乾嘉漢學的鼎盛局面，而且也取得了清代學術文化多方面的成果。如同黃宗羲、王夫之一樣，顧炎武作爲一代學術開山大師的地位是確然不拔的。

【附註】

註　一　江藩：《漢學師承記》卷一。

註　二　梁啓超：《中國近三百年學術史》，上海民志書店本，頁四。

註　三　《明史》卷二百八十二，列傳第一百七十，《儒林》一。

註　四　顧炎武：《日知錄》卷七，《夫子之言性與天道》。

註　五　《皇明經世文編》，中華書局一九六二年六月影印本，第一冊卷首《陳子龍序》。

註　六　同上書，《黃澍序》。

註　七　同上書，《徐孚遠序》。

註　八、註九　同上書，《許譽卿序》。

註一〇　《皇明經世文編》第一冊卷首《影印明經世文編序》。

註一一　顧炎武：《日知錄》卷七，《夫子之言性與天道》。

註一二　顧炎武：《亭林文集》卷四，《與周籀書書》。

註一三　顧炎武：《亭林佚文輯補》，《與黃太冲書》。

註一四　顧炎武：《亭林文集》卷四，《與人書二十五》。

註一五　潘耒：《遂初堂集》卷六，《日知錄序》。

註一六　顧炎武：《亭林文集》卷六，《天下郡國利病書序》。

註一七　同前，《肇域志序》。

註一八　全祖望：《鲒埼亭集》卷十二，《顧亭林先生神道表》。

註一九　顧炎武：《亭林文集》卷二，《鈔書自序》。

註二〇　顧炎武：《亭林文集》卷四，《與人書六》。

註二一　顧炎武：《日知錄》卷七，《博學於文》。

註二二　顧炎武：《亭林文集》卷三，《與友人論學書》。

註二三　顧炎武：《日知錄》卷十三，《降臣》。

註二四　顧炎武：《亭林文集》卷三，《與友人論學書》。

註二五　顧炎武：《日知錄》卷七，《行吾敬故謂之內也》。

註二六　顧炎武：《日知錄》卷七，《求其放心》。

註二七　顧炎武：《亭林文集》卷四，《與人書一》。

註二八　唐鑒：《清學案小識》卷三，《翼道學案》。

註二九　顧炎武：《日知錄》卷二，《豐熙僞尚書》。

註三〇　顧炎武：《日知錄》卷二，《豐熙僞尚書》。

註三一　顧炎武：《日知錄》卷三，《魯頌商頌》。

註三二　顧炎武：《亭林文集》卷四，《與人書四》。

註三三　顧炎武：《日知錄》卷一，《朱子周易本義》。

註三四　顧炎武：《日知錄》卷一，《孔子論易》。

註三五　顧炎武：《日知錄》卷一，《易逆數也》。

註三六　黃汝誠：《日知錄集釋》卷一，《易逆數也》引錢大昕語。

註三七　顧炎武：《日知錄》卷二，《泰誓》。

註三八　顧炎武：《日知錄》卷二，《書序》。

註三九　顧炎武：《日知錄》卷二，《古文尚書》。

註四〇　同上。

註四一　顧炎武：《亭林文集》卷二，《左傳杜解補正序》。

註四二、四三　顧炎武：《日知錄》卷二，《豐熙僞尚書》。

註四四　《欽定四庫全書總目》卷二九，《經部》二九，《春秋類》四，《左傳杜解補正》。

註四五　顧炎武：《日知錄》卷五，《樂章》。

註四六　顧炎武：《亭林文集》卷四，《答李子德書》。

註四七　顧炎武：《亭林文集》卷二，《音學五書序》。

註四八　顧炎武：《亭林文集》卷四，《答李子德書》。

註四九　顧炎武：《亭林文集》卷二，《音學五書序》。

註五〇　《欽定四庫全書總目》卷四二，《經部》四二，《小學類》三，《音論》。

註五一　顧炎武：《日知錄》卷十九，《文須有益於天下》。

註五二、五三　顧炎武：《日知錄》卷十九，《文人摹仿之病》。

註五四　顧炎武：《日知錄》卷十九，《文人摹仿之病》。

註五五　顧炎武：《亭林文集》卷四，《與人書十七》。

註五六　顧炎武：《日知錄》卷十九，《著書之難》。

註五七　顧炎武：《日知錄》卷十八，《竊書》。

註五八　黃汝誠：《日知錄集釋》卷首，顧炎武：《日知錄自記》。

註五九　《欽定四庫全書總目》卷一二九，《子部》三九，《雜家類存目》六，《雜說》下，《蒿庵閑話》。

註六〇　同前書卷一一九，《子部》二九，《雜家類》三，《日知錄》。

註六一　顧炎武：《亭林文集》卷二，《音學五書後序》。

註六二　王弘撰：《山志》卷三，《顧亭林》。

註六三　顧炎武：《亭林文集》卷四，《與人書十》。

註六四　顧炎武：《亭林文集》卷二，《初刻日知錄自序》。

註六五　顧炎武：《亭林文集》卷六，《廣師》。

註六六　顧炎武：《亭林餘集》，《與潘次耕札》，《又》（第五首）。

註六七　顧炎武：《亭林餘集》，《與潘次耕札》。

註六八　顧炎武：《亭林文集》卷二，《初刻日知錄自序》。

註六九　顧炎武：《亭林文集》卷四，《與人書九》。

註七〇　顧炎武：《亭林文集》卷二，《音學五書序》。

註七一　顧炎武：《亭林文集》卷四，《與人書三》。

註七二　顧炎武：《亭林文集》卷六，《答徐甥公肅書》。

註七三　顧炎武：《亭林文集》卷四，《與人書八》。

註七四　顧炎武：《亭林文集》卷六，《天下郡國利病書序》。

註七五　顧炎武：《亭林文集》卷四，《與人書三》。

註七六　徐嘉：《顧亭林詩箋注》卷首，《自序》。

註七七　潘耒：《遂初堂集》卷六，《日知錄序》。

註七八　《欽定四庫全書總目》卷一一九，《子部》二九，《雜家類》三，《日知錄》。

註七九　朱一新：《無邪堂答問》卷五。

註八〇　王國維：《觀堂集林》卷二十三，《沈乙庵先生七十壽序》。

註八一　顧炎武：《亭林文集》卷二，《初刻日知錄自序》。

註八二　《欽定四庫全書總目》卷一一九，《子部》二九，《雜家類》三，《日知錄》。

註八三　閻若璩：《潛邱札記》卷四，《南雷黃氏哀詞》。

註八四　見張穆：《顧亭林先生年譜》。

註八五　梁啟超：《清代學術概論》，中華書局一九四五年版，頁二二一二三。

註八六　顧炎武：《亭林文集》卷二，《鈔書自序》。

註八七　顧炎武：《亭林文集》卷二，《音學五書序》。

註八八　《欽定四庫全書總目》卷一一九，《子部》二九，《雜家類》三，《日知錄》。引文中《音學五書後序》應爲《音學五書序》。

——原載《清史論叢》第四輯（北京：中華書局，一九八二年），頁二五六——二六九。

王船山的《易》學方法論

嵇文甫

船山最深於《易》學。他稱讚張橫渠「言無非《易》」，正可以說是「夫子自道」。他著有《周易內傳》、《外傳》、《稗疏》，《大象解》……幾種解《易》的專書。其他各種著述中牽涉到《易》學的亦比比皆是。從方法論上講，船山的《易》學顯然仍是走着宋人的路徑。他在《周易內傳》發例中歷評各家的《易》學，而卒歸宗於橫渠。本來《易》學很難說，如果一定要講原始的《易》，一定要探究《周易》的本來面目，那是一種極嚴格的考證功夫，並且必須借助於民俗學社會學等專科的新知識。近年來江紹源、高晉生、顧頡剛、郭沫若諸先生對此都有貢獻，可算是《易》學研究的一種新趨向，至於過去各派《易》學，不管宋《易》也好，漢《易》也好，他們的根本觀念都成問題。儘管他們各自以為是在講《周易》，能得聖人的本旨，但實際上都是他們自己的一家言，和《太玄》、《潛虛》等離開《周易》而自成一書，並無根本的差異。我們應該有歷史的眼光，應該以殷周還殷周，以先秦還先秦，以漢還漢，以宋還宋，以各家還各家。我們一方面可以持極嚴格的態度，反宋反漢，乃至反先秦，而直探原始的《易》；但是另一方面却不妨持極寬大的態度，漢也好，宋也好，籠統一大包，都看作一種民族文化的遺產，而予以各別的研究。根據這種觀點，我們對於船山的《易》學，自然也不承認他所講就合乎原始的《易》，然而這並不妨礙我們當作船山的一家之言來研究。就船山講船山，他這套《易》學實在是極可玩味的。他自述其《易》

學大體道：

以乾坤並建爲宗：錯綜合一爲象；彖爻一致，四聖一揆爲釋；占學一理，得失吉凶一道爲義；占義不占利，勸戒君子不瀆告小人爲用，畏文周孔子之正訓，闢京房陳摶日者黄冠之圖說爲防。（《內傳》發例）

即象以見理，即理之得失以定占之吉凶，即占以示學，切民用，合天性，統四聖人於一貫，會以言以動以占以制器於一原。（同上）

這可以說是船山《易》學的方法論。他也承認《易》是一種占卜書，然而却又以爲不僅「占《易》」，還要「學《易》」，並且「占學一理」，「即占以示學」。他說：

《易》之垂訓於萬世，占其一道爾。故曰：「《易》有君子之道四焉」。惟制器者尚其象，在上世器未備而民用不利，爲所必尚，至後世而非所急耳。以言尚辭，以動尚變，學《易》之事也。故占《易》學《易》，聖人之用《易》，二道並行，不可偏廢也。……京房、虞翻之言《易》，言其占也；自王弼而後至程子，言其學也。二者皆《易》之所尚，不可偏廢，尤其不可偏尚也。朱子又欲矯而廢學以尚占，曰「《易》非學者所宜讀」，非愚所知也。居則玩辭者，其常也。以問焉而如響，則待有疑焉而始問，未有疑焉，無所用《易》也。且君子之有疑，必謀之心，謀之臣民師友，而道之中正以通未有易合焉者，則其所疑者亦寡矣。學則終始典焉而不可須臾離者也。故曰：「《易》之爲書也不可遠。」徒以占而已矣，則無疑焉而固可遠也。故篇內占、學並詳，而尤以學爲重。（《內傳》發例）

他雖然是要「會以言以動以占以制器於一原」，但終歸側重「以言以動」方面，換句話說，就是側重「學《易》」。因爲他認定「制器」的時代已經過去了，「占」亦只有臨時之用，惟有「學《易》」才是須臾不可離的。他以號稱孔子所作的《易傳》爲宗而解釋卦爻辭，因以「統四聖人於一貫」，而《易傳》也正是側重在學《易》一方面。然而《易》之「學」不能離開象占以空談，必須「即象以見理，即理之得失以定占之吉凶」，於是乎「占」與「學」一貫，而可以「即占以示學」了。船山對於占《易》別有一種看法。他說：

> 《易》之爲筮而作，此不待言。王弼以後言《易》者盡廢其占，而朱子非之，允矣。雖然，抑問筮以何爲，而所筮者何人何事耶？至哉！張子之言曰：「《易》爲君子謀，不爲小人謀。」然非張子之創說也。《禮》，筮人之問筮者曰：「義與？志與？」義則筮，志則否。文王周公之彝訓，垂於筮氏之官守且然，而況君子之有爲有行而就天化以盡人道哉！自愚者言之，得失易知也，吉凶難知也。自知道言之，吉凶易知也，得失難知也。所以然者何也？吉凶兩端而已。吉則順受，凶無可違焉。樂天知命而不憂。前知之而可不憂，即不前知之而固無所容其憂。凶之大者極於死，亦孰不知生之必有死，而惡用知其早暮哉？惟夫得失者，統此一仁義爲立人之道，而差之毫釐者謬以千里，雖聖人且有疑焉。一介之從違，生天下之險阻。其初幾也隱，其後應也不測。誠之必幾，神之不可度也。故曰：「明於憂患與故」，又曰：「憂悔吝者存乎介」。一剛一柔，一進一退，一屈一伸，陰陽之動幾，不急而速，不行而至者，造化之權衡，操之於微芒，而吉凶分塗之後，人尚莫測其所自致。故聖人作《易》，以鬼謀助人謀之不逮。百姓可用，而君子不敢不度外內以知懼，此則筮者，筮吉凶於得失之幾也。固非如《火珠林》者，盜賊可就以問利害。而世所傳邵子牡丹之榮

> 悴，瓷枕之全毀，亦何用知之以瀆神化哉？是知占者，即微言大義之所存，崇德廣義之所愼，不可云徒以占吉凶而非學者之先務也。（《內傳》發例）

占義不占志，爲君子謀不爲小人謀，是《易》和其他一切世俗占卜書大不相同的地方。世俗占卜，問科名，問利祿，乃至問許多無聊雞零狗碎的事，總而言之，是爲着滿足私志私欲，而不是求立身制行之合乎義。這和儒者講義不講利的傳統精神是根本違反的。船山打破這種陋見。他認定《易》是一種精義之學，平居「學《易》」固然是就「義」上學，即臨時「占《易》」也是就「義」上占。「義」也用占麼？當然，通常明明白白的大義是不用占的。可是有些幾微疑似的地方，差以毫釐，謬以千里，就使人躊躇難決了，「可以取，可以無取，取傷廉；可以與，可以無與，與傷惠；可以死，可以無死，死傷勇。」我們要「時中」，要隨時變化而皆恰中乎義。因此「義」非「精」不可。「精義入神，所以致用也」。這裏面需要一種藝術，《易》之爲書，從船山看來，正是講究這種藝術的。六十四卦，三百八十四爻，參伍錯綜，因時因位，指示人以應處之道，他說：

> 天下無窮之變，陰陽雜用之幾，察乎至小至險至逆，而皆天道之所必察。苟精其義，窮其理，但爲一陰一陽所繼而成象者，君子無不可用之以爲靜存動察、修己治人、撥亂反正之道。故《否》而可以「儉德辟難」，《剝》而可以「厚下安宅」，《歸妹》而可以「永終知敝」，《姤》而可以「施命誥四方」。略其德之凶危，而反諸誠之通復，則統天地雷風電木水火日月山澤已成之法象，而體其各得之常。故《乾》大矣，而但法其「行」；《坤》至矣，而但効其「勢」。分審於六十四卦之性情，以求其功効，乃以精義入神，而隨時處中。天無不可學，物無不可用，事無不可爲。循是以上達，則聖人耳順從心之德

也。（《周易大象解》序）

天下事理有無限的變化錯綜，有許多「至小至險至逆」的地方，不是可以一目了然的。「學《易》」者，正是要從那錯綜變化的每一卦每一爻中，從那各別的「時」和「位」中，去研其「幾」，精其「義」，窮其「理」；而所謂「占《易》」，亦不過就當前特定的卦和爻，特定的時和位，而做其「研幾」「精義」「窮理」之學而已。這裏面包含着船山的眞理觀。有些人只看見眞理的絕對性，於是乎演成所謂機械論、獨斷論。有些人只看見眞理的相對性，於是乎演成所謂詭辯論、懷疑論。船山把相對和絕對統一起來，從相對中看出絕對，而把握住一種「變易」而又「不易」的活眞理。他說：

春夏秋冬，固無一定之寒暑溫涼，而方其春則更不帶些秋氣，方其夏則了了與冬懸隔。則不定者，皆一定者也。聖賢有必同之心理，斯有所同之道法。其不同者，時位而已。一部《周易》，許多變易處，只在時位上分別；到正中、正當，以亨吉而無咎，則同也。（《四書大全說》）

因時因位而變易，是相對的；但當其時，當其位，就必須如此，自有其不易之理，這却是絕對的。「其不定者，皆一定者也」。即相對，即絕對，這是很微妙的一種眞理觀。根據這種觀點以講《易》，於是乎有「兩中並建」及「乾坤並建」之說：

凡言位者，必有中焉，而《易》無中。三之上，四之下，無位也。凡言中者必一中焉，而《易》兩中，貞之二，悔之五，皆中也。無中者散以無紀，而《易》有紀。兩中者歧而不純，而《易》固純。……故《易》立於偶，以顯無中之妙，以著一實之理，而踐其皆備者也。一中者不易，兩中者易。變而不失其常之謂常，變而失其常非常矣。故曰：「執中無權，猶執一也。」中立於兩，一無可執。於彼於此，道義之門。三年之哭無絕聲，哀亦一中矣。燕射之終無算爵，樂亦一中矣。夏補秋助而國不貧，恩亦一中矣，釁社孥戮而民不叛，威亦一中矣。父師奴，少師死，俱爲仁人；伯夷餓，太公封，俱爲大老；同其時而異其用，生死進退而各一中矣。則極致其一而皆中也。其不然者，移哀之半，節樂之全，損恩之多，補威之少，置身於可生可死之中，應世以若進若退之道，乃華士所以逃譏；而見一無兩，可其可而不可其不可，畸所重而忘其交重；則硜硜之小人所以自棘其心也。一事之極致，一物之情狀，固有兩途以合中，跡有異而功無殊。兩中者，盡事物而貞其至變者也。（《周易外傳》卷六）

每一卦六爻，上三爻以第五爻爲「中」，下三爻以第二爻爲「中」，兩「中」並建，表示「中」有許多，而並沒有一個固定的唯一的「中」可執。這才眞是所謂「時中」。乾坤並建之說，亦與此意相通。他說：

乾坤並建於上，時無先後，權無主輔，猶呼吸也，猶雷電也，猶兩目視兩耳聽見聞同覺也。（《外傳》卷五）

乾坤首建，位極於定，道極於純，十二位陰陽具足，爲六子五十六卦闔闢顯微之宗，乾見則坤隱，坤見則乾隱。隱者，非無也，時之所乘，數之所用，在彼不在此也。以其隱而未著，疑乎其無，故方建乾而即建坤，以見陰陽之均備。故《周易》首乾坤，而非首乾也。（《外傳》卷七）

乾坤並建以爲首，《易》之體也；六十二卦錯綜乎三十四象而交列焉，《易》之用也。純乾純坤，未有《易》也，而相峙以並立，則《易》之道在，而立乎至足者爲《易》之資。屯蒙以下，或錯而幽明易其位，或綜而往復易其幾，互相易於六位之中，則天道之變化，人事之通塞盡焉，而人之所以酬酢萬事，

進退行藏質文刑賞之道，即於是而在。（《內傳》卷一）

乾坤並建爲《周易》之綱宗，篇中及《外傳》廣論之，蓋所謂《易》有太極也。……太極一渾天之全體，見者半，隱者半，陰陽寓於其位，故轂轉而見其六。乾明則坤處於幽，坤明則乾處於幽。《周易》並列之，示不相離，實則一卦之嚮背而乾坤皆在焉。非徒乾坤爲然也，明爲屯蒙，則幽爲鼎革，無不然也。（《內傳》發例）

從這幾段話中，可以知道船山對於《周易》全書的脈絡結構是怎樣一種看法。乾坤並建，相反相成，道並行而不相悖，這裏面包含一種思想上的民主精神。「或錯而幽明易其位，或綜而往復易其幾」。六十四卦，兩兩相配，或一幽而一明，用「錯」的方法；或一往而一復，用「綜」的方法。船山是「以錯綜合一爲象」的，他打破京氏、邵氏各家之說，而單提出「錯綜」二字，貫穿全《易》。他解釋此二字道：

錯者，鑢金之械器，汰去其外而發見其中者也。綜者，繫經之線，以機動之，一上而一下也。卦各有六陰六陽，陰見則陽隱於中，陽見則陰隱於中。錯去其所見之陰則陽見，錯去其所見之陽則陰見。如乾之與坤，屯之與鼎，蒙之與革之類，皆錯也。就所見之爻上下交易，若織之提綜，迭相升降。如屯之與蒙，五十六卦，皆綜也。舊未注明，不知此乃讀《易》之要，不可忽也。（《周易稗疏》卷三）

如蒙卦䷃與革卦䷰，此見則彼隱，彼見則此隱，這就叫作「錯」。蒙卦䷃與屯卦䷂，這個顛倒過來便是那個，那個顛倒過來便是這個，這就叫做「綜」。只此陰- -陽—兩儀推移變易於六位之中，而一切天道人事俱包含在內。平居學《易》就此學，臨時占《易》亦就此占。船山自述：

自□□丙戌，始有志於讀《易》。戊子，避戎於蓮花峯益講求之，初得觀卦之義，服膺其理，以出入於險阻而自靖。乃深有感於聖人畫象繫辭爲精義安身之至，立道於易簡以知險阻，非異端竊盈虛消長之機，爲翕張雌黑之術，所得與於學《易》之旨者也。（《內傳》發例）

觀卦☴☷之義，照船山講，是：

以儀象示人而爲人所觀也。……可瞻而不可玩，飭於己而不瀆於人之謂也。此卦四陰浸長，二陽將消，而九五不失其尊以臨乎下。於斯時也，抑之而不能，避之而不可，惟居高而不自媟，正位以俯待之，則羣陰瞻望尊嚴而不敢逼。……（《內傳》卷二）

船山當桂王朝，占得觀卦，深覺與自己身世遭遇相契合，乃「服膺其理，以出入於險阻而自靖」。這正是即占以爲學。他的全部《易》學都是從這條路走下去的。他堅持着儒者人文主義的傳統，把《周易》看成一部講立身處世崇德廣業的書，看成一部做人的藝術的書。在內外傳各篇中，他發揮出許多極可玩味的妙義，這裏且不贅述罷！

——原載《王船山學術論叢》（香港：崇文書店，一九七三年三月），頁七五——八二。

王夫之《詩經稗疏》芻論

張　澂

有清一代學術思想，梁啟超曾一言以蔽之，曰：「以復古為解放。」所謂的「復古」，就是漢學的復興，明末清初的顧炎武、黃宗羲和王夫之，就是這種風氣的先導。他們痛感異族的進逼、神州的淪亡，多由學術空疏之故。當時的宋學末流，空談性命義理，不務實際，空虛而淺鄙。針對這種惡習，他們主張經世致用，為探索「國家治亂之源，生民根本之計」（顧炎武《日知錄》）而讀書窮經。顧炎武創立的浙西學派致力於經學研究，黃宗羲的浙東學派則經史並治而頗偏於史。船山一生極重視讀書窮經，他熟通經史，遍注群經。在他的全部著作中，經學方面的著作有三十餘種，其卷帙之多，超過顧、黃。而且船山釋經有一個很大的特點，就是義理和訓詁並重，對於諸經，他是既有「宣敷精義，羽翼微言」的即經學以窮理的著作，如《周易內、外傳》、《尚書引義》、《詩廣傳》之類，也有如他的諸經「稗疏」、「考異」之類辨正名物訓詁的著作，《詩經稗疏》即是其中一種。

《詩經稗疏》共四卷，是一部以考定名物為主要內容的《詩經》訓詁著作，涉及面相當廣，不僅有草木鳥獸蟲魚，還有天文曆法、地理人物及禮制器物等等，船山對《詩經》中出現的，而又為歷代《詩經》博物家們所反覆考證的一些名物提出了他自己的觀點，辨正了不少疑難問題，也不乏新鮮見解，反映了船山廣博的知識學問，蔚為大觀。

王船山是中國十七世紀最偉大的思想家，他一生以創造性地闡發中國傳統文化爲己任。他在理論上和方法上的建樹，更多地體現在他的哲學論著和史學論著中。《詩經稗疏》作爲一部以訓釋名物爲主的訓詁著作，較之於船山以前的《詩經》研究專著，我們可以感受到其獨特的方法和手段，有其獨到的價值。船山長於義理，又有廣博的學識和求實的精神，這便爲此書提供了成功的前提。

船山對復古主義是極力反對的，他强調歷史的進化，認爲「洪荒無揖讓之道，堯舜無弔伐之道，漢唐無今日之道，則今日無他日之道」（《周易外傳》卷五）。既然歷史是在不斷變遷發展的，學術也不應當永遠唯古是尙，「《六經》責我開生面，七尺從天乞活埋」，這是船山自題於堂前的一幅對聯，他就是以這種神氣和自負來對待被認爲是神聖的儒家經典。博約實證的科學方法，便是他涵淹於《六經》之中而能獨闢蹊徑的根本所在。

船山對自己的治學方法曾作過總結：「致知之途有二：曰學，曰思。學則不恃己之聰明而一唯先覺之是效，思則不徇古人之陳迹而任吾警悟之靈。二者不可偏廢，而必相資以爲功。……學非有礙於思，而學愈博則思愈遠；思正而有功於學，而思之困則學必勤。」（《四書訓義》卷六）這種方法在當時實在是非常進步的，這種對待前人遺產的態度，充滿着辯證和發展的觀念，甚至完全符合科學的認識論和知行觀。船山一生在學術上屢有創見，「其言《易》，不信陳摶之學，亦不信京房之術，於先天諸圖及緯書雜說排之甚力，而亦不空談玄妙，附會老莊之旨。故言必徵實，義必切理。其說《尙書》，詮釋經文多出新義，然詞有根據，不同游談。其說《詩》，辨正名物訓詁以補《傳》、《箋》諸說之遺，皆確有依據，不爲臆斷」（《淸史稿・儒林傳》），船山著作之所以能出入經史，縱橫古今，並宏論時出，自成一體，代表了當時的時代精神，與這種治學態度是截然不可分的。

《詩經稗疏》雖然不是船山代表性的著作，但同樣能夠體現船山的治學特色，較之《詩經》研究史上卷帙浩繁的著述，《詩經稗疏》至少在以下兩方面是非常值得稱道的。

第一，批判中繼承，揚棄中出新，成一家之學說。

《詩經》研究歷史悠久，著作多至汗牛充棟，內容廣至包羅萬象，各家說法歧異紛雜，爭論難決。又有漢宋門戶，壁壘森嚴。漢初，魯、齊、韓、毛四家傳《詩》，反映了漢學內部今文經學與古文經學的鬥爭。以《毛詩》爲本，兼採三家詩的鄭玄的《毛詩傳箋》，實現了《詩經》研究中今、古文的合流。唐初孔穎達的《毛詩正義》又完成了漢學各派的統一。宋人以其思辨學風對漢學提出了批評和論爭，形成了《詩經》宋學。朱熹的《詩集傳》是宋學《詩經》的集大成者，它以理學爲思想基礎，集中了宋人在詩義、訓詁上的研究成果，並探討了《詩經》的文學特點。元明時代，在《詩經》研究領域裏，朱熹的《詩集傳》占有絕對優勢，宋學末流僵化而空疏，尊一部《集傳》而盡廢其餘。王船山《詩經稗疏》的創作主要是針對明末「《集傳》派」末流而言的。

在對《詩經》進行名物訓釋中，船山較多的是遵從《毛傳》的說法，也取《鄭箋》之所長而加以發揮，因爲他認爲毛鄭比較近古，他們所作的訓釋也比較嚴謹可信。他曾說：「義理可以日新，而訓詁必依古說，不然，未有不陷於流俗而失實者也。」（《詩經稗疏》卷二）又說：「器服之制，若拘文臆度，必失古人之精義，非形不典雅則速敗而已矣。益以知古注疏之不可意爲增減，求俗學之易喻也。」（《詩經稗疏》卷一）在《詩經稗疏》卷三《大雅・皇矣》「是類是禡」一條中，船山是這樣辨析的：

禡之異於類者，毛公以于內于野爲分，《爾雅》、《說文》俱統言師祭，則禡所祭告之神，即類之所祭告也。師未出而爲兆于國以祭曰類，已出次舍爲表於所次以祭曰禡。故鄭康成謂與田祭表貉之貉同，郭璞亦曰禡于所征之地。蓋地異而祝號不殊也。《集傳》乃謂祭黃帝及蚩尤，不知何據？且祀主黃帝而並享蚩尤，亡論貞邪殊類，而生爲仇敵，死共兆位，亦何異拓拔氏之以爾朱榮侑其祖乎？漢儒之必不可毀者，此類是也。

對於《集傳》望文生義和訓詁不嚴之弊進行駁正，這是《詩經稗疏》一書的主要內容，占百分之六十之多。如《秦風・小戎》「五棃梁輈」之「五棃」，船山認爲「歷錄者紡車交縈之名，而借以言車之棃，」而《集傳》則曰：「歷錄然文章之貌」。「增一『然』字而削一『有』字，文義遂成參差。以歷錄爲東纏陸離之狀矣。或因歷錄、陸離聲相近而附會之耳」。又如《大雅・旱麓》「黃流在中」，船山指出《集傳》將黃流解釋爲鬱鬯，「盡反毛鄭」，與實不符。再如《小雅・苕之華》「牂羊墳首，三星在罶」一條，船山認爲「吳羊雖瘦，經無頭大之理，故《毛傳》曰：『牂羊墳首，言無是道也。』罶小而星移，其影易沒，故《毛傳》曰：『言不可久也。』若如《集傳》云『無魚而水靜』，則竟無可食矣，但其不可飽乎？」指出了《集傳》觀點的誖謬。

破除對朱學的盲目獨尊，用無可辯駁的事實來論證《集傳》的某些荒謬之說，使《詩經》研究脫離政治的、宗教的色彩而回歸到學術的軌道上來，這無疑是很有意義的。而船山認爲《毛傳》、《鄭箋》時近於古，於古制較明了，故訓詁應多依之的說法，也是比較符合實際的。

否定中應該包含肯定，肯定中也絕不排斥否定，這才是辯證的。船山並不以人廢言或因人立論，朱熹《詩集傳》中不少言之成理的觀點，船山並不一概否定，反而認爲確論而加以徵引，例如船山認爲《

毛傳》把《秦風・晨風》中的「六駁」解釋成食虎豹之獸的說法是不符合實際的，而從《集傳》把「六駁」解釋成一種植物——梓楡的別名，「梓楡一名駁馬，皮青白色，多蘚駁，今俗謂之赤駁榔。中間有包，中皆榔，亦謂之蝨子榔。」同樣，《毛傳》、《鄭箋》之謬誤，船山也予以指明辨正，絕無漢宋之門戶偏見，如卷三《大雅・行葦》「肆筵設席」一條，《毛傳》曰：「設，重席也。」《稗疏》曰：「重席者，席上加席，一筵而二席也。今之優同姓之侯氏，雖情在加篤，而重席者唯於斧依之前，則用以自尊，禮無可逾，不得爲侯氏設也。……乃待諸侯之隆儀而必不可同於天子，《毛傳》失之。」又如《小雅・信南山》「祭以清酒」，船山認爲「不知康成之何以明於注禮而暗於箋詩，一若兩人言也。」船山並不因爲朱熹之疏失而全盤否定《集傳》，也不因尊重毛鄭而全盤肯定《傳》、《箋》。船山之學，實兼揚漢宋各家之長而避棄其短，這種對文化遺產批判繼承的態度和客觀評價的精神，使船山擺脫了《詩經》研究宗派門戶的陋習，而能於學術界自成一家。

船山敢於否定代代相因的陳說，打破宗經徵聖的陋習，大膽懷疑、獨創新說，其中雖也難免千慮之一失，但其精神却是難能可貴的，他的觀點常令人耳目一新，給《詩》學帶來新的生氣，他的思維方式也常給人以有益的啟迪。

例如《邶風・谷風》「采葑采菲，無以下體」，此之「下體」，《毛傳》、《鄭箋》以及《集傳》都認爲是指葑菲之根而言，《稗疏》則一反諸說，「此二菜初則食葉，後乃食根。當食根時，葉粗老而不堪食，則是根可食而苗爲人棄。『無以下體』者，不可以莖葉之惡而不采其根也。」這樣剖析此二句詩的比喻意義，清晰明瞭。船山還進一步闡述其論據，「謂之『下體』者，凡物有縱生者，有橫生者，有逆生者，皆事所從受氣味之滋養者爲上體，人縱生，則首在上爲上體，而足跌爲下體；禽獸橫生，則喙啄在前爲上體，尾在後爲下體；草木逆生，則根在下爲上體，葉在上爲下體。人獸斬首則薨，草木絕根則萎。故俗呼芋、薺、蘆菔之根爲頭，葉尖爲尾。尾者，下體也。在草言草，不得以人之上下爲上下矣。」這段詮釋，準確明白地說明了「下體」的含義，以及在詩中的比喻意，既符合物理，又與詩義相吻合，自圓其說，確實優於前說。

又如對《秦風・無衣》的主題及創作時代，自宋以來諸家異議紛紜，莫所衷是。船山認爲此詩是春秋時秦哀公爲申包胥所作，《詩經》三百零五篇，歷來認爲其中可考的最晚一篇是《陳風・株林》，有「下迄陳靈」的說法，如果認爲《無衣》確爲秦哀公所賦，那麼《詩經》的創作時代的下限將要推延近百年，這的確是個大膽的設想。然而船山的說法還是有一定依據的。首先，他認爲「申包胥如秦乞師，秦哀公爲之賦《無衣》」是《左傳》明文，據《春秋》義例，「爲之賦」就是爲之作的意思，《吳越春秋》、《新序》對此都有記載，可見這一說法在當時流傳頗廣，有其可信之處。而將此「王曰興師」之「王」解釋成楚王，使整首詩的氣氛能融貫一體。至於如何《詩經》中會收入《無衣》一詩，船山也有解釋：「舊說刪詩止於陳靈，乃黎侯失國在魯宣公之末年，晉之有公侯、公行在成、厲二公之後，當魯成、襄之間。孔子刪詩在魯哀公十二年以後，凡前此者皆得錄焉。秦哀有救患之義，申胥立誓死之誠，故節取之，有而不刪。」《稗疏》據《左傳》明文和詩本身所體現的情調爲依據而得出《無衣》一詩作於秦哀公之時，推翻「下迄陳靈」之說，確有其可信可取之處，這一觀點也引起了後來《詩經》研究者們的興趣。

從上述兩例，我們可以看到，雖然船山立論新穎，但並無怪誕荒謬之感，船山並非是一味以奇取勝者，他認爲「凡此類求通於詩意，推詳於物理，所謂以意逆之而得之，雖盡廢舊說而非僻也。」（《詩經稗疏》卷一）這樣的出奇，當然是有說服力的。

第二，強調博約，注重實證，開一代學風。

在船山的時代，學術界深以明人治學之濫爲患，朱學以理釋學，王學以性釋學，都暴露出唯心主義方法論的嚴重局限性。王船山是系統糾正理學和心學流弊的第一大家，他的主要方法便是博學精考和科學實證，充滿着唯物主義色彩，並開了清代樸學的先河，在《詩經稗疏》中這已構成了鮮明的特色。

這一特色首先體現在對古代文化典籍的廣泛考訂徵引上。船山認爲朱學只是「數《五經》《語》《孟》文字之多少而總論之，辨章句合離呼應之，形聲而比擬之。」（《讀通鑒論》卷十七）劃地爲牢，終無大用。而「不參考他經，所謂專己而保殘」的態度，主觀臆斷，更不足取。他主張「所貴乎精思而博證也」（《詩經稗疏》卷一）。在撰著《詩經稗疏》時，在許多情況下，船山充分利用了古代的各種典籍資料，作爲考正辨僞的第一手資料，其涉獵之廣，留意之細，考訂之精，令人嘆服。

《爾雅》和《說文》無疑是秦漢最重要的訓詁工具書，船山對此二書可說是爛熟於心。在訓釋中，船山往往不取舊注而直接考之於《爾雅》、《說文》。如他取《爾雅》「牛七尺曰犉」之訓，釋「九十其犉」之犉；又以《說文》「芄蘭，莞也」之釋，解芄蘭爲莞葦之屬。《左傳》也是《詩經稗疏》賴以依據的重要典籍，船山常常以《左傳》的史實去補充《毛傳》諸說，或以史實作爲解詩的背景材料，或用史實來駁正謬說，如《大雅·大明》「其會如林」，船山從杜預「旝，旃也。通帛爲之，蓋今之大將之麾也」之訓，將會解釋成旗幟，貼切傳神。在訓釋禮儀典章制度時，《三禮》是船山徵引甚多的材料，而且船山對《三禮》有獨到的研究，能別出新見。如《豳風·七月》「稱彼兕觥，躋彼公堂」一句，船山引據《周禮》、《禮記》等，認爲此之公堂即西序，在國之西郊，公堂稱觥，即飲酒於序，而並非如《集傳》所云在豳公之堂。對於經學家們往往不很重視的諸子雜家之說，船山也能以科學態度對待之，其書中引證《山海經》、《淮南子》諸書頗多，他認爲「《山海經》言多駁雜，先儒弗尙，然去古尙近，而山川草木多有確據，引以爲證，固賢於臆度之亡實也。」（《詩經稗疏》卷三）這種不存偏見的科學眼光和求實精神確實是可貴的。

對名物制度的考釋解說是一種較爲瑣碎繁雜的工作，需要廣博的知識，深厚的文學根柢，以及科學實證、一絲不苟的作風，船山最反對言之無據的考釋，「物理不審而穿鑿立說，釋《詩》者之過，非《詩》之過也」（《詩經稗疏》卷二）。「若務巧而失實，則釋經之大病也」（《詩經稗疏》卷一）。對於學術研究，船山所持的態度是實事求是，絕不以無飾有、不懂裝懂。講究言之成理、言之有據。他曾說：「不敢信以爲必然，姑闕可也。徇其誤而曲釋之，必有所窒矣。」（《詩經稗疏》卷三）在解釋「塤箎」時，究竟古代的箎是十孔，還是七孔，或是八孔，諸說不同，船山也沒有確鑿材料可以決其是非，因而他說：「凡此類無從考定，博記以俟折中可爾。」這種對待學術實事求是，慎重嚴謹的作風是很値得稱道的。

更具有開創性的是船山博約求實的作風還反映在他對科學知識和實踐經驗的重視上。明代後期，市民經濟的發展和西學的輸入，我國自然科學有了重大的發展，李時珍《本草綱目》、徐光啟《農政全書》、宋應星《天工開物》等一批科學專著，系統地總結了我國古代農業、手工業技術和醫學、生物學方面的重要成就。隨着利瑪竇等人的來華傳教，西方曆算質測之學也漸爲中國士人所知曉。王夫之的摯友方以智就是一個著名的自然科學家，他所著的《通雅》在名物考訂方面尤爲出色。船山本人也「自少喜從人問四方事，至於江山險要、土馬食貨、典制沿革，皆極意研究。」（王敔《姜齋公行述》）因此船山不僅是一個縱橫經史、出入古今的思想家，也是一個多聞博覽、深通百業的質實家，《詩經稗疏》充分體現了這一特色。

對於草木蟲魚等名物的詮釋，在《稗疏》中占有相當的份量。自然界千變萬化，動植物種類繁多，而且又有古今名稱的變化沿革，這些都增加了《詩經》名物訓詁的難度，要正確地詮釋一種物體，往往要花很大的氣力，需要有直接間接的經驗相輔佐，並且參照詩歌本身所提供的信息線索，才能使得訓釋能爲理解詩意服務，對於辨物之難，船山深有體會，他說：「草木之名古今互異，有同名而異實，有異名而同實，唯據所言前後之文以考之，斯爲定論。」（《詩經稗疏》卷二）船山强調從實踐出發，注重實踐知識，注重自己的耳聞目見。「聞之不如目見，信夫！」欲以己之所知，補歷代《詩》傳之未詳。

在大量的訓釋中，船山的訓詁實在是以博物見長，而不以文字擅勝。他在動植物方面的淵博知識往往令人驚嘆，有些篇章甚至可以同李時珍《本草綱目》相媲美。船山往往並不只從《毛傳》等說出物體的名稱就罷了，而是仔細地描寫它的形狀特徵以及功用，有時還仔細分別不同種類，說出它們之間的細微差別。有時其說法與前人不盡相同，船山往往更深一層，從更細的分類來闡說，力圖能更符合詩所提供的客觀場景。當然其中也不免有疏漏獵奇之處，但這種寫法畢竟使這本訓詁書更有新意和生氣。例如「卷耳」，歷來認爲卷耳就是蒼耳，通過考訂，船山認爲卷耳應是鼠耳，「湖湘人謂之鼠茸，清明前采之，舂以和米粉作餈。有青白瓤如枲麻，味甘性溫，葉上有茸毛，正如鼠耳。」「此草可和粉食，而采之頗費尋求，故云『不盈頃筐』。」又如《周南・漢廣》「翹翹錯薪，言采其蔞」之「蔞」，船山認爲《毛傳》、陸璣《疏》、《詩集傳》之釋均有不妥之處，「蔞蒿水草，生於洲渚，既不翹然於錯薪之中，但可采摘爲茱，不堪刈之爲薪，與楚為黃荊，莖幹可薪者異。」「則蔞為雚葦之屬，翹然高出而可薪者，蓋蘆類也。」以蔞為蘆類植物，較為可信。再如《豳風‧七月》一詩中有「五月斯螽動股，六月莎雞振羽」，「十月蟋蟀入我床下」的詩句，對此三種蟲名，《集傳》認為是一種，只是隨時變化而異其名，對此，船山引據辯駁，認為此說「不審於物理」，此三者實指三種蟲，「唯紅娘子有翅，故曰『振羽』；唯蚱蜢躍而不行，故曰『動股』；唯促織入人室中，故自野而至床下。」這段訓釋分辨此三蟲，既細緻準確，又與詩句吻合。

《詩經稗疏》的大多數訓釋，正是建立在較為可靠的直接或間接經驗之上，它的某些條目，補充了以往《詩經》傳注的不足，對求通詩意起了積極的作用，也進一步開拓了讀者的眼界和思路。格物然後致知，「人之所忽，必詳慎搜閱之，而更以聞見證之」（《姜齋公行述》），這便是船山勝於歷代傳注家的地方。

王船山作為一代學術巨匠，精於義理，博於雜識，在《詩經》名物訓詁和義理辨析上的功勞是顯而易見的。但是，訓詁畢竟不是船山的專長，樸學的方法在清初尚未臻完善，《詩經稗疏》的不足之處也是明顯可見的。船山的思維方式和研究方法，往往是從大處着眼，以新穎取勝，以之用於哲學研究，固然得益無窮，而用之於嚴謹的訓詁，則常有顯拙。從客觀條件看，船山一生身經亂離，生活十分艱難，書籍來源難以保障，「貧無書籍紙筆，多假之故人門生」（《姜齋公行述》），「隱居山中，未嘗入城市」（劉獻廷《廣陽雜記》），「聲影不出林莽」（鄧顯鶴《船山著述目錄》）。船山主要活動的地區是在湘西，偏僻閉塞，而且「常匿常寧猺洞，變姓名為猺人」（王之春《船山公年譜》）。晚年隱居的石船山也很荒僻困厄，他與外界接觸甚少，常靠記憶來寫作，難免掛一漏萬。外界的學術信息與成果也很難得知，這在相當程度上影響了船山在小學方面的成就。「使得與顧、閻諸儒通聲氣，則先生於音韻學當不止於《叶韻辨》，而於《尚書》之僞篇，當不止疑於《金滕》」（張西堂《王船山學譜》）。這些主客觀原因所導致《詩經稗疏》的局限性，主要表現在三個方面：

第一，以史求詩，以經求詩，忽視文學作品的自身屬性。

作爲文學作品，《詩經》中必然包含着較多的感情色彩和豐富的藝術手法，「情動於中而形於言」，這就是古人對文學作品的一般理解。船山有時却忽略了這一原則，而以治經和治史的方法來訓釋《詩經》，如《大雅·生民》一詩，是周人的開國史詩，充滿着神化色彩，其中姜嫄「履帝武敏歆」孕而生棄的傳說，體現了先民們的奇思異想和他們圖騰崇拜、感生生子的觀念。船山在解釋此詩時却忽略了這一點，他混淆了社會眞實與神化虛構之間的差別，而從一般的夫婦之道去理解，將這段神話當作歷史故事來塡充擴展。推根窮源，恐怕還是把詩簡單地、機械地當作了經、史，而沒有把它看作文學作品，依據文學作品固有的特點來理解。儘管其闡述不可謂不婉曲詳盡，却沒有從根本上解決問題。《商頌·玄鳥》一詩的解釋也是如此。

又如《大雅·大明》中「維師尙父，時維鷹揚」一句，原本是以「鷹揚」來形容武王伐紂主帥尙父勇猛威武的銳氣，詩句很有氣韻。《稗疏》則釋之爲「軍陣之法」，原因是姜太公已老，用「鷹揚」來形容不妥。這樣的訓釋，反而模糊了詩意，削弱了文氣，也實在令人費解。

似此忽視文學作品的特點而一味以史實禮文求之，在《詩經稗疏》中常有出現，不僅結論突兀，不合情理，往往造成偏頗失誤。船山在其《姜齋詩話》中對《詩經》作爲文學作品在藝術上的成就作了深入的探討，並認爲「陶冶性情，別有風旨，不可以典冊簡牘訓詁之學與焉也」（《詩繹》），「不以詩解詩，而以學究之陋解詩，令古人雅度微言，不相比附。陋子學詩，其弊必至於此」。而在《詩經稗疏

》的某些訓釋中却仍不能避免這些陋弊，這是個很值得深思的問題。以史釋詩，以經釋詩，如果是道學先生之所爲，尙可作別論，作爲哲學家、歷史學家兼文學家的王夫之，出現這種失誤則不能不是遺憾了。

第二，忽略文字音韻，訓詁手段單一。

《詩經稗疏》一個很大的特點就是以博物見長，而很少運用文字聲韻方面的知識來解決訓詁問題，訓詁手段尙未成熟和完備。稍後，船山曾寫有《叶韻辨》一書，對古韻問題闡述了自己的見解，不無見地。然而在《詩經稗疏》中却往往出現不明假借，錯釋音形的錯誤。

例如《王風·中谷有蓷》「啜其泣矣」，《詩經稗疏》曰：「《毛傳》曰：『啜，泣貌。』而劉熙《釋名》云：『啜，惙也。心有所念，惙然發此聲也。』按《說文》：『啜，嘗也。一曰喙也。』蓋男子之泣，口張而若吐，婦人之泣，脣聚而若吸，一若啜羹，一若鳥喙。」啜又作惙，惙，短氣貌。惙即憂戚哽噎之意，惙爲本字，啜乃惙之假借。《稗疏》在此誤以啜爲本字而釋憂貌，難免牽强。

又如《大雅·板》「則莫我敢葵」，船山曰：「葵，草名，向日傾而蔭其趺，故《左傳》曰『葵猶能自衞其足』，是葵有蔭義，借爲庇蔭之旨。『莫我敢葵』，言上方興虐政，疾苦其民，牧民者莫敢亢上意以庇民也。」《鄭箋》以葵爲揆之假借，釋爲猜疑、揣測之意。「莫我敢葵」，即我莫敢揆，對於王朝的前途我不敢揣測，流露出對厲王暴政下周王朝統治的憂慮，《鄭箋》的這個訓釋是很合詩意的，《稗疏》不諳葵、揆的假借關係，以葵爲本字解釋，反而使詩意迂曲無當。

第三，曲意疏通，附會成說，流於主觀片面。

創新與獵奇之間，並無鴻溝可言，稍一不愼，即有標新立異之嫌。故而在不拘一格，獨創新說的同時，船山也難免會有曲意疏通、附會成說的毛病。一些說法或寡證無據，或牽強附會，顧此失彼，主觀臆斷，其說遂病。

如《邶風・谷風》「伊余來塈」，船山曰：「塈，塗也，沾濕土以仰塗也。劉熙曰：『塈猶煟。煟，細澤貌也。』此言支撑塗飾以成家，旣前所謂就深就淺、飾亡爲有之意。」《說文》：「塈，仰塗也。」是《稗疏》訓塈的依據，然而《裨疏》這段說解迂晦難通，於解詩毫無稗益。馬端辰《毛詩傳箋通釋》認爲塈古文作塈，即古文愛字，「伊余來塈」猶言維予是愛。這樣解釋與此句的上下文義更爲和諧通暢，顯然優於《稗疏》，又如《秦風・終南》一詩「終南何有，有條有梅」二句，《毛傳》曰：「條、槄，梅、枏也。」明訓條通槄，梅即枏之假借。槄，楸樹。枏，俗作楠，是一種木理細密的珍貴樹種，也有人認爲此之梅實指梅樹。此詩二章云「終南何有，有紀有堂」，三家詩紀堂作杞棠。杞，杞柳；棠，甘棠。「有條有梅」正與「有紀有堂」相對應，詩人目的在於誇耀終南山的豐饒出產，以興勸誡秦君之意。《稗疏》則以梅與枚通，「小樹之枝曰條，其莖曰梅」，這樣訓釋旣鮮佐證，而且也破壞了全詩的意境。諸如此類，還有不少，如把《大雅・公劉》「取厲取鍛」之厲、鍛解釋成地名；把木瓜、木桃、木李解釋成刻木之桃李，而以爲《大雅・緜》「堇荼如飴」之堇荼爲墐塗之假借，往往突兀難解，不符詩義。同時在批評毛鄭、《集傳》時也有一些主觀任意，片面失當之處。

《詩經稗疏》的這些局限，確實在很大程度上影響了該書的成就。較之漢唐以來的《詩》學著述，尤其在清初這一特定時代，船山開風氣的功績不可抹殺；但較之乾嘉以還嚴謹周密的《詩經》訓詁著作，如陳奐的《詩毛氏傳疏》、胡承珙的《毛詩後箋》以及馬瑞辰的《毛詩傳箋通釋》等，卻也大爲遜色。苛求一點來說，船山給予我們的應該更多更精一些，這不能不是個遺憾。

正如列寧所說，「判斷歷史的功績，不是根據歷史活動家有沒有提供現代所要求的東西，而是根據他們比他們的先輩提供了的新的東西」《（列寧全集》第二卷）。船山的時代，畢竟還是經學剛開始復興的時代，有關文字聲韻訓詁方面的理論還在草創探索之中，船山所處的環境，又是窮鄉僻壤，交通不便之處。在這樣不利的條件下，船山能在學術上有所建樹，確屬不易。《詩經稗疏》在方法論上的成就，直接開啓了清代學風的興起，可說是乾嘉諸子的先導，其意義是不可低估的。就具體的名物訓詁而言，船山的學說也多有乾嘉經師所弗及之處。儘管《詩經稗疏》不是船山的代表著作，但該書的成就也同樣體現了船山博大精深的治學特色，我們應予以足夠的重視。

——原載《華東師範大學學報》（哲學社會科學版）一九八七年三期，頁六九——七五。

試論毛奇齡的反宋學思想

陳德述

明末清初，由於我國社會政治經濟的巨大變化，產生了一股批判宋明理學的社會思潮，毛奇齡是這股批判思潮中的一員衝鋒陷陣的猛將。

毛奇齡（一六二三——七一六年）字大可，號秋晴，學者稱西河先生。浙江蕭山縣人。青年時，因逃避仇人之害，流浪江淮間達三十年之久。康熙十八年（西元一六七九年），荐舉博學鴻詞科，授翰林院檢討，充《明史》纂修官。六十歲以後歸田，潛心研究經學，著作甚富，除《四書改錯》之外，全部收集在《西河合集》中。毛奇齡的主要學術成就在經學方面，尤其是他反對宋學，在當時的思想界產生了巨大的震動。

一

清初，在學術思想領域是「漢宋兼採」的時期，漢學處於萌芽狀態；在宋學內部存在着陸王心學和程朱理學的鬥爭，但兩派都趨於衰亡。

從總體上說，清初的程朱學派除個別人的思想比較平實外，其他人的思想仍然是脫離實際，空疏無用。

陸王學派則有所不同。王陽明死後，其學說沿着求「心之本體」和「事下磨練」兩個方向發展。前者愈衍愈空虛，竟流於「狂禪」；後者逐漸走向平實，注重解決社會問題。明末劉宗周從王學出發，注重經世致用，對王學進行改造。清初崇尚王學的人，幾乎都是劉宗周的學生，不少著名的思想家，如孫奇逢、黃宗羲、顏元、唐甄等人都沿着劉宗周開闢的路向，不斷改造王學，使之更注重社會現實問題。毛奇齡也加入了對王學改造的潮流，由「空虛」的王學走向重「事功」、重「實據」的實學。毛奇齡對宋學的批評是從「事功」和「實據」的立場出發的。因此，毛奇齡對宋學的批評是有重要意義的。

毛奇齡對宋學的主要代表人物都進行了批判，他批評了陸九淵的「立志」說、周敦頤的「主靜」說，二程的「主敬」說、朱熹的「格物窮理」說。毛奇齡指出：程朱之學全屬「杜撰」，他「最切齒者宋人，宋人之中所最切齒者爲朱子。」（註一）

二

毛奇齡對朱熹的批評，主要是「格物」說。他抓住了朱熹「格物」論的要害，「格物致知爲先，明善誠意爲要。」（註二）首先，毛奇齡否定朱熹對「格物」的解釋，指出「至《大學》一出，則『格物』二字至今未解，」認爲朱熹釋「格，至也；物，猶事也」與「聖學」本相乖離，是臆想出來的，純屬佛家禪學。那末，到底如何釋「格物」呢？毛奇齡指出：「格者，度量也。」（註三）而「物」有「實指」和「虛指」兩類：所謂「虛指」如「《詩》『有物有則』，以質言；《易》之『陰物陽物』，以氣言；《國語》『神之見也，不過其物』，又以數言。此虛指也。」所謂「實指」，如「《繫辭》『物以群分』，以爻畫言；『天生神物』，以蓍龜言；《大司馬》『鄉遂載物』，以旗章言；《儀禮・鄉射禮》『物長如箭，其間容弓』，以射位言；《檀弓》『衰與其不當物也，寧無衰』，以麻縷升數言。何獨於家國而疑之？」（註四）毛奇齡還指出：所謂「物」是指德、仁人、成人、行、陽物、陰物、庶民」（註五），以及家、國、天下等等。總之，毛奇齡的所謂「物」是指道德的、社會的、自然的事物。所謂「格物」就是「量度」在這些事物中誰是本誰是末，找出事物的本末關係。他說：「格物則量度本末」（註六），「知本即格物也。」（註七）還說：「《大學》格物者，格其物有本末之物，致知者，知其知所先後之知。」（註八）這就是毛奇齡的「格物致知」之說。他提出這一學說的根本目的，在於反對朱熹的「格物致知」之說。

毛奇齡認爲，朱熹的「格物窮理」沒有抓住「聖學」的根本，是和「聖道」「聖學」相背謬的。爲此，毛奇齡詳細地論證了「本末」問題。他指出：「明德」、「修身」、「正身」、「誠意」是本，「齊家」、「治國」、「平天下」是末。他說：「知明德先於親民，修身、正心、誠意先於齊家、治國、平天下，而知先之學全在知本。」（《西河合集・大學知本圖說》）毛奇齡進一步把「格物」、「修身」和「誠意」聯繫起來，而「修身」與「誠意」之間又存在有本末的關係，「誠意」爲本，「修身」爲末，只有抓住了「誠意」才談得上「修身」和「正心」。

與此同時，毛奇齡十分反對宋學空談心性，不講事功。他所提出的「本末」之說，强調「誠意」，本身並不是目的。他的目的是要由「本」而達到「末」，由「誠意」而達到「事功」「用世」。他指出：「明德不親民，成己不成物，獨善不兼善，非聖道即非聖學。」（註九）因爲，聖學是「重事功，尙用世的」（註一〇）。爲此，毛奇齡嚴厲批評宋學「尙浮詞」而「薄事功」，指出爲學不但與「經義全然乖反」而且「於古今之勢，又一切貿貿。」（註一一）所以，毛奇齡反對把「聖學」和「聖功」割裂開來，反對只講「修身養性」，不「重事功」的空虛之學。他說：「若單講致空虛之良知與博通事物之名數，其於《大學》相隔千里，吾黨何取焉？」（註一二）他還說：「大凡聖道，貴博濟」（註一三）。認爲宋儒把「博施濟衆」看成「

馳騖高遠」的論調是錯誤的。所謂「博施濟衆」，就是要使自己的「修身」，有利國家和社會，要「推己及物」、「親民」、「安人」、「安百姓」、「兼善天下」，要有「實功」於家、國、天下。他強調指出：「重事功、尙用世，以民物爲懷，以家、國、天下爲己任，聖學在此，聖道亦在此。」

以上可見，毛奇齡很重視事功，且在他的「事功」思想中尤爲重視「治國」。他在談到「治國」時指出：「大抵治國，祗治事、治人兩端。」所謂「治事」就是要「敬事」，即「三大政」：「約信」、「節用」、「使時」，具體來說要辦好「兵、農、刑、禮、治亂、得失」等事，因爲「敬事則事無不治」；所謂「治人」就是要「愛人」，即全面實行人倫道德，使人去自私自利之心，要愛人，因爲「愛人則人無不治」。在「治事」和「治民」兩端中，最重要的是「理萬民」，這是治國的「大節」。毛奇齡「理萬民」之民是指「士、農、工、商」廣大庶民百姓。在這四民中，毛奇齡特別強調「商亦民也」（註一四）同時還指出「重農抑商」是錯誤的，「重士、農、工而抑商，名爲損末，而實於本無所益。」（註一五）在他看來，在重視農業發展的同時，還需要重視發展商業，否則於農業的發展不利。毛奇齡的這一思想已克服了傳統的重本抑末觀念的束縛，具有重要的進步意義。特別是他的「理萬民」發展「民生」事業，使天下之民衣食暖飽，安居樂業，即他所說：「蓋民生多端，生以食而道不飢，生以衣而嘆不寒，生以煦咻而始無鞭笞獄訟之嗟，生以捍護而然後無水旱、盜賊、水火之告」，是值得稱道的。

由於毛奇齡「重事功」，所以他反對朱熹的「空理」之學，強調「實行」與「實踐」。他說「夫知貴乎行，儒者空講理學，有知無行。」同時他還批評朱熹的知行分離說，指出：朱熹注《大學》「於格物，則所知在物；於誠意，則所行又在意。在物少一行，而在意少一知」，這種「此知非此行，此行非此知，一知一行」（註一六）的知行分離的理論是錯誤的。所以，他强調知行的統一，認爲有知無行不是知，只有有知又有行才算是知；有知無行只是「空理」，有知有行才是「實功」。他說：知是理必行是理，知是事必行是事。……知所以知此也，行所以體此也。知在此，行即在此。凡所知所行當在一處，亦謂之合一。」（註一七）即認識了某一事物的規律，就按這個規律去實行，即是知行統一的。

毛奇齡的知行統一論有哪些特點呢？第一，他特別强調「行」的重要性，他指出：「儒者用功貴在實踐」「夫學重力行，方恨俗學之多議論，而思舉一躬行者。」即所謂「聖學」的根本任務在於「實踐」，在於「力行。」第二，毛奇齡指出：知行既是有區別又是統一的，行不包含在知中。知此理，行此理；知此事，行此事，知並不等於行。知和行是統一的。他還認爲：致知並非生而知之，必須經過「學問、思辨、勉强、積漸」的功夫才能獲得。（註一八）且「學兼知行」有知無行就不成其爲「學問」，而行必先知之，「知必進乎行」（註一九）只有知行統一才是完備的「聖功」。第三，毛奇齡已經認識到了人類認識（知）的有限性。他指出「六合之外，不知者衆」，即是說人對於天地間的事物有很多是不知的，「大禹治水未嘗知河源，周公群六服，不必識兩熱、講越雉也。」（註二〇）第四，毛奇齡强調行的客觀效果，認爲「行」必須要「有功」、「有效」、「有用」，反對「徒見諸言辭」，不講究功效「空理」。（註二一）毛奇齡「知行合一」論的這四個特點，使它與王陽明的「知行合一」論區別開來，具有重要的理論意義和社會價值。

三

宋明理學是儒釋道三者合流的新儒學，它既吸收了佛教的思想，也吸收了道家的學說。毛奇齡針對這一情況指出：宋學「多蹈異端」，他既反對援道於儒，也反對援佛於儒，特別反對援道於儒。他指出：「宋儒之學實本於老氏，皆華山道士所授而南北二宋皆宗之。」（註二二）毛奇齡詳細考察了作爲宋學重要內容的《太極圖》，認爲它不是儒學本身的東西，而是來源漢代道士魏伯陽的著作《周易參同契》。《太極圖》就是將《周易參同契》中的《水火匡廓圖》與《三五至精圖》合併而成的。毛奇齡指出：「或云其圖在隋唐之間有道士作《眞元品》者，先竊其圖入《品》中，爲《太極先天之圖》，此即搏之竊之所自始。」（註二三）即陳搏的所謂《太極圖》是從《眞元品》中剽竊來的，周敦頤將陳搏的《太極圖》原樣搬過來作爲自己的宇宙構成模式，作爲其學說的基本內容。於是，毛奇齡得出結論：周敦頤之學純出於道教，不可爲訓。

毛奇齡認爲，列入朱熹《周易正義》之首的《河圖》《洛書》也是陳搏杜撰出來的，朱熹將這種僞學篡入儒學中也是完全錯誤的。毛奇齡說：《河圖》《洛書》之名，「自古皆有之，大抵『圖』爲規畫，『書』爲簡冊，無非皆典籍之類。」（註二四）但是到了後來，《河圖》《洛書》被賦予了很多神秘的色彩，在宋代以前只有文字，沒有圖書。到了宋代，陳搏「驟出《河圖》《洛書》，並《先天圖》以示世，稱爲三寶。並不言授自何人？得自何處？出之何書之中？嫿之何方術士之手？當時見之者亦未之信。」（註二五）可見，毛奇齡明確論定陳搏所傳「三寶」完全是僞造，而朱熹竟然取其說載於大《易》之首，「岸然與三聖經書彼此分席」，是謬種流傳。

由於宋學「本於老氏」，來源於道教，它與儒學是不能混爲一談的。毛奇齡明確肯定，程朱理學非儒學，而是屬於「異端」的道學。他說：「聖以道爲學，而學進於道，然不名道學」，「道學者，雖曰以道爲學，實道家之學也。」（註二六）毛奇齡認爲，道學始倡於兩漢，盛行於魏晉南北朝，到北宋時，華山道士陳摶與其徒「張大其學」，竟搜道書《無極尊經》及張角《九宮》，倡太極、河、洛諸數，作道學綱宗，遂篡道教於儒書之間」（註二七）到了南宋，朱熹直接將道學納入儒學，「使道學變作儒學。」所以，毛奇齡說：「道學是異學。」（註二八）他認為，道學的主旨完全與儒學相背戾。「忠恕」是儒學的根本主旨及核心，而「道學」則不然，並一道家，而各立名目。其在北宋；曰「主靜」，清靜教也；曰「立極」，無極之宗也；曰「涵養用敬」，則養以毓其氣，敬以定其神，葆秘之事也。世無審動靜，探主宰，且葆秘神氣，而可云行聖學入聖道者。至南宋，云「格物窮理」，則又竊儒書名目以陰抒其萬物奧，聖人至賾之道教，其並非儒學早已顯著。乃一聞聖道，夫子之道，而相顧茫然，徒以萬殊一本當之。夫萬殊一本，佛家之萬法歸一也。且一籠統，何著落（註二九）。不論是「主靜」、「立極」、「涵養用敬」，還是「格物窮理」，都沒有講「親民」、「安百姓」，「兼善天下」、「博施濟眾」的「實功」，因而道學是異端之學。

毛奇齡還對宋儒的理欲論也加抨擊，認為理欲範疇也是背離儒學的「異端」。他指出：「善」、「惡」是儒學的基本範疇，儒學只講「善」，不講「理」；只講「惡」，不講「欲」。他說：「聖學所分只是善惡，並無理欲對待語，理欲對待起於《樂記》，為西漢儒人之言，前古無是也。」還說：「《六經》無說理之文，況朝廷官府凡議論講辨見於簡冊者，並不曾有一理字，理是何物？」（註三〇）「夫春秋以前，自堯舜禹湯至夫子口中無有言理欲者」。（註三一）毛奇齡還對《四書》進行了考察，指出《四書》中也沒有理欲的思想，《大學》講「止至善」，《中庸》講「明善」，《論語》以仁代善，「使仁惡對待，勢不兩立，有仁無惡，有惡無仁。」（註三二）總之，在毛奇齡看來，「理欲」不是儒家學說的範疇，是儒學之外的「異端」。至於「理」，從來只「作條理解，惟孟子始加理義，然未嘗與欲對待。」（註三三）毛奇齡還反對朱熹的關於「天即理」、「性即理」之說，他指出：朱子「解天爲理」，不但「不可解」，「不可通」，而且毫無證據，「從來論天者皆指蒼蒼言之。」（註三四）所謂「性即理也」，毛奇齡認爲，「不特古無此訓，即《易》之『窮理盡性』分明兩層者，亦說不去矣。」（註三五）總之，毛奇齡認爲，「理」這一範疇是朱熹杜撰出來的。至於「欲」，毛奇齡批評宋儒「己是欲，心亦是欲」之說。他指出：「己」不欲，「耳目口體」不是欲，「心」也不是欲。「心體至虛，原是不動，然必廓然廣大，湛然而光明。」（註三六）只有「心」發而爲「意」，「意」有善惡之分，而「心」無善無惡。儒學只講「善惡」，不講「理欲」。最後，毛奇齡從「實踐」的觀點指出：「儒者動輒言理，」（註三七）「謂天是理，性亦是理」（註三八）「知是理，吾不知理是何物？」（註三九）「理」是個虛無縹緲的東西，「不特民不能以理行，實未聞唐虞三代有使民行理者，此大荒唐也。」（註四〇）總之，毛奇齡認爲，宋儒理欲之論「支離破碎，決不可解。」（註四一）

四

毛奇齡對宋學批評的主流是正確的，但是也有偏頗之處。比如，他籠統地反對宋儒疑經即是一例。他說：「《古文尙書》之寃始於朱氏」，爲了反對閻若璩，把閻與朱熹扯到一起，一并批判之。其實，疑經並非錯誤，只要疑之有根就行。因爲歷史上確有人作僞書以惑後世。閻若璩的《古文尙書疏證》以充分的證據證明《古文尙書》是僞書，本來是完全正確的，毛奇齡不加分析就斷定閻氏的觀點錯誤，這是不足取的。

經學到了宋代已有近千年的歷史，《六經》成了神聖的不可侵犯的神物，《六經》中的思想成了絕對不變的教條，它們已成了束縛人們思想的枷鎖。宋儒疑經使《六經》的神聖權威受到了挑戰，從疑經的窄縫中透露出了思想解放的曙光，從一定意義上說，是有重要意義的。所以，如果說毛奇齡批評朱熹天人性命之說有其正確性，那麼反對朱熹疑經、非經則是錯誤的了。當然，毛奇齡他認爲《六經》作爲歷史文獻是不能任意刪改的，如果任意刪改就可能使它失去歷史文獻的價值，則是正確的。

那麼，如何評價毛奇齡對宋學的批評呢？對於這個問題，梁啟超曾給予了很高的評價，稱毛奇齡爲「反宋學的健將」，「對宋儒猛烈攻擊。」（註四二）還說：「若論清學界最初之革命者，尙有毛奇齡其人，」「毛氏在啟蒙期，不失爲一個陷陣之猛將。」（註四三）應該說，梁啟超的評價是相當中肯的。

不言而喻，毛奇齡對宋學的批評是有其重要意義的。理學是我國封建社會後期的意識形態，是地主階級用以統治人民的思想工具。尤其到了明代，理學之流弊日深，空談性理，不講事功，不講實行，流於清談。這樣的空疏之學，在明末清初民族矛盾和階級矛盾都十分尖銳的情況下，無補於國計民生之弊昭然若揭。特別是朱熹的學說，自元代被定爲官方學術以來，是統治階級推崇的最高理論權威，對朱熹其人，人們只能頂禮膜拜，長期以來，朱熹及其《四書集注》成了束縛人們思想的桎梏。毛奇齡敢於向長期被官方奉爲聖人的朱熹開戰，否定朱熹的思想和《四書集注》的權威，好似一聲巨雷，擊破了思想界的沉悶空氣，對促進人們的思想解放，是具有重要意義的。

【附註】

註　一　全祖望：《蕭山毛檢討（奇齡）別傳》。

註　二　《宋史・道學傳》。

註　三　《西河合集・大學知本圖說》。

註　四、註六　《西河合集・四書賸言》卷三。

註　五、註七、註八　《西河合集・大學問》。

註　九　《四書改錯》卷二一。

註一〇　《西河合集・聖門釋非錄》卷四。

註一一、註一三　《西河合集・聖門釋非錄》卷二。

註一二　《西河合集・大學證文》。

註一四、註一五、註一六、註一七、註一八、註一九、註二〇、註二一、註二二　《西河合集・大學證文》。

註二三、註二四、註二五、註二六、註二七、註二八、註二九、註三〇、註三一、註三二　《西河合集・大學證文》。

註三三、註三四、註三五、註三六、註三七、註三九、註四〇　同上。

註三八、註四一　《四書改錯》。

註四二　《中國近三百年學術史》。

註四三　《清代學術概論》。

——原載《社會科學輯刊》一九八七年五期（總五十二期），頁二二——二六。

《經義考》綜論

盧仁龍

一

朱彝尊（一六二九——七〇九年），字錫鬯，號竹垞，浙江秀水人，是清初著名的經學家、文學家、史學家、藏書家、目錄學家。《經義考》是朱彝尊歸田以後編撰的一部大型經學文獻工具書。它著錄了自先秦以迄清初八千四百多種經學著作，並博及人物、著作流傳等方面，實爲二千年間經學的總彙，從文獻的角度，總結並反映了歷代經學發展的狀況。

朱彝尊撰述此編，本意並非爲總結歷史而作，而是出於矯正時風，倡導博學詳考之旨而撰。我們知道程朱理學經過數百年的嬗變，到明中葉以後，已經走入了末路，「高者談性天，撰語錄；卑者疲精死神於舉業，不惟聖道之禮樂兵農不務，即當世之刑名錢穀，亦懵然罔識。」（李塨《李恕谷集・書刻戶部墓表》）江藩《漢學師承記》卷八曾這樣總結說：「有明一代，囿於性理，汩於制義，無一人知讀古經注疏者。」面對衰敗枯落的經學局面，朱彝尊嘆道：「予謂經學之不明非一日矣。自漢迄唐，各以意說，散而無紀，其弊至於背畔，貴有以約之。此宋儒傳注之所爲作也。今則士守繩尺，無事博稽；至問以箋疏，茫然自失，則貴有以廣之。」（《曝書亭集》卷三四《五經翼序》）他在指斥時風弊端的同時，尤其主張學術貴在博稽廣考。他又說：「學有統而道有歸，然守一家之說，足以自信，不足以析疑。惟眾說畢陳，紛綸之極，而至一者始見。故反約之功，貴夫博學而詳說之也。」（同上）當時清初諸大儒尚未崛起，學界也多沿明代空疏之風。所以，朱彝尊在深詬之餘，力倡博學詳考。大約在康熙二十五左右（註一），開始纂集《經義考》，費十餘年之功始成。它的產生，奠定了朱彝尊與顧炎武、閻若璩開創清初考證之學的首要地位。

《經義考》的完成，除了取決於朱彝尊立志逆轉空疏學風的雄心，以及他本身的博學廣識，也得力於明末清初藏書事業的發展，和他個人豐富的藏書等便利條件。羅振玉《經義考目錄序》中曾評其事：「朱氏生當國初隆盛之世，其時兵事既定，文化聿興，海內藏書家競搜求遺書，大半皆先生同好所藏，咸得寓目，故得搜採賅備。」尤其值得注意的是，史書載他本人「嗜書如命」，共得書八萬餘卷，（註二）曾築「曝書亭」「潛采堂」兩樓庋之。據王昶《蒲褐山房詩話》載，他的藏書，至其孫稻孫散出尚不多。但到嘉、道間阮元訪求時，所聚竟已雲散。芸臺雖旌表之，但終付東流。

二

《經義考》是一部經學專科目錄。專科目錄的產生，肇始於漢韓信、張良序次兵法，刪一百二十八家為三十五家，楊僕據此而敍奏兵錄（註三）。以後，隨着文集的興起，佛道兩教的發展，各種專科目錄也應運而生。不過，在《經義考》之先，雖有經學專錄產生，但一直沒有成熟。為什麼歷代興盛久昌的經學，先此竟沒有專科目錄問世？我們知道，儒書在劉向、劉歆《七略》之始，就居群書之首。《隋書・經籍志》又單立經部於弁首，以後相沿成規，從未乙降。更主要的還在於，經類文獻歷代備受重視。因此，搜羅賅備的程度，遠遠超軼他類。自然，早期著錄也無需單列或別裁。它的產生，正是隨著經學範圍的日日擴大，經部文獻的不斷增多而出現的。

最早的經學專科目錄當推東晉匯熙《論語集解》所集十三家姓氏

，另有張璠《周易集解》，也彙集了他以前的二十二家姓氏（《七錄》云二十八家）。前者見於皇侃《論語義疏》前引，後者載陸德明《經典釋文・敍錄》內。這些專經引用書，僅具專科目錄雛形而已。爾後，陸德明撰《經典釋文・敍錄》，詳列了他所撰集《釋文》所引著作目錄，除《老子》、《莊子》外，實爲唐以前現存經書目錄。它從一經廣及九經，不能不說是一個進步。所以，張之洞將此書與《漢書・藝文志》、《隋書・經籍志》並列爲目錄中之「最要者」（註四）可謂有識。宋代是經書目錄的產生時代，《宋史・藝文志》載有歐陽伸〈一作坤〉撰《經書目錄》十一卷，亡名氏《授經圖》三卷。惜二書均已亡佚。《文獻通考・經籍考》引《崇文總目》：「《授經圖》三卷，不著撰人名氏，敍《易》、《書》、《詩》、《禮》、《春秋》三家、《論語》、《孝經》之學，師第相承，繫而爲圖。」是此書類於後來的目錄體。

現存經學專科目錄始於明代：朱睦㮮《授經圖》、《經序錄》、張儁《古今經傳序略》、孫承澤《五經翼》，都是其例，尤其是朱睦㮮的兩種，不僅開《經義考》之先，而且爲朱書奠定了基礎。朱睦㮮，字灌甫，號西亭先生。其《授經圖》「因章氏（俊卿）舊圖而增定之。首敍授經世系，次諸儒列傳，次諸儒著述、歷代經解名目卷數。每經四卷，五經共爲二十卷」（註五）。《經序錄》一編，則取諸家說經之書，各採序一篇，編爲一集。歸有光曾序其書，并稱有益於經學。是則二書一述源流，一例敍說，而朱彝尊兼本之也。孫承澤的《五經翼》，比《經序錄》的內容更加豐富。每經門下，分別「畢搜前集中諸儒先所發明經趣者，各以經相次。」（註六）它由只錄序跋，發展成取資文集、筆記等各書論述。張儁《古今經傳序略》，王鴻緖稱：「余家有鈔本，有竹垞圖記，蓋《經義考》之嚆矢也。」（註七）

以上四書，雖均非純目錄體著作，且搜羅有限；但開通考古今，迻錄原序舊跋的創例，朱彝尊在此基礎上，取精用弘，擴展到了更爲廣泛的範圍。

其實，對《經義考》更爲關係直接的是《文獻通考・經籍考》。清周中孚《鄭堂讀書記》卷三二：「（《經義考》）大都取材馬書，及以朱西亭《授經圖》、《經序錄》、國朝孫退谷《五經翼》四書，而增補以各書之說。」孫詒讓《溫州經籍志敍例》也評道：「朱氏《經義考》，祖述馬書，益恢郛廓。」其說大抵是也。詳論見後。

三

《四庫全書總目提要》卷八五《經義考》：

> 是編統考歷朝經義之目，初名《經義存亡考》，惟列存亡二例，後分別曰存、曰闕、曰佚、曰未見，因改今名。凡御注、敕撰一卷，易七十卷，書二六卷，周禮十卷，儀禮八卷，禮記二五卷，通禮四卷，樂一卷，春秋四三卷，論語一一卷，孝經九卷，孟子六卷，爾雅二卷，群經一三卷，四書八卷，逸經三卷，毖緯五卷，擬經一三卷，承師五卷，宣講、立學共一卷，刊石五卷，書壁、鏤版、著錄各一卷，通說四卷，家說、自述各一卷。其宣講、立學、家學、自述三卷，皆有錄無書，蓋撰集未竟也。每一書前，列撰人姓氏書名卷數。其卷數有異同者，則注某書作幾卷；次列存、佚、闕、未見字；次列原書序跋、諸儒論說，及其人之爵里。彝尊有所考證者，即附列案語於末。

《鄭堂讀書記》（卷三二）：「又欲爲補遺二卷，草稿初定，即以次付梓。其宣講、立學、家學、自序四門，以及補遺，屬草未具，故是編無，補遺並闕。」其說又與《總目》略異。

今翻匝全書，特條其內容、體例特徵如下：

㈠**內容廣泛** 與傳統的經部文獻目錄相比，此書不僅拓寬了經部固有的包羅範圍，而且還新增了經學人物。先看人物一類。《經義考》設承師一門，凡五卷，敍述了孔子弟子、門人、孟子弟子，以及先秦兩漢經學人物。朱氏捃摭群書，共得孔門弟子九十八人，孟子之傳十七人。前者足以補《史記・仲尼弟子列傳》、《孔子家語・弟子解》之缺，後者則備史書所未備。

拓寬固有的經學範圍則又可分三方面：首先是將《大戴禮記》、《國語》等書與十三經并重。我們知道，傳統的十三經定型於南宋，自後代奉爲正經。《國語》雖又稱《春秋外傳》，《大戴禮記》在宋也被擬爲十四經之目，但均未被厠於正統之例。（註八）朱彝尊特爲表彰之，從而使這兩部不被重視的重要經典，重新得以表彰。清人繼此而建立了不少新說。其次是設擬經一門，網羅那些規依群經，或與群經相表裏之作。由於經學發展的長期正統化和神秘化，文人學士常常以賡揚「聖道」爲任，都希冀於「托志經書」，（註九）以致於箋釋群經者蔚起，模範、補續經義者更是其「托志經書」的好方式。推究擬經之始，揚雄《太玄經》、《法言》肇其緒，繼踵接武者，若司馬光《潛虛》、邵雍《皇極經世書》、王通《續書》、白居易《補湯征》，蘇綽《擬大誥》；王通《續詩》；潘岳、束晳《補亡詩》、邱光庭《補新宮、茅鴟詩》；皮日休《補周禮・九夏歌》、《補大戴禮・祭法篇》；王通《元經》、《中說》；林慎思《續孟子》，以及群《雅》之作，都是其例。這些，《經義考》網羅不遺，自不必說。它還將諸子《晏子春秋》、《呂氏春秋》、《戰國策》、《孔子家語》、《越絕書》、《吳越春秋》等書，實際上獨立成義的著作收錄入編，甚至對其歷代注疏、考證、論說，也無不窮搜畢究。朱氏用意雖在表彰，甚至神化經學，但客觀上爲後人提供了豐富的資料。再次是樹讖緯一門，表彰先代廢絕之學。讖緯大約興起於西漢末，而盛行於東漢。昔日鄭玄、何休都喜徵引緯說以釋群經，鄭玄甚至還爲此作過箋注，可知讖緯之冊，確實具有它獨特的價值。但後來都視之爲洪水猛獸，禁毀焚絕，無所不施，以致散佚殆盡。直到明末孫㲄編《古微書》三六卷，但仍是粗陳梗概而已。朱彝尊於此類著作，博稽廣考，鈎沉索隱，一一臚列其目。就目錄而言，比之孫書，多出十九。而朱氏又往往於每條之下，詳登遺說，實有輯佚之功。後來章宗源作《隋書經籍志考證》，往往附列佚文，蓋亦師之朱書乎！總之，朱彝尊在「經義」的旗幟下，總聚文獻、人物爲一編，所存文獻，不僅備存經義，而且也遴取子、史、集三部。所以，它並非僅是經學一體的簿錄。

㈡**綜錄古今**　自班固於正史中立《藝文志》一門以存當代文獻之實，其後正史多有此篇；但是，多錄一代或數代之實。私志、簿錄也僅紀一家之有。至鄭樵《通志・藝文略》，始彙錄舊目，包舉千代，開創通紀歷代文獻的先例。其後王應麟《玉海・藝文門》、焦竑《國史經籍志》，踵其前武。朱彝尊汲取其例，尤以鄭書爲骨，增補新得，把清初以前的經解目錄，總爲一編，足允賅備之譽。

宋以前經解著錄，鄭樵大致完備，《宋史》以後，遼、金、元三史均無藝文、經籍兩志，朱彝尊生前，《明史》的修撰尚未畢其役。雖有焦竑《國史經籍志》可據，但其書僅是「叢鈔舊目，略無考核。」（註一〇）要撰集先代經義舊典，何其不易？朱彝尊則廣集各類書目、文集、史傳、筆記，從而使這一匪夷所思的工作，達到了相當完備的程度。今擇例明其取材所自，以窺其學：

甲、宋、明、清書目。《崇文總目》、《紹興書目》、《紹興闕書目》、《澹生堂藏書目錄》（祁承㸁）、《世善堂藏書目錄》（陳第）、《聚樂堂藝文目錄》（朱睦㮮）、《菉竹堂書目》（葉盛）、《玄賞齋書目》、《天一閣書目》、《淮郡文獻志》，以及釋道兩藏目錄，這些都是《經義考》中所引及者。這裡例詳《千頃堂書目》一種。此書原是黃虞稷在家藏目錄的基礎上，集錄有明一代文獻而成。但又因「《元史》既無藝文，《宋志》咸淳以後多闕，今並取二季以補其後，而附以遼金之僅存者，萃爲一編。」（註一一）此稿完成於康熙初年，內容廣及四部，並包舉四代，在《明史・藝文志》未出之前，著錄尤稱詳備。朱彝尊對這一方剛出世的書稿，十分重視。吳騫《跋千頃堂書目》稱：「秀水朱竹垞檢討雅重之，其輯《經義存亡考》，多徵引其說。至於《明詩綜》，則凡爵里姓氏，以及序次先後，一皆依之，其篤信如此。」今《經義考》所載「黃虞稷曰」，均出此書及黃氏另一著作：《明史藝文志稿》。

乙、史傳、方志。正史中有藝文、經籍志者僅數家，而且各志皆有遺失。朱彝尊則備考其遺。如卷八：高相《易說》，據《漢書・儒林傳》；崔篆《易林》，據《後漢書本傳》；洼丹《易通論》，據《後漢書》與《東觀漢紀》；景鸞《易說》，據《後漢書》和《益都耆舊傳》卷一七：鄭興《易學釋疑》，據《興化府志》，都是藝文目所遺失者。

丙、文集。朱彝尊本以文士名家，收藏文集甚富。《潛采堂書目》中有專錄文集之目。他對文集也十分熟悉，所以從文集中裁出不少經疏之作。如卷一五：劉禹錫《辨易九六論》，原載《中山集》中；卷二一：黃裳《周易澶州講義》，原載《演山集》中；卷三二：陳造《易說》，原載《江湖長翁集》中。

丁、其它。如卷八：袁太伯《易章句》，出《論衡・案書》；卷二六四：《易內戒》，出《抱朴子・微旨》；《易狀圖》，出張彥遠《歷代名畫記》；又卷八：彭宣《易傳》、戴崇《易傳》，出《冊府元龜》；卷七十：羅泌《歸愚子太衍圖》，據《路史》；卷一三：莊氏《易義》，據《周禮正義》引；卷一六：裔志寧《周易化源圖》，據韓琦墓誌；林巽《易範》，據《姓譜》。

㈢甄別存亡　盧見曾《經義考目錄後敍》：「此書初撰原名《經義存亡考》，後來先生以《菉竹》、《聚樂》、《淡生》、《一齋》諸目所藏，及同人所見，世有其本者，列『未見』一門；又有雜見於諸書，或一卷，或數條，列『闕書』一門，於是分存、佚、闕、未見四門，刪舊名之『存亡』字，而名之曰《經義考》。」孫詒讓《溫州經籍志敍例》：「目錄之別存佚，自唐釋智昇《開元釋教錄》始也。朱氏沿厥舊規，增成四目，存佚之外，有曰闕者，篇簡俄空，世無完帙也；有曰未見者，弆藏未絕，購覤則難也。四者昈分，實便檢校。」《經義考》在既存古今的基礎上，列存、佚、闕、未見四項，充分反映了文獻的歷史變化，也爲後代考證提供了很好的資料。他的這一創例，廣爲後來撰目錄者取則。

㈣集錄衆説　《經義考》在收錄的每一條下，輯錄見存各種序跋、論述，構成了一部收羅全面的輯錄體巨著。古代的目錄書，多有自撰序錄，以論學術源流；而自晉摯虞撰《文章志》，第一次從它書中輯錄撰人傳記資料。隨後，梁釋僧祐撰《出三藏記集》十五卷，其中卷六至卷十二，專門輯錄佛經譯本的前言、後記，以替代傳統的解題。當然，他這一法則，並非沿襲摯虞之舉，但必有所自。（註一二）其後，智昇撰《開元釋教錄》，也間用其法。這就構成了目錄中的輯錄一體，這種目錄具有很强的資料價値。因此，後繼者甚多。宋代王應麟《玉海・藝文門》，元馬端臨《文獻通考・經籍考》將此體發展得尤爲成熟和完善。二書在每條之下，舉凡和此圖書目錄資料有關的一切材料，直接迻錄。馬端臨《序》中稱：「其存於近世而可考者，則採諸家書目所評，幷旁搜文傳、文集、雜說、詩話。凡議論所及，可以紀其著作之本末，考其流傳之眞僞，訂其文理之純駁者，則具載焉。」（註一三）朱彝尊遠師僧錄，近法王、馬，並更加廣泛地擴展到新的資料領域。

今例述其對《道藏》的利用，以窺其博涉之一端。道教自來被儒學家們視爲異端，幾乎無人問津於此，深求者更是甚少。如《四庫全書》對存書如此豐富的《道藏》，所取尙不及百一，所述《提要》也紕謬時見。朱彝尊對道典本有較深的造詣，觀《文集》中之《太極圖授受考》（卷五八）、《石藥爾雅跋》（卷四二）、《茅山許長史舊館碑》（卷四八）等等，均非率爾操觚之作。《經義考》中則從《道藏》中剔取《皇極經世書》等，於各種論說，也取存不遺。

㈤**考證精詳**　《經義考》不只是集存舊目，迻取序跋，而且對所錄資料，考證辨析，時加案斷。孫詒讓說其：「擇撢群藝，研覈臧否，信校讐之總彙，考鏡之淵藪也。」（同上引）蓋爲有得之見。今試爲舉例如下：

卷七七，孔晁《尙書義問》，朱氏考曰：《唐書·藝文志》所載王肅、孔安國《尙書問答》，即《隋志》中《尙書義問》，孔安國乃孔晁之訛。其說足正《唐志》之誤。

卷一百，端木子賜《詩傳僞本》條下案曰：「自漢迄宋，志藝文者，不著於錄。嘉靖中，忽出於鄞人豐道生之家，取子夏所序三百十一篇，悉紊其次：以《鶴鳴》先《鹿鳴》，於是四始亂矣。《何彼穠矣》，《南》也，而入之《風》；《黃鳥》、《我行其野》、《無將大車》、《採綦》、《漸漸之石》、《苕之華》、《何草不黃》，《雅》也，而入之《風》；《小弁》、《抑》，《大雅》也，而入之《小雅》；《定之方中》，《風》也，而入之《頌》，於是六義亂矣。至於列國之風，移易錯雜，《雅》《頌》亦然。又刪去笙詩六篇之目，而且更《野有死麕》曰《野麕》……《信南山》曰《南山》，此亦有何關係。必求異於子夏所序之詩乎？尤可怪者，……又以《小雅》爲《小正》、《大雅》爲《大正》；《中庸》子思所作，而子貢反襲其言，竊『凡爲天下國家有九經修身則道立』以下十句以說《小正》。竊《大學》『心正則身修』四句以傳《關雎》，陋矣哉！本欲伸己之詖辭邪說，而厚誣先賢，可謂妄人也已矣！」最早考證了該書之僞。

卷二七九《忠經》條下案曰：「《忠經》蓋擬《孝經》而作，考之隋唐經籍藝文志俱不載，恐是僞托扶風馬融者。」《四庫提要》及後來辨《忠經》之僞者，皆不及此之先，蓋襲其說也。

總之，《經義考》資料豐富，搜羅全面，體例獨特，考證精當。「以博通矯弇陋之習，開考證之先。」（《清儒學案小識》卷四）它對於轉變清初空疏，開創乾嘉尙實學風，確居首功。

四

《經義考》一經問世，即爲學界所重，尤爲撰目錄、考經義者奉爲圭臬。今例舉數條如下，以證其流風所及之廣。

首先是對《明史・藝文志》的編纂，提供了現成的資料。據研究，《明史・藝文志》中經部的易、書、詩、禮四類，基本上是鈔錄《經義考》中同類，限於體例，刪棄了前代和朱氏標有「未見」「佚」的條目，僅做了個別的修改。值得說明的是，經部爲什麼僅取此四門而不及其它？而且王鴻緒刪定《明史》在康熙五十四年以後，朱彝尊是康熙四十八年去世的。其原因在於《經義考》朱氏生前僅刻完前面一百六十七卷《易》至《樂》類，直到乾隆二十年，盧見曾才補刻完工。王鴻緒諸人，僅據缺璧，而並沒有去尋訪家藏手稿，所以成此狀況。無疑這是一大遺憾。

其次是隨後修撰《四庫全書》，《總目提要》之成，大大得助於此書。關於這點，余嘉錫先生《四庫提要辨證序》曾有精闢的發凡之論：「故觀其援據紛綸，似極賅博，及按其出處，則經部多取之《經義考》，史、子、集多取之《通考·經籍考》。」《詩》類存目豐坊《詩傳》條下，《辯證》又說：「《四庫總目》經部多本之《經義考》，此條亦用朱氏說耳。」余先生於《總目》的研究，堪稱名家，所得定非一般淺嘗輒止者所及。今《總目》中明引朱氏成說者雖時見，但利用此書材料進行考辨者尤多。如上文述及的辨《忠經》之僞，即爲所私襲。此外，余先生還發現，甚至《經義考》的某些錯誤之處，《提要》也私襲之。

《經義考》問世已近四百年，這期間，文獻的變化極端複雜，它作爲一部巨著，又產生出了新的價值，現例如下：

今本《經義考》中有許多引「黃虞稷曰」的地方，其中大部分文字仍見於《千頃堂書目》，但是，也有不少條目和一些條目之內的文字，不見於上書。據我們的研究（註一四），這些佚文應是《千頃堂書目》和黃虞稷另一部目錄著作《明史藝文志稿》的佚文，二者之間已難於分辨。我們都知道，《千頃堂書目》自撰成後，很長一段時間係以鈔本形式流行，直到近代才付諸梨梓。而今天所見到的刻本，早已非黃虞稷之舊，而是經過了盧文弨、杭世駿、吳騫、鮑廷博、朱緒曾、張國鈞、王國維數人增訂。朱彝尊所錄此書文字，正是諸家刪削改易前的原本，因而得以保存其舊文。不過，我們又注意到的是，黃虞稷另撰有《明史藝文志稿》，此書是黃虞稷在明史館撰成。《經義考》卷二九四曰：「晉江黃虞稷俞邰，在明史館分撰《藝文志》，摭採特詳，二子皆功崇稽古者也。」黃氏此書，即《明史·藝文志》的藍本。《明史》一出，黃稿失傳，但朱彝尊是見到了原稿了的。《竹垞行笈書目》獨字號有一部《藝文志稿》十四冊，或即其書。因此，斷定朱氏在《經義考》中有所取用，是不會大錯的。可惜，朱彝尊因稱引只及姓氏，所以現在無法分析開來了。

與上例情況相同的還有引及的陸元輔《續經籍考》及《崇文總目

》。陸，字翼王，撰有《陳氏禮記補證》三八卷及此書。（註一五）《經義考》卷二九四：「亡友嘉定陸元輔翼王，毅然欲別撰《續經籍考》一書，以洗王（圻）氏之陋。窮年抄撮，積至數十冊，未經刪定而歿。然元明遺籍，索隱扶微不少。」朱氏推重此稿若此，還特錄之《經義考》著錄門內，意在存其舊，書中更是廣載其說，內容固多有可取。但陸氏之稿，因未刊傳而亡佚了，若考其遺說，則僅見於此書及錢大昕《元史・藝文志》中所引了。《崇文總目》在清初以前，僅以鈔本流傳。朱氏偶然在天一閣中獲見殘鈔本，亟加刊布。在撰《經義考》中，他不僅不滿足這個孤殘之本，而且又廣搜《玉海》、《文獻通考》諸書所引之文，其有關者皆輯入。錢侗、金錫鬯輯《崇文總目》，由於沒有好好利用《經義考》，所以有不少缺失。後來陳漢章補輯《崇文總目》，凡錢、金所缺而新補者，即多得之於《經義考》中。

五

《經義考》刊傳不久，《四庫全書》即加採進，是《全書》中收錄卷帙最多的個人編著。章學誠《史籍考》、謝啓昆《小學考》，黎經誥《許學考》、王重民《老子考》、張鶴齡《子籍考》及日人丹波元胤《醫籍考》，均爲踵此而作。俞樾《春在堂雜文續編》（卷二）推尊此書和章學誠《史籍考》，「並爲不朽之大業，有此兩書，而甲乙兩部固已得其管轄矣。」可謂至當。

但另一方面，自何焯、錢大昕、吳騫、全祖望、顧觀光、翁方綱、蔣光煦、周中孚（註一六）以及四庫館臣，或糾彈其失，或指陳其瑕。今亦綜括前人之論，條例其序如下：

㈠**收羅失當**　全祖望《鮚埼亭集外編・答鄭簠谷論〈經義考〉帖子》：「竹垞是書，凡先儒殘篇賸本，皆援而列之，以求備至，如張霸《尚書》百兩篇，乃漢時古今文聚訟一大案，石渠王氏《禮記》批本，見之陳氏《禮記集說引用書目》，而皆失載焉，並陳用之之《樂書》而遺之。又如《易稽覽圖》中有《中孚記》，乃緯也，而列之經，楊慈湖《詩傳》俱在，乃以爲未成之本。曹放齋之孫泰宇著《易解》，乃混爲放齋所作。其餘一書而復出者，不可枚舉。所謂考索愈繁，反不能無疏漏者也。而失之大者，尙不在此，其一則謬托於經而實不可以言經者，皆未加別白也。一則圖學之去取未審也，一則粗涉於經，而原非解經者，不必收也。」（註一七）

㈡辨存佚不明　吳騫《繡谷亭薰習錄敍例》：「竹垞先生《經義考》最爲賅博，然《春秋》而下，存佚、卷帙，微有訛舛，疑當時未見其書，而設以己意度之也。」《四庫總目》也言：「至所言佚闕、未見，今以四庫所錄校之，往往其書具存。彝尊所言，不可盡據。然冊府儲藏之秘，非人間所得盡窺。」所以孫詒讓《溫州經籍志》雖沿其例而增減其目，以徵其實。

㈢資料有未詳明出處者　翁方綱《蘇齋筆記》（卷一）：「《經義考》於每書之序，多刪去其歲月，觀者何自而考其師承之緒及其先後之迹乎？又所載每書考辨論說，皆渾稱爲某人曰，不著其出於某書、某注、某集，則其言之指歸無由見，而於學人參稽互證之處，亦無所裨助。蓋竹垞此書，因昔人經籍存亡而作，專留意於存佚，而未暇計及後人之詳考也。」翁氏此論是也。不過，値得說明的是，朱彝尊此書是在朱睦㮮《授經圖》及孫承澤《五經翼》的基礎上，甄錄各書資料增補而成。朱、孫原書本沒有詳明出處，清初學風未密，所以朱彝尊難免也承此弊，不應深責。其中史傳、方志及雜說，仍多能詳登所目，但終不及其十一，且有錯標處。如朱彝尊從《玉海》中鈎稽出《崇文總目》不少遺文，但有些並非《崇文總目》文。原因就在於《玉海》中引陳騤《中興館閣書目》但稱《書目》，朱氏誤以爲是《崇

文總目》文。其實，《玉海》引《崇文總目》都稱《崇文目》，朱氏訛混之。陳漢章補輯《崇文總目》，始加辨正。（註一九）

㈣考證或失　考索不周，固爲博學者所難免。如此書中分孔子弟子爲弟子、門人兩類。雖是誤從歐陽修之說，（註二〇）但固爲臆說。又如師承門孔子弟子雖總有九十八人，但仍有缺失。《淮南子・氾論篇》：「李襄仲子立節抗行，不入洿君之朝。」高誘注：「李襄，魯人，孔子弟子。」朱氏未及也。

清人考證補苴此書甚多：沈廷芳《續經義考》四十卷。（乾隆《杭州府志・藝文志》卷八六、《東湖叢記》卷二）胡爾滎《經義考校勘記》二卷、陸茂增《續經義考補遺》（均出《杭州府志・藝文志》卷八七）。錢東垣《補經義考》四十卷（《清史稿・儒林傳》）、《續經義考》二十卷（鄭文焯《國朝著述未刊書目》（註二一）、《書目答問》）。翁方綱《經義考補正》十二卷（註二二）、羅振玉《經義考目錄》八卷，又《校記》一卷。（註二三）今所傳僅後三書，其它均未刻傳。翁書實多出於王騁珍、丁杰之手。其書對朱書中的文字訛誤、診斷失當處，多所補正，並增訂了不少資料。但也有前人成說而搜羅未周而論斷不確者。羅氏《目錄》是將原書所著錄的著作條目詳列。盧見曾補刻時雖編有目錄，但僅及各大類。羅氏則詳及作者、書名，卷佚，甚便於檢索。《校記》則就原目錄失誤之處校出，並且附列各種新輯本於相關條目之下，有裨於讀朱氏書。總之，翁方綱、羅振玉三書，可謂朱彝尊《經義考》功臣。中華書局在將重印（斷句本）《四部備要》本《經義考》中，特將這三書附例之。

【附註】

註　一　參楊謙《朱竹垞先生年譜》。

註　二　錢林《文獻徵存錄》卷二。

註　三　《漢書・藝文志》，中華書局本。

註　四　見《書目答問》史部目錄類該條下案語，中華書局本。

註　五　《四庫全書總目》卷八五。

註　六　平沆《五經翼序》，清康熙十二年刻本。

註　七　《增訂四庫簡明目錄標注》《經義考》條下引，中華書局本。

註　八　史繩祖《學齋占畢》卷四《成王冠頌》條。《曝書亭集》卷十三《跋大戴禮記》。

註　九　《宋書》列傳第十五論，中華書局本。

註一〇　《四庫全書總目》評語。

註一一　朱緒曾《開有益齋讀書志》引，今本《千頃堂書目》佚此文。

註一二　余嘉錫《目錄學發微》體例四，版本序跋，中華書局本。

註一三　《文獻通考・經籍考總序》，中華書局影印本。

註一四　王重民《中國目錄學史論文集・千頃堂書目考》以爲佚文條爲《明史藝文志稿》，而喬衍琯《經義考所引千頃堂書目集證》（見《書目季刊》六卷三期）則以佚文爲《千頃堂書目》之遺，均有失偏頗。

註一五　《陳氏禮記集說補證》原題納蘭性德，此據《書目答問》。

註一六　參見《十駕齋養新錄》卷十四《元藝文志》、《繡谷亭薰習錄》（松鄰叢書乙編本）、《武陵山人雜著》（叢書集成本）、《東湖叢著》（雲自在龕叢書本）、《鄭堂讀書記》（國學基本叢書本）諸書。

註一七　《四部叢刊》本。

註一八　《復初齋文集》卷三二《跋竹垞文稿》則曰：「先生《經義考》於著錄序跋，偶或删其歲月者，特小史鈔胥之脫漏耳，予嘗深惜此書綱領節次，詳整有要，爲功於經學匪細。安得盡得先生當日手草以爲之追錄補正乎！」

註一九　陳漢章《崇文總目輯釋補正》《通禮類》《三禮圖》條下。（綴學堂初稿本）。

註二〇　《集古錄跋尾》卷二《後漢孔廟碑陰題名》：「其親授者爲弟子，轉相傳授者爲門人。」《日知錄》卷十四《門人》、《陔餘叢考》卷三五亦從之，案：誤。徐幹《中論，遣交》：「爲之師無以教，弟子亦不授業」，即可明其誤。

註二一　蘇州書局版行。

註二二　粵雅堂叢書本。

註二三　七經堪叢刊本。

——原載《社會科學戰線》一九九〇年二期，頁三三四——三四一。

論閻若璩的經學思想

黃紹海

閻若璩，字百詩，別號潛修老人，山西太原人，僑寓江蘇淮安。生於明崇禎九年（一六三六），卒於清康熙四十三年（一七〇四），享年九十六歲。他於宦途很不得意，終老僅一介書生；但在清代經學研究領域却頗負盛名。嘉慶間，江藩所撰《國朝漢學師承記》，就把閻列爲榜首，承認他對於漢學的巨大影響。

一

一般說來，閻若璩的知名，在於他花了數十年時間撰成的《尙書古文疏證》。該書以確鑿的證據，縝密的論證，證明了東晉梅賾所獻、千年之久著爲功令的《古文尙書》和孔安國《尙書傳》，原來是冒牌貨，從而轟動了當時的學術思想界。因此，閻若璩繼顧炎武之後，完成了清代漢學（或曰清代考證學）的建設。

考證學早在晚明即見端倪，但畢竟未脫理學窠臼，失之於蕪雜。清初，顧炎武在全面否定王陽明心學的基礎上打出了「經學即理學」的旗號，宣告了經學的獨立；並撰成《音學五書》，開創了比較嚴謹的考證方法。閻若璩則更進一步，把這種方法系統化，而且，運用這種方法對經典本身進行研究。

他曾總結過辨證《僞古文尙書》的方法，說道：

> 天下事由根柢也難，竊以考據之學亦爾。予之辨僞古文，喫緊在孔壁原有眞古文爲《舜典》、《汩作》、《九共》等二十四

> 篇，非張霸僞撰，孔安國以下，馬、鄭以上傳習盡在；於是《大禹謨》、《五子之歌》等二十五篇，則晚出魏晉間假孔安國之名者，此根柢也。得此根柢在手，然後以攻二十五篇其文理之疏脫、依傍之分明，節節皆迎刃而解矣。不然，僅以子、史諸書仰攻聖經，人豈有信之哉（註一）！

當然，孔壁古文是否爲眞古文，經學家們衆說紛紜，姑且不論。但，能從篇數篇名的不合引出疑問，進而根據時間先後次序、地理沿革、典章制度、古今行文異同等方面，廣泛地搜集材料，予以歸納、排比，再下判斷，確實是一種比較詳盡而完善的辨僞考據方法，令人耳目一新。因此，《四庫提要》稱讚他「反復釐剔，以袪千古之大疑，考證之學則固未之或先矣」。

不過，考證決非易事，需要掌握基本功夫，按照閻若璩的看法，必須具備如下幾項：

一曰博學。閻若璩很喜歡讀書，平時他一直把「一物不知，以爲深耻；遭人而問，少有寧日」作爲座右銘，勉勵自己勤奮向學。正因爲他博學多聞，也就能隨時發現別人著述中的錯誤。有一次，他看到汪琬所著《五服考異》，立即指出幾條錯誤，汪礙於臉面，便奚落他：「百詩有親在而喋喋言喪禮，可乎？」他應聲答道：「王伯原嘗云：夏侯勝善說禮服，謂禮之喪服也。蕭望之以禮服授皇太子，則漢世不以喪服爲諱也。唐之奸臣以凶事非臣子所宜言，去《國恤》一篇，識者非之，講經之家，豈可拾其餘唾？」在一旁聽着的徐乾學要他舉經書爲證，他又馬上回答：「按《雜記》：曾申問於曾子曰：『哭父母有常聲乎？』申，曾子次子也。《檀弓》：『子張死，曾子有母之喪，齊衰而往哭之。』夫子歿，子張尙存，見於《孟子》：『子張死而曾子方喪母』，則孔子時，曾子母在可知。《記》所載《曾子問》一篇，正其親在時也」。汪琬因此語塞。顯而易見，閻若璩如果不是熟諳經、史的話，是不能如此流利地答辯的。

二曰精讀。閻若璩認爲：「作僞書者，譬如說謊，雖極意彌縫，宛轉可聽，然自精心察之，未有不露出破綻來者」（註二）。所以，他把《顏氏家訓》中的「學問有利鈍，文章有巧拙。鈍學累功，不妨精熟」，視爲「可以教天下萬世，不獨吾徒之藥石也已」（註三）。而精讀無非是「讀一句書，能識其正面、背面」（註四）；精讀就應當去掌握源流變化，即「讀書不尋源頭，雖得之，殊可危」（註五）。由此，閻若璩經常是「手一書，至檢數十書相證，侍側者頭目爲眩」，而他仍然「精神湧溢，眼爛如電」（註六）。這樣，他自然能從錯綜複雜的現象中，找出正確的答案。

三曰求實。因爲「凡古人不能有得而無失，故予因有信，因有疑」（註七）。本著這個原則，他雖然佩服顧炎武的學術造詣，說過：「生平所心摹手追者，錢也、顧也、黃也。黃指太沖先生，顧指寧人先生」（註八）。但一經發現顧炎武《日知錄》有誤時，則立即指出，並不却於情面。甚至如朱熹那樣的「準聖人」，他也敢去糾正其名物訓詁上的毛病，說：「輕議先儒其罪小，曲循先儒而使聖賢之旨不明於天下後世，其罪大」（註九）。爲了求實，他往往「一義未析，反覆窮思，飢不食，渴不飲，熱不解，必得其解而後止」（註一〇）。例如徐乾學問他「使功不如使過」句的出處，儘管他當場作了回答，但沒有徹底弄清「出何書耳」，爲此前後留意了二十年，終於找到了正確的解答（註一一）。由於他反對自滿和自棄，說「天下極可憐之人是自滿，極可恨之人是自棄」（註一二）讚賞「學問之無窮而人尤不可以無年也」（註一三）的精神，因此，學與年進，在清代經學研究領域占有重要的一席。

當然，閻若璩提倡的博學、精讀和求實的主張，著眼點在於古文獻的存眞，因此，僅僅在書本上往復轉圈，沒有也不可能去發現事物發展的內在規律性，和我們今天所說的「實事求是」有著本質的不同。只是我們不能因此而全盤否定它，因爲任何科學研究的基礎都離不開收集材料和鑒別材料的階段，即使今天，在掌握第一手材料上，閻若璩的方法也不無可取之處，值得借鑒。

二

閻若璩用畢生的精力，從事於《古文尚書》的辨僞工作，由此啓迪了人們從盲從經書的狀態中醒悟過來，「將信仰的對象一變爲研究的對象」（註一四）。他所建立起來的一套較爲完備的考證方法，也給後來的清代漢學家們提供了一條新的治學途徑。過去，有些學術史家往往根據這一點，而把閻若璩劃入漢學的陣營。其實，閻若璩不多談義理，並不等於他反對宋學，他重實證，宗漢注，也不等於他主張治經須「近漢而遠宋」。他與以後的漢學家畢竟有所區別。他曾系統地表達過他的經學思想：

> 嘗謂《六經》非一世之書，其將與天地無終極而存也。以無終極，視漢、唐、宋數千歲於其間不過頃刻爾，然經學之爲廢爲興、爲隱爲見，紛紛於此數千歲之間而莫知紀極者。苟不得大儒之論定，則聖人之意不明；苟不輔以人主之表章，則大儒之意亦不明。要其間之經學，或得其全，或得其偏，與雖得其全而猶有未盡者，正賴後之人各以其心證悟之，而非一切傳注與功令可得而盡焉者也。……嗟乎！朱子出，而前乎朱子衆儒之說，得朱子而論定；朱子亡，而後乎朱子衆儒之說，又安得起朱子而折衷哉？……學者誠能以心合聖人之心，而即以心證聖人之經，沉潛以體之，涵泳以通之，不敢以先儒之成說爲可安，不敢以後儒之異說爲可廢，唯一以自然的當不可移易爲主，而廣集衆說以上之天子焉，則《六經》之在學官，有漢人之宏

博而無唐人之隘，有宋人之精醇而無明人之陋。聖人之道不昭昭然，若日月之麗於天者。（註一五）

這就是說，閻若璩把經與經學予以明確的分別，認為經雖則是萬古不變的終極眞理，即「聖人之意」，但它能否正確地體會、表達出來，則有賴於後儒。由於衆儒的道德才識之異，或因「人主之表章」有別，經學（即「衆儒之學」）每每不同而未必盡信。其中，最能傳達經書中「聖人之意」者，照閻若璩看來，莫過於朱熹等宋儒，「天不生仲尼，萬古如長夜」，「天不生宋儒，仲尼如長夜」（註一六）。由此，他把自己的辨僞工作看作是朱熹未竟之業的繼續。當他的《尙書古文疏證》遭到非難時，他曾感慨地說：

吾為此節，不過從朱子引而伸之，觸類而長之耳。初，何敢顯背紫陽以蹈大不韙之罪。

並命他的兒子閻咏將朱熹對《古文尙書》所疑，彙次成編，名《朱子古文書疑》，「就京師刻以行世」。他說：

夫破人之惑，若難與爭於篤信之時，待其有所疑焉，然而從而攻之可也。此歐公語也。歐公又言：孔子者，萬世取信一人而已。余則謂：朱子者，孔子後取信一人而已。今取朱子之所疑告天下，天下人聞之，自不必盡篤其信，所謂有所疑；然後出吾《疏證》以相示，庶其有悟乎！（註一七）

類似的話語，在閻若璩的著述中，還可以找出許多。我曾粗略地統計過，僅《潛邱札記》中他引用朱熹等宋儒的語錄，並加以首肯者，就有四五十處，占有相當的篇幅。同時，他對攻擊朱熹等宋儒的言論，表現出極大的憤慨，起而駁之。例如，他抨擊楊慎：

近代文士務博而不明理，好勝而不平心，未有過於楊用修愼者也。楊用修平生不喜朱子，以不喜朱子故，遂并濂溪、明道、伊川、橫渠、康節諸儒一一排詆，甚至以孟子為無稽，朱子為不識字。以不喜宋儒故，遂并宋人之文章議論爲繁冗，爲不公不明，宋人之功業品行爲不及前代。以不喜宋人故，遂并宋帝王統系爲偏安，爲似晉。無論其言之是否，只此一念之增遷而不已，尚可謂讀書識者耶？噫，亦可哀也！（註一八）

這不是從另一個側面反映出他對朱熹等宋儒的拳拳之情嗎！

其次，閻若璩又不是一個泥古的迂生，他的思想中最可貴的一點，就是「不敢以先儒之成說爲可安，不敢以後儒之異說爲可廢」。這種想法，其實也來源於朱熹等宋儒。閻若璩曾在《札記》中摘錄過宋儒的話：

朱子論《孔叢子》，因曰：天下多少是僞書，開眼看得透，自無多書可讀。（註一九）

歐陽公曰：經非一世之書也，其傳之謬非一日之失也，刊正補輯非一人之能也。使學者各極其所見，而明者擇焉，以俟聖人之復生也。（註二〇）

朱子謂伊川《易》曰：他說道理決不錯，只恐於文義名物，也有未盡。（註二一）

既然如此，除了不能違背宋儒的義理外，至於宋儒在名物訓詁上的錯誤，理所當然地可以去糾正，糾正的依據主要是漢注。這不僅因爲「漢去古未遠」，而且，漢儒，尤其是鄭玄「其網羅遺逸，博存衆家，意深遠矣」（註二二），故所注有較大的可靠性。這裡，閻若璩又把朱熹擡出來，作爲自己立論的依據：

先儒謂朱子之學，一邊作册子上工夫，一邊作心身上工夫，故能上接孔孟也。至於天文地理、制度名物，則多用漢儒之說，而不從其悖理害義者。若其有疑，不能自信於心者，則姑闕之。（註二三）

因此，閻若璩以爲最完善的經學，亦即最能體現萬古不變的「聖人之意」的思想，應當兼採漢學和宋學，取其宏博和精醇。因爲：

> 不讀鄭注，無以窺宋注之源；不讀陳說，無以證漢注之誤；不盡屏漢、宋而專讀正文，又無以深維作者之意（註二四）。

因此，治經所用的正確方法，應該是：

> 學者誠能沉酣於正文，而後稽之鄭注，以窮其源；參之陳說，以定其歸（註二五）。

照此說來，閻若璩並沒有去否定宋學，那麼，漢宋門戶之見頗深的江藩爲什麼仍尊他爲漢學功臣呢？我以爲毛病出在閻若璩身上，由於他認定宋儒的義理已達到精醇的地步，用不著再加以發揮；而後儒的工作只要在遵循宋儒義理的前提下，就他們在名物訓詁方面上的錯舛參照漢注予以糾正即可。殊不知他把主要精力放在辨前人（包括宋儒在內）之誤上，很容易讓人產生其非議宋儒的錯覺，彷彿他是用一種迂迴曲折的方式在反對宋儒。何況他證明是僞作的《古文尙書・大禹謨》中的「人心惟危，道心惟微，惟精惟一，允執厥中」，又是宋明理學家相傳的個人修養和統治國家的原則，構成所謂「道統說」。如今依據被推翻了，立論豈不可危？也就在客觀上抽去了理學賴以存在的基礎。但應當指出，這是閻若璩始料所不及的。

三

當然，閻若璩在經學上主張兼採漢宋並不是無緣由的，實際上，這是當時的社會思潮使然。我們知道，晚明盛行的王陽明心學，以及由此而瀰漫於學界的「束書不觀，游談無根」的惡劣學風，向來被清初學者視爲明代江山陸沉的重要原因。痛定思痛，他們紛紛把火力對準王學，而曾被王學否定的宋學也就再次露面，像顧炎武，他在重新開闢久已荒蕪的經學園地時，也沒有忘記稱頌宋儒：

> 朱子一生效法孔子，進學必在致知，涵養必在主敬。(註二六)

對朱熹從祀一事，更舉雙手擁護：

> 自此以後，國無異論，士無異習。歷元至明，先王之統亡，而先王之道存，理宗之功大矣。（註二七）

至於受王陽明心學影響較深的，如孫奇逢、黃宗羲等，也有不同程度上對王學的空疏有所糾正，並在理學的範圍內調和程朱陸王異說。孫奇逢說：

> 諸儒學問，皆有深造自得之處，故其生平各能了當一件大事。雖其間異同紛紜，辨論未已，我輩只宜平心探討，各取所長，不必代他人爭是非，求勝負也。（註二八）

他還著有《理學宗傳》，也把周敦頤、程顥、張載、邵雍、朱熹、陸九淵、薛瑄、王守仁、羅洪先、顧憲成等十一人，作爲直接道統之傳，和明儒排斥程朱顯然不同。黃宗羲更直接地批評心學：

> 奈何今之言心學者，則無事乎讀書窮理。言理學者，其所讀之書，不過經生之章句；其所窮之理，不過字義之從違。……封己守殘，摘索不出一卷之內。……猶且說同道異，自附於所謂道學者，豈非所謂逃之愈巧乎？（註二九）

所以，儘管他未脫「黨人」、「文人」之習氣（註三〇），並深受王學影響，但却主張讀書，以爲「讀書不多，無以證斯理之變化」。（註三一）

顯而易見，閻若璩正是繼承著這個傳統，他尊奉宋儒，同時也批評明儒：

> 余嘗發憤嘆息三百年文章學問不能遠追漢、唐及宋、元者，其故蓋有三焉：一壞於洪武十七年甲子定制，以八股時文取士，其失也陋。再壞於李夢陽倡復古學而不原本六藝，其失也俗。三壞於王守仁講致良知之學而至以讀書爲禁，其失也虛。（註三二）

可見他對明儒的學問，持全盤否定的態度，而把原因歸結於八股時文和心學的泛濫。

這裡，我們應當注意，閻若璩反對王學的態度雖和顧炎武等有相似之處，但這僅僅是形似而已，其立足點已大不一樣了。具體說來，顧炎武批判王學，是從政治角度出發；而閻若璩則是從學術角度出發。例如同樣是反對八股時文，顧炎武說：「八股之害，等於焚書，而敗壞人才，有甚於咸陽之所坑」（註三三）。一針見血地指出其文化專制主義的實質。閻若璩則說：

> 不通古今，至明之作時文而極。（註三四）
>
> 時文大名家如王唐，別字訛事，塡塞滿紙，……皆時文害之也。……大抵考據，文人不甚講，理學尤不講。（註三五）

所鄙薄的只是「道學先生不博學」（註三六）而已。由此，顧炎武不願意談論的，即是「文不關於《六經》之旨，當世之務者」（註三七），閻若璩倒很感興趣，並專門輯爲《碎金》，以資談助。

再則，顧炎武研究經學、史學問題，都緊緊圍繞「有王者起，將以見諸行事，以躋斯世於治古之隆」（註三八）這一中心，他是在學術領域裏繼續著他的反清鬥爭。即使是批判明學，也是爲了匡復明朝。閻若璩則不同，他完全是以清王朝順民的資格，批判天祚已盡的前朝，爲現任的清統治者出謀劃策。由此，顧炎武一生未入清仕，當清廷開明史館，葉方藹幾次荐他參加，他義正辭嚴地宣布：

> 人人可出，而炎武必不可出。七十老翁何所求？正欠一死，若必相逼，則以身殉之矣（註三九）。

而閻若璩却熱衷於清廷的博學鴻詞科試。甚至彌老之時，奉尙處潛邸的雍正之召，便即刻赴京。兩相對比，何等鮮明！

毫無疑問，造成閻若璩和顧炎武等不盡相同之處，亦即構成閻若璩獨特的經學思想，有着很深刻的社會政治、經濟原因。

前面提出，晚明王學的腐朽導致了自身的否定。其時反王學主要反兩條：一是反對其空疏無本，一是反對它不諳經世。但隨着明末社會矛盾的日益尖銳，政治鬥爭的嚴酷無情，也就在反王學的隊伍中發生明顯的分化，形成了兩個流派而分道揚鑣。一部分堅持學術須和現實政治相聯繫的觀點，致力於「通經致用」。明亡後，繼續保持這個傳統，孜孜不倦於救國的眞理，是爲「經世派」。顧炎武等人即其代表。另一部分早在明末就因爲害怕招災惹禍而遊離於政治鬥爭之外，儘管仍反王學，但已蛻變爲只反王學的不讀書或空疏無本了。就逃避現實，不問世事而論，他們倒和王學頗爲一致。他們也鄙薄八股先生，但鄙薄的是八股先生的「不通古今」，以發泄其「才高不第」的怨氣。明、清之際，淮安地區的「望社」就是這部分人的組織。據李鍾駿說：「吾淮張、靳諸老，以追古之作者，非有裁量人物，譏刺得失，故不致如婁東之貽禍」（註四〇）。所以，當清建立後，他們馬上俯首貼耳，充當「順民」，照舊讀書、作文。書讀多了，學問長進不少，對書中看到的問題，也就能說出一二來。加上他們本是科場失意人物，對壟斷官宦之途的八股先生十分厭惡，反其道而行之，形成他們那種「求實」的學風，只是他們對於朝廷立於廟堂的理學，畢竟沒有膽量從根本上去推翻它。如果說，有時也表示出某些微詞的話，那也是看統治者眼色而行事。是爲「學問派」。閻若璩（按他和其父修齡皆「望社」成員）即是這股潛流的繼承者。因此，儘管閻若璩和顧炎武在治學方法上有着明顯的繼承關係，而且對宋儒的態度也頗相似，但性質却大相徑庭。顧炎武雖則尊奉朱熹，但純粹出於要人們毋忘民族精神，重振漢民族的江山的目的。前引他讚揚爲朱熹立祀一事所說「歷元至明，先王之統亡，而先王之道存」，實質上是在暗示：異族建立的元終究爲漢族的明所推翻，那是由朱熹的學說及其流傳，才維繫住民族精神所致。那麼，只要倡導經學，異族的清又何嘗不能取代呢？而閻若璩卻不同，他尊奉朱熹，正是清政府大力表彰理學之時。例如康熙帝最寵信的大臣，幾乎清一色爲宋學家。他不僅專設經筵大講理學，而且，在康熙帝二十五年頒行御纂《性理精義》，刊定《性理大全》、《朱子全書》等，特奉朱熹之學爲正宗。顯然，對於想躋身於官宦之林的閻若璩來說，自然不會輕易地丟棄這塊能使人騰達的法寶。他借批評唐太宗「知求治而不知正心」說：

向使太宗得伊、傅之臣，或濂、洛之儒，以爲之輔佐，則致治之美，將上與湯、文比烈矣，豈直成、康而已哉（註四一）？

很清楚，他是希望統治者不要忘記他這樣一位既得宋儒衣缽，又有漢儒宏博的人才。不過，由於他的政治之道實在不行，他理想中的「以《禹貢》治河，以《洪範》察變，以《春秋》斷獄，或以之出使，以《甫刑》校律令條法，以《三百五篇》當諫書，以《周官》致太平，以《禮》爲服制，以興太平」（註四二），又純屬空想，所以始終未爲清統治者所賞識。這種失意，反過來刺激他蔑視那些官運亨通的宋學家，形成既崇拜宋儒，又批評宋儒的矛盾狀態。加上清代爲了預防反滿思想的滋長，屢興文字獄，其野蠻暴虐，無以復加，這樣，大多數知識分子（包括閻若璩）更不敢言及時政，只能埋頭於故紙堆中消磨歲月，對宋儒的批評也只能局限於訓詁的範圍。

此外，閻若璩生活的時期，正是清統治日益鞏固，民族矛盾和階級矛盾明顯緩和的時期。由於清政府實行獎勵墾荒、「更名田」、「蠲免賦稅」的政策，稍稍減輕了勞動人民的負擔，勞動人民的生產積極性提高了，社會生產力有所發展，出現經濟的繁榮和社會生活的安定，從而使「反清復明」的口號漸漸失去存在的社會基礎，在閻若璩這批成長於清代的學者身上，變得毫無影響。而閻若璩就是在這種特定的歷史條件下，形成了他的以考證經典爲基礎的經學思想。

【附註】

註　一　閻若璩《尙書古文疏證》（下簡稱《疏證》），卷八。

註　二、註五、註六、註一〇　閻咏《先先考百詩府君行述》。

註　三、註八、註九　閻若璩《潛邱札記》（下簡稱《札記》），卷五。

註　四　段玉裁《戴東原先生年譜》引戴震語。

註　七　《疏證》，卷五。

註一一　江藩《漢學師承記》，卷一。

註一二、註一三　《札記》，卷一、二。

註一四　梁啟超《中國近三百年學術史》頁六九。

註一五、一六　《札記》卷四、一。

註一七　《疏證》，《閻咏後序》。

註一八　《札記》，卷一。

註一九、註二〇、註二一、註二三　《札記》，卷一。

註二二　《札記》卷二。

註二四、註二五　《札記》，卷二。

註二六、註二七　顧炎武《日知錄》，卷十八，《朱子晚年定論》條，卷十四，《從祀》條。

註二八　孫奇逢《夏峰語錄》。

註二九　黃宗羲《南雷文定》卷一，《留別海昌同學序》。

註三〇、註三一　全謝山《結埼亭集》，卷十一。

註三二　《札記》，卷二。

註三三　《日知錄》，卷十六。

註三四、註三五、註三六　《札記》，卷五。

註三七　《日知錄》，《潘耒序》。

註三八　《亭林文集》，卷四，《與人書九》。

註三九　同上，卷三。

註四〇　夏定棫《閻潛邱年譜補正》，《東方雜誌》第四二卷十二號。

註四一、註四二　《札記》，卷二。

——原載《江漢論壇》一九八五年四期，頁六六——七一。

論乾嘉考據學派及其影響

羅思鼎

乾嘉考據學派，在中國封建主義的學術文化中占有重要的位置。這個學派的一群學者，有的以治經著稱，有的以考史見長，有的以小學名家。他們在各自的研究領域內，都曾被認成是學術上的權威，並對後世造成不小的影響。直到今天，還有人竭力推崇他們的學風和治學方法，認爲他們的態度是客觀的，方法是實事求是的，作風是樸實的，主張我們要無批判地仿效他們。這就使我們有必要來重新考察一下，這個學派究竟是在怎樣的歷史條件下產生的，他們有那些貢獻、有那些流弊，他們的學風和治學方法是怎樣的一種學風和治學方法，它在後世造成那些影響，我們今天應該怎樣來看待它？這篇文章試圖對這些問題作一次初步的探討，希望能引起進一步的研究和討論。

乾嘉考據學派是特定歷史條件下的產物

「在分析任何一個社會問題時，馬克思主義理論的絕對要求，就是要把問題提到一定的歷史範圍之內。」（註一）乾嘉考據學派，正是在清朝乾隆、嘉慶年間特定的歷史條件下發展起來的。它是清朝統治者高壓政策與懷柔政策下的產物。

乾隆、嘉慶年間，清朝正處在一個由盛到衰的轉折點。

它們在經歷了一百多年强大而穩定的統治以後，這時已呈現出衰敗的徵兆，散發出腐爛的氣息。社會內部的各種矛盾都在集結著，激化著，朝著越來越深刻的方向發展。吏治已敗壞到了不可收拾的地步。官吏不僅貪財嗜貨，相習成風；並且公行賄賂，倡言無忌。有人形容當時的官場陋習是「印官上任，書役饋送輒數萬金；督撫過境，州縣迎送必數千金。」（註二）清政府在財政上捉襟見肘，日益支絀，只能巧立名目，變相加賦，並大開捐納之門。土地的兼并日趨激烈，連乾隆也不得不承認，這樣下去，只能「富者日益其富，貧者日見其貧」。（註三）土地價格不斷上漲。時人錢泳在談到當時江南地區的土地價格時說：

> 本朝順治初，良田不過二三兩。康熙年間，漲至四五兩不等。至乾隆初年，田價漸漲，然余五六歲時，亦不過七八兩，上者十兩。今閱五十年，竟也漲至五六十餘兩。（註四）

其他地區雖然沒有江南地區地價上漲這麼猛烈，但這時也都是普遍上漲的。土地的價格，一般是由地租數額的高低所決定的。乾隆、嘉慶年間土地價格的不斷上升，正是地租數額不斷增高的一種反映。在這樣極端殘酷的政治壓迫和經濟榨取之下，廣大農民的生活日益惡化，農民革命的風暴正在醞釀滋長。到乾隆、嘉慶之交，此起彼伏的農民起義幾乎遍及整中國，直接揭示了當時的社會矛盾已達到何等深刻的程度。

但是，這種社會矛盾從醞釀、集結到激化，是有一個過程的。在乾隆年間，清朝的「盛世」雖然已在消逝，但它表面上還可以暫時維持一個繁榮的假象，封建國家還有一定的控制力量，最高統治者還可以施展它暴虐的專制淫威。乾隆是個愚蠢而又自大的君主，他面對著日益顯露的各種矛盾，想用不承認的辦法來逃避現實的矛盾。乾隆三十九年，王倫起義後，御史李漱芳上奏說：「夫無食游民，所在多有，飢寒之念迫，則盜賊之心生。」（註五）乾隆看後竟赫然大怒，下諭道：「李漱芳摺，此時斷不可行，並不可宣。若宣發，是轉眩惑愚民，毆之從賊也。」（註六）

最高統治者的這種態度，反映到文化政策上，就表現爲高壓與懷柔兩個方面：用高壓的手段來摧抑社會輿論；用懷柔的姿態來粉飾社會太平。

它們的高壓政策，集中表現爲屢興文字獄。乾隆一朝共有文字獄七十一件，絕大部分都發生在乾隆中葉以後。它同康熙、雍正兩朝的文字獄相比，有著兩個顯著的特點：第一，以「妄議朝政」或「譏訕朝政」的案件爲最多，挑剔更爲苛細。對這類案件的處分也最重，大抵不是剮，就是斬，最輕的也逃不了充軍烏魯木齊或伊犁的份兒。乾隆二十六年的閻大鏞《俁俁集》案，罪名是「或譏刺官吏，或憤激不平」，乾隆硃批道「如此可惡，當引呂留良之例嚴辦」（註七）。第二，被懲辦的人，名士很少，大多是知識分子中的下層人物。這就說明，乾隆朝的文字獄，不是別的，正是當時社會矛盾日益激化的一種反映。

它們的懷柔政策，則集中表現爲鼓勵士大夫埋首書齋，儘量增加他們躋登仕途的機會。在高壓和懷柔兩方面中，這個方面居於主要的地位。乾隆朝特科屢啟，頗採虛聲。此外，《永樂大典》的繕寫、續《三通》的修撰、武英殿的刻書等等，都是所謂「一時盛事」。乾隆自己也口口聲聲以「書生」自稱，在諭旨中一再強調「書氣二字尤可寶貴，人無書氣，即爲麤俗市井氣。」《四庫全書》的編纂，同考據學的風靡一時關係尤大。目擊其事的章學誠曾寫道：

> 於是四方之士，挾策來京師者，莫不斐然有天祿石渠句憤抉索之思，而投卷於公卿者，多易其詩賦舉子藝業，而爲名物考訂與夫聲音文字之標，蓋駸駸乎移風俗矣！（註八）

乾嘉考據學派的學者，就其社會地位和階級出身來說，絕大部分是地主階級中的中上層分子。他們有的本身就是達官顯宦，有的則是依附於達官顯宦的食客幕僚。以章炳麟在《檢論・清儒》篇中提到的乾嘉漢學家二十五人來統計，其中官至二品的一人、三品的一人、四品的五人、五品的一人、六品的三人、七品的五人、八品的二人，沒有做官的只有七人，其中包括舉人、生員和監生。從這裏可以看出，他們絕大多數都是官僚，並且有不少還是大官僚，著名的高郵王氏父子，父親王念孫曾任永定河道，這是一個著名的肥缺，兒子王引之曾任工部尙書，聲勢更是顯赫。此外，還有在統計以外的畢沅、阮元等，本以經師致身通顯，在當了封疆大吏以後，更是到處提拔後學，儼然以漢學的護法自居。這一批人，既有錢又有閑，自可心安理得地將自己關進書齋，埋首故紙堆中，將學術作爲消磨歲月的消遣品。錢大昕在自題像贊中說：

> 官登四品，不爲不達；歲開七秩，不爲不年；插架圖籍，不爲不富；研思經史，不爲不勤。因病得閑，因拙得安，亦仕亦隱，天之幸民。

這種悠閑自得的口吻，活脫脫地表現了這批人躊躇滿志的心情。

一方面，清朝最高統治者在文化上實行高壓政策和懷柔政策，鼓勵士大夫埋首書齋；另一方面，又有這樣一批既有錢又有閑的士大夫迎合最高統治者的需要，積極加以倡導。在這種風氣的推動下，知識份子紛紛鑽進象牙塔裏，一生在故紙堆中扒梳。這就是乾嘉考據學派產生的歷史根源。

乾嘉考據學派的治學態度

乾嘉考據學派的治學內容，大體上包括經學、史學、文字音韻、天算地理、校勘目錄以及律呂學、金石學等。

它的核心，在於「治經」。

乾嘉學者們大多一再聲明，他們治學的根本目在於治經，在於對儒家經典進行訓詁考釋來明「聖人之道」。戴震說：「《六經》者，道義之宗而神明之府也。」（註九）錢大昕說：「夫《六經》定於至聖，舍經則無以爲學；學道要於好古，蔑古則無以見道。」（註一〇）這樣，也就給他們的訓詁考釋帶來一條不可動搖的原則，便是「治經斷不敢駁經」。儒家的經典，一直被中國的封建統治階級奉爲最高的思想權威和理論準則，歷來的封建統治者確立了自己的統治地位以後，無不從各方面宣揚和闡述這些儒家經典，作爲他們從思想領域內鞏固和加强自己統治的重要手段。清朝政府正是從這種需要出發，一方面扶持宋學，從事儒家經典的「義理探討」，正面宣揚所謂「三綱五常」、「禮儀人倫」；另一面獎勵漢學，從事儒家經典的訓詁考訂，將這些經典進一步妝點起來，抬到更加嚇人的高度。漢學和宋學在封建統治服務的方式和程度方面雖有不同，但其實質卻是殊途而同歸，即從不同的角度爲封建統治階級的需要服務。一位同志曾經指出，宋學是幫凶，漢學幫閑，這是乾隆用來統治知識界的兩朵姊妹花。此話一點不假。

他們對史學，實際上是看作經學的應用和實踐。因此，治史的基本原則是援經入史，以史證經，也就是把經過詮釋的經義理論和他們治經的方法貫徹到歷史研究中去，反過來再用經過考訂的歷史事實來證明經義的正確性。王鳴盛在《十七史商榷》序言中，將他們這種態度說得很清楚。他說：「讀史之法與讀經小異而大同」，既然治經的辦法是「正文字、辨音讀、釋訓詁、通傳注，則義理自見而道在其中矣」；那麼，治史的辦法就是「但當考其典制之實，俾數千百年建制沿革，了如指掌，而或宜法，或宜戒，待人自擇焉可矣。」至於「若者可褒，若者可貶，則聽之天下公論焉可矣」。（註一一）錢大昕更是痛罵所謂「空疏措大」，「輒以褒貶自任，强作聰明，妄生疻痏」（註一二）。看來他們似乎反對任何「議論」和「褒貶」，實際上卻是要以儒家傳統學說爲準則，反對史家有自己的歷史認識。王鳴盛所謂「聽之天下公論」，說穿了就是要以儒家之是非爲是非。錢大昕在《十駕齋養新錄》中，痛罵王充、劉知幾、王安石等是名教罪人；另方面卻又盛贊班固的《漢書・古今人表》，至稱「先賢具此特識，故能卓然爲史家之宗」，理由就是「愛其表章正學，有功名教」。（註一三）可見他之所謂「護惜古人之苦心」，其實也就是護惜儒家的道統。

這樣，我們就可以看清楚一個問題了。

過去，乾嘉學者們（特別是皖派的學者）總是竭力鼓吹要「客觀」，要「實事求是」。戴震說：「治經先考字義、次通文理，志在聞道，必空所依傍」。（註一四）他講自己「此數十條，得於行事者，其得於學，不以人蔽己，不以己自蔽，不爲一時之名，亦不期後世之名。」（註一五）錢大昕也稱戴震「實事求是，不主一家」。這些話確實迷惑了不少人。直到近日，還有人把這種態度稱爲接近於近代的科學態度。但是，我們絕不能孤立地、抽象地看待這些話。戴震所謂「空所依傍」，只是指擺脫漢儒、宋儒對經文的注釋，也就是所謂「破出傳注重圍」，以求《六經》的本義，因而仍然得依傍《六經》，並不是不偏不黨的超然「客觀」態度。他所謂不存功名之心，也是爲了要立「務在聞道」之心，並不眞是在無所爲而爲、爲學術而學術。至於他們所說的「實事求是」，同我們今天所講的「實事求是」更有本質的差異。我們所謂「實事」是指根據客觀存在的事物，我們所求的「是」是指客觀事物內部存在的規律性；而他們所謂「實事」是指《六經》等古籍，他們所求的「是」是指所謂「《六經》本義」和「聖人之道」。這是截然不同的兩個概念。

原則永遠是具體的。社會學說總是有階級性的。抽象的、超階級的「客觀」和「實事求是」是沒有的。乾嘉考據學派是中國封建文化的一部分，是爲封建統治階級服務的。這是我們考察這個問題時始終不能忽略的基本出發點。離開這個基本出發點來談問題，抽象地宣揚乾嘉學派的「客觀」和「實事求是」的態度，那就只會在人們思想上製造混亂，把學術工作指向歧途。

乾嘉考據學派的治學方法

乾嘉考據學派治學方法的主要特徵，是把文字訓詁放在整個研究工作的第一位。

戴震對他們治經的方法規定了一個著名的公式：「由字以通其詞，由詞以通其道」。（註一六）他說：

經之至者道也，所以明道者其詞也，所以成詞者未有能外小學文字者也。由文字以通乎語言，由語言以通乎古聖賢之心志，譬之適堂壇之必循其階而不可以躐等。（註一七）

後儒語言文字未知而輕憑臆解以誣聖亂經，吾懼焉。(註一八)

錢大昕也同樣强調：

《六經》者聖人之言，因其言以求其義，則必自訓詁始。（註一九）

因文字而得古音，因古音而得古訓，此一貫三之道，亦推一合十之道也。（註二〇）

因此，他們認爲第一步是要「識字」，第二步是要進行對典章名物字義音韻的訓詁工作，然後才能明道。王鳴盛曾介紹自己做學問的方法說：

欲讀書必先精於校書。校之未精而遽讀，恐讀亦多誤矣。

怎樣才算是「精於校書」呢？那就是必須：

既校始讀，亦隨校隨讀，購借善本，再三讎勘。又搜羅偏霸雜史，稗官野乘，山經地志，譜牒簿錄，以暨諸子百家，小說筆記，詩文別集，釋老異教，旁及於鐘鼎尊彝之款識，山林冢墓

、祠廟伽藍碑碣斷闕之文，盡以供佐證。參伍錯綜，比物連類，以互相檢照，所謂考其典制事跡之實也。（註二一）

說來說去，無非是音韻、訓詁、校勘這一套東西。

這種治學方法，著重將同類事項羅列在一起，進行比較研究。同時，非常強調證據的選擇，認爲愈多愈好，愈古愈妙。概括地說，這就是形式邏輯中的歸納法。他們用這種方法對歷史文獻進行審訂，辨別文獻眞僞，校勘文字正誤，注疏文字含義，詮釋典章制度，考辨地理沿革等等，確實做出了不少成績。例如許多原來難讀難解的書可以讀可以解了，許多原來弄錯的事實和文字糾正過來了，不少前人沒有注意的學問古籍引起了注意。這些，對後人的閱讀古籍帶來了很大的方便。這個功績是不能抹煞的。但是，這種方法有著很大的局限性。正如黑格爾所說的，「每一種歸納總是不完備的。我們儘管對於這個或那個作了許多的觀察，但我們總無法觀察到所有的事例，所有的個體。」（註二二）在研究複雜的社會歷史現象時則尤其如此。乾嘉學者雖然曾經解決了一些枝枝節節的小問題，但在對整個歷史發展趨勢的認識上，卻是茫然無知、保守落後得很。較之清初的王夫之等，不僅沒有前進一步，相反地卻是大大地後退了。這種情形，正是說明了這種方法的嚴重局限性。

此外，他們這種學風和治學方法也還給學術界帶來兩個不良的影響：

第一，它把學術研究工作局限於考據的狹窄範圍之內，並且越來越趨於煩瑣。戴震雖說是要「由字以通其詞，由詞以通其道」，但他首先强調的是要「識字」，認爲對經文「有一字非其的解，則於所言必差，而道從此失」，（註二三）嘲笑「今人讀書，尙未識字，輒薄訓詁之學」，（註二四）並且要求每識一字就「當貫群經，本六書，然後爲定」。（註二五）甚至對訓詁提出了這樣的要求：讀《尙書・

堯典》到「乃命羲和」一句，就要知道「恒星七政所以運行」的道理，否則就「掩卷不能卒業」，讀《詩經・周南、召南》，就得知道「古音」，否則就「齟齬失讀」；讀《士冠禮》須先知「古者宮室衣服等制」；讀《禹貢》、《職方》得先知「古今地名沿革」；要學《周禮・考工記》，先要懂得算術；要弄清詩的「比興」，先要懂得「鳥獸蟲魚草木之狀」；要學通經典上字學、天文、音樂諸記載，先要精於音韻、算學、律呂。（註二六）一個人一生的精力總是有限的。莊周在先秦時已有「吾生也有涯，而知也無涯」之嘆。按照這一套方法辦事，結果自然只能鑽在「識字」、「訓詁」的死胡同裏，對其它一切都無暇過問了。段玉裁晚年，爲《朱子小學跋》，也自謂：「喜言訓詁考核，尋其枝葉，略其根本，老大無成，追悔已晚。」自然，他所說的「根本」，還是指儒家的經義，但他這裏自陳自己這種治學方法是舍本逐末，老大無成，這是一個乾嘉考據大師晚年的懺悔錄，對我們來說，卻是一個十分有趣的材料。這種「束髮就學，皓首窮經」的結果，只培養出了一批眼光狹隘而思想錮蔽的人。儘管戴震自己還有過《原善》、《孟子字義疏證》這樣一類作品，但這已不能代表整個乾嘉考據學派的學風和治學方法了。

把這種方法用諸治史，結果是同樣的。錢大昕自稱：

> 予好讀乙部書，涉獵四十年，竊謂史家所當討論者有三端：曰輿地、曰官制、曰氏族。（註二七）

他們治史之能事，確實也幾盡於此。這樣，就使歷史研究始終逗留在一些細枝末節上，時代興衰和國計民生等大端，以及事實的因果關係，制度和利弊得失，事跡的是非善惡等等，都被忽視了。

乾嘉之際，知識分子紛紛鑽在象牙塔裏，思想界呈現一片冷落沉寂的景象，同乾嘉考據學派這種學風和治學方法的影響是分不開的。

第二，它把學術研究進一步引向厚古薄今的方向。在這方面，表現得最突出的是吳派的學者。他們不但不敢駁經，而且連經的傳注也是越古越好。惠棟說：「漢經師之說，立於學官，與經並行」，「古字古言，非經師不能辨」，因之「古訓不可改」。（註二八）王鳴盛說：

治經豈特不敢駁經而已，經文艱奧難通，若於古傳注憑己意擇取融貫，猶未免於僭越，但當墨守漢人家法，定從一師，而不敢佗徙。（註二九）

這眞是一種最保守的治學態度。梁啟超說他們「凡古必眞，凡漢皆好」，是有相當理由的。要找厚古薄今的例子，他們可算典型。皖派的學者戴震等和吳派雖有所不同，但也是「以肄經爲宗，不讀漢以後書」。（註三〇）再從治史來看，明代末葉治今史之風極盛，清初學者顧炎武、黃宗羲等也十分關心當世事務，到乾嘉考據學派手中就一意從事古史的考訂，不治今史。厚古薄今，言必稱三代，這在中國的封建士大夫中原來是一個傳統。乾嘉考據學派的盛行，就使這種風氣變本加厲，愈演愈烈。

治學的方法，永遠是服從於治學的目的和治學的內容。有怎麼樣的治學目的和治學內容，就有怎麼樣的治學方法？戴震陳述他們研究工作的意義道：

古聖哲往矣，其心志與天地之心協，而爲斯民道義之心，是之謂道。士生千載後，求道於典章制度，而遺文垂絕。今古懸隔，時之相去殆無異地之相遠。廑廑賴夫經師故訓乃通，無異譯言以爲之傳導也者。（註三一）

既然大道已盡備於六經，經師所爲只是「譯言以爲之傳導」，這就無怪他們這樣地厚古薄今，並把學術研究的範圍局限於考據一途，以至越來越趨於煩瑣。這一切，正是它治學的目的和內容所決定的。有的人把這兩個方面硬行拆開，以爲他們的治學方法可以現成地拿來，作爲我們今天學術工作的「基本功」，甚至鼓吹乾嘉學者的治學方法有著「永恒的價值」，這是十分謬誤的。

乾嘉學派對學者和歷史著作的批評標準

乾嘉學派對當世的學者和以往的歷史著作都有自己的批評標準。

他們對人的評論，著重的是「淹博」二字。戴震說：「經學蓋有三難：淹博難，識斷難，精審難。」（註三二）這三點之中，他們著重强調的還是「淹博」。阮元稱頌錢大昕，就認爲「國初以來，諸儒或言道德，或言經術，或言天學，或言地理，或言文字音韻，或言金石詩文，專精固多，兼擅者尙少，惟嘉定錢辛楣先生能兼其成」（註三三）段玉裁推崇錢大昕，也在「淹博」這一點上。他說：「夫自古儒林能以一藝成名者罕，合眾藝而精之，殆未之有也。」（註三四）從當時的治學風尙來看，也頗能表現出這種特點，如《十駕齋養新錄》、《蛾術編》和《陔餘叢考》等書，便都是經、史、子、集無所不談，以炫耀作者學問的淵博。

他們對史著的批評，主要標準是史料的多少以及書法義例是否自相牴牾。對史著的識斷一般是置而不問，批評最多的倒是史著對史實的褒貶議論。在這種思想指導下，就把過去的一切史著都當作史料來看，史著的價值只是史料的價值。以《舊唐書》與《新唐書》的比較爲例，他們對《新唐書》批評得多，對《舊唐書》讚美得多，因爲《舊唐書》文雖繁冗而保存了不少資料，《新唐書》「一意刪削」、「專務褒貶」，所謂「新紀不據直書以著其實，而舞文出入强立多例，高下其手，故多所牴牾」。（註三五）他們對《新唐書》也有稱讚的地方，那是因爲修《舊唐書》時正值五代紛亂之日，有關中唐以後資料散亂各方，雖懸詔購求也所得無幾，《新唐書》是宋代修撰，對這方面所見資料反勝於前。說來說去，還是資料第一。此外，《舊唐書

》在《新唐書》印行後一度湮沒無聞，到明嘉靖中才重新刊刻，因此，乾嘉學者就把它看作稀有資料而如獲至寶，這也是他們偏愛《舊唐書》的一個原因。《新唐書》和《舊唐書》孰優孰劣，這裏可以存而不論，但乾嘉學派對一般史著的批評標準，在這些地方已可以看得很清楚了。

乾嘉學者這種專尙淹博和資料第一的批評標準，對當時和後世都發生了重大的影響。許多學者都貪多務博，在「淹博」上流連忘返，「一物不知，儒者之恥」成爲一時流行的格言；在歷史研究上，也只著重史料的考訂，無視歷史認識的發展。乾嘉學者研究歷史的很不少，但比起宋代史學的規模卻要遜色得多，拿不出一部能與《資治通鑒》《文獻通考》等相媲美的巨著，這不是偶然的。

自然，我們並不一般地反對博學，也不忽視史料搜集和考訂的作用。但是，博總要有個明確的目的性，不是爲淵博而淵博，博要與精深相結合，絕不能泛濫而無所歸。在研究工作中，應該詳盡地占有材料，這是沒有問題的，但即令這樣做，也未必能做到巨細無遺，一網打盡。因而，這裏最重要的，還是指不要限於引用一些例子和個別的材料，而要眞正熟悉事實的全部過程和一切基本材料，從事實的總和與事實的聯繫中掌握事實。同時，掌握了這些資料，還不等於目的已達到，必須在此基礎上「經過思考作用，將豐富的感覺材料加以去粗取精、去僞存眞、由此及彼、由表及裏的改造製作工夫，造成概念和理論的系統」（註三六），這才是眞正的科學研究工作。對一部歷史著作，批評標準占第一位的東西應當是作者在著作中所表現的思想政治內容，如果捨本逐末地去追逐那些細枝末節，那就勢必是「抓住了芝麻，丟掉了西瓜」。

當時學者對乾嘉考據學派的批評

乾嘉學派考據工作中那種脫離現實、厚古薄今、捨本逐末、煩瑣細碎的學風，在當時就受到一些學者的批評和指摘。

這種批評的興起，有它的社會政治原因。在乾嘉之際，全國各地此起彼伏的農民革命運動無情地衝擊著封建統治，結束了清朝自康熙以來的「盛世」局面，迫使清朝統治者不得不面對日趨崩潰的統治秩序，力謀挽救之方。爲了這個目的，他們也開始感到專以煩瑣考據爲務的漢學之無補實際，並且不得不部分地開放輿論。乾隆一死，嘉慶立刻把發配到烏魯木齊的洪亮吉召回來，便是這種開放輿論政策的一個表現。最高統治者想用這個辦法，讓知識份子研究現實問題，提出能適應他們統治需要的「救世治弊」方案，重新穩定封建皇朝的統治。同時，在士大夫內部也正醞釀著一種新的思潮。農民革命運動既然用武器批判了清皇朝腐朽的統治，知識界從思想上批判適應過去統治需要的乾嘉考據學派的課題，自然也會接著提出來。於是，便出現了對乾嘉考據學派的反動，把批判的鋒芒指向那種脫離現實、迴避現實的考據學風。

由於當時的批判者分別屬於地主階級中的不同階層或集團，因此，同樣是對乾嘉考據學派的批判，出發點有所不同，所得到的結論也有所不同。

第一類的批判，是從乾嘉考據學派的左面進行的。乾嘉時章學誠發其端，嘉道時龔自珍、魏源等繼其後。他們的批判主要集中在兩個方面：

一方面是，猛烈抨擊乾嘉學者刻意學古、逃避現實的學風，强調治學要有目的性，要爲「經世」服務。章學誠提出「《六經》皆史」說，認爲「古之所謂經，乃三代盛時典章法度見於政教行事之實」（註三七），主張「事變之出於後者，《六經》不能言，固貴約《六經》之旨而隨時撰述以究大道也」（註三八），從而批判漢學家是「舍今而求古」（註三九），「疲精勞神於經傳子史，而終身無得於學」。（註四〇）嘉道時期，一些地主階級下層士大夫對社會病痛的感受比章學誠更爲深切，在大規模的階級鬥爭行將爆發之際，他們對漢學的批判便更顯得尖銳。如沈垚說：

乾隆中葉後士人習氣，考證於不必考之地，上下務爲相蒙，學術衰而人才壞。（註四一）

古人治經，原求有益於身心；今人治經，但求名高於天下，故術愈精而人愈無用。（註四二）

所以他痛斥專治「小學」、「金石」者爲「欺人之術」（註四三）。到龔自珍，更嚴厲斥責當時的學問都是「衰世」之學，大聲疾呼要改革，主張「道」、「學」、「治」三者的統一。

另一方面，批評乾嘉考據學者煩瑣細碎、捨本逐末的學風。章學誠舉出戴震主張歷治天文、音韻、典章、名物後方許讀經的言論，批評道：

是數端皆出專門絕業，古今寥寥不數人身，猶復此糾彼訟，未能一定，將遂古今無誦五經之人，豈不誣乎？孟子言井田封建，但云大略；孟獻子之友五人，忘者過半；諸侯之禮，則云未學；爵祿之詳，則云不可得聞。使孟子生後世，戴氏必謂未能誦五經矣。（註四四）

「世儒之患，起於學而不思」，「學博者長於考索，侈其富於山海，豈非道中之實積，而騖於博者，終身疲精勞神以徇之，不思博之何所取也。」（註四五）

他尖銳地嘲笑這批漢學家說：

以襞績補苴謂足盡天地之能事也。幸而生後世也，苟生秦火未毀以前，典籍具存，無事補輯，彼將無所用其學矣。(註四六)

以後，魏源更主張治經只要從經文本身探討其「微言大義」便足夠了，不必像漢學家那樣從傳注訓詁入手。他說：「經有奧義、有大義。研奧者必從傳注分究而治精，玩大者止以經文彙觀而自足。」（註四七）在他們看來，專意文字音韻訓詁原本是雕蟲小技，不足仿效，向小學家學習，不過只能當個「細儒」而已。這就從根本上否定了乾嘉考據學派的治學道路。

第二類批判，是從乾嘉漢學的右面進行的。由於在乾嘉學風籠罩下的學術工作已不能適應封建統治者挽救統治危機的需要，以桐城派爲代表的最頑固的衛道者，便也挺身而出對漢學進行了尖銳的批判。桐城派健將姚鼐首先發難，方東樹集其大成。姚鼐指責漢學家說：

> 專求古人名物制度訓詁書數，以博爲量，以窺隙攻難爲功，甚者欲盡舍程朱而宗漢，枝之獵而去其根，細之搜而遺其巨，夫寧非蔽歟？（註四八）

方東樹專著《漢學商兌》一書攻擊乾嘉考據學派。他說：

> 漢學家自以爲所治皆爲實事求是之學，衍爲篤論，萬口一舌，牢不可破……只向紙上與古人爭訓詁形聲傳注；駁雜援據群籍，證佐數千百條，反之身己心行，推之民人家國，了無益處；徒使人狂惑失守，不得所用，然則雖實事求是，而乃虛之至也。（註四九）

自稱私淑姚鼐的曾國藩也曾寫道：

> 嘉道之際，學者承乾隆季年之流風，襲爲一種破碎之學，辨物析名，梳文櫛字，刺經典一二字，解說或至數千萬言，繁稱雜引，游衍而不得所歸。張己伐物，專抵古人之隙。（註五〇）

儘管他們都是從更右的程朱道學的立場出發來作批評的，但他們揭露漢學的偏頗，確實也歪打正著，有很多一語道破的地方。

這樣，到嘉道以後，由於社會政治條件逐漸變化，加以受到來自左右兩方面的批判打擊，乾嘉考據學派就逐漸消沉下去。一八四〇年鴉片戰爭以後，中國思想界受到很大的震動，乾嘉考據學派便正式結束它的全盛時期，除俞樾、孫詒讓、黃以周等一部分人還在勉力承續其餘緒以外，它已不能在學術界占支配地位了。

為什麼乾嘉考據學派在「五四」後一度又被抬捧出來

鴉片戰爭後，中國歷史進入近代時期。資本主義文化開始在中國傳播，並對封建的學術文化思想進行了衝擊。資產階級改良派的宣傳家梁啟超在一九〇四年發表《新史學》一文，嚴厲批判了包括乾嘉考據學派在內的封建史學家，認爲他們有四弊二病。四弊是：知有朝廷而不知有國；知有個人而不知有群體；知有陳跡而不知有今務；知有事實而不知有理想。二病是：能鋪述而不能創裁；能因襲而不能創作。因此，兩千年來的史學家都是「陳陳相因，一丘之貉」，不能爲史學界開闢一新天地。梁啟超斥責乾嘉考據學派那種厚古薄今，不識當代的學風說：「知古而不知今謂之陸沉。夫陸沉我國民之罪，史家實尸之矣」。這種衝擊，在當時的中國史學界引起了巨大的震動。

但是，中國的資產階級是軟弱的。他們同帝國主義和封建勢力有著千絲萬縷的聯繫。這種軟弱性和不徹底性，在學術領域的鬥爭中也有明顯的表現。梁啟超雖然對封建史學進行了一定的批判，但這種批判依然是軟弱無力的，末了還是企圖調和，托古改制。資產階級革命派的重要思想家章炳麟，儘管在政治上和清朝封建專制政府作了堅決的絕裂，寫下了著名的《謝本師》一文，但在學術思想上卻沒有謝別本師。他在語言、文學、音韻方面的研究完全沿襲著乾嘉考據學派的道路，並且在《俞先生傳》中盛讚俞樾的學術成就，哀嘆漢學的衰微，說：「新學蟆生，滅我聖文，粲而不蟬，非一隅之憂也」。因此，從戊戌變法到辛亥革命這一個過程中，屬於封建文化的乾嘉考據學派雖然受到一定的衝擊，但並沒有遭受徹底的清算，在學術界依然一線相續，緜延不絕。

到了一九一九年五四運動以後，這個原來已在苟延殘喘的乾嘉考據學派忽然又迴光返照般地被一些人抬捧出來。一批所謂「名流」「學者」在北京發起「戴東原生日兩百年紀念會」。胡適、梁啟超等都寫出不少文章大捧乾嘉學派，煩瑣考據的文章重新風靡一時，乾嘉考據學派似乎又重振旗鼓，獲得了新的生命力了。

這是爲什麼？這種看來十分奇特的現象，卻是有它深刻的社會政治根源的，是適應著一切舊思想、舊勢力共同抵制無產階級思潮的需要而產生的。在五四以後，中國無產階級登上了政治舞台，馬克思列寧主義在中國開始廣泛傳播，接著，中國共產黨宣告成立，思想界和學術界隨著也起了翻天覆地變化。帝國主義和封建勢力因面臨它的掘墓人而感到恐懼和發抖。資產階級在這樣強大的無產階級思潮面前也張惶失措。他們都力圖找出適當的武器來抵制這個強大思潮的傳播和發展。但是，帝國主義時期的西方資產階級社會政治學說在中國並不能找到太大的市場；中國的資產階級在學術思想上又沒有形成自己獨立完整的系統，拿不出多少像樣的貨色來和無產階級對壘；倒是中國的封建學術文化在數千年漫長的歲月中，形成了一套比較系統的治學觀點和治學方法，有著比較多的學術成果，特別是乾嘉考據學派，在當時的學術界仍有著重要的影響。在這種情況下，許多帝國主義的買辦學者，許多資產階級學者，都不能不乞助於過去的亡靈，請出封建的學術文化來作同盟軍，有甚至乾脆投入了封建學術文化的懷抱。

資產階級學者王國維就是比較早走上這條道路的。這位至死拖著辮子的「王忠慤公」早年曾參與維新活動，以後又成爲叔本華、尼采等資產階級反動哲學的信徒。辛亥革命後，聽從了封建餘孽羅振玉「欲拯此橫流，舍反經信古末由也」的勸告，放棄了原來的學術信仰和研究，轉攻史學，企圖從學術上來證明封建制度的應當復辟。他的治學途徑基本上遵循著乾嘉考據學者的道路。同時，他又重視金文甲骨的研究，並吸取了資產階級的某些治學方法，從而在新的條件下發展了乾嘉考據學。在這樣的考據工作中，王國維確實做出不少成績。但他實際上又是以這種學術研究爲它的政治主張服務的。一九一七年俄國發生了偉大的十月社會主義革命，王國維憂心忡忡地哀嘆：「觀中國近狀，恐以共和始以共產終」。（註五一）他在這一年所寫的著名考據論文《殷周制度論》中强調「天下之大利莫如定，其大害莫如爭」、「一姓之福祚與萬姓之福祚是一非二」，標榜探求「知周公之所以聖和周之所以王」。（註五二）他的目的顯然是鼓吹封建君主世襲制度的優越性，反對當時的階級鬥爭，爲陰謀復辟被推翻的清朝封建統治製造理論根據。

梁啟超在五四以後，政治上早已徹底墮落，學術上也大開倒車。他推翻了自己過去提出的進化史觀，宣布「歷史不受因果律支配」（註五三）；同時，把治史的重點轉向煩瑣的史料考訂，大捧乾嘉考據學派。一九二三年梁啟超發起「戴東原生日兩百年紀念會」，聲稱「自己願意自荐當一個臨時幹事」。（註五四）以後，他更號召青年學生要做「窄而深的研究，拚著一二十年工夫下去」，因爲「我們的單音文字，每一個都含有許多學問意味在裏頭，若能用新眼光去研究，做成一部《新說文解字》，可以當作一部民族思想變遷史或社會心理進化史讀」。（註五五）並且惡毒地污蔑：「頂時髦的社會主義，結果也不過搶麵包吃」。（註五六）

在這批人中，特別要注意的是臭名昭彰的買辦學者胡適。這名帝國主義的「過河卒子」看上了乾嘉學派的傳統聲望和一些學術成果，想利用這塊招牌來增加聲勢，阻遏馬克思列寧主義思想的傳播。在他的《多研究些問題，少談些主義》等文章遭到以李大釗爲代表的共產主義知識分子迎頭痛擊、駁得理屈詞窮以後，立刻拉出乾嘉考據學派來作爲幫手。在他受到反駁後，只隔了一個月，即一九一九年八月，就發表了《論國故學》一文，强調「發明一個字的古義，與發現一顆恒星，都是一大功績」。（註五七）同月，他又寫下《清代學者的治學方法》的第一至第八章，鼓吹「中國舊有的學術，只有清代的樸學確有科學的精神」。（註五八）以後，他更一再地吹捧乾嘉學者，提倡「整理國故」，鼓吹「國學的將來定能遠勝國學的過去，過去的成績雖然未可厚非，但將來的成績一定還要更好無數倍」（註五九）胡適爲什麼要這樣做？他在談到自己的小說考證文章時，對這個問題作了十分明確的回答：

「在這些文字裏，我要讀者學得一點科學精神，一點科學態度，一點科學方法。」

「少年的朋友們，用這個方法來做學問，可以無大差失；用這種態度來做人處事，可以不至於被人蒙著眼睛牽著鼻子走。」

「被孔丘、朱熹牽著鼻子走，固然不算高明；被馬克思、列寧、斯大林牽著鼻子走，也算不得好漢。我自己決不想牽著誰的鼻子走。我只希望盡我的微薄的能力，教我的少年朋友們學一點防身的本領，努力做一個不受人惑的人。」（註六〇）

胡適在這裏說「我自己不想牽著誰的鼻子走」分明是一句假話，因爲他所說的「科學精神」、「科學態度」、「科學方法」其實正是僞科學、反科學的資產階級實用主義，他正是想用這套東西把青年「牽著鼻子走」。但他承認他之所以要提倡「整理國故」，提倡所謂「考證文章」，是爲了引導青年遠離馬克思主義，抵制馬克思、列寧、斯大林在青年中的影響，這倒是道出了事情的某些眞相。

毛澤東同志指出：「帝國主義文化和半封建文化是非常親熱的兩兄弟，它們結成文化上的反動同盟，反對中國的新文化。」（註六一）在這裏，我們看到的正是這樣的一個歷史過程。

在這樣一支反動逆流的推動下，學術界一度泛濫起一股厚古薄今、脫離現實的歪風邪氣，造成了十分惡劣的影響。

但是，「蚍蜉撼大樹，可笑不自量」。隨著馬克思列寧主義在中國的勝利發展，無產階級文化生力軍以新的姿態向帝國主義文化和封建文化展開英勇的進攻，其聲勢之浩大，威力之猛烈，簡直是所向無敵。帝國主義文化也好，封建文化也好，最後不能不一一敗下陣來。

今天對乾嘉考據學派應有的態度

從乾嘉學者生活的那個時期到今天，已經有兩百年上下了。從五四運動到今天，也已有四十多年了。在這個時期裏，中國經歷了一場翻天覆地的大變化，早已「換了人間」。中國的學術文化，在馬克思列寧主義、毛澤東思想的指導下，適應無產階級的政治需要，批判地吸收了前人的成果，取得了極大的發展。但是，就在今天的學術領域內，舊傳統、舊思想的影響並沒有完全消失。在歷史科學領域內，乾嘉考據學派的影響還像夢魘一樣縈繞著不少活人的頭腦。近幾年，我們就可以看到這樣一些現象：當人們講到「打好基本功」的重要性時，有人就把乾嘉學者那一套治學方法原封不動地搬出來，作爲必不可少的「基本功」向青年推荐。當人們談到歷史考訂工作的作用時，有人就把考據學說成是歷史科學的全部內容，甚至把恩格斯的《家庭私有制和國家的起源》這部著作也說成是「一部考據之作」。

這些問題應該怎樣看法？

這裏，就要分清兩個界線、區別幾個不同性質的問題。

一個是，需要區別怎樣對待考據和怎樣對待乾嘉考據學派這兩個不同的問題。考據，在學術研究中特別是歷史研究中是不可少的。材料的鑒定、事實的考訂、古代典章名物的詮釋等這一類工作，過去需要，今天需要，將來也永遠需要。只要不是片面地誇大它的作用或是無目的地進行考證，就決不能把它作爲「厚古薄今」的同義詞來反對。乾嘉考據學派，卻是中國封建文化的一個組成部分。他們的整個工作是在封建儒家思想指導下進行的。他們的治學方法也必然帶來厚古薄今和煩瑣細碎等結果，必須批判地對待。自然，他們工作的某些成果，我們必須應該利用。他們的治學方法也有些可供借鑒的地方。但決不能把他們的態度說成是客觀的，把他們的方法說成是實事求是的，把他們的作風說成是樸實的，更不能無批判地把他們說成我們應該仿效的榜樣。否則，就會將歷史科學引向復古的歧途。

另一個是，需要區別怎樣評論乾嘉考據學派的歷史作用，和我們今天是否可以將乾嘉考據學派作爲仿效的榜樣，這兩個不同的問題。乾嘉考據學派，是乾隆、嘉慶時期那個特定歷史條件下的產物。他們在中國學術發展史上的作用，有消極的方面，也有積極的方面，有過也有功，對他們是不能苛求的。在馬克思列寧主義的偉大科學——辯證唯物主義與歷史唯物主義面前，應該看到，乾嘉學派的考證方法不過是「雕蟲小技」而已。在馬克思列寧主義的思想高峰上，對過去資產階級、封建學者的治學方法應該有「一覽衆山小」的雄偉氣概。只有這樣，才能眞正批判改造歷史上學術遺產中一切有用的東西，爲建設社會主義的、民族的新文化服務。

【附註】

註　一　《列寧全集》卷二〇，頁四〇一。

註　二　章學誠：《再上韓城相公書》，《章氏遺書》卷二十九。

註　三　《東華錄》乾隆五十一年五月辛未。

註　四　錢泳：《履園叢話》卷二。

註　五　《臨清紀略》卷四。

註　六　同註五。

註　七　《清代文字獄檔》第八輯。

註　八　章學誠：《周書昌別傳》，《章氏遺書》卷十八，文集三。

註　九　戴震：《古經解鉤沉序》，《戴東原集》卷十。

註一〇　錢大昕：《經籍纂詁序》，《潛研堂文集》卷二十四。

註一一　王鳴盛：《十七史商榷序》。

註一二　錢大昕：《廿二史考異序》。

註一三　錢大昕：《跋漢書古今人表》，《潛研堂文集》卷二十八。

註一四　戴震：《與某書》，《戴東原集》卷九。

註一五　戴震：《答鄭丈用牧書》，《戴東原集》卷九。

註一六　戴震：《與是仲明論學書》，《戴東原集》卷九。

註一七　戴震：《古經解鉤沉序》，《戴東原集》卷十。

註一八　戴震：《六經音韻表序》，《戴東原集》卷十。

註一九　錢大昕：《臧玉琳經義雜識序》，《潛研堂文集》卷二十四。

註二〇　錢大昕：《小學考序》，《潛研堂文集》卷二十四。

註二一　王鳴盛：《十七史商榷序》。

註二二　黑格爾：《小邏輯》，頁三七二，三聯版，一九五四年。

註二三　戴震：《與某書》，《戴東原集》卷九。

註二四　《戴先生震傳》，《潛研堂文集》卷三十九。

註二五　戴震：《與是仲明論學書》，《戴東原集》卷九。

註二六　同註二五。

註二七　錢大昕：《二十四史同姓名錄序》，《潛研堂文集》卷二十四。

註二八　惠棟：《九經古義》首述。

註二九　王鳴盛：《十七史商榷序》。

註三〇　江藩：《漢學師承記》卷三。

註三一　戴震：《古經解鉤沉序》，《戴東原集》卷十。

註三二　戴震：《與是仲明論學書》，《戴東原集》卷九。

註三三　阮元：《十駕齋養新錄序》。

註三四　段玉裁：《潛研堂文集序》。

註三五　王鳴盛：《十七史商榷》卷七十六。

註三六　《毛澤東選集》，卷一，頁二八〇。

註三七　章學誠：《文史通義》內篇一《經解上》。

註三八　章學誠：《文史通義》內篇二《原道下》。

註三九　章學誠：《文史通義》內篇二《浙東學術》。

註四〇　章學誠：《文史通義》內篇六《文喩》。

註四一　沈垚：《落帆樓集》卷八《與孫愈愚書》。

註四二　沈垚：《落帆樓集》卷九《與許海樵書》。

註四三　沈垚：《落帆樓集》卷八《與孫愈愚書》。

註四四　章學誠：《又與正甫論文》，《章氏遺書》卷二十九。

註四五　章學誠：《文史通義》內篇二《原學下》。

註四六　章學誠：《文史通義》內篇二《博約中》。

註四七　魏源：《論語孟子類編序》，《古微堂外集》卷一。

註四八　姚鼐：《贈錢獻之序》，《惜抱軒文集》七。

註四九　方東樹：《漢學商兌》卷中之上。

註五〇　曾國藩：《朱愼甫遺書序》，《曾文正公文集》一。

註五一　《海寧王忠慤公遺書初集》，羅振玉序。

註五二　王國維：《殷周制度論》，《觀堂集林》。

註五三　梁啟超：《研究文化史的幾個重要問題》，《飲冰室全集》。

註五四　梁啟超：《戴東原生日兩百年紀念會緣起》，《飲冰室全集》。

註五五　梁啟超：《治國學的兩條大路》，《飲冰室全集》。

註五六　梁啟超：《歐遊心影錄》，《飲冰室全集》。

註五七　胡適：《論國故學》，《胡適文存》。

註五八　胡適：《清代學者的治學方法》，《胡適文存》。

註五九　胡適：《國學季刊發刊宣言》，《胡適文存》。

註六〇　胡適：《介紹我自己的思想》，《胡適文存》。

註六一　《毛澤東選集》，卷二，頁六八八。

——原載《學術月刊》一九六四年五月號，頁二〇——三〇。

錢大昕的考據方法簡論

華世銚

清朝的康、雍、乾時期，爲加强思想控制，屢興文字獄，大肆殺戮知識分子，導致士人轉入整理和考證古籍；康熙時開設博學鴻詞科，乾隆時令編纂《四庫全書》，因此到乾隆、嘉慶年間，便出現了一批專門從事收集資料，進行整理、審核、校勘、考訂和校正經史的學者。他們主張言必有據，講求旁參互證，「巨細畢究，本末兼察」（註一），反對孤證立說和空談，形成「乾嘉學派」。由於其治學方法以考據見長，學風嚴謹樸實，故亦被稱之爲「考據學派」或「樸學派」。

乾嘉學派對清代學術的發展，作過巨大貢獻，梁啟超曾給予很高的評價說；「夫無考據之學則無清學也，故言清學必以此時期爲中堅」（註二）。可見考據學在清代的學術史上，所占有的重要地位。而在該學派中，錢大昕是較爲突出的一個。本文僅就錢大昕的學識、治學思想、主張、考據的方法和內容，作一粗淺的探討，並對他在考據學上的成就和影響，給予適當的評價，並祈求專家、學者賜教。

一

錢大昕，字曉徵，一字及之，號辛楣，又號竹汀居士，江蘇太倉州嘉定縣（今上海市）人，生於雍正六年（西元一七二八）正月，死於嘉慶九年（一八〇四年）十月，終年七十七歲。

他少時聰敏過人，兩歲即能認字，十三歲中童子試第六名，十七歲中泰科試第七名，十八歲讀二十一史，就「始有尙論千古之志」（註三）了。二十四歲中舉人後，開始做官，「乾隆十六年召試舉人，授內閣中書。十九年中進士，選翰林院庶吉士，……累充山東鄉試、湖南鄉試正考官」，不久，「擢翰林院侍講學士」。乾隆三十四年（一七七〇）「遷詹事府少詹事」，爲四品官位，「尋提督廣東學政。四十年，……病不復出」（註四）。即到四十八歲時，因父母先後去世，本人又多病，而辭官回鄉，先後在鍾山、紫陽書院講學，直至病逝。

他自幼喜讀書，學習十分刻苦，年僅十五已顯露才華，巡撫雅爾哈善召他到書院，「試以《周禮》、《文獻通考》，兩論悉中典要」（註五）。又「從元和惠定宇、吳江沈雲游，研治古經義、聲音訓詁之學」。十八歲赴塢城拜師顧氏學習經史，對《資治通鑒》「及不全二十一史，晨夕披覽」（註六）。在「弱冠時即有述作意，讀書有得，輒爲札記」（註七）。出仕後，「在京師與同年褚晉升、吳桝（杉）亭講明算學。尙書何國宗年已老，聞其善算，先往拜之，嘆爲不及。」（註八）又「得宣城梅氏書，讀之，寢食幾廢」。可見他嗜學如命，廣讀博覽，寫讀書心得並積累資料，爲日後著書立說打下了堅實的基礎。

「大昕始以辭章名，沈德潛《吳中七子詩選》，大昕居一」（註九），他在青年時代就以詩詞聞名了。入仕後勤於治學，在翰林院任職時，即參加《大清一統志》、《續文獻通考》等書的修纂。四十歲時「始撰二十二史考異」，到五十三歲就「兩目漸眩」，五十歲又「得風痺之疾，兩足不能行動」，仍堅持著述和校閱書稿，後又耳聾，雖是年邁而殘廢之人，還是堅持校書行文，在去世之日晨起，還「展閱一編」，早餐後「校《養新錄》刊本數葉，案頭有中丞新詩屬公評定者，……手書小箋報之，俄覺勞倦」（註一〇），命侍者扶他上床休息，於午後就「不復蘇醒」。他這種不顧年老體弱而又耳聾眼盲的瘁弱之軀，仍頑强地堅持著書和替他人改文的堅韌精神，是令人欽佩的。

由於他刻苦好學而知識淵博，又勤於研究、考證和寫作。在五十多年中，先後撰寫了金石、經、史、文字、人物、氏族、曆法、詩詞等方面的著作，有三十餘種，三百六十二卷。阮元說：「國初以來，諸儒……專精者固多，兼擅者尙少，惟嘉定錢辛楣先生，能兼其成」（註一一）。徐世昌也說：「先生不專治一經，而無經不通；不專攻一藝，而無藝不精」（註一二）。正由於他學識淵博，多才多藝，才留下了許多文化遺產。

二

錢大昕在青年時從惠棟習經學。惠棟崇尙漢代的古文經學，對他有很大影響。他反對宋明理學的空談性理，指出宋代「道學諸儒講求心性」，空談義理，在史學上造成「則有謂讀史爲玩物喪志者，又有謂讀史令人心粗者，此特有爲言之，而空疏淺薄者托以藉口，由是說經者日多，治史者日少」。有的人輕視史學，推崇經學，說「經精而史粗也，經正而史雜也」（註一三）。他批判這種傾向說：「予謂經以明倫虛靈元妙之論，似精、實非精也；經以致用迂闊刻深之談，似正、實非正也」。並進一步肯定了史學的地位：「太史公尊孔子爲世家，謂載籍極博，……班氏《古今人表》尊孔孟而降老莊，皆卓然有功於經學，故其文與《六經》並傳而不媿」。於是他從治經轉入治史，並在史學上做出了許多成績。他認爲只有一些淺薄歷史知識的人不是全才和「通儒」，他說：「自惠、戴之學盛行於世，天下學者但治古經，略涉三史，三史以下茫然不知，得謂之通儒乎」（註一四）。他自己就是希望作一個「無經不通」、「無藝不精」的通儒。

他認爲「夫儒者之學，在乎明體致用，詩書執禮皆經世之言也」，反對空談而無用之學，主張「儒者之務實用，不尙空談」（註一五），治學要「實事求是」，考證經史是「袪其疑乃能堅其信，指其瑕益以見其美」，「拾遺規過」的目的不是「爲齮齕前人，實以開導後學」。他不效法那些「拾班、范之一言，擿沈、蕭之數簡」，就寫出「校書之陋本」，以「馳騁筆墨，夸曜凡庸」的考證者；對那些「輒以褒貶自任，強作聰明，……陳義過高，居心過刻」之人，「尤不敢效也」（註一六）。而是要以「惟有實事求是，護惜古人之苦心」的思想和態度來考證歷史。王引之說：「國初，諸儒起而震之」，顧炎武、閻若璩、江永、惠棟，「其學皆實事求是，先生出於其後而集其成焉」（註一七）。稱錢大昕是他們之中治學實事求是的集大成者，是恰如其份的，正因爲如此，他在考據學上的成就，超過了他之前的學者。

三

錢大昕治學以考據見長，考據是他治學的主要方法和手段。在十八歲才步入知識的大門時，就已初步掌握了考據的方法，「讀東坡《戲作賈梁道》詩，輒援《晉書》以糾其失」，其考據方法「已有與前輩闇合者矣」（註一八）。他考據的特點是：既考訂經、史、子、集諸典籍，又考訂歷朝史書；既校文字、音韻，又校作者、版本和史料；既糾正作者、史實錯漏，也糾正釋者的謬誤；既作全面的考證，又進行重點考證。他的考據方法，筆者認爲有以下八種：

1.列出典籍的標題，抄錄待考證的原文，再列舉證據以訂正原文。

這是他考證的一般方法，所列舉的證據，少則二、三條、多則一、二十條。如《獻帝紀》有建安「二十二年，丞相軍師華歆爲御史大夫」。他考證這條史料說：「按：《魏志・歆傳》云：魏國初建，爲御史大夫，非漢廷之御史大夫也」。又引劉昭注《百官志》說「建安十三年，罷司空，置御史大夫，御史大夫郗慮免，不得補，……則郗慮以後，漢廷無眞授御史大夫」，認爲「其說信矣」。再以《魏志・太祖紀》「書華歆爲御史大夫，而不書郗慮，慮爲漢臣，歆爲魏臣故也」。因此訂正說「歆之除授，不當書於漢紀」。他舉三個證據來說明華歆是魏國的御史大夫，不應載於漢《獻帝紀》中。又指出范「蔚宗未達官制，因有此誤。」（註一九）這是以史證史。

2.用分析的方法來評論歷史人物。

如鼂錯被殺的原因，他指出：鼂錯以「好殺而不信其臣」的術數教景帝，「而景帝乃即以此術殺錯，何也」？而分析說：「帝之所忌者唯吳，而錯欲因以謀楚趙國，則非帝本意也。……帝之排衆議而任錯，將以制七國也，七國反，錯無以制，帝知錯不足任也，而誅錯之謀成也」，這是其一；其二，鼂錯建議「兵數百萬，獨屬群臣，不可信，陛下不如自出臨兵，使錯居守」。既然「將兵者不可信，居守者又可信乎」？因此「景帝固疑錯之有異志矣」，才將他處死。他又進一步分析了景帝「何忍加以腰斬，且並其父母妻子同產，盡置之重辟」的原因，是「錯謂群臣不可信，故誅錯安軍中諸將之心」（註二〇）。他用分析的方法，來論證景帝殺鼂錯並處以腰斬的酷刑之原因，既補充了史料的不足，又有新穎的見解，以理服人，這是他新創的一種考證方法。

3.用比較的方法來考證世系。

在《後漢書》的本紀和列傳中，關於世系的計算多不一致，他用一些紀、傳進行比較。如《光武帝紀》載：「高祖九世之孫也」他認爲「自高祖至光武九世，實八世孫也」。並指出「《皇后紀》伏后爲大司徒湛八世孫」的記載也是錯誤的，「實七世孫也」。他用《劉永傳》和《漢書》諸表與之比較說：劉永「稱梁孝王八孫，自孝王至永沒，立已八世矣，如依二紀之例，亦當云九世孫也」。他又「考班史諸表，自始封至子、孫、曾孫、元孫之子，即爲六世」，這是「以封爵之世次言，故合始封」。他又與《孔光傳》進行比較，該傳稱孔光爲「孔子十四世孫，自孔子至光實十五世」。他對以上二紀、二傳進行比較後，而得出結論說：「當以永傳爲是。」（註二一）即應該以封爵計算世系才是正確的。

4.用推理的方法對史書版本和字進行考證。

如考證「史記舊本」，「《史記・堯本紀》，居郁夷，曰暘谷。《索隱》云：《史記》舊本作湯谷」他指出：「按，太史公多識古文，所引諸經，與今本多異者，皆出先秦古書，後人校改，漸失其眞，即湯谷一條推之，知舊本爲小司馬輩竄者不少矣。」（註二二）

又如《曹褒傳》云「父充持慶氏禮」。他指出「持本是治字，章懷避諱改之」。他又以「隗囂傳，申屠剛、杜林爲持書」，「侍御史龔調、蔡邕傳注：太伯端委以持《周禮》」兩條史實爲例，而得出「皆本治字，唐人改爲持也」（註二三）的結論。

由此二例說明，錢大昕用「舉一反三」、「由此及彼」的推理方法，對史書的版本和史料有關字進行考證，是合乎邏輯而又科學的，既有說服力，又可省略文字和篇幅。

5.用綜合考証的方法來訂正《漢書》之誤。

他撰《漢書考異》指出《漢書》中的錯誤說：「《哀帝紀》，元壽二年春正月，元壽二字衍文。《景、武、昭、宣、元、成功臣表》，孝成五人。成鄉當作成都，樂成下衍龍字。……《地理志》，逢山長谷諸水所出。諸當作渚；博水東北至鉅定。博當作時。《張良傳》，景駒自立爲楚假王，在陳留。陳字衍；……《佞幸傳》，龍雒思侯夫人。雒當作額。」後來他才見到《漢書》的北宋景佑本，與之對照，證明他所考證的「此十數處，皆與予說合。」（註二四）可見他考證後所校正的史實是正確的。他用綜合考證的方法對《漢書》的紀、表、志及列傳中的年號、爵名、文字、姓名、水名等，進行全面校正，是他創造的一種新的考據方法，使讀者對此書的史實，能夠得以全面正確的了解。

6.用金石銘文來校正經史。

他考證諸史，不僅以史證史，還以經校史，更以金石銘文來考史。如《崔駰傳》說崔是「涿郡安平人」。他考證說：「安平縣本屬涿，章帝建初四年，改隸樂成國；順帝改樂成國爲安平，因縣以名也。桓、靈之世、安平改隸博陵郡」。又以《孔彪碑》爲證，碑載：「陰故吏名有博陵安平崔烈，而程夫人亦稱烈爲冀州名士也」。從而證明「涿郡屬幽州，樂成、博陵則屬冀州。」（註二五）糾正了安平屬涿郡的錯誤。

又如《論語》中的「莫己知也，斯已而已矣。今人讀斯已而已兩已皆如以」。他用唐代的石經進行考證說：「考唐石經，莫己斯己，皆作人己之己，而已作已止之已」。他還以其它經史作對校說：「《釋文》，莫己音紀，下斯己同，與石經正合。《集解》，此硜硜者徒信己而已。皇氏《義疏》申之云，言孔子硜硜不宜隨世變，唯自信己而已矣」。指出這「是唐以前《論語》，斯己字皆不作止解，由於經文作己，不作已也」。從而證明「己與已絕非一字，宋儒誤讀斯己爲以，未免改經文以就己說矣。」（註二六）考證出了宋代《論語》中將「己」改爲「已」的緣由。

他用石刻銘文和經文，來校正經、史記載地名、文字等有關史料的錯誤，又是一種創新，更具有權威性，而且比以史考史、或以經證史，更前進了一大步。

7.用史書來考證金石銘文的方法。

他既創造了用金石銘文考證的方法來校正某些經、史記載的錯誤；他對某些有懷疑的金石文字，也用史書與之對校的方法進行驗證。如他考證《睢陵家丞印》，在「翁氏《兩漢金石記》載此印，文云睢陵家丞，無印字。《漢・郡國志》，睢陵不言侯國，翁亦疑而未決」。於是他對此印進行考證說：「予考《晉書》，王祥封睢陵公，公國有家丞一人，則此印必是晉時物」。（註二七）他不但考證出此印的朝代，而且還明確了《後漢書・郡國志》所載睢陵非侯國。

又如考證《王顏追樹十八代祖晉司空碑》，他說：「予向得此碑，考《晉書》紀傳，無司空王卓名」，他還以爲是此碑之誤。後來他閱讀了《後漢書・順帝紀》，其中有「陽嘉三年十一月，光祿勛河東王卓爲司空。章懷太子注：卓字仲遼，河東解人。乃知顏所稱十八代祖者，蓋即其人」。並明確指出王卓是「後漢之司空，非晉之司空也」。而且還告訴讀者：「晉亦有王卓，襲祖爵京陵公，官止給事中，未嘗任三公，其祖父名亦與碑不同。」（註二八）從而校正了此碑錯將東漢刻成西晉之誤，又使讀者明白了西晉之王卓爲另一人。

這兩種方法不但新穎而有說服力，也反映了「實事求是」的優良學風。

8.用專題考證的方法來辨證史實。

大昕先生還以「論」、「考」、「答問」等形式，列了許多專題來考證經、史書籍中的史實。在《潛研堂文集》這部五十卷的著作中，卷二《論》有論《春秋》、《大學》等經書，論人物有皋陶、鼂錯、梁武帝、王安石、張浚等；卷四至十五爲《答問》、對《易》、《禮》、《詩》、《書》、《論語》、《爾雅》、諸史、曆算、音韻等進行研究；卷十六爲《辨考》，有《太陰太歲辨》、《漢百三郡考》、《嘉靖七子考》等。《二十二史考異》卷九還有西漢的《侯國考》。

如在《侯國考》中指出：《漢書・地理志》「稱侯國二百四十一，今數之止百九十有四」。他從《漢書》諸表和其它史書中，又查出了一些侯國名，共列了在各郡的侯國名二百二十八個，其中補志之失者二十五人，……志未見者八人。從而使「後之讀班史者，庶有取焉。」（註二九）

又如「問：伊洛瀍澗，皆八河之水，《說文・水部》有洛澗，而無瀍，不審此字何從」？他回答說：「古書从系與从水之字，多相混，漢周憬碑有曲紅長，即曲江也。王稚子闕云：河內縕令，即溫也。《春秋》傳有酒如澠，《淮南子》本作繩」。他以這三個例子為證，來說明「瀍本作纏，以水回曲得名」，這是因「俗師轉寫作水旁爾。」（註三〇）使讀者弄清了「瀍」字的含義。

他對需考證但內容繁多的史實，設專題進行論證，方能說清問題；各專題又能獨立成篇，也方便讀者查閱。此種考據方法，在清代的考據學家中，確為獨樹一幟。

四

錢大昕考證的內容十分廣泛，包括儒家經典、史籍、諸子、文學、金石、釋道、科舉、封建倫理等許多方面。「於經文之舛誤，經義之聚訟而難決者，皆能剖析源流；凡文字音韻訓詁之精微；地理之沿革；歷代官制之體例，氏族之流派，古人姓字里居官爵事實年齡之紛繁；古今石刻畫篆隸，可訂六書故實，可裨史傳者；以及古九章算術，自漢迄今，中西曆法，無不了如指掌」（註三一）。茲扼要略舉數例於下：

如考證《論語》中「子謂韶盡美矣，又盡善也」中的「矣」、「也」二字，他說：「按：《漢書・董仲舒傳》引孔子曰：『韶盡美矣，又盡善也；又引武盡美矣，未盡善也』」。指出「上『矣』下『也』，語意不同，當是《論語》古本」。他又與《漢書》對校說：「今漢書亦改作『也』，唯宋景佑本是『矣』字。西漢策要，與景佑本同」（註三二）。並說明不同版本的書用字有所不同。

如「誰能馴予工」這句話，他考釋說：「馴與順同。《易》坤初《象傳》，馴致其道至堅冰也；其《文言》曰：履霜堅冰至，蓋言順也。可證順即馴字」，又舉《尙書》有「疇若予工，若訓順」之句，來說明「故史公以馴代若」（註三三）之意。又如「牛者冒也」，他考釋其音韻說：牛，牙音之收聲；冒，唇音之收聲；聲不類而轉相訓者，同位故也」。並剖析說：「古人以反側與輾轉對，顚沛與造次對，元首與股肱對。反側顚沛（讀如貝）同爲出聲，元首同爲收聲，則亦雙音矣」（註三四）。從而幫助讀者了解經史典籍中的某些字句的文義和聲韻。

如《史記》載張釋之爲堵陽人，應劭注釋說：「哀帝改爲順陽，……《括地志》云，順陽故城在鄧州穰縣西三十里，楚之郇邑也。及《蘇秦傳》云：楚北有郇陽，幷謂此也」。他校正說：「堵陽與順陽非一地，《兩漢志》皆有堵陽縣，屬南陽郡。哀帝改順陽爲博山，以封孔光，不聞又改堵陽爲順陽也」。又進一步指出：「古書未聞以順陽爲堵陽者，《正義》之說蓋出於《水經注》，此酈氏誤爾」（註三五）。他不但考證出《正義》之錯，還指出錯的根源是酈道元的《水經注》。

如關於「三公」的來歷，他引用《尙書大傳》說：「烟氛、郊社不修，山川不祝，風雨不時，霜雪不降，責於天公；臣多弑主，孽多殺宗，五品不訓，責於人公；城郭不繕，溝池不修，水泉不修，水爲民害，責於地公。王者三公，各有所主。」又引《論衡・明雩篇》說：「天公、司徒；人公、司馬；地公，司空也」（註三六）。又指出到東漢時，三公的稱謂已更改，光武帝建武二十七年，「改大司馬爲太尉，驃騎大將軍、行大司馬劉隆即日罷。以太僕趙熹爲太尉，大司農馮勤爲司徒」（註三七）。從而使我們了解東漢前三公名稱的變化情況。

如《續漢書》有「永元六年，度遼將軍朱徵」，他指出《和帝紀》、《匈奴傳》「俱作朱徽」（註三八）。又如「太尉屬梁鮪，司徒嚴勖」一條，他校正說：「此嚴勖亦司徒之掾屬，非司徒也，史脫文。」（註三九）糾正人名、官職之誤。

如考證石刻「蜀侍中楊公闕，見於牛運震《金石圖》，云在梓潼縣，隸體頗似漢人」。他指出：「亦謂是褚峻僞作，蓋昭烈父子，建號成都，稱漢不稱蜀。即李氏據蜀，前稱成，後稱漢，亦未以蜀爲國號。唯唐末王建、孟知祥，始自稱蜀耳」。而得出結論說：「此闕既不似唐以後款式，何得有蜀之名乎！作僞心勞，自露破綻」（註四〇）。糾正了此《金石圖》之誤。

如考證曆法，《武帝紀》載：「元鼎五年十一月辛巳朔旦冬至」。他校勘說：「按：自是年至太初元年相距八歲，中積二千九百二十二日，冬至當在癸亥，不得到甲子。再以月法收之，得積月九十八又三十七日有奇」，因此「冬至當在十一月二十八日，未得置閏於天正前也」。又進一步指出：「若用大初之元，則辛巳之冬至又後天一日。史家特據當時所頒之朔書之耳。《律曆志》載，元朔六年甲申朔旦冬至，乃太初改曆後逆推之，當時未必以爲章首也」（註四一）。從而校正了《漢書》的曆法之誤。

從以上所舉九例，可看出錢大昕考訂之全面而廣泛，態度之嚴肅認眞，校勘之謹愼細緻，做到了「巨細畢究，本末兼察」，因而「皆確有定見，蓋先生致知格物之功，可謂深矣」（註四二）。所以才得出可靠的結論，使後人能夠從這些經過校正的可靠史料了解中國古代史，並利用它去進行學術研究，這正是他在史學上的傑出貢獻。

五

綜上所論，可知錢大昕的「明體致用」的考據思想，已超出了以事論事、以史證史的狹隘範圍；他不是單純的爲考證而考證，埋頭於故紙堆搞繁瑣無用的校勘；他也沒有逃避現實，在他的詩文和考證中，流露出對現實的不滿，對君主專制、吏治腐敗、士風頹廢、封建禮教等，都有所揭露和譴責。他運用列證、分析、比較、推理、綜合和專題考證等方法，來辨析、疏通和校正文字及經史的內容。他考校的經典、史籍和諸子著作有幾十部，三千多卷，達三、四千萬字之多。其份量之大，內容之廣，條文之龐大，考據之精細，在清代考據學家中是少有的。徐世昌稱讚他「考據精密度越諸家」（註四三）。他的考據方法不但新穎，而且具有開創性，特別是能夠以金石銘文來考校經典和史籍，推動了清代考據學的發展。因此他是清代中期考據學的集大成者，稱他爲「清代考據學界的巨子」，是當之無愧的。

他的治學主張和考據方法，對清代及後世產生了深遠的影響。清朝中後期的許多學者，繼承了他的學風，在學術上取得了許多成就。他的弟、子、孫及學生，「一門群從，皆治古學，能文章，爲東南之望」。如錢大昭欲治《爾雅》，「大昕與書，謂《六經》皆以明道，未有不道訓詁而能知道者。欲窮《六經》之旨，必自《爾雅》始。」（註四四）大昭乃撰《爾雅釋文補》、《廣雅疏義》等著作。族子錢塘，「幼受業於竹汀」，「繼乃肆力於經史，實事求是」（註四五），著有《易緯稽覽圖考證》、《續漢書律曆志補注》等。蔡雲「從竹汀肄業紫陽書院，著《人表考校補》一卷，……多本師說」。李富孫「長游四方，就正於盧文弨、錢大昕，……飫聞緒論」，「就經、史、傳、注、諸子百氏所引，以及漢、唐、宋石經，宋元槧本，校其異同，或字有古今，或音近通假，……悉據古誼而疏證之」（註四六），著《易解剩義》、《七經易文釋》。陳壽祺「及見錢大昕、段玉裁、……故學益精博」，著《尚書大傳箋》、《五經異義疏證》等。張文虎嘗讀惠棟、戴震、錢大昕「諸家書，慨然嘆為學自有本，則取漢唐宋注疏經說，由形聲以通其字，……旁及子史，莫不考其源流同異。精天算，尤長校勘，……校《史記三家注》，成《札記》五卷」（註四七）。

由上可知，錢大昕在經學、史學、文字、訓詁等學科上的校勘和考證方法，為後世所繼承和發展，其影響大而深遠。他不但繼承和發展了清代的考據學，而且還開創了清末民初考據大師王國維之先河，王國維在錢大昕開創的以金石銘文證史的考據法的基礎上，進一步創造了以文書證文書，以地下文物證文書的「二重考據法」，從而使考據學的面貌煥然一新。戴震常對人說：「當代學者，吾以曉徵為第二人」。「蓋東原毅然以第一人自居，然東原之學，以肄經為宗，不讀漢以後書。若先生學究天人，博綜群籍，自開國以來，蔚然一代儒宗也」（註四八）。他在治史方面的成就確實超過戴震和王鳴盛，不愧為清代中期一位博學多才、精通經史、著述宏富的學術大師和考據學界的巨子，他刻苦學習的精神，實事求是的治學主張，嚴謹、精細、樸實的學風和精湛的考據方法，至今仍值得提倡和仿效；他留下的許多著述，還是有價值的文化遺產。我們要進一步發掘乾嘉學派遺產之精華，更好地為社會主義精神文明建設服務。

【附註】

註 一　戴震：《與姚孝廉姬傳書》，見《清儒學案》卷七十九《東原學案》。

註 二　梁啟超：《清代學術概論》，見《飲冰室合集》第九冊，中華書局版。

註　三　錢大昕：《竹汀居士年譜》。

註　四　《清史稿》卷四百八十一，《儒林傳二・錢大昕傳》。

註　五　徐世昌：《清儒學案》卷八十三《潛研學案》上。

註　六　同註三。

註　七　同註三。

註　八　同註五。

註　九　同註四。

註一〇　同註三。

註一一　阮元：《十駕齋養新錄序》。

註一二　同註五。

註一三　錢大昕：《二十二史箚記序》，見趙翼《二十二史箚記》，中華書局版。

註一四　同註五。

註一五　錢大昕：《潛研堂文集》卷二十五《世經序》，卷二《鼂錯論》。

註一六　錢大昕：《二十二史考異序》，潛研堂錢氏刊本。

註一七　王引之：《王文簡公集》卷四，《詹事府少詹事錢先生神道碑銘》。

註一八　同註三。

註一九　錢大昕：《二十二史考異》卷十，《後漢書》一《獻帝紀》、《光武帝紀》上。

註二〇　同註一五。

註二一　同註一九。

註二二　錢大昕：《十駕齋養新錄》卷六《史記舊本》條，《漢書景佑本》條。

註二三　同註一九，卷十二，《後漢書》二《曹褒傳》、《耿國傳》。

註二四　同註二二。

註二五　同註一九，卷十二，《後漢書》三《崔駰傳》。

註二六　同註二二，卷三《斯已而已矣》條，《又盡善也》條。

註二七　同註二二，卷十五，《睢陵家丞印》條，《王顏追樹十八代祖晉司空碑》條。

註二八　同註二七。

註二九　同註一九，卷九，《漢書》四《侯國考》。

註三〇　同註一五，卷五《答問》二。

註三一　段玉裁：《潛研堂文集序》。

註三二　同註二二，卷三《斯已而已矣》條，《又盡善也》條。

註三三　同註一九，卷一，《史記》一《五帝本紀》；卷三，《史記》三《律書》。

註三四　同註三三。

註三五　同註一九，卷五，《史記》五《張釋之馮唐列傳》。

註三六　同註二二，卷十《三公》條，卷十五《蜀石闕》條。

註三七　同註二三。

註三八　同註一九，卷十三《續漢書》一《天文志》中、《律曆志》中。

註三九　同註三八。

註四〇　同註三六。

註四一　同註一九，卷六《漢書》一《武帝紀》。

註四二　同註三一。

註四三　同註五。

註四四　《清史稿》卷四百八十一《儒林傳》二。

註四五　同註五，卷八十四，《潛研學案》下。

註四六　同註四四。

註四七　以上均見《清史稿》的《儒林傳》三。

註四八　《清儒學案》卷八十三，引自江藩《漢學師承記》。

——原載《社會科學輯刊》一九九一年二期，頁一〇〇——一〇六。

乾嘉學者王念孫王引之父子學術研究

黃愛平

在中國學術史上，清代的乾嘉學派占有十分重要的位置。這一時期，學者輩出，衆星輝映，他們從文字、音韻、訓詁、校勘等方面入手，通過對大量古籍進行細緻而深入的整理，把中國的學術推向了封建社會的最後一個高峰。

王念孫、王引之父子是乾嘉學派的代表人物。王念孫，字懷祖，號石臞（又作石渠），江蘇高郵人，生於乾隆九年（一七四四），卒於道光十二年（一八三二）。王引之，字伯申，號曼卿，生於乾隆三十一年（一七六六），卒於道光十四年（一八三四）。王家世代書香，王念孫的祖父王曾祿，一生以講學授徒爲業。父親王安國，雍正二年（一七二四）進士，官至吏部尙書。爲人清介廉直，治學精於《三禮》。王念孫生長在這樣的家庭環境，從小受家學薰陶，其後又得到名師戴震的指點，使他立下了治「鄭許之學」，「考文字、辨音聲」的志向（註一）。也奠定他日後學術道路及學問成就的堅實基礎。王引之從小耳濡目染，也酷愛學習，二十一歲應順天鄉試下第後，即專心「從事聲音、文字、詁訓之學，取《爾雅》、《說文》、《方言》、《音學五書》讀之，日夕研求」（註二）。共同的興趣愛好，使父子二人一生中，都勤奮努力，好學不倦，在學問上共同切磋，相互砥礪，終於雙雙成爲乾嘉時期著名的學者。其著述《廣雅疏證》、《讀書雜志》、《經義述聞》和《經傳釋詞》，合稱「王氏四種」，也被公認爲乾嘉學術的代表之作。

王氏父子雖曾先後從政，並在當時賄賂公行、貪污成風的官場中，頗能潔身自好，勤於政事；但他們一生的主要貢獻，還是在學術領域。後人往往把王氏父子與戴震、段玉裁諸人相提並論，視爲一代學術大師。無疑，研究王氏父子的治學宗旨、態度和方法，總結他們的學術成就，指出其局限與不足，對我們深入探析乾嘉學派，正確評價這一學派在清代乃至中國學術史上的地位、作用及影響，是有著重要意義的。

一

任何一個自成體系、別立門戶的學術派別，在它產生、發展的特定的歷史條件下，都必然會形成自己的思想宗旨、學術風格和治學方法，從而反映出這一學派的特點。作爲乾嘉漢學代表人物的王氏父子，也同樣如此。

㈠由文字音訓以明經達道的治學宗旨

清初，很多學者痛感明末學風空疏之弊，開始從各個方面對宋明理學展開批判，提出了由文字音訓以明經達道的主張。顧炎武首先提倡「讀九經自考文始，考文自知音始」（註三）惠棟繼之而起，强調「經之義存乎訓，識字審音，乃知其義」（註四）。及至戴震，則進一步主張：「經之至者道也，所以明道者其詞也，所以成詞者未有能外小學文字者也。由文字以通乎語言，由語言以通乎古聖賢之心志，譬之適堂壇之必循其階，而不可以躐等。」（註五）這樣，由文字音訓以明經達道的治學宗旨，便由顧炎武首倡，經惠棟、戴震發揮壯大，牢固地樹立了起來，成爲當時許多學者尊奉的準則。王氏父子也以此爲宗旨，他們認爲，「儒者言義理、言治法，必溯源於經史」，但由於經史書籍的流傳，「遠者幾千年，多者數百帙」，其中頗有「寫刻之譌謬，箋解之紛錯」（註六），因此，欲通文義，必須從文字音訓入手，「訓詁聲音明而小學明，小學明而經學明」（註七）。明確地闡揚了漢學家們共同堅持的明經主張。在中國封建社會，儒家經典是封建階級賴以維護其統治的主要工具，用王氏父子的話來說，便是「聖賢經世之方，莫備於經」（註八），學者不究明經書經義，是不可能做到「修身、齊家、治國、平天下」，爲封建統治服務的。文字音訓的研究，最終是爲了闡明傳統的儒家經籍大義，達到「正天下之理」、「平天下之氣」的目的（註九）。這可以說是王氏父子及其他乾嘉學者治學的根本指導思想。無怪當時激烈地反對漢學的方東樹，也不得不承認：「此是漢學一大宗旨，牢不可破之論矣」（註一〇）。

强調由文字音訓以明經達道，這是漢學區別於宋明理學的顯著特色。在中國學術史上，對儒家經典的疏解，歷來存在著兩種截然不同的情形，這可借用宋代陸九淵的兩句話來加以概括，即「我注《六經》」和「《六經》注我」。如果說，前者還比較尊重經籍的原貌和本義，那麼後者就是借題發揮，把經書當作自己思想的注腳。宋明理學便屬後者。當然，理學作爲一種思潮，在中國思想史上自有其特定的地位、作用和影響，這另當別論。但大多數理學家，尤其是末流學者，對古代典籍一味附會，隨意曲解，甚或「束書不觀，游談無根」，在思想、學術界造成了很大的混亂。漢學一洗理學鑿空之弊，摒棄主觀的臆想，强調客觀的研究，嚴格地從實際材料出發，力求通過經籍的文字音訓本身來究明經義原解，這種試圖客觀地探求事物本來面貌的治學宗旨，無疑具有樸素的唯物主義傾向，也是漢學有一定積極意義的地方。章學誠對盛行一時的乾嘉漢學多所批評，但仍認爲：「治經而不究於名物度數，則義理騰空，而經術因以鹵莽，所繫非淺鮮也

」，肯定了漢學家「知求實而不蹈於虛，猶愈於掉虛文而不復知實學也。」（註一一）

主張由文字音訓以明經達道，並將其奉爲確定不移的宗旨，這在一定程度上說明了漢學家並非「爲考據而考據」、「爲學問而學問」。王氏父子那些看來似乎純粹是研究文字音韻、從事訓詁校勘的著述，實際上無一不貫穿著明經達道這一宗旨。清代王紹蘭稱王氏父子「以眾經詁一經，而經之本義以立；以一經貫眾經，而經之通義以明。而又合之以形聲，函之以雅故，微言大義，時見於篇」（註一二）俞樾推王氏父子所著《經義述聞》、《讀書雜志》諸書，「發明義理，是正文字，允足以通古今之言，成一家之學。」（註一三）今日本學者濱口富士雄也認爲，究明經書之義和聖人之言，是「王念孫確立訓詁方法論的支點」，從王念孫的訓詁中可以窺見「清代考據學意義的一斑」（註一四）。這些看法，應該說是有一定道理的。由文字音訓以明經達道的宗旨，在客觀上也有其積極意義。王氏父子和乾嘉學者注重從聲音、文字、訓詁、校勘等方面入手來整理古代經籍的作法，不啻把學術思想界千百年來虔誠信仰、奉若神靈的偶像一變而爲可以研究探討的對象，從而廓清了許多長期以來附加在古書上的誤解和歪曲，使古代經籍逐漸呈現出它本來的面貌，這顯然有利於削弱宋明理學的理論基礎，在一定程度上起到解放思想的作用。方宗誠攻擊乾嘉學者「逞其私智小辨，毀程朱之傳注，即畔孔孟之經，而大悖堯舜之道教者也」，指責「其爲世道人心之害，則曷有窮乎」（註一五）。封建衛道士的責罵，恰好從一個方面道出了乾嘉漢學的客觀意義。不僅如此，王氏父子和漢學家們强調文字音訓，視爲明經達道的唯一工具和手段，還極大地提高了小學的地位，風氣所趨，學者爭相研治，一時人才濟濟，著述如林，小學由經學的附庸而成爲相對獨立的領域，中國古代語言學出現了最後，也是最爲發展的一個高峰。

然而，明經達道的治學宗旨儘管有其積極意義，但同時也反映了王氏父子乃至整個清代漢學的局限性。明清時期的中國社會，資本主義萌芽已經出現，新的思想也曾露端倪，封建階級爲了維持自己的統治，憑藉儒家經典排斥種種異端思想，傳統的儒學，已經成爲阻礙社會進步、束縛人們思想的精神枷鎖，雖然漢學是在與宋明理學的對立和鬥爭中產生、發展，並占領清代學術界的，但是，它與理學的差異，也只是手段的不同，而在「明經達道」這一點上，卻始終和宋明理學殊途同歸。它們的根本目的，都是要闡揚經義、解釋經言，爲行將崩潰的封建統治提供理論依據。儘管王氏父子與其他漢學家能夠衝破籠罩學術思想界數百年之久的宋明理學的迷霧，但卻無法打破傳統封建經學的框框，找到新的近代知識寶庫的大門。這是歷史的悲劇，然而卻是歷史的事實。

需要指出的是，王氏父子以及許多的乾嘉學者雖然把明經達道作爲治學的宗旨。但在他們的學術實踐中，卻並未致力於明經達道，更談不上在清代的學術思想界重新構築一整套像宋明理學那樣精緻、完備的理論體系。他們孜孜於文字、音韻、訓詁、校勘的研究，「以襞績補苴謂足盡天地之能事」（註一六），似乎完全忘了他們一直强調的治學目的。誠如章學誠所指責：「近日學者風氣，徵實太多，發揮太少，有如蠶食桑葉而不能抽絲」（註一七）形式上離開了封建經學與封建政治緊密結合的軌道。這反映了王氏父子及其他漢學家保守、缺乏思內容的一面，他們所從事的學術工作，僅僅是適應封建統治者「稽古右文」的需要，充當「太平盛世」典雅的裝飾品而已。

王氏父子及其乾嘉學者致力的學術工作和他們所强調的治學目的是不完全一致的。客觀效果和主觀願望也大相徑庭。前者成就輝煌，後者蒼白無力。這種矛盾的現象，反映了中國封建社會處在一個封閉而停滯時期的學術特徵。當著整個封建社會走向衰落的時候，恪守傳統儒家經籍的學者儘管能夠在一些專門學科內做出很大的成績，但在思想領域，他們卻不可能拿出像樣的理論武器，來挽救封建統治的頹勢。歷史的辯證法就是如此。

㈡實事求是的治學態度

强調由文字音訓以明經達道，這是顧炎武以來清代漢學家恪守不移的治學宗旨，但在具體做法上，漢學內部卻產生了分歧，分成了兩派。以惠棟爲首的吳派學者，盲目拜倒在漢代經師的腳下，强調「凡古必眞，凡漢皆好」，走進了「佞漢」的死胡同，以戴震爲首的皖派學者，力矯吳派的墨守之弊，强調「志存聞道，必空所依傍」（註一八）．主張「由聲音文字以求訓詁，由訓詁以尋義理，實事求是，不偏主一家」(註一九)，使漢學走出了死胡同，並獲得了空前的發展。

王念孫、王引之父子繼承和發揮了戴震的思想，治學以實事求是爲準則，既反對宋明以來的空疏學風，又批判漢學派內部的株守之弊。王念孫針對「元明以來，說經者多病鑿空，而矯其失者又蹈株守之陋」這兩種傾向（註二〇），强調治學應該「好學深思，必求其是，不惑於晚近之說，而亦不株守前人」（註二一）。當時，宋明理學經過顧炎武、惠棟、戴震諸學者的批判，影響已大大削弱，難以與蓬勃興起的漢學爭鋒抗衡了。但吳派學者的主張，卻不僅窒息了漢學本身的發展，而且也給反對漢學的理學家提供了口實。方東樹就曾指責惠棟說《易》，於漢代經師之言，據此詆彼，「操同室之戈」（註二二），這也確實是中的之言。有鑒於此，王氏父子便更多地注重於批判漢學派內部的株守之弊。王念孫說：「世之言漢學者，但見異於今者則寶貴之，而於古人之傳授、文字之變遷，多不暇致辯，或以爲細而忽之。」（註二三）王引之則直接批評惠棟「考古雖勤，而識不高、心不細，見異於今者則從之，大都不論是非」（註二四）。與此同時，王氏父子又極力推闡實事求是，擇善而從的主張。對此，王念孫有一段十分精彩的論述，他說：「說經者期於得經意而已。前人傳注不皆合於經，則擇其合經者從之；其皆不合，則以己意逆經意，而參之他經，證以成訓，雖別爲之說，亦無不可。必欲專守一家，無少出入，則何邵公之墨守，見伐於康成者矣」（註二五）。王氏父子把這種實事求是的主張，貫徹到每一研究領域，形成了自己的治學風格。解釋經義「不爲鑿空之談，不爲墨守之見」（註二六），力求「孰於漢學之門戶，而不囿於漢學之藩籬」（註二七）。後人稱王氏父子治學「實事求是，不尙墨守」（註二八），是頗有見地的。

王氏父子還敢於直接糾正師友甚至己說的訛誤之處，這也是他們實事求是的治學態度的反映。

中國封建社會的學術最重師承，弟子尊奉其師，謹守門戶，往往因此而造成黨同伐異的現象，阻礙學術的發展。而王氏父子對於師友誤說，則能直言不諱，誠如章炳麟所說：「學者往往尊崇其師，而江（永）戴（震）之徒，義有未安，彈射糾發，雖師亦無所避」（註二九）。如戴震解釋《尙書・堯典》「光被四表」之「光」是「横」字之誤，認爲「横」轉寫爲「桄」又脫誤爲「光」。並下結論說：「横被，廣被也。」「《堯典》古本必有作『横被四表』者」（註三〇）。此後，錢大昕、姚鼐、洪榜、段玉裁諸學者都在古書中找到了「横被四表」的例證，戴說似乎成了確鑿無疑的定論了。但王引之運用古音學的知識，進一步考察「光」、「桄」、「横」三者之間的關係。發現「光、桄、横古同聲而通用，非轉寫訛脫而爲『光』也」。因而明確提出：「三字皆充廣之義」，「無煩是此而非彼也」（註三一），補充並修正了戴震的結論。對同時學友段玉裁、錢大昕、盧文弨、孔廣森、劉台拱等人解經的訛誤之處，王氏父子也多所指摘。即使父子之間見解不同，也無所顧忌。王念孫疏證《廣雅》「時、善也」條時，引用了《易・雜卦傳》「大畜，時也；無妄，災也」一條材料，並加以解釋云：「時與災相對，亦謂善也」（註三二）。王引之不同意其父的訓釋，認爲此處「時當讀爲待，古字時與待通（待、時俱以寺爲聲，故二字通用）。『大畜，待也』者，天災將至，大畜積以待之也」（註三三），並在《經義述聞》中作了明確的說明。

對自己治學當中出現的錯誤，王氏父子也能隨時修正。王念孫《廣雅疏證》成書後，當時學者深爲推崇，把它與北魏酈道元的《水經注》相提並論，作爲「注優於經」的典範（註三四）。但王念孫並不以此爲滿足，他繼續深入研究，發現有疏誤未備之處，便隨時補正，累計增補改正達五百餘條，後人據此輯成《廣雅疏證補正》一卷。王引之《經義述聞》一書，前後歷時數十年，刊本有初刻（不分卷）、續刻（十五卷）和定本（三十二卷）三種，而定本對於初刻本和續刻本便多有改訂增補。即便在定本中，也時有訂正。可以說，戴震「不以人蔽己，不以己自蔽」的主張（註三五），在王氏父子的治學中。得到了很好的體現和發揚。

至於自己解決不了的問題，王氏父子則付之存疑，以待後人進一步研究解決，決不隱諱掩飾，更不強不知以爲知。王念孫作《廣雅疏證》，凡遇「訓詁無徵」（註三六），其義無可疏證者，或云「未詳」、或云「不知」，均一一注明，並在自序中聲明：「於所不知蓋闕如也，後有好學深思之士，匡所不及，企而望之」。王引之作《春秋名字解詁》，發明古人名與字相因相沿之義，但對諸如「魯公子買字子從」、「楚公子貞字子囊」等一些不能疏通的名字，也注明「古義不可周知，姑闕所疑，以俟達者。」（註三七）

實事求是，是一個古老的命題。遠在漢代，古書就有了「修學好古，實事求是」的記載（註三八）。但是，把它作爲一種治學的準則，大力推闡，嚴格遵循，使之成爲一種學術風氣，卻是從清代才開始的。戴震首先提出，王氏父子進而發揚光大，一時蔚爲風氣。可以說，實事求是的治學態度，是王氏父子能夠取得卓越成就、清代學術得到充分發展的根本原因，它不僅可以用來概括王氏父子治學的全部精神，也是清代學術的價值和精髓所在。這種「無論何人之言，決不肯漫然置信，必求其所以然之故。……苟終無足以起其信者，雖聖哲父師之言不信也」（註三九）的思維方式，事實上包含著一種懷疑批判的精神，王氏父子及其它乾嘉學者從事考據的客觀效果，能夠還經書以本來面目，剝去其神聖的光輪，與他們實事求是的治學態度，是不無關係的。

但是，王氏父子以及皖派漢學家畢竟是封建時代的學者，儘管他們强調「實事求是」，標榜「空所依傍」，事實上卻不能不受到其封建階級立場觀點的限制，仍然不可能正確地闡明文獻典籍的含義。他們在文字、音韻、訓詁、校勘的具體研究上能做到「實事」，但要進一步「求是」，他們便無能爲力了。顯然，即便就文獻典籍的研究而言，他們也只能達到半截子科學，而如果再進一步從社會實際需要的角度來看，那麼他們的學術研究則不免流於空虛無用。由於他們治學的基本內容多限於封建典籍，稽求考證的問題，幾乎全是書本上的東西，觀察問題的眼光也多是向後看，而不是著眼於現實，這就使得他們從事的研究工作與社會現實問題嚴重脫節，方東樹批評「漢學諸人言言有據，字字有考，只向紙上與古人爭訓詁形聲，」結果是「反之身已心行，推之民人家國，了無益處，徒使人狂惑失守，不得所用」（註四〇），不能不說是擊中了他們的要害。

㈢歸納、演繹結合，而以歸納爲主的治學方法

綜觀清代漢學的發展過程，探尋王氏父子成就和局限的原因，如果著眼於學術本身，那麼，除了上述治學宗旨、態度而外，方法也是不可忽視的因素。

關於王氏父子及其乾嘉學者的治學方法，已經有了不少學者作了研究。早在三十年代初期，梁啟超和胡適就從方法論的角度作過初步的探索。但他們或僅列舉清儒治學的方法步驟，簡單歸之於「科學的研究法」（註四一）；或用「大膽的假設，小心的求證」總而括之（註四二）。其後，也有學者根據王氏父子從事各專門領域研究的具體方法，進行歸納總結，但也大多停留在對其各種具體方法的敘述和羅列上（註四三），似乎未能抓住根本性的問題。如果我們在前人研究的基礎上，進一步從方法論的角度予以探討，那麼可以說，王氏父子所運用的，是歸納、演繹相結合，而以歸納為主的治學方法。

歸納、演繹都是人類認識、研究客觀事物的一種思維方式，同屬於形式邏輯的範疇。它具有客觀、嚴謹、縝密的特點，與中國傳統學術因長於思辨性思維而帶來的那種主觀、隨意、空泛的色彩迥然不同。中國的傳統學術，嚴格說來，是產生在春秋戰國社會大變革的時代，當時特殊的歷史條件，決定了它比較注重倫理，強調人事，具有濃重的為現實政治服務的色彩，而忽視嚴密的邏輯思維。這種學術本身的先天性不足，直接帶來了學術尤其是經學研究方法的缺陷：喜好主觀隨意的發揮，而缺乏客觀嚴謹的論證。尤其宋代以後，儒佛道三者合流，理學產生，學術研究中「《六經》注我」的主觀唯心主義的研究方法愈演愈烈。直到明末清初，一些有識見的封建士大夫痛感當時空疏學風的弊病，開始探索新的研究領域和研究方法。他們和當時來華的傳教士合作，研究天文曆算，翻譯西方書籍，其中包括介紹亞里士多德邏輯學說的《名理探》（即《邏輯學》，未完），從而向中國學術界介紹了一些西方的科學知識和思維方法，「給中國古老的經學及其他學術，滲入了新的科學思想及邏輯因素」（註四四）。清代以來，學術界逐漸形成了一種注重證據、講求實在，具有邏輯思維特點的歸納、演繹結合，而以歸納為主的治學方法。學者在對大量的個別事物、現象進行研究的基礎上，總結、概括出具有一般意義的條例和法則；然後，以這些條例和法則爲根據，再推之於對其他個別事物和現象的研究中。茲以王念孫提出的「詁訓之旨，本於聲音」的法則爲例，略加說明。

王念孫在訓釋古代經籍時，碰到大量根據字形、字義說解而訓釋不通的情況，特別是一些雙聲疊韻之字，如《廣雅・釋訓》：「堤封，都凡也」（《疏證》：堤封，與提封同；都凡，猶今人言大凡、諸凡也），如果從字形、字義上考察，很難找到二者之間意義的聯繫。《漢書・刑法志》「一同百里，提封萬井」，李奇作注時便將兩字分而釋之，謂「提，舉也。舉四封之內也」；顏師古也認爲：「李說是也」。但是，《漢書・地理志》又有「提封田一萬四千五百十三萬六千四百五頃」句，若訓「提」爲「舉」，訓「封」爲「四封」，顯然不通。《漢書》還有多處「提封……」的文句，如都訓爲「舉封……」，同樣扞格不通。王念孫精通古音學知識，他發現「提封」與「都凡」的聲母同屬於舌音和唇音，在古代，它們的發音部位相同，讀音也十分相近。音既相近，其義也當相同或相通。因而斷定：堤封（提封同），亦大數之名，猶今人言通共也。「提封萬井」，實際上就是「通共萬井。」其他「提封……」之句，以「通共」之義釋之，無不渙然冰釋，而《廣雅》以「都凡」訓「堤封」一條，也得到了明確的訓釋（註四五）。又如《詩經・大雅・民勞》：「無縱詭隨，以謹無良。」毛《傳》云：「詭隨，詭人之善，隨人之惡者。以謹無良，慎小以懲大也」。《廣雅》據此訓「詭隨」爲「小惡」，其義頗爲費解。王念孫亦從聲音入手，認爲「詭隨」是疊韻字，不能分訓。他進一步解釋說：「『詭隨』即無良之人，亦無大惡小惡之分。『詭隨』，謂譎詐謾欺之人也。『詭』古讀若『果』，『隨』古讀若『譎』。譎，音士禾反」（註四六）。既糾正了前人誤解之處，又發明了古音古義。古書中許多類似的字詞，從字形字義上解釋不通，而從聲音入手，卻往往能迎刃而解。從這些例證中，王念孫逐漸認識到：「大氐雙聲疊韻之字，其義即存乎聲；求諸聲則得，求諸其文則惑矣」（註四七），從而總結出「詁訓之旨，本於聲音」這一乾嘉學者從事訓詁考據所一致遵循的因音求義的原理。這種從對大量個別的事物和現象的研究中概括出一般原理的過程，顯然是運用了歸納的方法。

但王念孫並沒有停留於此，而是引而伸之，用這個一般的原理來訓釋古書的其他疑難，又解決了許多前人未能解決的問題。如《廣雅・釋訓》有「躊躇，猶豫也」一條，「猶豫」一詞，多見於先秦兩漢典籍中，或連文，或分用，學者都知道它表示遲疑不決的意思，卻不知其所以然。有的就根據字形、字義強加解釋，或謂「猶是犬名，犬隨人行，每豫在前，待人不得，又來迎候，故曰猶豫；或又謂猶是獸名，每聞人聲，即豫上樹，久之復下，故曰猶豫；或又以『豫』字從『象』，而謂猶豫俱是多疑之獸」等等。這種解釋，現在看來是缺乏根據的，但在古代，卻是千百年來流傳的成說。王念孫根據「訓詁之旨，本於聲音」的聲訓原理，突破字形的束縛，由聲音而求詞義，認為：「猶豫，雙聲字也。字或作『猶與』。分言之，則曰『猶』，曰『豫』。……合言之，則曰『猶豫』。轉之則曰『夷猶』，曰『容與』，皆遲疑之貌也」（註四八）。這又是他演繹方法的運用。在王氏父子的著述中，類似的例子比比皆是，歸納演繹交相運用，古書中許多疑難的字句，經過他們的訓釋，意思就十分清楚了。無怪段玉裁在讀了他們的書之後，要有「如入桃源仙境，窈窕幽曲，繼則豁然開朗」（註四九）的感嘆了。他推崇王念孫「尤能以古音得經義，蓋天下一人而已矣」（註五〇），決非過譽之辭。

當然，王氏父子以及乾嘉學者並沒有認識到自己在研究中運用了歸納演繹結合的方法，他們只是強調證據，凡立一說，「必徵之古而靡不條貫，合諸道而不留餘議，巨細畢究，本末兼察」（註五一）；

然後貫而通之，總結出某一條例、法則後，即「奉為楷式」，「引而伸之，以盡其義類」，力求做到「揆之本文而協，驗之他卷而通」（註五二），但事實上，他們的研究方法，已經突破了中國傳統學術的局限，而包含有近代科學精神的萌芽。它使清代學術達到了前所未有的高峰，不僅許多文獻典籍得到系統的整理，而且音韻，文字、訓詁、校勘諸方面的研究本身、也由以往分散、零碎的直接經驗形態。上升到了初步理論總結的高度。如果說，王氏父子以及乾嘉學者共同遵循的由文字音訓以明經達道的治學宗旨客觀上提高了小學的地位，為其發展提供了條件；那麼，他們使用的具有一定科學精神的新的研究方法，則使小學自成體系，相對獨立為專門的學科變成了現實。

但是，我們也應當看到，歸納演繹這種屬於形式邏輯範疇的治學方法，在研究問題，認識事物的過程中，比較側重於事物的外部形態，本身有著一定的「狹隘界限」；更重要的是，作為封建時代的學者，王氏父子的世界觀和歷史觀是唯心主義形而上學的，再加上偏狹的治學範圍又限制了他們的眼界，使得他們學術研究方法中所包含的科學因素的萌芽，最終被其唯心主義形而上學的世界觀所窒息。因此，乾嘉學者儘管能夠在局部問題和個別事例方面得出較為正確的結論，但從整體上看，他們的學術卻不可避免地帶有片面和狹隘的弊病，不能用運動、變化和發展的觀點，去研究考察問題，不能從事物的相互聯繫中，分析其發展的趨勢和規律、尤其是不能從學術思想理論的角度，闡明重大的歷史事變，回答社會提出的實際問題。乾嘉學者能夠在專業學科做出輝煌的具體成果，卻不能在思想領域提供系統的理論體系；漢學只能充當盛世的點綴而不能適應急遽變化的形勢，思想方法的局限，也是其中的原因之一。並且，由於歸納法本身注重材料，強調證據，使得學者大多埋首古書，熱衷於資料的搜求、排比、羅列。崇尚「無一字無出處」，「無一事無來歷」，甚或「繁詞累牘，捃摘細碎」（註五三），以至「一字聚訟，動輒數千言，幾如秦近君之說《尚書》」（註五四）。這就不可避免地趨於繁瑣，從而爲它自身的衰落準備了條件。道光以後，乾嘉漢學被新的經世致用思潮代替，這不僅是歷史發展的必然，也是學術本身變化的結果。

二

乾嘉漢學以它獨特的治學宗旨、態度和方法，在音韻、文字、訓詁、校勘等專門領域取得了豐碩的成果。作爲其代表人物的王氏父子，成就也是十分卓越的。

㈠古音

古音學的研究，源於宋代的吳棫、鄭庠。由於歷史的變遷和地域的差別，古今語音發生了很大的變化，六朝隋唐的人讀先秦詩歌或韻文，已多有不諧之處。但是，他們並沒有認識到這是由於古今語音不同的關係。爲了求得音韻的諧合，他們或改讀字音，或改換文字，影響了古代典籍的本來面貌。到了宋代，這種風氣更爲盛行，所謂「叶音」說成爲通例，甚而出現一字數叶、一音數讀的現象，造成了很大的混亂。但是，也有一些學者看到了「叶音」說的矛盾，開始把當時韻書上的韻部通合並用，以求古書讀音的諧合。這就是吳棫提出的通轉說，依照他的說法，當時韻書所分一百零六韻可以歸並爲古韻九部。其後，鄭庠又併爲六部，這可以看作是古音學研究的濫觴。但由於他們缺乏歷史觀點，僅從當時韻書上韻部的通轉著眼，因此，雖然對古韻作大致的分部，但各部之間幾乎無所不通、無所不轉，並沒有解決古音問題。直到明代，陳第才明確提出用發展和變遷的觀點來研究語音，把古音置於一定的歷史時代和地域環境內進行分析，使古音學的研究開始走上了較爲正確的道路。清初，顧炎武將陳第之說又推進一步，他跳出韻書的窠臼，直接根據《詩經》的押韻情況，分古韻爲十部，從而奠定了上古韻部體系的基礎。其後，江永、段玉裁、孔廣森、王念孫、江有誥諸學者都在這個基礎上，對古音進行了更爲細緻的研究，分部日趨完備。綜觀各家所分韻部，無不有其獨到之處，而以王念孫發明最多。

段玉裁著《六書音韻表》，分古韻爲十七部。音韻學家公認其發明有三：⑴古脂之三部分立、⑵眞文分部、⑶侯部獨立。特別是支脂之三部之分，使「千有餘年莫之或省者，一旦理解。按諸三百篇劃然。」（註五五）因而被學者推爲「千古之卓識」。然而，王念孫幾乎在段玉裁研究古韻的同時，也獨立發明了支脂之三部之分，以及眞文的分部和侯部的獨立。他在答江有誥的信中說：「念孫少時服膺顧氏（炎武）書。年二十三入都會試。得江氏（永）《古韻標準》。始知江氏之書仍未盡善。輒以己意重加編次，分古音爲二十一部。未敢出以示人。及服官後，始得亡友段君若膺所撰《六書音韻表》，見其分支脂之爲三、眞諄爲二、尤侯爲二，皆與鄙見若合符節」（註五六）。江有誥分古韻爲二十一部。其發明在於入聲祭部、緝部、葉部的各自獨立，並把從「屋、谷、木、卜」一類的字歸入侯部之入聲，而王念孫也無不與之暗合（註五七）。可見，段玉裁、江有誥在古韻分部研究中所取得的重要成果，王念孫通過獨立的研究幾乎都達到了。同時，他將至部獨立分出，卻是段、江兩家所不及的獨創的見解。當時，學者把至部或歸入眞部的入聲，如段玉裁；或歸入脂部之入聲，如孔廣森、江有誥。王念孫認爲：至部既非脂部之入聲、亦非眞部之入聲。因而把它單獨列爲一部。這一創見，得到了此後學者的普遍贊同。

在古韻分部的研究中，王念孫不僅獨立分出了二十一部，而還能夠吸取他人的長處以彌補自己的不足。東冬分部是孔廣森的發明，江有誥所分二十一部，便吸取了孔氏這一成果，將東冬各自分立。王念孫初時把東冬合爲一部，所以雖然發明至部之分，但韻部總數仍是二十一部；其後，在進一步的研究中，王念孫發現東冬分部確實反映了先秦兩漢典籍用韻的實際情況，便修正了自己原來的看法，把冬部從東部中獨立出來，分古韻爲二十二部，即一東、二冬、三蒸、四侵、五談、六陽、七耕、八眞、九諄、十元、十一歌、十二支、十三至、十四脂、十五祭、十六合、十七緝、十八之、十九魚、二十侯、二十一幽、二十二蕭（註五八）。清代從顧炎武開始的對上古韻部的研究和劃分，至此趨於完密。以後。夏炘著《詩古韻表二十二部集說》。總結顧炎武以來各家學說，取江有誥的二十一部，再加上王念孫的至部，定爲二十二部，遂成爲清代古韻分部的定論。而實際上，王念孫晚年便已經分爲二十二部了。清代學者對古音學的研究所取得的最大成就，就是建立了上古韻部體系。王念孫的古韻分部理論，可以說是這個體系的集大成者。王國維推崇「古韻二十二部之目遂令後世無可增損」（註五九）雖不免誇大之辭，卻大致反映了王念孫及其他清代學者在古音研究上的貢獻。

㈡訓詁

王氏父子在訓詁方面亦有很高的成就，他們的《廣雅疏證》、《讀書雜志》、《經義述聞》和《經傳釋詞》四書，是清代訓詁學最負盛名的代表作。由於《經傳釋詞》專釋虛詞，《讀書雜志》又多偏重於校勘，故這裡敘述王氏父子在訓詁學上的成就，主要以《廣雅疏證》和《經義述聞》爲依據。

王氏父子疏證《廣雅》，訓釋經傳古籍，在方法上有很大突破。他們打破前人「即形求義」的框框，注重從聲音上探求字義。任何一個漢字，都是形、音、義三者的集合體。三者之中，「又以聲爲最先，義次之，形爲最後。凡聲之起，非以表情感，即以寫物音，由是而義傳焉，聲義具而造形以表之，然後文字萌生」（註六〇）。因此，要明瞭文字詞義，就必須研究聲韻。但是，由於漢字始終未能發展成純粹表示語音的文字，形體的作用比較突出，因而清代以前的學者大都未能認識到語音的重要性，以及聲音和意義之間的聯繫。他們在探究字義特別是文字本義時，常常依據或借助字形，「即形求義」一直是訓詁學上的主要方法。清代學者把古音學的知識運用到對群經字書的訓詁中，不再局限於文字的形體，而注重從聲音探尋意義。從而使訓詁學得到了巨大的發展，並在一定程度上進入了語言學研究的領域。王念孫、王引之父子因音求義的理論，以及據此理論而從事的研究，在清代小學由單純訓詁向語言研究發展的過程中起了重要作用。

王念孫提出的因音求義的理論及其方法，用他自己的話來概括，就是他在《廣雅疏證序》中指出的：「竊以詁訓之旨，本於聲音。故有聲同字異、聲近義同，雖或類聚群分，實亦同條共貫。比如振裘必提其領，舉網必挈其綱，故曰本立而道生，知天下之至賾而不可亂也。此之不寤，則有字別為音，音別為義，或望文虛造而違古義，或墨守成訓而尟會通，易簡之理既失，而大道多歧矣。今則就以求古義，引伸觸類，不限形體。」運用這一原理和方法，王氏父子主要做了以下幾方面的工作：

其一，探尋同源字。文字作為記錄語言的符號，隨著社會的發展、人類認識的深化，本身在不斷孳乳衍生，它所代表的語詞也隨著語言的豐富而不斷發生分化。許多新詞在舊詞的基礎上派生出來，有的讀音雖無變化，但用途不完全相同，字形相應發生變異而成為他詞，有的不僅字形、詞義甚至連讀音亦有細微變化。由於新詞的音和義是從某一舊詞，即語根，已約定俗成的音和義發展分化而來的，因此，同一語根的派生詞往往音相近、義相通，這就為學者提供了追索的必然性和可能性。遠在秦漢時代，學者在傳注經書時，就已開始用語音相同或相近的字來說明某些詞的眞正含義。至劉熙的《釋名》，更專用音同、音近的字來解釋意義，推究事物所以命名的由來。宋代出現的「右文說」，實際上也是一種從某些形聲字共有的右側聲符來探尋其得義之由的方法。但它們或把音與義的聯繫絕對化，否認約定俗成的道理，或局限於右側聲符，沒有考慮到事物千差萬別的情況，因而不免流於穿鑿附會，或陷入膠執拘泥。清代學者比較正確地解決了古音問題，又掌握了具有一定科學因素的治學方法，因而能在前人探索的基礎上有所前進。

王念孫在《廣雅疏證》中，特別善於從對某一字的訓釋中，引伸觸類，探討與該字語音相近、意義相關的一組字的涵義，並揭示出其中的規律。如《釋詁》：「幾，微也。」王念孫引用《易》、《書》、《說文》、《淮南子》、司馬相如《大人賦》、呂忱《字林》、顧野王《玉篇》等典型中的材料，探究了「饑、嘰、璣、鐖」諸字的含義，分別說明「饑，精詳」，「嘰，小食」，「璣，小珠」，「鐖，鉤逆鋩」（即小鉤）並把它們與「幾」放在一起加以考察，得出「凡言『幾』者，皆微之意也」的結論（註六一）。這可以說是以「幾，微也」這一概念爲中心，探討與「幾」語音相同或相近，語義相近或相關，但字形上有差別的一組字的涵義，把《廣雅》原來對單字的詮釋擴展對義類和字族的研究，從而爲詞源研究開闢了道路。近代以來，學者對同源字的探索，就從中受到很大啟發並直接吸取了許多成果。

其二，破讀假借字。由於漢字的表音趨勢，古書中的同音字常常互相借用。這種現象，與音相近、義相通的同源字正好相反，借字與本字的聲音雖相同相近，意義卻完全無關。因此，必須沿著借字的聲音線索找到本字，才有可能正確理解詞義。如果就字釋字，必然是錯訛百出。王氏父子對此有比較明確的認識，王念孫說：「詁訓之旨，存乎聲音。字之聲同聲近者，經傳往往假借。學者以聲求義，破其假借之字而讀以本字，則渙然冰釋；如其假借之字而强爲之解。則詰籍病矣」（註六二）。王引之更進一步加以闡發：「許氏《說文》論六書假借。曰：『本無其字，依聲托事，令長是也』。蓋無本字，而後假借他字，此謂造作文字之始也。至於經典古字，聲近而通，則有不限於無字之假借者，往往本字見存，而古本則不用本字，而用同聲之字。學者改本字讀之，則怡然理順；依借字讀之，則以文害辭。」（註六三）王氏父子的論述，從理論上比較透徹地闡明了通假的原理，爲群經字書的訓詁考證提供了利器。如《穀梁傳・隱公五年傳》：苞人民、毆牛馬曰侵；斬樹木、壞宮室曰伐」。范寧注解「苞人民」曰：「制其人民」。王念孫認爲：「苞」不能訓爲「制」，而應讀爲「俘」，「苞」是「俘」的假借字。他解釋「苞」古通作「包」，而「包」和「俘」都有「取」的意思，《爾雅》：「俘，取也」。《漢書・賈誼傳》：「淮陽包陳以南揵之江」，晉灼曰：「包，取也」。《敘傳》：「包漢舉信」，劉德曰；「包，取也」。既然「苞」（通「包」）與「俘」同訓爲「取」，而古聲又相近，故字亦相通。王念孫進而衍到从孚从包的其他字的訓釋。《說文》：「捊，引取也，或作抱」。《漢書・楚元王傳》：「浮邱伯者，孫卿門人也。」《鹽鐵論・毀學篇》：「昔李斯與苞邱子俱事荀卿」，「苞邱」，即「浮邱」。由此而得出具有普遍意義的結論：凡从孚从包之字，古聲相近，因而也相通（註六四）。

王氏父子關於同音通假的理論和實踐在訓詁學上的重要意義，可以用王力先生的話來加以說明，這就是它「擺脫了文字形體的束縛，把語音跟詞義直接聯繫起來。這樣做，實際上是糾正了前人把文字看成是直接表示概念的唯心主義觀點」，「標志著中國語言學發展的一個新階段」（註六五）。

其三，訓釋連語。連語是古漢語中一種常見的語言現象，它是用兩個音節表示一個整體意義的雙音詞，一般不能拆開，古人稱之爲連語或連綿字。連語除一些用漢字音節記錄的外來語而外，更多的是一些雙聲疊韻之字，也有少數非雙聲疊韻的複音字。由於連語大量存在於古代文獻中，因此，古代學者也或多或少地注意到了這種語言現象，對連語作過訓釋。《爾雅》、《廣雅》的《釋訓》篇，還把一些意義相同的連語聚集起來，給以一個同樣的解釋，明代朱謀㙔的《駢雅》，更專釋連語。但他們有的未能認識連語的特點，往往把它拆開加以解釋，有的則偏重於連語的義類部居，未能把握聲音這一鈐鍵，因而都不免有誤訓誤釋之處。清代學者精通聲音文字訓詁之學，對連語的研究也有所進步，而以王念孫成就最大。

王念孫認爲：「凡連語之字皆上下同義，不可分訓」（註六六）。這一看法比較準確地抓住了連語的特點。由於連語是由兩個音節聯綴成義的，所以組成連語的上下兩字往往同義，不能分別訓釋，而必須把它作爲一個意義整體來看待。如「狼戾」一詞，《漢書・嚴助傳》：「今閩越王狼戾不仁。」顏師古注云：「狼性貪戾。」王念孫認爲顏氏把「狼」訓豺狼之狼是錯誤的，他說：「狼」亦「戾」也。「戾」字或作「盭。」《廣雅》：「狼、戾、狠也」，「狼、狠、盭也」。可證「狠」與「戾」同義。王念孫還引用《戰國策・燕策》「趙王狼戾無親」，《淮南子・要略》「秦國之俗貪狼」兩條材料，進一步加以說明：「狼戾」、「貪狼」、皆兩字平列，非謂「如狼之戾」，「如狼之貪」，不能把它們分爲二義訓釋。（註六七）

在連語訓釋方法上，王念孫也有所突破。由於連語本身的構詞特點，決定了它義存乎聲而不在於形，因此，同一意義的連語，往往可以用多種字形來表示。這樣，聲音就成了正確理解連語的鈐鍵。如《廣雅・釋詁》：「巉巖、岑崟、巑岏、嶕嶢、阢嵬、嵯峨，高也」。六個連語都表示同一意義，那麼它們之間有什麼聯繫呢？王念孫首先引用大量材料一一列舉「巉巖」等六個連語還有各種不同的寫法，如「岑崟」又作「岑巖」、「嶜崟」，「阢嵬」又作「崔嵬」等等，又進而把這六個連語從聲音上聯繫起來，說明它們之間遞相轉變的關係：巉巖，轉之爲岑崟，又轉之爲嶚岏，又轉之爲嶕嶢；崔嵬，亦巉巖之轉也，又轉之爲嵯峨（註六八）。這樣一來，它們之間的關係就十分清楚了，實際上只是表示同一意義的連語，由於聲音轉變的關係而出現的多種文字記錄形式。這種從聲音入手來訓釋連語的方法，指明了連語研究的正確途徑。可以說，近代兩部總結性連語詞典專書的出現以及今人對連語研究的加密，王念孫是不無開啟之功的。

王氏父子在運用因音求義的方法訓釋古書的同時，還對一些長期沿續下來，似乎已成定論的古訓，提出自己與眾不同的見解，如對「蓐食」的訓釋。《左傳・文公七年》：「訓卒利兵，秣馬蓐食」，杜預注：「蓐食，早食於寢蓐也」。《漢書・韓信傳》：「亭長妻晨炊蓐食」，張晏注「未起而床蓐中食。」杜張二人說法略有不同，但意思卻是相似的，都把「蓐食」解釋爲在起床以前吃飯。王引之不同意他們的看法，他先從情理上進行分析：「訓卒、利兵、秣馬」，非寢之時矣；「亭長妻晨炊」，則固已起矣；而云「早食於寢蓐」，云「未起而床蓐中食」，義無取也。從而斷定杜張二人的說法都是不正確的。再進而引《方言》：「蓐，厚也」，提出自己的見解，認爲：食之豐厚於常，因謂之蓐食。「訓卒利兵，秣馬蓐食」者，《商子・兵守篇》曰：「壯男之軍，使盛食厲兵，陳而待敵；壯女之軍，使盛食負壘，陳而待令」，是其類也。兩軍相攻，或竟日未已，故必厚食乃不饑；亭長之妻，欲至食時不具食以絕韓信，故亦必厚食乃不饑也（註六九）。這就推翻了傳統的解釋，準確地揭示了「蓐食」的本義。

對漢儒以及後世學者的傳注疏解，王氏父子也能本著實事求是的態度，是是非非，決不迷信盲從。毛亨、鄭玄、虞翻、馬融等都是漢代的經師大儒，他們對群經的傳注，歷來受到學者的稱許。清代漢學復興，毛鄭諸儒備受推崇，特別是吳派學者，「信憑之不敢有所出入」（註七〇）。王氏父子則不然，凡有訛誤之處，即便是毛鄭之說，也敢於大膽批評糾正。如《詩經》：「苕之華，芸其黃矣」；毛亨注：「將落則黃」。王引之認爲毛說不確，他聯繫上下文，詳考《詩經》通例，並根據字書有關訓釋，說明此句「言其盛，非言其衰」；詩人起興，「往往感物之盛而嘆人之衰」，故云：「苕之華，芸其黃矣」（註七一）。又如《禮記》：「大夫七十而致事，若不得謝，則必賜之几杖」。鄭玄注：「謝，猶聽也」。王念孫認爲鄭解「於義未安」。他列舉《左傳》、《國語》、《漢書》等古書中的大量材料，說明「謝，請也、告也」（註七二），糾正了鄭注的誤解，其他如對虞翻多用旁通說《易》，何休好以災異解經，以及杜預、韋昭，下逮孔穎達、賈公彥、范寧諸儒注疏，王氏父子也多有駁正。阮元稱讚《經義述聞》所釋各條「使古聖賢見之，必解頤曰：吾言固如是，數千年誤解之，今得明矣」（註七三），焦循推許《廣雅疏證》「借張揖書，示人大路」（註七四），確實道出了王氏父子在訓詁方面的功績。

尤其應該重視的是，在《經義述聞》一書中，王氏父子還對訓詁規律作了初步的理論總結。歷來經學大師對經書的訓釋，大多滿足於隨文而釋，於義而安，只要能說通也就也可以了。王氏父子沒有僅限於此，他們在大量的訓詁實踐中，逐步覺察到，在那些看上去似乎是毫不相關、各不相同、複雜紛紜的現象後面，隱藏著某種帶有共同性的東西。譬如後人誤解經義，有的是由於所據爲誤本誤字，因而以訛傳訛；有的則是因爲不明假借，或不通語詞，以致曲爲之說，等等。王氏父子對此加以總結歸納，從《經義述聞》對群經字書所作的一千六百餘條訓釋中，抽繹概括出十二條通則，其中屬於經書本身訛誤的有「衍文」、「形譌」和「上下相因而誤」三種，屬於行文方面的有

「經傳平列上下二字同義」、「經文數句平列上下不當歧異」和「上文因下而省」三種，屬於後人誤解的有「經文假借」、「語詞誤解以實義」、「經義不同不可强爲之說」、「經文上下兩義不可合解」、「增字解經」和「後人改注疏釋文」六種。當然，這種總結還只初步的，不可能很完善，特別是古代訓詁校勘同出一源，二者關係十分密切，王氏父子在這裡概括的通則便包括有校勘學的內容，但它畢竟從眾多而零碎的例證中抽繹出了帶有普遍性的規律，使得傳統的以分散瑣細爲特徵的訓詁之學，具有了一定的理論性和較高的科學性。

㈢虛詞

清代學者對虛詞的研究，本來屬於訓詁學的範圍，但隨著當時聲音文字訓詁之學的高度發展，這類研究，事實上已經超出了訓詁學的範圍，而具備了一定的語法學研究的意義，王引之的《經傳釋詞》，便是其中的代表之作。

所謂虛詞，就是古人在屬辭造句時，爲了聯結語言單位或表達某種語氣的需要而加上的一些沒有實在意義的語詞，它是古漢語特有的一種語言現象。虛詞的產生和使用很早就出現了，但人們對它的認識和研究，卻經歷了一個相當長的過程。遠在漢代，經學家在傳注經書時，就曾對經籍中的一些虛詞作過詮釋。《爾雅》、《說文》等字書中，也有訓釋虛詞和實詞的條文，但這些注釋都比較零散，不成系統，並沒有自覺地把虛詞和實詞區別開來，以實義訓釋虛詞的現象屢屢可見。此後，歷代也有一些比較重視虛詞的學者，南朝劉勰在《文心雕龍・章句篇》中對虛詞的特點及其在句中的位置、功用作過闡述；唐代柳宗元第一個把助字分爲疑詞和決詞兩類，但他們都是從屬辭作文的角度來談論虛詞的，還談不上對虛詞的系統研究。直到元末，學者才比較自覺地看到虛詞和實詞的區別，盧以緯的《語助》是第一部研究虛詞用法的專著。清初。袁仁林的《虛字說》、劉淇的《助字辨略》繼之而起，把虛詞的研究又推進了一步。這些著作，在虛詞研究史上自然有著篳路藍縷之功，但都顯得比較粗糙，在解釋、舉例、分類等方面都存在著不少問題。且由於各種條件的限制，它們雖曾得到刊行，但卻流傳不廣，鮮爲人知，其影響所及，也就微乎其微了。

乾嘉年間，聲音文字訓詁之學空前發展，既提出了虛詞研究的任務，也爲虛詞研究創造了條件。王引之在研討群經字書的實踐中，發現前人以實義訓釋虛詞，往往詰䪥爲病，心中頗存疑問。及至聽到王念孫訓《詩經》「終風且暴」之「終」爲「既」，把「終」看作是一個虛詞，從而徹底解決了以往學者或以「終日風」、或以「西風」等實義訓解或造成的扞格不通現象，頓時大受啟發，他將其「奉爲楷式」，廣泛搜討九經三傳及周秦西漢古書中的虛詞加以訓釋，著《經傳釋詞》十卷。我國古代漢語虛詞的研究，至此達到了一個高峰。

王引之對虛詞的性質有著明確的認識，他指出：「經典之文，字各有義，而字之爲語詞者，則無義之可言，但以足句耳」（註七五）。這一見解，比起他的前輩如袁仁林、劉淇諸人，儘管也認識到虛詞「無義」的特點，但或多從表達角度談虛詞，或把實詞活用包括在內等看法，顯然進了一步。王引之以此爲指導，對古籍中的虛詞進行了廣泛的探討和研究，糾正了許多前人牽強附會的錯誤解釋。茲以「思」字爲例。「思」字在《詩經》中多處出現。如《思文》：「思文后稷」；《關雎》：「寤寐思服」；《漢廣》：「不可休思」等等，或用於句首，或用於句中，或用於句末。毛《傳》僅釋「不可休思」一處，云：「思，辭也」；鄭《箋》則多以「思念」之義釋之（註七六）。如果將上文聯繫起來考察，那麼他們的解釋，或不甚了了、或難以成立。王引之根據詞類劃分標準，首先確定「思」是一個「無義」的虛詞。然後進一步尋繹它「足句」的功能和特點。他認爲：「思文后稷」的「思」是發語詞；「寤寐思服」的「思」是句中助詞；「不可休思」的「思」是語已詞（註七七），按照他的解釋，文義就顯得通順多了。值得注意的是，從王引之對虛詞用法所作的諸多概括中，可以看到他已具有初步的分類思想。如「發語詞」、「語已詞」、「句中助詞」等可視爲助詞類；「狀語之詞」、「狀事之詞」等可視爲形容詞類；「連及之詞」、「承上啓下之詞」、「假設之詞」等可視爲連詞類；「嘆詞」又可另立一類，這些都與今天的虛詞分類有不少相同之處。較之此前的虛詞著作，如劉淇《助字辨略》把虛詞分成三十類，甚至連「重言」、「省文」、「方言」、「例文」、「實字虛用」等皆各爲一類，王引之的虛詞分類思想顯得更爲嚴密，也更具有科學性。

王引之對古漢語虛詞研究的貢獻，不僅僅表現在他對虛詞的理論認識已大大超越了前人，而且還表現在他對虛詞的具體訓釋方法有著更多的獨創。

因音求義，是王引人訓釋虛詞的主要方法。《經傳釋詞》的編排體例是以聲爲綱，全書所收一百六十個虛詞。按守溫三十六字母的順序「分字編次」：一至四卷爲喉音字，卷五爲牙音字，卷六爲舌音字，卷七爲半舌、半齒音字，卷八、九爲齒音字，卷十爲唇音字。王引之把那些因聲同、聲近、聲轉而意義相同或相近的虛詞集中在一起。便於了解虛詞的意義和探尋其發展演變的軌跡。如卷四「惡」、「烏」、」、「侯」、「遐」、「瑕」、「號」、「曷」、「害」、「盍」、「蓋」、「闔」諸字，都有「何」的意義。從聲母來看，「何」在匣母，「惡」、「烏」在影母，影母與匣母同類，因而「惡」、「烏」、與「何」是聲轉義同；「侯」、「遐」、「瑕」、「號」、「曷」、「害」、「盍」、「蓋」、「闔」都屬匣母字，與「何」則是聲同義通。對這些形體差別很大的虛字，王引之從聲音入手，尋求它們之間的共同點，從而揭示出它們在意義上的相互聯繫，這眞可以說是「振裘提領」、「舉網挈綱」了。

王引之還運用因音求義的方法，直接探索虛詞詞義及其用法。古書中的虛詞，常常借用音同或音近的實字來代替，因而往往出現異字同義現象。遇到這種情況，王引之就特別注意從聲音上來加以考察。如對「直」字的訓釋：「直」，猶「特」也、「但」也。《禮記・祭義》曰：「參直養者也，安能爲孝乎？」文十一年《穀梁傳》曰：「不言帥師而言敗，何也？直敗一人之辭也」；《孟子・梁惠王篇》曰：「直不百步耳！是亦走也」；《莊子・德充符篇》曰：「某也直後而未往耳！」「直」、「特」古同聲，故《詩・柏舟》：「實維我特」《韓詩》「特」作「直」；《史記・叔孫通傳》：「吾直戲耳！」《漢書》「直」作「特」（註七八），黃侃先生曾說，古籍中的虛詞，除特造之字外，「常用之詞，類多通假，惟聲音轉化無定，如得其經脈，則秩然不亂」（註七九）。王引之正是從聲音入手，把握虛詞轉化的經脈，因而能使各個虛詞，「雖或類聚群分」，而無不「同條共貫」。

「比例而知，觸類長之」（註八〇），是王引之訓釋虛詞的又一重要方法。此即通過比較同一類型詞例，來確定其意義和用法，然後根據已知的例證，推之於其他同類詞的訓釋。這實際上也是歸納和演繹相結合的方法。如對「與」字的訓釋，《史記・貨殖傳》：「智不足與權變，勇不足以決斷，仁不能以取予」。《漢書・楊雄傳》：「建道德以爲師，友仁義與爲朋」。在這兩組相同的句式中。「與」和「以」可以互用，表示同一意義。因此，王引之得出結論說：「與，猶以也」。並進而據此類推，探究跟「與」字結合使用的其他詞的意義。《論語・陽貨》：「鄙夫可與事君也與哉」！皇侃疏云：「言凡都鄙之人不可與之事君」，邢昺疏並同，這就是把「與」字當作表示行爲對象的介詞來解釋了。王引之認爲，既然：「與」可訓爲「以」

，那麼「可與」也可訓爲「可以」，這裡的「可與」，正當作「可以」解釋。他列舉顏師古《匡謬正俗》「孔子曰：鄙夫可以事君也與哉」，《文選・東京賦》李善注「《論語》曰：鄙夫不可以事君」，兩條皆變「與」爲「以」的材料，證明「可與」訓爲「可以」，是與文義完全相合的（註八一）。

在絕大多數情況下，王引之訓釋虛詞，往往把「因音求義」和「比例而知，觸類長之」這兩種方法同時並用，使得他的訓釋和結論具有很強的說服力。如對「能」字的訓釋：「能」，猶「而」也，「能」與「而」古聲相近，故義亦相通。《詩・芄蘭》曰：「雖則佩觿，能不我知。」「能」當讀爲「而」，「雖則」之文，正與「而」字相應。《趙策》：「建信君入言於王，厚任葺以事能重責之」。「能」並與「而」同。《韓詩外傳》：「貴而下賤，則眾弗惡也；富能分貧，則窮士弗惡也；智而教愚，則童蒙者弗惡也」。崔駰《大理箴》：「或有忠能被害，或有孝而見殘」。「能」，亦「而」也(註八二)。

《經傳釋詞》一書，以它獨創的見解和豐富的材料，對虛詞的各種意義和用法作了細緻分析解釋。使古書許多詰籥不通、文意難解之處，渙若冰釋，因而得到了當時學者的普遍讚揚。陳壽祺說：「壽祺束髮受經，稍長有知，即頗疑篇中語詞，依注家所釋，案之本文，往往有前後不能相通，彼此不能相應者。眾難塞胸，由童而艾，尙未曉冷。……今讀閣下之書，乃昭然曠若發蒙，其所以牖迪來學，豈微淺哉」（註八三）！胡培翬認爲：「學者誠能即是書熟復而詳考之。則於經義必無扞格，而讀史、讀子、讀古書，無不迎刃以解矣」（註八四）。阮元更讚嘆說：「恨不能起毛、鄭、孔諸儒而共證此快論也」（註八五）。這些評論，確實反映了時人閱讀《經傳釋詞》以後的共同感受，以及學者對此書的推崇。然而，用我們今天的眼光看來，《經傳釋詞》的作用還不僅在於有助於具體的讀通古書一方面，而且具有更深廣的意義，儘管王引之研究虛詞，仍是從訓詁的角度出發的，但實際上他對虛詞的理論認識以及他所使用的釋詞方法，都已經超出了訓詁學的範圍。而進入了古漢語虛詞研究的領域，這對後世產生了深遠的影響，我國第一部論述古漢語語法的專著《馬氏文通》，以及近代至今各種研究虛詞的專著，都無不受到王引之研究方法的啟迪，也無不從《經傳釋詞》一書中吸取了豐富的營養。近代學者，多認為王引之已具有初步的文法思想，並把《經傳釋詞》譽為我國古漢語虛詞研究的里程碑，這是不無道理的。

㈣校勘

校勘是訓詁的前提，沒有精確的校勘，訓詁就失去了可靠的基礎。古書在長期的流傳過程中，由於傳鈔的錯訛、刊刻的疏漏，甚至主觀隨意的竄改，很多已不是它的原貌了。如不下一番校勘考證的工夫，則非「多誣古人」，即「多誤今人」（註八六）。王氏父子對先秦兩漢的古書作了細緻的校訂比勘，糾正了不少脫衍譌誤之處，在很大程度上恢復了古書的原貌。這些成就，在「王氏四種」中的《廣雅疏證》、《經義述聞》都有反映，而集大成者，當推《讀書雜志》一書。

校勘的方法，一般說來，不外對校、本校、他校、理校四種。從《讀書雜志》中可看到，王氏父子對這些方法的運用，都十分得心應手。

所謂對校，就是用一同部書的各種版本相互比勘，發現異同，擇善而從。王氏父子校勘群書，特別注意搜集各種版本，包括校注本等有關所校書的材料。每校一書，首先盡可能地掌握是書的版本情況（包括校注本），從中選出最善者作為底本，然後對照其他版本或校注本，參互比較，核其異同，進而定其是非。如《墨子》一書，自其成書以後，沒有人作過注釋，也沒有校本，脫誤訛譌頗多，難以卒讀。

直到清代，才有盧文弨、孫星衍、畢沅對其作了校訂，但這些校訂都不完備，且有不少誤改誤釋之處。王念孫搜集各種傳刻之本，參互比較，確定「道藏本爲最優」，然後以此爲底本。參照盧文弨、孫星衍、畢沅所校者，「復合各本」，「詳爲校正。」（註八七）基本上恢復了《墨子》一書的原貌。其後孫詒讓作《墨子閒詁》一書，很多地方就利用了王念孫的校勘成果。

再說本校，此即依據所校書本身的行文之例以及遣詞造句的風格，比較其前後異同，從而斷定其中的錯誤。古人屬辭作文，往往有一定的語言習慣，每一時代的文字風格，每一作者的遣詞特點，都是有跡可尋的。根據所校書本身的文例以及它的語言習慣，來訂正該書的訛誤，同樣也能收到顯著的效果。王氏父子每校一書，都反覆琢磨，力求發現和掌握本書的特點，而後用之於該書的校勘。如《荀子·天論》：「若夫心意脩，德行厚，知慮明」。王念孫認爲：「心意」當爲「志意」，字之誤也。《荀子》書皆言「志意脩」，無言「心意脩」者。爲了證明這一點，他列舉了《荀子》一書中很多類似的文句。《修身篇》：「志意脩則驕富貴」；《富國篇》：「脩志意，正身行」；《榮辱篇》：「志意致脩，德行致厚，智慮致明」；《正論篇》：「志意脩，德行厚，知慮明」。繼而指出：這些材料都可以證明「心意」當爲「志意」之誤。他特別強調，《正論篇》的記載和《天論》此句是完全一樣的，因而「心意」當爲「志意」，也就更確鑿不移了。（註八八）

至於他校，則是以他書校本書。凡所校書籍，其材料有採自前人書中之處，校勘時便可用前人的書來校；有被後人的書引用之處，則可用後人的書來校。同一材料有爲同時代的書所並載的，還可用同時代的書來互相勘校。王氏父子校勘群書，十分善於使用他校法。他們廣搜博採所校書涉及到的各種書籍及其材料，比勘校訂正譌訂訛。如司馬遷的《史記》一書，曾「據《左氏》、《國語》、采《世本》、《戰國策》、述《楚漢春秋》」（註八九）。廣泛參考利用了先秦古書及當時的史籍。而班固的《漢書》，其中一部分又使用了《史記》的材料，因此，王念孫校勘《史記》，或用《左傳》、《戰國策》等先秦古書以證其誤，或據《漢書》以訂其譌，糾正了《史記》的不少錯訛，又如《左傳》、《國語》，號稱「春秋內外傳」，成書年代相近，所記之事又多相同，王引之校勘《左傳》，則引證《國語》；校勘《國語》又引證《左傳》，相互比勘，訂其譌舛。在使用他校法時，王氏父子還特別重視類書的材料。古代學者，常常鈔寫古書全文或有關章節，按類或按韻彙編在一起，以備查考。由於古書在傳鈔翻刻過程中常出現訛誤，相比之下，一些較早出現的類書，有時反而更多地保留了原書面貌。因此，諸如唐魏徵的《群書治要》、宋李昉的《太平御覽》等類書，都成了王氏父子藉以校勘的重要依據。這在《讀書雜志》中，是觸目皆見，不勝枚舉的。

對校、本校、他校而外、尚有理校，即據理推測所校書之正誤，這是諸種校勘方法中難度最大的，它不僅需要有廣博的知識，還要有精審的裁斷。王氏父子既具有文字、音韻、訓詁等各方面的淵博知識，又長於裁斷，因此，在他們運用理校方法校釋群書時，往往能旁徵博引，左右逢源，做到「凡舉一誼，皆塙鑿不刊」（註九〇）

如《淮南子・脩務》：「今以爲學者之有過，而非學者，則是以一飽之故，絕穀不食；以一蹪之難，輟足不行，惑也」。高誘注云：「言以飽而不食，蹪而不行」。王念孫認爲：「以一飽之故絕穀」，義不可通。「飽」當爲「餰」，字之誤也（高誘注並同）。「餰」與「噎」同，《說文》：「噎，飯窒也，字又作饐」，《漢書・賈山傳》：「祝餰在前，祝鯁在後」。顏師古曰：「餰，古饐字」。一饐而不食，與一蹪而不行（高注：蹪，躓也），事正相類。《說苑・說叢

篇》：「一噎之故，絕穀不食；一蹶之故，卻足不行」，語即本於《淮南》。今俗語猶云：「因噎廢食」。（註九一）

又如《左傳・莊公十八年》：「皆賜玉五瑴，馬三匹」。王引之認爲「三」字當爲「四」字之誤，他從三個方面予以了證明。一證以古文字：「三」，當爲「亖」，　古「四」字，脫去一畫耳。二證以典制：古無以三馬賜人者。《文侯之命》曰：「用賚爾馬四匹」。《小雅・采菽》曰：「君子來朝，何錫予之。雖無予之，路車乘馬」。乘馬，四馬也。《覲禮》曰：「天子賜侯氏以車服，路下四」，是也。禮：自上以下，降殺以兩，故侯之賜數不與公同。《昭六年傳》曰：「楚公子棄疾見鄭伯，如見王，以其乘馬八匹私面；見子皮，如上卿，以馬六匹；見子產，以馬四匹；見子大叔，以馬二匹」，是其例也。三證以典籍之記載：《竹書紀年》：「武乙三十四人，周公季歷來朝，王賜玉十瑴、馬八匹」。最後得出結論：「賜玉五瑴」者，馬當四匹矣。」（註九二）

類似這種綜合考校、識斷精審的刊誤訂正，在《讀書雜志》及王氏父子的其他著述中隨處可見，阮元譽其「一字之證，博及萬卷，折心解頤，他人百思不能到」。（註九三）郭沫若稱《讀書雜志》爲「考證學中之白眉、博洽精審，至今尚無人能出其右者」（註九四），是有一定根據的。

與王氏父子曾經對訓詁學進行過初步的理論性總結相似，在校勘學領域，他們沒有僅僅停留在對古書一字一句、零篇碎簡的校訂比勘上，而是由流及源，進一步探尋了古書致誤的因由。在《淮南子內篇雜志》中，王念孫從傳寫譌脫和後人妄改兩個方面，總結出了數十條古書訛誤的通則。儘管王念孫僅以《淮南子內篇》爲例，但《讀書雜志》所校各書訛誤，幾乎無不可納入此範圍，它不僅對全書起到了提綱挈領的作用，而且使以往頭緒紛繁、漫無規則的古書校勘，具有了初步的條理和系統。其後，俞樾承繼王氏父子對訓詁、校勘所作的總結，進一步加以推闡，著《古書疑義舉例》八卷，遂作爲清代訓詁校勘學理論總結的代表作，至今仍是從事古籍整理校釋工作的必要參考書。

五

在長期的學術研究中，王氏父子逐漸形成了自己特有的治學風格。歸納起來，大致有以下幾個方面：

其一，博大精深。孫詒讓評論王氏父子說：「乾嘉大師，唯王氏父子郅爲精博」（註九五）。這「精博」二字的斷語，下得十分準確。王氏父子對大量的古書進行了比較系統的整理，特別是對先秦兩漢的典籍，幾乎是無所不涉。僅《經義述聞》和《讀書雜志》所包括的經史子集各種古籍便達數十種之多，在他們的其他著作和近代發現的未刊遺稿中，還可看到王氏父子對《爾雅》、《說文》、《楚辭》、《文選》、《易林》等書，都曾作了專門的研究。他們不僅在聲音文字方面有著很深的造詣，而且對史事、典制、名物、輿地乃至古代的民情風俗，都是相當熟悉的。王氏父子以其廣博的學識爲基礎，專精於某一領域、某一專題的研究，往往深造有得，發明獨多。如王念孫的《廣雅疏證》，實集聲音、文字、訓詁、校勘以及名物典制、山川地理等各方面學識之大成，得到了當時學者「注優於經」的稱讚。又如王引之的《經傳釋詞》，時人也認爲「非博綜乎周秦兩漢之書，洞悉乎聲音、文字、訓詁之原」，是難以做到「專釋語詞虛字，闢前古未有之途徑」的（註九六）。至於王氏父子的其他著述，也無不都是他們深入研究的結晶。誠如陳奐所言：「精乃通，深乃靈，無入而不挈」（註九七）。可以說，博而能精，既博且精，是王氏父子治學的特點之一。

其二，貫通裁斷。博覽群書，精研傳注，必須要能進能出，融會貫通，把那些分散零碎的知識聯繫起來，才能做出創造性的貢獻。王氏父子是十分强調貫通的，認爲「經之有說，觸類旁通，不通全書，不能說一句；不通諸經，亦不能說一經」，因而能夠旁推交通，左右逢源。王氏父子的這一點，清代學者已有定評。阮元說《廣雅疏證》「引伸觸類，擴充於《爾雅》、《說文》之外，似乎無所不達」（註九九）；焦循稱《經傳釋詞》「四通九達，迥非貌爲古學者可比」（註一〇〇）；姚永概評《經義述聞》和《讀書雜志》「能抉發千載之滯鬱，使讀古書者變絀曲爲大通，豁然若疾病之釋體」（註一〇一）。汪中曾經「論次當代通儒姓氏僅八人」（註一〇二），而王念孫、王引之父子均在其列。

比求通更爲可貴的是，王氏父子在排比綜合了各種材料之後，能夠做出自己的裁斷。江永曾說：「著述有三難：淹博難，識斷難，精審難」（註一〇三）。而比較起來，「識斷」和「精審」更難，因爲它不僅需要「好學」，更重要的是還要能夠「深思」。以惠棟爲首的吳派學者，雖然也「好博而尊聞」，但大都是「陳義爾雅，淵乎古訓是則」（註一〇四），一惟古人是賴，缺乏自己的見解。王氏父子繼承了戴震「綜形名，任裁斷」的治學特點，對於紛繁的資料，「精思以審之，偉識以斷之」（註一〇五）。善於分析，長於斷制，往往要待作出結論而後已。章炳麟說皖派學者具有「分析條理，皆 密嚴瑮，上溯古義，而斷以己之律令」的獨特風格（註一〇六），這在王氏父子的著作中，得到了很好的反映。

其三，謹嚴篤實。王氏父子治學强調實事求是，絕不「出於空言以定其論，據於孤證以信其通」（註一〇七）。在方法上，則注重從個別到一般，再由一般推之於個別。這種較爲嚴密的邏輯方法和實事求是的態度相結合，構成了王氏父子治學認眞嚴謹、一絲不苟的特點。他們的研究，往往從基礎工作開始做起，不惜付出巨大的精力和辛勤的勞動。爲了準確地訓釋古書，王氏父子不殫其煩，對先秦兩漢學者的訓詁，進行了綜合考校和系統整理，或把某一字義及前人解釋彙集起來，以備採擇，如《釋大》；或把群書訓詁一一輯出，分類列表，以便查考，如《雅詁表》（註一〇八）。王氏父子所取得的成就，與他們經年累月搜集、整理材料的篤實工夫是分不開的。乾嘉學派以其樸實的學風見長，王氏父子無疑是其中的佼佼者。

其四，歸納總結。王氏父子在治學過程中，對於自己所研究的問題，並不滿足於就事論事，以解決某些具體問題爲歸宿。而是重視並善於從普遍的現象中，尋找出共同的規則和釋疑解惑的鈐鍵。在他們的著述中，諸如古韻二十二部分類體系的提出，「詁訓之旨，本於聲音」法則的確立，關於虛詞特點、功能、分類的闡述，以及對古書訛誤因由的總結、訓詁條例的概括等，都是他們對大量的現象進行充分的總結歸納後所得到的結果。應該說，這在王氏父子的學術成就中是最爲重要的，它對清代音韻、訓詁、校勘學的發展以及後世語言文字等專門學科的建立和進步，都產生了很大影響。

與任何一個卓有成效的學者總有他的不足之處一樣，王氏父子的學術研究，也存在著一些缺陷。

在古音研究方面，王氏父子都未能致力於聲類的探討，清代學者研究古音，大多潛心於建立古韻分部體系，而對聲類的研究沒有給予應有的重視。這種狀況的出現，不僅因爲古音聲類的研究比較困難，不像韻部那樣有大量的上古詩歌、韻文作爲依據，可以直接考求；還在於清代學者從訓詁明經的角度研究古音，聲類對訓詁考據的意義，不如韻部那樣重要；再加上當時整個研究水平的限制，所以，對上古聲類的探討，遠不及韻類的充分。這種由時代以及研究目的和方法帶來的局限，也反映在王氏父子的學術研究中。王念孫疏證《廣雅》，對「聲同」、「聲近」的區分往往不很嚴格，造成了一定的混亂。如《釋詁》：「嬸，好也」，王念孫疏云：「畜、孝、好聲並相近」（註一〇九）但對《釋言》「孝，畜也」，王念孫卻說：「孝、畜古同聲」（註一一〇）。同爲一組詞，於此言「聲同」，於彼卻言「聲近」，這與王氏父子疏於聲類的研究，恐怕是不無關係的。

在訓詁方面，王氏父子過分强調了因音求義方法的重要性。「就古音以求古義」這一方法的提出和使用，對推動清代訓詁學的發展，無疑起了重要作用。但由於「聲音之爲物也，廣漠無涘，未可準依」（註一一一），因而因音求義的方法本身極易流於隨意通轉，任意破讀，甚至輕易使用「一聲之轉」或「音近義同」的說法，來取代訓詁考證所必須的大量根據和嚴格論證。如果說王念孫在使用因音求義的方法時還比較嚴謹慎重，那麼，王引之則不免偏執一端，發展了這一方法本身的缺點，以至出現了一些錯誤。他在訓釋古人名字時，就有隨意破讀假借字的現象。如「魯冉孺字子魯」，「魯」字據《說文》的記載，是「鈍」的意思。爲了使「孺」與「魯」的意義一致起來，王引之對「孺」字作了一番這樣的解釋：「孺與濡通。《孟子・公孫丑篇》：『三宿而後出晝，是何濡滯也』，趙岐注曰：『濡滯，猶稽也。既去留於晝三日，怪甚猶久』。濡之言需也。需，《彖傳》曰：『需，須也』。《雜卦傳》曰：『需。不進也』，是濡爲遲鈍也」（註一一二）。這樣一來，「孺」與「魯」的意義似乎統一起來了，但如此隨意通轉而得出來的結論，很難說有多大的根據，有時，王引之甚至還根據這種隨意通轉所得的結論，輕改原文。如「陳公良孺字子正」，王引之在將「孺」讀爲「濡」又讀爲「需」，解爲「不進」之意後，見「正」字沒有這一意義，便武斷地認爲：「『正』當爲『止』，字之誤也」（註一一三）。這就不免流於臆改了。其後胡元玉作《駁春秋名字解詁》，俞樾作《春秋名字解詁補義》，對此都有所駁正。至於《經傳釋詞》以及王氏父子的其他著作中，也或多或少有濫用通轉，隨意破字的現象。清代學者批評王氏「喜言聲近」，「專取同音之字爲說者，頗不免輕易本字之失」（註一一四），甚有視王氏父子爲後來輕言假借、任意改讀的始作俑者，雖不免過甚其辭，但也確實切中了其弊病。

在虛詞研究方面，王引之對虛詞的歸類和訓釋，也頗有粗糙之處。他在搜集先秦兩漢古籍中的「助語之文」時，將一些詞義較虛的代詞如「之」、「其」、「彼」、「厥」、「此」等以及意義較爲抽象的動詞如「爲」、「如」等，也一一收入《經傳釋詞》一書。他訓釋虛詞，也多採取直訓法，即「某，猶某也」，滿足於上下文的契合，而未能說出所以然來。如「矧」，是一個既可作轉接連詞、又可作副詞使用的虛詞，前者相當於「況」，後者則相當於「亦」或「又」之義。在《經傳釋詞》中，王引之對「矧」字作了這樣的訓釋：「矧，《爾雅》曰：『矧，況也』。常語。矧，猶『亦』也。矧，猶『又』也」。王引之對「矧」字用法的概括是正確的。但他也只到此爲止，而未能作更進一步的探究，揭示出「矧」這一虛詞作不同用法時所具有的不同性質。

在校勘方面，王氏父子特別是王念孫，好據類書或他書的引文來改動本文，利用類書或他書的引文與本文對校，這是校勘古籍訛誤的重要方法。但是，王氏父子往往偏重於刊正古書傳世之本的訛誤，而忽視了他們藉以作爲校勘依據的類書或他書引文本身所存在的問題。古人引書，並不完全照抄原文，有的節略其辭，有的取其大意，再加上抄錄和流傳的過程中，也會出現一些訛誤。如果僅以類書或他書引文爲據，而不參之其他材料，便輕意改動本文，那就難免出現臆改之弊了。如《大戴禮記・衛將軍文子篇》：「業功不伐，貴位不善」。王念孫認爲：「業功，當依《（孔子）家語》作美功，字之誤也。『

美功』與『貴位』對文」（註一一五）。這裡，王念孫僅據《孔子家語》的一條孤證，就草率地下了結論。其實，「業」本身就有大的意思，《爾雅》：「業，大也」，「業功」就是「大功」，與貴位」同樣相對爲文。而《孔子家語》中的「美功」，倒是值得懷疑的，對於王氏父子的臆改之弊，清代至今，學者都多有批評。朱一新說：高郵王氏父子校勘經傳古籍「往往據類書以改本書，則通人之弊，若《北堂書鈔》、《太平御覽》之類，世無善本，又其書初非爲經訓作，事出眾手，其來歷已不可恃。而以改數千年諸儒斷斷考定之本。不亦傎乎」？（註一一六）姚永概說：「古書訛脫至不可讀，好古者搜採他本或類書注語之引及者，讎校而增訂之，於是書誠有功矣，若其書本自可通，雖他書所引，間有異同，安知誤不在彼，能定其孰爲是非哉？王氏信本書之文，不及信《太平御覽》、《初學記》、《白帖》、《孔帖》、《北堂書鈔》之深，斯乃好異之弊」（註一一七）。裴學海還將王氏父子著述中類似的條件收集在一起，分爲「不知當各依本書作解誤據他書訂正者」和「誤據後人引古書而失眞之文以訂正不誤之原文者」兩類，責其「忽於審證，校釋不妥」（註一一八）。這確實抓住了王氏父子在校勘上所存在的問題。

至於王氏父子在考證中引用的材料過於繁瑣，羅列的證據近於堆砌，對經傳古籍的訓詁校勘也未必盡然可靠，誤訓誤校之處時或有見。這些，前人已多有指出，這裡就不再論及了。

在中國學術發展史上，清代漢學是一個總結階段，王氏父子以及一些乾嘉學者提倡的治學宗旨，强調的治學態度，使用的治學方法，既是對以往歷代學術的總結，又是特定歷史條件下學術的發展，儘管它最終並未擺脫封建傳統學術的框框，且本身也有諸多弊病，但畢竟表現了樸素唯物主義的傾向，具有一定的近代科學精神的萌芽，而王氏父子和乾嘉學者從事的音韻、文字、訓詁、校勘等方面的研究，不僅大大促進了這些專門學科本身的發展，而且也對中國古代典籍作了一次大規模的整理，在很大程度上弄清了句讀文意，剔除了歪曲誤解，爲我們今天批判地繼承了歷史文化遺產提供了方便。誠如郭沫若所說：「欲尚論古人或研討古史，而不從事考據，或利用清儒成績，是舍路而不由」。（註一一九）

乾嘉漢學給後世的影響是深遠的，王氏父子尤爲突出、直至清末，在封建社會日趨動盪、變革呼聲日益增高的情勢下，漢學的餘波仍未止息，並且還出現了俞樾、孫詒讓、王國維、章炳麟等學術大家。儘管由於時代的變化，他們的學術宗旨、研究領域、治學方法以及學術成果都有不同於乾嘉漢學之處，但仍可以看出，他們都不同程度地受到王氏父子及其他乾嘉學者的影響，繼承了漢學家的學術風格和研究方法。近代至今，許多學者所取得的學術成果，也都或多或少地得力於乾嘉漢學。

以王氏父子諸人爲代表的乾嘉漢學，在清代乃至中國的學術史上占有重要地位。但長期以來，對這一課題的研究尚不充分，存在的問題也較多。本文試圖從學術史的角度。對王氏父子的治學宗旨、態度、方法和學術成就、特點及其局限等問題作些粗淺的探討，以期起到拋磚引玉的作用。不當之處，敬祈指正。

【附註】

註　一　王念孫《王石臞先生遺文》卷二，《群經識小序》。

註　二　王壽昌《伯申府君行狀》，收入《高郵王氏遺書》。

註　三　《亭林文集》卷四，《答李子德書》。

註　四　《九經古義述首》。

註　五　《戴震文集》卷十，《古經解鉤沉序》。

註　六　王引之《王文簡公文集》卷四，《詹事府少詹事錢先生神道碑銘》。

註　七　《王石臞先生遺文》卷二，《段若膺說文解字讀序》。

註　八　《王文簡公文集》卷三，《道光元年辛巳恩科浙江鄉試錄前序》。

註　九　同上。

註一〇　《漢學商兌》卷中之下。

註一一　《章氏遺書》卷四，《答沈楓墀論學》。

註一二　《許鄭學廬存稿》卷六，《與伯申尙書》。

註一三　《春在堂全書・第一樓叢書》之四，《春秋名字解詁補義》。

註一四　《王念孫訓詁的意義》，載《東方學》第六十五輯，一九八三年。

註一五　《柏堂集》後編卷三，《校刊漢學商兌、書林揚觶敘》。

註一六　章學誠《文史通義》內篇，《博約中》。

註一七　《章氏遺書》卷四，《與汪龍莊書》。

註一八　《戴震文集》卷九，《與某書》。

註一九　錢大昕《潛研堂集》卷三十九，《戴先生震傳》。

註二〇　《王石臞先生遺文》卷二，《汪容甫述學序》。

註二一　同上，《群經識小序》。

註二二　《漢學商兌》卷上。

註二三　《王石臞先生遺文》卷二，《拜經日記敘》。

註二四　《王文簡公文集》卷四，《與焦理堂先生書》。

註二五　王引之《經義述聞・序》引。

註二六　湯金釗《王公墓志銘》，收入《高郵王氏遺書》。

註二七　王引之《經義述聞・序》。

註二八　汪喜孫《從政錄》卷一，《再示左生書》。

註二九　《太炎文錄初編》卷一，《說林下》。

註三〇　《戴震文集》卷四，《與王內翰鳳喈書》。

註三一　《經義述聞》卷三，「光被四表」條。

註三二　《廣雅疏證》，《釋詁》。

註三三　《經義述聞》卷一，「大畜，時也」條。

註三四　徐世芬《王公事略狀》。

註三五　《戴震文集》卷九，《答鄭丈用牧書》。

註三六　《王石臞先生遺文》卷四，《與劉端臨書》。

註三七　《經義述聞》卷二十三。

註三八　《漢書》卷五十三，《河間獻王傳》。

註三九　梁啟超《清代學術概論》。

註四〇　《漢學商兌》卷中之上。

註四一　《清代學術概論》。

註四二　《胡適文存》，《清代學者的治學方法》。

註四三　參見蕭璋《王念孫父子治學之精神與方法》，載《思想與時代》第三七期，一九四四年；方俊吉《高郵王氏父子學之研究》，台灣：文史哲出版社，一九七四年。

註四四　王力《中國語言學的繼承和發展》，收入《龍蟲並雕齋文集》第二冊。

註四五　參見《廣雅疏證・釋訓》「都凡也」條；《讀漢書雜志》「提封」條。

註四六　《廣雅疏證・釋訓》「小惡也」條。

註四七　同上，「都凡也」條。

註四八　參見《廣雅疏證・釋訓》「猶豫也」條。

註四九　《王伯申文集補編》卷上，《先祿公壽辰徵文啟事》引。

註五〇　《廣雅疏證序》。

註五一　《戴震文集》卷九，《與姚孝廉姬傳書》。

註五二　王引之《經傳釋詞・序》。

註五三　朱琦《怡志堂詩文集》卷一，《辨學》。

註五四　張瑛《知退齋稿》卷一，《讀毛詩傳》。

註五五　《戴震文集》卷十，《六書音韻表序》。

註五六　《王石臞先生遺文》卷四，《答江晉三論韻學書》。

註五七　按：此前戴震曾獨立入聲韻部，但他從心目中的音理出發作主觀的推測，與王念孫、江有誥根據周秦兩漢古書用韻情況作客觀的歸納不同，參見主力《漢語音韻學》。

註五八　參見陸宗達《王石臞先生韻譜合韻譜稿後記》，載《國學季刊》五卷二期，一九五三年。

註五九　《觀堂集林》卷八，《周代金石文韻讀序》。

註六〇　《黃侃論學雜著》，《聲韻略說》。

註六一　《廣雅疏證・釋詁》「微也」條。

註六二　《經義述聞・序》引。

註六三　《經義述聞》卷三十二，《經文假借》。

註六四　《經義述聞》卷二十五。

註六五　《訓詁學上的一些問題》，收入《龍蟲並雕齋文集》第一冊。

註六六　《讀書雜志》卷十六，《讀漢書雜志》。

註六七　《讀書雜志》卷十六，《讀漢書雜志》。

註六八　《廣雅疏證・釋詁》「高也」條。

註六九　《經義述聞》卷十七。

註七〇　《清代學術概論》。

註七一　《經義述聞》卷六。

註七二　同上，卷十四。

註七三　《經義述聞序》。

註七四　《雕菰樓集》卷六，《讀書三十二贊》。

註七五 《經義述聞》卷三十二，《語詞誤解以實義》。

註七六 參見《十三經注疏·詩經注疏》，「不可休思」，鄭《箋》則據誤本「不可休息」釋云：「木以高其枝葉之故，故人不得就而止息也。……或作『休思』，此以意改耳」。。

註七七 《經傳釋詞》卷八。

註七八 《經傳釋詞》卷六。

註七九 《文心雕龍札記》。

註八〇 王引之《經傳釋詞·序》。

註八一 《經傳釋詞》卷一。

註八二 同上卷六。

註八三 《左海文集》卷四，《答王伯申侍郎書》。

註八四 《研六室文鈔》卷七，《經傳釋詞書後》。

註八五 《經傳釋詞序》。

註八六 段玉裁《經韻樓集》卷十二，《與諸同志論校書之難》。

註八七 王念孫《讀墨子雜志敘》。

註八八 《讀荀子雜志》。

註八九 《漢書》卷三十二，《司馬遷傳》。

註九〇 孫詒讓《札迻·序》。

註九一 《讀淮南子雜志》。

註九二 《經義述聞》卷十七。

註九三 《揅經室續集》卷二之下，《王石臞先生墓志銘》。

註九四 郭沫若等撰，《管子集校》卷首，《引用校釋書目提要》。

註九五 《札迻·序》。

註九六 胡培翬《研六室文鈔》卷七，《經傳釋詞書後》。

註九七 楊峴《遲鴻軒集》卷二，《陳先生（奐）述》引。

註九八 《王文簡公文集》卷三，《中州試牘序》。

註 九 九　《王石臞先生墓志銘》。

註一〇〇　《與伯申書》，收入《昭代經師手簡》二編　。

註一〇一　《慎宜軒文》卷二，《書經義述聞、讀書雜志後》。

註一〇二　汪喜孫《容甫先生年譜》引。

註一〇三　《古韻標準・例言》。

註一〇四　章炳麟《訄書》，《清儒第十二》。

註一〇五　《研六室文鈔》卷六，《王石臞先生八十壽序》。

註一〇六　《訄書》，《清儒第十二》。

註一〇七　《戴震文集》卷九，《與姚孝廉姬傳書》。

註一〇八　參見王國維《觀堂集林》卷八，《高郵王懷祖先生訓詁音韻書稿敘錄》。

註一〇九　《廣雅疏證・釋詁》「好也」條。

註一一〇　同上《釋言》「畜也」條。

註一一一　楊樹達《積微居小學述林》卷六，《論小學書流別》。

註一一二　《經義述聞》，《春秋名字解詁》。

註一一三　《經義述聞》，《春秋名字解詁》。

註一一四　胡元玉《駁春秋名字解詁・敘》。

註一一五　《經義述聞》卷十二。

註一一六　《無邪堂答問》卷二。

註一一七　《慎宜軒文》卷二，《書經義述聞、讀書雜志後》。

註一一八　《評高郵王氏四種》，載《河北大學學報》一九六二年三期。

註一一九　《讀隨園詩話札記》。

——原載《清史研究》第五輯（北京：光明日報出版社，一九八六年十二月），頁二六七——三〇四。

論章學誠對乾嘉考據學的批判

劉益安

章學誠生活在十八世紀的四十年代至十九世紀初。這一時代的特點是：清王朝建立政權已有一百多年，其統治政權已進入相對的穩定時期。在農業、手工業、商業等社會經濟方面，有了一定程度的恢復和發展；在學術領域中，被當時統治階級所提倡的「漢學」成爲顯學，壟斷地統治著一切學術部門。

清王朝並不是一開始就提倡漢學的。漢學本身發展、演變的過程，與清王朝的文化政策（對廣大人民群眾進行封建統治政策的組成部份）的變更，有著密切的聯系。清統治者爲了鞏固自己新建立起來的政權，起初曾大力提倡宋明理學，特別是程朱學派中的消極因素，以此作爲束縛、壓抑人民群眾思想、行動的統治工具。他們熱心頒布《性理全書》、《朱子全書》以推廣理學傳統；升朱熹爲十二哲，以提高其社會地位；給予奉信程朱學說的「學者」以高官厚祿，以利誘天下士人。

至於爲統治階級提倡的宋學，在晚明就早已僵化了，成爲腐朽的東西，終難起死回生。與此同時興起的「實用之學」——又稱「樸學」，則是清初打擊的對象。他們大多是富有民族氣節的明末遺民或東林、復社的後輩，在武裝反抗運動失敗後，遁跡山林，以講學爲形式，以鑽研經世致用之學爲號召，隱然存在一股巨大勢力。清王朝除了企圖利用宋明理學來壓倒、制服這種新起的學派外，還更加露骨地使用高壓手段，大興文字獄來加以鎮壓。當時一言一字的稍失，就遭到殺身滅族的慘禍，其忌諱之多、文網之密，令人談虎色變，致使軟弱的地主階級知識分子，大部份屈服於這種淫威，紛紛鑽進故紙堆中，逃避現實。清統治者，看到他們所提倡的理學的虛僞性與欺騙性得不到預期的效果，文字獄也不是治本良方；而當時「大湊於說經，亦以紓死」的學術界消極現象，則引起他們新的興趣，使其文化政策從打擊「實用之學」轉變到提倡後來所稱的「漢學」。經過這一提倡，當時編纂、校勘以及與此相關係的文字、音韻等學，就成爲最流行的學問而盛行一時。它發展到乾嘉時代，已如日麗中天。後來的江藩稱它爲漢學，孫星衍等則稱之爲考據學。

章學誠對考據學的批判

漢學是我國歷史上存在的學派之一。它研究的對象、方法及治學的態度，有著與宋學不同的特點。考據也是我國歷史上存在的一種治學方法，它建立在形式邏輯原則上，作爲認識某一特定對象的過程中的初級階段上所適用的方法；但它不是唯一的，也不是認識任何對象，或貫穿於認識全部過程中的方法。清代乾嘉時盛行的「漢學」或「考據學」，既喪失了清初「實用之學」的經世致用的積極精神，也不同於一般所謂漢學、考據的內容。他們標榜的「漢學」，不過是「據一說廢眾說」的門戶之見；他們提出的考據學，則是盡力誇張到神秘化的地步，將它說成爲一切學問的學問，一切方法的方法。而實際上乾嘉時代的漢學，有著他自己的歷史特點，它是有著先天軟弱性的知識階層，在險惡的政治風浪下，借以逃避現實，作爲寄托精神、消磨歲月、躲避禍患的小天地，也正因此被清統治者有意地加以扶植利用，作進一步的歪曲而形成的產物，以致失去它具有的樸素作用，並完全喪失了清初經世致用之學的積極精神。所以當乾嘉「漢學」盛行之日，也是漢學本身蛻化變質之時；而考據從一般的方法，被作爲一個概括當時學風傾向的學派的名詞登上歷史舞台，正是漢學或「實用之學」被極度歪曲和畸形發展的標志。後代資產階級學者所盛稱的乾嘉學派的本質，並不是我國學術史上令人心情舒暢的一頁，許多才智之士，將自己畢生歲月，所有精力，葬送在故紙堆中。他們在漫長的年代內、艱苦的努力下，也作了不少工作，取得一定成績，但他們經歷了一段多麼曲折迂迴的路徑，付出多少慘痛的代價！魯迅先生在《花邊文學・算帳》篇中說：

> 談起清代學術來，有幾位學者總是眉飛色舞，談那發展是前代所未有的。證據眞夠十足；解經大作，層出不窮，小學也非常進步，史論家雖絕跡了，考史家卻不少，尤其是考據之學，給我們明白了宋明人沒有看懂的古書。……

魯迅對考據學的評價，與資產階級學者之間存在著很大的分歧，很清楚地說明了乾嘉學者之間存在著很大的分歧，很清楚地說明了乾嘉學術形成的歷史特點，這種被封建時代所歪曲了的「才智」的畸形發展，不是民族的幸事，不是值得贊美的康莊坦途，儘管資產階級學者眉飛色舞地在那裡稱讚著它的「科學精神」。

作爲審查、鑒別、考訂資料的考據方法，在學術研究過程中，是具有一定的作用的，不能也不應全部排斥。但在十八世紀清王朝政治逆流中所產生並在它的反動文化政策下所形成的漢學和考據學的道路，則是應該否定的。它的學風特點是：森嚴的門戶，煩瑣的方法，狹隘的範圍，復古的癖好，使得它內部存在著不可克服的矛盾，阻礙學術更進一步的發展，因而對它的批判，反漢學、反考據的思想，也是歷史的必然趨勢。在章學誠同時或前後，已經有不少人從不同的角度出發，來非難這種學風（註一）。但這些非議不能稱爲眞正的批判，因爲他們不是爲辭章之學爭學術地位，就是爲已過時的宋學謀復辟，站在門戶之見的立場上，從片面或從右的方面發出指責，以爭吵的方法，標榜所學，爭勝負氣，沒有對批評的對象作過歷史的考察和系統的理論分析。因而那些指責很難擊中要害，也顯得軟弱無力。

章學誠可貴的地方，是在漢學或考據之學的流弊尚未完全暴露於世的時候，就較早地、也較典型地體現了這一時代要求。他在反考據反漢學的思想中，最早的用嚴肅負責的態度，抱著爲學風糾偏救弊的目的，對漢學進行了系統的理論分析和較公正的全面批判，爲後起者作了理論準備，奠定初步基礎。但是他的一些見解，因爲受到當時政治、社會上的巨大反動勢力所壓抑，所以得不到應有的回響，沉沒在傳統的保守勢力的海洋中。這並不損害他思想的光輝和在歷史上應有的價值。當時所得的效果，並不是評價一種思想的價值的唯一標準。因爲思想的影響，不是如同在物質的傳遞那樣直接和有數可稽的，它是在長期的孕育醞釀過程中，顯示自己的深刻影響；甚至在對敵學派內部的修改、分化中表現內在的力量。如揚州學派的學者焦循等人，對漢學、考據的重新認識，就受到章學誠的啓發；尤其是常州學派經今文學的興起，以新的姿態對漢學、考據作了猛烈批判，他們的許多論點，明顯地受到章學誠思想的許多影響。

章學誠正處在漢學昌盛的時代，「休寧、高郵相與正訓詁、明音韻、考名物、核度數」（註二）的學術門路，已成成社會的權威，似乎是神聖不可侵犯。章學誠針對著這幾點，一一加以揭露和批判。

㈠關於典章制度的考古方面。這是考據學的重要內容之一，尤其是戴震學派，提倡治學從《三禮》入手。他說：

> 詁訓明則古經明……古聖賢之義理非他，存乎典章制度者也……松崖先生之爲經也，欲學者從事於漢經師之故訓，以博稽三代典章制度。（註三）

於是他們把古代典章制度的作用極力誇大，戴震曾說：

> 誦《堯典》數行，至「乃命羲和」，不知恒星七政所以運行，

則掩卷不能卒業；誦《周南》、《召南》自「關雎」而往不知古音，徒強以協韻，則齟齬失讀；誦古《禮經》先「士冠禮」，不知古者宮室、衣服等制，則迷於其方、莫辨其用；不知古今地名沿革，則《禹貢》《職方》失其處所；不知少廣旁要，則《考工》之器不能因文而推其制；不知鳥獸蟲魚草木之狀類名號，則比、興之意乖……。（註四）

在這個專門絕學的領域中，他們自命為有「神悟」，埋頭於「三代典章制度」的考古，除此以外，都不足為學。章學誠首先批判這種是己非人，大言欺世，將自己研究領域神秘化的學閥作風。他說：

如以此概人，必如其所舉始許誦經，則是數端，皆出專門絕業，古今寥寥不數人耳。（註五）

在這裡，他對「只此一家，別無分店」的漢學家，將學術當成自己的專利品，專橫地壟斷學術界的惡習，提出嚴正的抗議。

與典章制度的考古相聯繫的好古成癖，是當時漢學家特具色彩，也是社會崇奉的風尚。上自最高統治者以稽古右文自我標榜，言以近古為是，證以愈古愈好，通經服古是士人立身、處世和治學的最高標準。以惠氏為首的吳派治經，惟求古的目的和以古為是的尺度，是舉世共知的。皖派對三禮名物制度的考訂，其好古的程度，並不遜於惠氏，而煩瑣的傾向，更有過之而無不及。章學誠卻公開宣稱：

敝人不甚好古，往往隨人，慕而旋置之，以謂古猶今爾。至於古而有用，則幾於生命而殉之矣。（註六）

他進一步指揭露了當時盛行的好古風氣，反對那種：

學者但誦先聖遺言，而不達時王之制度，是以文為鞶帨絺糸之玩，而學為鬥奇射覆之資，不復計其實用也……學者昧於知時，動矜博古，譬如考西陵之蠶桑，講神農之樹藝，以謂可以禦饑寒而不須衣食也」。（註七）

他在這裏尖銳地批判了那種無目的的治學，無實際效用的考古。他認爲那種考證古代典章制度無補於實用的文字遊戲，不過一種奢移的裝飾品，供貴族們清賞的古玩而已。

他並在批判的同時，正面提出自己的主張：認爲對古代典制的考求，對古史的研究探索，必須首先通今。他意識到社會與歷史的一些關係，也隱約地意識到學術、政治、社會意識形態之間的一些相互關係。他說：

法顯而易守，書吏所存之掌故，實國家之制度所存，亦即堯舜以來，因革損益之實跡也，故……君子苟有志於學，則必求當代典章，以切於人倫日用，通於道術精微，則學爲實事而文非空言，所謂有體必有用也，不知當代必求官司掌故而言好古，不通掌故而言經術，則鞶帨之文，射覆之學，雖極精能，其無當於實用也審矣。（註八）

在另一處他又說：

所謂好古，非謂古之必勝乎今也，正以今不殊古，而於因革異同，求其折中也。（註九）

在這段話中，他雖然受到歷史和階級的限制，依然是主觀上站在統治階級「君子」的立場，也不可能認識到歷史發展的規律，但卻提出許多重要的觀點，如通今以博古的方法，歷史演變的觀點，學術與政治相通的主張，學以致用的目的。這些，與當時嗜古成癖的考據學家，形成鮮明的對比。他反對一切以三代爲最高標準的復古思想。他對古今關係等方面的一些見解，在當時社會的認識水平的條件下，不能不說是超過了他同時代的人，站在時代的前列。

㈡關於小學、音韻、訓詁方面。這一領域也是考據學家們認爲獨得之秘的絕學。戴震即說：

自漢以來，不明故訓音聲之原，以至古籍傳寫遞譌，混淆莫辨

。（註一〇）

他們認為：「詁訓明則古經明」，所以小學被認為是唯一的門徑和最高的學問，一部《說文解字》成為無上權威的聖典。戴震談到自己求學的經驗時說：

僕自少時家貧，不獲親師，聞聖人之中有孔子者，定六經示後之人，求其一經，啓而讀之，茫茫然無覺；……得許氏《説文解字》，三年知其節目，漸覩古人制作本始。（註一一）

這一經驗幾乎成為當時的金科玉律。戴震也被認為是千載不傳的絕學集大成的人，使得文字之學「千載沉霾，一朝復旦」（註一二）。學術的演進，有它的嬗遞和繼承。後世勝過前人，正是「學如積薪，後來居上」的正常規律。但過份地誇大就成為荒唐的現象。這種神秘莫測的非歷史的唯心主義論調，也只是為抬高自己學派地位的欺人之談。應當承認戴震為首的漢學家們在文字、音韻等方面，作出了一定的成績。因而他們也以此作為自己的主要資本，將小學抬高到凌駕其他一切學科之上，動斥別人為不識字，戴震說：

今人讀書尚未識字，輒目訓詁之學不足為，其究也，文字之鮮能通，妄謂通其語言，語言之鮮能通，妄謂通其心志。（註一三）

他們這裡所謂「識字」並不是一般認識一些字，其標準在「通」，其目的在於以小學權威的姿態，來壓倒一切。章學誠將這種見解擬之為「或曰：『聯文而後成辭，屬辭而後著義，六書不明，《五經》不可得而誦也』」（註一四）。在漢學家們的眼光中，世人盡屬不識字者，能夠「通文字」、「明六書」的，只有他們自己少數幾個人。這樣，無形中就取消了他人問津學術的權利。章學誠直接斥之為大言欺人，他說：「《六書》數千年來，諸儒尚無定論，數千年人不得誦《五經》乎」（註一五）？他接著認為六書七音，自可成為專門學業，有待少數專家去從事研究，一般人能粗通大義不去穿鑿附會，也就不會發生很大的謬誤；所謂《五經》旨意，也不會因此「雲霾日食」。至於精通小學，則「非專門名家，具兼人之資，竭畢生之力，莫由得其統貫；然獨彼糾此議，不能劃一。」（註一六）如果將這標準，用來要求一般學人，作爲人人必具的知識和作爲能否讀書的資格和條件，那會產生怎樣的後果呢？不是驅使天下人士都鑽進《說文》、《爾雅》的窄狹天地中去討生活，就是天下人士都不配過問學術，甚至不配談讀書。章學誠認爲「著作本乎學問；而近人所謂學問，則以《爾雅》、名物、六書、訓詁，謂足盡經世之大業」。這段話正揭露出當時的這一偏向。

他否定漢學或考據家對小學的誇張，並不是反對少數學者從事這方面的研究，也不是反對一般人學習《說文》和利用它作爲檢閱的工具。他在《說文字原課本書後》中，稱讚了這書的撰述體例；自己也提出過爲了便於檢閱《說文》而以韻編分類的具體主張。可見他對作爲基礎知識的小學和《說文》一書的本身，是給予應有的重視的。他反對的只是那些以六書、小學作爲獨得之秘，用以嚇唬世人，「必抗大言而譏世人爲不識字」的那種專橫貴族老爺式的學風，和因此造成的不良後果。

㈢關於煩瑣的考據方面。章學誠雖然說過：「考據者乃學問所有事」，是「道中之實積」；在《答沈楓墀書》中，也將義理、考訂、文辭比作爲著述的立功、立德、立言，三者均是「道中之一事」。但是否能據此就得出章學誠不反對考據，不觸犯漢學家、考據家的情緒，或者他只反對「煩瑣的」考據等似是而非的結論呢？如果根據事實稍加考察，以上的說法是很難成立的。章學誠說到考據爲學問所有事的全文是：

天下但有學問家數，考據者乃學問所有事，本無考據家。（註

一七）

他正是主張考據是從屬於學問，反對將它特別標舉出來，「而謂各有其所長」，變之爲獨立學科，以與學問並列，或代替學問，以至更進一步壓倒一切學問。他不承認有所謂考據學，正反映出當時有人盡力抬高作爲一種功力和方法的考據的地位，以此來名學、名家；這種過份的抬高，反而損害了它在學問中所本來具有的作用與價値，使「考證徒爲糟粕」。他說：

古人之考索將以有所爲也，旁通曲證，比事引義，所以求折中也。今則無所爲而竟言考索，古今時異，名物異殊，觸類而長，譬彼董澤之蒲，可勝既乎。（註一八）

除了無目的性的考索外，就是鑽牛角尖的爭吵。他說：

近日考訂之學，正患不求其義，而執形跡之末，銖黍較量，小有異同，即囂然紛爭，而不知古人之眞，不在是也。(註一九)

這種本末倒置買實櫝還珠的學風，引導了學者將有用的精力，耗費在煩瑣叢雜的細故的考訂中，使人陷溺於此而不自覺，反將這一病態現象自我誇張和彼此稱絕。正如章學誠所說「徇於一偏（考據等）而謂天下莫能尙，則出奴入主，交相勝負，所謂物而不化者也。」（註二〇）直到反動文人胡適在《清代學者的治學方法》一文中，還津津樂道地舉出戴震考訂《堯典》中「光被四表」的「光」字的經過，認爲經過戴震等五六位第一流的考據家，花了將近十年的時間，找出六條證據，得出光、桄、橫通的結論。胡適說這是値得表彰的清學的「科學的精神」。不久前還有人認爲閻若璩爲了找尋一名的出處，經歷了二十年的時間，爲値得學習的治學精神。不管「精神」也好，「態度」也好，章學誠在他們以前將近二百年的封建社會裡，就認清了這種「精神」或「態度」的非科學性和危害作用，加以揭露和批判。

章學誠對考據的無目的性、煩瑣性進行批判外，同時也反對了考據的另一種表現，另一種流弊，那就是博雜。他說：

學博者長於考索，……而務博者，終身敝精勞神以徇之，不思博之何所取也。（註二一）

他將這類型的人斥爲「賤儒」。他說：

有賤儒者，不知學問爲己，而騖博以炫人焉；其爲學也泛無所主，以謂一物不知，儒者所恥，故不可以有擇也。其爲考索也不求理之當，而但欲徵引之富，以謂非是不足以折人之口也。其爲纂述也不顧其說之安，而必欲賅而俱存。（註二二）

考據既缺乏自己的內容、自己的目的性而「無所爲」，當然會流入以多爲勝，用「騖博炫人」作爲自己的目的。這種無目的的目的，決定了「賤儒之爲考索」的方法，只能是「援古證今，取彼例此，不求其是而務窮其類……而當世翕然嘉其學。」（註二三）這就章學誠所揭露和反對的考據學風之一。在援證務窮其類的要求下，用取彼類此的方法，以徵引之富來折人之口，自然顧不上立說是否能安，其理是否得當，所謂學問所有事的考據本有的一點存在價值，也就因此喪失無餘，變成無用的「糟粕」。他有時把它叫做「俗儒」的記誦之學。這種「俗儒記誦，汗漫至於無極」的風氣，正是當時考據學的特點之一，也是章學誠極力反對的傾向。它具體表現爲輯佚、編纂等類型，也是考據學的主要內容之一。章學誠認爲這些工作本身自有一定價值，但他們卻在「與其過而廢也，毋寧過而存之」的心理下，終身沉埋其中。章學誠對那些拾遺補闕之士加以諷刺說：

蓋逐於時趨，而誤以襞績、補苴，謂足盡天地之能事也；幸而生後世也，如生秦火未毀以前，典籍具存，無事補輯，彼將無所用其學矣！（註二四）

他將它比喻爲「竹頭木屑之僞學」，並說「其下焉者，則砂礫糞土亦曰聚之而已。」（註二五）

當時從事這些工作的人，自命爲博雅之士。章學誠說：

> 今之博雅君子，疲精勞神於經傳子史，而終身無得於學者，正坐宗仰王氏，而誤執求知之功力，以爲學即在是耳。學與功力，實相似而不同，學不可以驟幾，，人當致攻乎功力則可耳，指功力以謂學，是獨指秫黍以謂酒也。（註二六）

他所謂王氏即指王伯厚而言，他說：

> 王氏諸書，謂之纂輯可也，謂之著述則不可也。（註二七）

他將學問與功力加以區別，將著述與纂輯加以區別，實際上是批判了當時考據學將功力當作學問，將纂輯當作著作的現象。他分析這種記誦之學說：

> 學問之始，未能記誦；博涉既深，將超記誦。（註二八）

他將它歸於學習過程中的初級階段，比爲學問的舟車。他說：

> 人有所造，必資乎舟車，至其地則捨舟車矣。（註二九）

這裡可以看到章學誠的批判精神，不是簡單地否定一切，而是經過了具體分析和較全面的考察，這一特點貫穿在他整個批判的過程中。同時，在這裡也可以看到，章學誠不反對考據的論點，是很難成立的。如果它是指章學誠只反對煩瑣的考據，不反對作爲歷史上存在的一般治學方法的考據，那只是離開了他所處的時代特點及他具體的批判的實踐活動的抽象論斷，因而除了引起概念混亂外，沒有什麼意義。如果是指十八世紀的考據本身不存在煩瑣的問題，章學誠反對的是世俗學風，或考據學中非主流的某些偏差，也不符合歷史的眞實。因爲十八世紀形成的考據學的特點，就是它在反動政權有意扶植下，使其在學術領域中成爲稱霸一時的正統派，也就是當時世俗之學。在方法上形成煩瑣的考據方法，也就是一切偏差、流弊的根源。這兩個特點構成當時考據學的「眞精神」，也正是章學誠批判鋒芒所指向的地方。

㈣關於漢學的門戶之見和墨守陳言的方面。這一特點，雖然是乾嘉時代漢學家共有的弊病，但在以惠棟爲代表的吳派表現得更爲明顯。他在《九經古義》中說：

古訓不可改也，經師不可廢也，余家四世傳經，咸通古訓。

其理由是漢儒去古未遠，必有所本。這種篤信漢儒、近乎信仰主義的墨守態度，章學誠斥之爲「陋」。他認爲：「學者不可無宗主，而必不可有門戶。」（註三〇）在封建社會的時代，學術上必要的師傳和繼承，是它存在和發展的不可少的條件之一。但門戶之見則是由於「學問不求有得，而矜所托以爲高。」（註三一）因爲他們只是「空言學問……不得不殊門戶以爲自見地耳，故唯陋儒則爭門戶也；」（註三二）如果「著之於事物，則無門戶之爭矣。」（註三三）

門戶之見，給學術發展帶來不利的影響，不在於紛爭，而在於以門戶爲是非標準，爲爭論目的，空言學問的原故。章學誠說：

經師先儒已不能無抵牾，傳其學者又各分其門户，不啻儒墨之辯焉……門徑愈岐而大道愈隱矣。（註三四）

他指出後人紛爭的癥結是如：

朱陸異同，干戈門户，千古桎梏之府，亦千古荆棘之林也，究其所以紛綸，則惟騰空言而不切人事耳。（註三五）

章學誠反對門戶之見，並不是否認學術間的異同，他認爲宋代朱陸之間，清初黃顧之間，都存在著爭論，不同的學派和觀點是不能主觀取消，也不可强力調和，只有展開不同見解的商討，或對錯誤理論的批判，才能促進學術的發展。而門戶之爭則是當時抱殘守缺，謹守一家之言，不問是非得失地盲目尊信師說和武斷否定其他一切的惡習。

章學誠並抨擊與門戶之見相聯繫的墨守風尚。他說：

乃世之學者，古言墨守……以墨守爲至詣，則害於道矣。昔人

> 謂：「寧道周孔誤，勿言馬鄭非」，墨守之弊，必至乎此！……惟墨守者流，非愚即黠……。學當求其是，不可泥於古。（註三六）

這些墨守的人，常自命爲專家之學。章學誠說：

> 學貴博而能約，未有不博而能約者，以言陋儒荒俚，學一先生之言以自封域，不得謂專家也。（註三七）

墨守陳說的「專家」，除了固陋外，也是最狡猾的技倆，在學術研究中，它是最容易的事，「黠者不復需學，但襲成說，以謂吾有所受。」（註三八）這種毫無心得的學問，價值是很低的，與其「安坐而得十之七八，不如自求心得者之十二三。」（註三九）章學誠在這裡對剿襲陳說，墨守前言的批判，也是很公正的。

從以上的幾點看來，章學誠對十八世紀的考據的主要部份，它具有的時代特點，及其學風傾向，都作了較全面的分析批判。他將它直接斥爲「僞學」；這「僞學」的組成部份一是學無所主、駁雜無章、貪多騖博的「賤儒」，一是墨守一家之言、固步自封、泥古不化的「陋儒」。他們掛著漢學的招牌，打起考據學的旗幟，揮舞著煩瑣考據的武器，專橫地統治著學術界。它產生於最高統治者別有用心的「以利祿勸儒術」，泛濫成「達官顯貴所主持」的風尚，於是一般「俗儒」與「賤丈夫」就都「捨其所長，而强其所短，力趨風尚，不必求愜於心」(註四〇)，形成當時社會一股「以儒術徇利祿」的「時趨」。這就是當時考據學的時代特點與社會根源，也是章學誠批判的對象。

餘論

章學誠曾經肯定地說過，當時的「世俗風尚，必有所偏，達人顯貴之所主持，聰明才智之所奔赴，其中流弊必不在小。」（註四一）所以他對當時考據學的批判的主要之點，是針對著整個社會上流行的風氣。他分析說：

> 風氣之開也必有所以取，學問、文辭、與義理，所以不能無偏重畸輕之故；風氣之成也必有所以弊，人情趨時而好名，趨末而不知本也。故開者雖不免於偏，必取其精者爲新氣之迎；弊者縱名爲正，必襲其僞者爲末流之托。此亦自然之勢也。而世之言學者，不知執風氣而惟知徇風氣，且謂非是不足以邀譽焉。（註四二）

他認爲「相弊救偏」是自己所應盡的責任，雖然在「時趨可畏，甚於刑曹之法令」的困難環境下，卻敢於對非常頑固、龐大的社會傳統勢力提出挑戰。這種勇氣，應該說是很可貴的。

章學誠的批判精神和梗直性格，在封建社會中是不會受到歡迎的。他不但得罪當世，甚至也得罪了自己的「朋友」。他的一生是很不得意的，遭受到很多不幸的事故，一些流言和打擊接踵而至。社會上對他不公平的待遇，是傳統勢力對先進思想所施壓的必然表現，這是歷史上數見不鮮的慣例，並不是後人所說的偶然人事糾紛。

雖然章學誠批判的主要鋒芒指向整個社會的學術風尚，但也直接批判過一些代表人物，如戴震、袁枚、汪中等人。對戴震的批判，引起很大的紛爭，甚至他自認爲最好的學侶之一的邵二雲，也出來「正辭厲色，爲戴辨誣」；還有人「或謂戴氏生平未嘗許可於僕（章學誠自稱），僕以此報怨者」。這都是沒有根據的流言，章學誠自己作了駁斥。他說：

> 僕之所學除一二知己外，一時通人未有齒僕於人數者；……而於諸通人之所得，何嘗不推許稱說，幾於老估評值，未嘗有浮抑矣，又何修怨之有哉。（註四三）

他對戴震學術上一些成就稱爲「乾隆間第一人」，「深見古人大體，不愧爲一代巨儒……」。戴震的《原善》諸篇初出，即使是他的信徒們也多不很重視，或存而不論，章學誠則謂這些著作「於天人理氣，實有發前所未發者。時人則謂：空說理義，可以無作」。由此可見章學誠批判了戴震學派的種種流弊，批判了戴震的某些見解和他的一些言行，但對他的成就的評價，比崇拜他的信徒還謹慎、眞切。章學誠自信地說：「區區可自信者，能駁古人尺寸之非，而不敢並忽其尋丈之善。」（註四四）是非是很分明的，盡管戴震在對程朱理學批判上有進步的意義，在文字音韻學上有一定成就，這是有功的一方面；但以他爲代表的乾嘉考據學風對我國學術史上所起的消極作用，爲什麼不該批判呢？

自然，章學誠也是屬於統治階級的學者，他的政治思想、道德倫理觀點仍是站在封建地主階級立場上，因而他斤斤計較戴震個人的「心術」，對汪中、袁枚某些不合封建倫理的言行，大加非難。這是他落後的一方面。他本身的階級及其時代的局限性，使得他某些合理的批判，也有不徹底的、片面的地方。如他提出「但明其理，稍存嚴敬」等。但是反動理論的「理」和「其人」是緊密聯繫在一起的，責其人正可更易明其理，更易於揭露其理的虛僞性和欺騙性，把兩者絕然分開，將會減弱批判的社會現實意義，漸流入抽象思辨的空疏。

總的說來，章學誠的學術批判活動，表現了他可貴的戰鬥精神，和超出當時一般人的膽識。他從對歷史的觀察中，也知道堅持自己的「眞理」，必然會遭到世俗的誹謗。鄭樵就是前車之鑒。但他勇敢地宣布和當時正統學派決裂，不避世人「視爲怪物，詫爲異談」的攻擊，敢於面對「見擯於當世」的遭遇，不屈不撓地堅持著自己的學術方向，對舊的、腐朽的學術界的一切惡習，展開尖銳的批判，不肯作絲毫妥協，雖然受到當時不公平的待遇，但他依然是充滿樂觀精神和信心，不爲惡勢力所壓倒。

章學誠對乾嘉考據學批判的貢獻在於：它全面、系統而詳盡地揭露了乾嘉時代學術界的腐朽內容，使人看出這座在封建文人和資產階級學者心目中所稱羡的聖殿，原來是充滿了卑污和虛偽的。對謊言揭露者的章學誠，難怪會遭到各種各樣的非難和諷刺。章學誠在其他方面的學術成就，也有一定的貢獻。僅就他對乾嘉考據學的批判這一點上，也是值得我們肯定的人物。最低限度，他用他的批判武器，刺痛了當時的正統學派，激起了人們對當時學術界現狀的不滿，給後代對考據學批判的繼起者提供了以思想資料和精神武器，在對乾嘉考據學批判的歷史過程中，有著一定的地位。

【附註】

註　一　《問字堂集》卷四，《答袁簡齋前輩書、附答書》；《惜抱軒文集》卷六，《與蔣松如書》。其後有《漢學商兌》等。

註　二　《清儒學案》卷九六，《章學誠實齋學案》。

註　三　《戴東原集》卷十一，《惠定宇先生授經圖》。

註　四　同上書，卷九，《與是仲明論學書》。

註　五　同上。

註　六　《章氏遺書》卷二九，《與阮學使論求遺書》。

註　七　《文史通義》內篇五《史釋》。

註　八　同上。

註　九　《文史通義》內篇四《說林》。

註一〇　《槐廬叢書》第五編《漢學商兌》卷中之下，頁一四引戴震語。

註一一　《戴東原集》卷九，《與是仲明論學書》。

註一二　《漢學師承記》卷一。

註一三　《戴東原集》三，《爾雅注疏箋補序》。

註一四　《文史通義》外篇二《說文字原課本書後》。

註一五　同上。

註一六　同上。

註一七　《文史通義》外篇二《與吳胥石簡》。內篇五《詩話》。

註一八　同上書，內篇六《博雜》。

註一九　同上書，外篇二《說文字原課本書後》。

註二〇　同上書，內篇二《博雜》。

註二一　同上書，內篇二《原學下》。

註二二　同上書，內篇六《博雜》。

註二三　《文史通義》內篇六《博雜》。

註二四　同上書，內篇二《博約中》。

註二五　同上書，外篇三《與邵二雲書》。

註二六　同上書，內篇二《博約中》。

註二七　同上。

註二八　同上書，內篇三《辨似》。

註二九　同上。

註三〇　《文史通義》內篇二《浙東學術》。

註三一　同上書，內篇四《說林》。

註三二　同上書，內篇二《浙東學術》。

註三三　同上書，內篇二《朱陸》。

註三四　同上書，內篇二《原道下》。

註三五　同上書，內篇二《浙東學術》。

註三六　同上書，外篇二《鄭學齋記書後》。

註三七　同上書，內篇二《博約中》。

註三八　同上書，外篇二《鄭學齋記書後》。

註三九　同上。

註四〇　同上書，內篇六《感遇》。

註四一　《章氏遺書》卷二九，《上辛楣宮詹書》。

註四二　《文史通義》內篇二《原學下》。

註四三　同上書，遺補續《答邵二雲書》。

註四四　同上書，外編一《與孫淵如觀察論學十規》。

——原載《學術月刊》一九六四年五月號，頁三一——三八轉頁六九。

馬瑞辰《毛詩傳箋通釋》的訓釋方法

王曉平

馬瑞辰（一七七四——一八五三），字元伯，安徽桐城人，是清代嘉道年間著名的學者，博綜諸經，而尤精於《詩》學。他接受了王念孫「孰（熟）於漢學之門戶，而不囿於漢學之藩籬」的思想，研究了清代數十家有關《詩經》的著述，將乾嘉學派在文字音韻學方面積累的經驗和成果，具體運用到對《詩經》的考辨和訓釋之中。同時又能統攝全書，尋繹詩意，注意到《詩經》作爲詩歌藝術的某些特點，敢於破除舊說，創立新解。他並能引兩周銅器銘文以證詩，這給後世研究者們以很大的啓發。作爲清代《詩經》研究古今文並重一派的代表作，他所撰寫的《毛詩傳箋通釋》一書，具有相當高的學術價值。

《毛詩傳箋通釋》約五十萬餘字。從馬瑞辰爲胡承珙所著《毛詩後箋》一書所寫的序中，我們可以知道，他撰寫這部書是因爲有感於孔穎達所作《正義》每取王肅之說，名爲申毛而實失毛旨，因而力圖將《詩》學從《正義》的謬說之中拉回到毛鄭的故道。在馬瑞辰看來，《正義》之失在於泥於《傳》無破字之說，每以《箋》之申毛者爲易毛義，又或以鄭本三家並參以己意者爲《傳》義，因而需要予以廓清，以明毛、鄭本意。而對毛、鄭疏誤之處，也當予以匡補，進而探求詩之奧旨。

孔穎達《毛詩正義》本在隋劉焯《毛詩義疏》、劉炫《毛詩述義

》二書基礎上編撰而成，實集六朝詩說之大全，而馬瑞辰屢譏《正義》「不明假借」。同爲疏通《傳》、《箋》，從《毛詩正義》到《毛詩傳箋通釋》，可以看出自隋至清我國文字、音韻、訓詁之學的進步，亦可看出其間學人對於《詩經》反映的社會生活的認識的逐步深化。《詩經》誕生於世遠年湮的兩周之時，後人爲其訓釋，要在具體的詩境中描繪和說明詞語的含意，除須有賴於當時社會生活的正確認識外，還須借助於對古代詩歌藝術特色的正確理解。脫離了特定時代詩歌發展的特定形式，便不可能眞正理解詞、句的具體含意及詩的內容。因而，我們從不同的訓釋中，也可以看出訓釋者們對詩的抒情方法和藝術技巧等方面存在的不同認識。

爲了汲取《毛詩傳箋通釋》中有益的研究成果，本文擬對這部書訓釋方法的主要特點，作粗淺的歸綸和分析。

一、以古音古義正其疏誤

馬瑞辰以《詩》、《序》、《傳》、《箋》、《正義》爲研究對象，首先對此五者在文字上精心考校，提出了一些可信的推斷，而後又以兩周銅器銘文、先秦典籍、兩漢碑文等資料作爲依據，抉出《傳》、《箋》、《正義》解釋中背離詩義之處，另創新解。

《詩》、《序》、《傳》、《箋》流傳日久，文字多有訛誤、脫漏、竄亂之處。陳奐在糾其訛互方面功績卓著，但對毛《傳》因誤文立解處每予回護曲辯。馬瑞辰對《詩》、《序》、《傳》、《箋》精心考核，參之以秦漢之際書寫習慣產生訛誤的種種先例逐一證之。這裏有形近之訛。如《大雅・假樂》「干祿百福」，《大雅・旱麓》「豈弟君子，干祿豈弟」，毛《傳》均訓干爲求，陳奐遂以「君子有易樂之德，求福而福自至」釋之。馬瑞辰謂「干祿」皆爲「千祿」之訛，並舉出秦漢文字資料中兩字相混的例證，驗之以全詩，實言之成理、持之有故，近人說詩者多信從此說。這裏亦有音近之訛。如《齊風・還》，《序》言「還，刺荒也，哀公好田獵，從禽獸而無厭，國人化之，遂成風俗。習於田獵謂之賢，閑於驅逐謂之好焉」。馬瑞辰認為，「習於田獵謂之賢」一句，「賢」當為音近之訛。《序》本經文以立訓，「賢」即詩首章「揖我謂我儇兮」之「儇」，猶《序》中下句「閑於驅逐謂好」之「好」，即第二章「揖我謂我好兮」之「好」。從這裏我們不難看出，馬瑞辰對於《詩》、《傳》、《序》的體例及用字規律，的確經過一番精心琢磨。

毛《傳》是流傳至今的群經傳注中最古的一部。關於毛《傳》訓釋的特點，阮元《十三經注疏校勘記序》曾經指出：「毛公之傳詩也，同一字而各篇訓釋不同，大抵依文以立解，不依字以求訓。」所謂依文立解，即指隨文釋義，它的長處是將詞放入具體的語言環境中說明其特定含義，可以充分反映詞義的靈活性和形象性，然而在揭示詞的概括意義方面則欠確切。正因為毛《傳》採用了依文立解的方法，所以，同一詞本為一義或義有聯繫，訓釋卻不同。馬瑞辰充分注意到這種情況，並能仔細體味，認真區分。

⑴訓釋詞語不同，而意義相近，或有著某種聯繫，均未遠離詩意。如：

《大雅・皇矣》「奄有四方」，《傳》：「奄，大也。」

《周頌・執競》「奄有四方」，《傳》：「奄，同也。」

同一「奄」字，毛《傳》兩說，並不表明它在意義上有什麼嚴格的區別。《說文》：「奄，覆也，大有餘也，從大從申。」申是伸展之意。奄是覆蓋、包括的意思。毛《傳》訓大、訓同，均指佔有地域遼闊、幅員廣大而言，以頌讚先王開疆闢土的功績。

出現這種情況，往往是由於訓釋的角度不同。馬瑞辰認為：「毛公傳詩多古文，其釋詩實兼詁、訓、傳三體。」他又指出，「詁第就其字之義而證明之」，即《正義》所說的「詁者，古也，古今異語通之使人知也」；「訓則兼其言之比興而訓導之」，即《正義》所說「訓者，道也，道物之貌以告人也」。以「姝」字爲例：

《邶風・靜女》「靜女其姝」，《傳》：「姝，美色也。」

《鄘風・干旄》「彼姝者子」，《傳》：「姝，順貌。」

此皆爲釋字本義者。亦有「道物之形貌」者：

《齊風・東方之日》「彼姝者子」，《傳》：「姝者，初昏之貌。」

前者指出，姝乃是形容婉順溫柔之美。後者指出，在《齊風・東方之日》這首描寫新婚的詩篇中，姝則形容新人羞澀柔順的神態。毛《傳》釋「姝」，詞異而義同。馬瑞辰指出：「順與美本相成，姝可訓美，又訓順者，猶《說文》訓婉爲順，而《鄭風》『清揚婉兮』，《傳》云『婉然美也』。」古代女子以文靜溫順爲美，言「姝者，初昏之貌」，亦非別有微旨。

⑵一詞多訓，正誤雜陳。「采采」一詞，毛《傳》便有四訓：

《秦風・蒹葭》「蒹葭采采」，《傳》：「采采猶萋萋也。」又：「萋萋猶蒼蒼也。」「蒼蒼，盛也。」

《曹風・蜉蝣》「蜉蝣采采」，《傳》：「采采，眾多也。」

此二例皆訓采采爲形容之詞，二訓基本相同，前者形容蒹葭之盛，後者形容蜉蝣之多。

《周南・卷耳》「采采卷耳」，《傳》：「采采，事采之也。」

《周南・芣苢》「采采芣苢」，《傳》：「采采，非一辭也。」

此二例訓采采爲動詞，馬瑞辰據前面列舉的「蒹葭采采」、「蜉蝣采采」毛《傳》所釋，謂「此詩（指《周南・卷耳》）及《芣苢》俱言采采，蓋極狀卷耳之盛。《芣苢》下句始言『薄言采之』不得以上言采采爲采取」。詩的語序較之散文更爲靈活多變，不可同等看待。如

《大雅・抑》「抑抑威儀」，《小雅・賓之初筵》與《大雅・假樂》作「威儀抑抑」，形容之詞在名詞之前或之後，並不改變語意，而毛《傳》以語序定語意，導致說解之誤。

毛《傳》簡奧約略。馬瑞辰能夠避免宋明空疏固陋的遺習，細膩地尋繹其釋語的內在聯繫，這說明他不僅對詞語具體性、靈活性的一面有清醒認識，而且能夠通過對古音古義的探求，認識詞語的概括意義，這樣，他就有可能糾正毛《傳》中某些牽强附會的說解。同時，馬瑞辰讀《詩》、讀《序》都十分細緻，往往注意到前人忽略的問題，指明鄭《箋》的某些錯誤。如《小雅・伐木》「相彼鳥矣，猶求友聲。矧伊人矣，不求友生。神之聽之，終和且平。」鄭《箋》言後兩句的意思是「心誠求之神，若聽之，使得如志，則友終相與和而齊功也」。馬瑞辰則認爲，「以經文求之，並無求通神明之意；且神之聽之，不得言神若聽之也」。我們只要通讀全詩，就會感覺馬瑞辰的確道破了鄭說的破綻。《伐木》是一篇飲宴友人、讚頌友情的詩篇，並無求通神明的意圖。馬瑞辰引用《爾雅・釋詁》「神，愼也」、「愼，誠也」及《荀子・非相篇》「寶之珍之，貴之神之」句楊倞注「神之，謂不怠慢也」等材料，認爲「神之聽之」即「愼之從之」之意。馬瑞辰對這種「學者蓋習慣之」而不追究其意的詩句細緻推敲，證之以古音古義，以準確可信的解釋代替了某些似是而非的說法。

馬瑞辰還注意到兩周銅器銘文對了解古音古義的價值。他利用銘文材料，一方面說明《毛詩》、《韓詩》用字所本，一方面又用以印證《傳》、《箋》，或據以尋求古音古義以糾《傳》、《箋》之失。

例如，《大雅・江漢》「告於文人」，馬瑞辰指出古器銘多稱「文考」者，論定「文人」猶云文祖、文父、文考，《追敦》銘言「文人」，正爲追自稱其先祖，所以，《詩》之文人是指祖之有文德者，爲祖、妣、考、母之尊稱，這比起毛《傳》僅言「文人，文德之人」

確切得多。

又如，馬瑞辰從《齊侯鎛鐘》銘「羕保身」及《陳逆簠》銘「子子孫孫羕保用」兩處羕字的寫法，聯繫到《周南・漢廣》「江之永矣」韓詩「永」作「漾」，斷定「漾」即「羕」之通借，而永、羕古本通用。又據《師望彝》銘「師望作䵼彝」，推斷鬺、[illegible]、䵼爲一物之異名。這些結論，都信而有徵。

銘文所提供的資料之所以具有重要價值，因爲它保持了古代文字的本來面目，避免了輾轉抄錄造成的訛誤。馬瑞辰時銘文研究的成績尚微，他利用銘文材料的條目也不多，但他注意到以此作爲名物訓詁之助，走的無疑是一條正確的路。

馬瑞辰對《詩經》語詞的訓釋，也反映了清人虛詞研究的成果。對於虛詞的訓釋，王引之在《經傳釋詞》自序中談到：「蓋古今異語，別國方言，類多助語之文，凡其散見於經傳者，皆可比例而知，觸類長之，斯善式古訓者也。」他在《經傳釋詞》中對一百六十個語詞的訓釋，皆是「揆之本文而協，驗之他卷而通，雖舊說所無，可以心知其意者」。王引之對《詩經》中某些歷來被作爲實詞看待的詞，作爲語詞來解釋，其多數說法被馬瑞辰接受。同時，馬瑞辰還採用了王引之所提出的方法，提出了一些新說。由於這一類詞語的釋解爲古注、古字書所無，因而他便特別强調體味詩義的重要性。他所提出的新說，有些的確是道前人所未道，給人以啓發。如在訓釋《秦風・蒹葭》「宛在水中央」時，他說：「詩多以中爲語詞，水中央猶言水之旁也，與下二章水中泜、水中址同義，若如《正義》以中央連讀，則與下章泜、址句不相類矣。」馬瑞辰注意到詩重章疊句用字的特點，他提出的這一新說，較《正義》將「中央」作一詞的訓解爲優。

二、以雙聲疊韻明其通假

《詩經》自誕生至毛公作傳，其間歷數百年，自其行世。口耳相傳，受之者非一邦之人，人各用其鄉音，因而多有同音而異字、同字而異音者，加之輾轉傳抄，文字流變，其面貌大有改變。一九七四年，在河北省平山縣出土的戰國時期中山國墓葬中的方壺、鼎、圓壺三篇銘文，有多處引用了《詩經》中的詩句（註一），方壺銘有「不敢怠荒」，怠荒即怠惰荒樂，意義本十分明晰。今《毛詩》中的《商頌・殷武》即作「不敢怠遑」，鄭《箋》以「不敢怠惰，自暇於政事」作解，朱熹《詩集傳》承襲此說，不知遑即荒之借字，而訓遑爲暇，說解遂迂曲難通。戰國時代關於詩句的記錄與今本《毛詩》字句之異，多屬同音通假、古今字、異體字等。《詩》在毛公作《傳》之前，已經廣泛流傳，其諷誦傳播，流於四方，許多詩句出現不同的讀法、寫法，乃是十分自然的事。

至秦漢之際，《詩》寫本仍舊大量使用通假字。長沙馬王堆三號墓出土的《老子甲本卷後古佚書》引用詩句與今本《毛詩》多有不同。據推測，此帛書抄寫的時代，至晚在高祖時期，約當公元前二〇六年至公元前一九五年間。《毛詩》中《大雅・大明》「明明在下，赫赫在上」，《古佚書》本作「明明在下，壑壑在上」和「〔明明〕在下，赤赤在常」。《毛詩》中《邶風・燕燕》「燕燕于飛，差池其羽。之子于歸，遠送于野。瞻望弗及，泣涕如雨」。《古佚書》作「嬰嬰于羿，差貤其羽。之子于歸，遠送于野。詹望弗及，〔泣〕涕如雨」。（註二）上面所引詩句中的通假字，較《毛詩》更多。我們可以想見，毛《傳》行世時，《詩》可能有著多種抄本。

《毛詩》古文多通假字這一規律，在清代經學家們的著述中多有提及。阮元在《十三經注疏校勘記序》中便明確指出：「非孰（熟）於《周官》之假借者，不可以讀毛《傳》也。」（註三）馬瑞辰對此作了大量研究，多次提到「古之字少，多相假借」，「詩人口之詠歌，不專以竹帛相授，音既相近」，故用字相借，「義自當通」，「讀非一師，故字異也」，並寫《毛詩古文多假借考》一文，分析了毛《傳》及《詩》中通假字的兩種情況：

第一種情況是毛《傳》「知其爲某字之假借，因以所假借之正字釋之」。如《周南・汝墳》「惄如調飢」，《傳》：「調，朝也。」據《韓詩》作「溺如朝飢」。知調即朝之假借。

第二種情況是毛《傳》知其爲某字之假借，「不以正字釋之，而即以所釋正字之義釋之」。如《邶風・柏舟》「如有隱憂」，《傳》：「隱，痛也」，《韓詩》作「如有殷憂」。《說文》：「慇，痛也。」是知隱即慇之借字，《毛傳》正以釋慇者釋隱。

馬瑞辰的這種分析，初步揭示了毛《傳》注重聲訓的規律。他根據對「古字義生於音」的認識，以聲之近、同、通、轉爲線索，對毛《傳》、鄭《箋》未加說明的通假字給以點明，又驗之以古代文獻的文字資料。如《大雅・文王》「陳錫哉周」，馬瑞辰根據《說文》「陳，……从𨸏，从木，申聲」，古文作坤，亦從申，認爲陳即申之假借。《漢書・韋玄成傳》載匡衡上書云：「子孫本支，陳錫亡疆」，義本《齊詩》，而言「陳錫亡疆」與《商頌・烈祖》「申錫無疆」正同。馬瑞辰此說可視爲定論。

據《清史稿》本傳，馬瑞辰常說：「《毛詩》用古文，其經字多假借，類皆本於雙聲、疊韻。」馬瑞辰在接受了戴震轉語說的同時，又借鑒了王念孫將古音學說和語音轉變理論運用到語義訓詁上的經驗，在《毛詩傳箋通釋》中貫串以聲音探求語義的原則。他對毛《傳》、鄭《箋》的通釋，往往由雙聲、疊韻明其通假之義。例如，《大雅・思齊》「神罔時恫」，毛《傳》：「恫，痛也。」馬瑞辰認爲恫、痛是「以雙聲爲義」。我們知道，恫從同得聲，屬定母東韻；痛從甬得聲，屬透母東韻。二字聲相近韻相同，例可通假。銀雀山竹簡本《

尉繚子》：「服奉下迵。成王至德也。」（註四）「服奉下迵」即「服奉下通」。馬王堆漢墓出土帛書《春秋事語・魯桓公與文姜會齊侯於樂章》：「文羌（姜）迵於齊侯。」（註五）「迵於齊侯」即「通於齊侯」。此皆古同、甬可通之證。毛《傳》正是以正字釋其通假之字，馬瑞辰運用聲韻轉變規律說明毛《傳》的釋解，抓住了毛《傳》注重聲訓的特點。

《詩》問世之後，字體屢更，加之方言音歧，傳寫多誤，俗學沿訛，於是便如陳啓源所說，「古經面目幾不可復問」。（註六）從兩周到兩漢，各家發揮，自有所本，而解詩各執一說，而後古今紛爭，各立門戶，如同水火，然而，一個基本的事實是，齊、魯、韓、毛四家詩說，對原本同義異字的詩句因文立訓，而卒使歧義叢生。一九五七年甘肅武威出土的漢簡《后氏禮》提到的《詩經》篇名，與《毛詩》不盡相同。（註七）《毛詩》之《周南・葛覃》，漢簡作「葛眹」，古覃、眹相通，眹假作藤。《毛詩》以覃爲葛之蔓延，而《齊詩》以眹爲藤，簡本取《齊詩》之說。歧義之生，本源於傳寫時因音擇字，而解詩時卻隨字釋義。就此詩而言，「葛之覃兮，施于中谷，維葉萋萋」，《齊詩》以覃爲藤，較《毛詩》訓覃爲延更爲明順。詩先言藤後又言葉，文從字順，而訓覃爲延，則顯得語意重複。

正因爲如此，對三百篇文字通假的情況，未始不可於齊、魯、韓、毛四家彼此同異之間，觀其會通，觸類引申，舉一以反三。對於這一點，清代治《詩》者中古今文並重一派及今文學派，有著明確的論述。阮元《十三經注疏校勘記序》就曾說：「大約毛多古字，韓多今字，有時必互相證而後可以得毛義也。」在《毛詩傳箋通譯》中，馬瑞辰正是充分利用了三家詩佚文，網羅衆家，統同辨異，沿流溯源。具體說來，有這樣幾種情況：

(1)三家詩與《毛詩》字異而義同，以三家詩證《毛詩》。

馬瑞辰說「三家詩多以本字易經文」，即《毛詩》用通假字，三家詩用本，通過比較，三家詩正可以使《毛詩》之解更爲明晰。如《召南・摽有梅》，摽，《韓詩》作芠，《毛詩》作摽。或有作蔈、標、莩者。皆𠭯之借字。《說文》：「𠭯，物落上下相付也……讀若《詩》「摽有梅」。」馬瑞辰認爲毛《傳》訓摽爲落，義與《韓詩》正同。王伯厚難《韓詩》，以爲芠爲零落，摽爲擊之使落，爲馬瑞辰譏爲「殊昧於古文通借之義」。

⑵三家詩用本字，《毛詩》用通假字，而毛《傳》依通假字說之，馬取三家以正毛《傳》之誤。

以《鄘風・牆有茨》爲例。「不可詳也」，詳，《釋文》引《韓詩》作揚，揚猶道。馬瑞辰謂詳即揚之同音通假。毛《傳》訓詳爲審，以通假字義解詩。古揚、詳同音通用。《武威漢簡》陽借作祥。從全詩看，上章言「不可道也」，此章言「不可揚也」，符合風詩疊詠的特點，因而馬瑞辰取《韓詩》說。

⑶三家詩與《毛詩》字同解異，擇其善者從之。

如《小雅・十月之交》「四方有羨，我獨居憂；民莫不逸，我獨不敢休」，《傳》：「羨，餘也。」《文選》李善注引《韓詩薛君章句》：「羨，願也。」《說文》：「羨，貪欲也。」《廣雅》：羨，顯，欲也」顯與願同。《大雅・皇矣》「無然歆羨」，歆羨連言。此詩羨與憂相比成文，則願，羨皆爲欣喜之意。馬瑞辰因謂毛《傳》訓羨爲餘，未若《韓詩》訓願爲允。

⑷運用三詩的材料，作爲同音通假規律的例證。

如《大雅・崧高》「四國于蕃，四方于宣」，馬瑞辰以《毛詩》之《衛風・淇奧》「赫兮咺兮」，《韓詩》咺作宣，以證亘古讀宣，「四國于宣」即「四國于垣」，「四國于蕃，四方于宣」與《大雅・板》「價人維藩，大師維垣」句法正同。又如《毛詩》之《小雅・小宛》「宛彼鳴鳩，翰飛戾天」，馬瑞辰以《文選》卷一李善注引《韓詩》作「翰飛厲天」，以說明戾即厲之通假。《小雅・四月》「匪鶉匪鳶，翰飛戾天」，《大雅・旱麓》「鳶飛戾天，魚躍於淵」當與此同。

馬瑞辰以今文證古文，以求貫通《毛詩》與三家，在古今文之間，拉起一條紐帶，這條紐帶，便是「古字義生於音」的原則及據此產生的以雙聲疊韻明其通假的訓釋方法。

三、橫貫多篇以求其章法句法

《詩》多重章疊句。宋人歐陽修等便已注意到詩人變文協韻的用心。而清初抨擊宋儒者，如陳啓源，以「古人文字簡潔，語無虛設」爲由，對之譏刺道；「蓋文體冗長，莫甚於宋，其釋詩亦徒取文義疏達，其中精義奧旨，俱順口讀過，不復尋究，反詆先儒之說爲迂，盡掃而棄之，斯亦經學之一厄也」。（註八）爲了追尋所謂「精義奧旨」，古文學派的學者千方百計地在原來同義或近義的詞語中尋縫覓隙，隨意發揮，將解詩變成單純的同義詞辨析，而不顧《詩經》章法、句法的特點。

《魯頌・駉》各章中的「以車彭彭」、「以車伾伾」、「以車繹繹」、「以車祛祛」均是形容車馬的壯盛。毛《傳》引《周官》「六閑四馬」之制，言諸侯六閑，馬四種，有良馬，有戎馬，有田馬，有駑馬」。又分別釋之：「彭彭，有容也」；「伾伾，有力也」；「繹繹，善走也」；「祛祛，强健也」。孔穎達《正義》變本加厲，增益其說：「首章言良馬朝祀所乘，故云彭彭，見其有容也」；二章言；「戎馬齊力尙强，故云伾伾，見其有力也」；三章言「田馬田獵齊足尙疾，故云繹繹，見其善走也」；卒章言「駑馬主給雜使，貴其肥壯」。這樣主觀地給詩句賦予本身並不具有的含意，使讀者如讀相馬經。馬瑞辰通過考釋之後，明確指出：「彭彭、繹繹、伾伾、祛祛同爲盛耳，《傳》分爲四義非也。」

王引之在《經義述聞》中曾經指出：「《詩》之用詞不嫌於複。夫歌之爲言也，長言之也，則一倡三歎而不病其複。」這是根據對《詩經》衆多詩篇的表現手法進行全面分析之後得出的正確結論。作爲古代詩歌的選集，《詩經》不同於專門作家的創作，它和音樂密不可分，許多詩篇的用詞造句又往往相互模仿、相互利用。合樂詩歌的本身，對於章法、句式、韻律、節奏有一定的要求，這使語言發生緊縮或擴展的「形變」及「位移」；出於抒情的需要，又多運用複沓、借代、省略等多種加工語言的手段。如果對《詩經》這些獨特的表現方法缺乏認識，也會影響對其章法、句法的理解。馬瑞辰在訓釋中，從衆多相類詩句的分析對比出發，注意到《詩經》疊詠、複語、套句、倒文、錯綜其文等章法、句法的特點，並將其運用到具體詩句的訓釋中。

所謂疊詠，是指詩中各章不僅句數整齊相對，而且採用將各章類似的詞語反複重疊吟詠這樣一種形式。這種形式，不僅古代民歌多採用之，現在民歌中亦極常見。山歌互答，俗謠相和，短小的曲調反復吟唱，而歌詞作者本非一人，流播之中，日漸增益，各章情義類同而辭句微異。此種形式，適於表現古樸的情感。在兩周時代，不僅是民歌，貴族作品亦多如此。王引之首先將疊詠規律用於訓釋，在《經義述聞》中指出「凡三章同義者，《詩》中往往有之」，「若斯之類，不可枚舉，知類通達，是所望於後之君子焉」。後來聞一多先生在《風詩類抄・序例提綱》中，亦主張對數章語詞重疊，只換韻、字者，「則用橫貫讀法，取各章所換之字合併解釋」。馬瑞辰在實際訓釋中，採用的正是這一方法。對前面所舉《魯頌・駉》「以車彭彭」等句，馬瑞辰便指出「詩四章文義相依，並無分四馬之義」，「古人詠歎長言，不嫌詞複，說詩者强爲分別，轉失其本義耳」。

疊詠是指「詩變文以協韻，故數章不嫌同義」的形式，而複語則指成對意義相近、相類、相同的詞語的綴連。複語在兩周銅器銘文及《尙書》等典籍中均不罕見。這種句式與四言詩的需要十分吻合，可以加强描繪的形象性，加重或强調某種情調，並協調聲律，和諧音韻，形成鮮明的節奏。《詩經》中，不僅有兩語同義的複語，且有四語同義的複語。如《小雅・信南山》「即優既渥，既霑既足」，優、渥、霑、足皆言雨水充霈。亦有三語同義、重其一語以成兩句者。如《大雅・江漢》「匪安匪遊，匪安匪舒」，安、遊、舒同義，爲了語句整齊的需要重複了「匪安」一語。

馬瑞辰在訓釋中，多次提到「古人用字不嫌詞複」，並對下面幾種情況作了說明：

⑴「詩於一物而異名者每多並舉，不嫌其詞之複也」。如《小雅・何人斯》「爲鬼爲蜮」，蜮即鬼也。

⑵「二字同義，古人自有複語耳。」如《小雅・巧言》「無拳無勇」，拳，勇也。《小雅・十月之交》「無罪無辜」，辜亦罪也。

⑶「義相近，不嫌其複。」如前舉《小雅・信南山》「既優既渥，既霑既足」。

⑷「詩人語多相類而不嫌其複。」如《小雅・黍苗》「我徒我御，我師我旅」，此皆一事而分言之。

對於這類複語，馬瑞辰皆從句中尋繹它們意義上的聯繫，給以比較合理的說明。由於他抓住了這種句式的特點，訓釋就較前人更爲明晰。例如，《大雅・公劉》「止基迺理，爰衆爰有。夾其皇澗，溯其過澗」。鄭《箋》認爲「有」是指「器物有足」，以別於「衆」之言「夫家人數，日益多矣」。《詩集傳》：「有，財足也。」馬瑞辰根據自己總結的規律，認爲「有」與「衆」同義而屬複語，皆指來居人數眾多而言，並以《小雅・魚麗》「旨且有」與「旨且多」相對作爲旁證。馬瑞辰的釋解較爲明順，詩中正是描寫公劉帶領眾多的群眾定居於水澗山谷的熱鬧景象，通觀全章，與財物無涉。鄭《箋》、《詩集傳》的解說之所以不當，正是因爲沒有認識複語的特點，而强作分別。

所謂套句，或稱習語，是指不同的詩篇中爲表達一定的內容和情感而採用的習慣句式而言。套句好比預製的建築材料，可以用於不同場合，而起某種「結構作用」，即引出主要抒情內容，使詩句流利上口。套句的現象，並非僅存於我國古代民歌中，在歐洲許多民族民間口頭創作中亦不乏其例。在群眾中流傳的民歌中，尤其在即興對歌時，常使用某些長期流傳的套句，迅速而方便地引出歌唱者心中想說的話。這種套句的使用，反映了民歌創作相互模倣、相互啓發、相互利用的特點。《詩經》中不僅十五國風，在表現貴族祭祀、宴飲、酬答天子賞賜等內容的詩篇中也有套句，這種套句則往往是頌贊之詞。馬瑞辰雖然沒有從理論上對套句產生的原因作出解釋，但他注意到「詩人句法相類者，大半同義」，在解釋詩句時，往往將《詩經》中句法相類的句子收集在一起，加以對比，找出用詞的某些慣例。

例如《小雅・大東》「無浸穫薪」。毛《傳》：「穫，艾也」。鄭《箋》：「穫，落木名也。」馬瑞辰將《詩經》中以薪爲賓語的詩句匯集起來：

《邶風・凱風》：「吹彼棘薪。」

《豳風・東山》：「烝在栗薪。」

《小雅・車舝》：「析在柞薪。」

《小雅・白華》：「樵彼桑薪。」

馬瑞辰歸納上述套句的特點：「凡言薪者，多兼木名。」進而得出結論：「故《箋》知經文穫爲檴之假借。」

又如《小雅・信南山》「信彼南山，」鄭《箋》：「信乎，彼南山之野。」訓信爲相信、誠信之信，難通。馬瑞辰對比了《詩經》中同類套句：

《小雅・節南山》：「節彼南山。」

《小雅・甫田》：「倬彼甫田。」

據而糾正了《鄭箋》的說法，認爲「節、倬皆爲貌，則信亦南山貌也。古伸字借作信……伸、信訓長」，「信爲南山野長遠貌」。

《詩經》中，重疊反復之句，還往往採用所謂「倒文」，即顚倒詞序的形式。如《大雅・常武》：「徐方繹繹，震驚徐方，如雷如霆，徐方震驚。」又如《小雅・六月》：「維此六月，既成我服，我服既成，於三十里。」《大雅・崧高》中也有類似的例子：「于邑于謝，南國是式……王命申伯，式是南邦。」詩中反復詠歎，起著强調、加重的作用。在三百篇中，語序的變化往往採用十分靈巧的方式。馬瑞辰在訓釋中，注意到詩中出現的倒文，包括以下幾種情況：

(1)屬對。對偶的形式便於吟誦歌唱，使詩句節奏鮮明，且造成一種相映成趣的情味和謹嚴的結構。詩人爲了取得對偶的效果，時將並不相對的內容以相對的句式寫出。馬瑞辰分析詩句時，能看到對句之間的「同中之異」。《大雅・大明》「纘女維莘，長子維行」，馬瑞辰謂纘當爲嬪之借字。《說文》：「讚，白好也。」嬪女，猶言淑女、碩女、靜女，「纘女維莘」，意爲「莘國有好女」，詩中倒其文，以與下句「長子維行」相屬對，以取相同句法。

(2)協韻。爲協調聲律而改變詞序。如《衛風・伯兮》：「其雨其雨，杲杲出日。願言思伯，甘心首疾。」馬瑞辰認爲，甘心首疾與痛心疾首正相類，皆爲對舉之詞，詩不言疾首而言首疾者，倒文以與日爲韻。這裏，爲了協調聲律，打破了原來對舉的結構。

(3)換位。如《齊風・雞鳴》「無庶予子憎」，馬瑞辰據《爾雅》

「庶，幸也」，及《大雅・抑》「庶無大悔」毛《傳》「庶，幸也」，說明「無庶」即「庶無」之倒文，猶「遐不」亦作「不遐」，「尙不」亦作「不尙」。這種情況是詞與詞結合並不緊密，換位之後意義不變。

(4)强調。爲了在意念上突出重點，給人以强烈的感受，詩中常變換語序。《商頌・長發》「帝命不違」，馬瑞辰認爲即是「不違帝命」的倒文。這類倒文，往往也是爲了更適合協律歌唱。倒文之後，還可以使人產生某種莊重感和新鮮感。

馬瑞辰不僅注意到語序問題，而且對《詩》中錯綜其文的現象也有所說明。他說：「詩固有錯綜其文者。」詩人在變化中求得整齊，也在整齊中追求變化，以給人協調而不乏味的語感。馬瑞辰通過對「之」、「者」用法的歸納，證明它們可以互相代換：

《小雅・杕杜》：「有杕之杜。」

《小雅・頍弁》：「有頍者弁。」

《小雅・菀柳》：「有菀者柳。」

《大雅・卷阿》：「有卷者阿。」

在需要疊用時，詩人便錯綜其文。如《小雅・何草不黃》：「有芃者孤，率彼幽草；有棧之車，行彼周道。」又如《小雅・都人士》有用「而」、「如」錯綜其文者：「彼都人士，垂帶而厲；彼君子女，卷髮如蠆」再如《小雅・采綠》有用「之」、「其」錯綜其文者：「之子于狩，言韔其弓；之子于釣，言綸之繩。」

馬瑞辰將這種錯綜爲文的現象，看成詩人「立言之妙」，他批判了汪龍（字辰叔，乾嘉時人，撰《毛詩異義》四卷，《毛詩申成》七卷）否定通用之詞上下異文的說法。汪龍正是沒有注意到詩人追求辭采變化的用心，所以認爲異文必定異解，否則「何必上下異文」？這裏也說明，如果對於詩句作爲文學語言的特點缺乏認識的話，要想正確說明它的句法是困難的。

正是這樣，馬瑞辰從《詩經》全書出發，將具體的詩句置於《詩經》這統一的整體中去認識，參之以《詩》本身具有的疊詠、複語、套句、倒文、錯綜其文等方面的特徵，驗之以古代文獻資料，嚴謹地加以考辨，這比起將詩句「隔離」的訓釋法來說，是大大前進了一步。

四、以辭采逆其情意

劉勰在《文心雕龍・宗經》中曾經指出：「義既極於性情，辭亦匠於文理。」在《情采》中又把文章中的情意和辭采，比做一經一緯，認爲「經正而後緯成，理定而後辭暢。」這些精闢的論述，對於我們認識情意和辭采的關係十分有益。我們分析和理解作品，亦必須抓住辭采的特點，以領略作者的情意。

清代經學家在從文學角度上研究《詩經》方面成績甚微，他們的功績多表現在字、句的考釋上。爲了透過詩化的語言去體味詩人表達的思想感情，釋詩者必須努力正確地認識詩人反映的社會生活，熟悉詩歌這一體裁抒發情感的特性。這恰恰是經學家治《詩》之短。馬瑞辰在訓釋《詩經》時，比另外某些考據學家對此注意得稍多一點，便顯得思路開闊靈活得多。

首先，馬瑞辰注意到了詩歌結構上的跳躍性。詩歌形象的集中凝煉，詩人創作時的浮想聯翩，決定了其結構急驟變化和跳躍的特點。作者內在的思想情感像一條無形的紐帶，繫聯著似斷實貫的詩句、詩章。馬瑞辰有時尙能從跳躍著的詩句中摸到詩歌作者感情發展的脈搏。以《大雅・大明》爲例。詩中這樣描寫武王伐紂的情景：「殷商之旅，其會如林。矢于牧野，維予侯興。上帝臨女，無貳爾心。」首先遇到的是「其會如林」句的解釋。毛《傳》：「如林，言衆而不爲用也。」鄭《箋》：「殷盛合其兵眾。」朱熹《詩集傳》：「言武王伐紂之時，紂眾會集如林以拒武王。」三說皆以「如林」指紂眾會集言。馬瑞辰分析了《說文》「旝」字注及馬融《廣成頌》注，謂「會」爲「旝」之借字，訓「會」爲旌旗，糾正了毛、鄭、朱之說。「其會如林」生動地描繪了戰場上旌旗林立的景象，預示著一場鏖戰即將來臨。「其會如林」是形象的詩的語言，讀到這裏我們眼前便展現出一片飛動的旗林。河北中山王墓一號墓《妾子䖒壺》銘文這樣描寫中山王室狩獵的情景：「茅蒐佃（畋）獵，於皮（彼）新杢（土）。其逾女林，駇右和同。四肚（牡）滂滂，以取鮮藁（槁），饗祀先王。」（註九）銘文中「其逾女林」及「四牡滂滂」皆出自《詩經》。「其逾女林」即「其會如林」。細繹銘文，再來體會「其會如林」的意境，我們便會進一步體會到馬瑞辰的訓釋是完全正確的。銘文描寫田獵時旌旗翻飛、駿馬奔馳的壯觀畫面，與《大雅・大明》激戰前夕的描繪，頗有相似之處。馬瑞辰正是在認眞考辨之中想像詩句描繪的形象畫面，才得出了符合詩意的判斷。對於後四句，毛《傳》云：「矢，陳也；興，起也。言天下之望周也，無敢懷貳心也。」鄭《箋》云：「陳於商郊之牧野，而天乃予諸侯有德者興起爲天子，言天去紂，周師勝也。《傳》、《箋》皆承上殷商之旅而言，幾經轉折，終未使詩意連貫。馬瑞辰訓矢爲誓，謂周王誓師於牧野，連下「維予侯興」三句言。三句皆爲誓詞，這與《魯頌・閟宮》「無貳無虞，上帝臨女」，引誓詞入詩同。此乃化散句爲詩，語義明晰，連接自然，而前兩句言「殷商之旅，其會如林」，此四句忽言周人誓師，其間有一個「跳躍」。馬瑞辰認識到詩歌省略說明、過渡、銜接語句的跳躍性特點，通過體會作品內在情感來了解詩句與詩句的聯繫，訓釋也就較爲合情合理。

其次，馬瑞辰對於詩歌的抒情性，亦有所留意。他在通釋中能將詩句放在全詩的整體中，揣摩作者的情感，體會其「立言之妙」。例如，《陳風・株林》：「胡爲乎株林？從夏南？匪適株林，從夏南。」馬瑞辰說：「不言夏姬言夏南者，上二句詩人故設爲問辭，若不知其淫於夏姬者，以爲從夏南遊耳。下二句當連讀，謂其非適株林從夏南也，言外見其實淫於夏姬，此詩人立言之妙。鄭《箋》以爲牴拒之辭，失之。」經馬瑞辰這樣一點，原詩頓生活氣，給人以聲口畢肖之感。

「文辭所被，誇飾恒存。」《詩經》「言峻則嵩高極天，論狹則河不容舠，說多則子孫千億，稱少則民靡孑遺」。（註一〇）巧妙的誇張，是抒發詩人强烈的情感需要，詩人的誇張，帶有濃烈的感情色彩。然而，這些誇飾之辭到了某些經學家手中，考之以經史，證之以典章，便成了賬簿上的記錄。《大雅・思齊》：「則百斯男。」毛《傳》：「大姒十子，衆妾則宜百子也。」《小雅・采薇》：「豈敢定居，一日三捷。」鄭《箋》：「往則一月之中三有勝功，謂侵也，伐也，戰也。」《傳》、《箋》將詩句中的數字一一落在實處，使詩味淡薄，索然無趣。對第一例，馬瑞辰指出：「百男特頌禱之詞，猶《假樂》『子孫千億』耳。《傳》謂衆妾則宜百子，失之。」對第二例，馬瑞辰指出：「古者言數之多，每曰三與九……此詩一月三捷，特冀其屢有戰功，亦三錫、三接之類。」

第三，對於詩歌語言的形象性，馬瑞辰時有涉及。《詩經》善用比喻，「金錫以喻明德，珪璋以譬秀民，螟蛉以類教誨，蜩螗以寫號呼，澣衣以擬心憂，席卷以方志固」。（註一一）比喻豐富而動人。馬瑞辰對詩中的比喻時有概括，例如，他說：「古人言憂心之甚，每比諸火之炎上。」其證如下：

《小雅・節南山》：「憂心如惔。」

《小雅・采薇》：「憂心烈烈。」

《小雅・頍弁》：「憂心奕奕。」

《小雅・頍弁》：「憂心怲怲。」

《大雅・無將大車》：「不出於熲。」

《詩經》中已經出現了博喻的寫法，即用一連串的比喻，反覆描繪某一形象。某些經學家往往不知博喻之妙，好將其割裂拆斷，强增其義，詩情遂失。《小雅・天保》：「如月之恒，如日之升，如南山之壽，不騫不崩，如松柏之茂，無不爾或承。」連用四個比喻，形容福之久長昌茂。鄭《箋》只講「如松柏之枝葉常茂盛，青青相承，無衰落也」，將「無不爾或承」與前三個比喻拆散。而馬瑞辰指出，月、日、南山、松柏之喻，與此詩第三章「如山如阜，如岡如陵，如川之方至，以莫不增」同屬比喻。可見，馬瑞辰對全詩統一的意境是有所體會的。

馬瑞辰對詩歌的跳躍性、抒情性、形象性的認識，證明他在一定程度上注意到《詩經》的文學特性，這使他能夠在訓釋中擺脫某些經學家固有的偏見，提出一些可信的新說。

以上我們從四個方面對《毛詩傳箋通釋》訓釋的方法作了簡要的論述。必須說明的是，馬瑞辰並不是將這些方法各自孤立起來運用的。那些比較正確的說解，總是不僅從古音、古義方面能夠加以說明，而且符合詩歌結構、語言和藝術形式方面的規律，反映了形象思維的特點。他注意到《詩經》疊詠、複語、套句不嫌詞複的現象，但並不將此作爲探索語義的唯一根據，往往要輔之以三家或其它典籍、銘文作爲論據。馬瑞辰訓釋《詩經》的方法，啓發我們將古代歷史，古代民俗學，古代語言文字學和古代文學的研究熔爲一爐，以對《詩經》進行全面的探索。至於書中的封建糟粕、唯心主義說教以及舊訓詁學帶來的種種謬誤，還需專門討論，本文便不再贅述了。

【附註】

註　一　朱德熙、裘錫圭《平山中山墓銅器銘文的初步研究》，《文物》一九七九年第一期。

註　二　《老子甲本及卷後古佚書》。

註　三　清人一些著述中談到的假借字，一般指通假字而言，但有的其實屬古今字、異體字等。下面引述馬瑞辰有關論述時不再加以說明。

註　四　《銀雀山簡本〈尉繚子〉釋文（附校注）》，《文物》一九七七年第二、三期。

註　五　《馬王堆漢墓出土帛書〈春秋事語〉釋文》，《文物》一九七七年第一期。

註　六　陳啓源《毛詩稽古編・附錄》。

註　七　《武威漢簡》。

註　八　同註六。

註　九　同註一。

註一〇　劉勰《文心雕龍・誇飾》。

註一一　劉勰《文心雕龍・比興》。

——原載《文史》第廿五輯（北京：中華書局，一九八五年十月），頁三一三——三二五。

讀胡培翬的《儀禮正義》

楊向奎

胡培翬（西元一七八二年——一八四九年），字載屛，安徽績溪人，胡匡衷之孫。家學淵源，重以篤志博聞，所得殊多，嘗病《儀禮》賈《疏》多失，遂有重疏志，初意專解《喪服》，故從喪祭起手。先成《喪服經傳》、《士喪禮》、《既夕禮》、《士虞禮》四篇，次及《特牲饋食禮》、《少牢饋食禮》、《有司徹》諸篇。研精覃思，積四十餘年，成《儀禮正義》四十卷。自述其例有四：一曰補注，二曰申注，三曰附注，四曰訂注。清人於古經多有新疏，蓋由於唐宋舊疏之鄙陋。經書之重要者爲《禮》與《春秋》，《三禮》、《三傳》實爲中國傳統文化之載體，在中國歷史上產生過巨大影響；《周禮》、《公羊》並在中國政治史上發揮過無比作用，清人對之用力亦最多。孫詒讓之《周禮正義》，乃有關《周禮》義疏集大成的書，而清人發揮《公羊》義者最多，成爲一代顯學。但疏解舊經難度最大者爲《儀禮》，以其中之繁文縟禮，自西周至戰國皆曾據以實行者，經傳條文，對於主賓之舉動，樂舞之節奏，皆有嚴格規定，失次是謂無禮，禮失樂誤，以致有孔子「吾自衛返魯，然後樂正，雅頌各得其所」之嘆！疏禮者必須使物物得所，然而兩千年前事，人類之行爲並無痕跡，而欲復其原，誠屬大難，疏解者必須有廣泛知識，細密工夫；而胡培翬的新疏是可取的，他幫助我們弄清許多史實，在清代群經新疏中，《周禮正義》外，當推《儀禮正義》。且培翬先生之《研六室文鈔》亦多佳品，直可步武王氏四種。我們說清代乾嘉後大家有三：(1)戴東原的哲學，⑵王念孫的考據，⑶孫詒讓的新疏與新詁。我們只是就乾嘉以後清儒言，若清初，大家輩出，乾嘉諸儒皆承其流風餘韻。戴東原爲全面手，訓詁、考據、小學、音韻，都是其所長，而《孟子字義疏證》諸書，更表現出其非凡的哲學思想；其短，在學風上，往往取他人之長化爲己有而諱言之，校注《水經注》之取趙一清論，道情性之取大程及上蔡說亦復如此，王國維先生對此曾有指責。但東原成就突出，小疵終不能掩大德。東原弟子段玉裁與王念孫齊名，同爲小學訓詁大師，但就成就與氣質論，段不如王，段注《說文》，專斷而勇於改字，且狹隘不容人；而王氏雍容，其父子「四種」足以彪炳千秋，至今爲考據文章，罕出其右者。孫詒讓疏《周禮》，詁《墨經》，都前無古人，章太炎所謂「三百年絕等雙者」。三君而下，可以步武者，胡培翬其選也。

疏《儀禮》與疏《周禮》不同，《周禮》多政經大事，疏者必心有全牛，而《儀禮》乃繁文縟禮，其細如發，疏者必深入腠理。《周禮》、《儀禮》都爲三千年前之朝廷大事及士族生活，三千年後，其人其事朽滅無垠，所餘者僅古代文獻，簡略記載，而文字變遷，語言歧異，欲於簡單之古樸記載中，得窺古代士族之生活全貌，實屬不易，但古人於培翬之《儀禮正義》中，尙能知其若干，比如：

一、關於「士庶子」、「士庶人」、庶人、國人、眾人之階級成分問題

在我國先秦古籍中多見「士庶子」、「士庶人」及國人、庶人等名稱，但有關其身份地位，僅憑原始記載，含混不清，無法知其階級成分。在《儀禮》中有關士、庶子、士庶子、庶人、士庶人以及國人等記載更是多見，通過胡氏之《正義》疏解，我們可以弄清這些人的身份地位。《儀禮》乃士禮，首篇爲《士冠禮》，標題爲：《士冠禮

第一」，注：「鄭《目錄》云：童子任職，居士位，年二十而冠，主人玄冠朝服，則是仕於諸侯。天子之士，朝服皮弁素積。古者四民世事，士之子恒爲士。」胡氏《正義》云：

> 童子任職，居士位，年二十而冠者，鄭意蓋以此爲士身加冠也。然下又云：古者四民世事，士之子恒爲士。朱子謂詳鄭意，似謂士之子雖未仕，亦得用此禮矣。……吳氏延華《儀禮疑義》云，徐以升謂下記云，天子之子猶士也，天下無生而貴者，則自天子之子以下，凡入學者，皆可以士名之。見此經爲天下之通禮，其說是也。鄭謂士之子恒爲士，亦指學士言。先祖樸齋先生諱匡衷《鄭氏目錄校證》云，案士有已仕而有位者，《周禮》上士、中士、下士是也。有未仕者，《玉藻》所謂居士，《王制》所謂選士、俊士是也。今案：據此，則未仕者亦稱士，經文士字實該之矣。

以上所引雖多，但不相屬，「士之子恒爲士」，及「天子之子猶士也」，接觸到士的屬性問題，「士」不同於「農」「工」「商」，士永遠爲士，階級成分不變。而「天子之子猶士也」，說明「士」屬於封建貴族階級，天子之子，在未繼位或未封國以前也是「士」。至謂「天下無生而貴者」，「貴」當指有位言。《記冠義》云：

> 天子之元子猶士也，天下無生而貴者也。

注：「元子，世子也。無生而貴，皆由下升。」《疏》云：

> 《正義》云，《郊特性》無猶字，天下無生而貴者也，明天子之元子與士同，故冠用士禮也。褚氏云，上既言大夫與諸侯無自身之冠禮，此又明冠子亦用士禮，雖天子之元子尚然，況等而下之乎。注云，元子世子也者，元者，長也。鄭必解爲世子者，明其有繼體之尊也。云「無生而貴，皆由下升者」，《郊特牲》注云：明人有賢行著德，乃得貴也。……今案《白虎通

》云，王者太子亦稱士，何，舉從下升，以爲人無生得貴者，

莫不由士起，是注說所本矣。

通過上疏，可以明確，士爲貴族階級之通稱，天子之元子未繼位前亦稱「士」，一切封建統治者均由士起，士以外不得升遷，工商國人，不得爲士，野外群氓更無論矣。士爲族之通稱，乃其達名，「名、達、類、私」，若其類名，則士爲四民之一，所謂「士之子恒爲士」，即指「士」不得混於「農」「工」「商」。農工商三者，由其字名可知其專業，「士」何爲者？前疏謂「士之子恒爲士，亦指學士言」，乃是誤解，先秦言「士」無作「學士」解者。近人吳承仕先生曾解「士」之原義云：

《說文》：「士，事也。」士古以稱男子，事謂耕作也。……《漢書・蒯通傳》曰：「不取事刃於公之腹者。」李奇注曰：「東方人以物插地中爲事。」事字又作菑，……《漢書・溝洫志》云，《菑亦插也。」……蓋耕作始於立苗，所謂插物地中也。士事菑古音並同。

男字從力田，依形得義，士則以聲得義也。（見《積微居小學述林》第三卷《釋士》）吳先生的訓詁合乎「士」字原義，《禮記・少儀》有：

問士之子長幼，長則曰能耕矣，幼則曰能負薪未能負薪。

也可以說明「士」是不脫離農業生產的一個階級。而《周禮・天官》之大宰，「掌建邦之六典」，第六典曰「事典」，也是有關農業生產。「士」的原義既然是農耕，那末「士」也實在是「農」，在《國語・齊語》內以士鄉包括農鄉，是說得通的。因此，我們聯繫到《尚書》之《多士》及《多方》兩篇內的「士」，這也應當指的是自由農民，而不是奴隸或農奴。這些自由農民，在車戰中是甲士與甲首，不同於徒卒匹夫，他們也屬於貴族，但是等級最低，《左傳》哀公二年有

云：

> 克敵者上大夫受縣，下大夫受郡，士田十萬，庶人工商遂，人臣隸圉免。

這是晉國趙鞅臨戰的誓言。克敵者上大夫受縣，下大夫受郡，而士可以受田十萬。士本無地，也就是他們乃爵位之最下者無采邑封地，但在此如果克敵卻可以受田。無地則不得稱「君」而無「臣」，《儀禮·喪服》傳曰：「君至尊也。」注：「天子諸侯及卿大夫有地者皆曰君。」胡氏《正義》云：

> 注云，天子諸侯及卿大夫有地者皆曰君者，上經爲天子，止據諸侯言。其天子畿内之臣公卿大夫士爲天子，俱在此條内，故知君中兼有天子也。又謂卿大夫有地者爲君者，據下傳云：君謂有地者也。地，謂采地，若《周禮》家邑、小都、大都，及列國卿大夫食邑之類。《禮運》曰：天子有田以處其子孫，諸侯有國以處其子孫，大夫有采以處其子孫，三者皆有君義也。
>
> 馬氏融釋此傳云，君，一國所尊也，故曰至尊。是專據諸侯言之，不及鄭義之精矣。敖氏又兼士言之，於義爲合。又《緦麻章》，爲貴臣服緦，大夫無緦服，則爲貴臣服者，必士也。士之有臣見矣。盛氏云，案《特牲禮》士亦私臣，但分卑，不足以君之，故其臣不爲服斬也。褚氏云，傳文明以有地者爲君，故注本以釋經。蓋有地，則當世守，義與有國者等，與暫時涖官而爲其臣屬者不同，服斬宜矣。士既無地，雖爲其臣，安得服斬。如皁臣圉，圉臣隸，名亦臣也，而豈爲之服斬乎？
>
> 今案（胡氏）：盛氏、褚氏之說，是也。吳氏駁賈士無臣之說，亦是，但以敖義爲合，則非耳。……

上疏引衆說紛紜，但「士無地」則爲定論，因爲本傳有「君，謂有地者也」，而士不得稱君故無臣，《左傳》桓公二年云：「天子建國，諸侯立家，卿置側室，大夫有二宗，士有隸子弟，庶人工商，各有分親，皆有等衰。」隸子弟等於私臣，不能與卿大夫比。但士究屬王朝貴族有職者之一級，是否有爵及命？《儀禮・喪服經傳十一》注有云：「爵謂天子諸侯卿大夫士也。無爵，謂庶人也。」胡氏《正義》云：

> 爵謂天子諸侯卿大夫士也者，殷以前，士無爵；周則士亦為爵。故《王制》曰：「王者之制祿爵，公侯伯子男，凡五等。諸侯之上大夫卿、下大夫、上士、中士、下士，凡五等。」《白虎通》云：「天子者，爵稱也。」是自天子至士，皆為有爵之人；庶人則無爵也。無爵則不得杖，而亦杖，故鄭謂「假之以杖」。

有爵亦有命，同上傳胡疏，有云：

> 《周禮》：「大宗伯以九儀之命，正邦國之位。」《典命》：上公九命，侯伯七命，子男五命。王之三公八命，其卿六命，其大夫四命。公之孤四命，其卿三命，其大夫再命，其士一命。侯伯之卿大夫士亦如之。子男之卿再命，其大夫一命，其士不命。鄭注，「王之上士三命，中士再命，下士一命。」是自士至上公，凡九等也。

而有不命之士，子男之士不命。又《士喪禮》鄭注「為銘各以其物」云：「無旗，不命之士也。」胡疏云：

> 云「無旗，不命之士也者。」以此篇是士禮，無旗則是為不命之士言也。近儒疑無旗為庶人，非。

不命之士或為庶子，庶子亦屬于士而不同于庶人。通過上述，我們知道，士是王朝政府中執政者之一，屬於貴族，但爵命最低而無采地，不得稱君，無臣。甚不受命者可以受田而耕，但不同於野外之氓。所以我曾經說：「士有田，是一種自由農民，可以升遷也可以下降的階層，但仍然屬於貴族階級。他們和庶人不同，庶人同於工商，是當時的國人，他們住於國而不住於野，和民氓不同，民氓是役屬農民，和庶人比，他們更下一級。」我們可以說這種「士」不是貴族通稱的「士」，是貴族中的下層而供職王朝者，這是「士」的一類，是類名。後來的武士、學士都由此類士中分化。

「士庶子」古多聯稱，我們再考查「庶子」的地位。在《左傳》哀公二年記載裏，我們已經看到「庶人工商遂，人臣逮圉免」的話。杜預注上句是「得遂進仕」，下句是「去廝役」；這基本是正確的，用現在的話說，「遂進仕」，是在王朝供職，「去廝役」，是免除奴役地位。可以在王朝供職，應當取得自由民的地位，但還不是士的階級而高於人臣逮圉。《儀禮・士相見禮》有：

> 始見於君執摯，至下，容彌蹙。庶人見於君，不為容，進退走。

胡疏於「庶人」句云：

> 《正義》曰：賈疏以庶人為在官府史胥徒之屬。王氏昭禹謂非特府史胥徒而已，凡民在焉。王說是也。方氏苞云，古者天子諸侯耕耤巡方，大詢時田，皆與庶人接，故庶人有見君之禮。或曰下節注「庶人之摯鶩」五字，當在此節。據大宗伯「庶人摯鶩」注，云，鶩取兼不飛遷，則兼凡民在內矣。

上引賈公彥原《儀禮疏》，「以庶人為在官府史胥徒之屬」，乃「庶人遂」以後的供職，而與「凡民」有別，古代字義，民同於氓，甿，屬於農奴，不得供職官府。胡與王氏當不解此，以為人同於民，凡民，凡人而已，在春秋前並不如此。《士相見禮》有：「與居官者言，言忠信」，鄭注：「居官謂士以下」，胡疏云：

> 云居官謂士以下者，古者建國必立三卿，又有五大夫，皆所以佐君出治者，其下上士、中士、下士及庶人在官者，皆屬於卿

大夫，不能自達於君。是士以下與卿大夫尊卑迥殊。

士與庶人在官者與卿大夫不同，卿大夫爲「大人」，而士庶人爲「居官者」屬於卿大夫。卿大夫得稱「君子」，而士庶人不得稱。《士相見禮》有，「凡侍坐於君子，君子久伸問日之早晏」。鄭注，「君子謂卿大夫及國中賢者也。」胡疏云：

注云，君子謂卿大夫及國中賢者也。賈疏云：禮之通例，大夫得稱君子，士賤不得也。

庶人在官者更不可稱「君子」，「君」爲有地者，士無地不得爲君，亦不得稱「君子」，庶人耕溝洫田，更無與於「君子」也。

在《左傳》中，庶人多與工商爲伍，如：

庶人工商各有分親。（桓公二年）

庶人工商皁隸牧圉皆有親暱。（襄公十四年）

庶人工商遂。（哀公二年）

當時「工」在官，非個體營業者，自周初以來已有商人活動，如《酒誥》「肇牽車牛遠服賈」；春秋時鄭國商人弦高參與政治活動。（《左傳》僖公三十三年）而「賈人」乃宗周之下級職官。庶人工商均居於國中者，故當時之所謂「國人」，以庶人工、商爲主。《儀禮．聘禮》有「賈人西面坐，啓櫝取圭，垂繅不起而授宰」。鄭注，「賈人，在官知物賈者」。胡疏云：

朱子云，注在官上，疑有「庶人」二字。……《儀禮釋官》云：「王制」，「庶人在官者」注：「謂府史之屬」。孔疏云，「之屬者」謂工人賈人及胥徒也。……案《周禮》序官，若庖人、大府、王府、職衞，典婦工、典絲、泉府、馬質、羊人、巫馬、大人諸職皆有賈，此賈人當爲府屬之官。

賈人亦當爲庶人在官者。孔穎達疏《周禮注》以爲「府史之屬」指工人、賈人及胥徒。工賈皆爲庶人並商人及士庶子皆爲國人，但士庶子屬於貴族，庶人工商則爲「國人」而不貴。

庶人不在官者則耕溝洫田與井田有別，耕井田者爲野人、群氓，宗周時，野人多屬殷人，故云「先進於禮樂野人也。」（《論語・先進》）耕籍田者亦同於氓，故《周禮》序官甸師下，有徒三百人，其職曰：「掌帥其屬，而耕耨王籍。」

庶人可以遂而在官，民氓圉隸則只能免，免於農奴或奴隸地位。「士」亦有庶，稱爲「庶士」。《儀禮・士喪禮記》，「及行禱於五祀」，鄭注，「士二祀，曰門曰行。」胡疏云：

　　適士立二祀，曰門曰行。庶士庶人立一祀。

適士即嫡長子，嫡長子之弟，或非嫡生子，皆爲「庶士」，故「庶士」同於「庶子」，而不同於「庶人」。

通過上疏，我們可以弄清士、庶子、庶士、庶人、國人之本質，未始不是胡培翬的貢獻之一。

二、關於韠、韎韐等衣裳問題的解釋

在古代階級社會中，階級制度劃分嚴格，上述士族、庶人及農奴、奴隸等身份不同，地位不同，享受不同，表現在衣食住行各方面均有不同，事隔數千年，居今日而談古代各階級中人之衣冠制度，誠非易事，但我們於胡氏之《儀禮正義》中，可以窺見端倪。《儀禮・士冠禮》有：

　　士冠禮，筮於廟門，主人玄冠朝服，緇帶素韠，即位於門東，西面。

鄭注云：「主人」，將冠者之父兄也。玄冠，委貌也。朝服者，十五升，布衣而素裳也。衣不言色者，衣與冠同也。……緇帶，黑繒帶，士帶博二寸，再繚四寸，屈垂三尺。素韠白韋韠，長三尺，上廣一尺，下廣二尺，其頸五寸，肩隔帶博二寸。天子與其臣玄冕以視朔。」

胡氏《正義》云：

> 云素韠白韋韠者，韠，蔽膝也。冕服謂之韍，其他服謂之韠，皆以韋爲之。《字林》云，韋，柔皮也。鄭注，《乾鑿度》云，古者田漁而食，因衣其皮，先知蔽前，後知蔽後；後王易之以布帛，而獨存其蔽前者，重古道，不忘本也。凡韠皆同裳色，其韍則有山火龍章之飾焉；此韍與韠之分也。韠以白韋爲之者，朝服之韠也。若士玄端服之韠，則以爵韋爲之。《玉藻》曰：「韠，君朱，大夫素，士爵韋。」鄭注，此玄端服之韠也。凡韠必象裳色，則天子諸侯玄端朱裳，大夫素裳，唯士玄裳；黃裳雜裳也。皮弁服皆素韠。今案，皮弁服用素韠，自天子至士皆然，故云皆也。其朝服自上至下亦皆素韠，其玄端服，則唯大夫用素韠耳。

「韠，蔽膝也」，給我們以許多啓示，在原始社會，田漁時代，尚無完整衣裳，先知蔽前，後知蔽後。蔽前即蔽膝，蔽膝即韠，而韠上有所裝飾，即蔥珩或蔥衡，《玉藻》所謂「三命赤韍蔥衡」者是。又《士冠禮》有：

> 爵弁服，纁裳，純衣緇帶，韎韐。

鄭注：「韎韐，縕韍也，士縕韍而幽衡，合韋爲之，士染以茅蒐，因以名焉。今齊人名蒨爲韎韐，韍之制似韠。」胡氏於此疏云：

> 按此韍也而云韎韐者，韎言其色，韐言其質。鄭此注云：「韎韐，縕韍也。《玉藻》注云，縕，赤黃之間色，所謂韍也。是鄭以此經韎，與《玉藻》縕，同爲赤黃色名。《說文》韎，茅蒐染韋也。……士無市有袷，制如榼，缺四角，爵弁服，其色韎，賤不得與裳同，是也。市即韍字，袷即韐字。……韐字義取合韋，大夫以上，亦用韋爲之，而不名韐者，據大夫以上，有山火龍章之飾，謂之韍；士無飾但謂之韐，本其質而言之。

賈疏謂士無飾不得單名韍，一名韎韐，一名縕韍，是也。鄭云韎韐之制似韠者，韎韐雖不得單名韍，得單名韐。《士喪禮》，設韐帶。注云，韐帶，韎韐緇帶，是其證。

韎韐即縕韍，縕爲赤黃色，韎亦赤黃色；而有飾則謂之韍，無飾則謂之韐；而大夫以上有飾，士無飾。又《儀禮·士喪禮》，「韎韐」胡疏云：

韎韐詳《士冠禮》。一命縕韍，《玉藻》文，彼注云，縕，赤黃之間色，所謂韎也，是縕韍即韎韐矣。而云縕韍者，凡冕服謂之韍，以其一命之中，兼有子男之大夫服冕服助祭。又士之韎韐無飾，大夫則飾以山，故變言縕韍，《儀禮》陳士服仍名韎韐也。《士冠禮》，爵弁服韎韐，皮弁素韠，玄端爵韠，此則三服共一韎韐而已。

縕韍，韎韐與韠同，皆源於蔽膝，階級社會後，等級森嚴，韍、韠、韎韐遂有不同。

以上《儀禮》胡疏提供豐富材料，使我們初步弄清古代衣裳之源流，但在宗周前，此一蔽膝衣裳，在文獻上有記載否，我們在古文字中可以找到答案，而幫助我們解決這一千古之謎。在《說文解字》皕部中，有：

皕，二百也。凡皕之屬皆從皕，讀若逼。

段玉裁《說文解字注》云：

逼各本作「祕」。按：《五經文字》，皕音逼。……李仁甫《五音韻譜目錄》云，讀若逼。本注云，彼力切。皆由舊也。

又有：

奭，盛也，從大從皕，皕亦聲。此燕公名，讀若郝。《史篇》名醜。

段玉裁注：

> 《釋詁》，「赫赫躍躍」。「赫赫」，舍人本作「奭奭」。《常武》毛傳云：「赫赫然盛也」。按「奭」是正字，「赫」是假借字。《小雅》，「路車有奭」，「韎韐有奭」。毛曰「赤貌」，此當作赫。《赤部》云，「赫火赤貌」。「奭」是假借字。又，奭與大皆盛意也。

上述段注云「《小雅》，『路車有奭』，『韎韐有奭』。毛曰，『赤貌』，此當作『赫』，《赤部》云，『赫』火赤貌，『奭』是假借字。」相反，本字應是「奭」，而不是「赫」。「韎韐有奭」之「韎韐」，上面於《儀禮》疏中已詳言之，「韎韐」即「韍」或「韠」，而「奭」正像蔽膝，讀作「逼」，與韠同音，原始社會，衣僅蔽膝而已，後來發展有衣有裳，以韋爲之，名曰韎韐，不忘過去之蔽膝，以之爲山火之飾，遂以「奭」爲飾，其實「奭」本蔽膝，乃象形字，後來之韠韎韐等以韋爲衣而有飾乃形聲字。奭在古文中象形，作：

甲骨文二期　三期　四期　五期　五期

以上甲骨文，以下金文：

商卣　商韓殷　周矢尊　周散盤

以上據高明編《古文字類篇》。過去，我國古文字學家於此無正確解釋，余以爲即隸定後之「奭」字，戰國時有作：者，小篆作：。自甲骨文至小篆均象人衣蔽膝形，字形之演變，依稀可尋，如此隸定，決無問題。而毛公鼎中之

> 朱市悤黃

「悤黃」兩字，吳大澂釋爲「蔥珩」，即《詩・小雅・采芑》之「朱芾斯皇，有瑲蔥珩」，《玉藻》之「三命赤芾蔥衡」中蔥字即悤字，

其初爲蔽膝上之裝飾，後有韠韍，遂爲韠韍之飾，市（韍）朱色，故《毛傳》解「韎韐有奭」爲「赤貌」，赤固朱也。無論形音義各方面說，奭爲蔽膝，讀作逼，乃無問題。因爲蔽前之衣，在兩膝之前，遂有輔弼意，「弼」字亦由此出，「弓」乃「乂」字之譌，古更固相似也。

以上我們在胡疏《儀禮》中解釋古代衣裳制度及過去未解之古文字，以下還有：

三、樂次與詩所

孔子說：「吾自衛反魯，然後樂正，雅頌各得其所。」（《論語・子罕》）可見樂有次，而詩有所；有次有所才合乎禮儀。過去王國維先生曾經有「釋樂次」（《觀堂集林》卷二），開始云：

> 凡樂，以金奏始，以金奏終。金奏者，所以迎送賓，亦以優天子諸侯及賓客，以爲行禮及步趨之節也。

在全文中，王先生較詳細地敘述當時各種禮儀中之金奏歌詩情節。王先生以爲樂以金奏始，以金奏終，但禮無明文，先生據古文獻記載，以爲納賓，賓退皆有金奏肆夏以爲始終之節奏。金奏既闋，獻酬禮畢，則工升歌，歌升所以樂賓。升歌之詩，諸侯以上用《雅》《頌》，大夫士用《小雅》。《鄉飲酒禮》，工歌《鹿鳴》、《四牡》、《皇皇者華》。諸侯燕其臣，及他國臣亦用《小雅》，兩君相見則用《大雅》，或用《頌》，天子用《頌》。升歌既畢則笙入，笙詩《南陔》、《白華》、《華黍》。歌者在上，匏竹在下，於是有間，有合，間之詩，歌則《魚麗》、《南有嘉魚》、《南山有臺》。笙則《由庚》、《崇邱》、《由儀》。合之詩，《周南》、《關雎》、《葛覃》、《卷耳》、《召南》、《鵲巢》、《采蘩》、《采蘋》也。

金奏蓋爲序曲，據禮，樂凡四節：升歌一也，笙入二也，間歌三也，合樂四也。胡氏《儀禮・鄉飲酒》疏以爲「堂上之樂工，鼓琴瑟而歌。堂下之樂，或主笙，或主管，各以所宜，故曰『歌者在上，匏竹在下』，即笙管之謂也。上下迭作，則謂之間，上下並作，則謂之合。」胡疏此下更詳細敘述道：

> 盛氏世佐云，《尚書》蔡氏傳曰，堂上之樂，唯取其聲之輕清者與人聲相比，則二人歌時，必二人鼓瑟，以合詠歌之聲，不言可知。敖氏乃謂工歌之時亦奏堂下之樂以應之，則從古無此凌亂雜糅之樂也。……堂上之樂，以歌爲主；堂下之樂，以管爲主。歌後則堂下之樂不作；管奏則堂上之樂亦停；所謂無相奪倫者此也。此篇所記與《虞書》異者：三堂上有瑟無琴一也。磬以石爲之，又在堂下，二也。堂下之樂，無管鼗諸器，而以笙爲主，三也。之三者，或因虞周異制，或因天子宗廟，與大夫士相飲，隆殺不同，至上下迭奏之法，則古今一轍也。注云，三者皆《小雅》篇也者。朱子曰，《鹿鳴》即今日燕飲之事，所以通達主人之誠意，而美嘉賓之德也。《四牡》言其去家而仕於朝，辭親而從王事，於此乎始也。《皇皇者華》，言其將爲君使而賦政於外也。《樂記》曰，「宵雅肄三，官其始也」，正謂此也。蓋此三詩先王所制以爲燕飲之樂，用之鄉人，用之邦國，各取其象而歌之也。案三詩爲《小雅》之始篇，作詩在前，用詩於樂在後，以《詩》之所言者，有合於主人之燕賓、臣下勤勞王事之意，故取之以入樂。……此凡所歌者，皆不取詩之義，但以其所用者樂賓耳。

取詩入樂，乃斷章取義，非必合於詩之原義，此說不爲無理，《詩》多民歌，或加工後之《雅》《頌》，原義如何，非必入樂之所取，後人理解不同，可以斷章取義。此敖氏說而盛世佐駁之，以爲歌詩不類，古人所誚。《左傳》所載，固有歌詩不類而遭譴責者，但歌詩者非作詩者，原作之意云何，非後人所得盡知，各依其所解而歌乃常情也。幾千年來對於《詩》之正統解釋，今日固多遭批判者。

總之，歌詩有次有所，在春秋以前，已有定制，詳於《三禮》，而行於宗法士族間，春秋末年，新階級出，宗法貴族逐漸崩潰，行於其間的禮樂制度亦將瓦解，於是孔子再「刪《詩》《書》，定禮樂」。我們可以說，春秋以前，禮樂制度，出自周公；春秋以後，禮樂文明，創自孔子。周公孔子實爲我國三千年來禮樂文明締造者之代表人物，所謂前聖後聖，「其揆一也」！

通過《儀禮》，尤其是通過胡培翬的《儀禮正義》，我們可以弄清中國古代禮樂制度中的許多具體內容，至於這種禮樂制度對於中國傳統文化之影響及其評價，非本文所及，我們只是談這種禮樂制度的具體內容。

在胡培翬的《研六室雜著》中，更多可供參考的文章，我們以爲在王念孫父子的《四種》後，可以步武其書者，爲《研六室文集》，胡培翬固清代漢學家中之名家也。

——原載《孔子研究》一九九一年第二期，頁一一九—一一二六。

論郝懿行的《爾雅義疏》

張永言

一

《爾雅》是第一部有系統的訓詁專書。它對後來的訓詁學有重大的影響，對古代漢語和漢語學史的研究有很大的價值。

《爾雅》的作者不止一個人，最後成書西漢平帝時。（註一）由《經典釋文》的《序錄》的記載，我們知道早在東漢時，《爾雅》就有了幾種注本。（註二）但是，這些注都亡佚了，后人有輯佚，收在《玉函山房輯佚書》和《漢學堂經解》裏。

現存完整的《爾雅》注本，以東晉郭璞（西元二七六─三二四年）的《爾雅注》爲最早。陳代陸德明（五五〇？─六三〇年？）爲郭注《爾雅》作「音義」，北宋邢昺（九三二──一〇一〇年）等又爲它作「疏」。

在清代，爲郭注《爾雅》作新疏的有邵晉涵（一七四三──一七九六）的《爾雅正義》和郝懿行（一七五七──一八二五年）的《爾雅義疏》。到現在爲止，所有《爾雅》注本中最詳贍的，也最通行的，要算《爾雅義疏》。

郝懿行，字恂九，一字尋韭，號蘭皋，山東栖霞人。（註三）他是清代乾嘉時代一位方面很廣的學者，對語文學和自然史都有深厚的興趣。他一生著書很多，一部分刊在《郝氏遺書》裏。除了《爾雅義疏》以外，直接關係語文學的著作有《通俗文疏證》、《證俗文》、《晉宋書故》。

《爾雅義疏》創始於嘉慶十三年（一八〇八年）著者五十二歲的時候，完成於道光二年（一八二二年）著者六十六歲的時候，前後達十四年之久，是郝氏生平用力最多的一部著作。他在嘉慶十四年寫給阮元的信裡提到這部書，說：「即今《釋詁》一篇經營未畢，其中佳處已復不少」（註四）在同一年寫給王引之的信裏也談到這部書，說：「其中亦多佳處，爲前人所未發。」（註五）十一年以後，在《與兩浙轉運使方雪浦書》中又說：「此書若成，自課其中必多佳處。」（註六）從郝氏這些話裏，可見他對自己的這部著作是十分自負的。

郝氏著書的動機，出於對邵晉涵的《爾雅正義》感到兩點不滿意的地方，即邵氏於「聲音訓詁之原尙多壅閡」（註七），於草木蟲魚則「尤多影響」。（註八）所以他著《義疏》就著重以聲音貫串訓詁，據目驗考釋名物。這個宗旨郝氏曾反覆申述；他的這些自述很能幫助我們了解《爾雅義疏》 這部書的性質和特點。

現在看來，在郝氏榜榜的兩大目標中，在據目驗考釋名物這一方面郝疏的確做得很出色，大大超過了別家的同類著作。我們在《釋草》以下七篇的《義疏》裏經常可以讀到「今驗」云云，凡所考釋，名翔實可信。此外，《義疏》還常常引用俗名，這在別家的書裏是不容易找到的，很是難能可貴，讀來也覺得清新可喜。至於以聲音貫串訓詁這一方面，郝氏雖然同樣重視，書裏也講得不少，可是由於他「疏於聲音」（註九），以致力不從心，做出來的結果，往往不太容易令人滿意，下面我們就從「草木蟲魚」、「聲音訓詁」、以及其他方面來考察一下《爾雅義疏》一書的得失。（註一〇）

二

據目驗考釋草木蟲魚是《爾雅義疏》最突出的特點和優點。在清代小學家當中，「專力訓詁者多，推求名物者鮮」（註一一），所以郝氏《義疏》在這方面的成績就更值得推重。大致說來，郝氏解釋草木蟲魚有如下幾個優點：

1.具有一定的實事求是的科學批判精神，能夠廓清自漢儒以來在封建社會很占勢力的「符應」、「災異」、「祥瑞」等謬說，例如：

麟：麕身，牛尾，一角。（釋獸）〔郝疏〕按古書說麟不具錄，大抵侈言德美與共征應，惟《詩》及《爾雅》質實可信。至于言德，則《廣雅》備矣；說應，則《禮運》詳矣。今既無可據依，亦無取焉。

按《禮記・禮運》以麟爲「四靈」之一；《廣雅・釋獸》說得尤其神秘：「麐：狼題，肉角，含仁懷義，音中鐘呂，行步中規，游必擇土，翔必後處，不履生蟲，不折生草，不群居，不旅行，不入陷穽，不羅罘罟，文章彬彬。」（註一二）這些怪誕不經的說法，郝氏就全部撇開，「亦無取焉」。

此外，在《釋蟲》「食苗心」螟；食葉，螣；食節，賊；食根，蟊。」條中表示不同意許慎、李巡、孫炎的說法，在《釋獸》：「甝（當作虪），白虎。」條中說：「此自有種類，亦如漢之白麟，不足稱瑞也。」都是這方面的例子。

2.通過對生物現象的實際觀察，糾正歷代相傳的許多錯誤說法。「果臝螟蛉」和「腐草爲螢」（均見於《釋蟲》）是兩個典型的例子。螟蛉化爲果臝的傳說源遠而流長：始見於西漢揚雄的《法言》。往後東漢許慎、鄭玄、吳陸機（註一三）、晉司馬彪（《莊子・天運・注》）一直沿譌。到了梁代陶弘景才根據實際觀察提出了新的正確的看法，可是多數學者仍然守舊。郝氏相信牟應震的話，力排眾議，擁護陶說，正是他高明的地方。（註一四）

「腐草爲螢」的俗信勢力大得連「多識」的本草學家陶弘景也被它迷惑了，可是郝氏仍然能依據「放螢火屋內，明年夏細螢點點生光矣。」的實驗得出自己的「螢本卵生」的結論，這就更加難能可貴了。

3.辨正其他「怪說」，例如：

虎竊毛謂之虥貓。（釋獸）〔郝疏〕《方言》云：虎，陳魏宋楚之間謂之李父，江淮南楚之間謂之李耳。」……《御覽》引風俗通云：「俗說，虎本南郡中廬李氏公所化爲，呼李耳因喜，……」按：……皆方俗呼虎之異名，俗說謂是李翁所化，未必然也。

按應劭引述的俗說即是所謂民間詞源學，不符合嚴正的語文學的要求，郝氏加以駁議是完全必要的。（註一五）

4.注重目驗，對草木蟲魚的描述一般能做到既詳且確，勝過以往各家的注疏。例見「蜎，蠉」；「蛣蟯，蟯蜋」；「蟠，鼠負」等條。（均見於《釋蟲》）

5.很能體會《爾雅》和郭注從今釋古的精神，在解釋物名的時候，常常引用今語和俗名（註一六），往往能夠「片言居要」，使人一目了然。例如：

鷥，鶶。（釋鳥）〔郝疏〕今江蘇人謂之水老鴉。

鼢，鼠。（釋獸）〔郝疏〕此鼠今呼地老鼠。

鼬，鼠。（釋獸）〔郝疏〕今俗通呼黃鼠狼，順天人呼黃鼬。

《爾雅義疏》在郝氏最擅長的草木蟲魚鳥獸的考釋方面，也並非沒有缺點。或者由於科學批判精神不徹底，或者由於「察物未精」，有時引用誤說，不加辨正，例如：「鶨，蟁母」（釋鳥）條說：

《本草拾遺》云：「蚊母鳥，其聲如人嘔吐，每口中吐出蚊一二升。」《嶺表錄異》云：「蚊母鳥，……每叫一聲，則有蚊蚋飛出其口。俗云，采其翎爲扇，可闢蚊子。」

又如「楙，木瓜」（釋木）條說：

《本草》陶注：「木瓜最療轉筋；如轉筋時，但呼其名，及書土作『本瓜』字皆愈。」

甚至附和謬說，侈談怪異（註一七），例如「螣，螣蛇」（釋魚）條說：

今按蛇有大者便能乘風騰騖，非必螣蛇始然。

又如「鴷，斲木」（釋鳥）條說：

蓋此鳥善啄蟲，故治蟲齒之病。

或者模棱兩可，動搖於彼是之間，例如「苹，蓱；其大者，蘋。」（釋草）條說：

《埤雅》云：世説，楊花入水化爲浮萍。《類聚》八十二引《異術》曰：「萬年血爲萍」。此蓋事之或有，非可常然，故《列子·楊朱篇》云：「若人有甘枲莖萍子者。」是萍亦緣子實而生，非必由物化也。

第二，對草木蟲魚鳥獸的「名義」往往缺而不論。例如在「果蠃」、「熒火」、「蜎，蠉」三條中對有關蟲子的描寫刻劃極詳盡，可是對這幾個詞的理據或內部形式卻不能作任何解釋（註一八）。

另一方面，郝氏對事物名義進行解釋時，又多一半是不正確，或不可靠的。請參看王念孫的《爾雅義疏》案語（註一九）。

此外，郝氏解釋事物名義有時異說歧出，例如：

國貉，蟲蠁。（釋蟲）〔郝疏〕蠁，猶響也。言知聲響也：亦猶向也，言知所向也。

分析起來，郝氏解釋名義之所以不中肯綮，除了主觀附會而外，主要是由於不明古音。事實上，「物名由來本於訓詁」（註二〇），闡述事物的名義已經屬於由聲音以通訓詁的問題。

三

以聲音貫串訓詁，這是郝氏給自己提出的另一任務。的確，他在這方面作了很大的努力，直到他去世之前三年還希望晚輩學者陳奐爲他訂之。可惜的是，他對聲韻學，特別是對古音學，過於生疏（註二一），而在處理這方面的問題時，又不夠審慎，結果罅漏百出，遠遠不如他的理想。

王念孫在《爾雅義疏》的按語中指出不少郝氏在以聲音貫串訓詁方面的缺點，其詳請參《爾雅郝注刊誤》。其缺點歸納起來，大致如下：

1.誤用和濫用「音同」、「音近」、「雙聲疊韻」、「合聲」、「借聲」、「音轉」或「一聲之轉」來說明詞義問題（註二二）。這是郝《疏》最突出的疵病，下面舉幾個例子看看。

> 格、懷，來也。（釋言）〔郝疏〕來通作戾，戾亦至，「戾」「來」古音同也。

按：「戾」（liei）在脂部，而「來」在之部，古音並不同。（註二三）

> 諲，敬也。（釋詁）〔郝疏〕諲者，禋之假音也。……通作誾，《廣雅》云：「誾誾，敬也。」……又通作言，《玉藻》……鄭注：「言言，和敬貌。」是「言」、「誾」、「禋」俱聲義同。

按：「言」（ŋian）、「誾」（ŋiən）、「禋」（ien）三個字語音互不相同。在構詞和語義上，「諲」（禋）跟「誾誾」（言言）也不相同。

> 遏、遾，逮也。（釋言）〔郝疏〕左氏莊六年《傳》：「若不早圖，後君噬齊。」「噬齊」即「遾逮」矣。杜預注：「若齧

腹齊」，此爲望文生義，凡借聲之字，不論其義，但取其聲，皆此類也。

按：《左傳》的「噬齊」是一個動賓詞，杜注不誤。《爾雅》的「遾，逮」是以「逮」釋「遾」，「遾」和「逮」是全然分離的兩個詞。郝氏竟完成不顧文義，把二者相提並論，說成是聲借關係，這是十分錯誤的。再說，「齊」（dz'iei）是從母脂部字，而「逮」（d'əi）是定母微部字（董同龢《上古音韻表稿》列入緝部），聲韻都不相同，不能說是「借聲」。

苦，息也。（釋詁）〔郝疏〕苦者，《方言》云：「快也」，又云：「開也」。「開明」「快樂」皆與「安息」義近；「開」、「快」、「苦」俱以聲轉爲義也。

按「開」（k'ei）在微部，「快（k'oāt）在月部，「苦」（k'a）在魚部，三部相去極遠，不相通轉，「開明」、「快樂」與「安息」義近的說法也是牽强附會。

肯，可也。（釋言）〔郝疏〕可之言快也，快意即可意；「快」「可」「肯」俱一聲之轉。

按「可之言快也」云云，全然是附會之談，「快」（k'oāt）在月部，「可」（k'a）在歌部，「肯」（k'əŋ）在蒸部，三部邈不相涉。不能說是一聲之轉。

苹，藾蕭。（釋草）〔郝疏〕《子虛賦》……張揖注：「薛，藾蒿也。是薛即蕭，「蕭」「薛」聲轉。

按：雙音詞「藾蕭」的「蕭」，不宜跟單音詞「薛」等量齊觀；「蕭」（siəu）在幽部，「薛」（siăt）在月部，幽、月二部不相通轉。

2.誤以字誤爲聲通。（註二四）郝氏不大明白假借不一定義通（註二五）、義通未必是假借的道理。因此，常常誤以義近爲聲通，關於這一點，上面已經舉有例子。除此以外，郝疏有時候又誤以字誤爲聲通，如「躬，身也」（釋詁）、「遹、遵、率，循也。」（釋詁）「彘五尺爲豝」（釋畜）等條即是其例。

甚至據俗本誤字之說，造成不必要的錯誤，例如「障，畛也。」（釋言）「貉縮，綸也。」（釋詁）等條即是。

3.常常破壞詞的結構，特別是割裂雙音詞，以附會所謂聲轉。例如：

鸛鶇，鶌鶋。（釋鳥）〔郝疏〕此即鸒斯（註二六），鵯鶋。鸒、鶋、鵯、鶌，俱聲相轉。

按：不能取雙音詞「鵯鶋」、「鶌鶋」的前一成份「鵯」「鶌」來談聲轉；也不能截取「鶌鶋」的後一成分「鶋」跟「鸒斯」的「鸒」相比附。這樣分離出來的詞素即使語音可以通轉，也不能說明任何問題。何況「鵯」（pie,p'iēt）和「鶌」（piwǒk），「鶋」（dia）和「鶋」（niəu）彼此語音懸殊，並不能相轉。

桃蟲，鷦。（釋鳥）〔郭注〕鷦鷯，桃雀也。〔郝疏〕又爲蒙鳩，……蒙與鷯又一聲之轉。

按：郝疏截取「蒙鳩」的前一成分和「鷦鷯」的後一成分，說是「一聲之轉」，這是毫無道理的；再說，「蒙」（moŋ）在東部，而「鷯」（miau）在宵部，東、宵二部不相通轉。

4.割裂文句附會音轉。郝疏爲了附會所謂音轉，常常任意「析詞」如上所述而外，有時還任意「破句」，例如：

覭髳，茀离也。（釋詁）〔郝疏〕「覭髳」音變爲「幕蒙」，左氏昭十三年《傳》：「以幕蒙之」。按：「幕蒙」亦覆蔽之意也。

按《左傳》原文是：「晉人執季孫意如，以幕蒙之。」「以幕蒙之」是說「用帷幕把他裹起來」；「以幕」是一個詞組，「蒙之」另是一個詞組。郝氏完全不顧文理（註二七）攔腰截取「幕蒙」二字來跟雙聲聯綿詞「覞髳」相比附，說前者是後者的「音變」，這是不對的。

5.常常在古今語之間附會莫須有的語音關係，例如：

鏝謂之杇。（釋宮）〔郝疏〕杇，……《釋文》又音胡，然則「鏝，杇」猶言「模餬」，亦言漫畫，俱一聲之轉。

按：「鏝，杇」並非連文，而是分離的兩個詞，跟雙音詞「模餬」「漫畫」說不上「一聲之轉」」。

芏，夫王（釋草）〔郝疏〕《釋文》又云：「今南人以此草作席，呼爲芏，音杜。」……今燈草席即芏草席，「杜」「燈」一聲之轉。

按：「芏」的名義不可考。而「燈草」則是內部形式十分明顯的偏正式合成詞。「燈草席」即「芏草席」之說完全沒有根據，此外像「貄，脩豪。」（釋獸）「鸛鶇，鶝鶔。」（釋鳥）等條，都是這方面的例子。

6.好用《釋名》式聲訓，常常流於穿鑿。例如：

般，中也。（釋言）〔郝疏〕中之言眾也，居中央應四方，有以寡御之義，故般又訓眾也。

汧，出不流。（釋水）〔郝疏〕水出於地，便自停畜而不通流，猶人慳吝不肯施散，厥名曰汧，汧之爲言慳也。

按：郝《疏》牽强可笑，果如所說，那末下文「水决之澤爲汧」，又將如何解釋呢？

7.討論音理或古音値，往往惝怳迷離，似是而非。例如：

頷，待也。（釋詁）〔郝疏〕案「待」从「寺」得聲，古讀當祥吏切或直里切，今讀徒改切，非古音矣。……然則古讀「待」不作徒改切明矣。

按：郝氏因爲「待」（d'ə）从「寺」（ziə）聲，就以爲「待」的古音一定讀得跟「寺」一模一樣，這是由於不明了古韻部的性質而來的誤會。

8.輕議舊音，以不誤爲誤。（註二八）郝《疏》曾經批評陸德明「不知古音」，對舊文「妄加非議」（見《釋詁》「賚，賜也」條），其實他自己往往正是如此，例如：

溞溞，淅也。（釋訓）〔郝疏〕溞者，《詩》作叟，……《生民·正義》以「溞」「叟」爲古今字，得之。《釋文》「叟，所留反；《爾雅》作溞，音同」，是也。又云：「郭，音騷」，則非矣。

按：「叟」「溞」「騷」古音在心母幽部，同音səu，不能是陸而非郭。

鼀鱦，蟾諸。（釋魚）〔郝疏〕《說文》：「蝻鼀，詹諸，……」又云：鼀或作鱦。」是「蝻鼀」即「鼀鱦」一聲之轉。鼀，七宿反，與鱦同字。《釋文》音鱦爲秋，非古音也。

按：「鼀」，《廣韻》屋韻七宿切，古音在覺部ts'iǒuk；「鱦」，《廣韻》尤韻七由切（即音秋），古音在幽部ts'ian，覺部和幽部是正相對應的入聲韻和陰聲韻；照王念孫、江有誥等多數古韻家的分部，則一同併在幽部裏。因此，不能說《釋文》「鱦音秋」不合古音。

9.另一方面，對古書舊音和諸家音訓眞正錯誤的地方往往未能辨識。例如：

無足謂之豸。（釋蟲）〔郝疏〕豸，通作蛾。《史記·黃帝紀》云：「淳化鳥獸蟲蛾。」《索隱》曰：「蛾，一作豸。」《正義》曰：「蛾，音豸，直起反。」

按：《史記》的「蛾」即是「蟻」，「蛾」（ŋa）跟「蟻」（ŋia）同聲系，古音同在疑母歌部，可以通用，但跟定母支部的「豸」（d'ie)卻風馬牛不相及，絕不可通。古書異文未必同詞，甚至未必同義，張守節因爲「蛾一作豸」就說「蛾」有「豸」音，錯誤十分明顯，郝氏竟信從不疑。

從以上的論述可以看得出來，郝《疏》處處企圖從語音出發去處理詞義問題，其失在濫。但是，另方面，由於郝氏對古音學和訓詁學並沒有眞知灼見，因而在眞正需要「以聲音貫串訓詁」的地方卻又顯得無能爲力。現在舉一個例子如下：

> 耇、老，壽也。（釋詁）〔郝疏〕耇者，《說文》云：老人面凍梨若垢。」《釋名》云：「耇，垢也。皮色驪頛，恒如有垢者也。或曰，凍梨，皮有斑點如凍梨色也。」《行葦・箋》云：「耇，凍梨也。」《正義》引孫炎曰：「面凍梨色似浮垢也。」《左氏》僖廿二年《正義》引舍人曰：「耇，覯也。血氣精華覯竭，言色赤黑如狗矣。」……老者，《說文》云：「考也，七十曰老」，本《曲禮》文。《釋名》云：「老，朽也。」《獨斷》云：「老，謂久也，舊也，壽也。」《白虎通》云：「老者，壽考也。」俱本《爾雅》爲說也。

按：「耇」、「老」可以分讀，也可以連讀，如《漢書・孔光傳》引《尚書・召誥》：「無遺耇老」，《逸周書・皇門》：「克有耇老。」「耇老」即「考老」，跟「傴僂」「曲僂」「痀僂」「踽僂」「偊旅」「枸簍」等詞同源，詞源義是「彎曲」。（註二九）郝氏不從語音出發探求語源，因而只能羅列成說而不能定其是非。

以上我們論述了《爾雅義疏》在音訓上的缺點。但是這不等於說郝《疏》在這方面就一無是處。事實上，郝《疏》不但收集了大量的有用資料，就是所作的解釋也還是有不少可取的地方，文繁不具錄，請看郝氏原書。其可取之處，至少有如下四點：

⑴闡明文字通假有中肯的，例如「尘，久也。」（釋詁）「郵，過也。」（釋言）等條即是。

⑵闡明詞的理據有正確的（註三〇），例如「犩，牛。」（釋畜

）「鳲，鴂鶝。」（釋鳥）等條即是。

⑶闡明古今語傳承有可信的，例如：「徯，待也。」（釋詁）「逢，遇也，……見也。」（釋詁）等條即是。

⑷聯繫語義探求特殊音讀來源有精到之處的，如「一染謂之縓。」（釋器）即是其例。

四

除了直接跟「據目驗考釋名物」和「以聲音貫串訓詁」有關的而外，《爾雅義疏》的優點和缺點還有一些，現在擇要論述如下。先說優點。

第一，能闡明《爾雅》的某些重要條例。比方說，《爾雅》裏用的字往往一字多義；不認清這一點就會窒礙難通。如《釋詁》「載、謨、食、詐，僞也。」這裡用來作解釋的「僞」字就兼有「詐僞」（《說文》：「僞，詐也。」）「作爲」（《廣雅・釋詁》：「僞，爲也。」）兩個意義。（註三一）在被解釋的字裏頭，「載」「謨」是作爲之僞（註三二），而不是詐僞之僞（註三三）。郭璞沒有認識到「僞」的多義性，專主虛僞一義，注作「載者，言而不信（註三四）；謨者，謀而不忠」，就顯然是穿鑿附會。但郝《疏》對這一類一字多義的現象卻能有所認識并且加以辨析。所謂一字多義的現象，細分起來有三種情況：

1.屬於同詞異類（詞類）的，例如：

> 穀、鞠，生也。（釋言）〔郝疏〕生者，活也；生猶養也。是生兼活也、養也二義，《爾雅》之生亦猶是矣。

這就是說，「生」可以作內動詞，當「活」講；又可以作外動詞，當「養」講。「穀」是前一義，如《詩・王風・大車》「穀則異室，死則同穴」。「鞠」是後一義，如《詩・小雅・蓼莪》：「父兮生我，母兮鞠我。」

2.屬於一詞多義的，例如：

載、謨、食、詐，僞也。（釋詁）〔郝疏〕僞之言爲也；詐之言作也。作與詐、僞與爲，古皆通用。……《爾雅》之僞，義亦通爲；說者但謂詐僞，則失之矣。……然則「載」「謨」爲作爲之爲；「食」「詐」爲詐僞之僞，而亦爲作爲（註三五），一字皆兼數義。《爾雅》此例甚多。（註三六）

廢、稅、赦，舍也。（釋詁）〔郝疏〕舍有二義，亦有二音；詩夜切者，……是皆以「止息」爲義也。其音書治切者，舍即捨之假借，……是皆以「捨釋」爲義也。《爾雅》之舍亦兼二音二義，《釋文》唯主〔捨〕一音，於義疏矣。（註三七）

3.屬於「同字異詞」的，例如：《釋詁》：「際、接、翜，捷也。」郝《疏》解釋明白了「捷」字代表「交接」和「疾速」兩個不同的詞義；「際」「接」是交接之捷，而「翜」是疾速之捷。接著說：「此『翜』字與『際』『接』義異而同訓『捷』，《爾雅》此例甚多。」（註三八）

第二，辨正郭注和諸家訓詁的違失，有中肯的地方。批評郭注的，例如：

矜、憐、撫，掩之也。（釋訓）〔郭注〕撫掩猶撫拍，謂慰恤也。〔郝疏〕《釋詁》云：「煤、憐，愛也。」煤與憮同。《說文》云：「憮，愛也。」「憮、掩」當作「憮、淹」《方言》云：「憮、俺、憐，愛也。」又云：「憮、矜、憐，哀也。」……矜、憐、憮、淹，《方言》俱本《爾雅》；「憮、淹」作「撫、掩」乃古字通借，郭氏望文生義，以爲「憮掩猶撫拍」，失之矣。

批評《說文》的，例如：

葵，揆也。（釋言）〔詩注〕《詩》曰：「天子葵之。」〔郝疏〕揆者，《說文》云：「葵也。」按此雖本《爾雅》，但《爾雅》本爲解經，經有葵字，乃揆之假借，故此釋云葵即揆也。亦如「甲，狎」「幕、暮」之例；至於《說文》本爲訓義，不主假借，當言「揆，度」而言「揆，葵」，則義反晦矣，疑此許君之失也。

批評《釋名》的，例如：

前高，旄丘。（釋丘）〔郝疏〕旄丘者，《詩傳》云：「前高後下曰旄丘。」《釋文》引《字林》作嵍。……《爾雅·釋文》引《字林》作堥，又作堥。……《玉篇》云：「堥，丘也。」；或作堥，「前高後平丘名。」……可知今本作旄，假借字耳。《釋名》作髦，因云：「前高曰髦丘，如馬舉頭垂髦也」，殆望文生訓矣。

批評其他訓詁的，例如：

楔，荊桃。（釋木）〔郭注〕今櫻桃。〔郝疏〕《月令》：「羞以含桃。」鄭注：「含桃，櫻桃也。」……《釋文》：「含本作函。」高誘注《呂覽·仲夏紀》及《淮南·時則篇》並云：「含桃，鸎桃也；鸎鳥所含，故曰含桃。」此說非也。「含」與「函」、「鸎」與「櫻」，俱聲同叚借之字，高注未免望文生訓矣。

葖，蘆萉。（釋草）〔郭注〕萉宜爲菔。〔郝疏〕《說文》云：「菔，蘆菔。……」《繫傳》云：「即今之蘿蔔也。」……蘆菔，又爲蘿蔔，又爲萊服。並音轉字通也。《埤雅》乃云：「萊菔，言來麰之所服，謂其能制麪毒。」失之鑿矣。

再來看看缺點：

(1)對《爾雅》的性質和宗旨理解有錯誤。辨見王念孫的《爾雅義疏》案語。

(2)不重視詞的完整性和定型性，時常把一個詞任意割裂、拼湊。例如：

貍子，隸。（釋獸）〔郭注〕今或呼豾貍。〔郝疏〕郭云「豾貍」者，本《廣雅》；《方言》作「豾貍」。……《方言》作「貔貅」，《廣雅》作「貔貍」，並字異音同耳。

按《方言》卷八：「貔，陳楚江淮之間，謂之貅，北燕朝鮮之間謂之貊，關西謂之貍。」「貔」「貅」「貊」「貍」是四個不相聯屬的單音詞。《廣雅・釋獸》：「貔、貍，貓也。」「伾，貍也。」「貔」「貍」、「豾」「貍」，也是分離的單音詞。（註三九）不應當任意把它們併合成雙音詞。

(3)對字、詞的多義性認識不足。例如：

罹，憂也。（釋詁）〔郝疏〕罹者，《詩》：「逢此百罹」，「無父母貽罹。」……通作离，……《書》：「不罹于咎」，《史記・宋世家》作「不离于咎」。又通作羅，《書》：「罹其凶害」，《釋文》：「罹，本亦作羅。」

按：《王風・兔爰》「百罹」和《小雅・斯干》「貽罹」的「罹」當「憂」講，郝氏引來證「罹，憂也」的訓詁是很恰當的。但是《洪範》「不罹于咎」和《湯誥》「罹其凶害」的「罹」卻是「被」或「遭」的意思，郝《疏》不加區別，兼收并蓄，就不免使人混淆，欲益反損了。

儵儵，嘒嘒，罹禍毒也。（釋訓）〔郭注〕悼王道穢塞，羨蟬鳴自得，傷己失所遭讒賊。〔郝疏〕「罹，憂」，已見《釋詁》，……郭注訓罹爲遭，失其義也。

按：這一條進一步證明了郝氏「罹」的多義性是認識不足的。「罹」有「憂」義，並不排斥它有「遭」義，而且「罹禍毒」的「罹」顯然宜訓爲「遭」而不宜訓爲「慢」，失其義的並非郭璞。

(4)實詞、虛詞的界限劃分不清：雖然郝氏自己說過，「凡語詞之字多非本義，但取其聲。」（註四〇）實際上，他對虛詞的特點還是估計不足，所作的解釋，常常流於穿鑿附會。例如在「郡、仍、侯，乃也。」（釋詁）條中，郝氏把虛詞的「郡」「侯」跟實義的「郡」（君）「侯」給混同起來了。

(5)隨意牽合不同的詞義。例如：

宜，事也。（釋詁）〔郝疏〕宜訓事者，作事得宜，因謂之宜。

按：這種利用見於《爾雅》正文的詞，自行編造一句話，然後把其中的這個詞跟那個詞說成意義相通，借以疏通《爾雅》的訓詁辦法；郭注常用（註四一），實不足爲訓。郝疏本條：「作事得宜」，就管「事」叫「宜」。如果「作事不得宜」呢？

揚，續也。（釋詁）〔郝疏〕揚訓爲續者，蓋飛揚輕舉，亦有連續之形，故又訓讀。

按：「飛揚」跟「連續」，在意義上風馬牛不相及。

覩，多也。（釋詁）〔郝疏〕覩訓示也；示人必多於人也，故訓多矣。

按：示人未必就多於人，「示」跟「多」意義絕不相蒙。

(6)任意把古書上下文裏一個詞的意義引渡給另一個詞，以附會《爾雅》的訓詁。例如：

頲、庭、道，直也。（釋詁）〔郝疏〕《詩》云：「周道如砥，其直如矢」，《逸詩》云：「周道挺挺」，是皆道訓直之義也。

按：郝氏因爲《詩》句中有「道」字而下有「直」字或「挺挺」字，就說「道」有「直」義，這是完全沒有根據的。

(7)誤引書證，特別是斷章取義，因而造成無意的誤解或有意的曲解。其例請看《釋詁》「吾，我也」（註四二）「咎，病也。」「强、事，勤也。」等條的郝《疏》和王念孫的按語。

(8)校正文字的工作做得不夠，對古書的誤字、衍文審辨不足。例如：

鞠、訩、溢，盈也。（釋詁）〔郭注〕《詩》曰：「降此鞠訩。」〔郝疏〕訩者，《說文》作訩，或作訩，又作誦，云：「訟也」，本《釋言》文。……蓋訩从匈聲，言語爭說，共聲匈匈，故又訓盈，所謂「發言盈廷者也。」（註四三）

按：《爾雅》正文裏的「訩」字是由於郭注引《詩》而來的衍文（註四四）；郝氏不辨，因而多所穿鑿。

(9)對古傳注和時人新說的錯誤往往未能辨正。例如：

刑，法也。（釋詁）〔郝疏〕《一切經音義》廿引《春秋元命苞》曰：「荆字从刀从井。井以飲人，人入井爭水，陷於泉。以刀守之，割其情欲，人畏愼以全命也。

按：緯書妄說字形字義，郝氏毫無批判地加以引用，是很不適當的。

偏高，阿丘。（釋丘）〔郝疏〕《釋名》云：「偏高曰阿丘。阿，何也，如人儋何物，一邊偏高也。」

按：《釋名》釋「阿丘」名義，附會可笑，郝氏居然信而不疑。

(10)論證往往缺乏嚴密的邏輯性。例如：

俟，乃也。（釋詁）〔郝疏〕俟訓伊。……乃者，汝也。……古人謂汝爲乃，今人謂彼爲伊，伊亦乃也。

按：從「古人謂汝爲乃」和「今人謂彼爲伊」，只能得出「伊非乃也」（而不是「伊亦乃也」）的結論。

般，中也。（釋言）〔郝疏〕中之言眾也，居中央應四方，有以寡御眾之義。

按：「中之言眾」，就意味著「中」是「眾」義，不能又說居「中」

是居於「寡」的地位。

⑾全書中有失於照應，前後矛盾的地方。例如：《釋草》「蕭，萩」條和《釋木》「槐」條同引《左傳》襄公十八年「伐雍門之萩」，但在前一處把引文中的「萩」講成「萩蒿」，而在後一處又把它講成「楸樹」，令人不知道《左傳》的「萩」究竟是草是木，以及作者的意見究竟以何者爲準。

⑿貪多務得，支蔓蕪雜。例如：《釋詁》「副，審也」條，郝《疏》從「副者」到「相承惟用副耳」共一百七十六字，整個兒跟「副，審也」的訓詁無關。《釋魚》下詳引《周禮》、《禮記》、《論衡》關於獻魚鼈的記載，以及《國語》關於魚鼈能化的傳說，全不切題。《釋獸》「鼠屬」，下引《萬畢術》和《抱朴子》所載有關鼠的俗信，毫無必要。《釋鳥》「鶨，鶚」條在說了鶨鵰「食多肉少」之後，又說「乃知貪者未必肥也」，類似畫蛇添足。

⒀「襲舊而不明舉」。（註四五）郝《疏》採用別家說法的地方很多。單就關於事物名義的解釋而言，例子說不少，如釋「梧丘」（釋丘）、「莖」（釋草）、「朾螘」（釋蟲）本於王引之（註四六）；釋「樫」（釋木）本於段玉裁（註四七）、王念孫（註四八）；釋「蜆」（釋蟲）本於王念孫（註四九）、阮元（註五〇），都是十分明顯的，可是郝氏在這些場合卻絕口不提其人其書一字。至於全書中襲用邵晉涵《爾雅正義》的地方，更是不少。（註五一）《爾雅義疏》中正面肯定稱引邵說的只不過一兩處（註五二），其餘都是暗襲，而在批駁邵說的時候卻無一處不指名。（註五三）可見郝氏在《與孫淵如觀察書》中所說的「不相因襲」，「不欲上掩前賢」的話是不眞實的。

《爾雅義疏》內容雖然豐富，可是並不完美，是一部瑕瑜互見，得失相參的著作（註五四）。我們今天來閱讀和利用這部書，必須首先「搴其蕭根」，然後才能集其精英，爲我們的古漢語和漢語學史的研究工作服務。

【附註】

註　一　參看余嘉錫《四庫提要辨證》，卷二，「爾雅義疏」。科學出版社，一九五八年。

註　二　陸德明以爲臣舍人是西漢武帝時人，不確。

註　三　關於郝懿行的傳記，看《清史稿》卷四八八；《清史列傳》卷六九；李桓《國朝耆獻類徵》卷一四八；繆荃孫《續碑傳集》卷七二；《登州府光》卷三九；許維遹《郝蘭皋夫婦年譜》，載清華學報一〇卷一期。一九三五年。

註　四　郝懿行《晒書堂文集》卷三《再奉雲台先生論爾雅書》。

註　五　《晒書堂文集》卷三《又與王伯申學使書》。

註　六　《晒書堂文集》卷上。

註　七　胡培翬《研六室文鈔》卷一〇《郝蘭皋先生墓表》。

註　八　《晒書堂文集》卷二《與孫淵如觀察書》。

註　九　陸建瀛刻《爾雅義疏》（道光庚戌十月木犀香館藏版）書末有陳奐《跋》云：「道光壬午歲（二年，一八二二），奐館汪戶部孟慈喜荀家，先生挾所著《爾雅疏》稿，徑來館中，以自道其治經之難，……『草木蟲魚，多出親驗，訓詁必通聲音，余則疏於聲音，子盍爲我訂之？』奐時將南歸，不敢諾，丙戌（六年，一八二六）……再入都，而先生古矣！」

註一〇　《爾雅義疏》有兩種不同的版本；一爲道光六年至九年（一八二六—一八二九）阮元刻《學海堂經解》本，陸建瀛木犀香館本即據《經解》本重刻單行，是所謂節本；一爲咸豐六年（一八五六）胡珽刻本和同治四年（一八六五）郝氏家刻本，即所謂足本。

足本是郝書的本來面目，本文的論述一律根據足本。

註一一　黃侃《爾雅略說》。載《文藝叢刊》二卷二期。中央大學，一九三六年。

註一二　《廣雅》本於《說苑，辨物篇》。

註一三　或作璣，此從錢大昕、阮元考定。

註一四　參看陳楨《由毛詩中「螟蛉有子，蜾蠃負之」所引起我國古代昆蟲學研究和唯心與唯物兩派的見解》，載《生物學通報》，一九五六年六月號。

註一五　郝《疏》能不為「民間詞源」所誤，《釋草》「蕭，戎葵」條也是一個好例子。

註一六　關於搜集草木蟲魚的俗名對語文研究的重要意義，參看魯迅《動植物譯名小記》，載《魯迅譯文集》第四冊，頁一六九。人民文學出版社，一九五八年。

註一七　郝氏的《晒書堂筆錄》也時時語及神怪。

註一八　關於「果蠃」「熒火」「蜎，蠉」的名義，參看程瑤田：《果蠃轉語記》；王國維《爾雅草木蟲魚鳥獸名釋例下》，載《觀堂集林》第一冊，中華書局，一九五九年；王引之《經義述聞》卷二八《爾雅》「榮，桐木」條，又卷二七「環謂之捐」條。

註一九　羅振玉輯錄並題為《爾雅郝注刊誤》，收在《殷禮在斯堂叢書》裏。

註二〇　黃侃《爾雅略說》。

註二一　參看蕭璋《王石臞删訂「爾雅義疏」聲韻謬誤述補》，載《浙江學報》二卷二期，一九四八年。

註二二　關於在訓詁上濫用語音通轉的弊病，參看王力：《雙聲疊韻的應用及其流弊》，載《漢語史論文集》，科學出版社，一九五八年；又《訓詁學上的一些問題》，載《中國語文》一九六二年一月號。

註二三 同註二一。

註二四 與此相反，郝《疏》也有誤以聲通爲形譌的個別例子。參看蕭璋《王石臞刪訂「爾雅義疏」聲韻謬誤述補》。

註二五 例如：《釋詁》「戩」訓福；《詩・魯頌・閟宮》「實始翦商」，《說文》引作「戩」，訓滅。郝氏對此就感到困惑，說「翦、戩二文容可假借，福、滅二訓理難兼通，疑不能明也。」其實，這沒有什麼難明，因爲二文假借並不要求二訓兼通。

註二六 《釋文》「斯，本多無此字，案『斯』是詩人協句之言，後人因將添此字也。」

註二七 「晉人執季孫意如以褱（或復蔽）之」，是絕對講不通的。

註二八 參看蕭璋《王石臞刪訂「爾雅義疏」聲韻謬誤述補》。

註二九 參看王念孫《廣雅疏證》卷七下《釋器》「枸簍」條；卷九下《釋山》「岣嶁」條。蕭璋《考老解》，載《說文月刊》第四卷合刊本，一九四四年。

註三〇 暗襲成說的居多，詳下文論郝疏「襲舊而不明舉」項。

註三一 這種現象，陸佃《爾雅新義》叫「一名兩讀」邵晉涵《爾雅正義・釋詁》「卬，予也」條，叫「因字同而連之」，郝懿行《爾雅義疏》同條叫「一字兼包二義」，王引之《經義述聞》卷二六《爾雅》「林，君也」條叫「二義不嫌同條」，嚴元照《爾雅匡名》叫「一訓兼兩義」，陳玉澍《爾雅釋例》卷一叫「訓同義異例」，劉師培《中國文學教科書》第三四課叫「一字數義之例」。

註三二 如《尙書・臯陶謨》「乃賡載歌」，《史記・夏本紀》作「乃更爲歌」；《左傳》襄公三十年引《詩》「無載爾僞」，載僞即作僞。《詩・小雅・巧言》：「奕奕寢廟，君子作之，秩秩大猷（猷，道也），聖人莫之」《釋文》「莫，一本作謨」，爲也。

註三三　參看錢大昕《潛研堂文集》卷一〇《答問》；又《經義述聞》卷二六《爾雅》「載，僞也」條。

註三四　《釋詁》「載，言也」。

註三五　王引之謂「食」爲作爲之爲，詳見《經義述聞》卷二六本條。

註三六　郝疏本於邵疏，但明白指出了「一字皆兼數義」的道理；同時，邵還替郭注回護，而郝則明辨其非。

註三七　參看《釋詁》「林，君也」條郝疏：「凡有數義而皆通，斯《爾雅》借文之例也；不明乎此，則窒矣。」

註三八　郝本於邵，但進一步明確了「義異而同訓」的問題。

註三九　至於這些詞是否由一語分化而來，那是另一問題。

註四〇　見《釋詁》「伊，維也」條。

註四一　如《釋詁》「苦，息也」。註：「苦勞者宜止息」「珍，獻也。」注：「珍物宜獻。」又如《釋言》「矜，苦也。」註：「可矜憐者亦辛苦。」「服，整也。」註：「服御之令齊整。」

註四二　參看郭沫若等《管子集校》，頁一〇三九。科學出版社，一九五六年。

註四三　「發言盈廷」之「廷」字《詩・小雅・小旻》作「庭」。

註四四　詳見阮元《爾雅注疏校勘記》卷二。

註四五　借用黃侃《爾雅略說》評郭注的話。

註四六　見《經義述聞》卷二八有關各條。

註四七　見《說文解字注》卷六上木部「梩」條。

註四八　見《廣雅疏證》卷八上「丹，赤也」條。

註四九　同註四六。

註五〇　見《爾雅注疏校勘記》卷九（參看《揅經室一集》卷一，《釋磬》）。

註五一　王念孫說：「是書用邵說者十之五六。」（見《爾雅郝注刊誤》

）。黃侃說：「凡邵所說幾於囊括而席卷之。」（見《爾雅略說》）。

註五二　如《釋獸》「威夷」條。

註五三　如《釋山》「河南，華」條；《釋水》「河出崑崙」條；《釋草》「荼，苦菜」條，「秬，黑黍」條；《釋木》「輔，小木」條。其實，郝氏暗襲邵說而不知其誤的地方很多，如《釋詁》「汰，墜也」條，以「汏」爲「汰」之譌，「元、良，首也」條以「元、良」爲「元首」之譌，《釋木》「髡、梱」條說「梱」即「涃」，《釋鳥》「鸍，沈鳧」條說「沈鳧」名義等。參看《爾雅郝注刊誤》。

註五四　胡樸安說《爾雅義疏》「足與王氏之《廣雅疏證》同其精博。」（見《中國訓詁學史》，頁五六，一九三九年）《辭海》試行本說《爾雅義疏》「由聲音以通訓詁，極爲精審。」（第一〇分冊，頁二四三，一九六一年）這樣的評語似嫌不當。

——原載《中國語文》，一九六二年十一期，頁五〇二——五〇九。

方玉潤的《詩經》研究

——《詩經原始》讀後

吳培德

方玉潤（一八一一——一八八三），雲南寶寧（今廣南）人。著有《鴻濛室叢書》三十六種，《詩經原始》是他晚年的著作，也是他最有價值的一部學術著作。在清代的《詩經》專著中，姚際恒的《詩經通論》，崔述的《讀風偶識》，方玉潤的《詩經原始》，被公認爲是「獨立思考派」的代表著作，其中以《詩經原始》最具創新精神，在《詩經學》上有著特別重要的地位。

一、方氏論詩的主要觀點

方玉潤對《詩經》的主要貢獻，在於他能突破漢、宋經生的桎梏，懂得把《詩》當詩來讀，也就是懂得要用文學的眼光來研究《詩經》。他在本書的《凡例》中指出：漢代以來「說《詩》諸儒，非考據即講學兩家。兩家性情，與《詩》絕不相近，故往往穿鑿附會。」他批評顧炎武「全憑考據以爲是非」；指責章潢「以性理爲《風》、《騷》」。可見，他既反對以考據論《詩》，又反對以性理解《詩》，他是主張從文學的角度說《詩》的。這在《詩經》研究的歷史上，具有革新的意義。

方玉潤非常欣賞「神情逼眞」、「陶情寄興」、「風致嫣然」、「自鳴天籟，一片好音」的詩。他認爲「詩固有以無心求工而自工者」，「詩到眞極，羌無故實」，「若實而按之，興會索然矣。」這些，既可看到袁枚「性靈」說的影響，又可看到王士禎「神韻」說的影子。方氏認為，《詩經》不易理解的一個重要原因，是由於「詞旨隱約，每多言外意」，因此他在《螽斯》篇中著重指出：「讀者細咏詩詞，當能得諸言外」；在《漢廣》詩中又一次强調：「言外別有會心，不可以跡相求」。這又使人聯想到司空圖「韻外之致」、「味外之旨」及嚴羽「羚羊掛角，無跡可求」的論詩主張。凡此種種，都不同於「儒者說《詩》，非迂即腐。」能夠丟開經師的所謂「微言大意」，用詩人的眼光讀《詩》解《詩》，這正是方氏高出漢、宋諸儒的地方。

二、對《詩序》、《集傳》、《通論》的基本看法

方氏在《凡例》中指出，他寫《詩經原始》，是以評論《詩序》、《集傳》、《通論》作為全書的一個重點。他論斷於三家之間，比較其得失，辨明其是非，「務求得古人作詩本意而止，不顧《序》，不顧《傳》亦不顧《論》，唯其是者從而非者正，名之曰《原始》，蓋欲原詩人意也。」這就是他撰寫此書的宗旨，也是他對待上述三家所持的基本態度。

方氏對三家的一些評論，下面略加引述，以見一斑。

1.方氏對《詩序》的批評，重點在批其「虛衍附會，毫無徵實」《周南・兔罝》的《小序》說：「后妃之化也」。方氏斥問道：「《小序》謂后妃之德，不知武夫與后妃何與？章章牽涉后妃，此尤無理可厭。」《召南・采蘋》的《小序》說：「大夫妻能循法度也。」方氏反問說：「夫既謂之季女，則明明是未嫁之女，而乃以為大夫妻者何哉？《序》、《傳》於《周南》，則章章牽合后妃，於《召南》，則章章牽合諸侯夫人及大夫妻……遂不顧詞之自戾也如此。」駁得十分有力，頗能切中其弊。《小雅》自《雨無正》以下四十四篇，除七

篇外，《詩序》都說是「刺幽王」。對此，方氏慨乎其言；「古《序》說《詩》病在牽涉，尤多附會……牽合幽王爲言，豈能有當詩意哉？」（《小宛》）由於《詩序》「附會無理」，以致有的措詞「前後文義，竟不能通」（《四月》），「一詩兩義，上下語氣，全不相貫」（《小戎》）。例如《召南·羔羊》篇的《詩序》說：「召南之國化文王之政，在位皆節儉正直，德如羔羊。」方玉潤一針見血地指出，「服羔羊則『德如羔羊』，服狐貉不將如狐貉乎？且羔羊亦何『節儉正直』之有？」《詩序》之不成文義，不合情理，顯而易見。不過，方氏對《詩序》的抨擊雖然不遺餘力，但書中沿用《序》說的地方仍然比比皆是，據筆者的粗略統計，約有一百零二篇的題解全襲《序》說或與《序》說大同小異，其比重恰好爲全部《詩經》的三分之一。

2.方氏對朱熹《集傳》的批評，著重於如下三個方面：

其一，在《周南》、《召南》的二十五篇詩中，《集傳》在闡釋各篇詩義時，不管其內容如何，統統附會爲「文王之化」和「后妃之德」。對此，方氏反復辯難，力駁其非，詞鋒犀利，頗具批判精神。例如《汝墳》一詩，《集傳》說：「汝旁之國，亦被文王之化者，故婦人喜其君子行役而歸。」方氏針鋒相對地指出：「夫婦人喜其夫歸，與文王之化何與？婦人被文王之化而後思其夫，豈不被化即不思其夫耶？如此說《詩》，能無令人疑議？」理直氣壯，使對方沒有反駁的餘地。

其二，朱熹是理學家，免不了在《集傳》中闡發其思想體系，宣揚其封建義理，例如《周頌·維天之命》一詩，《中庸》斷章取義，引用爲說理之詞，《集傳》又本《中庸》以說理釋《詩》，方玉潤認爲《集傳》依《中庸》解《詩》，「非詩之本旨」，「愚謂此詩並非說理，『命』字亦不可訓爲『道』字。」在《周南》、《召南》中，朱熹常常引用《大學》中的修身、齊家、治國、平天下等語解釋《詩》義，以致把「二南」中許多抒情詩弄得面目全非，大失詩意，對此，方氏不無譏諷地說：「何必牽引《大學》以釋《風》詩，致使詞爲理障，旨被塵蒙。」又痛斥之曰：「然而腐矣，況章章牽合之歟！」

其三，《集傳》說：「鄭、衛之樂爲淫聲……鄭二十有一，而淫奔之詩已不翅七之五。」這一說法，受到方氏猛烈的攻擊。他在《衛風・木瓜》的總論中指出：「《集傳》於詩詞稍涉男女字，即以爲淫奔之詩，說《詩》如此，未免有傷忠厚。」其實，這正說明朱熹對於許多民間情歌有眞正的理解。所謂「淫奔之詩」，就是愛情詩。朱熹給受情詩加上「淫奔」的惡名，表現出封建衛道者的立場，但他對其主題的判斷是準確無誤的。例如《鄭風》二十一篇，朱熹指出其中的十五篇爲「淫奔之詩」，言之鑿鑿有據，方氏不肯相信，他說：「《鄭風》古目爲淫，今觀之，大抵皆君臣、朋友、師弟、夫婦互相思慕之詞。其類淫詩者，僅《將仲子》及《溱洧》二篇而已。」可是，他對《將仲子》、《溱洧》的愛情主題又加以歪曲，說什麼《溱洧》是「刺淫」，《將仲子》「乃寓言，非眞情也」這樣，筆鋒一轉，就把《鄭風》中的全部愛情詩都否定掉了。有時候，爲了反對朱熹「淫詩」之說，方氏甚至不惜曲解朱熹的話，作出苛刻的批評。例如在《王風・丘中》的總評中，方氏指出：「惟《集傳》反其所言，以爲『婦人望其所與私者』之詞，殊覺可異。子嗟、子國既爲父子，《集傳》且從其名矣，則一婦人何以私其父子二人耶？此眞逆理悖言，不圖先賢亦爲是論，能無慨然？」其實，把子嗟、子國視爲父子二人，這是《毛傳》、《鄭箋》的說法，《集傳》僅說：「子嗟，男子之字也」，「子國，亦男子字也」，並沒有把子嗟、子國看作是父子關係。方氏張冠李戴，妄發議論，不免失之武斷。總之，在對待「淫詩」這一問題上，方玉潤的看法頗爲偏激。他沒有眞正讀懂這些詩，以致和朱熹糾纏不休。

方氏自稱「愚非宗朱者。」但他對《集傳》並非認爲一無可取，事實上，書中援用《集傳》的說法還不在少數，據統計約有六十餘篇的題解採納了《集傳》的觀點。例如《王風・葛藟》一詩，方氏認爲：「此詩不必深解，但依《集傳》……斯得之矣。」對於《集傳》既不曲從，也不排斥，「唯其是者從而非者正」，這是一種非常可取的治學態度。

3.方氏的《詩經》研究，深受姚際恒《詩經通論》的影響，僅從《詩經原始》一書的體例而言，就有不少地方是仿效《通論》的，甚至其眉評、旁批、圈點等做法，亦與《通論》一一吻合。方氏推崇姚際恒爲「近世善說《詩》者」，因此，他解《詩》多從姚說，不少地方在吸取姚氏成果的基礎上獲得了更高的造詣。例如《唐風・綢繆》一詩，《詩序》說：「刺晉亂也。國亂，則婚姻不得其時焉。」認爲此詩與婚姻有關，這是對的，但又說是「刺晉亂」，正如劉大白先生所批評的那樣：「這晉國底亂象，不知他戴了什麼顯微鏡看出來的？（《白屋說詩》）姚際恒《通論》謂：「詩人見人成婚而作」，「如今賀人作花燭詩」，糾正了《序》說之失，把握住了原詩題旨。方氏論此詩時便肯定地說：「此賀新婚詩耳。『今夕何夕』等語，男女初婚之夕，自有此惝怳情形景象。」這比姚際恒的解釋更爲具體而明晰。《小雅・北山》一詩，《詩序》謂「刺幽王」，《集傳》謂「大夫行役而作此詩」，惟姚氏以爲「此士者所作以怨大夫也。」方氏認爲，詩中有「偕偕士子」及「大夫不均」之語，「故不得又謂大夫作耳。」經過比較、分析，他采納了姚氏的說法。從這些地方，可以窺見方氏論詩的淵源所自。不過，也應當看到，《通論》中的不少疏失之處，方氏亦承襲其誤。比較突出的例子，是對於《鄭風》中「淫奔之詩」的看法。姚、方大肆攻擊朱熹，主要是攻擊他「誤解鄭聲淫」。

在這個問題上，姚、方的觀點比起朱熹來，顯然是一種倒退。

方氏對姚際恒亦有微詞，批評他「往往發其端，不能竟其委」；「要亦有推求過深之處」；「駁正前說而仍不能脫前人窠臼」這些批評都很中肯。他在《關雎》、《行露》、《東門之池》、《思齊》、《抑》等篇的評論，都對姚氏之說有所駁正，時有精邃獨到的見解。

三、《詩經原始》的顯著特色

《詩經原始》的顯著特色，主要表現在兩個方面：一是對某些詩篇的主題思想，常能擺脫傳統的束縛，提出新穎可喜的解釋；一是對許多詩篇的藝術形式，作了精闢深入的分析。下面，試分別加以論述。

1.方玉潤自稱「是書持論務抒己見」，「捨卻《序》、《傳》，直探古人作詩本旨。」這種獨立思考，自由研究的方法，使他在《詩》義的探求上，能夠從《序》、《傳》、《論》的束縛中跳出來，對一些詩篇提出精當而不穿鑿的新解。例如《周南．卷耳》一詩，《詩序》謂「后妃之志也。又當輔佐君子，求賢審官」；《集傳》斷爲「后妃以君子不在而思念之，故賦此詩」；《通論》既云「且當依《左傳》，謂文王求賢官人」，又疑「執筐」「終近婦人事」，不敢直斷。方氏以一句冷語駁《序》云：「『求賢審官』是何等事，而乃以婦人執筐爲比耶？」又以一句冷語駁《集傳》云：「執筐遵路，亦豈后妃事耶？」他就詩論詩，自抒己見，斷定《卷耳》「當是婦人念夫行役而憫其勞苦之作。」無視舊注，直尋詩義，闡明了詩篇的眞實內容。《周南．桃夭》一詩，《詩序》說是贊美后妃「不妒忌」，以詩說教，幾同夢囈。《集傳》說：「文王之化，自家而國……嘆其女子之賢。」生拉硬扯到「文王之化」，實在是風馬牛不相及。方玉潤力排舊說，提出新解：「此亦咏新婚詩，與《關雎》同爲房中樂，如後世催妝坐筵等詞，特《關雎》以男求女一面，此從女歸男一面說，互相掩映，同爲美俗。」審情度理，所解至當不移，在諸家解說中，最爲明澈。《召南・江有汜》一詩，《詩序》謂「嫡不以媵備數，媵無怨，嫡亦自悔。」此詩自來無甚爭論。方氏獨持異議，他說：「諸儒之必爲媵妾作者，他無所據，特泥讀『之子歸』句作『于歸』解耳。殊知妾婦稱夫，亦曰『之子』……然則歸也者，還歸之歸，非于歸之歸也，又明矣。此必江漢商人遠歸梓里，而其妾不以相從……妾乃作此以自嘆而自解耳。」這一解釋正如陳子展先生所說「頗有是處」（《詩經直解》），近世《詩經》注本多採其說。

綜上所述，可以看出，方氏繼承了宋代以來大膽懷疑、勇於辯駁的治學精神，既不迷信《詩序》，也不附和《集傳》，更不盲從《通論》，就詩求義，「獨抒己見」，確能在一定程度上廓清傳統注疏的層層迷霧，對一些詩作出比較切合「詩人本意」的解釋，到處顯露出他的卓見特識。他提出了不少超軼前人的新見解，開拓了《詩經》研究的一種新的學風，對後人研究《詩經》無疑有很大的啓迪意義。

2.方氏對《詩經》各篇的藝術分析，可以從如下幾點論述：

㈠《詩經》廣泛運用了賦、比、興的表現手法，獲得了顯著的藝術效果。方氏對比興的理解頗有創見，如說：「或因物以起興，或因時而感興，皆興也」；「或一二句比，或通章比。」提出「因時而感興」和「通章比」，這就擴大了比、興的運用範圍，對比興手法無疑是一種豐富和發展。值得注意的是，方氏對於比興二體的區分，與毛、朱不盡相同，例如《終風》篇，朱熹認爲是「比」，方氏認爲是「興」；《桃夭》篇，毛、朱認爲是「興」，方氏認爲是「比」；《摽有梅》，毛亨認爲是「興」，朱熹認爲是「賦」，方氏認爲是「比」。這其間固然各有是非得失，但是比較說來，方氏的區分更爲符合實際，他的分析也比毛、朱更爲具體細致，對讀者鑒賞作品也就更有幫助。

㈡從民間歌謠的角度，揭示詩中的優美境界。《周南・芣苢》一詩，袁枚在《隨園詩話》中譏之為「重覆言之，有何意味？」方玉潤對此詩藝術上的造詣別具妙解，他說：「此詩之妙，止在其無所指實而愈佳也……讀者試平心靜氣，涵泳此詩，恍聽田家婦女，三三五五，於平原繡野，風和日麗中群歌互答，餘音裊裊，若遠若近，忽斷忽續，不知其情之何以移，而神之何以曠。則此詩可不必細繹而自得其妙焉。」輕鬆愉快的勞動場面，歡悅自得的勞動歌聲，通過重章迭句，回環往復的音樂旋律而被渲染、傳達了出來，矢口成韻，純出天籟，這就是民歌的特殊魅力所在。方氏所謂「不知其情之何以移，而神之何以曠」，這是他讀此詩而引起聯想的移情作用。他給我們描繪這種詩情畫意「令人低迴無限」的境界，直到現在，我們還能在南方婦女的採茶歌中領略到。《周南・漢廣》一詩，《詩序》釋為「文王之道，被於南國」，迂腐之論，與詩義了不相涉。方氏從文義內容及藝術形式的特點，斷為「江干樵唱」之詩，並指出其「文在雅俗之間，而音節則自然天籟」的藝術特色，這是深得風人之旨的。

㈢分析篇章結構，探求局勢變化。《漢廣》共三章，方氏指出：「首章言喬木起興，為採樵地。次即言刈楚，為題正面。三兼言刈蔞，乃釆薪餘事。中間帶言游女，則不過借以抒懷，聯寫幽思，自適其意云爾。終篇忽迭咏江漢，覺煙水茫茫，浩渺無際，廣不可求，長更無方，唯有徘徊瞻望，長歌浩嘆而已。」寥寥數語，即勾勒出作品的前後聯繫，對藝術內涵有較深的體會，頗得詩人謀篇布局之妙。《小雅・小弁》一詩，被方氏推崇為「情文兼到」之作，他著重分析了其布局之「精巧」：「至其布局精巧，整中有散，正中寓奇，如握奇率；然離奇變幻，令人莫測。」這是說，《小弁》的章法既整齊勻稱，平衡和諧，又靈活多變，錯落有致。陳子展先生激賞此詩六、七章「

章法之變且巧」（《詩經直解》），顯然接受了方氏的藝術見解。

《詩經》在章法結構上的一個顯著特點，是重章迭句、反覆咏唱，以加深詩中思想感情的表達。方玉潤對這一重要的表現手法，發表了值得注意的見解。他論《王風·黍離》說：「觀其呼天上訴，一咏不已，再三反覆而咏嘆，則其情亦可見矣。」又說：「三章只換六字，而一往情深，低徊無限。此專以描摹虛神擅長，憑弔詩中絕唱也。」論《秦風·蒹葭》云：「三章只一意，特換韻耳，其實首章已成絕唱，古人作詩多一意化爲三迭，所謂一唱三嘆，佳者多有餘音。」指出了《詩經》特別是《風》詩章節複沓的普遍規律，它給《詩經》民歌帶來了獨具的藝術風格，直到現在，重章疊句仍然是民歌創作的一種重要的表現手法。

㈣指出造語之工，探求煉字之妙。《衛風·碩人》用了種種新奇的比喻，形容莊姜的儀容之美，而最精彩的成爲千古絕唱的，是「巧笑倩兮，美目盼兮」兩句。正如方玉潤所評：「千古頌美者無出此二語，絕唱也。」這兩句所以膾炙人口，是因爲它傳神寫眞，採用了畫龍點睛的藝術方法。方玉潤說：「儀容之美」，「傳神阿堵」，「托月者必淪雲，繪龍者必點睛，此繪事之妙也，詩亦通焉。」這兩句突出寫莊姜的眼神笑貌，寫她流波轉動之美，將其風韻神情活活畫出。有了這兩句，這位美人才活了起來，使人猶如親見其萬種風情，可謂絕妙的「點睛」之筆。方氏的評語，道出了此詩藝術上的精微絕妙之處。《卷耳》末章，句尾連用四個『矣』字，加强了悲嘆的語氣，方氏很稱讚這四個字的用法，說它「有急管繁弦之意。」又說：「四『矣』字，節短音長，虛收有神。」在《小雅·斯干》的眉評中，方氏指出詩人善於煉字煉詞，具有深厚的藝術功力：「先『垣』，次『堂』，次『室』，層次井然。須玩他煉字有法，垣則曰『攸芋』，堂則曰『攸躋』，室則曰『攸寧』，一一分貼細膩處。」用字精確、貼切，的確是《詩經》語言藝術的一大特色。

㈤《詩經》的作者「描摹物情，體貼入微」（《大雅・靈臺》眉評），顯示出高超的寫作技巧。例如《陳風・株林》一詩，作者採用隱約委婉、藏而不露的曲筆，對陳靈公「淫於夏姬」極盡譏訕嘲弄之能事。方玉潤評論此詩說：「善摹人情，如見忸怩之態……行淫之人亦自覺忸怩難安，故多隱約其詞，故作疑信言以答訊者而飾其私。詩人即體此情爲之寫照，不必要更露淫字，而宣淫之情已躍然紙上，毫無遁形，可謂神化之筆。」能從字裏行間，體會作者的用意所在，一語道破，詩中之境界全出。如此說《詩》，既能通作者之意，又能開覽者之心，「考據」「講學」兩派的經解、注疏，豈能望其項背？

㈥指出側面烘托和對面著筆的藝術手法。正面描寫是《詩經》敘事狀物的基本形式，同時，《詩經》作者也善於運用側面烘托和對面著筆的藝術手法，來增强詩篇的誘人魅力。《衛風・碩人》一詩，以綠葉扶紅花的襯托法，描寫「一富貴美人」莊姜的形象，方玉潤認爲此詩刻畫形象之妙就在於「從旁摹寫，極意舖陳，無非爲此碩人生色。畫龍既成，然後點睛；滃雲已成，而月自見。」此詩的首章，通過莊姜戚族的顯赫，襯託其門第的高貴；末章舖陳自然風物之美和隨從人員之盛，烘托莊姜雍容華貴而又怡然自得。方氏細心考察作者的思路，探索其藝術構思的巧妙，對讀者理解作品的藝術特色，提高藝術鑑賞力，無疑是大有裨益的。《周南・卷耳》、《魏風・陟岵》都是從對方設想，表達征人與家人兩地相思之情。方氏論《卷耳》云：「下三章（二、三、四章）皆從對面著筆，歷想其勞苦之狀，强自寬而愈不能寬。末乃極意摹寫，有急管繁弦之意。後世杜甫『今夜鄜州月』一首，脫胎於此。」按杜甫《月夜》一詩，本來想說自己望月思妻，詩中卻寫自己望月憶己（「今夜鄜州月，閨中只獨看」），這種從對方著筆的寫法，正是從《卷耳》脫胎而來，方氏首先揭示其淵源關係，一語中的，大是解人。《陟岵》一詩，與《卷耳》同一機杼，方氏極有識見地指出：「詩妙從對面設想……則筆以曲而愈達，情以婉而愈深。」一經道破，騷人之旨趣自出。

㈦方氏對《詩》中「虛想」、「奇想」的論述，特別深刻和富於創見。《陳風・月出》一詩，方氏謂：「此詩雖男女詞，而一種幽思牢愁之意，固結莫解。情意雖深，心非淫蕩。且從男意虛想，活畫出一月下美人。並實有所遇，蓋巫山、洛水之濫觴也。」闡明了「虛想」在詩歌創作中的實際運用及其審美作用，道出詩家三昧的特徵，很有藝術見地。不僅如此，方氏對某些詩篇所具有的浪漫主義「奇想」也頗能理解和欣賞。《小雅・大東》一詩，後半部馳騁奇想，從人間寫到天上，從「織女」引出「牽牛」，又連及「啓明」、「天華」、「南箕」、「北斗」等天文星象，編織成一幅奇幻的想像畫卷，正如方玉潤所說：「入後忽歷數星象，豪縱無羈，幾不可解」，「奇情縱恣，光怪陸離，得未曾有……，在《三百篇》中實創格也。」所謂「豪縱無羈」、「奇情縱恣，光怪陸離」云云，正是浪漫主義詩歌的鮮明特徵。對此，方氏不僅作了精闢的分析，而且給予高度的評價，他說：「此正詩人之情，所謂『光燄萬丈長』也。試思此詩若無後半文字，則東國困敝，縱寫得十分沉痛，亦不過平常歌咏而已，安能如許驚心動魄文字？所以詩貴有聲有色，尤貴有興有致，此興會之極爲欻舉者也。」這是說，只有能馳騁奇特的想像力，只有運用浪漫主義的藝術手段，才能把詩歌寫得「光陷萬丈長」、「驚心動魄」、「有聲有色」、「有興有致」，而《大東》就是一首這樣的傑出詩篇。方氏的這一看法，表現了他高超的藝術眼光。

㈧對一些詩篇的藝術風格，作了簡明的品析。如謂《駟驖》、《車鄰》、《小戎》「武勇」；謂《蒹葭》「滄」；謂《大雅・旱麓》「華貴」；謂《曹風・鳲鳩》「寬博純厚」；謂《鄘風・君子偕老》

「差奇麗而又開後人繁縟一派」；謂《鄘風·載馳》「沉鬱頓挫，感概唏噓」等等。這些批評雖然失於過簡，但比較準確，對讀者體味各篇的不同藝術風格，還是有啓發的作用。

(九)指出《詩經》的創作方法、藝術形式對後代文學的影響和淵源關係。如謂《桃夭》「艷絕，開千古詞賦香奩之祖」；《鄭風·大叔于田》「描摹工艷，鋪張亦復淋漓，便爲《長楊》、《羽獵》之祖」；謂《衛風·伯兮》「宛然閨閣中語，漢魏詩多襲此調」；《陳風·月出》「用字聱牙，句句用韻，已開晉、唐幽峭一派」等等。以上諸例，指明了《詩經》對後世詩體、詩派的直接影響。其次，《詩經》的藝術手法對後代詩人的借鑒和繼承關係，方氏也加以點明和闡述。如謂《王風·兔爰》「詞意凄愴，聲情激越，阮步兵專學此種」；謂《王風》諸詩「其音之哀以思，不止怨而怒矣……杜詩人稱『詩史』，而此冊實開其先」，謂《大雅·皇矣》「後代文唯韓愈往往有此」等等。此外，他還指出後世詩人一些詩句是從《詩經》借鑒的。例如《小雅·車攻》「蕭蕭馬鳴，悠悠旆旌」二句，方氏指出：「二語寫出大營嚴肅氣象，是獵後光景，杜詩『落日照大旗，馬鳴風蕭蕭』，本此。」這些評論都深中肯綮，爲理解《詩經》與後世文學的淵源關係，提供了具體的線索，很有參考的價值。

四、《詩經原始》存在的缺點

《原始》一書的缺點，約有如下數端：

1.維護封建倫理道德，宣揚封建教化觀念。作爲封建時代的文人，方玉潤的封建意識是很濃厚的，表現在文藝觀中就是强調《詩經》「厚人倫，美教化，移風俗」的作用，並把「溫柔敦厚」的「詩教」做爲文學創作的基本原則。他還在一些詩篇的評析中，反覆宣揚「婦人從一而終」（《邶風·新臺》、《鄘風·柏舟》），說什麼「女而懷春」，「則其情近乎淫矣」（《召南・野有死麕》。基於這種認識，他或者把一些情詩戀歌說成是「刺淫之作」，或者歪曲爲「托男女情以寫君臣朋友義」。這樣一來，就把許多沁人心脾的愛情詩都納入了封建政治和封建倫理的軌道。其次，他的君臣大義觀念也非常濃烈，《小雅・菀柳》篇，《詩序》謂「諸侯皆不欲朝」，《集傳》從之。這種解釋，在方玉潤看來簡直是大逆不道，他說：「若如《序》與《集傳》所云，是以私心待天王，不臣孰甚焉？」他甚至認爲「君雖報我以無禮，我不敢以無禮咎君。」這種論調，十足地表現了方氏的封建忠君觀念。

2.附會史事，曲解詩意。方氏在許多地方摒棄了《詩序》「以史證《詩》」的牽强附會，但是卻又搞他自己的牽强附會，也就是用新的鑿說取代舊的鑿說。例如《邶風・靜女》明明是一部清新活潑的民間戀歌，方氏卻毫無根據地斷定爲「刺衛宣公納伋妻」，並以爲「『城隅』即新臺地也，『靜女』，即宣姜也。」主觀臆斷，簡直到了想入非非的地方。又如說《邶風・泉水》是「衛媵女和《載馳》作」，《鄘風・蝃蝀》是「代衛宣姜答《新臺》」，等等，鑿空妄語，何止離題萬里？

3.前後抵牾，自相矛盾。方氏在《自序》中對孔子刪《詩》之說持否定態度，但在《女曰鷄鳴》、《中谷有蓷》、《君子于役》、《我行其野》、《黃鳥》等詩篇的評論中，又一而再、再而三地提到「聖人刪《詩》」。在《凡例》中方氏指出：「更可笑者，『賦而興』、『興而比之類，如同小兒學語，句句强爲分解也。』但他在《關雎》、《桃夭》等詩篇的旁批中，又多次標明「興起卻兼比意」、「興而比」、「興中有比」，這都是自亂其例。此外，方氏强烈反對以道理、性理說《詩》，但他自己亦常蹈此弊，例如他在《鄭風・將仲子》篇的評論中，脫離原詩，大談什麼「聖賢守身大道」、「無理自在」，如此說《詩》，正如方氏所批評的，「又何異宋人說《詩》入魔，不知隔卻幾重障霧也耶？」

4.《原始》在「訓詁名物方面多疏舛」（梁啓超《中國近三百年學術史》）。例如《關雎》篇，方氏釋「關關」云：「或云彼此相關，是聲中見意，亦通。」按「關關」爲水鳥之和鳴聲，絕無意義可言，釋「關關」爲「彼此相關」，穿鑿附會，全無道理。「關關」，「玉篇」云：「和鳴也。或爲『喧』。」試問：「喧喧」，能說是「彼此相關」嗎？《大雅・生民》「以弗無子」，方氏云：「『以弗』云者，以其弗嫁，未字於人也」。《邶風・終風》「終風且暴」，方氏曰：「終風，終日風也。」以上二例，前者於『弗』下添一『嫁』字，後者於『終』、『風』之間添一「日」字，在文中都沒有內在的根據，「增字解經」，大乖詩意。這樣的例子，在全書中展卷皆是，不一一列舉。

梁啓超說：「《詩經原始》稍帶帖括氣。」所謂「帖括氣」，即八股時文的習氣。本書正文，「既加眉批，復著旁批，更用圈點以清眉目。」這是評點八股時文的方法。其中確有不少精當的藝術見解，對於讀者探求《詩》中的章法句法、煉字煉意以及形象、意境，不無裨益，但是，有時候方氏不避以「選家」評點八股時文的眼光，把筆陣開合、局勢變化提到極不恰當的地位，尋章摘句，支離破碎，反而有礙於對「通章大意」的理解。這又不免成爲書中的累贅。

——原載《雲南民族學院學報》一九八八年一期（一九八八年三月），頁七三——七九，轉九四。

孫仲頌先生之《周禮》學

任銘善

清人爲經新疏，一方面在於矯正唐宋疏的弊陋，廣泛地利用校勘音韻訓詁的方法來考覈經文，於漢晉舊義一一尋他們的原委，考他們的異同，用自己的見解去取舍評斷。一方面也平舊後師眾說，卓然有所發明，往往淩唐駕漢，石破天驚。總之他們不僅僅要爲古注做發揮證明的工作，而且要藉經注之文來表現自己的見解與方向。以這個標準去看清人新疏，便覺得僅僅抱守援引而已的，便不是最好的著作，如胡竹村的《儀禮正義》是。見解有獨到處，而方法不嚴密的，也不能不貶低其價值，如孫淵如的《周易集解》是。所以論清人新疏，許其擇之精，無過於陳氏《詩毛氏傳疏》，許其規模閎，則當推《周禮正義》。

《周禮》的新疏最不易爲，漢魏人的爭端異同之多無過於《周禮》制度，《周禮》制度與別的經傳又終古不能合一。六朝以後以義疏之體來發明《周禮》經注的最多，至今卻一無可考，賈公彥之才之力實在不能爲周禮作疏，賈氏的《儀禮》、《周禮》二疏都非《五經正義》之比，而賈《疏》一出，舊說卻一切掃除，後來的人反而無可選擇了。杜子春、二鄭的說法，大都是劉歆之傳，不必全是經文本意，而不免爲王氏新朝作證據，這些後來已不甚可考，到了王介甫卻又別有新義。兩次的改政都是藉口周禮，容易淆亂名實。說《周禮》不能不講致用，講致用便不能不辨名實。自宋至明也有許多人說周官，考制度，考名義，考經文體製，非常可怪的說法也比別的經書爲多，清初的學者頗有卓見超過宋明諸人，而有的將周官一切非議，但他們並不是走的林碩、何休的老路，有的爲周官牽引證據，和王肅的創意也兩樣，有的列舉異義，卻又與許君的漫無宗主不同。有此許多困難，遂使《周禮》一書材料最多。而清代人雖極好著書的也不能輕易去嘗試製定一部新疏。孫先生最晚出，毅然採取二千年來的制度議論，三百年來的方法途徑，而完成了最後一部新疏，眞是經學史上一件絕大的事，其小大難易，又不是陳氏《毛詩》之比了。

因爲《周禮》一書在歷史制度上與經儒議論上的重要，作《周禮》新疏便不能徒事抱守援引而已。孫先生身在江海，而心嚮治平，平生孤抱，當然便在《周禮正義》中發揮無遺了。先生晚年又作《周禮政要》，以掌故議論來贊助變政維新，宗旨只在簡便易行，爲阻止新政西法的人矯正風氣，並不足以表現先生的《周禮》學。

《周禮》和《王制》的異同自來最是爭端。自今以觀，周禮的主旨只在建立一個一統的制度，《周禮》的王是一個一統的王，《周禮》的國乃是天下，即今日所謂中國之國，而非封建的國，亦非春秋戰國人所說「中國」之國。國的權力在於王，在於朝廷，在於官，官的力量是法。王制卻是建立一新的理想的封建制度，天下邦國的權力在賢者，在民。賢者的力量是教。所以王制的制度是近於《孟子》的純儒家制度，而《周禮》的制度是多少利用了法家思想的，終於完成二千年來統一的局面的，是《周禮》之功，二千來專制之弊，也早已見之於《周禮》。孫先生作《周禮正義》，往往在這上面措意。像漢以來徭役趨走的濫權，其初未嘗不藉口於《周禮》的胥徒，貴遊子弟的教育，其初未嘗不藉口於周禮的師保，地租口稅苛徵私歛的財政，其初未嘗不藉口於《周禮》的賦徵，濫觴之始，至於江河，先生援今證古，辨入毫芒，以爲地下應有輕重，居化不能並徵，這些地方與其說是發明《周禮》之制，寧可說爲《周禮》之制又進一解，《周禮正義

》的體段雖大，在這些地方卻尤其應該抉取引伸，不能忽略。庶幾得作者之用心。

鄭康成的《周禮注》，實在是六朝集解之體之所自出。鄭君列舉杜氏、二鄭氏的舊說，有校文，有異說，而又加以自己的折衷制斷。鄭君的注，爲後來的漢學方法開了無限的大用，還有一個特點，在《儀禮》《禮記》注裏也往往見到的，便是以漢制證古制。已往的經學家多注意經文，少留心注義，不然便是守定「疏不破注」的見解，不肯作去取平亭，賈氏的《周禮疏》雖沒有多少發明，而不全守疏不破注之旨，已算進步，但對於諸說的得失卻不能洞明根原，對於鄭注引漢制的地方尤少發揮，雖爲經注作疏，而不能盡鄭君的體例作意，不能見《周禮注》的特色。孫先生《正義》，在發明鄭君訓詁的地方固然不能全無瘢可索，但對於鄭君考較杜氏、二鄭的說法之處，必定探源究委，而自己加以重行折衷。生於鄭君之後，不但對於鄭君引漢制的地方加以考證，明其淵源得失，又於後來的因革無不列舉討論，自來說周官的，未有如先生眞能得鄭君之用心的了。前乎先生的有江慎修，也往往援今證古，但規模的洪細卻相去甚遠。

《周禮正義》中尤其再三致意的是官聯制度。官聯制度，便是聯事通職互相佐助的制度。官聯制度本來是《周禮》的大政，但經文中只是提到此一制度，而沒有一一詳明，後來說周官的便忽略了它。孫先生從經文職守上去考究，詳細指明出來，一方面爲我們指出了後人非議《周禮》冗官複職的疑端，一方面也見出孫先生以爲《周禮》確可施行之主張，使後來官守互掣及政事迂迴的弊病，不能從《周禮》裏得到藉口，經文上的許多疑義歧義，也因官聯之義而旁通互證，得以明達，讀《周禮正義》，便不能忽略官聯制度。

比較孫先生和賈公彥及先生以前的《周禮》學者，見到鄭君說經，是以經文證經，以制度證經，有旁通折衷，也有考據實驗，賈氏以下諸人不免在以經文證經上看重了些，所以只在故籍中為證明為會通，先生的書卻尤其注重以制度證經，橫則取資經傳，縱則列證百代，大旨只在乎指明《周禮》不是空言。先生的主張得失如何尚待討論，而讀《周禮正義》的時候，便不能不體會先生的著作用心所在。賈氏《疏》出，而舊說為之掃除，先生從南北朝正史裏一一鈎稽眾說，看出賈說的淵源得失，關係雖不大，而精明之處已足使讀書的人折服嚮往了。

孫先生的著作很多，最重要的是《周禮正義》和《墨子閒詁》。孫先生以《墨子》為行己的標準，與《周禮》之言治典相駢輔而行，其餘的著作便是這兩部大書的附庸。又以餘力來研求金文甲契，開了五十年來由款契證文字，由文字考古史的大路，影響雖大，而非兩書及身成功之比，而且後出轉精，與兩書的不見來者不同。在孫先生別的著作裏，如《大戴禮記斠補》中，以千步而井證《周禮》遺人，以四郊之學證大司樂注，以玉佩蔥衡證玉府，以諸侯玄服公冠玄冕證司服，以芻豢犧牲證牧人。又如《周書斠補》中，以《武順解》的兵制證《周禮》司馬，以《王會解》證司服和職方，以《器服解》與冪人繕人互證，雖是小節，也見得先生取精用宏，而會歸於《周禮》。

今日而不講求古代的政治思想與制度則已，如要講求，則必讀《周禮》，如不欲讀《周禮》則已，否則也必捨孫先生的《周禮正義》而無他求。《周禮政要》的體裁也許不過與莊有可的《周官指掌》伯仲之間，而《周禮正義》之重要卻是前無古人，生於先生之後，便不能以賈《疏》為足了。這一篇文字不足以盡先生《周禮》學之萬一，而且為讀者的方便，避免一切援引，所望讀者因此而見到先生之學之博大精微，而有嚮心古籍的志趣，不辜負先生著述勤劬之功。在先生歿後四十年中，世變之亟，有非先生所能想見的，但在先生的書中，往往早已過慮及之，尤其是後學所應該警惕的了。

——原載《圖書展望》復刊第五期（一九四七年十月）

，頁一四——一五。

清代經今文學的復興

湯志鈞

清代乾隆、嘉慶年間，正當宋學餘焰未盡、漢學（古文經學，下同）「如日中天」之際，今文經學異軍突起，「翻騰一度」，莊存與揭櫫於前，劉逢祿、宋翔鳳接踵於後，形成「常州學派」，予清代政治思想以極大影響。

一般說來，今文經學議政言事，與講究文字訓詁的古文經學有別，和當時政治的關係比較密切，具有進步意義的戊戌維新，就援用了今文經學的基本理論。然而，它的「復興」，卻是旨在維護封建專制，只是到了鴉片戰爭前後，才滲入了新內容。因此，探討莊存與、劉逢祿等「復興」今文經學的社會背景及其理論實質，而後正確估計其作用，無疑是很有必要的。

一

中國封建社會，從周、秦以來延續了二千年，到了明朝，已孕育著資本主義的萌芽。清朝開國百年間，經過破壞、恢復和發展，資本主義萌芽緩慢滋長，而自給自足的封建自然經濟，仍然牢固地占據著重要地位。「農民不但生產自己需要的農產品，而且生產自己需要的大部分手工業品。地主和貴族對於從農民剝削來的地租，也主要地是自己享用，而不是用於交換。那時雖有交換的發展，但是在整個經濟中不起決定的作用」（《毛澤東選集》卷二，頁六一八）

清朝是以滿洲貴族爲首的各族統治階級對各族人民實行奴役的封

建政權，殘酷的剝削和壓迫，迫使各族人民起來反抗。乾隆中葉以後，各族人民的起義，數其大者，即有：乾隆年間山東清水敎王倫發動的壽張農民起義和蘇四十三等領導的西北回族和撒拉族人民起義；林爽文領導臺灣人民起義和湘黔苗民大起義；嘉慶年間有川楚陝白蓮敎起義和李文成、林清領導的八卦敎起義。這種情況，正有「山雨欲來風滿樓」之勢，「乾嘉盛世」的背後，隱伏著新的危機。

清朝對思想統治特別重視，一方面屢興文字獄，採取高壓政策；另一方面編纂《四庫全書》，籠絡漢族士大夫，其目的是防範漢族的反抗和加强中央集權。然而乾隆後期，和珅「駸駸嚮用」，執政二十餘年，「怙寵貪恣」，欺君枉法。乾隆一死，嘉慶雖令和珅自殺，但腐朽氣息已重，衰敗跡象也呈，吏治敗壞，賄賂公行，納官捐輸「佩紫懷黃」，積學之士「舉世無識」。土地兼并劇烈，階級矛盾激化，國勢開始下降了。今文經學在這樣的歷史條件下「復興」起來。

清代今文經學的開創者是莊存與（一七一九—一七八八年，康熙五十八年—乾隆五十三年），字方耕，晚號養恬，江蘇武進（今常州市）人。「從幼入塾，即以古人自期」，制藝「喜唐荆川」，「研經求實用」，「篤志深邃，窮源入微，獨有會心」。「嘗云：『讀書之法，指之必有其處，持之必有其故，力爭乎毫釐之差，深明乎疑似之介，凡以養其良心，益其神智」（註一）。以一甲第二授翰林院編修，「篤志好學，而疏於酬應」，「不甚當掌院意，散館名次不前」。經汪由敦「急言於上」，乃得留館。乾隆以莊存與「所進經義，宏深雅健，穿穴理窟」，認爲「學有根柢」，「可備顧問」，命入南書房行走。曾任湖北副主考官，湖南學政，詹事府少詹事，浙江正主試，順天學政，內閣學士兼禮部侍郎。著有《彖傳論》、《彖象論》、《繫辭傳論》、《八卦觀象辭》、《卦氣解》、《尙書既見》、《尙書說》、《毛詩說》、《春秋正辭》、《春秋條例》、《春秋要指》等，匯爲《味經齋遺書》。

莊存與的治經特點是：第一，不拘漢、宋門戶之見，重在「剖析疑義」。這時，宋明理學尙踞堂廟，士子科舉應試，必需熟讀朱熹《四書集注》。風靡一時的則是古文經學，以惠棟爲代表的吳派以保守漢人經說爲主，而旁及史學、文學；以戴震爲代表的皖派以文字學爲基點，從訓詁、音韻、典章制度等方面闡明經典大義和哲理，以考據精斷見長。莊存與與戴震同時，治學途徑卻與之不同，他「不專專爲漢、宋箋注之學，而獨得先聖微言大義於語言文字之外」（註二）。「《易》則貫串群經，雖旁涉天官分野氣候，而非如漢、宋諸儒之專衍術數、比附史事也；《春秋》則主公羊、董子，雖略採左氏、穀梁氏及宋、元諸儒之說，而非如何劭公所譏信經任意，反傳違戾也；《尙書》則不分今古文文字同異，而剖析疑義，深得夫子序《書》、孟子論世之意；《詩》則詳於變雅，發揮大義，多可陳之講筵；《周官》則博考載籍，有道術之文爲之補其亡缺，多可取法致用；樂則譜其聲，論其理，可補古《樂經》之缺，《四書說》敷暢本旨，可作考亭爭友，而非如姚江王氏、蕭山毛氏之自闢門戶，輕肆詆詰也」（註三）。可知他不守門戶，兼採漢、宋；而又不拘漢、宋，「剖析疑義」。既發揮今文《公羊》「微言」，又對古文經《周禮》、《毛詩》作「說」；既尋西漢之「墜緒」，又不偏廢宋儒經說（註四）。第二，發揮「微言大義」，「取法致用」。莊存與最重要的著作是《春秋正辭》，是專門發揮《春秋》「微言大義」的，自稱此書是「讀趙先生汸《春秋屬辭》而善之」而作（註五）。查趙汸，明初休寧人，撰有《春秋集傳》十五卷、《春秋屬辭》十五卷、《春秋左氏傳補注》十卷，認爲「《春秋》，經世之書也」（註六），《春秋》和其它各經不同之處，是有所謂「屬辭比事」。趙汸考列孔子「筆削之大」、「制作之原」凡八，即：一，「存策書之大體」；二，「假筆削以行權」；三，「變文以示義」；四，「辨名實之際」；五，「謹內外之辨」；六，「特筆以正名」；七，「因日月以明類」；八，「辭從主人」。將以此「使學者由《春秋》之教，以求制作之原；制作之原既得，而後聖人經世之義可言矣」（註七）。莊存與「檃括其條，正列其義，更名曰《正辭》」，說是「《春秋》以辭成象，以象垂法，示天下後世聖心之極。觀其辭，必以聖人之心存之，史不能究，游、夏不能主，是故善說《春秋》者，止諸至聖之法而已矣」（註八）。又說：「《春秋》非記事之史，不書，多於書，以所不書知所書，以所書知所不書」。「《春秋》治亂必表其微，所謂禮禁未然之前也，凡所書者有所表也，是故《春秋》無空文」（註九）這樣，它和宋、元以來所講的義理之學既不相同，與當時講究訓詁考據的吳、皖兩派，也迥然有別。

既不拘守漢、宋，又要發揮「微言大義」，豈不矛盾？曰：否。莊存與重在「取法致用」，重在經世，從而對漢學、宋學之有資經世者曾予採綴；而對漢學、宋學之無助經世者則加揚棄。他探索過漢學、宋學的特點，一以經世爲指歸；爲了經世的需要，特重經書的大義。這在漢武帝「定儒術於一尊」以降，經學思想在知識分子中浸漬甚深的情況下，搬用或推衍儒家經籍，圍著經書轉，非聖人之言不敢言，依托儒經，闡發議論，是可以理解的，而莊存與的「復興」今文經學，卻在「盛世」，就有著一定的社會條件。這點，下面還將論列。而他這種「獨得先聖微言大義於語言文字之外」，確又有其「開天下知古今之故」之處。

既講「微言大義」，那就必然崇奉今文，因爲今文經學是以「微言大義」見稱的。今文經學盛於「西漢」，也是漢代之學，只不過東漢以後漸趨湮沒而已。莊存與把它揭櫫提倡，可以稱爲清代「復興」今文經學的創始人。但他畢竟是「創始」，以致雖重「微言」，尚未摒棄漢、宋，體例尚不嚴密，到了他的外孫劉逢祿，發揮外家「莊氏之學」，今文經學才卓然成家，稱爲「常州學派」了。

二

劉逢祿（一七七六──一八二九年，乾隆四十一年──道光九年），江蘇武進人，祖劉綸，仕至文淵閣大學士、軍機大臣、太子太傅。母莊氏，存與之女。十一歲時，「從母歸省」，莊存與「叩以所業，應對如響，嘆曰：此外孫必能傳其學」（註一〇），並謂「家學不可廢也」（註一一）。十三歲，「求得《春秋繁露》，益知爲七十子微言大義，遂發憤研《公羊傳》何氏《解詁》，不數月盡通其條例」。不久，從舅莊述祖自濟南歸，逢祿從之問業，述祖稱：「吾諸甥中，若劉甥可師，若宋甥（宋翔鳳）可友也」（註一二），一八一四年（嘉慶十九年）進士，改翰林院庶吉士，散館授禮部主事。一八二四年（道光四年），補儀制司主事。

劉逢祿著作很多，於各經都有撰述：《易》主虞翻，虞翻世傳今文孟氏《易》，將八卦與天干、五行、方位相配合，推論象數。清代張惠言治虞氏《易》，劉逢祿受其影響。張惠言「懼言虞氏者，執其象數失其指歸」，撰《易言》，以「正魏晉以後儒者望文生義之失」，未成而卒，自「震」以下十四卦未成，劉爲之「補完」。以爲「虞氏之《易》，究以象數爲宗，學《易》亦必從象變而入」（註一三）。有《易虞氏變動表》、《六爻發揮旁通表》、《卦象陰陽大義》、《虞氏易言補》等。

《書》主莊氏，受莊述祖影響很深，自稱：「後從舅莊先生治經，始知兩漢今古文流別」（註一四）。《書序述聞》即述莊存與之說，以爲「《書》三科，述二帝三王之業，而終於《秦誓》，志秦以狄道代周，以霸統繼帝王，變之極也。《春秋》撥亂反正，始元終麟，由極變而之正也，其爲致太平之正經，垂萬世之法戒一也」（註一五）。撰《尙書今古文集解》，擬訂條例凡五：一、正文字；二、徵古義：三、祛門戶；四、崇正義；五、述師說。師說，即莊存與、莊述祖之學。他對乾嘉「漢學」的《尙書》撰著，也有評議，以爲孫星衍「好古」、王鳴盛「祖鄭（玄）」，是「支離雜博，皆淺涉藩籬，未足窺先王淵奧」（註一六）。

《詩》，初治毛詩，後好齊、魯、韓三家，以爲顧炎武、閻若璩、胡渭、戴震「皆致疑於毛學，而尙不知據三家古義以正其源流」，推崇魏源《詩古微》爲能「表章齊、魯、韓墜緒以匡傳箋」，「申先師敗績失據之謗，箴後漢好異矯誣之疾」，使「經學幽而復明」（註一七）。

《禮》則認爲何休以《周禮》是戰國之書，「其識固已卓矣」（註一八）；主張以「《公羊》議禮」。又以久官禮部，「博徵諸史刑禮之不中者爲《議禮決獄》四卷」。

劉逢祿致力最深，「自發神悟」的則爲《春秋》。認爲「《春秋》垂法萬世」，「爲世立教」，「禁於自然」，是「禮義之大宗」，能「救萬世之亂」（註一九），「將以禁暴除亂，而維封建於不敝」（註二〇）。在《春秋》三傳中，「知類通達，微顯闡幽」的是《公羊傳》，「《春秋》之有《公羊》也，豈第異於《左氏》而已，亦且異於《穀梁》」，撰《公羊春秋何氏釋例》。謂自「束髮受經」即善董仲舒、何休今文經說，感到「聖人之道，備乎五經」，《春秋》則是「五經之管鑰」，「撥亂反正，莫近《春秋》，董、何之言，受命如響」，那麼，「求觀聖人之志，七十子之所傳，舍是奚適」。於是「尋其條貫，正其統紀，爲《釋例》三十篇；又析其凝滯，強其守衛，爲《答難》二卷」（註二一）。

先是，東漢今文學家何休作《春秋公羊解詁》，與其師博士羊弼追述李育意以難二傳，作《公羊墨守》、《左氏膏肓》、《穀梁廢疾》（註二二），鄭玄乃作《發墨守》、《針膏肓》、《起廢疾》，劉逢祿「申何氏之未著，及他說之可兼者，」成《春秋公羊解詁箋》；又撰《申穀梁廢疾》「以難鄭君之所起」（註二三）；《申左氏膏肓》，則以為何休「於《左氏》未能深著」，其原於劉歆等之附會」（註二四）。

劉逢祿認為《左傳》經過「劉歆之徒增飾」（註二五）「附會」。東漢時，古文盛行，《左傳》雖未立於學官，但「列於經傳」已久，「左氏以良史之材，博聞多識，本未嘗求附於《春秋》之義，後人增設條例，推衍事跡，强以為傳《春秋》，冀以奪《公羊》博士之師法，名為尊之，實則誣之」。應該「審其離合，辨其眞偽」，「以《春秋》歸之《春秋》，《左氏》歸之《左氏》，而刪其書法凡例及論斷之謬於大義，孤章斷句之依附經文者，以存《左氏》之本眞」（註二六），作《左氏春秋考證》。

劉逢祿為《公羊》釋例，以《左傳》經劉歆偽飾，類列彰較，有破有立，所撰各書，「條理精密」，「不欲苟為恢詭」，有例證，有判斷，故以章太炎的信從古文，也以劉逢祿為「辭義溫厚，能使覽者說繹」（註二七）。清代今文經學到了劉逢祿，對儒家各經有了比較全面的闡述，也有了比較系統的理論，劉逢祿可說是清代今文經學的奠基者。

至於和劉逢祿同年的宋翔鳳（一七七六——一八六〇年，乾隆四十一年—咸豐十年），江蘇長洲人，母為莊存與侄女。一八〇〇年（嘉慶五年）舉人，官湖南新寧縣知縣，著有《論語說義》、《論語鄭注》、《四書釋地辨證》、《孟子趙注補正》、《大學古義說》、《過庭錄》等，匯為《浮溪精舍叢書》。

宋翔鳳從莊述祖治今文經學，以為「《春秋》之義，天法也，其不隨正朔而變，所謂天不變也」。至於《左傳》，只有史文，而於《春秋》褒貶之例，「闕而不言」，探索《左傳》之義，「舍今文末由」，「當用《公羊》（註二八），還寫了《擬漢博士答劉歆書》來反對古文經學。但他以「性與天道」爲「微言」（註二九），又喜附會，雜用讖緯，如說「《說文》始一而終亥，即古之歸藏」，如釋《大學》「明明德」爲「王者之五行之德遞嬗者也，明堂祀五帝之精，行五行四時之令，胡明堂之法，所以明明德也」（註三〇）。致爲學者所譏。

劉逢祿、宋翔鳳把清代今文經學推進了一步。由於他們和莊存與都是常州人或與之有關連，故稱之爲「常州學派」；又因爲他們獨崇《公羊》，所以又稱之爲「《公羊》學派」。

三

莊存與、劉逢祿等以《春秋》爲「五經之管鑰」，《春秋》義例又一宗《公羊》，爲什麼他們要尊奉《公羊春秋》，獨崇《公羊》呢？

第一，《春秋》是「經世」之書，是「禮義之大宗」，「法可窮，《春秋》之道則不窮」（註三一），可以「舉往以明來，傳之萬世而不亂」（註三二）

他們認爲《春秋》是孔子所作，孔子返魯作《春秋》是「不得已」，其中有「微言」在焉。它不是一般「紀事之史」，而是「約文以示義」（註三三），凡是所書，都有「所表」，是有其「書法」的。例如文公五年記「秦人入鄀」，《春秋》本來是「錄大略小，錄近略遠」的，爲什麼記載這個「微國」、「遠國呢」？莊存與以爲，這是因爲「秦人之好兵」，所以特記專條。他說：「《春秋》之法，苦民尙惡之，況傷民乎？傷民尙痛之，況殺民乎？民者，《春秋》之所甚愛也；兵者，《春秋》之所甚痛也」。「秦人好用兵，而先見其端於天下，於入鄀然後見之也」（註三四）。又如文公十年記「春王三月辛卯，臧孫辰卒」，莊存與以爲所以寫上「辛卯」這一日期，是因臧孫辰爲魯所崇敬所以書的。寫上「日」，是否「貶」呢？「義不得無貶而辭無貶」，因爲臧孫臣「自知弗如」柳下惠，卻「蔽之俾不通然後已」，這是「蔽賢」，所以雖則「辭無貶」，而「義在指矣」（註三五）。《春秋》「書法謹嚴」，義有所指，「舉往明來」，經世所資，因此，爲人君者必知《春秋》，爲人臣者，必也遵《春秋》之義。

第二，《春秋》大義，存乎《公羊》，其中「通三統」、「張三世」諸例，辨名分，定尊卑，明外內，舉輕重，要懂得《春秋》，就必須深研《公羊》義例。

歷來儒者言必稱三代，把堯、舜、禹、湯、文、武說是「至治盛世」，而平王東遷，王室衰微，浸爲「亂世」。經今文學者認爲夏、商、周三代各有其統，夏是黑統（人統），商是白統（地統），周是赤統（天統），夏、商、周三代制度各有因革損益，不是一成不變的。《春秋》就是「立百王之制，通三統之義，損周之文，益夏之忠，變周之文，從殷之質」，從而「百世以俟聖人而不惑」（註三六）。清朝去古雖遠，但只要「繼體守文」，能夠「深明《春秋》之法以制馭其政」，那麼，「三代之治未嘗不可復，其亂未嘗不可弭」（註三七）。也就是說：要根據《春秋》之「微言」，按著當前之實際，「後王有作」。

由於春秋之時，浸爲「亂世」，諸侯征伐，周天子名存實亡，孔子在《春秋》中，「於所見（昭、定、哀）微其辭，於所聞（文、宣、成、襄）痛其禍，於所傳聞（隱、桓、莊、閔、僖）殺其恩」，「異其書法，遇有褒貶」。再則，「於所傳聞世見撥亂始治，於所聞世見治，廩廩進升平，於所見世見治太平」，「由是辨內外之治，明王化之漸，施詳略之文，魯愈微而《春秋》之化益廣，世愈亂而《春秋》之文益治」（註三八）。那麼，「春秋起衰亂以近升平，由升平以極太平」（註三九），這種由「亂世」到「升平」，「升平」到「太平」的「三世」說，又是以社會歷史是進化的。要進化，那還要明乎《春秋》。他們在舉世高談三代，說成「世愈遠而治愈甚」，以致陷入退化論泥潭的情況下，比跡三統，推衍三世，主張「撥亂」，倡言「經世」，不能說不是一個進步；但依托的還是儒家經籍，還想「復三代之治」，這無可否認是烙上了鮮明的階級烙印的。

第三，董仲舒發揮《春秋》「大一統」學說，儒家賴以「獨尊」。當今「盛世」，尤應「一統」，不能拘泥章句，而應「遠法《春秋》」。

「三統」、「三世」，說明時代不同，要隨時因革；只有因革損益，才能想望「太平」。懸一理想的目標，以為「太平」的倒影，時愈久則治愈盛，「大一統」，才能「六合同風，九州共貫」。莊存與、劉逢祿認為「大一統」，要「以諸夏輔京師，以蠻夷輔諸夏」，才是「尊親之化」，「天地之所以為大」（註四〇）。「天無二日，世無二王，國無二君，家無二尊，以一治之」（註四一）。必須尊親事君，「全至尊而立人紀」（註四二）。《春秋》就是「天子之事」，用以「辨名正分」，正外內，定尊卑，審輕重，紀近邇，徵敬怠，別同異的。為人臣子，就應忠君，應該「陳善必列其宜，匡失必舉其敗」，不能以「無端崖之辭以溷其上，而藏其奸」，不能「固奸以事君」，「以飾其惡」，欺君是「不祥」的（註四三）。因此，「大一統」的核心是尊君，是拱奉中央王室。

春秋時，王室已微，孔子表彰齊桓、晉文，因為齊桓、晉文「尊王攘夷」，「一匡周室」，當他「筆削」《春秋》時，留有「書法」

。如莊公二十五年記：「春，陳侯使女叔來聘」，就是書之以「錄齊桓之功」的。「齊桓主中國，則陳不知有楚患，國家安寧」；齊桓公死後，陳遂「日役乎楚」（註四四）。齊桓「存三亡國，而天下咸諭乎桓公之志，再爲義王，克盡臣節，修禮諸侯，官受方物，魯人至今以爲美談」（註四五）。這是由於齊桓公「糾合諸候，一匡天下」，尊奉周王朝，「歸命」周天子，以成「大一統」。

照此說來，清代今文經學的復興者之所以講《公羊》，是因爲它存在《春秋》大義；而這些「微言」，又重在「大一統」。那麼，他們實際是爲了要「大一統」而找《春秋》爲依附；又發揮《春秋》「微言」，以維護「大一統」的。

四

清代今文經學的提倡「大一統」，也是有其緣由的：「乾嘉盛世」時危機隱伏，腐朽衰敗的跡象已呈，是其社會根源；即就文化思想來說，也有其深刻的社會背景。

如上所述，「乾嘉盛世」在學術界占優勢的是漢學和宋學，而今文經學的「復興」者卻「不拘漢、宋」，欲祛「門戶」，這就不是偶然現象。查乾隆二十三年（一七五八年）十二月癸丑朔，上諭：「我朝聖聖相承，乾綱獨斷，政柄從無旁落，如康熙年間之明珠，索額圖、徐乾學、高士奇，雍正年間之李衛、田文鏡等，其人皆非敢骫法干紀如往代之比。不過私心未化，彼此各持門戶之見。即朕初年，鄂爾泰、張廷玉二人，亦未免故智未忘，今則並此無之矣。」「猶記乾隆初年，詔廷臣集思廣益，至再至三，然諸臣章奏，亦不過摭拾浮言，自行其私而已。且彼時事之大者，莫過鄂爾泰、張廷玉門戶之習，初未聞一言及之」（註四六）。乾隆四十六年（一七八一年）又諭：「古來以講學爲名，致開朋黨之漸」。有門戶即易起「朋黨」，有朋黨即使大權旁落，中央集權無法鞏固，「大一統」不能實現。所以乾隆一方面明確表示不應專立門戶，繼續推行文字獄，採取高壓政策。另一方面，又「御纂」、「欽定」各書，企圖統一思想，如乾隆十三年（一七四八年），欽定《周官義疏》、《儀禮義疏》、《禮記義疏》，乾隆二十三年（一七五八年），御纂《詩義折中》、《春秋直解》，

大都雜採諸家，兼用漢、宋。《春秋集解》的「御制序」，載於《實錄》，言明：「中古之書，莫大於《春秋》，推其教，不越乎屬辭比事。原夫成書之始，即游、夏不能贊不辭，蓋辭不能贊也」。把「屬辭比事」提了出來。又說：「鎔範群言，去取精審，麟經之微言大義，炳若日星，朕服習有年」（註四七）。把「微言大義」也提了出來。乾隆四十七年（一七八二年），舉行「仲春經筵」，當德保、曹秀先講《論語》「知者樂，仁者壽」後，乾隆認爲「仁者知之體，知者仁之用」，朱熹「不兼仁知而言」，不得孔子眞義（註四八），對朱熹表示懷疑。同年十一月，命皇子及軍機大臣等訂正《通鑒綱目續編》，認爲《續編》「於遼、金、元事多有偏謬」，說是孔子作《春秋》就沒有「肆口嫚罵」，過去《通鑒輯覽》「書法體例有關大一統者，均經朕親加訂正，頒示天下」，「使天下後世曉然於《春秋》之義」。命皇子等對《續編》「量爲刪潤，以符孔子《春秋》體例」（註四九）。以《春秋》體例爲《通鑒綱目》所遵循。乾隆五十八年（一七九三年），詔刻十三經於太學。次年，石經館司事大臣根據內府所藏宋版明監本、武英殿官刻諸書「參稽考證」，逐條摘出，請頒示天下，並於乙卯科（一七九五年）會試爲始，所有考試四書、五經題文，「俱照頒發各條」改正。乾隆認爲所改「不過字句書體，間有異同，於聖賢經義初無出入」。說是「聖賢垂教之義，原不在章句之末」，不予批准（註五〇）。同時，又頒《御制石刻蔣衡書十三經於辟雍

序》：「經者，常也，常故不變，道則恒存。天不變，道亦不變，仲舒之言，實已涉其藩矣」。認爲「以注解解經，不若以經解經之爲愈」（註五一）。既表彰董仲舒涉經之藩，又不滿餖飣章句，「注疏解經」。而「字句書體」的「異同」，卻正是古文經學家所擅長；「注疏解經」，宋儒也有這種「陋習」。那麼，從上引乾隆的一系列「上諭」，可以清楚看出，莊存與、劉逢祿等不拘漢、宋，崇奉《春秋》，不是無所本的。

乾隆是力圖加强專制，維護「大一統」之局的，然而，就是這個嚴防門戶、堵塞朋黨的乾隆，卻在晚期專任和珅，中央權落，「臣工順意」，這和「大一統」實不相容。莊存與「在乾隆末，與大學士和珅同朝，鬱鬱不合」，「故於《詩》、《易》君子、小人進退消長之際，往往發憤慷慨，流連太息，讀其書可以悲其志云」（註五二）。莊存與隱憂國事，仰承「大一統」之旨，「又不刊板行世，是以無聞」（註五三）。等到「和珅一倒，嘉慶吃飽」，劉逢祿遂得發揮莊氏「家學」，公開闡揚了，《記董文恭公遺事》就是借董誥以斥和珅擅權的（註五四）。然而，危機已伏，「盛世」不再，這就使關心「經世」的今文學家，對提倡「大一統」的《春秋》鑽研更深。

同時，在乾隆袪除門戶之見的影響下，宋學漸趨下坡，戴震寫了《孟子字義疏證》，從訓詁考據闡發「理」、「性」、「天道」等哲學範疇的根本意義，以反對「宋以來儒書之言」，劉逢祿應知其書（註五五），他自己對宋儒的「空言」也曾反對。但宋學雖落，漢學卻盛，清朝文化高壓政策的結果，一些學者不敢再言「經世」，不少漢學家不是籠入四庫館，就是躋身通顯，餖飣文字，訓詁文物，形成「實學」（樸學）。這種脫離實際的學風，究竟「於世何濟」？莊存與即以：儒臣遭世極盛，文名滿天下，終不能有所補益時務，以負庥隆之期。自語曰：『辨古籍眞僞，爲術淺且近者也』」（註五六）劉逢祿對吳派錢大昕以《春秋》爲「直書其事」，沒有書法而加申駁。劉承寬總結劉逢祿「異於世儒」之處凡二：一，「通大義而不專章句」，二，「求公是而祛門戶」（註五七）「通大義」、「求公是」，實際是闡發《春秋》「微言」以言「經世」；「祛門戶」主要是不專守漢、宋」；「不專章句」更指漢學而言。也正因爲「乾嘉漢學」盛行，已成「門戶」，今文經學復興的「祛門戶」，也主要是針對這種「實學」。與劉逢祿同時代、同鄉里的董士錫有過明確的說明，他說：「乾隆時學者莫不由《說文》、《爾雅》而入，醇深於漢經師之言，而無溷以游雜，其門人爲之，莫不以門戶自守，深疾宋以後之空言，固其藝精，抑示術峻，而又烏知世固有不爲空言而實學恣肆如是者哉」（註五八）。「實學恣肆」，反映了他們對漢學的不滿。

漢學標榜東漢古文經學，又正「恣肆」，要改變這種學風也不容易，於是他們利用當時儒生的復古心理，把西漢今文經學「復興」起來：你講東漢古文，我倡西漢今文，比之實「學」更古，上距儒家祖師爺孔子更近，理解孔子《春秋》「微言」更有獨到。劉逢祿說：「公羊氏五傳，當漢景帝時，乃與弟子胡毋子都等記於竹帛」，再經董仲舒「講明」，「漢之吏治經術，彬彬乎近古」。到了東漢，遭受劉歆的竄亂，幸有何休「審決白黑而定」。魏晉以降，「儒風不振」，「聖人之微言大義蓋盡晦矣」（註五九）。於是由東漢而上推西漢，使西漢今文經學得以「復興」。

然而，他們「復興」的西漢今文經學，並不等於就是今文經學。他們繼承西漢經學家闡釋經書的方法論，形成其治學方法上的一定共同點，但他們又是從前人對經書的闡釋中找出符合本階級利益的思想材料，累積適應其特點的各種觀點和思想，爲自己的階級服務，在繼承的關係中，又賦有時代的特點，存在著階級性。

那麼，清代今文經學的「復興」者，又是代表哪個階級的利益？

是爲誰服務的呢？曰：代表地主階級利益，旨在維護封建專制，鞏固中央集權。

如上所述，莊存與、劉逢祿的宣揚「大一統」，和最高統治者的反對「門戶」、「朋黨」有關，因而他們不爲漢、宋藩籬所囿；又和「乾嘉盛世」的危機隱伏以及文化專制主義有關，於是發揮「微言」，强調「經世」：他們是仰承皇帝的旨意的。

從莊存與、劉逢祿的經歷，他可以看出他們和清朝中央政府的關係：

常州莊氏，本來「以科目起家，簪纓文史，蔚爲大族」（註六〇）。莊存與出身於世代仕宦的地主家庭，「通籍後，授成親王經史垂四十年，所學與當時講論或枘鑿不相入，故秘不示人」（註六一）。查康熙以來，一般「一人僅直一齋，偶有兩齋互調者，亦不數見」，而莊存與卻在「翰林時，以侍講入直南書房，繼又以內閣學士兼直上書房，一人兼直兩齋」，尙屬「鮮見」（註六二）。他授讀王子，任職內廷，對中樞情況，自較「在野」爲深，自易隨時揣摩，抑承「聖旨」。那種「天無二日，土無二王，國無二君」的《春秋》微言，當然符合「乾綱獨斷」的乾隆政治上的需要。它源自孔子儒經，又是「言之有據」的「大一統」理論依附。因而直「上書房」既能歷時甚久，而與當時「枘鑿不相入之學」，也能在文化高壓下「講論」，且能「以經學受主知」。（註六三）。

這裡，可舉三例：

其一，莊存與「大考翰詹」時，試題是「擬董仲舒天人冊第三篇」，莊存與「素精董子《春秋》，且於原文冊曰以下四條，一字不遺」。這樣，「上大嘉嘆，即擢侍講」（註六四）。乾隆注視「董仲舒無人冊」，莊存與也以「董子《春秋》」「受主知」。

其二，乾隆二十三年（一七五八年）二月，莊存與在任順天學政時，滿蒙童生因「不能傳遞」，竟致「鬧場」，爲御史湯世昌參奏，被革職」（註六五）。僅隔四天，乾隆又諭：「各童生喧鬧，究因該學政辦理尙屬嚴密，不能傳遞之故。今既審明情節，而該學政竟因此罷黜，殊非懲創惡習之意，莊存與著帶革職，仍留內閣學士之任」（註六六），並將鬧場生員嚴懲。如果乾隆心目中沒有莊存與其人，是不會有此「殊典」的。

其三，乾隆五十年（一七八五年），舉辦「千叟宴會盛宴」，莊存與參加了，並被賜「詩杖豐貂彩緞等物」，成爲當時官僚心嚮往之的「稽古之榮」（註六七）。次年正月，乾隆又諭：莊存與「年力就衰，難以供職」，予以「原品休致」（註六八）。可知莊存與位雖不高，但「以經學爲主知」；他的「爲主知」，應與其講《春秋》「大一統」有關。

劉逢祿比莊存與晚了四、五十年。這半個世紀中，清朝的衰敗跡象日呈，他的今文理論較莊存與爲完整，「經世」之念也較莊存與尤切。如果說，莊存與只是把「大一統」揭櫫的話，那劉逢祿就已經直接援以論政了。他官禮部多年，「據古禮以定今制，推經義以決疑難」（註六九），「又斷諸史刑禮之不中者」爲《禮議決獄》四卷。他的「甲戌朝考」（嘉慶二十年，一八一四年）爲《尙德緩刑疏》，據「董子《春秋》顯經隱權，先德後刑之義」加以發揮，闡揚「御制明慎用刑說」（註七〇）。嘉慶二十五年（一八二〇年），嘉慶「升遐」，劉逢祿「成《庚辰大禮記注長編》十二卷，自始事以至奉安山陵，典章備具，體例謹嚴，其後承修官禮，遂全用其稿」（註七一）。道光初，越南貢使陳請爲其國王母乞人參，「得旨賞給」，而諭中有「外夷貢道之語」，使臣請將「外夷」改爲「外藩」。但「詔書難更易」，劉逢祿根據經書，說是「夷服去王國七千里，藩服去王國九千里，是「藩遠而夷近也」。「我朝六合一家，儘去漢、唐以來拘忌嫌疑之陋，使者無得以此爲疑」，進行「據經決事」，當時稱之爲「有先漢董相風」（註七二）。可知他是適合當時統治階級需要的，「復興」的今文經學和政治的關係是密切的。

由於衰亂已呈，「賢隱於下」，劉逢祿早年就有《招隱》一文，借越國大人、東吳王子來訪「舉世無識未知幾年」的隱士立喻。隱士謂「佩紫懷黃」是「縲紲之機」，「軒車大纛」是「囹圄之飾」，故「智士勿慕」。東吳王子勸說未從，越國大人大談「盛世之謨謨」，勸隱士離開「荒邈之鄉」，「建不世之偉業」，不要「徒知無道富貴之足羞，而不知有道貧賤之足恥」，勸隱士「知斯民之憂樂」。居然隱士「晞然改容」，「返飾轅拜」，「同車偕來魏闕」（註七三）。從東吳王子的「招隱」，遁世隱士的「返飾」，道出了劉逢祿「經世」求仕的迫切心情。此後，他援用《公羊》，闡明蔽賢之非，又是多麼希望封建皇帝能延用懂得「經世」的「賢士」！所以，他的「經世」，闡揚《春秋》「微言」，都是爲了使垂衰的清政府轉爲「盛世」。

照此說來，莊存與、劉逢祿等的「復興」今文，是清朝危機隱伏之際，爲了維護封建專制，鞏固中央政權而闡揚《春秋》，發揮「微言」的。

劉逢祿死於一八二九年，已是鴉片戰爭前夕，一場新的風暴即將來臨，這種講究「微言大義」的今文經學，也就更易爲憂國憂民具有進步思想的人所注意。地區既不限於常州，經書也不囿於《春秋》，對莊、劉的評價也就時愈晚而譽愈高。龔自珍撰《資政大夫禮部侍郎武進莊公神道碑銘》，推之爲：「學足以開天下，自韜污受不學之名，爲有所權緩急輕重，以求其實之陰濟於天下，其澤將不惟十世；以學術自任，開天下知古今之故，百年一人而已矣。若乃受不學之名，爲有所權以求濟天下，其人之難，或百年而一有，或千載而不一有，亦或百年數數有。雖有矣，史氏不能推其跡，門生、學徒、愚子姓不能宣其道，若是，謂之史之大隱。有史之大隱，於是奮起不爲史而能立言者，表其灼然之意，鈎日於虞淵，而懸之九天之上，俾不得終隱焉而已矣」。對莊存與的欲「有所補益時務」頗爲稱譽（註七四）。

魏源也以今文經學「由典章制度以進於西漢微言大義，貫經術、政事、文章於一」，爲「今日復古之要」（註七五），稱莊存與爲「眞漢學」，譽爲「崒乎董膠西之對天人，醰乎匡丞相之逑道德，肫乎劉中壘之陳今古，未嘗凌雜釽析，如韓（嬰）、董（仲舒）、班（固）、徐（幹）數子所譏，故世之語漢學者鮮稱道之。嗚呼！君所爲眞漢學者，庶其在是，所異於世之漢學者，庶其在是。」（註七六）以劉逢祿爲能「由董生《春秋》以窺六藝條貫，由六藝以求聖人統紀，旁搜遠紹，溫故知新，任重道遠，死而後已，雖盛業未究，可不謂明允篤志君子哉」（註七七）。

龔、魏是紹今文「遺緒」的，此後康有爲領導的維新變法運動以今文爲理論基礎，在歷史上起過進步作用。但是，清代今文經學「復興」者的本旨卻是維護封建專制主義的。我們固不能因其對後來起過進步作用，而以經今文學的「復興」爲「維新」；也不能忘記莊存與等掙脫封建「實學」束縛，昌言「經世」的勞跡。至於龔、魏以後怎樣把原初鞏固清朝中央集權的今文理論，推演爲具有進步意義的社會改革思想，那就只可「另文撰述」了。

【附註】

註　一　莊勇成：《少宗伯養恬兄弟》，見《毘陵莊氏族譜》。

註　二　阮元：《莊方耕宗伯經說序》，見《味經齋遺書》卷首，《揅經室集》未收。

註　三　阮元：《莊方耕宗伯經說序》，同上。

註　四　莊存與之父莊杜，即「邃於理學」，存與受其影響，見劉逢祿：《先妣事略》，《劉禮部集》卷十。

註　五　莊存與：《春秋正辭．序目》。

註　六　趙汸：《春秋集傳自序》，書今存，《自序》輯入《經義考》卷一九八。

註　七　趙汸：《春秋屬辭自序》，書今存，《自序》輯入《經義考》卷一九八。

註　八　莊存與：《春秋正辭．春秋要指》。

註　九　同註八。

註一〇　劉承寬：《申受公行述》，見《武進西營劉氏家譜》卷六。

註一一　劉逢祿：《先妣事略》，見《劉禮部集》卷十。

註一二　劉承寬：《申受公行述》，見《武進西營劉氏家譜》卷六。

註一三　劉逢祿：《易虞氏五述序》，見《劉禮部集》卷九；又《易言篇》，同註一二卷二。

註一四　劉逢祿：《跋杜禮部所藏漢石經後》，見《劉禮部集》卷七。

註一五　劉逢祿：《書序述聞》，見《劉禮部集》卷六。

註一六　劉承寬：《申受公行述》。

註一七　劉逢祿：《詩古微序》，見《劉禮部集》卷九。

註一八　劉逢祿：《釋九旨》中《褒例》，見《劉禮部集》卷四。

註一九　劉逢祿：《釋內事例》，同上。

註二〇　劉逢祿：《釋兵事例》上，同上。

註二一　劉逢祿：《春秋公羊釋例序》。

註二二　《後漢書．儒林傳．何休傳》。

註二三　劉逢祿：《申穀梁廢疾序》，見《劉禮部集》卷三。

註二四　劉逢祿：《申左氏膏肓序》，同上。

註二五　劉逢祿：《釋內事例》中，同上卷四。

註二六　同註二四。

註二七　章太炎：《訄書》第十二《清儒》。

註二八　宋翔鳳：《過庭錄》卷四《元年春王周正月》和《天王使宰咺來歸惠公仲子之賵，夫人子氏薨、君氏卒》條。

註二九　宋翔鳳：《論語說義序》，見《皇清經解續編》卷三八九。

註三〇　宋翔鳳：《大學古義說》一，見《皇清經解續編》卷三八七，頁十一。

註三一　莊存與：《春秋正辭》卷十《誅亂辭》第八。

註三二　莊存與：《春秋要指》。

註三三　同註三二。

註三四　莊存與：《春秋正辭》卷八《外辭》第六。

註三五　莊存與：《春秋正辭》卷五。

註三六　劉逢祿：《論語述而篇》，見《劉禮部集》卷二。

註三七　劉逢祿：《十七諸侯終始表序》，見《劉禮部集》卷四。

註三八　劉逢祿：《釋三科例》上《張三世》，見《劉禮部集》卷四。

註三九　同註三八。

註四〇　劉逢祿：《制國邑》第五，見《劉禮部集》卷五。

註四一　莊存與：《春秋正辭》卷一《奉天辭》。

註四二　同上，卷二《天子辭》。

註四三　同註四一。

註四四　莊存與：《春秋正辭》卷四《內辭》第三《來聘》。

註四五　同上，卷六《二伯辭》第四。

註四六　《清高宗純皇帝實錄》卷五七六，頁五、七、八。

註四七　《清高宗純皇帝實錄》卷五六八，頁二二。

註四八　同上，卷一一五〇，頁四一五。

註四九　同上，卷一一六八，頁十四一十五。

註五〇　《清高宗純皇帝實錄》卷一四六三，頁二一三。

註五一　同上，卷一四六三，頁四一五。

註五二　魏源：《武進莊少宗伯遺書序》，見《魏源集》，頁二三八，中華書局一九七六年版，下同。

註五三　董士錫：《易說序》，見《味經齋叢書》卷首。

註五四　劉逢祿：《記董文恭公遺事》，見《劉禮部集》卷十。

註五五　查段玉裁：《戴東原先生年譜》稱，乾隆三十一年，段入都會試，戴謂：「近日做得講理學一書」，謂《孟子字義疏證》，是早已成書，劉在戴後，應知其書。

註五六　龔自珍：《資政大夫禮部侍郎武進莊公神道碑銘》，見《龔自珍全集》頁一四一，中華書局一九五九年版，下同。

註五七　劉承寬：《申受公行述》。

註五八　董士錫：《易說序》，見《味經齋叢書》卷首。

註五九　劉逢祿：《春秋公羊釋例序》。

註六〇　《毘陵莊氏族譜序》。

註六一　阮元：《莊方耕宗伯經說序》，「四十年」，有誤，魏源：《武進莊少宗伯遺書序》作「傅成親王於上書房十有餘年，講論敷陳，茹吐道誼」。

註六二　《毘陵莊氏族譜序》卷一八上《盛事》。

註六三　朱珪：《春秋正辭序》。

註六四　劉逢祿：《記外王父莊宗伯公甲子次場墨卷後》，見《劉禮部集》卷十。

註六五　《清高宗純皇帝實錄》卷五五七，頁一。

註六六　同上卷，頁十三。

註六七　莊勇成：《少宗伯養恬兄傳》。

註六八　《清高宗純皇帝實錄》卷一二四七，頁六。

註六九　劉承寬：《申受公行述》。

註七〇　劉逢祿：《尙德緩刑疏》，見《劉禮部集》卷九。

註七一　同註六九，又見《庚辰大禮記注長編恭跋》，見《劉禮部集》卷七。

註七二　同註六九。

註七三　劉逢祿：《招隱》，見《劉禮部集》卷一。

註七四　見《龔自珍全集》，頁一四一。

註七五　魏源：《劉禮部遺書序》，見《魏源集》，頁二四二。

註七六　魏源：《武進莊少宗伯遺書序》，同上，頁二三七—二三八。

註七七　同註七五。

——原載《中國史研究》一九八〇年二期，頁一四五——一五六。

龔自珍與公羊「三世」說

盧興基

十八世紀末葉以後，經今文學作爲一個古老的思想學派，以嶄新的面貌重新活躍在清代的思想界，有著它深刻的意義。龔自珍就是深受這一學派的思想影響，以公羊家說爲旗號，大張「三世」之義，針貶時弊，倡導革新，影響了整個一代的啓蒙思想家和文學家。

魏源曾說龔自珍「於經通公羊春秋」（《魏源集・定盦文錄敘》），實已道出了他經學的家法。後來梁啓超更進一步確認他「引公羊義譏切時政」，並說「晚清思想之解放，自珍確與有功焉。光緒間所謂新學家者，大率人人皆經過崇拜龔氏之一時期，初讀《定盦文集》，若受電然。」（《清代學術概論》）這是清末人的切身感受，後人本無權否定。不想到七十年代「四人幫」大搞批儒評法的時候，龔自珍也被判爲法家代表人物，全部詩文集中大量赫然在目的文字被抹殺或曲解。在那個時候，學術界有人也說什麼幾十年來研究和確認龔自珍的公羊學觀點的，都是上了梁啓超的一個大當。所以這個問題還有辨明的必要。

龔自珍二十八歲以前是否有公羊家說的影響

這是首先要弄清的，因爲龔自珍的許多——雖並非全部——「譏切時政」的犀利論文都是寫在他二十八歲以前的青少年時代。如果青少年時代的龔自珍從未接受公羊家說的哲學和史學觀點的影響，是很難理解他二十八歲結識劉逢祿以後，突然大聲宣布要「從君燒盡蟲魚學，甘作東京賣餅家」的。而持法家說者正是以這一點作爲自己的論據的。據說是因爲龔自珍從學劉逢祿是在他二十八歲的時候，所以在此以前他的思想與公羊說無關。事實又是如何呢？

龔自珍對於公羊家義有許多傾慕備至的，甚至竟是五體投地的言論。上引一詩的首二句：「昨日相逢劉禮部，高言大句快無加」，就表現了他的這種感情。直到晚年他寫《己亥雜詩》，還說了「宿草敢祧劉禮部」之類的話，至少曾有決心要成爲這份「東南絕學」的繼承人。劉逢祿是清代經今文學大師莊存與的外孫，對於莊的另一位外孫，在公羊家中差不多與劉齊名的宋翔鳳，他也有「萬人叢中一握手，使我衣袖三年香」（註一）的話。在道光八年戊子三十七歲時寫的《大誓答問》洋洋二十餘篇縱論今古文得失的文章裏，也明放著「今文大師之不可厚誣」，而指摘「儒者（指當時的經古文派，不是法家罵儒家）百喙一詞」之類的話（《大誓答問第一》）。所以我們也不能認爲他二十八歲以後的經學論文的傾向是今古文並舉的。

事實上，龔自珍接受經今文學的影響，差不多可以說與接受他外祖段玉裁的漢學影響的同時已開始了。公羊家們關於解釋出沒隱顯，若存若亡的非常疑議可怪的議論，「先聖微言大義」之說，早已通過他二十八歲以前的譏切時政的文字中流露出來。在他這一時期所寫的洞察深刻，語言犀利的時論文章中，處處可以看出，他是以公羊家義作爲社會批判的理論武器。《尊隱》是他少年時代最早寫的觸及社會問題的作品之一（註二）。在這一篇富有寓言意味的著名散文裏，就已讓我們看到，他借「古史氏」之口，大發公羊家的史論，以浪漫主義的手法，描寫了宗法社會從發生、發展到衰落的整個圖景。這篇表現了作者的理想和對黑暗腐朽的清社會政治的批判精神的文章，它的質幹，就是他建立在公羊「三世」義基礎上的歷史觀。他說：

君子所大者生也，所大乎其生者時也。是故歲有三時：一曰發時，二曰怒時，三曰威時；日有三時，一曰早時，二曰午時，三曰昏時。

下面他生動地描繪了「三時」的景象。這種說法，就是脫胎於漢代公羊學的始祖董仲舒、何休的。只是龔自珍的這一「歲有三時」，「日有三時」的說法並非直接套用董仲舒、何休的原話而已。董仲舒《春秋繁露・楚莊王》原是這樣說的：

《春秋》分十二世為三等：有見，有聞，有傳聞。有見三世，有聞四世，有傳聞五世。

這裏的「十二世」，是《春秋》所記魯十二公的史事，它所說的「三等」，後來何休就發展為「三世」。何休說：

所見者，謂昭、定、哀，己與父時事也。所聞者，謂文、宣、成、襄，王父時事也。所傳聞者，謂隱、桓、莊、閔、僖，高祖曾祖時事也……於所傳聞之世，見治起於衰亂之中……於所聞之世，見治升平……至所見之世，著治太平……（註三）

龔自珍的說法，雖與董仲舒、何休有異，但不難找出它們之間的淵源關係。後來，待《五經大義終始論》、《終始答問》（註四）等出，就弄清楚了。原來他是這麼認識的：

通古今可以為「三世」，《春秋》首尾，亦為「三世」，《大撓》作甲子，一日亦用之，一歲亦用之，一章一蔀亦用之。

在他看來，「三世」之說，可以作為觀察歷史發展中任何一個階段的武器，大範圍的歷史可以用，大範圍中所包括的小範圍（小階段）也可以運用。《尊隱》中就表現了他的這一認識論。此外，在他二十八歲以前所寫的《乙丙之際著議》（註五）中也反映了他的這一觀點。《著議》九裏說：

吾聞深於《春秋》者，其論史也，曰：書契以降，世有三等。三等之世，皆觀其才。才之差，治世為一等，亂世為一等，衰世別爲一等。

「書契以降」的「三世」，實際即爲「通古今」的「三世」。它的哲學根據就在與《五經大義終始論》同一年所寫的《壬癸之際胎觀第五》一文中。文中他根據公羊家們以《洪範》察變的精神和「三世」之說，推論出一切事物都包含了它自身發展過程的「初」、「中」、「終」三個階段。他指出：

萬物之數括於三：初異中，中異終，終不異初。一匏三變，一棗三變，一棗核亦三變。

原來只有《春秋》十二世二百四十二年有「三世」，到了龔自珍手裏，就成了一個普遍性命題。自然界事物，包括匏、棗、棗核從發生到衰亡都不例外。不過這種「終不異初」的發展觀，只是事物的周而復始的循環，反映到歷史觀，就成爲一種歷史循環論，這是他世界觀的根本局限。但終究可以看出，在他二十八歲以前的論著中，他不僅「引公羊義譏切時政」，並能不爲家法而守家法，形成了自己的理論體系。根據他自己的體系，他不僅認爲「《洪範》八政配『三世』，八政又各有『三世』」（《五經大義終始答問一》）。類而推之，《詩經・公劉》之章也應配屬「三世」。據他說，其中也「有據亂，有升平。始國於豳，『乃積乃倉』，當《洪範》之食；『俾筵俾幾』，當《洪範》之祀；五章、六章，是司徒、司空之事。『其軍三單』，是司寇之事。司徒、司寇、司空，皆治升平之事。」（《五經大義終始答問四》）根據《答問》一裏說的，「食貨者，據亂而作。祀也，司徒、司寇、司空也，治升平之事。賓師乃文致太平之事。則《公劉》六章按如下配屬：

「乃積乃倉」（一至三章）——食——據亂世

「俾筵俾几」（四章）　——祀

五章、六章——司徒、司空事——升平世

「其軍三單」（五章）——司寇之事

這裏面有許多混亂義重的地方：「其軍三單」實亦第五章，事重；第二，後三章俱「治升平之事」，不見有太平之事，即「三世」缺一。所以我們只能從精神上去領會龔自珍公羊「三世」之大義，而無法從邏輯上去細究。公羊學者們注重「致用」，專治大義而疏於文理，龔自珍更是如此。他不拘家法，對於經史百家，朝掌國故，世情民隱，常採取我取我需的態度，表現了他的學說中的活潑精神。

龔自珍把自已所處時代的清朝社會比喻爲「衰世」，已見於他二十八歲以前的作品。《尊隱》裏，他描寫日之「昏時」，實際即「衰世」的寫照。文中寫說：

> 日之將夕，悲風驟至，人思燈燭，慘慘目光，吸引暮氣，與夢爲鄰……古先丹書，聖智心肝，人功精英，百工魁傑所成，如京師，京師弗受也，非但不受，又裂而磔之。醜類窳呰，詐僞不材，是輦是任，是以爲生資，則百寶咸怨，怨則反其野矣。……則山中之民，有大音聲起，天地爲之鐘鼓，神人爲之波濤矣。

這就是大亂將作的「亂世」前的寫照。

《明良論》四篇，雖未見有「三等」、「三世」的字樣出現，但通觀全文，他對清代社會政治的犀利批評，不過是《尊隱》裏「日之將夕」的社會的另一種寫法而已。如：

> 人有疥癬之疾，則終日仰搔之，其瘡痏，則日夜撫摩之，猶懼未艾。手欲勿動不可得，而乃臥之以獨木，縛之以長繩，俾四肢不可以屈伸，則雖甚癢且甚痛，而亦冥心息慮以置之耳。何也？無所措術故也。（《明良論四》）

另一些文字，不過是改《尊隱》中浪漫主義描寫爲直接的議論而已。如《明良論二》裏所批判的只「知車馬、服飾、言詞捷給而已」的「

今政要之官」，不就是《尊隱》裏那些「醜類窳呰，詐僞不材」麼！這樣的人被最高統治者視爲「生資」，「是韋是任」，不是很可悲麼！《明良論三》中「英奇未盡之士」的遭遇，也正是《尊隱》中處在「古先丹書，聖智心肝」被「裂而磔之」的社會的遭遇。龔自珍在晚年所寫的《己亥雜詩》中回憶己丑殿試祖法王荊公上仁宗皇帝萬言書而上書言事時，說自己是「何敢自矜醫國手，藥方只販古時丹」。這一思想，在二十八歲前也已形成。《明良論四》裏就有「今日雖仿古法以行之……」，「仿古法以行之，正以救今日束縛之病」的字樣。不過，龔自珍這裏所「販」的「古時丹」和「古法」，並不是什麼法家，而是儒家的一個支脈——經今文學派。龔自珍的「更法」的主張也在這時候形成。他的要求衝決「天下無巨細，一束之於不可破之例」（《明良論四》）的思想，正是導源於「非常異議可怪之論」的公羊學，怎麼能說《明良論》四篇與公羊家說毫無關係呢！

龔自珍與常州之學的關係

清代經今文學的所謂「復興」，實肇自莊存與爲首的常州之學。劉逢祿和宋翔鳳都是這一學派的後繼者，他們從學於莊存與之侄莊述祖，又同爲莊存與的外孫。

龔自珍不僅於二十八歲學公羊《春秋》於劉逢祿，對宋翔鳳懷傾慕之情，過從甚密，對這一學派的祖師莊存與也是推崇備至。他在所寫的《資政大夫禮部侍郎武進莊公神道碑銘》裏讚揚道：

> 卿大夫能以學術開帝者，下究乎群士，俾知今古之故，其澤五世十世；學足以開天下，自韜污受不學之名，爲有所權緩亟輕重，以求其實之陰濟於天下，其澤將不惟十世；以學術自任，開天下知古今之故，百年一人而已矣。」

他所說莊爲「其澤五世十世，學足以開天下」的「百年一人」式的人物，雖未免爲過譽之詞，但反映龔自珍、魏源以及後來維新派康有爲、梁啓超對莊學的崇敬。他後來引王通自許，「但開風氣不爲師」，可說是受了莊的影響。與莊的「學足以開天下」的「史之大隱」屬同一精神。

乾嘉漢學的興盛，一方面是政治上的高壓，文字獄的恐怖所造成的，另一方面也是對宋明理學之空談心性的不滿的表現。乾嘉學者抬出漢學與宋儒相對抗，他們治經重文義分析，從事於嚴肅的文字訓詁和校勘考據的工作，在學術上曾作出過重要貢獻。但是這卻引起了另一部分主張「通經致用」的人的不滿。首事者就是常州之學的莊存與等。龔自珍與常州之學的關係並非始於劉、宋，在《資政大夫禮部侍郎武進莊公神道碑銘》的後記中就有「嘉慶戊寅，莊君綬甲館予家」的記載。嘉慶戊寅，作者二十七歲，龔自珍時在浙江。實際莊綬甲設館龔家可能在龔的第一位蒙師宋璠卒後南歸的二十三歲即已開始。關於莊綬甲的學術思想，《清史稿》說他「盡通家學，尤爲述祖所愛重」（《清史稿》列傳第二百六十八）。莊綬甲可算是龔的師友之交，對他不可能沒有影響。龔自珍接觸過清代許多不同的經學派別的學術思想，但他總是表示對經今文學的特別興趣，這不是偶然的。三十六歲時他寫過叫《常州高材篇》的詩，就表現了他的這種感情。

乾嘉之學統治幾近百年，學術界亟望風氣來一個變化，以適應時代的需要。這從龔自珍與魏源的一些相互呼應的言論中可以看得出來。魏源對於莊氏的學說也極推崇。他說：

> 徐幹《中論》曰：「……故凡學者，大義爲先，物名爲後，大義舉而名物從之。然鄙儒之博學也，務於物名，詳於器械，矜於志訓，摘其章句，而不能統其大義……故使學者勞思慮而不知道，費日月而無成功，故君子必擇師焉。」……清有天下百餘年……其褎然成家，著錄國史館儒林傳者數十人外，其官至

九列，例不入儒林，入大臣傳者猶十餘輩……（獨武進莊方耕）未嘗凌雜釽析，……嗚呼！君所為眞漢學者，庶其在是，所異於世之漢學者，庶其在是。」（《魏源集・武進莊少宗伯遺書序》）

龔自珍也有一篇論及徐幹《中論》的文章，說《中論》「論儒者之蔽，既見要害，擊而中之。」（《最錄中論》）他又在上述《莊公神道碑銘》裏說：「辨古籍眞僞，爲術淺且近者也；且天下學僮盡明之矣，魁碩當弗復言……帝胄天孫，不能旁覽雜氏，惟賴幼習五經之簡，長以通於治天下。」二人都借《中論》揭乾嘉學者之蔽而揚莊氏之學。

龔自珍青少年時代的經學思想早已與乾嘉學者分道揚鑣了。乾嘉學者標榜漢儒以與宋儒對抗，而經今文學者們則極力泯滅漢宋門戶之見。這一看法，在他早年所寫的《與江子屏箋》裏也得到反響：

本朝自有學，非漢學…瑣碎餖飣，不可謂非學，不得爲漢學。

他批評了標榜漢學而力排宋學之非。說：

若以漢與宋爲對峙，尤非大方之言；漢人何嘗不談性道？宋人何嘗不談名物訓詁？

漢儒與宋儒就它所占統治地位的主要學派的特點說，原是有區別的，可是到龔自珍的筆下，就都合二而一了。不過，他還是有自己的理論根據的。在他同時所寫的《江子屏所著書序》中就指出了：「孔門之道，尊德性，道問學，二大端而已矣。二端之初，不相非而相用，祈同所歸」，原來，他認爲「德性」之與「問學」，本爲同一事物的相反相成的兩個方面。乾隆學者的拘於後者，僅執其一端，且爲與治天下無關大局的一端。所以他贊揚莊存與能「爲有所權緩亟輕重，以求其實之陰濟於天下」，而成爲「百年一人」式的人物。與魏源所說：「清有天下百餘年間」，莊存與獨「未嘗凌雜釽析」是同樣的意思。

龔自珍又把這二大端比之爲「文」與「質」的關係，他要求做到「不以文家廢質家，不以質家廢文家。長悌其序，臚以聽命，謂之存三統之律令」，表現了他與前此的公羊家的不同。要完成這一任務，他以爲江藩這樣的人是「非其任」的。能夠「識其初，又總其歸，代不數人，或數代一人」，龔自珍自認爲就是在完成著這一大任的。

由於龔自珍二十八歲以前早已具有公羊家思想的影響，我們才能理解，他初識劉逢祿，即有「高言大句快無加」之情，並表示對劉學的傾倒和「從君燒盡蟲魚學，甘作東京賣餅家」的決心。

龔自珍對公羊「三世」說的運用

公羊「三等」、「三世」之說，在漢代，它與五行災異，天人感應等讖緯神學同時發展並揉雜在一起，爲地主階級統治忠實地服務過。龔自珍則僅繼承了它積極有用的一面。對於混和在這一派學術思想中的讖緯迷信和五行災異等宗教神學，他堅持否定的態度，力圖使公羊「三世」之說與漢人建立的新宗教神學剝離開來，建立他自己的儒學體系。在《乙丙之際塾議第十七》中，他說：

> 孔子上承《堯典》，下因魯史，修《春秋》，大書日食三十又六事，儲萬世之曆，不言凶災。日食爲凶災。孰言之？《小雅》之詩人言之，七十子後學者言之，漢之群臣博士言之……大都君臣借天象傳古義，以交相儆也。厥意雖美，不得闌入孔氏家法。」

他認爲災異變化不是孔氏眞傳。後來，他又寫了《非五行傳》，對漢劉向力倡的五行災異提出了尖銳批評。他說：

> 劉向有大功，有大罪，功在《七略》，罪在《五行傳》。凡五行爲災異，五行未嘗失其性也。成周宣榭火，御廩災，桓、僖廟災，非火不炎上故也；亡秦三月火，火炎上如故。平地出水

，水未嘗不潤下也；河決瓠子，決酸棗，乃至堯時懷山而襄陵，水潤下如故。關門鐵飛，金從革如故。桑穀生朝，桑穀非不曲直也；雨木冰，桃、李冬華，霜不殺草，草木曲直如故。無麥無禾，是暘雨不時之應，非土不稼穡。

龔自珍揭露了五行災異宣傳家們的荒謬宣傳，還五行以自然的本來面目。劉向並非治公羊學者，但他世界觀中宗教神學的方面，與董仲舒本質上是完全一致的。龔自珍正確地評價了他在哲學和史學兩方面的功過，現在看來也是比較公允的。劉向父子在《五行傳》中推演災異計一百八十又二事，言論凡二百二十又六則，完全是爲漢代統治階級政治服務的精神麻醉劑，和董仲舒彼此呼應，如出一轍。到了龔自珍所處的時代，這種漢人的神奇宣傳，早已被許多人所唾棄。在龔自珍看來，也達不到診治「膏肓頑疾」的目的。他並不完全否定推步家術，認爲「自古以陰陽五行占驗災異，與推步家術絕不相同，不能並爲一家之言」，所以他希望要「摧燒漢朝天士之謬說」（《與陳博士箋》），反映了龔自珍這位近代啓蒙思想家世界觀中的唯物主義的成份。

在龔自珍哲學思想中最革命的一面是繼承和發展了公羊「三世」義中承認社會之「變」的思想，因而創造了他自己的一切都在「變」的命題。對於社會歷史，他說：

夏之既夷，預假夫商之所以興，夏不假六百年矣乎？商之既夷，預假夫周之所以興，商不假八百年矣乎？（《乙丙之際著議第七》）

龔自珍通過對歷史的觀察，揭示了封建王朝更迭翻代這些歷史事件中某些辯證的規律。舊王朝的衰亡過程本身，已經孕育了否定自己的因素；新王朝的產生，正是舊王朝內部否定之否定的因素由量變到質變的發展的結果，而不是什麼外部原因造成的。這一觀察，無疑是符合辯證法規律的。這一規律，與前所說的，他所認爲的一切事物都包含了它自身發展過程中的「初」、「中」、「終」三個階段的理論，構成爲他的「三世」說的哲學基礎。

對於「三世」之名以及它的發展順序，龔自珍在《古史鈎沈論四》裏是這麼說的：

> 古者開國之年，異姓未附，據亂而作，故外臣之未可以共天位也。在人主則不暇，在賓則當避疑忌……易世而升平矣，又易世而太平矣，賓且進而與人主之骨肉齒。

龔自珍在這篇又題爲《賓賓》的討論進用賢才的論文，以公羊家「異內外」，「當興王」的說法解釋「賓」在三個時代裏的不同地位和待遇。他在這裏用了「據亂」、「升平」、「太平」的三世之名。下面，我們與《公羊傳》，董仲舒，何休以及後來的康有爲《大同書》的說法列表比較如下，以見其發展異同：

《公羊傳》	所傳聞	所聞	所見	（異辭）
董仲舒	有傳聞	有聞	有見	（等）
何　休	所傳聞	所聞	所見	（世）
	（衰亂）	（升平）	（太平）	
龔自珍	據　亂	升平	太平	（世）
康有爲	據　亂	升平	太平	（世）
		（小康）	（大同）	

從上表看出，原《公羊傳》以孔子所接聞的時間爲準的《春秋》異辭說，至董仲舒始有「三等」的說法，至何休又配以「衰亂」、「升平」、「太平」，至龔自珍則索性於《春秋》異辭略而不論。至康有爲又配以《禮運》大同之說，這都爲了各個時代的需要，並非什麼對永恆眞理的偏愛。

龔自珍還有「治世」、「衰世」、「亂世」的另一種說法，見於前引《乙丙之際著議第九》裏所說的：「衰世者，文類治世，名類治世，聲音笑貌類治世……然而起視其世，亂亦竟不遠矣。」則「三世」之說應是：

治世———→衰世———→亂世

這一說法，成了他進行社會批判的常用概念。從時間順序說，與公羊《春秋》互爲顚倒的，也可見公羊家的傳統——實用精神。

值得注意的是康有爲以《禮運》「大同」、「小康」之說解釋「三世」，實發軔於龔自珍。自龔自珍開始，已把二者結合起來了。他在《五經大義終始答問八》中承認「《禮運》之文，以上古爲據亂而作，以中古爲升平」。康有爲在《禮運注敘》裏就說：「吾中國二千年來，凡漢、唐、宋、明，不別其治亂興衰，總總皆小康之世也。」至於「大同」之世，雖在堯、舜時有過，其後，要皆爲一種理想，要人們爭取的。可以看出，康的「大同」三世說是受了龔自珍的啓發和影響的。

龔自珍倡導「三世」說的進步精神

漢代公羊學的形成和發展，順應了地主階級政治的需要。到了十八世紀以後，鴉片戰爭前夜，中國社會已預示著將要邁入一個歷史的新階段。外國資本主義勢力的入侵，國內資本主義因素的進一步發展，中國社會的封建經濟結構正在解體。龔自珍的思想學說正是在這一背景下產生的。

龔自珍和魏源等，都是從地主階級營壘中分出化出來的一部分具有時代敏感的知識分子。他們已預感到這一大變動的行將到來，產生了順應時代變化的朦朧要求。魏源初受宋儒理學的影響，而龔自珍則初從小學訓詁入門，殊途而同歸，最後都走向經今文學的道路，「以朝掌國故，世情民隱爲質幹」，達到通經致用的目的。龔自珍在青少年時代就已强烈地感到「一祖之法無不敝，千夫之議無不靡，與其贈來者以勁改革，孰若自改革」，（《乙丙之際著議第七》）提出了變法更圖的明確主張。二千年來的封建統治，整個社會「一束於不可破之例」，造成了一種死氣沈沈的「萬馬齊暗」的悲慘局面。歷史在前進，社會要變化，才識之士卻遭到沈埋和壓制，「是輦是任」者尸位素餐，死抱住僵死的祖宗之法，而不願作那稍稍的改革。而種種跡象表明，人民的此起彼伏的反抗鬥爭，新的社會力量正在舊的母胎中發育。他正是站在這一歷史的高度來看待這一變化的。只是他提出的變法更圖的依據並不是什麼法家的學說，而是西漢時就被統治者利用過的儒家經今文學的公羊家說。

經今文學是歷史上更富有政治色彩的一個儒家學派。它的許多主張和理論，都更便於被一些改革家們利用作爲觀察歷史、改造社會的依據並成爲一種新的理論體系。處在近代史前夜的龔自珍感到，一場人民革命的風暴也許能蕩滌一切舊的污穢，但也將摧毀他自己出身的那個社會的一切傳統，而這是他所不願意看到的。這是他世界觀中的矛盾。他所處的時代和階級只允許他從三千年舊文化傳統的思想材料中去尋求醫治這個老大帝國的藥方，「仿古法以行之」。在這一點上，與馬克思在論及歐洲初期資產階級革命的一些人物的活動時所說的頗有某些共同之處。馬克思說：

> 人們自己創造自己的歷史，但是他們並不是隨心所欲地創造，並不是在他們自己選定的條件下創造，而是在直接碰到的、既定的、從過去承繼下來的條件下創造……他們戰戰兢兢地請出亡靈來給他們以幫助，借用它們的名字，戰鬥口號和衣服，以便穿著這種久受崇敬的服裝，用這種借來的語言，演出世界歷史的新場面。（《馬克思恩格斯選集》卷一，頁六〇三）

龔自珍雖然還不是在爲新的社會制度的誕生而呼喊，但不可否認，他是代表了他那個時代的進步的要求。因而，他打出孔門眞傳的旗號，以公羊「三世」義爲窺測歷史因變，推動社會革新的根據和武器，以「仁心爲幹，古義爲根，九流爲華實，百氏爲杝藩」，形成爲「枝葉昌洋，不可殫論」（《尊隱》）的五光十色的理論體系。

龔自珍的學業造就是多方面的。魏源說他「於經通《公羊春秋》，於史長西北輿地。其書以六書小學爲入門，以周秦諸子、吉金樂石爲厓郭，以朝掌國故、世情民隱爲質幹。晚尤好西方之書，自謂造深微云」。（《魏源集・定盦文錄敘》）這博大精深的造詣，有助於他對社會政治、經濟、文化思想等各方面的深入觀察、分析，提出自己的改革方案。他寫了《平均篇》，試圖解決清代乾隆以後日益尖銳的土地集中，貧富懸殊的社會問題。在《農宗》裏，他以傳統的模式，給統治者設計了一個新的宗法制農業社會的藍圖。在《乙丙之際著議》、《明良論》等文裏，他揭發時弊，提出廓清吏治，進用賢才，推動變革的正確主張。在題爲《春秋決事比答問》的一組論文裏，他按公羊家以《春秋》決獄的精神，提出了他的司法改革的主張。他祖武王荆公，大膽上書言事，力陳對時事政治的明銳看法。他的《上大學士書》、《西域置行省議》、《北路安揷議》、《御試安邊綏遠疏》等等，無不表現了他託古改制的特點和進步與愛國的精神。

作爲地主階級出身的一位知識分子，在他的思想中，不可避免地存在著很大的局限，他據《易》推演「窮則變，變則通，通則久」的理論，但目的還是「爲一姓勸予」。他的立場，還是站在統治階級那一邊的。在他的世界觀中，也還保留著儒家思想的綱常倫理，只是提出在新的社會條件下應不斷適應這種變化。他認爲：

> 《春秋》何以作？十八九爲人倫之變而作。大哉變乎！父子不變，無以究慈孝之隱；君臣不變，無以窮忠孝之類；夫婦不變，無以發閨門之德。精義入神，以致用也……（《春秋決事比

答問第五》）

時代變了，三綱五常的倫理道德也應順乎時代的需要而變化。不過我們還是應該在他的正綱紀倫常的命題之下看到其中所包含的新的精神，他的正綱紀的命題是在一切都在「變」的理論制約之下的。他根據事物發展的否定之否定的規律，向統治階級大聲宣告：如果再不適應這種變化，則只能請君讓位了。他說：

> 居廊廟而不講揖讓，不如臥穹廬；衣文繡而不聞德音，不如服橐鞬；居民上，正顏色，而患不尊嚴，不如閉宮廷；有清廬閑館而不進元儒，不如闢牧藪；榮人之生而不錄人之死，不如合客兵；勞人祖父而不問其子孫，不如募客作。（《乙丙之際塾議第二十五》）

在他所要建立的新的君臣關係裏，已不再是「君要臣死，臣不得不死」之類的舊綱紀，而注進了嶄新的近代式的內容，這是龔自珍思想中進步與民主性的表現。

以上僅僅窺視了龔自珍世界觀中據以變法革新的主要思想武器：經今文學的公羊「三世」說的幾個問題，並不能概括他世界觀的全部。他早年就受到經古文派漢學思想的影響，中年以後，又篤信佛學，還有某些老莊思想的影響，對此，則只有留待另文討論了。

【附註】

註　一　道光二年壬午詩《投宋于庭》。于庭爲宋翔鳳字。本文引龔自珍作品皆本上海中華書局版《龔自珍全集》，下同。

註　二　《己亥雜詩》有「少年《尊隱》有高文」句，可知此文作於龔自珍少年時。

註　三　《春秋公羊傳注疏》隱公元年「公子益師卒」解詁。

註　四　《五經大義終始論》及《答問》作於道光三年癸未，作者三十二歲。

註 五 《乙丙之際著議》作於嘉慶二十年乙亥作者二十四歲至嘉慶二十一年丙子作者二十五歲時。

——原載《中國哲學》第四輯（北京：三聯書店，一九八〇年十月），頁三六一——三七五。

魏源的經學思想

李漢武

怎樣改變中國社會的現實？這是中國近代先覺者們首先遇到的問題。他們沒有現成的思想武器，找不到改造中國的道路和可以依靠的力量。任何改革者都不能離開一定的社會環境，不能離開既定的文化心理結構。從魏源醉心「以經術爲治術」，到康有爲的「托古改制」；從譚嗣同、章太炎的佛法，到嚴復譯介、提倡的自由平等，反映了中國近代先賢們在尋求思想武器過程中的痛苦經歷。

一、魏源的經學著作和思想淵源

魏源的經學著作十分豐富，主要有《詩古微》、《書古微》、《董子春秋發微》、《公羊春秋論上下》、《孝經集傳》、《禮記別錄考》、《易象微》、《大戴禮記微》、《論語類編》、《孟子類編》、《禹貢說》等。與《四書》及經學家的讚論、傳記有關的有《古微堂四書》、《大學古本》、《小學古經》、《子思子章句》、《曾子章句》、《兩漢經師今古文家法考》、《庸易通義》、《孔子年表》、《孟子年表》、《論語三畏三戒九思箴》、《孔孟贊》、《曾子贊》、《顏冉贊》、《孟子補贊》、《周程二子贊》、《程朱二子贊》、《朱子贊》、《陸子贊》、《朱陸異同贊》、《楊子慈湖贊》、《王文成公贊》、《明儒高劉二子贊》、《武進莊少宗伯遺書序》、《劉禮部遺書序》、《武進李申耆先生傳》、《荆溪周君保緒傳》等。其中刊刻流傳的經學著作只有《詩古微》、《書古微》。《古微堂四書》有何紹基手抄本傳世；《董子春秋發微》、《孝經集傳》、《大學古本》、《小學古經》、《曾子章句》、《子思子章句》、《兩漢經師今古文家法考》等著，《魏源集》中收有序言，但未見傳本。這些著作可能因爲沒有刊刻，手稿散失了。

從上述著作目錄可以看到，魏源對群經有廣泛的了解和接觸。他進京以後，「從胡墨莊先生問漢儒家法」，「問宋儒之學於姚敬堂先生學塽，學《公羊》於劉申受先生逢祿」（註一）。胡、姚、劉諸人，都是魏源的經學導師。其中尤以劉逢祿最爲重要。

劉逢祿（一七七六—一八二九），江蘇常州人，清代經今文學常州學派始祖莊存與的外孫。於群經皆有撰述，致力最深且有家學淵源的是《春秋》，與莊存與從子莊述祖的外甥宋翔鳳一起，於嘉、道年間大張常州學派。魏源治經得入常州學派，自拜師劉逢祿開始。道光六年，劉逢祿作爲同考官參加禮部會試，極力推荐龔自珍、魏源的試卷，未獲通過，劉氏作《兩生行》哀惜之。龔、魏齊名，自此始。

魏源經世致用的思想風格，還明顯受到明清之際啓蒙思想家顧炎武、黃宗羲、王夫之、唐甄等人的影響。魏源細心研讀過顧、黃、王、唐等人的著作，現存《潔園文鈔・雄冊》中，保留了魏源手抄顧炎武的文章；編輯《皇朝經世文編》時，魏源把顧炎武的《天下郡國利病書》、《亭林文集》、《日知錄》、《菰中隨筆》，黃宗羲的《明夷待訪錄》、《南雷文定》等書擺在專集名錄的第一、二位，僅顧炎武一人的文章就收了九十七篇，收黃宗羲文四篇，收唐甄文十九篇。自謂編文體例也「近仿梨州文定」（註二）。一八三九年到一八四二年，魏源好友鄧顯鶴、鄒漢勛主持王世全「湘潭王氏守遺經書屋」刊刻《船山遺書》，魏源得見王夫之部分著作。時魏源正在著《詩古微》，故對《詩廣傳》尤感興趣。尊稱王夫之爲鄉先生。同時把王夫之《詩廣傳》的主要內容以《詩外傳演》的形式，作爲《詩古微》附錄的一個部分。可知顧、黃、王等人的思想對魏源思想有直接影響。

二、魏源的「小學」思想

清代的「小學」，乃文字訓詁之學的專稱。隋唐以後，小學類的書籍分爲訓詁學、文字學和音韻學三類。魏源的小學著作，已知的有《說文儗雅》、《說文轉注釋例》、《說文假借釋例》、《說文會意諧聲指事象形釋例》、《小學古經》、《蒙雅》。其中《說文儗雅》未見傳本，僅《魏源集》存序。《小學古經》收存《古微堂四書》中，《蒙雅》有通行本。

魏源小學研究成就如何，近人論述不多。按魏源自己的看法：「小學以《說文》爲宗，歷代罕究。國朝顧炎武始明音學，而段、王二氏發明《說文》、《廣雅》，惟轉注之說尙有疏舛，予特爲發明之，此小學家之大概也。」（註三）從這裏可以看到，魏源以小學家自許，並把自己與顧炎武、段玉裁、王念孫父子並論，作爲清代小學發展的三個階段之一。魏源晚年自定《古微堂文集》，《默觚》而後，首列小學著作諸篇，由此亦可知魏源對其小學研究的重視。

《說文儗雅》完成於一八五一年（註四），時年五十八歲。其內容乃合《說文解字》與《爾雅》爲一。《說文解字》三十卷，五百四十部，收字九千三百五十三，又重文一千一百六十三。以篆爲主，列古文、籀文等異體爲重文。字義解釋，皆本六書，歷來爲治小學者所宗。《爾雅》字義之書，今本三卷十九篇。前三篇《釋詁》、《釋言》、《釋訓》解釋語辭，後十六篇專門解釋名物術語。魏源將《說文》與《爾雅》合併，成《說文儗雅》，自謂有四得。

其一，開闢小學研究的新領域。魏源認爲，《說文解字》、《爾雅》二書，研究者頗多，其著作「均已依其部分著書，刊勒行世。惟以誼分類，合《說文》、《爾雅》爲一者，世間尙無成書」（註五）

。這是《說文儗雅》創新之處。

其二，開闢新的歸類法。他認爲「《爾雅》有《釋親》，無《釋人》，故五官、四肢、五事、五倫、五性最廣之字，皆無類可歸，盡入之《釋詁》。而《釋詁》一門，遂臃腫雜沓，不便稽查」（註六）。而《說文儗雅》「以天、地、人、物、事五大類括五百二十三部」，「別立《釋人》，綱舉目張，與天、地、事、物方聚族分，此其善於《爾雅》者」（註七）。

其三，專以部首分類。他認爲「《爾雅》不盡用字之本誼，專取假借，故六書之義不明」（註八）。而《說文儗雅》「專以部首分類，而以其虛文語助爲《釋言》，別輯其專行借誼反廢古誼者爲《釋訓》，並將《說文》分部之失」（註九），予以更正，「此其善於《爾雅》者」（註一〇）。

其四，發明六書新義。《說文儗雅》「別爲《轉注釋例》、《假借釋例》、《意聲事形釋例》三篇以冠其首」，既不同於「段君之注」，也於「各類中止載原篆原注而不採諸家之注」，意在將六書「發明而擴大之」（註一一）。

魏源於六書發明了哪些新意呢？我們只能從他撰的三個《釋例》中探測一些消息。

「六書」一詞，初見於《周禮・地官・保氏》。《漢書・藝文志》始列六書名目爲「象形、象事、象意、象聲、轉注、假借」，許慎《說文解字序》列爲「指事、象形、形聲、會意、轉注、假借」。漢代學者以六書爲造字原則。

魏源於六書研究確有新解。

關於轉注。《說文解字序》云：「建類一首，同意相受，考、老是也。」段玉裁「本其師戴（震）氏之說曰：『轉注者，猶言互訓也。以老注考，以考注老，輾轉注釋，是爲轉注』」（註一二）。魏源認爲，以往小學家對轉注的理解，都過於偏狹「昔人有『反正爲乏，反存爲在，謂之轉注』之說，然此數字外更無可證」（註一三）。有人又以「《爾雅》爲轉注之書」，「然初、哉、首、基等可訓爲始，而始不可爲初、哉、首、基，烏在其爲考、老之互訓也？」（註一四）這樣的例子很多，如賚、貢、賜、畀等可訓爲賜，而錫不可訓爲賚、貢、賜、畀；衎、豫、妣、般可訓爲樂，而樂不可訓爲衎、豫、妣、般，等等。可見「舉《爾雅》一書，無非會意、假借，無一條可指爲互訓轉注者；舉《說文》一書，形、聲、事、意、假借無所不有，獨無互訓之誼」（註一五）。段、戴諸君「徒能言之而不能指明，除考、老二字之外，不知當以何字互訓？」（註一六）「惟窒、塞、疑、惑、喜、樂、悅、懌等字及力部之功、勛、劭、勉、勸、勦、勤、勱、彊、勍，阜部之陝、隘、險，阻……，絲部之綱、網、紀、緒……等字，差堪互訓。此外遍檢各部，並無可當者，非如象形、指事、會意、諧聲之字部部有之，烏有此窘狹之義可列六書者乎？」（註一七）魏源這一反駁，確實有力。轉注一義，自許慎定義以後，歷代因之，除考、老字之外，確實少見能如考、老互訓之字。因此，魏源提出，應「以部類建首轉注爲六書之綱領。其綱領或在上下，或在左右」（註一八）。就是說，以部首偏旁爲轉注原則。「偏旁在左者，皆左爲轉注，右爲諧聲」（註一九）。「偏旁在右者，皆右爲轉注，左爲諧聲」。「部首在上者，皆上爲轉注，下爲諧聲」。「部首在下者，皆下爲轉注，上爲諧聲」。「此全書之通例」。（註二〇）魏源認爲自己提出這個原則，有許慎的思想作根據：「且『建類一首』，謂以五百二十六部首輾轉貫注於每部數百字數十字之中，故每部必曰『凡某之屬皆从某』。許君自序曰：『其建始也，立一爲端。方以類聚，物以群分。同條牽屬，其理相貫。雜而不越，據形繫聯。引而申之，以究萬原。畢終於亥，知化窮冥。』是許君自序一字不及於象形、會意、指事、假借，而惟以部類建首轉注爲六書之綱領。」（註二一）相反，如果不以部首建類爲轉注原則，「即如晦、明、朓、朒、雷、雲、飄、飆、炎、燎、冰、凌等字，使非从日从月从風从雲从火从仌等字，何以知其屬天乎？」（註二二）帶水之字，「使非作旁，何以望而知其爲水乎？」從山之字，「使非部首，何以望而知其爲山乎？」（註二三）總之，「舉五百二十六部，無一字能出部首之外。故形、聲、事、意等字，如人之有名字，而偏旁部首，則如人之有姓氏，而後祖宗嫡庶，宗族支派，秩然其不可亂焉」（註二四）。所以，「六書轉注之誼，孰大於部首建類者，而乃以互訓當之乎？」（註二五）

魏源按照以部首建類爲轉注原則，批評段、戴轉注之義云：「戴氏、段氏小學專家，乃畢生不知轉注之義，可謂求之千里，失之睫前。」（註二六）又批評許慎《說文》「亦有不盡符建類、轉注之本旨」（註二七）。如「有孤立部首『凡某之屬從某』而部下並無一字者，有部首下尚有數字可隸而不收隸者，有一部中忽分二字三字別立部而絕不解何意者，有二部三部併之實止一部者，有不以形爲部首而以聲爲部首，違全書通例者」（註二八）。

關於假借。《說文》云：「本無其字，依聲託事，令、長是也。」什麼叫「本無其字，依聲託事」？段玉裁《說文解字注》說：「假借放於古文本無其字之時」，「大抵假借之始，始於本無其字；及後既有其字矣，而多爲假借；又其後也，且至後代訛字亦得自冒於假借。博綜古今，有此三變，此所謂無字依聲者也。至於經、傳、子、史，不用本字而好假借字，此或古古積傳，轉寫變易。許君每字以形說其制字本義，而其用本字之聲不用本字之義者，乃可定爲假借矣」（註二九）。如本無「東西」之「西」字，取「西，鳥在巢上也」（即古栖字），而以爲東西之「西」，此即「本無其字，依聲託事」。對於戴震、段玉裁的「聲假說」，魏源認爲：「假借之說，段君言之雖深悉其本原，而未旁通曲暢其族類。」（註三〇）在他看來，所謂「聲假」即「用本字之聲而不用其本義者，固不可枚舉，即古文有此字而終不制字者，亦不可枚舉」（註三一）。假借的範圍，除了同聲通假以外，還「有引申之假借，如號令之爲令長，長短之爲長幼、君長，本義與引申之義並行」（註三二）；又有「依聲託事，借誼與本義並行者也」；如「戴本分物得異，而假爲負戴、感戴之戴」。「有不依聲而從形近之假借，如『丂』古文以爲『巧』字」等。有訓詁之假借，如「惡有平、去、入三音，而分烏惡、疾惡、羞惡之三義。讓不改音，而有推讓、責讓相歧之義」；有「倒義互訓」爲假借，如「《論語》以亂爲治，《堯典》以攘爲讓」；有「借義行而本義廢者」，如「紀者絲之總端，假爲統紀之紀」，「萬本蟲名也，而引申爲千萬之萬，又假爲漫長之漫」（註三三），至於經籍傳抄過程中的異體、竹簡斷爛而缺筆之字，後世因爲正字，魏源則不認爲是假借字。這種字如果「概謂之假借，何異以燕說郢，以鼠證璞乎」（註三四）？總之，於假借一端，魏源在戴、段的「聲假說」基礎上又擴大了範圍。

關於會意諧聲指事象形諸點，魏源對《說文》及戴、段之說沒有提出原則上的不同意見。

《蒙雅》爲發蒙識字課本，魏源編纂時，以天、地、人、物、事次序排列，作四字韻語，收通行正字六千餘個。

魏源的小學思想，主要有兩點。第一，他認爲小學（文字、音韻、訓詁）是通經的基礎。「由詁訓、聲音以進於東京典章制度，此齊一變而至魯也」（註三五）。「孔子書六經、左丘明述《春秋》皆以古文」，「及李斯改古文大篆，程邈又改篆爲隸書以便徒隸，而經文失眞者十之二三。加以秦火斷爛之後，《尙書》由女傳口授，《詩》由諷誦竹帛，經文失眞者十之四五」（註三六）。可見文字對經義的重要。通小學的目的在於通經，通經的目的在於致用，這是魏源小學思想的基點。第二，魏源對乾嘉以來一大批治小學者不關心時事，表示反對。他認爲離開通經致用的目的來治小學，就會走向歧途。從反對當時以「餖飣爲聖學」的空疏學弊來說，這種觀點有進步意義，但也有片面性。小學是一門學科，一個學者不花費畢生的精力去鑽研它，也難有建樹。不要求人人都花畢生精力去研究小學，但有一些專家畢生研究也是必要的。

關於魏源小學研究的成就，因其小學主要著作《說文儗雅》不見傳本，不敢妄說。章太炎醜詆魏源，說他「不識字」（註三七），恐怕言之過重；但魏源自己認爲與戴、段比肩，也似乎難以作如是觀。魏源發明轉注新義，是否受到江聲思想的影響，也可進一步研究。

三、《詩古微》的主要思想

魏源《詩》學著作就是《詩古微》。

《詩古微》有初刻本、二刻本。一八八五年楊守敬重刊《詩古微》，在重刊附記中說：「是書有初刻、二刻，皆毀於兵。敬屢謀刻之而未成。今始獨任之。初刻僅上下卷，前有李申耆先生序，後刻無之。又武進《劉禮部集》亦有一序，初、二刻並無。原先生意，以後刻有自序，故不載焉。」劉逢祿卒於一八二九年，他爲《詩古微》作序，當本年或本年以前。龔自珍於辛卯九月（一八三一年）《與張南山書》云：「魏君源居憂吳門，其所著《詩古微》，頗悔少年未定之論，閒不復示人。」（註三八）其「其少年未定之論」，當指初刻本內容。胡承珙讀《詩古微》後，寫信給魏源，其中講到：「自丙戌（一八二六）奉書後，曠焉三載，山川間之，無緣通問，鸖鳴風雨，我勞如何？前承大著《詩古微》一冊，發難釋滯，迥出意表，所評四家異同，亦多持平，不愧通人之論。」（註三九）胡承珙在一八二九年讀到的《詩古微》，究竟是初刻本還是二刻本呢？從信中所講「《詩古微》一冊」的情況看，當是初刻本。二刻本成於一八四〇年。魏源自序云：「道光二十載，歲次庚子，邵陽魏源敘於揚州潔園。」（註四〇）二刻本「《詩古微》凡二十有二卷。上篇六卷開卷首一卷，通語全經大義；中編十卷，答問逐章疑難；下編五卷，其一輯古序；其二演外傳」（註四一）。《詩古微》二刻本收入《皇清經解續編》，但刪去了卷首內容。故研究《詩古微》，仍以楊守敬重刻本爲好。

魏源治《詩經》，主要思想表現在以下幾個方面：

第一，升齊、魯、韓三家詩說的地位與毛詩地位平齊。

漢初解《詩》分三大派，一曰《齊詩》，相傳爲齊人轅固生所傳；一曰《魯詩》，相傳爲魯人申培所傳；一曰《韓詩》，燕人韓嬰所傳。今存《十三經》中之《毛詩》，陸璣認爲是魯國毛亨（大毛公）授趙國毛萇（小毛公）（註四二）。按經今古文之別，前三家屬今文家，《毛詩》屬古文家。在長期學派爭鬥和歷史流傳中，前三家次第亡佚，惟《毛詩》傳世。魏源對於這種情況，感到很不滿意。他著《詩古微》，花了很多時間和精力考證三家詩義，把佚散在各種典籍中的三家詩說搜集起來。他認爲：「自東漢鄭氏（玄）箋《毛》以來，《齊》《魯》次第亡佚。《韓詩》北宋尙存，見於《（太平）御覽》，而亡於汴京之亂，尤爲可惜。」（註四三）宋以後的經學家們，已經開始注意這個問題，「朱子《詩序辯》，時采《魯》、《韓》以抑《毛》，如《柏舟》則知爲婦人所作，《抑》詩則據《國語》爲衛武耄年自儆，力闢《毛詩》刺厲。條其五得五失」。「於是《毛詩》蔀漸開。《朱子語錄》中嘗言《漢書》、《文選注》及漢魏諸子多引《韓詩》，嘗擬採輯備考而未之及」（註四四）。「宋末王應麟始作《三家詩考補》，以成朱子之意，而草創疏略。至明何楷《詩經世本古誼》，旁搜博辯，往往創獲，大張三家之幟。本朝范家相《三家詩拾遺》，亦有補苴。最後桐城徐璈之《詩經廣詁》出，而三家遺文墜義，凡見《春秋》內外傳及漢初諸儒所稱引，無字句之不搜，而三家詩佚文幾大備矣」（註四五）。在上述基礎上，魏源認爲，三家詩佚文搜集差不多了；但微言大義闡發不夠。「顧其書案而不斷，於三家大義微言，待引申者，概未及焉」（註四六）。於是；魏源就以發揮三家詩之微言大義爲目的，開始寫作《詩古微》。

魏源發揮三家詩的微言大義，必然遇到與《毛詩》的關係問題。因爲三家詩屬今文派，《毛詩》屬古文派。魏源自己也說：「余初治《詩》，於《齊》、《魯》、《韓》、《毛》之說，初無所賓主，顧入之既久，礙於此者通於彼，勢不得不趨於三家。始於礙者卒於通，三家實則一家。積久豁然，全經一貫，朋亡部祛，若牖若告，慎悱啓發之功也，舉一反三之功也。」（註四七）這裏所謂「初治詩」，當是指沒有寫作《詩古微》之前對四家的看法。鑽研三家詩的詩義以後，魏源力主三家，而排斥《毛詩》。他在《詩古微序（初稿）》中說：「《詩古微》何以名？曰，所以發揮齊、魯、韓三家詩之微言大義，補苴其罅漏，張皇其幽渺，以豁除《毛詩》美、刺、正、變之滯例，而揭周公、孔子制禮正樂之用心於來世也。蓋自『四始』之例明而後周公制禮作樂之情得，明乎禮樂而後可以讀《雅》、《頌》；自迹熄《詩》亡之義明，而後夫子《春秋》繼《詩》之義章，明乎《春秋》而後可以讀《國風》。正、變之例不破，則《雅》、《頌》之得所不著，而禮樂爲無用也；美、刺之例不破，則《國風》之無邪不章，而《春秋》可不作也。」（註四八）可見魏源把斥《毛詩》美、刺、正、變之例提到堅持《春秋》之義的高度來認識。

但是，到了一八四〇年《詩古微》二刻本的時候，魏源對《毛詩》的態度發生了根本性的變化。他在二刻本的補序中說：「以漢人分立博士之制，則《毛詩》自不可廢，當以齊、魯、韓與毛並行，頒諸學官，是所望於主持功名者。」（註四九）這時候的要求，並不是要排斥

《毛詩》，而只是要提高三家詩的地位，使四家平齊，不贊成專主《毛詩》。明白魏源思想的這個變化過程，前人的一些疑問就可迎刃而解。如楊守敬奇怪魏源二刻本爲何不用李兆洛序和劉逢祿序，道理就在這裏。李兆洛序說：「魏子默深之治《詩》也，觚割數千年來相傳之篇第，掊擊若干年來株守之序箋。」（註五〇）劉逢祿乃經今文家，更是力攻《毛詩》。序中認爲：「孔子序《書》，特韞神恉。紀三代，正稽古，列正變，明得失，等百王知來者，莫不本於《春秋》，即莫不具於《詩》。故曰《詩》、《書》、《春秋》，其歸一也，此皆刪述之微言大義，《毛序》、《毛傳》曾有一於此乎？則所謂子夏傳之者不足據矣。」（註五一）稱魏著「其所排難解剝，鉤沈起廢，則又皆足干城大道」（註五二）。這本來都是對魏源的稱讚，然而恰恰與魏源後來的觀點相左，故其自訂刻本中，都不用二位老師的序。曾在杭州拜訪過魏源的譚獻，在其《復堂日記》中說：「閱《詩古微》初刻，……魏氏高言西漢，說《詩》欲排毛公，理三家遺緒。」其後劉師培說：「魏源作《詩古微》，斥《毛詩》而宗《三家詩》。」（註五三）梁啓超更一再斷論魏源「《詩》主齊、魯、韓，而排斥毛、鄭，不遺餘力」（註五四）。甚至認爲：「《詩古微》不特反對《毛序》，而且根本反對《毛傳》，說全是僞作。」（註五五）其依據的都是《詩古微》初刻本的思想。後來魏源自己改變了觀點，故不能再依初刻本的思想來評斷魏源對四家詩說的看法。總的說來，在齊、魯、韓三家詩說亡佚千百年以後，魏源極力搜求整理，發揮其義蘊，力圖恢復《詩經》之本來面貌，這在文化史的研究上是有意義的。後來他自己將齊、魯、韓、毛四家平視，肯定其各自地位，也說明魏源治經開始擺脫門戶之見，致力於《詩》之本源研究，這種態度也是值得肯定的。

第二，關於「六義」、美、刺、正、變之例。

所謂「六義」，蓋指《詩》之編制分類和作法分類。《毛詩序》認爲風、雅、頌、賦、比、興爲六類，謂之六義。魏源也同意這點。「《周禮》太師以六詩教國子，一曰風，二曰賦，三曰比，四曰興，五曰雅，六曰頌，而六義興焉」（註五六）。風者，以國分編計十三國風；雅分《大雅》、《小雅》；頌有《周頌》、《商頌》、《魯頌》。就《詩》之藝術形式而言，一般認爲「風」爲民間文學，「雅」係士大夫的宮廷文學，「頌」爲祭祀祖先的廟堂文學。至於《周南》《召南》歸屬無定論，解「南」爲方位詞者，把二南歸於國風；解「南」爲詩歌體裁者，則認爲是後世之樂府歌辭。至於所謂「風雅正變」，即認爲「風」有正風、變風，「雅」有正雅、變雅，主要是《毛詩》對詩的進一步編排分類。

賦、比、興指詩之作法。朱熹《詩傳綱領》說：「賦者，直陳其事；比者，以彼狀此；興者，托物興詞。」歷代解《詩》者對這三種方法的含義之分歧並不大，關鍵在於判定《詩》之某一篇究屬何體？所比何人，所興何事，是美頌何人何事，還是諷刺何人何事，歷來糾纏不清，分歧亦由此起。

魏源治《詩》，也講美刺。但他有一個很卓越的見解，就是認爲：「夫詩有作詩者之心，而又有採詩編詩者之心焉；有說詩者之義，而又有賦詩、引詩者之義焉。作詩者自道其情，情達而止，不計聞者之如何也。即事而詠，不求致此者之何自也。諷上而作，但蕲上寤，不爲他人之勸懲也。至太師採之以貢於天子，則以作者之詞而諭乎聞者之志，以即事之詠而推其致此之由，則一時賞罰黜陟興焉。國史編之以備蒙誦教國子，則以諷此人之詩存爲諷人人之詩，又存爲處此境而詠己詠人之法，而百世勸懲觀感興焉。」（註五七）這樣，魏源把詩之義分爲三個層次：作詩者之本意；採詩傳詩者之意；聞詩者之意。三者之間，可以相同，也可以不同，甚至完全相反。因爲從第二個層次起，人人都可以加上自己的主觀想像和創造。這就從根本上回答了歷來爭論不休的美、刺、比、興問題。在這個思想原則指導下，魏源對《詩經》各篇作了認眞的研究，對諸詩本義、引申義作了人們聞所未聞的新解釋，並對三家《詩》與《毛詩》的分歧作了新的說明。如談到「二南」的美刺問題時，魏源說：「《毛》以《二南》皆美文王后妃之化，而《韓》則以《漢廣》爲說人，《汝墳》爲辭家，《芣苢》傷夫有惡疾。《毛》以變雅皆刺幽、厲，而《魯》、《韓》則以《抑》及《賓筵》爲衛武自警，《白駒》爲賢者招隱。是三家特主於作詩之意，而《毛序》主於採詩、編詩之意，似不同而實未嘗不同也。」（註五八）「三家於《關雎》本義，既有《齊詩》匡衡之疏，《韓詩外傳》子夏之問，與《毛詩》同而復有《關雎》刺時也。」（註五九）在談到三家詩與《毛詩》的區別時，也只是說：「《常棣》雖非詩人言志之初心，適符國史美刺之通例。此則《齊》、《魯》、《韓》、《毛》各有所得。觀其會通，以逆其志，未嘗不殊途同歸也。三家之得者，在原詩人之本旨，其失者兼美刺之旁義；《毛詩》之得者，在傳與序各不相謀，其失者在《衛序》、《鄭箋》，專泥序以爲傳，是故執採詩者之意爲作詩者之意。」（註六〇）在這個解釋面前，勢如水火的經今古文之爭煙消雲散了。而這個結論，也確使株守門戶的今、古文兩家都瞠目結舌，因而招來兩邊的攻擊。古文家章太炎譏笑魏源「不知師法略例，又不識字」，「一切混合之」（註六一）。今文家皮錫瑞說魏源「明引三家之詩，而與三家全相反對」。「魏誣三家而創新解，解《關雎》一詩即大誤」（註六二）。其實魏源此時解《詩》，已不拘師法，而是力求探討《詩》之本旨及如何發揮詩教原則的社會作用了。

第三，關於「四始」之義和詩樂關係。

關於「四始」之義，司馬遷《史記·孔子世家》說「《關雎》之亂，以爲風始，《鹿鳴》爲《小雅》始，《文王》爲《大雅》始，《清廟》爲《頌》始」。蔣伯潛《十三經概論》認爲這是《魯詩》說法，《毛詩》《齊詩》之說諸各不同。魏源不同意太史公說法。

魏源認定四始之例，爲孔子重定禮樂之表現，稱之爲「全《詩》之裘領，禮樂之綱紀」，有深刻意蘊，這就是儒家一貫提倡，魏氏深信不疑的「詩教原則」。他治《詩》的目的是經世致用，所謂「四始之例明，而後周公制禮作樂之情得」，「豁除《毛詩》美刺、正變之滯例，而揭周公孔子制禮正樂之用心」，都是這個意思。即以《詩》能達到刺時諷上、風俗教化之目的的理論作爲依據，評時論事，總結經驗，以利於社會康寧治平。魏源在自己論學論治的政論專集《默觚》中，引《詩》一百八十多條次，借《詩》義闡述自己的各種見解，就是他用《詩》論世的具體表現。他所企望的是詩、禮、樂配合以成教化。他說：「古之學者，『歌詩三百，弦詩三百，舞詩三百』，未有離禮樂以爲詩者，禮樂而崩喪矣，誦其詞，通其詁訓，論其世，逆其志，果遂能反情復性，同功於古之詩教乎？善哉，管子之言學也。曰『止怒莫若詩，去憂莫若樂，節樂莫若禮，守禮莫若敬，守敬莫若靜。外靜內靜，能反其性，性將大定』。後世之學詩理性情者，捨是曷以焉！」（註六三）詩、樂於人之修養確有不可埋沒之作用，但魏源此時嚮往的理想的人格目標，並沒有脫去封建文人的習氣。

四、《書古微》的主要思想

魏源《書》學著作有《書古微》、《禹貢解》。

《書古微》共十二卷，約十六萬字。完稿於咸豐五年（一八五五）。魏源自序說：「予既成《詩古微》二十二卷，復致力於《尚書》。」「咸豐五年正月，序於高郵州。」

關於《尚書》今古文及其篇章、義解的爭論，也非常複雜。魏源

《書古微》的主要思想，有以下幾點。

第一，「發明西漢《尚書》今、古文之微言大義，而闢東漢馬（融）、鄭（玄）古文之鑿空無師傳」。（註六四）

魏源認爲：自伏生得《尚書》二十九篇於屋壁，而歐陽、夏侯傳之，爲今文尚書；孔安國得《古文尚書》四十五篇於孔壁，較今文多佚書十六篇，然孔安國從歐陽生受業，以今文讀古文，以古文考今文，司馬遷亦從孔安國問故。這樣，西漢今古文本是一家，差異不大。自後漢杜林復稱得漆書《古文尙書》，傳之衛宏，賈逵作訓，馬融作傳，鄭玄注解，是爲東漢古文《尙書》，與今文判然爲二。東晉古文《尙書》晚出，馬、鄭亦廢。清代諸儒攻東晉古文爲僞，而以馬、鄭本（即漆書本）爲眞，這就不對了。魏源在書中舉了五條理由證明杜林漆書本不可信。並認爲：其一，《後漢書・杜林傳》稱杜林得漆書《古文尙書》一卷，握持不離身。考漆書竹簡，每簡二十五字，若四十五篇《尙書》書於竹簡，豈不要裝滿一大車？怎麼能說止一卷，還能隨身攜帶呢？其二，漆書本四十五篇比伏生今文本多十六篇，這十六篇無師說還可說，另外二十九篇之師說，既不出於今文，又出自何人？段玉裁甚至說：「佚書增多十餘篇，孔安國皆通其說，盡得其讀；並此外壁中所出《尙書》，劉向《別錄》、桓譚《新論》及《藝文志》所謂五十八篇者，孔安國亦得其讀。」這樣說來，孔安國佚書不是比伏生多出三十篇嗎？這等大事，爲何司馬遷從孔安國問故，不傳一字？而衛、賈、馬、鄭也不傳一字？其三，司馬遷《史記》所載諸篇爲孔國安眞古人之傳，而馬、鄭諸篇無一不與史遷相反。如以《堯典》「璇璣玉衡」之天象改爲漢世落下閎之銅儀，以《微子篇》之太師疵、少師疆而誣爲箕、比等等，使人不可信。其四，西漢今、古文皆出伏生，凡伏生大傳所言者，歐陽、大小夏侯必同之，史遷載孔安國說也必同之。而東漢古文則不然，馬融不同賈逵，賈逵不同劉歆，鄭玄不同馬融。各有一套。其五，就傳授講，杜林本得自何所，傳自何人，都沒有記載。

在魏源看來，杜林漆書即東漢《古文尙書》說也根本不可信，只有西漢今古文《尙書》才是眞實可靠的。所以，眞正治《尙書》，要發揮西漢今古文《尙書》的微言大義才有意義。他說：「夫黜東晉梅賾之僞以返於馬、鄭古文本，此齊一變至魯也；知並辨馬、鄭古文說之臆造而無師授以返於伏生、歐陽、夏侯及馬遷、孔安國問故之學，此魯一變至道也。」（註六五）服膺於西漢經學，才算是上了治經的正道，這是魏源治經的基本觀點。

第二，補亡正僞。

魏源治《尙書》，旁搜遠紹，「補《舜典》而並補《湯誥》，又補《泰誓》三篇，《武成》二篇，《牧誓》一篇，以及《度邑》、《作雒》爲《周誥》之佚篇」。又「正《典》、《謨》『稽古』『爲一通三統』，正『放勳』『重華』『文命』爲『有天下之號而非名』……」（註六六）。對《尙書》研究中的一些具體爭論問題提出了自己的見解。

第三，稽地。

《尙書》中的《禹貢》篇，是我國最早的地理、水文資料。由於年代久遠，史料湮沒，地歷滄桑，《禹貢》所載之地名、山名、川名後來也變化很大，非詳考不能明其跡。特別是川流的變遷發展情況，於我國歷代的農業水利事業影響很大。治《尙書》必通《禹貢》，通《禹貢》必通古地理。由此也推動了我國古地理學的研究發展。魏源治《尙書》促使他開展對古地理、水利的研究。由古地理、水利的研究擴展到近代地理、水利的研究，後來又進一步發展爲對世界地理的研究，使自己「通經致用」的理想眞正變成了現實。他於《書古微》外，還有關於《禹貢》解說的專著。

魏源治《禹貢》，方法與諸儒不同。他吸收考據學派務實求精的優點，充分利用各種典籍、史志，博引鉤沈，參對古今，詳加考定；另外，他以實地調查爲主要手段，利用朝考、歸省、訪友、赴任等一切機會，游歷名山大川，清其源流，明其走向，度其位置，再參稽史志，推出自己的新見。這些見解，都是魏源實地考查後所下的判斷，《書古微》從初撰到定稿，慘淡經營三十餘年，其中一個重要原因，就是因爲許多材料都要進行大量的實地調查才能定論，故至魏源晚年才手定成書。

第四，象天。

《尙書・堯典》記堯命羲和定曆，《堯典》記舜攝政事，察「璇璣玉衡，以齊七政」，說明我們的祖先非常重視天文曆法。中國古代社會主要是農業社會，天文、曆法對於農業生產的發展非常重要，這也要求每個知識分子都必須有一定的天文曆法知識。爲治《尙書》，魏源也花了很大精力涉獵了古代天文曆法之學，並與好友新化鄒漢勳共撰《堯典釋天》（註六七），又由鄒氏代繪了《唐虞天象總圖》和《璇璣內外之圖》等圖。

五、關於《春秋》的主要思想

《春秋》是魏源治經的重點之一，主要著作是《董子春秋發微》，然未見傳本。從《魏源集》中收錄的《公羊春秋論》上下篇和《董子春秋發微序》來看，魏源關於《春秋》的基本思想有如下幾點：

第一，認爲《春秋》的性質重義不重事，堅持《春秋》記事有書法。

《春秋》一書，按孟子說法，是魯國的國史，「晉之《乘》，楚之《檮杌》，魯之《春秋》，一也」（註六八）。這個觀點是對的。但是，《春秋》記事，確有體例不一致的地方。同是國君死了，有的書葬，有的不書葬；有的記載日月，有的不記。同是國君夫人，有的書夫人，有的又不書。種種奇怪現象，引起後人許多猜想和附會。蓋《春秋》三傳中，《左傳》重在解釋史事始末，稍加評論，《穀梁傳》闡《春秋》之義，不於言外求微言；《公羊傳》則闡釋《春秋》之微言大義。西漢董仲舒、東漢何休，先後對這種微言大義作了理論整理。

一般說來，以歷史學家的態度治《春秋》，則喜《左傳》；以政治家的態度治《春秋》，則喜《公羊傳》。《穀梁傳》二者兼有，又二者兼失，故不太顯。深於《公羊傳》微言大義的，西漢董仲舒，東漢何休，清中期有莊存與、劉逢祿、龔自珍、魏源，晚清有康有爲，大多以政治家面貌出現。到康有爲時，穿鑿附會更加厲害，治經乃形式，反清革命才是實質。

魏源相信《春秋》有微言大義，記事有書法。

《春秋》有書法，遣詞用句之中有微言大義，是不是其他史書都要效法《春秋》，作出劃一的史家通例呢？魏源認爲，沒有那個必要。「史家各自爲例，不必效《春秋》，亦無背《春秋》也」。（註六九）即認爲作史之例不必强求一律。

第二，持守何休三科九旨之義，批評孔廣森別立新說。

魏源認爲孔廣森任意改變三科九旨的內容，「避王魯之名而用王魯之實，吾未見其不背上也」（註七〇）。在實質上起到了取消《春秋》微言大義的作用。

第三，堅持《春秋》爲孔子托古改制之作的觀點。

魏源批評錢大昕否認《春秋》有書法和批評孔廣森擅改三科九旨之義，目標都是一個，就是認爲《春秋》一經是孔子托古改制之作，字裏行間有孔子的理想抱負和微言大義，不認識這一點，不足以治《春秋》。

可見魏源治《春秋》，偏重於政治角度考慮問題。

六、從今文經學到政治維新

魏源的經學思想，是他整個思想結構的基礎。他由經學入史學，推出歷史「運會」和歷史變易進化思想。由經學入政治，堅持經世致用的原則，改造、豐富和擴大了傳統的經世致用範疇的內涵。魏源經學思想的核心是要貫經術、故事、文章爲一，以經術爲治術，爲經世致用尋找理論武器。他說：

> 三代以上，君、師道一而禮樂爲治法；三代以下，君、師道二而禮樂爲虛文。古者豈獨以君兼師而已，自家宰、司徒、宗伯下至師氏、保氏、卿大夫，何一非士之師表？小德役大德，小賢役大賢，有位之君子，即有德之君子也，故道德一而風俗同。自孔、孟出有儒名，而世之有位君子始自外於儒矣；宋賢出有道學名，而世之儒者又自外於學道矣。《雅》、《頌》述文武作人養士之政，……十三國風上下數百年，刺學校者，自《子衿》一詩外無聞焉；《春秋》列國二百四十年，自鄭人游鄉校以議執政外無聞焉；功利興而道德教化皆土苴矣。有位與有德，判然二途；治經之儒與明道之儒、政事之儒，又泮然三途。（註七一）

魏源認爲這種治經、明道、政事判然三途的狀態，造成了經術與政事的分割，成爲政事敗壞的原因。魏源進一步分析禮樂、兵刑、食貨的關係說：「曷謂道之器？曰禮樂；曷謂道之斷？曰兵刑；曷謂道之資？曰食貨。道形諸事謂之治，以其事筆之方策，俾天下後世得以求道而制作，謂之經；藏之成均、辟雍，掌以師氏、保氏、大樂正，謂之師儒；師儒所教育，由小學進之國學，由侯國貢之王朝，謂之士，士之能九年通經者，以淑其身，以形爲事業，則能以《周易》決疑，以

《洪範》占變，以《春秋》斷事，以禮樂服制興教化，以《周官》致太平，以《禹貢》行河，以三百五篇當諫書，以出使專對：謂之以經術爲治術。曾有以通經致用爲詬厲者乎？以詁訓音聲蔽小學，以名物器服蔽《三禮》，以象數蔽《易》，以鳥獸草木蔽《詩》，畢生治經，無一言益己，無一事可驗諸治者乎？」（註七二）

治經與政事是互相聯繫的，用今天的話講，是理論與實踐的關係。在魏源看來，政事沒有經學的指導，就會迷失方向；而經學研究不與政事相聯繫，就會變成無補於民瘼國用的腐儒、陋儒。他非常鄙視那些不關心人民疾苦的道學夫子。

魏源從經學理論，推出自己的變易理論，致力於社會弊政的改革，在確定改革的理想目標中，接觸到了西方國家政治制度中某些資本主義民主思想，在他的經學思想中，滲進了新的時代因素，這是魏源經學思想遠遠高出於同時代經學家的地方。

關於魏源經學思想在經學史上的地位，諸家評論不一。章太炎以古文家立場加上反清革命的政治激情，痛詆魏源氏經學思想，認爲：「魏源誇誕好言經世，嘗以奸術說貴人，不遇。晚官高郵知州，益牢落。乃思治今文爲名高，然素不知師法略例，又不識字，作《詩》、《書》古微。凡《詩》今文有齊、魯、韓，《書》經文有歐陽、大小夏侯，故不一致，而齊魯、大小夏侯尤相攻擊如仇讎，源一切混合之。所不能通，即歸之古文。」（註七三）李慈銘亦說：「（魏氏）於經學實無見解，乃大言自矜，援西漢諸儒，托於微言大義，掊擊鄭、許，於乾隆諸儒痛詆不遺餘力，猖狂無忌，開口便錯。」（註七四）二字均於魏氏經學，一棍子打死，不無偏頗。

魏源經學思想在中國經學史上最主要的貢獻，是大張常州今文學派之幟，把經學引向救國維新的政治現實之中。

清代常州今文學派，自莊存與、莊述祖下逮宋翔鳳、劉逢祿，其學並未大顯。自龔、魏出，其名大倡，下啓王闓運、皮錫瑞、廖平、康有爲、譚嗣同，風靡所向，使古文經學及考據學派先後易幟，其轉機在嘉、道中之龔、魏二人，此乃凡治經學歷史者共同承認之事實。陳延傑《經學概論》、馬宗霍《中國經學史》都注意到這點。

梁啓超、譚嗣同服膺康有爲，承其師法，對魏氏頗爲推崇。

清代的今文經學家，大多不以紹述「家法」自限，而是要求「援經議政」。在乾隆嘉慶時期，復興今文經學的莊存與、劉逢祿、宋翔鳳，雖然已開始援引《公羊傳》的某些觀點議論時政，但他們這樣做，目的在於鞏固封建主義統治，缺乏眞正的改制思想。直到鴉片戰爭以後，由於外國資本主義的侵入，社會矛盾日益尖銳，魏源和龔自珍才以《公羊傳》的理論爲武器，大膽地揭露當時社會的各種腐朽、黑暗的情況，積極地提倡改革。特別是魏源的「改制」思想，對戊戌維新運動時期的康有爲、譚嗣同等很有啓發。康有爲研究今文經學的某些觀點固然來自廖平，但他那以經學形式揭示的充滿著現實性的政治內容和交織著對未來的無限展望的理論體系，卻遠非廖平所能企及。這除了反映當時迫切要求擺脫封建主義束縛而自由發展資本主義的民族資產階級的願望外，不能不說是繼承了魏源將「經術」同「治術」相結合和勇於向西方尋找眞理的思想主張，並創造性地加以發展所致。至於譚嗣同，他在青年時代就讀過魏源的著作，雖稱爲「策士」，似有微辭，但還是佩服魏的才能，特別是經過甲午中日戰爭後，譚嗣同的思想受到很大的刺激，爲了救亡圖存而倡導變法，因而他對曾致力於探索社會改革途徑的魏源及其思想，就自然地衷心仰慕而深受其感染。他强調「言王道則必以耕桑樹育爲先」（註七五）。認爲三代聖賢之「相與咨謀」；都不「離乎兵刑六府，鮮食艱食，懋遷有無化居之實事」；都不「薄一名一物之不足爲而別求所謂道」。因此，他對於當時士子與此相反的「養民不如農，利民不如工，便民不如商賈」，「高談空虛無證之文與道」（註七六）等情況，深爲不滿。他希望「學必徵諸實事，以期可起行而窒礙」，反對士子「著書立說」只是「搬棄昌平闕里之大門面」而不能「施行」於當前（註七七）。他指出，當時士之所以不重「實學」缺乏才能，主要由於科舉考驗制度不合理，所以他堅決主張「變科舉」，從而「使人人各占一，力爭自奮於實學」。爲此，他建議仿效西方國家通過學校培養人才和根據士子所學專業而任以官職的辦法，以期有裨於時政（註七八）。譚嗣同這些說法，同上面所引魏源的話，何其相似？他曾對魏源利用《公羊傳》的某些觀點「以談洋務」（註七九）充分讚揚，這說明譚嗣同的洋務運動觀點受到魏源很大影響。光緒二十四（一八九八），譚嗣同在湖南巡撫陳寶箴、署按察使黃遵憲、學政徐仁鑄的支持下，依靠唐才常、何來保等激進的知識分子，並團結了比較「持重」的今文經學家皮錫瑞，進行改革。譚、唐、何等積極地發揚魏源「援經議政」的精神，鼓吹「素王改制」和三世說。在這種思潮的激盪下，皮錫瑞也「舉公羊改制之義」，以「推尊孔教而引伸變法之說」（皮錫瑞戊戌四月初七日日記）。當時，頑固守舊的紳士王先謙、張祖同、葉德輝等起來反對，葉德輝尤爲囂張，他認爲湖南公羊學盛行，禍根在於魏源，竟胡說魏源「晚病風魔」，乃排斥古文經而招致陰譴（註八〇）。葉德輝這種污蔑，不僅絲毫無損於魏源，恰恰相反，這正說明了魏源的經學思想具有戰鬥性。我們對於魏源的經學思想，應當看它的時代價值。

【附註】

註　一　魏耆：《邵陽魏府君事略》。

註　二　《魏源集》頁一六〇。

註　三　《魏源集》頁一五三。

註 四 《魏源集》頁八二。

註 五 《魏源集》頁八一。

註 六 《魏源集》頁八一。

註 七 《魏源集》頁八一。

註 八 《魏源集》頁八一。

註 九 《魏源集》頁第八二。

註一〇 《魏源集》頁第八二。

註一一 《魏源集》頁第八二。

註一二 《魏源集》頁八二—八三。

註一三 《魏源集》頁八二—八三。

註一四 《魏源集》頁八二—八三。

註一五 《魏源集》頁八三—八四。

註一六 《魏源集》頁八三—八四。

註一七 《魏源集》頁八三—八四。

註一八 《魏源集》頁八四—八五。

註一九 《魏源集》頁八四—八五。

註二〇 《魏源集》頁八四—八五。

註二一 《魏源集》頁八四—八五。

註二二 《魏源集》頁八四—八五。

註二三 《魏源集》頁八四—八五。

註二四 《魏源集》頁八四—八五。

註二五 《魏源集》頁八六—八七。

註二六 《魏源集》頁八六—八七。

註二七 《魏源集》頁八六—八七。

註二八 《魏源集》頁八七—八九。

註二九 《魏源集》頁八七—八九。

註三〇　《魏源集》頁八七一八九。

註三一　《魏源集》頁九〇一九四。

註三二　《魏源集》頁九〇一九四。

註三三　《魏源集》頁九〇一九四。

註三四　《魏源集》頁九六。

註三五　《魏源集》頁一五二。

註三六　《魏源集》頁九五。

註三七　章太炎：《訄書》。

註三八　李瑚：《魏源詩文繫年》頁三三。

註三九　胡承珙：《求是堂文集・與魏默深書》卷三。

註四〇　楊守敬刻本《詩古微序》。

註四一　楊守敬刻本《詩古微序》。

註四二　蔣伯潛：《十三經概論》頁一八四。

註四三　《詩古微・目錄書後》。

註四四　《詩古微・目錄書後》。

註四五　《詩古微・目錄書後》。

註四六　《詩古微・目錄書後》，楊守敬重刊本。

註四七　《詩古微序》，楊守敬重刊本。

註四八　《魏源集》頁一一九一一二〇。

註四九　《詩古微・目錄書後》，楊守敬重刊本。

註五〇　《詩古微・李兆洛序》，楊守敬重刊本。

註五一　《詩古微・劉逢祿序》，楊守敬重刊本。

註五二　《詩古微・劉逢祿序》，楊守敬重刊本。

註五三　劉師培：《經學教科書》第一冊。

註五四　梁啓超：《飲冰室合集・文集》七。

註五五　同上書《專集》七十五。

註五六　參閱蔣伯潛：《十三經概論》。

註五七　《詩古微・齊魯韓毛異同論中》。

註五八　《詩古微・齊魯韓毛異同論中》。

註五九　《詩古微・齊魯韓毛異同論中》。

註六〇　《詩古微・齊魯韓毛異同論中》。

註六一　章太炎：《訄書》十二。

註六二　皮錫瑞：《經學通論》。

註六三　《魏源集》第十二頁。

註六四　魏源：《書古微・序》。

註六五　魏源：《書古微例言上》。

註六六　魏源：《書古微・序》。

註六七　《清史外傳》卷六十九《鄒漢勳傳》。

註六八　《孟子・離婁》。

註六九　《魏源集》頁一三一。

註七〇　《魏源集》頁一三四。

註七一　《魏源集》頁二三、二四。

註七二　《魏源集》頁二三、二四。

註七三　章太炎：《訄書》第十二，古典文學出版社，頁三二。

註七四　李慈銘：《越縵堂讀書記》頁八六八—八六九。

註七五　《譚嗣同全集》頁一六一。

註七六　《譚嗣同全集》頁一六三。

註七七　《譚嗣同全集》頁一六四。

註七八　《譚嗣同全集》頁一五九。

註七九　《譚嗣同全集》頁一五九、二五九。

註八〇　蘇輿：《翼教叢編・與戴宣翹校官書》。

——原載《魏源傳》（長沙：湖南大學出版社，一九八八年七月），頁二一一——二三四。

王闓運與廖平的經學

——清末今文經學發展的重要一環

黃開國

王闓運（一八三三——一九一六），湖南湘潭人，字壬秋，號湘綺，近代著名學者，其著作由門人輯爲《湘綺樓全書》。廖平（一八五二——一九三二），四川井研人，字季平，晚號六譯，近代著名經學家，其著作有《六譯館叢書》。王闓運以詩文見稱於時，廖平則以經學蜚聲全國。

廖平雖以經學名家，但他的經學卻師承於王闓運。王闓運治經主《春秋公羊傳》的今文經學，廖平發揮其師的今文經學，構成了清末今文經學發展中上承龔自珍、魏源，下啓康有爲的重要環節。梁啓超《清代學術概論》、錢穆的《中國近三百年學術史》都對此有所論述，但語焉而不詳。拙文從王、廖的師生關係入手，對此作初步的探討。

一

王闓運是在主講尊經書院時給廖平傳授今文經學的。尊經書院是張之洞任四川學政時採納在籍工部右侍郎薛煥等人的建議，於一八七五年在成都設立的。尊經書院成立之初，薛煥就聘請過王闓運主講。後來，四川總督丁寶楨又五次相請，王闓運才於一八七八年十二月二十七日來到成都，次年二月就任尊經書院山長。

由於王闓運的學識和聲望，他的到來引起了極大反響。王闓運在

《致裴樾岑書》中說，其時：「自督部將軍皆執弟子禮，雖司道側目，而學士歸心。」（《湘綺樓箋啓一》）尊經書院由是氣象一新，王福源敘說當時情景：「諸生喜於得師，勇於改轍，宵昕不輟，蒸蒸日上。」（《尊經初集序》）王闓運執掌書院，直到一八八六年春才去職。此間他曾三次返回湘中，一八八一年十月回湖南，因代替郭嵩燾主持思賢講舍，未能抽身，至一八八三年五月才回到尊經書院。在王闓運主持尊經書院的數年中，他對四川學界作出了很大貢獻，培養了一批全國知名之士，廖平就是其中的佼佼者。

在王闓運主持尊經書院以前，書院盛行的是重考據的漢學。這是由尊經書院創始人張之洞所定下的基調。張之洞在書院成立之初。就以紀（昀）、阮（元）之學相號召，規定了重文字考據的辦學方向。而重文字考據的漢學，推崇東漢古文經學家賈（逵）、馬（融）、許（慎）、鄭（玄），奉《說文》爲圭臬，在治學方法和學風等方面接近漢代的古文經學，具有重名物訓詁，學風樸實的特點，但又有煩瑣和脫離實際的弊端。清代正當漢學興盛的乾、嘉年間，興起了《公羊》學的今文經學。今文經學是與古文經學相對立的經學基本派別，其特點是好講微言大義，不重名物訓詁。今文經學的學者，常把自己的社會政治觀點，與今文經學聯繫，說成這是聖人微言大義之所在。因此，講今文經學的學者就多附會之風，其說往往流於怪誕。

王闓運篤好《公羊傳》。《近代名人小傳・王闓運》說：「（闓運）二十八而達《春秋》微言，張《公羊》，申何學。時則學者習注疏，文章皆法鄭（玄）、孔（穎達），有解釋，無紀述；重考證，略辯論。讀者竟十行輒引几臥，慨然曰：『文者，聖人之所托，禮之所寄。……』遂溯列、莊，探賈、董。」這一段話說明王闓運在經學上不滿重考證的漢學，而信從以《公羊》學爲主的今文經學。他不僅著探求《春秋》微言大義的《春秋公羊箋》，而且把今文經學的治學方法運用於《詩》、《禮》的研究。因此，葉德輝曾這樣指責他：「箋《禮》補《詩》，抹殺前人訓詁，開著書簡易之風」（《聖學通誥》）。

王闓運主講尊經書院後，打破了這個書院以前重漢學的風氣。在他的誘導下，學生們紛紛由信守漢學變爲接受今文經學，王福源所謂諸生「勇於改轍」，正是對這一學風轉變的描述。不到一年時間，王闓運自己也說：「此來居然開其風氣。他日流弊，恐在妄議古人。」（《湘綺樓箋啓三・與黃運儀書》）「開其風氣」一語，正指今文經取代漢學而言。「妄議」則是指牽强附會地解經之流弊。

廖平在尊經書院成立第二年，以優異的科試成績，被張之洞調入尊經書院就學。他早年本篤好程、朱宋學，但在書院漢學學風熏陶下，改而喜愛考據訓詁。《經學初程》敘說這一轉變：「余幼篤好宋五子書、八家文。丙子（一八七六），從事訓詁文字之學，用功甚勤，博覽考據諸書。冬間，偶讀唐、宋人文，不覺嫌其空泛無實，不如訓詁書字字有意，蓋聰明心思至此一變矣。」王闓運執教後，廖平勤於請業。他在老師的今文經學影響下，感到名物訓詁的破碎，遂改而信從專講微言大義的今文經學，《經學初程》說：「庚辰（一八八〇）以後，厭棄破碎，專事大義，以視考據諸書，則又以爲糟粕而無精華，枝葉而非根本，……是心思聰明至此又一變矣。」從此，廖平的經學就沿著今文經學的方向發展了。

廖平改從今文經學之初，特重《春秋穀梁傳》，與其師王闓運重《公羊》不同。《穀梁》亦屬今文經學，但爲魯學，而《公羊》爲齊學，二者雖同重微言大義，可是又存在不少差異。廖平弟子蒙文通在《廖季平先生傳》中說：「湘綺言《春秋》以《公羊》，而先生治《穀梁》專謹，與湘綺異稍。其能自闢蹊徑，不入於常州之流者，殆於在是。」的確，廖平經學上造詣最深的是《穀梁傳》，他對此精研而寫的著作有數十種，其中《穀梁春秋古義疏》十易其稿，為《穀梁》學研究之集大成者。他的平分今古的經學第一變，也直接啓悟於《穀梁》學的研究，而平分今古是廖平在經學上最重大的理論貢獻。它曾被學術界與閻若璩辯證《偽古文尚書》、顧炎武發明古音並譽為三大發明，但是，就廖平一生的思想而論，對他具有決定性影響的是他老師的《公羊》學，而不是《穀梁》學。對此，可以從兩個方面來說明。

首先，就學風來看。在今文經學內部，《穀梁》的魯學較多原始儒學的成份，而《公羊》的齊學多雜緯候術數，因而齊學學風較之魯學學風，多放肆無衍。廖平治《穀梁》，王闓運治《公羊》，理應王肆廖謹。然而，奇怪的是王、廖的經學學風恰恰相反。尊經書院學生劉子雄（《近代名人小傳》有傳）評論王、廖說：「師（指王闓運—引者）解經，九處可通，一處不通，則九處皆不通。廖解經，一處可通，九處不通，亦必強通之，此謹肆之分也。」（《劉子雄日記》）書院同學甚至認為「廖蓋王柏之流而加厲者」（《廖平年譜》），王柏是經學史上以說經放肆而著稱的人物。廖平去世後，其弟子胡翼（曾任廣州大學教授）在挽詩注中說：「先生從王湘綺於尊經，初以《王制》話《春秋》，同學有根據其文呈對湘綺者，湘綺輒批曰：『此廖平新例，尚未頒行。』廖平好「自創新例」，正是典型的放肆學風。在廖平後來的思想發展中，這個說經放肆的特點愈演愈烈。因此，廖平一生的思想實屬《公羊》風格。

其次，就廖平經學理論的基本內容而論，也是沿著《公羊》學的方向發展的。他一生學經六變，除經學第一變以外的其餘五變，都是以《公羊》學的素王改制說作根據，來建造其理論的。他一生的經學理論，都可以說是對《公羊》學素王改制說的發揮。（參閱拙作《廖平與經學的終結》，《哲學研究》一九八七年第十期）所以，就廖平一生的思想而論，無疑是《公羊》學的影響在起決定的作用，而這個影響又是顯然來自王闓運。

二

廖平師承王闓運的《公羊》學而加以發揮光大，形成了清末今文經學發展的新環節。廖平在今文經學上的造詣，大大地超過了王闓運。因爲王的成就主要是文學，對經學卻造詣不深。他雖講《公羊》，但主要是對歷史上《公羊》學進行某些研討，並未達到借助發揮微言大義的形式，來建造自己的理論。《清代學術概論》說他「經學所造甚淺，其所著《公羊箋》尙不逮孔廣森。」這一評價基本上是正確的。廖平則充分發揮《公羊》說經放肆的學風，借助講求微言大義的形式，建立了自己的今文經學理論，直接開啓了康有爲的今文經學思想。

康有爲接受廖平的今文經學影響，主要是《知聖篇》和《闢劉篇》（此書後經修改更名《古學考》問世）兩部著作。他據前書撰寫了《孔子改制考》，據後書撰寫了《新學僞經考》。梁啓超認定康有爲是清末今文經學的代表，乃「斯學之集成者」（《清代學術概論》），即就康有爲這兩部書而言。因此，王、廖作爲從龔、魏到康有爲的中間環節，是通過《知聖篇》和《闢劉篇》兩部著作來連結的。要認識清末今文經學發展的這一環節，就應當對這部著作進行一番研究。

《知聖篇》以「知聖」爲中心內容。而所謂「知聖」，不過是借助發揮《公羊》學的素王改制說，對孔子和相傳爲孔子刪定的儒家經典予以神化。其主要內容有四點：

第一，孔子素王說。此說始於西漢《公羊》大師董仲舒，後來在讖緯中得到惡性發展。廖平在《知聖篇》中，繼承了先前的理論，廣引經傳，博徵子緯，以論證孔子是受命於天的聖人，西狩獲麟是孔子受天命的瑞符，但因孔子有天子之德，無帝王之位，因此只能稱作素王。同時，廖平把孔子素王說抬到經學根荄的高度，總領《六經》：「素王一義，爲《六經》之根株綱領，此義一立，則群經皆有統宗，互相啓發，箴芥相投。自失此義，則形體分裂，南北背馳，《六經》無復一家之言。」（《知聖篇》）這是前人沒有的新說法。

第二，孔子托古改制說。廖平認爲，孔子作爲受天命的聖人，負有代天立法的神聖使命，《六經》就是他代天立法之作。「帝王見諸事實，孔子徒托空言，《六藝》即其典章制度。」（《知聖篇》）帝王可以依借權勢，把理想變爲事實，而素王則有德無位，故孔子只好把代天立法之意寓於《六經》之中。這種說法把《六經》神化成了體現天意的經典。

但古文經學家則以《六經》爲述古之書，清代章學誠更明確提出「六經皆史」之說。廖平從《六經》是孔子代天立法的觀念出發，極力强調《六經》皆新經，而反對《六經》皆史之說。他認爲，經和史是有根本區別的。首先，經是聖人所講的微言大義，是空言，史則是歷史陳跡的記錄，是行事；其次，史有從野蠻到文明的變化，經則萬世不變，是永恆的準則；再次，經與史的情形恰好相反，古史是愈古愈野蠻，經則愈古愈文明，如三代歷史的眞實情形是禮制簡陋，一片野蠻，而經中三代則是一派繁榮，文明禮備的景象。因此，經中講的三代並非是說歷史，夏、商、周不過是改制的依托。這就是《知聖篇》的孔子托古改制說。

第三，《六經》符號說。既然《六經》是托古改制的典籍，那麼，《六經》所言三代名物，都不過是隱寓著孔子微言的符號，堯、舜、禹是符號、湯、文、武、周亦是符號，乃至經中的一切都是符號。因此，不能把《六經》中的堯、舜、禹，當作歷史上的堯、舜、禹，而只能看作體現某種微言的符號。

第四，《六經》經世致用說。此說亦西漢今文經學家言，當時有所謂以《春秋》治獄，以《詩》諫政諸說。廖平則以爲，《六經》「既改獉狉餘習，又補彬彬節目，文質合中，無復可易」（《古學考》），是「集群聖之大成，垂萬世之定制。」（《知聖篇》）因此，《六經》不僅是漢、唐、宋、明的治典，而且是中國萬世通行的法典。爲此，廖平批評漢代《公羊》學只講孔子爲漢立制，不講孔子立萬世法，遠未窮盡素王改制的義蘊。基於此種認識，他特別强調《六經》是中國當今之法，認爲只要用《六經》經世致用，一個新的太平盛世就可出現。

但是，廖平認爲孔子爲中國立萬世法的經意微言，卻被劉歆所僞造的古文經學矇蔽了兩千年。因此，他講「知聖」的同時，又撰寫了《闢劉篇》，對古文經學進行否定。《闢劉篇》否定古文經學，是從相互聯繫的兩個問題進行的。

第一，關於古文經學的起源問題。廖平一針見血地指出：「古學本劉歆作僞」（《古學考》），在劉歆作僞之前，無論是先秦諸子，還是西漢博士，皆道一風同，同祖孔子，守《王制》，根本不存在所謂古文經學。

劉歆爲什麼要作僞呢？廖平認爲有政治和學術兩方面的原因。在政治上，是爲了迎合王莽篡位，替新朝立法。因此，劉歆所僞大多是王莽私意所欲爲者，如引《周禮》爲功顯君（王莽母）服緦，爲莽娶百二十女等等。在學術上，是用《周禮》報復博士。哀帝時，劉歆建議將《左傳》、《毛詩》等立於學官，「諸儒皆怨恨」（《漢書·劉歆傳》）。劉歆作僞，就是要在學術上求異於博士，以報前隙。在學術和政治之間，政治動因是主要的，「歆固爲攻博士，尤在迎合莽意。」（《漢書·劉歆傳》）

劉歆又是怎樣作僞的呢？他作僞的手法主要有二。一是引周公敵孔子，「以《詩》、《書》、《春秋》爲國史，《周禮》、《儀禮》爲周公手定，《易・爻辭》、《爾雅》爲周公作，《五經》全歸周公，不過傳於孔子。」（《古學考》）這不僅把孔子所作的《五經》，全部記在周公頭上。而且造成了後世以周公爲先聖，孔子被降爲先師的嚴重惡果。一是攻《五經》不全。廖平認爲，博士所誦《五經》，雖經秦代火焚，仍然全備，劉歆激憤於博士《尚書》爲備之說，「遂以《五經》皆爲不全。《連山》、《歸藏》之說出，而《易》不全；六義之名立，而《詩》不全；《鄒》、《夾》之書錄，而《春秋》不全，《周禮》出，而《禮》不全」，「《書》有百篇序，則《序》之備不過三分之一。」（《古學考》）這樣，就使包含孔子微言的《五經》，被視爲一堆斷簡殘篇。

第二，關於古文經學的內容問題。廖平認爲，劉歆作僞的主要經典是《周禮》。《周禮》又本之《逸禮》。劉歆校書中秘，得《逸禮》，未通行。王莽篡漢時，就羼改原文，制作《周禮》。《逸禮》一書是孔門弟子潤澤職官之言，本屬今文經學。因此，以《逸禮》爲藍本而制作的《周禮》其中只有劉歆僞羼的部分才是古文經學，計有千餘字。其內容主要包括：《天官冢宰》中六典、六屬、六職等說，《地官司徒》中封疆五等說，《春官宗伯》中《連山》、《歸藏》、《周易》三易之說，風、雅、頌、賦、比、興的六義之說，《夏官司馬》中的九服九千里諸說，以及《秋官司寇》中王十二年一巡守說。

廖平指責劉歆所僞的內容：「武斷同於指鹿，誨淫幾於聚麀，離經叛道，亂倫敗化，未有如此之甚者也。」（《經話甲編》）由於劉歆所僞的部分是整個古文經學得以成立的根本，後起的古文經學皆據此爲說，因而廖平的指責就從根本上否定了古文經學。

劉歆是漢代經學史上有爭議的重要人物。他曾兩次領校秘書，學問又超過別人，因此，他是有作僞的能力和條件的。王莽稱帝時，公孫祿指責劉歆「顛倒《五經》，毀師法，令學士疑惑。」這是使人懷疑劉歆作僞的重要材料。而《周禮》原名《周官》，《周官》改爲《周禮》又似劉歆所爲。因此，宋代的胡宏、洪邁，清代方苞、龔自珍諸人，都懷疑《周禮》出自劉歆。但從今文經學立場，提出《周禮》是劉歆的僞作，並由此對整個古文經學作根本否定，不能不推《闢劉篇》是第一書。

三

清代今文經學導源於乾、嘉時出現的常州《公羊》學派。其創始人是江蘇常州人莊存與，而最有代表性的人物是其外孫劉逢祿。梁啓超說：「今文學啓蒙大師，則武進莊存與也。存與著《春秋正辭》，刊落訓詁名物之末，專求所謂微言大義者。……其同縣後進劉逢祿繼之，著《春秋公羊經傳何氏釋例》，如張三世、通三統、絀周王魯、受命改制諸義，次第發明。」（《清代學術概論》）因此，清代今文經學是從劉逢祿開始的。

今文經學出現於乾、嘉時代，絕非偶然。當時號稱「盛世」，實際上已是危機四伏。但學術界卻家家許、鄭，人人賈、馬，漢學如日中天。這種以文字考據爲主要內容的漢學，完全脫離社會現實。而漢代的《公羊》學，好將經術與政治相附會，這就必然引起乾嘉時代某些具有政治遠見的學者的注意。常州學派把沉寂了兩千年的《公羊》學重新抬出來，緣飾經術以議政，正是預感到社會即將出現動亂，而試圖從《公羊》中找到維護封建統治的新理論。因此，今文經學的復興反映了社會現實所要求的學術思想的轉變。

雖然常州《公羊》學的興起，旨在維護封建制度。但到龔自珍、魏源時，這種情況有了重大改變。由於在鴉片戰爭前夕，社會矛盾已趨於白熱化，而鴉片戰爭以後，中國已開始步入半封建半殖民地社會，急劇的社會變化和激烈的內外矛盾，引起了不少有識之士要求變革現實社會的呼聲。龔、魏的《公羊》學正是適應這種社會要求，「以經術作政論」，借《公羊》學譏切時政（龔自珍死於一八四一年，其根據社會情況而論政，自不及魏源），從而把《公羊》學與變革現實社會的政治要求結合起來。因此，大講經世致用，就成爲龔、魏《公羊》學的重要特點。與莊、劉比較，龔、魏的《公羊》學是積極的。

後來，康有爲的今文經學就沿著龔、魏「以經術作政論」的方向發展而來的。但是，由於康有爲既要宣傳資產階級的變法的內容，又需要把其內容裝在一個合適的舊形式中，以「舊瓶裝新酒」的方式出現；而龔、魏《公羊》學重在以學議政，不能給康有爲提供裝「新酒」的「舊瓶」，因此康有爲雖同龔、魏一樣「以經術作政論」，但他的今文經學都不是直接來源於龔、魏的《公羊》學。

廖平的兩本書——《知聖篇》和《闢劉篇》，卻在理論上給康有爲提供了最合用的「舊瓶」。就《知聖篇》而論，廖平的孔子素王說，《六經》符號說，是要把孔子神化爲中國萬世之聖，把《六經》神化爲超時代的永恆法典。但是，由於不同的時代有其不同的特點及其相應的客觀要求，因而所謂萬世聖人，本質上不過是一個可作任意解釋的偶像：而所謂永恆法典，實際上不過是可以任意解釋的典籍。這樣，客觀上就使《六經》和孔子變爲任何人都可主觀隨意地加以利用了。由於孔子是兩千多年的聖人，《六經》亦是漢以後奉爲政治倫理圭臬，廖平將其作新的解釋，這正適合康有爲的需要。因爲利用廖平的新解釋，既可借助孔子和《六經》的神光，堵塞反對改革的頑固派之口，又可在解經和闡述孔子學說時灌注所要宣傳的一切變法內容。而孔子托古改制說，《六經》經世致用說，又直接誘發康有爲打著古人的旗號，演出資產階級變法維新的歷史劇。

如果說，《知聖篇》給康有爲提供了宣傳變法的理論形式，那麼，《闢劉篇》則為他否定封建專制制度準備了合適的理論形式。因為《闢劉篇》根本否定古文經學，而在近兩千年的封建社會裏，古文經籍成了歷代帝王維護其封建專制統治的工具，也就是利用古文經籍作為從政治上和倫理上對人民進行統治以及調節封建階級內部關係的理論根據，具有至高無上的權威性，而廖平通過考證和論述，宣布古文經籍為劉歆偽造，這就必然對那賴古文經籍作理論根據的封建專制制度產生不利的影響。康有為正是在廖平《闢劉篇》的基礎上，進一步探索。寫成《新學偽經考》，從對古文經學的徹底否定而啓發人們對封建專制制度的懷疑。因此，這部著作在當時思想界掀起了軒然大波，產生了强烈的社會影響。同時，也遭到了封建正統思想家的仇視和攻擊。由於康有為的今文經學直接源於廖平，廖平又師承王闓運，故王、廖同康有為一樣遭到指責。如葉德輝後來還在《經學通詰》中，數次將王、廖、康並論，咒罵他們「虛誕陋儒，托經術以禍天下」，乃「亡國之妖孽」。

誠然，廖平的《知聖篇》和《闢劉篇》的基本論點，都可以從康有為的《新學偽經考》和《孔子改制考》兩部著作中找到。但是，二人的思想實在有很大的區別。廖平是一個典型的學究式的經學家，而康有為則是一個資產階級學者，他雖吸收了廖平的今文經學的思想材料，但卻完全賦予了新的內容，因而他的兩部著作所建立的是一個資產階級的思想體系，這就是康有為的兩部著作在當時能成為颶風，火山大噴、大地震（梁啓超語），而廖平的兩部書卻反應甚微的原因。所以，廖平給康有為所提供的，只是一種可供利用的思想形式，這就是作為清末經學一環的王、廖經學的意義。

——原載《船山學報》一九八九年第二期，頁九〇——九五。

康有為重新塑造孔夫子

馬洪林

一、受到廖平的啟迪

康有爲早年是研究古文經學的，曾經著《何氏糾繆》專攻東漢今文經學大師何休。一八八八年，他第一次「上書不達」以後，通過上書碰壁的政治教訓，深感封建頑固勢力無論在政治上、還是在學術上，都佔著統治地位。要打破這種封閉局面，除向西方學習外，還必須從中國傳統的封建學說中去尋找武器。康有爲深知儒家今文經學的理論武庫中有許多「非常異義可怪之論」，自魏晉以還，無人敢道，正可爲他「托古改制」的政治目的提供理論依據。應該指出，康有爲能夠運用今文經學和封建頑固勢力鬥爭並推行其維新事業，不能不感謝廖平對他的啓迪和幫助。

廖平（一八五二——一九三二年），字季平，四川井研縣人。他於光緒二年（一八七六年）到成都應科試，以優等補廪生，調尊經書院學習。尊經書院在成都城南，建於同治十三年（一八七四年），是四川的最高學府。當時張之洞爲四川提督學政，曾編撰《輶軒語》、《書目答問》作爲讀書指導。那時調選入尊經書院讀書的都是各府縣的高才生，除廖平外，如綿竹楊銳、富順宋育仁、名山吳之英、廣漢張祥齡、宜賓彭毓嵩、華陽范溶、仁壽毛瀚豐、崇慶楊永清等人，都是蜀中的俊秀。

一八七九年（光緒五年），清末著名學者湘潭王闓運（註一）就任尊經書院山長。他長於詞章，學問廣博，治《公羊春秋》，以《公羊》說群經。從此，廖平經常請教王闓運《公羊》經義，而他自己則致力於《穀梁春秋》的研究。一八八五年，廖平撰成《今古學考》二卷，上卷刊表從禮制上區別今文經學與古文經學的不同；下卷爲說明文。廖平認爲《王制》爲今文經學的根本，漢代今文博士的禮制均出於《王制》；《周禮》爲古文經學的宗主，古文經學的禮制皆本於《周禮》，從此今古學的區別涇渭分明，是廖平在經學史研究上的一大貢獻。一八八六年廖平的《今古學考》在尊經書院刊行。

一八八九年（光緒十五年），廖平在北京殿試中進士，以知縣用，因家有老親不就，請改任龍安府（轄境相當今四川平武、江油、北川、青川等縣地，治所在今平武）教授。這年六月，他應兩廣總督張之洞之召赴廣州。他從北京出發，途經蘇州時，見到了正在蘇州紫陽書院講學的著名學者俞樾（註二），俞樾稱贊廖平撰著的《今古學考》爲「不刊之書」。

康有爲最初從沈曾桐（註三）那裏看到《今古學考》，非常佩服書中的卓說，因而引廖平爲知己。廖平到達廣州後，住在廣雅書局（今廣州文德路中山圖書館內）。一八九〇年初春（光緒十六年），剛從北京一路漫游回到廣州的康有爲，寓居於安徽會館中。他聽到廖平已來廣州的消息時，立即與同鄉黃紹憲（字季度）到廣雅書局拜訪廖平，談言微中，把臂入林，廖平將所著《知聖篇》和《闢劉篇》相贈，請康有爲指正。康有爲回去讀後，寫了一封萬言長信，批評廖平「好名騖外，輕變前說」，勸他將兩篇焚毀。過了些時日，廖平到廣州城南安徽會館回訪康有爲，並向康有爲大談秦始皇焚書、「六經」未亡的證明，有爲聽了大爲嘆服。康有爲本來是治《周禮》的，雜糅漢宋今古，不講家法。經過這次暢談，乃幡然大悟，盡棄舊說，決心從今文經學中吸取可資運用的思想，推動變法維新。

拜讀了廖平的大著後，康有爲精思妙語，異境頓開，認爲今文經學的「三統說」和「三世說」，就是可以「通經致用」的「微言大義」。所謂「三統說」，早在西漢時的《尙書大傳》中就已有記述。到漢武帝時，今文經學大師董仲舒加以闡釋發揮，演化成爲一種思想體系，大意說每一個朝代都有一個「統」。這個「統」是受之於天的。舊王朝如果違背天命的話，就必然由另一個新興的王朝「承應天命」，取而代之。而新王朝則必須「改正朔，易服色」。他們把朝代的更迭，歸結爲「黑統」、「白統」、「赤統」三個「統」的循環。以夏、商、周三代而言，夏是「黑統」，也叫「人統」；商是「白統」，也叫「地統」；周是「赤統」，也叫「天統」。這就是說，夏、商、周三代的制度，各有因革損益，因時制宜，變一次進一步，不是一成不變的。他們不承認有萬世一系的天帝體制，如果政治腐敗，不得民心，那麼這個王朝就完結了，應該讓位給新生的朝代。這種變革的理論，正是康有爲發動變法維新運動所需要的富有中國色彩的理論支柱。

所謂「三世」說，也並非康有爲的創造發明，乃是從公羊學中附會出來的。在《春秋》隱公元年中，孔子簡單地記載了一件事：「公子益師卒。」《公羊傳》的作者公羊高借題發揮說：「何以不日？遠也。所見異辭，所聞異辭，所傳聞異辭。」這就是說，孔子作《春秋》，因爲時代有遠有近，故而記載就有詳有略。「所見」就是孔子親身所見，較近；「所聞」是孔子從父輩那裏聽來的，比較遠；「所傳聞」則是更遠的事了，因而記載的詳略更不同。公羊高提出的「所見」、「所聞」、「所傳聞」，並不是用以劃分歷史時代的標準。到董仲舒時則加以發展，他在《春秋繁露》中發揮說，《春秋》記魯國十二世，二百四十二年的歷史，可以分爲三個階段：哀、定、昭時的六十一年史事，是孔子「所見」的，叫「所見世」；襄、成、宣、文時的八十五年史事，是孔子「所聞」的，叫「所聞世」；僖、閔、莊、桓、隱時的九十六年史事，是孔子「所傳聞」的，叫「所傳聞世」。這裏明確地把「見」、「聞」、「傳聞」作爲劃分歷史階段的概念，成爲這一學派思想家的歷史觀。

東漢時，何休《解詁》中解釋《公羊傳》，更推闡「傳聞之世」爲「衰亂」，「所聞之世」爲「升平」，「所見之世」爲「太平」。這樣，在儒家經籍中便有了「衰亂」、「升平」、「太平」三個名詞。顯而易見，何休「三世」說的基本特點在於結合社會政治狀況來劃分社會歷史階段。按照這種歷史觀來解釋歷史，就是以中世紀爲「衰亂」（康有爲稱爲「亂世」），近代爲「升平」，現代爲「太平」。「亂世」之後，進入「升平」，「升平」之後，進入「太平」，社會歷史潮流是不斷新陳代謝、向前發展的。儒家今文經學的「三統」、「三世」說，爲康有爲的變法理論披上了封建政府法定經典的外衣。但康有爲的「三統」、「三世」說與儒家傳統說法有本質的不同。梁啓超指出：「近人祖述何休以治公羊者，若劉逢祿、龔自珍、陳立輩，皆言改制，而有爲之說，實與彼異。有爲所謂改制者，則一種政治革命社會改造的意味也，故喜言『通三統』。『三統』者，謂夏、商、周三代不同，當隨時因革也，喜言『張三世』，『三世』者謂據亂世、升平世、太平世，愈改而愈進也。有爲政治上變法維新之主張，實本於此。」（註四）這個分析是很有獨到見地的。

清代同、光年間，由於帝師翁同龢、軍機大臣潘祖蔭以朝貴研究公羊學，兼治詩古文辭、金石學，提挈宗風，倡導後進。京師上自尚書、侍郎，下至編檢以及部曹內閣才俊之士，靡然從風，今文經學特盛。湖廣總督張之洞、刑部主事沈曾植、翰林院編修沈曾桐、國子監祭酒宗室盛昱、兵部侍郎黃體芳、侍讀學士文廷式、署都察院左副都御史張佩綸、湖南巡撫吳大徵、山西道監察御史李慈銘、道員端方、布政使梁鼎芬等人，都是這一學派的著名人物。另一派學者專治樸學，以主講杭州詁經精舍的俞樾為首，專門傳授高郵王念孫、王引之父子的古文經學，湖南的王先謙、葉德輝等人與之相應和。清代的古文經學，大致可分為三個時期，乾隆以前是開始時期，乾隆、嘉慶時是全盛時期，道光以後是衰落時期。同光之際，今古學派的討論，尙多係研究學問，還沒有更多地觸及時政。只是到了戊戌前後，海內分為新舊兩派，今古文論戰日趨激烈，而且充滿了現實政治的火藥味，從湖南進士蘇輿編輯的《翼教叢編》一書，依據古文，猛攻今文，可以推見當時兩派戰況的猛烈程度。

在廖平今文經學著作的啓發和引導下，康有為很快著成了《新學僞經考》和《孔子改制考》，奠定了他變法維新運動的理論體系。廖平深於經術，長於《春秋》，善說禮制。他深有心得地指出：「今古異同，端在制度、師說，不指文字。」所著《古今學考》本《五經異義》以禮制區別今古學；在《古學考》中提出今文經學是孔子的眞學，古文經學乃劉歆等人的僞作。康有為受到這一啓發，乃撰《新學僞經考》，其開宗明義第一章：《秦焚六經未嘗亡缺考》，即本於廖平之說。

關於康有為援用今文經學是受到廖平的影響一事，已為當時學者所公認，而有為卻絕口不道，諱莫如深。廖平說：「廣州康長素因《古學考》而別撰《僞經考》，牽涉無辜，持論甚固。」清末著名今文經學家皮錫瑞在一八九七年十二月的日記裏說：「梁卓如送來《新學僞經考》，又從黃麓泉假廖季平《古學考》、《王制訂》、《群經凡例》、《經詁甲編》，康學出於廖，今觀其書，可以考其源流矣。」（註五）皮錫瑞服膺新學，參加湖南維新運動，對康有為推崇備至，經過考鏡推勘之後，仍實事求是地指出康學源出於廖，道出了這一學術公案的眞相，這種嚴肅的學者風度是很值得稱道的。康有為的大弟子梁啓超也以「吾愛吾師，吾更愛眞理」的態度，不為賢者諱，他指出：「康先生之治《公羊》、治今文也，其淵源頗出自井研，不可誣也。」（註六）又說：「今文學運動之中心，曰南海康有為，然有為蓋斯學之集成者，非其創作者也。有為早年，酷好《周禮》，嘗貫穴之著《教學通議》，後見廖平所著書，乃盡棄其舊說。」（註七）參加過自立軍起義和辛亥革命的朱德裳說：「公羊學不為功令所許。有清一代治此學者不過數家。而晚年極盛。自王湘綺治公羊春秋，傳其業者，門弟子中推蜀人廖季平。季平演此義為今古文學。康南海從而廣大之。於是有《新學偽經考》之著。」（註八）數十年後，當廖平作古的時候，章太炎先生為之撰寫的《清故龍安府學教授廖君墓志銘》則說：「君學有根抵，於古近經說無不窺，非若康氏之剽竊者。」所謂「剽竊」云爾，就是上述這段學術公案的餘波。

以今視之，明斥康氏為「剽竊」，也未免言之過甚。我們實事求是地比較分析，不妨這樣說，康有為的《新學偽經考》與《孔子改制考》是受到廖平著作的啓發與引導。用今天的話來講，就是說《新學偽經考》和《孔子改制考》是以廖平的學術思想為指導而編寫的。至於材料的搜集，編纂的勤勞，體系的構成，自然出於康有為及其門下，這也是不可一筆抹煞的。

平心而論，廖平在晚清經學研究史上獨樹一幟，造詣宏闊，始終專心講論，一生經歷著清末以來今文經學運動的全程，堪稱傑出的今文經學大師。他晚年自號「六譯」，因為他的經學變了六次。第一變講「今古」（光緒九年），第二變講「尊今抑古」（光緒十年），第三變講「小大」（光緒二十四年），第四變講「天人」（光緒二十八年），第五變講「人學」、「天學」（民國七年），他這五大變，愈變愈離奇。他還想再變一下（第六變），雖然有十四年的時間，但已變無可變，變不出什麼東西來了，說明今文經學也走上了窮途末路。而康有為雖然是從廖平那裏借來了「他山之石」，但他治公羊學，不斷斷於其家法義例之小節，專求其「微言大義」，在進化論思想指導下，經過一番加工和創造，構築了自己維新變法的理論體系，賦予廖平的純經學的理論以活潑的革新精神，就更具有社會的實用價值。廖、康各領歷史風騷，但畢竟是今文經學的旗幟到了康有爲手中時，對中國歷史的進程起了更大的推動作用。

應該看到，康有爲的進化史觀來源是多方面、多形式的，嚴復翻譯的《天演論》，對康有爲的進化史觀的理論化和系統化就有巨大的影響。自然，這不是康有爲接受西方進化論的唯一源泉。因爲早在《天演論》譯成並出版之前數年，他已從西學中接受了許多地質古生物進化和天體演變的觀點，明白「人自猿猴變出」等最基本的進化常識，並向學生講授過這些內容。一八九六年時，梁啓超寫給嚴復的信中，既肯定了嚴復譯述的《天演論》對康有爲的影響深巨，也指出康有爲早年已有進化思想的模糊觀念，他寫道：「南海先生讀大著後，亦謂眼中未見此等人，……書中之言，啓超等昔嘗有所聞於南海，而未能盡。南海曰：『若等無詫爲新理，西人治此學者，不知幾何家幾何年矣。』及得尊著，喜幸無量」。（註九）從這封信中，可知康有爲在研讀了嚴譯名著《天演論》後，對嚴復是何等的佩服。對嚴復的佩服，就是對進化論的服膺。

康有爲接受進化論，特別是社會達爾文主義的另一重要途徑是通過日本學人的著作。一八九六年，他「所得日本書甚多，乃令長女同薇譯之」，「又撰《日本書目志》。」（註一〇）康同薇爲其父譯過哪些日文書籍？現已無從查考。但是從《日本書目志》中，還是可以看出日文書籍對他有廣泛的影響。該書分生理、理學、宗教、圖史、政治、法律、農、工、商等十五卷，列有七千餘種日文書目，它們大都是明治思想家譯介和撰寫的介紹西方自然科學和人文思想的著作，其中既有石川千代松的《動物進化論》等自然科學著作，也有《社會進化論》、《族制進化論》、《宗教進化論》、《社會平權論》、《社會學原理》等社會學著作。康有爲在書中加了許多按語，少則幾十字，多則百千餘字，內容廣泛，且評定日本各書的特點和優劣，表明康有爲對這些書的內容有一定的了解和看法。

康有爲接受進化論，特別是社會達爾文主義的又一渠道，是他與黃遵憲的交往。一八九五年底，康有爲到上海，結識了出使日本歸來的黃遵憲，「自是朝夕過從，無所不語」，「縱談天下事」。曾隨使日本、與日本朝野人士有密切交往的黃遵憲，對日本作過多年的認眞考察，並在那裏接受了西方政治思想和社會達爾文主義的觀點。他在與康有爲「無所不語」的過從中，對康有爲產生潛移默化的影響自是題中應有之義。

不言而喻，由於時代和階級的局限，康有爲的進化史觀，是用今文經學的「三統」、「三世」及傳統儒家的「太平大同」的語言表達的。這也許更符合中國的國情，更富有中國特色。可是，由於康有爲的進化史觀並非建立在眞正科學的基礎上，因而夾雜了大量的宗教迷信與烏托邦式的糟粕，從而埋下了後來復古倒退的歷史觀的種子。

我們充分肯定康有爲利用今文經學發動維新運動的歷史價值和理論意義，是爲了說明康有爲的思想必然受到中國近代經濟、政治和文化客觀條件的制約。他在向西方尋求眞理，進而構築自己的思想體系時，必將植根於中華民族文化的深厚土壤之中，受到中華民族獨有的心理素質、民族性格和文化傳統的影響。中國近代思想文化的基本特徵是通過中學和西學相互鬥爭、相互滲透，逐漸走向近代化的。康有爲一再申明，他的學說體系是摻合中西哲理，窮究天人之變的產物，就是在不同深度和廣度上「會通中西」，並在近代中國特定的歷史條件下作出的再創造。在康有爲身上既要注意「西學東漸」這一橫向運動的歷史潮流的衝擊，也要看到近代新學與古代文化這一縱向運動的垂直聯繫。但是，康有為掀起的維新思潮的核心內容和指導思想，是進步的西學，而不是傳統的今文經學。因為，離開了近代資產階級理論的西學，今文經學的興盛，只能是明清之際早期啓蒙文化的「復歸」，不可能出現近代維新思想澎湃的大潮，更不可能推行變革的資產階級政治方案。嚴格地講，它們分屬於兩個不同的歷史範疇，今文經學雖然是一股進步思潮，但仍然是去完成對封建蒙昧主義的自我批判，而康有為學習和吸取的西學，則是近代資產階級社會的理論規範和社會制度。

二、猛攻劉歆：《新學偽經考》

從一八九〇到一八九七年間，康有為在廣州一邊聚徒講學，積極培養維新變法的理論骨幹，一邊勤奮寫作，致力於理論方面的著述。在這幾年中，他寫成的著作有：《婆羅門教考》、《王制義證》、《王制偽證》、《周禮偽證》、《爾雅偽證》、《史記書目考》、《國語原本》、《孟子大義考》、《魏晉六朝諸儒杜撰典故考》、《墨子經上注》、《孟子公羊學考》、《論語為公羊學考》、《春秋董氏學》、《春秋考義》、《春秋考文》、《日本書目志》等篇章，其中有兩部書在思想界產生過很大的震動，對戊戌變法的影響也最大，這就是一八九一年寫成的《新學偽經考》，和一八九二年開始寫起、一八九六年完稿的《孔子改制考》。

這兩部書的寫法，都是採用歷史考證的方法，廣引古書，分類編次，再加按語說明每卷「總義」、分節「大義」，對重要引語進行解釋，從史料的徵引，到語義的解釋，處處滲透著作者的觀點。全書綱目完備，思路清明，引文很少刪節並注明出處，給人以「言必有據」的感覺，讀後不由你不深信不疑。這兩部書巧妙地借用古人的酒杯，澆開現實社會的塊壘，構成了康有為變法維新的理論體系的主體。其主要論旨是用進化論附會公羊三世說，對封建主義的正統觀念進行抨擊，從而在主張變法維新的知識分子和士大夫中引起了强烈的共鳴。

康有爲的《新學僞經考》一書於一八九一年刻版刊行，因見解新穎，驚世駭俗，一問世就有四種翻刻和石印的本子流傳，曾經風行過幾年，被梁啓超形容爲當時「思想界一大颶風」。這股風不僅在大陸知識分子中勁吹，甚至很快吹到了臺灣省。例如，蔣師轍在臺灣就看到過最早的版本，他在《臺遊日記》中記述說：「光緒十八年九月二十七日（西元一八九二年十一月十六日），雨大風，邵公子（時任臺灣巡撫邵友濂之子）送《新學僞經考》一書來，爲南海康祖詒廣廈撰，力攻劉歆，謂六經皆其僞造，書凡十四卷。」（註一一）《新學僞經考》在學術界和封建士大夫中的廣爲流傳，引起了頑固派的驚懼，被清政府悍然下令毀版，嚴禁流行，詳情見本文第四節。

野火燒不盡，春風吹又生，很快地《新學僞經考》又有新的版本行世。一八九八年、一九〇〇年，清政府又兩次下令將《新學僞經考》毀版。一九一七年改名《僞經考》在北京重刻出版，一九三一年由方國瑜加新式標點，由北平文化學社鉛字排印，並有錢玄同寫的一篇長序，一九三六年商務印書館又出有國學基本叢書本。解放以後，章錫琛以北平文化學社版做底本，並依據康氏的兩種木刻本校正，重新標點，一九五六年由古籍出版社出版。

清政府爲什麼這樣害怕《新學僞經考》，而三毀其版呢？因爲《新學僞經考》不獨是一部極重要極精審的辨僞專著，而且是依據今文經學的觀點攻擊古文經學以議時政的著作。譚嗣同曾經辛辣地諷刺說：南海康工部以《新學僞經考》爲一世所排，幾搆奇禍。嗣同常謂之曰：「排君者何嘗讀君之書哉！特眩於『僞經』二字，遂詆爲非聖耳。向使不名《僞經考》，而名《眞經考》，必皆相率而奉之矣。」（註一二）

儒家的《詩》、《書》、《禮》、《樂》、《易》、《春秋》，，稱作「六經」。經就是經典的意思，相傳都是經過孔子編訂的，是中國封建社會地主階級知識分子的必讀書。今文經學和古文經學，是中國研究經籍的不同學術流派。歷史上的「經今古文」問題起源於西漢。原來自秦始皇焚書後，典籍散佚，西漢初年儒家經典多據老生宿儒記憶口授，用當時通行的文字隸書記錄流傳，大都沒有先秦的古文舊本，而由戰國以來學者師徒、父子口耳相傳，到漢代才一一寫成定本，稱爲今文經。如《書》出於伏生，《禮》出於高堂生，《春秋公羊傳》出於公羊氏和胡母生。到漢武帝時，採納董仲舒、公孫弘的建議，表彰儒家經典，建立五經博士官十四人，儒家經典成了官學。後來在孔子故宅壁中和民間又發現了《逸禮》、《古文尙書》等一批經書，劉向、劉歆父子在校定宮廷藏書時也發現了《左傳》等一些經書，這些經書是用秦以前的古文（籀文、蝌蚪文、大篆）書寫的，主要有：《周官》（《周禮》）、《左氏春秋傳》、《毛詩》、《古文尙書》、《論語》、《孝經》等，它們和口授的經書，不僅篇章不同、字句不同、音讀不同、多少不同，內容也有不同，稱爲古文經。

今文經傳都立於學官，古文經傳被排斥不得立博士，兩派經學家展開了激烈的鬥爭。今文經學重在發揮經文「大義」，附會陰陽五行，緯候圖讖，以鞏固封建的「一統」爲中心主張，因而公羊家的春秋學受到特別重視。古文經學專講古代典章制度，不講陰陽五行，治學注重師承，嚴守家法。古文經學派尊奉周公，認爲周公是儒家學派的開創者，孔子「述而不作」，是古代歷史文化的保存者。今文經學派認爲這是借周公壓孔子的「非聖」謬論。兩派各立門戶，勢同水火，斷斷續續地爭論了近二千年之久。古文經發現後，最初僅在民間輾轉傳授，屬於私學性質，在社會上沒有什麼地位。西漢末年，王莽建立新朝，劉歆（註一三）力爭古文經也應設立博士官，於是古文經的幾家一度成為官學。東漢時，馬融為古文經全部作了注解，鄭玄又網羅各家，融合今古文。此後，一般研究儒家經籍的人均以古文經為依歸。

十九世紀中葉以後，在外國資本主義入侵和社會矛盾日益尖銳的刺激下，一部分學者不滿於清代佔統治地位的古文經學，鄙視漢學的考據訓詁，宋學的高談心性，認為他們違背了孔子的眞確意圖。這些學者繼承了今文經學的傳統，從「微言大義」而趨於論政，他們推揚公羊學說，參預時政，倡言改革，今文經學又興盛起來。其著名的代表人物有龔自珍、魏源等人，他們成了近代維新派的先驅。

康有為本來是搞古文經學的，早年他曾尊崇周公，酷好《周禮》，想從中找到治亂的根據。後來看到今文經學家廖平的著作，大受啓發，乃盡棄舊說，並援用廖著的路子，推衍著成《新學偽經考》一書，發古文經之偽，明今文學之正，猛攻古文經學。

康有為曾追述他寫《新學偽經考》一書的動因說，他最初讀《史記》的《河間獻王傳》及《魯恭王傳》（註一四），傳記中沒有提到發見古文經的事，覺得有點奇怪，就取《漢書》的《河間獻王傳》和《魯恭王傳》來對照一下，發現《漢書》大談古文的事，與《史記》只字不提大相矛盾，越發大驚大疑起來。再讀《太史公自序》，司馬遷明明說當時所有的書都寫成副本，集中到「太史令」那裏。司馬遷繼承他父親司馬談做太史公，無論「六經」以及「百家雜語」，他都親眼見過。況且，司馬遷生在河間獻王和魯恭王之後，如果眞有「開壁」「獻書」的事，他不會不知道。發見古文經又是一件大事，他不應該不把它寫到《史記》裏去。然而，這一切在《史記》裏面都沒有提到，可見《漢書》裏所記關於古文經的事都出於劉歆偽竄無疑。同時，西漢的博士們都拒絕把古文經立於學官，也多了一個斷定古文經是冒牌貨的旁證。於是，康有為就以《史記》為主，遍考周秦、西漢的書，以今文爲主，遍考古文諸書，經過一番推斷，沒有不合他想法的地方，於是他一口咬定：「始作僞，亂聖制者，自劉歆；布行僞經，篡孔統者，成於鄭玄。」（註一五）他憤激地高叫著說，二千年來，成千上萬的讀書人，二十個王朝的禮樂制度，統統把這種僞經奉爲聖統，誦讀尊信，奉持施行，違者以非聖無法論，竟然沒有一個人敢違背，沒有一個人敢懷疑的！結果孔子改制的聖法被掃蕩無遺，「六經」顚倒，亂於非種。他認爲：「劉歆之僞不黜，孔子之道不著。」（註一六）他決心摧廓僞說，掃蕩迷霧，挽救亡經，羽翼聖制，力翻二千年來的成案，還孔子學說的本來面目，遂寫成了《新學僞經考》一書。

康有爲通過反覆考證，力辯古文經是劉歆幫助王莽篡奪漢朝劉家的天下，而假借孔子名義僞造出來的，是王莽建立的「新朝」之學，所以他叫古文經爲「新學」；東漢以來的經學多出劉歆揑造，不是孔子的眞經，因而湮滅了孔子的「微言大義」，應該叫做「僞經」。他認爲：「凡後世所指目爲『漢學』者，皆賈（逵）、馬（融）、許（愼）、鄭（玄）之學，乃新學，非漢學也；即宋人所尊述之經，乃多僞經，非孔子之經也。」（註一七）他斷定清朝的古文經學家不辨眞僞，高談「漢學」，實際上不配稱爲「漢代之學」，只能稱爲「亂聖制」的「新代之學」，即新莽之學。

他在萬木草堂講授《古今學術源流》時，在課堂上對「新學」也大事抨擊說，自劉歆僞古文以亂今文，《書》則一托河間獻王壁中，一托河內女子所獻；《春秋》則因《國語》以僞《左氏》；《詩》則僞爲大小毛公；《禮》則增《月令》、《明堂》、《制法》三篇，皆漢儒所撰，又雜取管子；而《周禮》托爲周公所定，以抑孔子。自古文《尙書》出，而伏生之《尙書》失，自《左氏》出，而《公》、《穀》微，自《周禮》出，而禮學亂，自《毛詩》出，而三家《詩》闕

。以外又增出《爾雅》一篇。從此古文之學大昌，而今文之學遂廢。（註一八）

那麼，康有爲這部《新學僞經考》的主要內容是什麼呢？梁啓超曾作過比較恰當地概括：「《新學僞經考》之要點：㈠西漢經學，並無所謂古文者，凡古文皆劉歆僞作；㈡秦焚書，並未厄及『六經』，漢十四博士所傳，皆孔門足本，並無殘缺；㈢孔子時所用字，即秦漢間篆書，即以『文』論，亦絕無今古之目；㈣劉歆欲彌縫其作僞之跡，故校中秘書時，於一切古書多所羼亂；㈤劉歆所以作僞經之故，因欲佐莽篡漢，先謀湮亂孔子之微言大義。」（註一九）

康有爲在《新學僞經考》一書中，運用歷史考證的學術方法，極力辨明漢朝劉歆所爭請立於學官的幾種古文經典，即《周禮》、《逸禮》、《毛詩》、《左氏春秋》等書，都是揑造的僞經，它們只是「記事之書」，而非「明義之書」，所以它們湮滅了孔子作經以「托古改制」的原意。康有爲「起亡經，翼聖制」的目的是顯而易見的，即通過學術著作來爲其維新變革、爲其先進的社會政治理想服務。

該書凡十四篇，其中在學術上最有參考價值的是關於秦焚「六經」未嘗亡缺的考辨。他根據《史記》考證出：㈠秦始皇焚書的命令，只是燒掉民間的書，而保存了博士官所管理使用的《詩》、《書》以及百家。因爲，秦始皇焚書的目的是對人民實行愚民政策，而絕不是爲了使自己更加愚蠢。若把博士誦讀的書也付之一炬，而僅留下醫藥、卜筮、種樹之書，那他們根據什麼理論來治理國家呢？所以，後世「秦焚《詩》、《書》，六藝遂缺」之說，顯然是一種無知妄說！㈡秦始皇坑儒的命令，並未殺盡天下學有專攻的儒生，他指出伏生、申公、轅固生，韓嬰、高堂生等人，在秦始皇焚書以前就已學業大成，他們都是未被坑殺的儒生，他們所讀的都是未被焚燒的原本經書。況且，秦政府有博士官七十人，他們教授的弟子有百多位，代代衣缽相傳，儒家經典並未斷了香火。他居然找出了八條材料，證明經過焚書坑儒的劫難，「六經」並未亡缺。他言之鑿鑿地說：「其一，博士所職，《六經》之本具存，七十博士之弟子當有數百，則有數百本《詩》、《書》矣，此爲《六經》監本不缺者一；其二，丞相所藏，李斯所遺，此爲『六經』官本不缺者二；其三，御史所掌，張蒼所守，此爲《六經》中秘本不缺者三；其四，孔氏世傳，《六經》本不缺者四；其五，齊、魯諸生，《六經》讀本不缺者五；其六，賈祛、吳公傳，《六經》讀本不缺者六；其七，藏書之禁僅四年，不焚之刑僅城旦，則天下藏本必甚多，若伏生、申公之倫，天下《六經》讀本不缺者七；其八，經文簡約，古者專經在諷誦，不徒在竹帛，則口傳本不缺者八。有斯八證，《六藝》不缺，可以見孔子遺書復能完，千歲蔀說可以祛，鐵案如山，不能動搖矣。」（註二〇）其他如對《經典釋文》所列《毛詩》傳授的懷疑，如對古文經學傳授的表列等，都有一定的學術參考價值。既然「六經」並未因秦始皇焚書坑儒而亡缺，是原來的眞經足本，那麼後來發見的古文經就是劉歆製造的贋品。他居高臨下，找出其中的種種矛盾記載，一路攻擊古文經出於僞撰，並洋洋得意地高唱起：「鐵案如山搖不動，萬牛回首丘山重」的凱歌。

雖然康有爲在這本書中發出了不少石破天驚的議論，但爲了證明自己的論點，也不乏强史就我的武斷之處，就連他的得意門生梁啓超也不能爲先生諱，他在評論《新學僞經考》時指出：「乃至謂《史記》、《楚辭》經劉歆羼入者數十條，出土之鐘鼎彝器，皆劉歆私鑄埋藏以欺後世，此實爲事理之萬不可通者，而有爲必力持之。實則其主張之要點，並不必借重於此等枝詞强辯而始成立，而有爲以好博好異之故，往往不惜抹殺證據或曲解證據，以犯科學家之大忌，此其所短也。」（註二一）

即或如此，康有爲的《新學僞經考》不論在政治思想上，還是在學術思想上，都起過積極的歷史作用。它不僅是一部資產階級維新派變法改革的重要理論著作，而且在考辨古籍方面的新穎見解也多有突過前人的地方。

第一，康有爲撰著和刊行的《新學僞經考》，是在他第一次上書清帝不達之後，「公車上書」之前，維新變法的呼聲逐漸高漲起來的時候。展現在人們面前的《新學僞經考》，不僅充滿著濃厚的學術氣息，而且是康有爲運用今文經學「通經致用」的思想，宣傳政治改革的銳利武器。康有爲自覺地將自己的學術研究與其變革現實的維新政治主張緊密地結合起來，從而使其學術論斷具有鮮明的政治鬥爭意義。

第二，康有爲在《新學僞經考》中宣稱清朝尊信的儒家經籍，大部分不是孔子的本經，而是劉歆爲幫助王莽篡漢編造的「僞經」；清儒服膺的漢學，也不是孔子的眞傳，而是劉歆替新莽統治辯護的「新學」。這就從理論上動搖了古文經學的「述而不作」的傳統理念，打擊了頑固派的「恪守祖訓」的古舊禮制，衝蕩阻礙變法維新的「篤守舊法」的保守思想，引導知識分子去懷疑古代的經典，從而動搖了封建專制主義的理論基礎，在當時沉悶的學術界、知識界，眞有一石激起千層浪的功效。這種懷疑雖然從劉逢祿、龔自珍、魏源到廖平，都已在復活西漢公羊學的旗號下提出過，卻都沒有像康有爲說得這樣深刻而大膽。試想奉行了兩千多年，「無一人敢違」、「無一人敢疑」的神聖不可侵犯的封建經典，忽然一朝在康有爲手裏宣布爲一堆僞造的廢紙時，這本身就是維新思潮對舊思想的勝利。

第三，在康有爲之前，今文經學家雖然已對古文經傳發生了懷疑，但他們的著作對古文經的抨擊大抵是片斷的、部分的，而康有爲的《新學僞經考》則是向古文經學發起全面進攻的綜合性撰著。經過康有爲的鉤沉輯佚、排比鑒別、爬梳剔抉、曲予考辨，尖銳地提出了古籍眞僞的課題，從而打破了盲目信古的傳統觀念的束縛，導致了此後的「疑古」「辨僞」之風，在近代學術思想發展史上產生了深遠的影響。「五四」運動以後，中國史學界一度「疑古」思潮激盪，從康有爲的著作和學術活動中，似乎可以追溯到這一思潮的重要源頭。

三、托古改制：《孔子改制考》

繼《新學僞經考》之後，康有爲在學生陳千秋、梁啓超、曹泰等人協助下，於一八九一年開始，用了八年的時間，又撰著了《孔子改制考》一書，一八九八年春在上海刊行，立即被清政府下令毀版。一九〇〇年再度被清政府查禁。一九二〇年，曾以萬木草堂名義在北京重刻，一九二二年印行。解放以後，中華書局於一九五八年據萬木草堂重刊本加標點重排印行。

同《新學僞經考》相比較，《孔子改制考》的政治氣息比學術氣息更加濃厚了。康有爲在《孔子改制考》中，遵循和盡量發揮了今文經學「絀周王魯」的論點，多角度、多層次地著力論證孔子的「托古改制」。「托古改制」就是把自己想要建立的社會制度，假托古代曾經實行過，借以爭取人們的信服。康有爲認爲，要尊奉孔子的「大道」，就必須改革不合理的社會政治制度，使中國由亂世逐漸進入治世，由封建主義的「小康」社會逐漸進入資本主義的「大同」世界。尤其是甲午中日戰爭之後，嚴重的民族危機深深地刺激著人們，中國人民要求維新變法、救亡圖存的呼聲日益强烈。康有爲通過發動「公車上書」等實際活動，進一步堅定了他學習西方以改革封建制度的政治主張。就是在這樣的歷史條件下，《孔子改制考》應運而生了。康有爲只有打著今文經學的旗號，才能發出改革時政的呼喊，因爲「中國重君權，尊國制，猝言變革，人必駭怪，故必先言孔子改制，以爲大聖人有此微言大義，然後能持其說。」（註二二）當康有爲在中國大地掀動變革旋風的時候，與西方最初的資產階級改革也必須打著宗教改革的旗號有多麼驚人的相似！

《孔子改制考》全書共二十一卷，約三十四萬字。開卷首先闡明中國雖然號稱文明古國，但「六經以前，不復書記，夏殷無徵，周籍已去，共和以前，不可年識，秦漢以後，乃得詳記。」上古茫昧洪荒，一切事跡都無從稽考了。中國歷史，從秦漢以來才可資考信。進而說到春秋戰國的時候，諸子百家紛紛起來創立教義，改制立度，思易天下。先秦諸子熱烈地宣傳自己的主張，追求自己理想中的美好社會。但是，當時的社會流俗是「榮古而虐今，賤近而貴遠」（註二三），一味迷信古代，頌古非今，而對古代社會的歷史情況卻不甚了了。所以先秦各家學派都把自己所嚮往的社會制度托爲古代所曾實行過，假借古已有之來加强其論點的說服力。如墨子假托夏禹，老子假托黃帝，許行假托神農，而後方能入說。他們當中最傑出的代表是孔夫子。康有爲說：「六經中之堯、舜、文王，皆孔子民主君主之所寄托。所謂盡君道，盡臣道，事君治民，止孝止慈，以爲軌則，不必其爲堯舜文王之事實也。」（註二四）康有爲認爲，孔子爲了創立儒教，提出了一整套的所謂堯、舜、文、武爲政教禮法，並且親自作了《詩》、《書》、《禮》、《樂》、《易》、《春秋》「六經」，作爲「托古改制」的典章，而自居爲「改制之王」。當時諸子百家互相爭奪教權，彼此交攻，各不相下，結果儒、墨、老三家佔了優勢，從此三家的互相攻擊辨難就更加劇烈。終於因爲儒教的教義最爲完善，制度最爲詳備，又「造端於男女飲食」，「近乎人情」，故在諸子中最得人心，人人歸往，門生徒侶遍天下，從戰國經歷秦、漢，最後定於一尊，取得了一統的地位，從此鞏固下來，孔子就成爲萬世的教主。孔子有治理天下的才德而不居帝王之位，是所謂「布衣改制」的「素王」。這就是康有爲在《孔子改制考》中發明的思想邏輯和論斷的歸宿。

甲午戰爭之後，帝國主義列强掀起了瓜分中國的狂潮，老大的中國處在生死存亡的關頭。原來認爲永恆不變的東西，都在急劇地變化著。原來認爲神聖尊嚴的東西，正在土崩瓦解之中。康有爲的《孔子改制考》就是在這樣的嚴峻形勢下產生的一部由對封建政治文化產生懷疑，進而企圖改造中國的理論著作。他以今文經學作爲資料，以西方進化論作爲指導思想，形成了一個變革進化的多色彩的理論武庫，對在中國掀起變革的新潮流具有重大的進步作用。

第一，康有爲在《孔子改制考》中指認「六經」都是孔子爲了「托古改制」而親自寫成的作品，從而把孔子打扮成「托古改制」的大師，熱烈地主張進步和革新，反對保守和守舊。康有爲治公羊學不注重其小節，專求其「微言大義」，喜歡發表非常異義可怪之論。他定《春秋》爲孔子改制創作之書，說文字不過是符號，如電報之密碼，如樂譜之音符，非口授不能明。他認爲孔子之所以被尊爲教主，是因爲有不朽的「六經」。「六經」都是孔子的作品，這在漢代以前都是這樣說的。他爲經下定義說：「孔子所作謂之經，弟子所述謂之傳，又謂之記，弟子後學輾轉所口傳謂之說，凡漢前傳經者無異論。故惟《詩》、《書》、《禮》、《樂》、《易》、《春秋》六藝爲孔子所手作，故得謂之經。」（註二五）

他在萬木草堂講授《古今學術源流》時對學生說：「《詩》、《書》、《禮》、《樂》，皆孔子早歲之書。《易》、《春秋》則孔子晚年所定之書也。《詩》、《書》少年所作；《禮》、《樂》中年所作；《易》、《春秋》晚年所作。」（註二六）而以《詩》、《書》、《禮》、《樂》、《易》爲先王周公舊典，《春秋》爲赴告策書，乃是劉歆創僞古文後的說法。他在肯定了「六經」爲孔子所手作的同時，批評從前的儒者關於孔子「刪述六經」、「述而不作」的看法是完全錯誤的，進而推崇孔子本來就是「托古改制」的創始人。康有爲著重指出：孔子「祖述堯舜，憲章文武」，只是爲了寄托未來「太平世」的理想，他爲了改革當時的社會現狀起見，特意按照自己的政治理想，假托古人的言論而制定了「六經」。康有爲深信堯、舜，便是孔子改制所寄托的古聖先賢，遙遠的蒙昧時代，究竟有無堯、舜其人已不可知，即使眞有其人也至爲尋常，「六經」中描繪的堯、舜盛德大業，都是孔子對民主君主的理想所構成。這就把漢唐以來士大夫們深信不疑的「道統」，所謂堯、舜、湯、文、武、周公、孔子之道「一以貫之」的觀念打破了。在這裏，康有爲把孔子描繪爲維新運動的祖師，其面貌與古文經學派的孔子截然不同。也就是說，古文經學派的孔子是「述而不作」的保守主義者，而康有爲塑造的孔子則是「托古改制」的維新主義者。這樣一來，那種以爲今不如古，漢唐不如三代，三代不如五帝的歷史退化論，便統統站不住腳了。既然孔子頌古意在改革，那麼對所謂合乎道統的祖宗成法，假如守舊不變，無疑將使中國亂世永存，太平無望，豈不大悖於孔教的眞諦嗎？

照此說法，既然被封建統治者所尊奉的孔子也是主張「托古改制」的典型改革家，孔子作的「六經」又都堪稱「托古改制」的範本，那麼，康有爲就順理成章地證明了他主張維新變法，不特完全符合古聖先賢的嘉言懿行，而且是對孔子「托古改制」思想的繼承和發揚，從而有力地打擊了封建主義的經院哲學的權威，加强了維新變法理論在開明官吏和士大夫中間的滲透力和號召力，鼓舞了人們的創造精神。康有爲明智地利用二千年來封建社會中所推崇的「至聖先師」孔子的權威，來爲他的「托古改制」理論辯護，並且用這種理論向清朝統治者提出了變法維新的政治要求，表現了他反對「榮古虐今」、「泥古守舊」的强烈革新精神。

那麼，孔子爲什麼要這樣做呢？康有爲認爲孔子以「布衣改制，事大駭人，故不如與之先王，既不驚人，自可避禍。」（註二七）康有為特別强調孔子是「布衣改制」，指出孔子本是民間的一「布衣」，有其德而無其位，但卻能「托古改制」以「絀周王魯」，「借魯以行天下法度」來「為後王立法」。在《孔子改制考》中，康有為特意專闢一章《諸子並立創教改制考》，强調指出與孔子同時代的還有多許多「布衣」也都在「改制立教」，不惟孔子而已。周秦諸子罔不改制，罔不托古，暗示孔子與先秦諸子這些本來無爵位無權勢的「布衣」們，因「生當亂世」，都想「撥亂反正」，因此就各出主張各創學派來「改制立教」，說明「布衣改制」古已有之，歷史上只要關心民瘼國事的志士仁人都可以改制立法，「乃大地教主無不改制立法矣」，其事至為尋常，從而為維新派進行現實的政治活動找到了歷史的根據。在這裏，康有為雖然極力推崇孔子，然既謂孔子之創學派，其動機、目的、手段完全與諸子等同，就是把孔子與諸子並列，拋棄了那種「別黑白而定於一尊」的觀念，從而導人以比較的研究。

既然作為聖人的孔夫子以及歷史上這些賢良、學者，都可以「覺當時之制度有未善而思以變通之」，進而「改制立教」，那麼，我康有為又有什麼不可以這樣做呢？既然作為聖人的孔子自已以「布衣」而改制，那不是給後人留下了一個值得仿效的榜樣嗎？因此，康有為著書立說，宣傳民主，組織群眾，要求改革政治制度等等的活動，也是古已有之的平平常常的事，有什麼值得大驚小怪呢？這樣，康有為就又找到了一種運用「托古改制」的學術理論，變為群眾性的行動綱領的途徑和方法，從而擴大了改革維新思想的社會輻射面。

第二，康有為在《孔子改制考》中運用公羊家「通三統」的學說，論證夏、商、周是隨時因革，決非沿襲舊制；利用「張三世」的學說，闡明歷史是沿著據亂世、升平世、太平世遞嬗而進，用鮮明的進化論的歷史觀，作為推動變法維新的銳利工具。它標志著康有為歷史進化觀的確立和成熟。

今文經學主張「變易」的哲學。今文經學家徵引《易經》的警句：「窮則變，變則通，通則久。」論證政治制度不是一成不變的。康有為汲取今文經學「變易」的哲學，糅合了「三統」、「三世」的學說，發揮《春秋》「三世」的「大義」和孔子沒有明白說出來的「微言」，認為中國社會歷史的發展可以分為三個階段：即據亂世、升平世、太平世，社會歷史的發展就是沿著這三個階段，由低級向高級發展。康有為指出，孔子生當「亂世」，欲致「升平」，嚮往「太平」，他是在「撥亂救民」，「行權救患」。康有為所期望的也是改變封建專制制度為資本主義君主立憲制度，以漸入「大同之域」，於是把資產階級的民權、議院、選舉、民主、平等一系列政治概念，都附會到孔子身上，聲稱是孔子所創，用孔子的名義，提出他的變革主張。

康有為用歷史進化論的觀點附會公羊派的學說，指認「據亂世」就是西方的君主專制時代，「升平世」就是君主立憲時代，「太平世」就是民主共和時代，認為人類社會必須沿著「據亂、升平、太平」三世有序不亂地向前發展。依照這種進化史觀，康有為强調了當時中國由「據亂世」進入「升平世」的必然性，這是任何人也阻擋不住的歷史潮流。而要救國，要太平，就必須「因革改制」，只有「因革改制」，才能促進社會的進步，才能達到「太平」的盛世，從而又論證了維新變法的必要性。梁啓超說：「夫三世之義，自何邵公以來，久闇曶焉。南海之倡此，在達爾文主義未輸入中國以前，不可謂非一大發明也。」（註二八）康有為正是在這種「孔子聖意改制」的旗幟下，保護著自己的改制主張，證明自己的政治主張和變法思想，完全「合乎古訓」，在所謂「公羊所傳微言第一義」的解說中，他竭力宣傳著新鮮的資產階級歷史進化論和民權平等思想，證明維新派所要求的君主立憲的歷史發展的必然性和合理性。所以說，康有為論證的孔子「托古改制」，實質上就是康有為代表的維新派的「托古改制」。

第三，康有爲在《孔子改制考》中表現出熾熱的反封建的人權民主思想。作爲康有爲「托古改制」思想的最重要的核心，是公羊三世歷史進化論的學說。從這一觀點出發，他有力地論證了人權民主等資產階級社會政治思想。他認爲人民應該有「自主自立」之權，熱情謳歌堯、舜盛世的民主制度的典範，「堯、舜爲民主，爲太平世，爲人道之至」（註二九），甚至斷言，「孔子之道，務民義爲先」（註三〇）。他指出，孔子爲什麼被公認爲聖人？因爲他主張仁者愛人。孔子栖栖皇皇，憂四海之窮困，思溝中之推納。爲此，康有爲特意創辦兩粵廣仁善堂，就是專爲推行孔子的仁道。例如勸賑贈醫、施衣布食，施捨棺木等善事，都是爲了推廣和發明孔子之聖道。這就是說，康有爲從理論上和實踐上對儒家的經典進行了全新的解釋，使它們充滿了戰鬥的資產階級人權民主的內容。在他一系列火一般的按語中，孔子簡直成了君主立憲的竭誠擁護者，爭取人權民主的鬥士。

康有爲在謳歌人權民主的同時，對封建專制帝王又展開了猛烈的抨擊。他形象地指出：「一畫貫三才謂之王，天下歸往謂之王。天下不歸往，民皆散而去之，謂之匹夫。以勢力把持其民謂之霸，殘賊民者謂之民賊。」（註三一）甚至振臂高呼，凡是爲民賊者，人人得而殺之可也。所以荀子、孟子都不承認桀、紂是君王，而湯、武誅桀殺紂，不能算是弒君犯上，而是「湯武革命，順天應人」。康有爲還指出：「司馬遷《史記》立項羽爲本紀，陳涉爲世家，見秦王無道，人人皆得而誅之，而陳涉、項羽首先亡秦，可以代秦，是亦一湯、武也。」（註三二）康有爲敢於大膽地把農民起義的領袖陳涉、項羽看作向來被尊爲聖人的湯、武，不啻向神聖不可侵犯的封建君主投了一顆炸彈。

應該指出，康有爲在《孔子改制考》中運用的是今文經學的軀殼，而進化論才是其主宰一切的靈魂。早在「公車上書」之前，康有爲已從西書中呼吸到了一點進化觀念的新鮮空氣，在一八九六年，看到嚴復《天演論》的譯稿後，深爲其中闡述的新道理所折服，更堅定了這種新的世界觀，並很快地將它吸取來構造「改制」的理論體系。他在《孔子改制考》中寫道：「凡物積粗而後精生焉，積賤而後貴生焉，積愚而後智生焉，積土石而草木生，積蟲介而禽獸生，人爲萬物之靈，其生尤後者也。」（註三三）由生物進化推及歷史進化和社會進化，是康有爲學習西方自然科學和生物進化論的結果。誠然，系統地把西方的進化論譯介給中國人是嚴復的不朽業績，但是把進化論注入公羊「三世」說，改造傳統的歷史倒退論和歷史循環論，則是康有爲匠心獨運的貢獻。以近代自然科學的進化思想和資產階級民主要求爲基本內容，建立了一個完整的理論體系，是康有爲建立的前無古人的歷史功績。梁啓超說：「先生之哲學，進化派哲學也。中國數千年學術之大體，大抵皆取保守主義，以爲文明世界在於古時，日趨而日下。先生獨發明《春秋》『三世』之義，以爲文明世界在於他日，日進而日盛。蓋中國自創意言進化學者，以此爲嚆矢焉。先生於中國史學，用力最深，心得最多，故常以史學言進化之理。」（註三四）這裏不免有學生對老師的崇敬，但康有爲確是近代中國以進化論治史學，以歷史言進化的先驅。進化論學說大大開拓了康有爲的眼界，他把古老的「三世」說淨化爲不再是「一治一亂」的僵化公式，而描繪出過去、現在、未來的社會進化歷程，並且指出今後歷史將繼續向進步方向發展的趨勢。康有爲這種進化論歷史觀，不僅是對當時阻礙中國社會向前發展的封建專制主義的有力一擊，而且也是對哲學史上傳統的「今不如古」的退化歷史觀的一次清算。

康有爲的《孔子改制考》充滿了驚世駭俗的新穎議論。這在處於封建桎梏和學問饑餓中的知識界、學術界引起了極大的震動，促進了知識分子思想解放的波瀾，也引起了頑固勢力的極端仇視。王先謙、葉德輝等封建頑固派，甚至猖狂地辱罵他「無父無君」，要求清政府把他處死，洋務派官僚張之洞，還特意寫了一本《勸世篇》與之相抗衡；就是傾向維新的開明官僚陳寶箴、孫家鼐也奏請皇帝下詔把《孔子改制考》毀版。從各方面反應的强烈，不難看出這本書的社會影響是多麼深巨，無怪梁啓超把《孔子改制考》一書的出世，譽爲晚清思想界的「火山大噴火」了。

《新學僞經考》和《孔子改制考》是康有爲變法理論的兩個理論環節，她們是前後呼應，互相補充的姐妹篇。如果說，《新學僞經考》的主要內容和目的是爲了指明東漢以來所傳儒家經典大部分是劉歆所僞托，從而湮亂了孔子的「微言大義」；那麼，《孔子改制考》就是以「六經」爲孔子托古之作，從正面來闡明孔子的「改制大義」。誠如康有爲自己表白的，他著《僞經考》意在「別其眞贋」，撰《改制考》則專門「發明聖作」（註三五）。就內容來看，《僞經考》的確還散發著今文經學的濃厚氣味；《改制考》宣傳的則是資產階級維新變革的理論。

在康有爲的筆下，孔子是一位勇於建設新學派（創教），善於鼓舞人創作精神的大學問家，被塑造成維新運動的開山祖師，巧妙地利用革新家孔子來向封建頑固保守勢力作鬥爭，並引導學者對數千年來共認爲神聖不可侵犯之經典，持懷疑和批評態度。從湖南人蘇輿編輯的《翼教叢編》及其序言中，不難看出封建頑固勢力對這兩本書的仇恨和恐懼，他說：「甲午以來，外患日逼。皇上慮下情之壅閼，愍時難之勿拯，情求通達時務之士，言禁稍馳，英奇奮興；而傾險淫詖之徒，雜附其間，邪說橫溢，人心浮動。其禍始肇於南海康有爲，弟子梁啓超張其師說，其言以《新學僞經考》、《孔子改制考》爲主，而平等、民權、孔子紀年諸說輔之。僞六籍，滅聖經也；托改制，亂成憲也；倡平等，墮綱常也；申民權，無君上也；孔子紀年，欲人不知有本朝也。」（註三六）簡直是十惡不赦，罪該萬死！

康有為在所謂「孔子聖意改制」的護身符下，對抗著「離經叛道」、「非聖無法」的壓力，保護著自己的改革變法主張，證明自己的政治思想和變法主張的「合乎古訓」和無可非議。聰明的康有為借用孔子的威名，並穿著聖人古老的神聖服裝，在神秘奇異的公羊「三世」說的帷幕掩蓋下，以進化論的歷史觀為軸心，演出了中國近歷史上的新場面。對此，梁啓超曾有過精闢的評論，他說：「（康有為）以為生於中國，當先救中國。欲救中國，不可不因中國人之歷史習慣而利導之。又以為中國人公德缺乏，團體散渙，將不可以立於大地，欲從而統一之，非擇一舉國人所同戴而誠服者，則不足以結合其感情，而光大其本性，於是乎以孔教復原為第一著手。先生者，孔教之馬丁路德也。」（註三七）

康有為利用今文經學中變易的哲學，發揚古代優秀思想遺產的作用，托古改制，創教立法，不僅僅是為自己的改革主張塗上一層保護色，更重要的是作為爭取團結企望變法維新救亡圖存的知識分子們的旗幟。所以說康有為用今文經學為中國的資本主義尋找出路，是有進步意義的；他借用今文經學的詞句來介紹資本主義思想，比較容易為具有開明傾向的封建知識分子所接受，在當時也不失為一種必要的切實可行的方法。康有為不但抬出孔夫子，而且還要把他提高到基督的地位，「尊之為教主」，就是企圖借用長期支配封建士大夫的聖人名號，通過某些帶有宗教意味的形式，如奉孔子為教主，用孔子紀年等，使孔教變為宗教，讓追隨維新的人們在這宗教信仰和宗教激情中團結奮鬥，推進變法維新事業。不言而喻，康有為的「孔教」，實際上是提倡改革進化「三世」「大同」的「孔教」，是與封建頑固保守的聖人正相背道而馳的資產階級化的「孔教」。這個改革過的「孔教」，是符合新興資產階級政治經濟利益的新宗教。而康有為正是靠了《

新學僞經考》和《孔子改制考》這兩部力著，造成了維新運動領袖的地位。那時候所有進步的知識分子，誰不佩服「南海康先生」！不過，康有爲把中國專制主義思想統治的起點，劃在兩漢之際，指劉歆爲亂變孔子之道的禍首，這既不符合歷史事實，也是不公正的。在《孔子改制考》中，他又把歷代王朝美化的封建主義偶像孔子，說成是受命於天，爲萬世制法的中國耶穌，沉湎於非科學的神學說教之中。則更加離開了歷史的眞實。在著書立說的過程中，康有爲師法陸王心學「六經皆我注腳」的手法，先按自己的主張立論，然後搜集資料求證，從儒家經典的字裏行間穿鑿附會出原書所無的「大義」。這充分說明，康有爲猛烈抨擊劉歆，而自己的行動正是模仿的劉歆；康有爲竭力宣傳孔子「托古改制」，而自己的行動正是要求「托古改制」。這又表明，康有爲的政治思想中因襲了大量的封建主義思想內容。儘管如此，其言其行也爲清朝統治者所不容。然而，清政府可以下令焚毀康有爲的書，可以羅織罪名揚言要殺他的頭，但康有爲的著作和學術思想仍然衝破種種障礙風行海內。這一歷史經驗證明，任何一種學術觀點，任何一種理論或著作，要靠權力强制推行都是行不通的；而任何一種學術觀點或學派，靠任何方式的强力也是壓不服、撲不滅的。

【附註】

註　一　王闓運（一八三三——一九一六），湖南湘潭人，字壬秋，室名湘綺樓，咸豐舉人。曾主講成都尊經書院、長沙思賢講舍、衡州船山書院，治《春秋公羊傳》，宗今文經學，詩文摹擬漢、魏、六朝，爲當持擬古派所推重。

註　二　俞樾（一八二一——一九〇七），浙江德清人，字蔭甫，號曲園，道光進士。學問淵博，對群經、諸子、語言、訓詁，以及小學、筆記，皆有撰述，爲乾嘉學派後期的代表學者。

註　三　沈曾桐（一八五三——一九二一），浙江嘉興人，字子封，光緒進士，列名强學會，力主救亡圖强的維新志士。

註　四　梁啓超《清代學術概論》，中華書局一九五四年版，頁五七。

註　五　皮錫瑞（一八五〇——一九〇八）湖南善化（今長沙）人，字鹿門。因景仰西漢《尙書》今文學大師伏生，署所居名「師伏堂」，學者因稱師伏先生。博貫群經，創通大義，爲晚清經學大師之一。因縱論變法改革，被清政府革去舉人身份，逐回原籍管束。引見《師伏堂未刊日記》。

註　六　梁啓超《論中國學術思想變遷之大勢》，《飲冰室合集》文集之七。頁九九。

註　七　梁啓超《清代學術概論》，中華書局一九五四年版，頁五六。

註　八　朱德裳《三十年聞見錄》，岳麓書社一九八五年版，頁五三一五四。

註　九　梁啓超《與嚴幼陵先生書》，《飲冰室合集》文集之一，頁一一〇。

註一〇　康有爲《康南海自編年譜》，《戊戌變法》（四），頁一三六。

註一一　蔣師轍《臺遊日記》卷四，頁二十。

註一二　譚嗣同《壯飛樓治事十篇》，《譚嗣同全集》下冊，中華書局一九八一年版，頁四三六。

註一三　劉歆（約西元前五三一西元後二三），字子駿，沛（今江蘇沛縣）人，西漢古文經學的開創者。曾因爭立《左傳》、《毛詩》、《逸禮》、《古文尙書》等古文經於學官，同今文經學博士激烈辯論，後幫助王莽建立新朝，被封爲國師。地皇末年（西元二三年），謀誅王莽，事泄後自殺。

註一四　《史記》無《河間獻王傳》、《魯恭王傳》，記二王事均見《五宗世家》。

註一五　康有爲《新學僞經考·序目》，古籍出版社一九五六年版，頁二。

註一六　康有爲《新學僞經考·序目》，古籍出版社一九五六年版，頁二一三。

註一七　康有爲《新學僞經考·序目》，古籍出版社一九五六年版，頁三。

註一八　張伯楨《康南海先生講學記》（未刊稿），廣東省社會科學院歷史研究所藏。

註一九　梁啓超《清代學術概論》，中華書局一九五四年版，頁五六。

註二〇　康有爲《新學僞經考》，古籍出版社一九五六年版，頁十五。

註二一　梁啓超《清代學術概論》，中華書局一九五四年版，頁五六一五七。

註二二　皮錫瑞《師伏堂未刊日記》，《湖南歷史資料》一九五九年第一期。

註二三　康有爲《孔子改制考》，中華書局一九五八年版，頁四八。

註二四　康有爲《孔子改制考》，中華書局一九五八年版，頁二八五。

註二五　康有爲《孔子改制考》，中華書局一九五八年版，頁二四四。

註二六　張伯楨《康南海先生講學記》（未刊稿），廣東省社會科學院歷史研究所藏。

註二七　康有爲《孔子改制考》，中華書局一九五八年版，頁二六七。

註二八　梁啓超《論中國學術思想變遷之大勢》，《飲冰室合集》文集之七。頁九九。

註二九　康有爲《孔子改制考》，中華書局一九五八年版，頁二八三。

註三〇　康有爲《孔子改制考》，中華書局一九五八年版，頁二九四。

註三一　康有爲《孔子改制考》，中華書局一九五八年版，頁一九五。

註三二　康有爲《孔子改制考》，中華書局一九五八年版，頁四一〇。

註三三 康有爲《孔子改制考》，中華書局一九五八年版，頁九。

註三四 梁啓超《康南海先生傳》，《飮冰室合集》文集之六，頁七二。

註三五 康有爲《春秋筆削大義微言考序》，《康有爲政論集》上冊，中華書局一九八一年版，頁四六九。

註三六 蘇輿《翼敎叢編序》。

註三七 梁啓超《康南海先生傳》、《飮冰室合集》文集之六，頁六七。馬丁・路德（Martin Lutner，一四八三——一五四六），維登堡大學神學教授，十六世紀德意志宗教改革運動的代表人物，基督教（新教）路德教派的創始人。他主張建立沒有教階，沒有繁縟儀式，適合中產階級要求的廉儉教會，其宗教觀點反映德意志新興資產階級要求建立自己教會的願望。

——原載《康有爲大傳》（瀋陽：遼寧人民出版社，一九八八年七月），頁一四八——一七七。

劉師培的漢、宋學觀

陳　奇

清代漢學鼎盛，而宋學作爲官方經學，仍有相當勢力。作爲一個經學家，劉師培自然必須表明自己對漢、宋學的態度。劉師培治經以古文爲宗，兼采今文，因此，他的漢、宋學觀不能不受到這個基本立場的制約。他的一生又是與政治相始終的一生，因此，他的漢、宋學觀又與他的政治立場密切相關。本文的評論，將限於劉師培革命時期的漢、宋學觀。

一、「考古不能知今，則為無用之學」

清代漢學，又稱清代古文經學或樸學。鴉片戰爭前後，社會危機嚴重，各個階級都在尋求挽救危機的辦法，紛紛起來批判漢學的避世、墨守和瑣碎，今文經學崛起。二十世紀初年，今文經學走向沒落，古文經學趁隙再起。政治的復興需要學術的復興，學術的復興需要學術風氣的轉變。劉師培要以古文經學言政，就必須進一步批判漢學的弊端。他說，清代漢學，可以用「考證二字」概括之。泥古墨守之學，以吳派爲典型，其治經不外摭拾校勘。「摭拾之學，掇次已佚之書，依類排列，單詞碎義，博采旁搜。校勘之學，考訂異文，改異殊體，評量於字句之間，以折衷古本。」他認爲，吳派創始人惠棟，迷信漢代經說，雖一字不敢改易，「寡於裁斷」；其弟子余蕭客，「篤於信古，語鮮折衷」；王鳴盛「膠執古訓，守一家之言而不能自出其靈性」（註一）。江北學者，雖有皖派中戴震少數人例外，也難免漢學弊病。「自漢學風靡天下，大江以北治經者，以十百計，或守一先生之言，累世不殫其業，或緣詞生訓，歧惑學者。……吾閱江氏《漢學師承記》，吾郡窮經之士，遠過他郡，然求其所謂不尙墨守者，十不得一焉」（註二）。吳派、皖派而外，爲群經作疏者「大抵匯集古義，鮮下己見，義尙墨守，例不破注，遇有舛互，曲爲彌縫，惟取精用弘，或出舊疏之上。殆所謂述而不作，信而好古者，與摭拾校勘之學殊途同歸，特有拓充不拓充之殊耳。」（註三）劉師培把這派人稱爲「叢掇派」，指出其所爲是治經者完全喪失了進取心的表現，他們「捨大綱而營末節，其經營創設，不過繁文褥禮之微」（註四）；他們「尋究古說，摭拾舊聞」，「務於物名，詳於器械」，但「違於別擇，昧厥源流，……不能統其大義之所極」；此風既開，轉相仿效，「累言數百，易蹈辭費之譏。碎細卑狹，文采黯然。」（註五）

漢學的崇古墨守，是它政治上逃避現實的反映。劉師培指出，這種學風，「詳於考古，略於知今」，貽害無窮（註六）；他强調：「考古不能知今，則爲無用之學」（註七）。爲知今而考古，這正是明末清初顧炎武、黃宗羲等人的治經學風。他寫道：「黃宗羲崛起浙東，稍治實學」（註八），顧炎武「以濟世之弘才，抱艱貞之大節，而說經稽古，亦深寧、東發之儔」（註九）。顧、黃等人起來批判理學的空疏，提倡考證訓詁之學，以經世致用、反清復明爲指歸，是爲清代漢學復興的先導。劉師培主張恢復、弘大漢學萌芽時期的經世思想，從避世、墨守中解脫出來。

乾嘉漢學就其主流來說是避世、墨守的，但談天說地者亦不乏其人，皖派創始人戴震就是代表。清代漢學家，劉師培最推崇的就是戴震，著述中屢屢提及，稱之爲清代漢學的「集大成者」。戴震不僅長於考證，成就遍及經學、小學、天文、曆算、輿地，而且不爲古人所惑。「會通古說，匡違補缺，則異於拘墟；辨名異詞，以參爲驗，則異於棱模；實事求是，以適用爲歸，則異於迂闊」，「慎思明辨」，「咸爲前人所未發」（註一〇）。劉師培推崇戴震，更在於戴震在文網羅織的高壓時代，一反學人的避世態度，在《孟子字義疏證》等著述中，借詮釋經義，猛烈抨擊理學存理滅欲說，抒發了普通人求生存的欲望。他說：「東原作《原善》、《孟子字義疏證》，其理最精深，……詮明理欲，竟勝宋儒，近世先師，莫之或先」（註一一）。戴震而外，劉師培推崇的是汪中。汪中自述治經「實私淑顧寧人處士，故譽推六經之旨，合於世用，及爲考古之學，惟實事求是，不尙墨守。」（註一二）又治諸子學，將荀、墨之學與孔學平列，否定孔學的獨尊地位，發人之不敢發。汪中深得顧炎武治學精旨，也是揚州學派得力人物。劉師培說，他自「束髮受經」，即「服膺汪氏之學」（註一三）。他把戴、汪等人稱爲「徵實派」，說他們治經「好學」而「深思」，「悉以心得爲憑」（註一四），是學者富於進取心的表現。

劉師培「思述先業」，宗於古文，但他不是那種甘於寂寞的學究。他批判清代漢學的避世墨守，推崇戴震，服膺汪中，主張在考證基礎上「慎思明辨」，斷以己見，「統其大義」，以「適用爲歸」；主張說經「貴有新義」，「深思獨造」，「爲前人所未發」。學風轉變往往是政治變革的先聲，學術上的開放、進取與政治上的革新、解放是相通的。在新的歷史時期，劉師培的「深思獨造」便成爲了新的階級要求否定封建專制制度、建立民主共和國的吶喊呼號。他公開宣言，他研究經學是爲了以「先王舊典」「證中國典制之起源，觀人群進化之次第」，預測中國未來社會應當循行之「來轍」（註一五），爲資本主義取代封建主義的事業造輿論。

二、批判存理滅欲觀，肯定「良知」說

明末，理學走向衰落，成爲衆矢之的，但在清代，它仍然是官方

「正學」。清朝最高統治者特別看重理學，推崇理學，籠絡了一批理學家，稱他們爲「理學名臣」，給予高官厚祿；規定科舉考試以朱注爲準，擢拔重用者多理學家流。理學成爲清朝統治精神支柱中的頂梁柱。清朝一代，具有進步思想的經學家，從清初的顧炎武、黃宗羲，到乾嘉時代的戴震，再到戊戌時期的康有爲，莫不對理學大張撻伐。二十世紀初年，劉師培等人以反滿共和爲旗幟，把對理學的批判與對清朝封建專制制度的批判結合起來，使批判具有了新的意義。

在經學各派中，劉師培攻擊今文，檢討漢學，而申斥最厲的是理學，又特別是清代理學。其原因，從學術方面看，在於他是一位古文經學家，在今、古文的對立中，他貶抑今文；在漢、宋學的對立中，他則貶抑宋學。從政治方面分析，則在於他的反清革命立場。既然理學是維繫滿清貴族統治的「正學」，他批判矛頭當然不能不首先指向理學。他稱清代理學爲「僞學」，根本否定理學的合法地位。他說，自清初湯斌、陸隴其「以僞行宋學」而「配享仲尼」以後，「僞學之風昌」（註一六）。他指出：「中國民氣積弱之原，實出於僞學之鼓煽」（註一七），對「理學名臣」們爲滿洲貴族效勞的卑劣操行，他表示了極端的鄙夷。他寫道，湯斌雖「受學夏峰，然靦顏事虜，官至一品，貽儒學之羞」；陸隴其「口誦洙泗之言，身事氈裘之主」；此後，「前有二魏，後有李光地，爲學均宗考亭、裔介，光地尤工邪佞，鬻道於虜，炫寵弋榮」（註一八）。

劉師培的批判，首先指向理學的存理滅欲說，理學從維護封建專制統治、防止人民反抗鬥爭的目的出發，把封建的三綱五常倫理論證爲先於天地萬物、至高無上、永恒存在的「天理」，要求人們爲維護這個「天理」的存在而放棄正常的物質生活欲望和要求，即所謂「存天理，去人欲」，「革盡人欲，復盡天理」。在封建社會走向衰落的時期，理學撕下了早期儒學中稱天制君、敬天保民的溫柔面紗，冷酷地蔑視一般人的生存權利。存理滅欲說成爲宋元明清歷代統治階級殘酷壓榨廣大人民的理論依據。劉師培批判道，存理滅欲說「以天理爲公，以人欲爲私，惟斷私克欲，天理乃存」，把封建統治階級一己之私，說成是天下之大公，把廣大民庶的生活欲望，說成是一己之私，這種說教，「近於逆民」（註一九）。他引用戴震的話揭露道，存理滅欲說是「以權利之强弱定名分之尊卑，於是情欲之外別有所謂義理，三綱之說中於民心，而君上之尊遂無起而抗之者矣。」（註二〇）理學家把「理」稱爲「天理」，把它說成是「渾全之物」，「絕對之詞」，從而得出有人欲必無天理，存天理必去人欲的結論。劉師培否定了這種理源於天的說法，對理的來源作了相反的解釋，認爲「心理由物理而後起」，「蓋心與物接，即有辨別事物之能。由智生斷，理由辨別而後明義，由裁斷而後見。」（註二一）又說：「理生於欲，情得其平，是爲循理」（註二二）。理由欲出，使欲望之情得到公允的滿足，就是「循理」。不是否定人們的生活欲望，扼殺人們的生活欲望，而是要公正地滿足這種欲望。他揭示「去欲」主張的荒謬性說：「人無欲則不生，亦無欲，則人無所營」。人們的行爲產生於欲望，失去了「飲食男女」之欲，人自身也就不存在了，更談不上有所作爲。他承認，理欲之間也有不協調的時候，「特過用其欲，則好惡以偏；或不知反躬，奪人所好，而以人所惡加人，則欲由善而爲惡矣」。但是，解決這種不協調的辦法，不能是理學家的去欲、滅欲，只能是對欲望加以適當限制。「古人言寡欲、節欲、復言欲不可縱，所以戒民之恣情縱欲耳，曷嘗有去欲、滅欲之說哉。」（註二三）革命時期的資產階級，一方面對民衆的生活境遇表示同情，借以爭取自己的同盟軍；同時又趕緊聲明「欲不可縱」，必須加以適當限制。

存理滅欲說是宋學「理在氣先」唯心主義哲學體系在社會觀方面的體現和運用，它顚倒了社會存在和社會意識的關係，把屬於意識範疇的所謂「天理」看作先天的、第一位的東西。劉師培從「感物而動」這個基本認識出發，對理學家慣於空談的心性理欲作出闡釋，試圖說明「理生於欲」，進一步揭示存理滅欲說頭腳例置的錯誤。

他首先解釋「性」說：「性字從生，指血氣之性言也；性字從心，指心知之性言也」。他又解釋「心」爲腦髓，「知」爲感物後「心」所進行的思維活動。照此說來，則「血氣」指人的肉體，「心知」指人腦所具有的認識能力。「人性具於生初」，「性無善惡」（註二四）。在他那裏，「性」是人生而具有的、能夠獲得認識的物質前提。

人腦如何產生意識呢？劉師培强調「感物而動」是所有思維活動發生的基礎。他說：「人雖腦髓最靈，然人心本靜，感物而動。天下事事物物，惟與四體五官相觸，始由腦筋達腦髓，以生辨別之能。……若身體未與物接，則人心雖靈，而比較分析之能亦無由而表見。」他將人的意識活動過程劃分爲知、情、意、欲等逐步深入的階段。「知」是人與物接後人腦開始的第一步思維活動：「自四體五官日與外物相接，外有所感，則心有所知」。由知生情：「由感生智，由智生斷，而事物之好惡既形，則人心之愛惡亦緣是而生，故有知而後有情。」由情生意：「情有所惡，非惟惡之而已也，必決斷其不可爲；情有所好，亦非惟好而已也，必斷其可爲。且非決斷其何爲已也，好之既切，必萌欲得之心，欲得之心既萌，則心有所營，此即所謂意也。意生於情，有情而後有意。」（註二五）由意生欲：「感物既多，心念既起，則心有所注；心有所注則意有所求，意有所求，不得不思遂其志，而欲念以生。」（註二六）由知、情、意到欲，都是一種「感物而動」的「心念」，是不同認識階段上的「心念」，而「欲」，則已經是意識活動的最後一步，是深思熟慮的、準備付諸行動的打算、計劃，是實踐活動的前奏，已最接近於實踐活動了。「本意中所欲營

者見之於事，是爲之行。」（註二七）

在這裏，劉師培描述了人由「感物而動」而產生知、情、意、欲的過程，對知、情、意、欲的產生作了唯物主義的解釋，也觸及到了將這種欲求付之爲「行」，即通常所說的人們以自己從客觀外界得到的認識爲指導進行實踐的問題。可惜，他的認識論只到這裏，沒有能夠繼續下去。他沒有意識到，人們從「感物而動」而發生的知、情、意、欲等思維活動中，已初步得出了一些屬於「理」（即認識）的東西；他也沒有認識到，正是在由「欲」到「行」，即將認識付諸實踐的過程中，人們的認識才得到了昇華和趨於完善，從而產生了更高級的「理」。他看到了欲「見之於事，是爲之行」，欲已接近於行，但沒有看到正是由欲引起的行才產生了更高級的「理」。因此，他在批判存理滅欲說的過程中儘管作出了「理生於欲」的結論並力圖說明它，但始終未能把理欲關係溝通。這種局限性，來自於他唯物思想的直觀性和認識思想的膚淺性。

劉師培闡述理、欲、性、情是與批判王學主觀唯心主義的「格物」說聯系在一起的。格物說最早出自《禮記・大學》：「致知在格物，格物而后知至。」對此，後世經學家的解釋多不同。朱熹儘管在整個哲學體系上是顛倒的，但他解「格物」爲即物窮理，承認接觸事物是獲得認識的途徑之一，具有唯物的因素。王守仁解「格」爲「正」，「物」爲「事」，又認爲事由意生，所以「格物」就是「正心」，正人心中不正的意念使之歸正。這樣，王守仁的「格物」就與外間事物毫不相干，「格物之功只在身心上去做」，成了十足的主觀唯心主義。劉師培質疑道：「如陽明之說，訓格爲正，則格物即正心矣，《大學》何必區而二之乎？」（註二八）他揭示王陽明如此立說的用意是「以去不正之意念解格物，由此義而引伸，即爲去人欲、存天理。」他指出，王守仁的格物說違背了「感物而動」的認識規律：「訓格爲正，則格物即正心，即既捍御外物，則感物日稀，與致知之意相反，此陽明之失也」。他闡明，知識的增長來源於與外界事物的接觸：「身有所感，則心有所知，然非以身近物，則人身感物之能不呈，人身辨物之能亦不見。惟日與事物相接，感物日多，經驗斯富，積時既久，遂生比較分析之能。是則知識之增，由於以身近物。」（註二九）一九〇六年，他在《編輯鄉土志序例》一文中說到物種的研究時還提到了用近代自然科學研究中的實驗方法作爲致知的途徑，吸收近代自然科學的成就來批判王學格物說。

理學家存理滅欲，王守仁的格物「正心」，根源於他們唯心主義的宇宙觀。程朱客觀唯心主義認爲，世界的本原是一個超時間、超空間的、永恒存在的、總的「理」，由這個「理」，通過中介工具「氣」而派生出萬事萬物及萬事萬物的、各別的「理」，簡單說來，叫「理在氣先」。陸王主觀唯心主義也認爲精神性的「理」是永恒的、先天的存在，但它根本否認一切客觀的存在，認爲萬物皆備於我，「心外無物，心外無事，心外無理」，「宇宙便是吾心，吾心便是宇宙」，宇宙與我渾然一體，完全泯滅了主觀與客觀的界限，取消了主觀與客觀的對立，用主觀完全吞併了客觀。簡單說來，叫「心即理」。這樣，他們的窮理、索理便不能不走向歧途，「遺棄事物，索之冥冥之中」，「侈言義理，求之高遠精微之地」（註三〇）。劉師培明確指出：「謂心能知物可也，謂物由意造不可也，安得謂物備於我，而我外遂無物乎」（註三一）。一九〇六年，他在《中國哲學起原論》文中說，宇宙起源於渾沌火氣，依據當時西方的天體學說，對世界的本原作出了唯物的而非唯心的回答。根據這種認識，他得出了「吾心之所辨者，外物之理也」，理由「心與物接」而出的結論（註三二）。

劉師培的哲學沒有形成完整的體系，他的哲學思想散見於有關著述中，主要見於前期論及理學的文章。他的哲學思想受戴震影響很大，許多地方直接吸收了戴震的學說，而較戴震又有所進步，例如「心」當爲腦髓而不是臟腑之一的說法，通過實驗認識事物的觀點，以及進化論學說等。儘管如此，總的看來，他的唯物論仍然還停留在直覺階段。他一再强調「感物而動」，未能認識到人不僅是被動地接受外界事物的刺激並作出反映、判斷，更重要的是他能以過去的認識爲指導積極主動地從事於實踐活動，在實踐中不斷地補充、修正、豐富自已的觀點。實踐是連接主觀和客觀的環節。他的唯物論也是不徹底的和自相矛盾的，例如，他一面在批判理學唯心主義，一面又在吸收理學唯心主義的「良知」說，佛、道的「貴空」論。

類似於對今文經學的又批判又兼取，劉師培在嚴厲批判理學的同時，又在肯定和吸收理學某些思想資料以作資產階級民主宣傳之用。典型的例證，是他借陸王心學，特別是王守仁唯心主義的「良知」說來宣傳資產階級的天賦人權論並激勵資產階級的奮鬥精神。

王守仁的所謂「良知」，指人心中固有的「天理」，也就是說，人人具有自覺奉行封建倫理道德的意識。這種「良知」，是人天生具有的、盡善盡美的；這種「良知」，下至孩提，上至聖賢，人人相同。但是，由於「人欲」的障蔽，各人「良知」保持、顯露的程度大不相同，因而有聖賢與愚不肖者之分。既然人與聖賢的「良知」都相同，而這種「良知」又是與生俱來、不假外求的，則「人皆可以爲堯舜」。「爲堯舜」的辦法是「致良知」，努力袪除「人欲」的障蔽，恢復，顯露、發揮先天固有的「良知」。「致良知」的途徑，只須在心上下功夫，不斷地「正心」改過，使「良知」充分顯露出來，便可以達到聖賢境界。王守仁的「良知」說，從政治上看，是要以攻心爲上，消弭人民的叛逆反抗心理；從哲學上看，是極端的唯心主義。然而，

「唯心主義卻發展了能動的方面，但只是抽象地發展了，因爲唯心主

義當然不知道眞正現實的、感性活動的本身的」（註三三）。把王守仁的「良知」說抽象開來，便可以發見在「吾心主宰一切」、「萬物皆備於我」等言辭後面，隱含著某種重視人的主觀能動作用的因素。劉師培寫道，中國人往往以聖人爲天授，不可躋攀。自王陽明提倡「良知」說，「以爲聖人之道吾心自足，不假外求」，以爲人人「良知」既同，「所謂堯舜與人同耳」，於是自卑心理一掃而空，普通人民「亦可反求而入道」，「不復以流品自拘」，日益增長崛起奮進的自信心，「凡建一議作一事，即可任情自發，不復受旨於他人。」（註三四）因此，「良知」說足可以「促愚民奮發有爲之氣」，足可以「促平民競爭權利之心」。他進而把這種「良知」說與佛、道的虛無主義結合起來，把它作爲激勵革命犧牲精神的理論基礎。「凡良知學派立說，咸近於唯心，故陽明之徒多物我齊觀，死生平等，不爲外俗所移，亦不爲威權所惕，而濟世濟民，所益尤多。……既主貴空之論，即能不以禍福攖其心；禍福不能攖其心，故任事慷慨，克以臨危而不惑。」他明確表示：「是處今日之中國，其足以矯正世之弊者，莫若良知學派之適用矣」，如果人人都這樣，「則愛國之士必接踵於天下。」（註三五）叛逆需要勇氣，革命會有犧牲。在他看來，只要把世間一切看爲虛幻空無，物即我，我即物，生即死，死即生，利即害，害即利，禍即福，福即禍，就能不爲名利所誘，不爲權勢所懼，不因挫折而氣餒，不因死節而退縮，勇往直前，義無反顧。

在推翻封建專制制度的生死大搏鬥中，革命黨人是需要自信心和犧牲精神的。劉師培以陸王的心學，佛、老的「貴空」來激勵自信心和犧牲精神，這對於培養革命者的情操具有一定的作用。但是，靠唯心主義的小資產階級狂熱性及宗教幻覺激發起來的革命奮進精神是不能持久的。「這種革命狂熱動搖不定，華而不實，有一種很快就轉爲俯首聽命、消沉頹喪、耽於幻想，甚至轉爲『瘋狂地』醉心於這種或那種資產階級的『時髦』思潮的特性。」（註三六）一旦革命遇到挫折、失敗，便會灰心、絕望，或鋌而走險，或頹唐墮落。劉師培本人由「激烈派第一人」變爲暗探的經歷，就是一個典型。以爲不必依據對客觀規律的正確認識就可以培養革命自信心和犧牲精神，只能是一種幻想。

劉師培又用「良知」說與盧梭「天賦人權」說相互印證，闡述人生而具有平等自由的權利。他寫道，盧梭認爲人的平等自由權利是人生而具有的，王陽明也認爲人的「良知」得之於天；盧梭認爲，平等是人權的內容之一，照王陽明堯舜與人同此「良知」的說法，則「良知」也是一種平等；盧梭認爲，人權的又一內容是自由，照王陽明「良知」受之於天的說法，則「良知」也應當無所憑籍，不受任何約束，「所謂良知即自由權可矣」（註三七）。所以，「良知之說實與天賦人權之說相同」（註三八），「陽明著書雖未發明民權之理，然即良知之說推之，可得自由平等之精理」（註三九）。他運用盧梭的近代資產階級民主學說，對王守仁封建時代的「良知」說作出了新的解釋和闡述，說明「良知」即自由平等，在陳舊的外殼中灌注進新的汁液，爲我所用。他又用王守仁的「良知」說爲盧梭的西方資產階級民主學說作了中國化的、爲中國人易於理解的解釋，說明「天賦人權」即「秉於天」的「良知」，「自由平等之精理」即寓於「良知」說之中；並試圖說明，盧梭的自由平等觀，早已存在於中國古哲王守仁的學說中，因而今日的中國更不能不實行。在他筆下的「良知」說，成爲了反對封建等級制度，鼓吹資產階級自由平等的理論佐證。

劉師培對「良知」說的利用，其積極意義是不言而喻的。問題是，他在利用的時候未能揭示「良知」說的實質。王守仁的「良知」說雖含有「人之得於天者皆同」的思想，但王守仁的主觀意圖，是在說明封建的綱常倫理是人生而具有的「良知」，人們應當去人欲，「致良知」，自覺地奉行封建綱常倫理。王守仁的「良知」說，不是爲普通人，更不是爲資產階級爭自由、爭平等的，而是爲了維護封建等級制度。這個「良知」說與盧梭的「天賦人權」說在形式上都是唯心主義的，在內涵上卻南轅北轍。劉師培未能洞悉二者的區別，只是把它們簡單地等同起來。因此，劉師培對「良知」說的解釋雖有其積極的、值得稱道的方面，但又有極大的局限性。

劉師培對「良知」說毫無保留的肯定和吸收，反映出他哲學觀的自相矛盾和不徹底性。作爲資產階級革命派，他需要唯物主義，以便宣傳資本主義取代封建主義的合理性；作爲與封建文化聯繫過深的國學巨子，他又習慣於從舊學中尋找思想武器，把唯心主義作爲救世的良方。隨著時間的推移，他哲學上的唯心主義色彩逐漸濃厚。一九〇七年，他在《利害平等論》一文中明稱「世界亦爲人心所構」，正式標志著他在哲學上的倒退，成爲他政治上倒退的先聲。

三、「薈萃漢宋」與揚漢抑宋

劉師培吸收、利用理學，其原因固然在於現實鬥爭的需要，同時也與他的「兼收並采」思想有關。在今、古文的對立中，他主張「不立門戶」，兼取今文，同樣地，在漢、宋學的對立中，他主張「薈萃漢宋」，反對門戶之見。他認爲，漢學、宋學各有短長，「漢儒說經，恪守家法，各有師承。或膠於章句，堅固罕通，即義有異同，亦率曲爲附合，不復稍更，然去古未遠，間得周秦古義。且治經崇實，比合事類，詳於名物制度，足以審因革而助多聞。宋儒說經不軌家法，土苴群籍，悉憑己意所欲，出以空理相矜，亦間出新義。或義乖經旨，而立說至精。」（註四〇）他認爲，理學內部各有派別，不可一概而論之以空談義理。以南宋義理之學而言，朱學即崇義理而兼崇考證，縱然是陸學的「咸以義理爲主」，也有可取之處（註四一）。理學之中，劉師培較爲看重朱熹，認爲「中國學術，以鄭君、朱子集其大成」（註四二）。他注意從經學的整體角度來考察漢學與宋學，認爲二者流雖不同，而源實同，彼此間存在著共通之處。「夫學問之道，有開必先，故宋儒之說多爲漢儒所已言。」（註四三）例如，漢儒「倫理之學，實開宋學之先聲」（註四四），性、氣問題，體、用問題，「漢儒亦非不言」。宋儒迷信河圖洛書，「然河、洛之說，漢儒亦非不言也。」既然漢、宋各有短長，漢、宋存在共通之處，那麼，彼此間就不應該高築壁壘，誓不兩立。他批評漢學家和宋學家彼此的門戶之見說，漢學家對於宋學家近於情理的內容轉而加以排斥，「於漢學之符合宋學者絕不引援，惟據其異於宋學者以標漢儒之幟；於宋學之本於漢學者亦屏斥不言，惟據其異於漢儒者以攻宋儒之瑕。是則近儒門戶之見也。」而宋學家則譏漢學家「不崇義理，則又宋儒忘本之失也。」（註四五）他主張「薈萃漢、宋之說，以類區別，稽析異同，討論得失，以爲研究國學者之一助焉」（註四六），反對「並有宋一代之學而廢之」（註四七）。

劉師培主張「薈萃漢宋」，反對門戶之見，這並不意味著他沒有傾向。基於古文經學家的立場，他明顯地傾向漢學，揚漢抑宋。《經學教科書第一冊序》評論各派經學得失，其中關於宋學、漢學部份，代表了他的這一立場。他論宋學說：「宋明說經之書，喜言空理，不遵古訓。或以史事說經，或以義理說經，說雖武斷穿鑿，亦多自得之言。」大致以「喜言空理」，「武斷穿鑿」概括宋學，雖肯定它「亦多自得之言」，可以說是基本否定中的肯定。論漢學則不同，其言曰：「漢儒去古未遠，說有本源，故漢學明則經詁亦明。欲明漢學，當治近儒說經之書。蓋漢學者，六經之譯也，近儒者，又漢儒之譯也。若夫六朝隋唐之注疏，兩宋元明之經說，其可供參考之資者，亦頗不乏，是在擇而用之耳。」（註四八）這種肯定漢學的傾向，是由古文經學家「詳於訓詁，窮聲音文字之原」這一特點決定的。對古文經學的偏愛，妨礙了劉師培從哲理的角度去衡量宋明理學的價值和地位。經學關於哲學的部份是先天貧乏的，正是理學改變了舊的傳統，用邏輯的思辨代替了章句的訓詁，實現了經學的哲理化。劉師培低估理學，與他沒有看到理學在中國哲學發展史上的地位是有關係的。

劉師培的漢、宋學觀既受到他基本經學立場的影響，又受到其自身政治立場的影響。當他置身革命陣營的時候，他批判漢學的避世墨守，主張弘揚經世致用的學風；他猛烈抨擊理學，抨擊清朝專制制度，同時吸收其中某些思想資料以宣傳資產階級民主。在他叛變革命以後，就很少提及理學了，偶有提及，也多局限於學術性的爭論。他更像乾嘉時代的漢學家，埋頭於考據之學。他注釋群經、校勘群書的著述，絕大部份作於這個時期；著述中言及時政的內容，同前期相較是大大減少了。政治立場的遷變，極大地影響了劉師培的經學研究。

【附註】

註　一　《南北學派不同論》頁十二、十三、十四，《遺書》第十五冊。

註　二　《揚州前哲畫像記》，《國粹學報》第九期，《文篇》。

註　三　《南北學派不同論》頁十四—十五，《遺書》第十五冊。

註　四　《近代漢學變遷論》，《國粹學報》第三一期，《社說》。

註　五　《南北學派不同論》頁十八—十九，《遺書》第十五冊。

註　六　《地理教科書第一冊序》，《政藝通報》第二三號。

註　七　《爾雅蟲名今釋》，《國粹學報》第二九期，《博物篇》。

註　八　《南北學派不同論》頁十三，《遺書》第十五冊。

註　九　《六儒頌》，《國粹學報》第八期，《文篇》。

註一〇　《南北學派不同論》頁十五—十六，《遺書》第十五冊。

註一一　《六儒頌》，《國粹學報》第八期，《文篇》。

註一二　《與畢侍郎書》，《訄學・別錄》第一卷。

註一三　《六儒頌》，《國粹學報》第八期，《文篇》。

註一四　《近代漢學變遷論》頁一、二、三，《國粹學報》第三一期，《社說》。

註一五　《論孔子無改制之事》頁三六，《遺書》第四五冊；《漢代古文學辨誣》頁一，《遺書》第四四冊。

註一六　《清儒得失論》，《民報》第一四號。

註一七　《讀書隨筆》頁一六，《遺書》第六二冊。

註一八　《清儒得失論》，《民報》第一四號，「二魏」指魏裔介、魏象樞。

註一九　《東原學案序》，《國粹學報》第五期，《學篇》。

註二〇　《中國民約精義》第三卷頁二〇，《遺書》第十六冊。

註二一　《理學字義通釋》，《遺書》第十二冊。

註二二　《東原學案序》，《國粹學報》第五期，《學篇》。

註二三　以上引文見《理學字義通釋》頁七，《遺書》第十二冊。

註二四　《理學字義通釋》頁四、六，《遺書》第十二冊。

註二五　以上引文見《倫理教科書》第一冊頁九、十三，《遺書》第六四冊。

註二六　《理學字義通釋》頁五，《遺書》第十二冊。

註二七　《倫理教科書》第一冊頁九，《遺書》第六四冊。

註二八　《讀書隨筆》，頁十五，《遺書》頁六二。

註二九　《格物解》頁三、一，《國粹學報》第三五期，《博物篇》。

註三〇　《漢未學術異同論》，頁三、一，《遺書》第十五冊。

註三一　《周末學術史序》，《國粹學報》第三期，《學篇》。

註三二　《理學字義通釋》頁一，《遺書》第十二冊。

註三三　馬克思《關於費爾巴哈的提綱》，《馬克思恩格斯選集》第一卷頁十六。

註三四 《國學發微》頁四六，《遺書》第十三冊。

註三五 《倫理教科書》第一冊頁二五、二六，《遺書》第六四冊。

註三六 列寧：《共產主義運動中的「左派」幼稚病》，《列寧全集》第三卷頁十四。

註三七 《中國民約精義》第三卷頁三，《遺書》第十六冊。

註三八 《倫理教科書》第一冊頁二四，《遺書》第六四冊。

註三九 《中國民約精義》第三卷頁三，《遺書》第十六冊。

註四〇 《漢宋學術異同論》頁四，《遺書》第十五冊。

註四一 《國學發微》頁四二、四三，《遺書》第十三冊。

註四二 《左盦題跋》頁十四，《遺書》第六二冊。

註四三 《漢宋學術異同論》頁二，《遺書》第十五冊。

註四四 《兩漢學術發微論》頁十二，《遺書》第十五冊。

註四五 以上引文見《漢宋學術異同論》頁三、七、十二、四，《遺書》第十五冊。

註四六 同上，《總序》頁二。

註四七 《國學發微》頁四四，《遺書》第十三冊。

註四八 《政藝通報》第二三號。

——原載《近代史研究》一九八七年第四期（一九八七年七月），頁一四〇——一五四。

章太炎拆散封建經學的殿堂

姜義華

近代中國民族文化的樹建，既是中國古代傳統文化的繼續與發展，又是古代文化遺產的批判與否定。而封建經學殿堂的拆散，對於堆滿了各種歷史垃圾的地基進行清理，則是建設近代中國民族文化的首要前提。

應當說，在近代中國，康有爲是向封建經學殿堂衝擊的第一個勇士。他把傳統的法定經書統統斥之爲「僞經」，斷言二千年來「聚百千萬億衿纓之問學，統二十朝王者禮樂制度之崇嚴」，都是「奉僞經爲聖法，誦讀尊信，奉持施行」（註一），並認定，正因爲如此，「中國之民遂二千年被暴主夷狄之酷政」（註二）。這些言論，不僅引導人們懷疑經古文，而且將人們引向懷疑儒家經典本身，更進一步懷疑「聖人」孔子本人，這便觸發了對封建經學統治一場狂飆式的衝擊。封建衛道士們視之爲洪水猛獸，群起而攻之，原因也就在這裏。

然而，康有爲並沒有完全脫去孔學的舊服裝。他一邊企圖拆散封建經學的舊殿堂，一邊又努力砌造一座新的經學殿堂。西漢經今文學使孔子的地位上升爲王爲神，又有孔子改制、立三世之義、爲漢及萬世制法等許多奇異詭怪之論，康有爲發現，這一舊瓶很便於裝入新酒。他一面大罵兩千年來崇奉的經書都是僞書，禍害極大，一面又將孔子本人以及儒家六經特別是《春秋》與詮釋《春秋》的《公羊傳》推崇到無以復加的高度。「天既哀大地生人之多艱，黑帝乃降精而救民患，爲神明，爲聖王，爲萬世作師，爲萬民作保，爲大地教主。生於亂世，乃據亂而立三世之法，而垂精太平，乃因其所生之國而立三界之義，而注意於大地遠近大小若一之大一統。乃立元以統天，以天爲仁，以神氣流形而教庶物，以不忍心而爲仁政。合鬼神山川、公侯庶人、昆蟲草木一統於其教，而先愛其圓顱方趾之同類，改除亂世勇亂爭戰角力之法，而立《春秋》新王行仁之制。」（註三）這一段對孔子的褒美，實際上就是康有爲自己試圖建築的新的孔學殿堂的一幅藍圖。康有爲把西漢經今文學，特別是董仲舒的公羊學，說成了解孔學眞諦的唯一法門，要人們「因董子以通《公羊》，因《公羊》以通《春秋》，因《春秋》以通六經，而窺孔子之道本」（註四）。在他的號召與影響下，經今文學確也風靡一時。康有爲這麼做，並非眞正皈依於西漢經今文學，「抱此區區，蓋別有措置也」（註五）。事實上，他的許多經學理論，與西漢經今文學也確乎南轅而北轍。正因爲如此，康有爲無論是在拆毀封建經學的舊殿堂時，還是在精心構造他的孔學新宮殿時，都往往徬徨失據，他的理論也經常是虛構超過事實，臆斷多於論證，主觀脫離客觀。他的理論儘管給人們以很大震動，卻不能使人們眞正信服，結果，便既不能將封建經學殿堂從人們思想中眞正拆除，也不能爲取代它的新的民族文化提供眞正合適的形式。

章太炎拆散封建經學殿堂的努力，既是康有爲工作的繼續，又是康有爲工作的否定。從思想學術界的實際狀況中，章太炎逐步認識到，不切實地批評康有爲的錯誤，廓清他所散布的迷霧，就不可能還孔子與儒學的眞面目，將摧毀封建經學對思想學術界統治的努力確立在科學的基礎上，用眞理去戰勝謬誤，用事實去戰勝種種偏見與謊言。

章太炎曾經遵奉過經古文學，這時又常常借助古文經學的一些舊說來加强自己的立論，但是，只要比較深入地了解他這一時期的整個經學理論，便可發現，他的思想不僅與經今文學相對立，而且也與經古文學相對立；他對傳統經學的研究與批評，完全不是株守經古文學的陳說，構成其主要特色的，其實是近代的歷史與邏輯的批判精神。

什麼是「經」？這是研究傳統經學首先要弄清楚的問題。無論是在經今文學那裏，還是在經古文學那裏，「經」都被解釋成經天緯地、萬古不刊的永恒眞理。班固纂集的《白虎通德論》解釋經的含義說：「經，常也。有五常之道，故曰五經。」（註六）劉熙《釋名》說：「經，徑也，常典也，如徑路無所不通，可常用也。」（註七）鄭玄《孝經注》說：「經者，不易之稱。」（註八）劉勰《文心雕龍》說：「經也者，恒久之至道，不刊之鴻教也。」（註九）這些解釋，不僅爲經今文學、而且也爲經古文學家所公認，它突出了經書的權威性與神聖性，也突出了經義內容的永恒性與適用的普遍性。章太炎的許多文章都論證了這些解釋完全靠不住。

章太炎指出：「世人以經爲常，以傳爲轉，以論爲倫，此皆後儒訓說，非必睹其本眞。」他依據歷史事實說明：「書籍得名，實憑傳竹木而起，以見言語文字功能不齊。」一些書籍之所以名之爲「經」，發端於古代竹簡係用「繩索聯貫」。「經者，編絲綴屬之稱，異於百名以下用版者，亦猶浮屠書稱修多羅。修多羅者，直譯爲線，譯義爲經，蓋彼以貝葉成書，故用線聯貫也。此以竹簡成書，亦編絲綴屬也。」這裏絲毫不包含任何神秘或神聖的意味。同樣，「傳」之得名，「論」之得名，前者是發端於「簿書記事」，後者是發端於「比竹成冊」，也沒有任何特殊的倫理含義。（註一〇）

經書之所以被人們推崇爲無限尊貴，是因爲它們早就與孔子的名字聯繫在一起。按照經今文學家的說法，《詩》、《書》、《禮》、《樂》、《易》、《春秋》都是孔子「制作」，專門用以教化世人，爲千秋萬世確立一整套人們應當虔誠遵守的永恒準則。西漢緯書《春秋緯・演孔圖》說：「孔子仰推天命，俯察時變，卻觀未來，預解無窮，知漢當繼大亂之後，故作撥亂之法以授之。」就是經今文學的代表性論點。康有爲撰著《孔子改制考》，更將這一觀點發展到極點。書中反復宣揚：「孔子受天命，改亂制，通三統，法後王，托古改制。」孔子以前的文物都茫昧難考，所謂夏、商、周三代文教之盛，都是孔子虛擬。「聖人但求有濟於天下，則言不必信，惟義所在。無徵不信，不信民不從，故一切制度，託之先王以行之。」（註一一）正是基於這一思想，孔子方才制作「六經」。康有爲並斷言：「學者知六經爲孔子所作，然後孔子之爲大聖，爲教主，範圍萬世而獨尊者乃可明也。」（註一二）一九〇七年刊行的皮錫瑞《經學歷史》一書也强調：「必以經爲孔子作，始可以言經學；必知孔子作經以教萬世之旨，始可以言經學。」（註一三）對於孔子與六經關係的這些觀點，又該如何評價呢？

章太炎先前也曾附和過經今文學家關於孔子藉助《春秋》「黜周王魯、改制革命」一類說法（註一四）。一八九九年十二月，他發表《今古文辨義》一文，就已拋棄這些觀點，並對這類說法提出了批評。文章所直接針對的，是曾經給康有爲以重大影響的經今文學家廖平。廖平在《群經凡例》和《古學考》等著作中，堅持「六經皆孔子所撰」，說「堯、舜、湯、武之治皆無其事」，孔子是藉助撰述六經「構造是事而加王心」。章太炎在文章中指出，所有這些說法，都與歷史的實際狀況不符。即以堯、舜、湯、武之事而論，不僅儒家經典中談到，九流中的其他八家也曾談到，「八家所說古事，雖與經典不無齟齬，而大致三代以上，聖帝、明王、名臣、才士，亦略不異於群經，且嵬瑣小事，亦有與群經合者」。章太炎反詰廖平：如果堯、舜、文、武之事都是孔子虛構的，那麼，與孔子同時代的這些著述，「使其各爲一術，則孔子以前墳典具在，孔子不能焚去其籍也，彼諸子者，何爲捨實事不言，而同於孔子虛擬之事乎？」文章認爲：「堯、舜、周公適在前，而孔子適承其後，則不得不因其已成者以爲學，其後亦不得不據此刪刊以爲群經」；「六經自有高於前聖制作，而不得謂其中無前聖之成書」（註一五）。在《訄書》修訂本《訂孔》篇中，他又重申了這一論點，說：「六藝者，道、墨所周聞，故墨子稱《詩》、《書》、《春秋》，多太史中秘書。女商事魏君也，衡說之以《詩》、《書》、《禮》、《樂》，從說之以《金版》、《六弢》。時老、墨諸公不降志於刪定六藝，而孔氏擅其威。」（註一六）這就證明，六經並非孔子制作，而是孔子依據舊籍刪定而成；六經中的古代史事也並非孔子杜撰，而是老子、墨子都熟知的陳說。

出獄東渡以來，在說明六經編纂過程時，章太炎則提出了一套較爲系統的理論，主要有以下這樣一些論點：

㈠「古之學者，多出王官」。這個論點早在《漢書・藝文志》就已提出過，儒家、道家、陰陽家、法家、名家、墨家等等，在《藝文志》中，被說成分別出於司徒之官、史官、羲和之官、理官、禮官、清廟之官……。章太炎根據這些記載，進一步從古代歷史的沿革，說明古代學術、文化、典籍完全爲國家所壟斷，「學在王官，官宿其業」，一般人根本沒有受教育和從事學術文化事業的權利。這種狀況一直延續到春秋時代。「世卿用事之時，百姓當家，則務農、商、畜、牧，無所謂學問也。其欲學者，不得不給事官府爲之胥徒，或乃供洒掃爲僕役焉。」在這種情況下，「非仕無學，非學無仕，二者是一，而非二也」（註一七）。這也就決定了那時人們不可能使自己的學說、著述擺脫同官學的聯繫。

㈡經，「本來只是官書的名目」（註一八）。盡管「經不悉官書，官書亦不悉稱經」，可是，就《易》、《詩》、《書》、《禮》、《樂》、《春秋》而言，則毫無例外地，都是「本官書，又得經名」（註一九）。這些官書稱之爲經，並非因爲它們有經天緯地之義，而是因爲它們所書寫的竹簡有特殊的規格，這就是長二尺四寸，三十字一簡，與只有六寸長、只能書寫八個字的手版即傳有別。「原夫古者名書，非有他義，就質言之而已」。（註二〇）這也恰恰證明，《易》、《詩》、《書》、《禮》、《樂》、《春秋》六經，不可能是孔子憑空制作，而只能是由原先的官書刪定改編而成。

㈢「六經皆史之方」（註二一）。章太炎在這一點上堅持並發展了章學誠所提出的「六經皆史」的觀點。他強調說：「《尙書》、《春秋》固然是史，《詩經》也記王朝列國的政治，《禮》、《樂》都是周朝的法制，這不是史，又是什麼東西？惟有《易經》，似乎與史不大相關。殊不知道，《周禮》有太卜的官，是掌《周易》的，《易經》原是卜筮的書，古來太史和卜筮測天的官，都算一類，所以《易經》也是史。」這就表明，「六經都是古史」，「經外並沒有史，經就是古人的史，史就是後世的經」（註二二）。正因爲如此，孔子在編定六經時，便只能「因當官之文」，而決不能憑空制作。章太炎批評「六經皆孔子制作」論者說：「惑者不睹論纂之科，不銓主客。」文辭、義理，此也；典章、行事，彼也；一得造，一不得造。」編撰史籍時，如何措詞，如何評價，可以憑主觀認識的不同，各抒己見；而典章制度和事實本身，則是客觀存在，不能憑空臆造。章太炎並引用孔子自己所說的「述而不作，信而好古」的話，證明孔子在刪定六經時「亡變改」。（註二三）

㈣「孔子問禮老聃，卒以刪定六藝。」而老聃則是管理四方文書與國家文獻典章的史官「柱下史」、「徵藏史」，由此也可了解，孔子所刪定的六經，本是出自史官所收藏管理的故籍。在敘述孔子與老聃這段師承關係時，章太炎還對孔子作了一番很不恭敬的描繪，說：「老子以其權術授之孔子，而徵藏故書，亦悉爲孔子詐取。孔子之權術，乃有過於老子者，孔學本出於老，……而懼老子發其覆也，於是說老子曰：『烏鵲孺，魚傅沫，細要者化，有弟而兄啼。』老子膽怯，不得不曲從其請，……於是西出函谷。知秦地之無儒，而孔氏之無如我何，則始著《道德經》，以發其覆。」（註二四）後來，魯迅即依據這段故事寫成了著名的歷史小說《出關》。徵藏故書，係從老聃那裡詐取而來，再據以刪定而成六經，這也足證，經書並非那麼神聖。

章太炎除去通過這些史實駁斥了六經皆孔子制作、古事皆孔子虛構等論點外，還以比之《訄書・訂孔》更爲尖銳而激烈的言辭，說明了孔子同樣只是一個凡人，而決不是什麼完美無缺的上帝與聖人；孔子刪定六經，在保存古代典籍方面確有很大貢獻，但是，孔子沒有，也不可能爲百世制法；孔子所刪定的六經，不是，也不應當成爲千秋萬代崇奉的神聖經典和永恒教條。

出獄東渡不久，在東京留學生所召開的歡迎會上，章太炎就責備孔子「最是膽小，雖要與貴族競爭，卻不敢去聯合平民，推翻貴族政體」，指出「孔子《春秋》上雖有『非世卿』的話，只是口誅筆伐，並不敢實行的」，孔子本人先是依傍魯君，後來依傍季氏，所教的弟子，也「總是依人作嫁」。章太炎認爲，孔子的這種種品格，都是不足取的。（註二五）

在這之後不久發表的《論諸子學》，可以說是辛亥革命準備時期剝去孔子神聖外衣、深刻批判孔子思想的一篇最有威力的論文。這篇文章指出：「孔子當春秋之季，世卿秉政，賢路壅塞，故其作《春秋》也，以非世卿見志。其教弟子也，惟欲成就吏材，可使從政。而世卿既難猝去，故但欲假借事權，便其行事。是故終身志望，不敢妄希帝王，惟以王佐自擬。」就孔子本人而言，他的最大問題，一是湛心榮利，「苦心力學，約處窮身，必求得讎，而後意歉，故曰：『沽之哉，沽之哉，不沽，則吾道窮矣。』」二是干七十二君，開游說之端，隨時抑揚，嘩眾取寵；三是倡導所謂中庸，「道德不必求其是，理想亦不必求其是，惟期便於行事則可矣」，致使「用儒家之道德，故艱苦卓厲者絕無，而冒沒奔競者皆是」，「用儒家之理想，故宗旨多在可否之間，論議止於函胡之地」（註二六）。這些事實，確鑿地證明了孔子也只是一個凡人，而絕非什麼大聖、神明聖王、大地教主、天下歸往的制法之主。

章太炎給孔子作爲一個歷史學家整理六經、保存古代史事的業績上以高度評價。他說：「孔氏之教，本以歷史爲宗。孔氏者，當沙汰其干祿致用之術，惟取前王成跡可以感懷者流連弗替。《春秋》而上，則有六經，固孔氏歷史之學也；《春秋》而下，則有《史記》、《漢書》，以至歷代書志紀傳，亦孔氏歷史之學也。」（註二七）《春秋》的價值與《史記》、《漢書》相同，而「《春秋》所以獨貴者，自仲尼以上，《尚書》則闊略無年次，百國春秋之志，復散亂不循凡例，又亦藏之故府，不下庶人，國亡則人與事偕絕。……是故本之吉甫史籀，紀歲時月日，以更《尚書》，傳之其人，令與《詩》、《書》、《禮》、《樂》等治，以異百國春秋，然後東周之事，粲然著明。……以詒後嗣，令遷、固得持續其跡，訖於今茲，則耳孫小子，耿耿不能忘先代，然後民無攜志，國有與立。……故《春秋》者，可以封岱宗、配無極。」（註二八）對於孔子熱心教育、不信鬼神而專講修身治國等人間事務，章太炎也給予了肯定與贊揚，說：「有商訂歷史之孔子，則删定六經是也；有從事教育之孔子，則《論語》、《孝經》是也。」「孔氏之功則有矣，變禨祥神怪之說而務人事，變疇人世官之學而及平民，此其功亦敻絕千古。」（註二九）

章太炎承認孔子確有敻絕千古之處，同時又堅持孔子的貢獻也僅僅局限在這些方面。他指出，「今以仲尼受天命爲素王，變易舊常，虛設事狀，以爲後世制法」，其實情況恰好相反。以《春秋》一書而論，「《春秋》二百四十二年之事，不足盡人事蕃變，典章亦非具舉之。即欲爲漢制法，當自作一通書，若賈生之草具儀法者。今以不盡之事，寄不明之典，言事則害典，言典則害事，令人若射覆探鉤，卒不得其翔實，故有公羊、穀梁、騶、夾之傳，爲說各異，是則爲漢制惑，非制法也。」如果認眞考察一下漢代制法的實際情況，那就不難發現：「卒其官號、郡縣、刑辟之制，本之秦氏。爲漢制法者，李斯也。」孔子作《春秋》爲漢制法之說，完全是漢代五經家「欲以經術干祿」編造出來的。至於孔子作《春秋》且爲百世制法這類說法，就更屬荒誕，因爲「法度者，與民變革，古今異宜，雖聖人安得預制之？《春秋》言治亂雖繁，識治之原，上不如老聃、韓非，下猶不逮仲長統。」（註三〇）六經中其他各經，情況也不例外。以《禮經》而論，「《禮經》一十七篇，守之貴族，不下庶人。皇漢迄今，政在專制。當代不行之禮，於今無用之儀，而欲肄之郡國，漸及鄉遂，何異寧人欲變今時之語返諸三代古音乎？」再以《詩經》、《論語》等等而論，其中一些訓辭、格言，後世並非不可沿用，「然人事百端，變易未艾，或非或韙，積久漸明，豈可定一尊於先聖？」章太炎還特別指出：「《春秋》三統三世之說，無慮陳其概略，天倪定分，固不周知。豈有百世之前發凡起例以待後人遵其格令者？」（註三一）

為了使經學不再成爲中世紀的舊神學，也不致蛻變爲一種不倫不類、亦新亦舊的新神學，章太炎提出了經學研究中必須堅持的以下一些原則：

㈠堅持以六經爲古史。「僕聞之，《尙書》、《春秋》，左右史所記錄，學者治之，宜與《史記》、《漢書》等視，稽其典禮，明其行事，令後生得以討類知原，無忘國故，斯其要也。」（註三二）

㈡研究經學是爲了弄清古代歷史實際，而不是爲了所謂「通經致用」。「抑自周、孔以逮今茲，載祀數千，政俗迭變，凡諸法式，豈可施於輓近？故說經者所以存古，非以是適今也。先人手澤貽之子孫，雖汚垢儜劣者猶見寶貴，若曰盡善，則非也。」（註三三）章太炎特別强調指出：「《春秋》斷獄，《禹貢》治河，三百五篇當諫書，無過以典訓緣飾，不即曲學干祿者爲之。……學者在辨名實，知情僞，雖致用不足尙，雖無用不足卑。古之學者，學爲君也；今之學者，學爲匠也。爲君者，南面之術，觀世文質而已矣；爲匠者，必有規矩繩墨，模形惟肖。審諦如帝，用彌天地；而不求是，則絕之。」（註三四）必有規矩繩墨，就是堅決反對主觀臆斷，以堅持眞理、堅持科學性爲第一位，反對狹隘的實用觀。

㈢研究經書應當重視古文。「六經皆史之方，治之則明其行事，識其時制，通其故言，是以貴古文。」（註三五）古文經係用先秦古文書寫，今文經則是藉口耳相傳，到漢代才用「今文」著之竹帛的，裏面夾雜著各代師說，以稽古而言，後者的可靠性就遠不如前者，更爲後出的緯書當然就格外靠不住。

㈣提倡「以獄法治經」，以嚴謹的科學精神弄清經文本義。具體說來，在了解經文本義時必須做到審名實、重佐證、戒妄牽、守凡例、斷情感、汰華辭。（註三六）爲此，特別要反對不顧經文本義而侈談所謂微言大義，反對「援讖緯以明經制，隨臆必以改雅訓，單文節適，膚受以求通，辭詘則挾素王，事繆則營三統」（註三七），因爲那都只能使經典統統變成圖書符命。

㈤「必以古經說爲客體，新思想爲主觀」，對整個古代經學進行批判與總結。他在《中國通史略例》中提出：「所謂史學進化者，非謂其廓清粗翳而已。己既能破，亦將能立。後世經說，古義既失其眞，凡百典常，莫知所始，徒欲屛絕神話，而無新理以敹徹之，宜其膚末茸陋也。」（註三八）他又反復强調：「學名國粹，當研精覃思，鉤發沉伏，字字徵實，不蹈空言，語語心得，不因成說，斯乃形相稱。若徒摭舊語，或張大其說以自文，盈辭滿幅，又何貴哉？實事求是

之學，慮非可臨時卒辨。」（註三九）

凡此種種，充分表明，章太炎儘管給古文經以較多的肯定，但是，他的基本觀點卻絕非經古文學所能包括，它們已遠遠越出了經古文學家所能達到的界限。章太炎的努力，正是要使整個經學研究建立在近代科學的基礎上，以更爲有效、更爲切實地摧毀封建經學的殿堂。

章太炎不僅提出了研究經學所應遵循的這些原則，而且自己曾努力按照這些原則去實踐。他早就主張「夷六藝於古史，徒料簡事類，不曰吐言爲律」，以尋「上世社會污隆之跡」，並藉以「明進化」、「審因果」（註四〇）。他也正是亟力這樣去實踐的。他所撰寫的《官制索隱》，便提供了一個傑出的範例。

《官制索隱》由《神權時代天子居山說》、《專制時代宰相用奴說》、《古官制發原於法吏說》、《古今官名略例》四篇考史文章構成。《神權時代天子居山說》引用《詩經》、《尙書》、《周禮》、《禮記》等文獻和古代經說，詳加辯析，論證了「古之王者，以神道設教，草昧之世，神人未分，而天子爲代天之官，因高就丘，爲其近於穹蒼」，其後「明堂、清廟、辟雍之制，古今興廢雖不同，然麗王公、奠天位者，其實其名，大抵不出山麓」，「天子居山，其意在尊嚴神秘」，「蓋以爲高丘者，君上之所居，通於神明，洿澤者，亡虜之所處，淪於幽谷也」（註四一）。《專制時代宰相用奴說》則引用《尙書》、《周禮》、《禮記》等古代經史文獻，說明：「觀於寺字、官字、臣字之得名，而知古代所貴，唯子與封君，其非有土、子民之臣僚，則皆等於奴隸陪屬；觀於太阿、太保、冢宰、丞相、御史、僕射、侍中之得名，而知侍帷幄參密議者，名爲帝師，或曰王佐，其實乃倿幸之尤。」（註四二）這樣「夷六藝於古史」而得出的結論，顯然不僅與經今文學古史觀念相對立，而且也與經古文學的古史觀念截然對立，這些結論對經學家們所共同宗奉的封建君臣之義作了徹底的否定，而且比之康有爲「托古改制」的論斷更有依據。章太炎在這篇論文的前言中說明他撰寫這幾篇考證文字的緣由時，强調說：「九服崩離，天地皆閉，吾乃感前王之成迹，而爲《官制索隱》四篇。蓋古今言是者多矣，高者比次典章，然弗能推既見以至微隱；其次期于致用，一切點污之迹，故非所曉，雖曉亦不欲說。吾今爲此，獨奇觚與眾異，其趣在實事求是，非致用之術，乃亦不侍排比。推迹經脈，盡於孫絡；相其陰陽，嘗其臭味。其作始至微眇，而終甚鉅。」（註四三）實事求是地研究古史，不是期於取法，而是爲了弄清歷史發展的眞相，因此，決不掩蓋歷史的點污，也決不僅僅滿足於「比次典章」，而堅持從現象深入到本質，「推既見以至微隱」，這樣，就不僅使儒家經典從經天緯地的至聖寶典下降到古史地位，而且使它們下降到了古史資料地位。這些理論與實踐，充分體現了章太炎的經學批判所貫徹的革命精神與科學精神。

「存在於現存社會關係中的一切缺陷是歷史地產生的，同樣也要通過歷史的發展才能消除。」（註四四）封建經學在中國思想學術領域盤根錯節的統治，是歷史地產生的，它的消除，當然也不可能朝夕之間便可程功。章太炎的經學批判，並不徹底，傳統的影響不時地總要在他身上這裏或那裏流露出來，但是，他畢竟在康有爲開了第一炮之後，給了封建經學的統治以更爲堅實與更爲有力的一擊。而這一擊之所以更爲有效，則正因爲他在經學批判中堅持了與康有爲異趣的求實與求眞的精神。

【附註】

註　一　康有爲《新學僞經考序》，廣州萬木草堂一八九一年刊本。

註　二　康有爲《孔子改制考序》，上海大同譯書局一八九八年刊本。

註　三　康有爲《孔子改制考序》。

註　四　康有爲《春秋董氏學自序》，上海大同譯書局一八九八年刊。

註　五　康有爲　《復章枚叔書》，見一八九九年一月十三日《臺灣日日新報》所載《康氏復書》。

註　六　班固《白虎通德論》卷八，《五經》。

註　七　劉熙《釋名》卷六《釋典藝》。

註　八　《玉海》卷四十一引。

註　九　劉勰《文心雕龍・宗經篇》。

註一〇　章太炎《文學總略》，《國故論衡》卷中。

註一一　康有爲《孔子改制考・孔子改制托古考第十一》。

註一二　康有爲《孔子改制考・六經皆孔子改制所作考第十》。

註一三　皮錫瑞《經學歷史・經學開闢時代》。

註一四　章炳麟《康氏復書識語》，一八九九年一月十三日《臺灣日日新報》。

註一五　蓟漢閣主《今古文辨義》，《亞東時報》第十八號。

註一六　章太炎《訂孔》，《訄書》修訂本頁二。

註一七　章太炎《論諸子學》，《國學講習會略說》頁六十六。

註一八　獨角《論經的大意》，《教育今語雜誌》第二冊。

註一九　章太炎《原經》，《國故論衡》卷中。

註二〇　章太炎《春秋左傳讀敘錄》，《章氏叢書》本頁十二。

註二一　章太炎《明解故》下，《國故論衡》卷中。

註二二　獨角《論經的大意》，《教育今語雜誌》第二期。

註二三　章太炎《原經》，《國故論衡》卷中。

註二四　章太炎《論諸子學》，《國學講習會略說》頁七五。

註二五　章太炎《演說錄》，《民報》第六號。

註二六　章太炎《論諸子學》，《國學講習會略說》頁六九一七二。

註二七　章太炎《答鐵錚》，《民報》第十四號，頁一一六。

註二八　章太炎《原經》，《國故論衡》卷中，頁八七。

註二九　章太炎《論諸子學》，《國學講習會略說》頁六八、七三。

註三〇　章太炎《原經》，《國故論衡》卷中，頁八五—八六、八八。

註三一　章太炎《與某論樸學報書》，《國粹學報》丙午第十一號。

註三二　章太炎《與簡竹居書》，《國粹學報》辛亥第七號。

註三三　章太炎《與某論樸學報書》，《國粹學報》丙午第十一號。

註三四　章太炎《與王鳴鶴書》，《國粹學報》庚戌第一號。

註三五　章太炎《明解故下》，《國故論衡》卷中。

註三六　章太炎《說林・定經師》，《民報》第十號頁七七。

註三七　章太炎《明解故上》，《國故論衡》卷中。

註三八　章太炎《中國通史略例》，《訄書》修訂本頁二〇〇。

註三九　章太炎《再與人論國粹學書》，《國粹學報》丁未第十二號。

註四〇　章太炎《清儒》，《訄書》修訂本頁二六。

註四一　章太炎《官制索隱・神權時代天子居山說》，《民報》第十四號頁三、八。

註四二　章太炎《官制索隱・專制時代宰相用奴說》，《民報》第十四號頁十二。

註四三　章太炎《官制索隱》，《民報》第十四號頁一。

註四四　馬克思、恩格斯《德意志意識形態》，《馬克思恩格斯全集》第三卷頁四九八。

——原載《章太炎思想研究》（上海人民出版社，一九八五年八月），第七章，頁四三八——四五三。

胡適和古史辨派對《詩經》的研究

夏傳才

五四新文化運動搗毀保護封建制度的孔丘神像，批判以封建綱常禮教和封建道德爲基本內容的儒家經學，有力地推動了中國人民的思想解放運動。資產階級民主派的代表人物胡適，也曾經是文學革命的倡導者之一。帝國主義和無產階級革命時代的中國資產階級，是個兩面性的階級，胡適在新文化運動後期就突出了他的軟弱性和妥協性，從統一戰線分化出去，最後轉化爲反動派。觀胡適其人，有功有過。對於一個有過影響的人物，把他的名字從歷史上抹掉，就會割斷歷史的聯繫；而簡單化的片面批判，也不能說明歷史。

政治與學術二者有聯繫，又有區別。胡適後來在政治上反動，不等於對新文學的思想理論建設和古典文學的研究都沒有作用。資產階級在順應歷史潮流時提倡民主和科學，當他們能夠掌握足夠的材料，並客觀地分析這些材料，也可以在一定範圍和一定程度上認識世界，作出一些正確的說明。即使在他們不能順應歷史潮流時，在與現實政治沒有直接聯繫的學術領域，也常常可以提出一些正確的或比較正確的見解。這是人類科學史證明了的問題。但是，資產階級不可能是徹底的唯物論者，尤其在社會科學領域。他們常常偏激、片面、陷入唯心論和形而上學。在他們逆歷史潮流而動時，他們的階級偏見表現得尤爲明顯，甚至有意識地迴避或歪曲眞理。中國資產階級「這個階級的文化思想比較他的政治上的東西還要落後」。（《毛澤東選集》第二卷，頁六五九）在胡適的學術著作中也突出地表現出這些方面的缺點。

二十年代後期興起的古史辨派，是由當時一部分學者研究古代經史典籍而形成的一個在國內外有廣泛影響的學派。他們對古代經史子集進行了浩繁的考證、辨僞工作，並在哲學、史學、文學諸方面的研究中提出一些新的見解。在二三十年代，他們和胡適提倡的「整理國故」運動有聯繫，但他們和胡適又有區別。胡適在政治上反共反人民，成了文化買辦和國民黨反動派的政客。他們則是專門從事古史研究的專家、學者，並不參與政治活動，而且有些人的政治態度是愛國的，和國民黨反動派也保持相當的距離。在中國人民革命的進程中，他們中間的多數逐步地靠攏人民，與帝國主義和國民黨反動派劃清界限，參與了新中國建設。解放後有的學者還逐步地拋棄資產階級的世界觀，接受無產階級世界觀，積極努力地繼續學術研究，爲社會主義文化建設作了不少有益的工作。這些學者以畢生之力辛勤從事文化遺產的整理研究，弄清了不少古籍的眞僞，搜輯了許多散佚的資料，而且提出了一些有進步性的和有科學價值的見解，對我們清理古代文化遺產是有幫助的。古史辨派二三十年代對《詩經》做了大量的考證和研究，就向我們提供了一些有學術價值的成果。當然，由於時代和資料的限制以及世界觀的不同，有些觀點還需要繼續討論。在整理他們的這一部分研究遺產時，應該注意到有些老專家在解放後逐漸接受馬克思主義，已經修正了這個學派過去的某些觀點。

胡適專題論述《詩經》的文章有《論詩經答劉大白》、《詩三百篇言字解》、《談談詩經》；在《國學季刊發刊宣言》、《白話文學史》、《中國哲學史大綱》等專著中也有論述。總起來看，其中有一些進步的和合理的見解，也有明顯缺點和謬誤觀點。分別評述如後。

一、關於《詩經》的基本概念

兩千年來，這部詩集被尊奉爲「五經」之一，當作古聖先賢宣揚封建綱常禮教的神聖經典。這是長期封建社會中居於統治地位的《詩經》的基本概念。古代學者有的也認識到這部詩集的文學性質，進行過一些藝術的分析研究，但都未能擺脫封建說教的窠臼。胡適在二十年代初期，較早地徹底打破「經書」這個愚昧人民的概念，明確地提出《詩三百篇》不是聖賢的遺作，而只是「慢慢收集起來的」一部古代「歌謠總集」，古代經師所作的序說，完全是曲解，掩蓋了這些歌謠的原來面目。所以，他提出破除「經書」這個概念，推倒封建經學的全部解說，把《三百篇》當作古代歌謠重新進行研究。他的這些觀點，至今仍然有著影響，這是他的貢獻。

資產階級的啓蒙學者都有他們階級的局限性和思想方法的明顯缺點。胡適所闡述的上述概念，由於他的形而上學的方法，又表現出很大成份的主觀片面性，包含著許多含含糊糊、似是而非以及謬誤的因素。例如：

第一，所謂「歌謠總集」說，是個不確切的概念。現在學術界已經公認，《詩經》並不全部是歌謠，約佔三百篇半數的《雅》、《頌》兩類詩，基本上全是貴族階級製作的廟堂祭祀樂歌、朝會樂歌以及士大夫們創作的政治諷喻詩和怨刺詩，論斷爲「歌謠總集」，不符合實際。再者，《詩經》時代所流傳的詩歌，並不只有三百零五篇。散見於先秦古籍中的古佚詩，至今還可以輯錄數十首，當然還有散失泯沒的，而當時流傳的民間歌謠，未被選錄「而被消滅的正不知有多少。」所以同時代的魯迅說《詩經》是「古代詩歌選集」（《集外集・選本》），才是確切的科學概念。

第二，《詩經》的編訂和孔子刪詩問題，歷來有各種歧見。但是，《詩經》研究史的大批資料說明：《三百篇》是西周初期至春秋中期產生的作品，全部《詩經》是統治階級依其政治實用目的而製作和採集的，在長期應用流傳過程中經樂官不斷集結、加工、成集，又經孔子按其政治標準和藝術標準進行一次重要的整理刪定，從而作爲儒家的教本流傳下來。這個說法，基本上可以成爲定論。胡適在這個問題上提出了「全新」的見解。他完全拋棄歷史資料，爲了强調他的「歌謠總集」說，武斷《詩經》的編訂和孔子並無關係，而是採詩官把「各地散傳的歌謠」「慢慢收集起來」的，孔子只是把一本現成的詩集用來教學生。這樣，胡適就完全否定了《詩經》編訂的政治傾向性以及它爲統治階級政治服務的事實。至於一些反映民間疾苦的歌謠之所以能夠流傳，胡適還曾經論述說：「民間有了什麼可歌可泣的事，或朝廷官府有了苛稅虐政，一般平民詩人便都趕去採訪詩料……幾天之內，街頭巷口都是這種時事新歌了。於是採詩御史便東採一只小調，西抄一只小熱昏，編集起來送給政府。不多時，苛稅也豁免了，虐政也革除了。」（《白話文學史》）這只是胡適的資產階級改良主義所散布的「好人政府」的幻想。它的謬誤竟至如此荒唐，已不值得我們一駁了。

二、對《詩經》研究史和研究方法的意見

胡適把兩千年的《詩經》研究史評價爲「一筆糊塗帳」。他說：「二千年研究的結果，究竟到了什麼田地，很少人說得出的，只因爲二千年的《詩經》爛賬，至今不曾有一次總結算，宋人駁倒了漢人，清人推翻了宋人，自以爲回到了漢人。至今《詩經》的研究，音韻自音韻，訓詁自訓詁，異文自異文，序說自序說，各不相關聯。少年的學者想要研究《詩經》的，伸頭望一望，只看見一屋子的爛賬簿，嚇得吐舌縮不進去，只好嘆口氣：算了罷！」（《國學季刊發刊宣言》）

胡適要求對兩千年的《詩經》研究進行一次清算，並且提出分異文校勘、音韻研究、字句訓詁、見解序說四大項來總結。這個意見是

無可厚非的。但是，胡適根本不懂歷史唯物主義，只能把豐富的研究資料看作「爛賬簿」，認識不到歷史上各個學術流派的興衰有其時代的制約以及階級的歷史的根源，不同的學術觀點都是一定的經濟和政治的反映。正因爲如此，他對《詩經》研究史只能說：《毛詩》比齊魯韓三家「文明一點」，鄭玄又比毛公高明，朱熹又比鄭玄「不同一點」，清人卻沒有什麼特殊的見解，「殊不知漢人的思想比宋人的確要迂腐得多呢」（《談談詩經》）。本來漢學、宋學和清代的新漢學，是《詩經》研究史的三個發展階段，它們都有時代的內容，並在學術上有所發展提高，可是胡適這樣一解釋，倒成了「一筆糊塗賬」了。

胡適在要求四個方面對《詩經》研究進行總結的兩年之後，即一九二五年，他又具體地提出研究《詩經》的方法：

「研究《詩經》大約不外下面兩條路：

〔第一〕訓詁　用小心的精密的科學的方法，來做一種新的訓詁工夫，對《詩經》的文學和文法都重新注解。

〔第二〕題解　大膽地推翻二千年積下來的附會的見解，完全用社會學的、歷史的、文學的眼光重新給每首詩下個解釋。」

以訓詁入手，掌握文字和文法，正確解釋字句篇章，把每篇詩讀懂無誤（爲此也需要異文校勘和音韻研究），在這個基礎上，再結合歷史學和美學的研究，給每首詩作出正確的題解，這是研究《詩經》的基本方法。漢儒、宋儒、清儒一直在訓詁和題解這「兩條路」上艱難地前進。胡適在前人開闢的路徑上提出自己的要求：要求用科學的方法（「小心精密的研究求證」，）一字一句重新注解；用新的觀點（「社會學的、歷史的、文學的眼光」）大膽推翻前人附會的見解，對每篇詩作出新的解題。他這兩個意見，在提法上有嚴重的缺欠：

第一，訓詁和解題只是《詩經》研究的基礎工作，在弄通文句、明了詩意的基礎上，必須進一步分析研究它們的思想內容、藝術經驗以及與社會歷史和文學發展等各方面的聯繫。在這個意義上，訓詁、解題，包括異文校勘、音韻研究，還不是對事物本質及其規律的研究。所以，胡適提倡的方法只是埋頭在訓詁和解題上，而否認文學的階級性、思想性和政治性。

第二，對《詩經》再解釋，要有正確的世界觀和方法論。在訓詁上，歷代經師「皓首窮經」，致力於章句之學，結果穿鑿引申，脫離實際，被黜爲「章句小儒，破碎大道」。在解題上，歷代序說紛紜，各以己見說詩，都難免附會穿鑿。歷史經驗證明，根本問題是立場、觀點、方法問題。

胡適關於研究方法的意見。從「一筆糊塗賬」說，到「大膽地推翻」說，對兩千年的《詩經》研究資料，主要是持全盤否定態度的。這不是科學方法。我們認爲兩千年積累的《詩經》研究資料極爲豐富，如果離開這些資料，《詩經》在現代人面前只是一串串不可理解的文字符號。我們對待這些資料的態度，是必須積極而又審慎地接受和利用它們。我們的任務是在已有的基礎上辨別歧誤，考補闕遺，使《詩經》的注解日益精確和完善。這和胡適完全否定舊注，是根本不同的。古代的研究資料中確實有歪曲的一面或不確切的成分，但在事實、背景等方面也確實有合乎實際和比較接近實際的地方，離開這些實際資料，我們的研究也就會陷入了無依傍的空洞議論。所以，我們對待《詩經》的研究資料要批判地繼承和改造，這與胡適的「大膽推翻」說，是根本不同的。

三、對詩篇的解說

訓詁、考證、解題，都是實事求是的艱苦的研究工作，要有科學的嚴謹學風。胡適治學固然時常有所「創見」，有的見解或不乏可取之處，但總起來看，往往博而不專，浮而不深，華而不實。有時只是興之所至，信口開河。

《論詩經答劉大白》、《詩三百篇言字解》談了幾個詞語的文法問題，可以算是他在文字和文法的訓詁方面的實踐。例如，「言」字是《詩經》中常見的詞語，歷來訓詁不一，胡適把這個字在《詩經》中的應用，廣泛列舉進行比較，又與它在其他典籍中的應用加以比較，對它的語法作用提出了自己的見解。這種博證求通，就是他所說的一字一句小心精密的研究方法。這是對清代訓詁考據學科學成分的繼承。可是，他只作了這麼一點點，最引人注目的，還是他對幾篇詩提出的新解。

《小雅・正月》本來是西周覆亡時期貴族詩人的政治諷喻詩，以憂國哀民、憤世嫉俗的熱烈感情，批評政治的腐敗和現實的黑暗，在一定程度上反映了國家的動亂、人民的苦難和階級的矛盾。《魏風・伐檀》是伐木者對不勞而獲的剝削者的諷刺和責問，充滿勞動人民反對剝削和壓迫的反抗精神。這是《詩經》反映當時階級矛盾和階級鬥爭的名篇。胡適反對階級鬥爭理論，作了如下的解釋「這竟是近時社會黨攻擊資本家的話了」（《中國哲學史大綱・導言》）。這個解釋與他宣傳「王莽是社會主義者」同樣荒謬得可笑又可惡。

他對於《周南・葛覃》的解題，也屬於同樣的附會。《葛覃》歷來解釋不一，有人釋為貴族婦女歸寧，有人釋為女奴回家。胡適把它們一律「大膽地推翻」，提出自己新的解釋：「描寫女工人放假急忙要歸的情景」（《談談詩經》）。按照胡適這個解題，不但春秋時期有了女工人，而且還享受資本家給予的休假權利呢！

《召南・小星》是卑官小吏的怨刺詩。三家詩的解題大致接近。胡適卻解釋說：「嘒彼小星是寫妓女生活的最古記載。我們試看《老殘游記》，可見黃河流域的妓女送鋪蓋上店陪客人的情形。再看原文，我們看她抱衾裯以宵征，就可知道她爲的何事了。」（《談談詩經》）用清末《老殘游記》中描寫的近代妓女生活來解釋上古詩歌，不是缺乏起碼歷史常識，就是有意的歪曲。胡適自己提出過要一字一句小心的研究，而這篇詩中「夙夜在公」等詞句，他並沒有去研究，只是信口開河。由此可見，胡適的「大膽推翻」，就是他一向提倡的「大膽假設」，任意胡說；而他的「小心求證」，就是不問客觀事物有無聯繫，隨意取其所需。

胡適還根據自己的藝術觀，解釋了《周南·芣苢》和《齊風·著》。他說：「《芣苢》詩沒有多深的意思，是一首民歌（《談談詩經》），像這樣的民歌，「只取音節和美好聽，不必有什麼深遠的意義」（《白話文學史》），胡適不理解以勞動爲主題的民歌，反映勞動人民熱愛勞動和純樸健康的思想感情。《著》是對貴族婦女新婚生活的素描，顯示出貴族女子的華貴以及迎親的風俗，我們如果對照《芣苢》來讀，就會看到不同階級婦女的不同生活情調。胡適欣賞的卻只是詩的藝術技巧及其顯示的「美妙」和「細膩」的情致，表現出超階級的、無思想性的資產階級「純藝術」和唯美主義。

胡適是現代資產階級《詩經》研究的開山人，在現代和當代《詩經》研究中，是有重要影響的。從以上簡略的考察，可以看到：在反封建經學的鬥爭中，胡適的一部份觀點雖然具有一定的進步性和鬥爭性，由於資產階級的世界觀和方法論，他遠遠不能說明《詩經》的眞相。他倡導用新的觀點（社會學的、歷史的、文學的）解釋《詩經》，但他的社會學是改良主義，他的歷史觀是唯心史觀，他的文學觀是超階級的、無思想性的、唯美主義和形式主義，他的新解是用實用主義的方法，推翻封建經學的附會曲解而代之以資產階級的新的附會曲解。

無產階級並不反對研究整理文化遺產，而反對用提倡整理文化遺產的口號使青年脫離現實革命鬥爭，反對利用文化遺產中糟粕爲反革命服務。無產階級提倡用馬克思主義觀點研究歷史文化，並爲現實革命鬥爭服務。由於歷史文化的某些門類的特點，有些冷僻的領域不可能與現實鬥爭直接掛鉤，而從發展社會主義文化的長遠觀點著眼，也允許一部分專門人才進行研究。胡適在二十年代後期提倡「整理國故」，主要目的是對抗馬克思主義的傳播，企圖引導知識分子和青年學生鑽進線裝書堆，脫離革命運動。這是我們所反對的。當時國內各級研究院（所）和著名大學，吸收了一批學者研究民族古代文化遺產，這些學者中的許多人是愛國的，堅持五四時期科學與民主兩面旗幟，專心致志地從事學術研究。他們繼承乾嘉學派求實證、重考據、自由研究的學風，吸取清代今文學派破陳言、立新觀、宣傳革新思想的傳統，接受資產階級民主主義思想，向封建經學發起攻擊，對古代哲學、史學、文學等古籍，進行浩繁的考證辨僞工作。他們以顧頡剛編輯的《古史辨》得名。

對《詩經》這部有重要歷史和文學價值的古籍，他們也給予很大的注意，作了大量的考辨研究，其主要成績表現在四個方面：

㈠關於《詩經》眞相的討論

古史辨派開展了《詩經》眞相的討論，對胡適提出的「概念」作了適當的修正。他們提出：「《詩經》是古代詩歌總集，包含著大量的民間創作」。這個提法比較胡適的「歌謠總集」說前進了一步。他們站在反封建的立場上，提出《詩經》的幸運和厄運的論題，辨證地說明：這個古代詩集被儒家作爲經典而提高了它的地位，得以比較完整地保存和長期流傳，這是它的幸運；同時它又被封建統治階級利用作爲愚民的工具，附以種種歪曲的解說，掩蓋了它眞正的面目，這又是它的厄運。從而，他們提出必須拋棄過去的封建經說，以考證爲手段，對《詩經》進行再研究。他們的觀點比較胡適的議論有較多的科學成份，在現代研究中有廣泛的影響。

關於孔子刪詩問題的長期爭論，古史辨派是支持非刪詩說的。如馮友蘭說：「孔子並沒有刪詩」（《孔子在中國歷史中之地位》，《古史辨》第二冊），顧頡剛認爲「孔子只與《詩經》有關係，但也只勸人學《詩》，並沒有自己刪詩」（《談詩經經歷及老子與道家書》，《古史辨》第一冊）。針對清代經師皮錫瑞所說：「不以經爲孔子手定，而屬之他人，經學不明，孔教不尊……故必以經爲孔子作，始可以言經學；必知孔子作經以教萬世之旨，始可以言經學」（《經學歷史》第一章），錢玄同針鋒相對地說：「我以爲不把六經與孔丘分家，孔教總不容易打倒的」（《論詩說與群經辨僞書》），「（《詩經》）這書的編纂，和孔老頭兒也全不相干」（《論詩經眞相書》，《古史辨》第一冊）。他們對於推倒儒家經書的權威地位，開始探討《詩經》的眞相，是有成績的；但把孔子與《詩經》的編纂分開，甚至斷言「全不相干」，就不夠實事求是了。

㈡論《詩經》全爲樂歌及對《詩經》編排體制研究的貢獻

顧頡剛的考辨貢獻之一，是進一步論證了三百篇全部入樂。

三百篇全是樂歌，古時本已有定論。先秦兩漢史籍有大量記載，「《詩》爲樂章」，自漢至唐，並無異見。宋儒治經，興起懷疑學風，對舊說多所駁疑。南宋程大昌《詩論》十七篇（商務版《叢書集成初編》一七一一冊）提出「詩有入樂不入樂之分」。程大昌的論據並不可靠，而朱熹等繼而附會「風雅正變」之說，提出「變風變雅都不入樂」。顧炎武《日知錄・卷三》進而提出：「二南也，《豳》之《七月》也，《小雅》正十六篇，《大雅》正十八篇，《頌》也，詩之入樂者也」，其餘謂之變風、變雅，「詩之不入樂也」。按照他們的立論，全部《詩經》只有一百篇詩入樂，一百三十四篇「變風」和七十一篇「變雅」不是「詩之正經」，因而也不配入樂。所以「風雅正變」說的實質，是推崇歌功頌德和宣揚封建教化的樂教。「詩全入樂」和「詩有入樂不入樂之分」兩說，進行過長期的爭論。清代一些著名學者同意前說，如馬瑞辰《毛詩傳箋通釋・卷一・詩入樂》，皮錫瑞《論詩無不入樂史漢與左氏傳可證》，俞正燮《癸巳存稿・詩入樂》和康有爲《新學僞經考・漢書藝文志辨僞》也都舉出有力證明，指出所謂變風變雅的那些詩，有的從漢至魏晉仍流傳著樂曲。

顧頡剛著《論詩經所錄全爲樂歌》（《古史辨》第三冊），對以上諸說作了明晰的辨訂，又對《詩經》的形式進行研究，從章段的複疊，詞句的重沓等樂歌特點，作了補充說明。他證明三百篇全是樂歌，有的是按照已有的樂譜寫的歌詞，也有的是採自民間歌謠再經樂工配樂；有些樂歌是「正樂」，專在典禮時使用的，有些樂歌是「無算樂」，是宴會助酒和娛樂助興演唱的。經過這些辨訂，三百篇全入樂，已爲現代學者接受爲不可移易的定論。

在《詩經》研究史上，對風、雅、頌名稱的解釋及其分類，也是長期聚訟的重要問題。顧頡剛的考辨，對於研究風、雅、頌的分類，弄清《詩經》的編排體制，也有貢獻。對「頌」的解釋，過去基本上是一致的：「頌」是詩、歌、舞三合一的宗教性祭祀樂歌，而「雅」釋爲正，宮廷和貴族用的樂歌要用正聲，雅樂就是宮廷和貴族的正樂。自古以來，對「風」的解釋比較紛雜，顧頡剛考訂了過去的各種觀點，據《詩經》內證和《左傳》等記事，論證「風」是樂調：「所謂《國風》，猶之乎說『土樂』」。經過學者們反覆研究，學術界取得一致的意見：風名的本義就是地方樂調，國風就是各國的土樂。從此，我們明白了風、雅、頌三類詩是以它們各自不同的樂調來分類的。

㈢三百篇在春秋時代的應用

古史辨派的有些學者，是忠實於學術的眞正的學者，顧頡剛在《詩經》研究上，就沒有跟著胡適的結論跑。他以自己考辨的成果，否定了胡適的某些謬誤的論點，提出自己的見解。

按照胡適的觀點，三百篇是「歌謠總集」，是採詩官「慢慢收集起來的」，有的是爲改良政治而流布於街頭巷尾的「時事新歌」，有的「只是好聽，不必有什麼深遠的意義……」等等。

清代趙翼曾經研究《詩經》在春秋時代貴族社會的廣泛應用，考察在《左傳》和《國語》中記載大量賦詩意志的事實。顧頡剛在前人研究的基礎上，從《儀禮》、《禮記》、《左傳》、《國語》等古籍中徵引大批材料，參考過去的研究資料，結合《詩經》本身的內證，作了比較詳細的論證。雖然沒有指名批駁，卻在事實上推倒了胡適的結論。

三百篇一部分是由王廷樂官製作，一部分由公卿列士獻詩，一部分由十五個國家和地域採集，集中到樂官整理加工。這些詩書寫於簡片，習演於樂工，在長時期流傳中又經過無數人的加工。它的編纂和流傳自然有其實用的目的：一是應用於王廷和貴族的各種典禮儀式，據《儀禮·鄉飲酒禮》，除典禮上莊重的「正樂」，還要演奏助酒和帶娛樂性的「無算樂」；二是周代確有公卿列士向國王陳詩進諫的事實，無論是歌頌功業或批評朝政，都具有統治階級內部政治教育的目的。這些是三百篇製作和採集的本來意義。

顧頡剛肯定這些事實，又進一步論述：到春秋時期三百篇已經廣泛流傳，應用的範圍超越了它們最初製作和採集的目的。他列舉大量材料，說明列國人士普遍地「賦詩言志」，《詩》成爲社會交往中經常應用的表達情意的工具。列國的外交活動，往往通過「賦詩言志」，用比喻或暗示的方法，表達彼此的立場和意見。公卿士大夫在談話中也常常隨口引用詩句，借以加强語言的表達力。這樣，詩句逐漸離開了音樂，雜用到人們的談話中，從而豐富了語言的文采和表現力。

在顧頡剛論證的基礎上，現代和當代學者繼續考證研究，基本清楚了《詩》的編集目的，清楚了當初實際應用中的政治性和社會性。胡適那些淺薄、片面的觀點，也就不攻自破了。

㈣語詞音韻研究和《詩經》研究資料的輯佚

古史辨派也致力於《詩經》語詞音韻的研究，但成績顯著的，是對《詩經》研究資料的輯佚。

和胡適的全盤否定不同，他們重視歷史上不同學派學者的研究成果，提倡實事求是地全面研究各個學派的意見，從大量古籍中將散佚的資料輯錄，並分門別類彙總，爲研究工作提供有益的參考材料。

鄭樵是宋學廢《序》派的開山大師，他的《詩辨妄》在《詩經》研究史上是反《詩序》的重要著作，但早已散佚。人們只能從其他人的論述中得知片鱗隻爪，不得不常作空論。顧頡剛將宋代典籍中散佚的引錄《詩辨妄》的原句以及有關資料，一一輯錄成集，雖不完全，至少可使人們窺見原書的一斑，有了一些依據。宋學另一大師朱熹除《詩集傳》外，在他與弟子的日常談話中也發表了對《詩經》的一些評論意見。有些意見較《詩集傳》更切實而少拘束，表達了一些《詩集傳》所未能言或不敢言的見解。顧頡剛從朱熹《語類》中，將評論《詩經》的語錄輯錄成集，便於研究者檢閱。王柏是宋代懷疑學風的最後一位大家，他的《詩疑》反映了程朱理學泛濫的條件下，封建統治階級和封建禮教對於人性自由的殘酷制裁，以及對於《詩經》中眞摯而優美的抒情詩的扼殺。顧頡剛據清《通志堂經解》本校點出版，爲廣大《詩經》研究者普及了這部重要的研究資料。後來，顧頡剛又將清代獨立思考派姚際恒的《詩經通論》點校出版。

二十至三十年代的古史辨派，雖然也是一個資產階級學派，但他們繼承了祖國考據學的科學成份，進行浩繁的古史考辨工作。他們以唯物論爲基本方法，帶動人們弄明白一部分古籍的眞僞，提供了一些比較可靠的古史研究資料。在他們的倡導和推動下，二十年代後期和三十年代初，在報刊上展開幾次學術論爭，推動了《詩經》研究的普及和提高。這個學派的研究論文，至今在國外還有影響。限於本文篇幅，就不多作論述了。

——原載《河北大學學報》一九八二年第四期，頁一二〇——一二七。

顧頡剛先生與《尚書》研究

劉起釪

一、對《尚書》研究的重視

顧頡剛先生一生在古史研究上的卓越成就，往往是由《尚書》研究得來的。例如他在學術上最擅名的「層累地造成的古史觀」的學說，就是早年在把《尚書》和《詩經》、《論語》比較研究之後得出的。那時他在北大畢業後留校工作不久，正承受了五四新文化運動思潮的激盪；接受了西方傳來的「古史茫昧無稽」的說法，開始具有了要對傳統的古史重新進行探索的熾烈願望；又和胡適、錢玄同進行一年多的辨僞活動和討論，對僞古書和僞古事有著敏銳的觀察力。當在大學工作了一年多之後，於一九二二年春因祖母病重，請假回蘇州老家侍養，就經人介紹住在家裏給上海商務印書館編《中學本國史教科書》。這一下，就由對《尚書》和《詩經》、《論語》的研究，引出了他那有名的學說。他記當時情況說：

> 我的根性是不能爲他人作事的，所以就是編纂教科書，也要使得它成爲一家著述。我想了許多法子，要把這部教科書做成一部活的歷史，使得讀書的人確能認識全部歷史的整個的活動，得到眞實的歷史觀念和研究興味。上古史方面怎樣辦呢？……思索了好久，以爲只有把《詩》、《書》、和《論語》中的上古史傳說整理出來，草成一篇《最早的上古史的傳說》爲宜。我便把這三部書中的古史觀念比較看著，忽然發現了一個大疑竇——堯、舜、禹的地位問題！……我把這三部書中說到禹的

> 語句抄錄出來，尋繹古代對於禹的觀念，知道可以分爲四層：最早的是《商頌·長發》的「禹敷土下方，……帝立子生商」，把他看做一個開天闢地的神；其次是《魯頌·閟宮》的「后稷……奄有下土，纘禹之緒」，把他看作了一個最早的人王；其次是《論語》上的「禹稷躬稼」和「禹……盡力乎溝洫」，把他看做一個耕稼的人王；最後乃爲《堯典》的「禹拜稽首，讓於稷契」，把後生的人和纘緒的人都改成了他的同寅。堯舜的事跡也是跟了這個次序：《詩經》和《尚書》（除首數篇）中全沒有說到堯舜，似乎不曾知道有他們似的；《論語》中有他們了，但還沒有清楚的事實；到《堯典》中，他們的德行政事燦然大備了。因爲得到了這一個指示，所以在我的意想中覺得禹是西周時就有的，堯、舜是到春秋末年才起來的。越是起得後，越是排在前面。等到有了伏羲、神農之後，堯、舜又成了晚輩，更不必說禹了。我就建立了一個假設：古史是層累地造成的，發生的次序和排列的系統恰是一個反背。（《古史辨》第一冊《自序》頁五一）

這就很清楚地說明了，他從《尚書》和《詩經》、《論語》這幾部最早的文獻的比較研究中，得出了作爲他後來學術中心思想的有關中國古史的基本看法。他在上引同一段文字中還說：「《堯典》、《皋陶謨》是我向來不信的，但我總以爲是春秋時的東西，哪知和《論語》中的古史觀念一比較之下，竟覺得還在《論語》之後」。這就是他對《尙書》本書的篇章最早提出了自己的論斷，從而在他以後的學術實踐中，一貫重視對《尙書》的考辨和研究。

他所引到的《堯典》、《皋陶謨》，是漢代所傳《尙書》中稱爲《虞書》的兩篇，還有《禹貢》、《甘誓》，是漢代所傳《尙書》中稱爲《夏書》的兩篇，加上《商書》五篇，《周書》十九篇，就成爲漢代所傳《今文尙書》二十八篇。過去一直相承以爲這《虞、夏書》四篇是虞夏時代的原有眞實文獻，是孔子刪存的「先王」的寶訓。顧先生在他進入學術研究的初期，就明確指出了這幾篇不可能是虞夏時代的文獻，只能是春秋戰國時代的文獻，表現了他對《尙書》的研究精神。

《尙書》實際是幸獲保存下來的我國最早的一部歷史文獻彙編，構成爲它的主體的，是周代那十幾篇眞文獻，其中有幾篇在傳下時可能受到史官的潤色加工。其次是商代的那五篇文獻，傳到周代時，在文字上受到周代較大影響，有的可能是商的後裔宋國史官加工寫定的。至於虞夏的四篇，除較簡短的一篇《甘誓》，其素材可能源自夏代的口耳相傳材料，商代可能初步寫下，到周代才寫定成篇外，其餘《堯典》、《皋陶謨》、《禹貢》三篇，事實上當然應如顧先生所指出的，不是虞夏文獻，而是成於春秋戰國之世的關於古史的作品。

這樣一部史書，到漢代被尊奉爲儒家「五經」中最重要的一部經典，今文二十八篇之外，又加了漢人編造的一篇《太誓》，共廿九篇。西漢後期又出現了《古文尙書》，比今文多了十六篇。東漢《古文尙書》盛行，但卻只有和今文相同篇目的二十九篇。永嘉之亂全部散失，到東晉，出現了僞《古文尙書》五十八篇，係把今文廿八篇析成了卅三篇，新編造了二十五篇僞古文，從此奪得了《尙書》的正統地位直傳到近代，成爲整個封建時代從天子到一般讀書人都必須遵讀的政治和道德教科書。

顧先生在二十年代提出了他的著名的古史學說之後，爲了對古史作深入的分析探討，就準備據舊系統的古史文獻作下列四個考：㈠辨古代帝王的系統及年曆事跡，作《帝系考》；㈡辨三代文物制度的由來與其異同，作《王制考》；㈢辨帝王的心傳及聖賢的學派，作《道統考》；㈣辨經書的構成及經學的演變，作《經學考》。以爲這四種是舊系統下的僞史的中心，倘能作好，所要破壞的僞史就可最後完結（見《古史辨》四冊《序》）。他所設想的這四個考，《帝系考》是屬於民族史和宗教史方面的，目的是推翻盤踞在古史中的種族的偶像；《王制考》是屬於政治制度史和社會制度史方面的，目的是推翻盤踞在古史中的政治的偶像；《道統考》是屬於思想史和宗教史方面的，目的是推翻盤踞在古史中的倫理的偶像；《經學考》是屬於學術史和思想史方面的，目的是推翻盤踞在古史中的學術的偶像。他以爲把這四考作成之後，就可以對中國舊系統的古史作一總清算。

二十年代末年起，顧先生除了已對上述四方面搜集材料，並已做出不少考辨成績外，還想到要對準與這四方面都起關鍵作用的首要堡壘進擊。這樣的首要堡壘，就是顧先生久所重視的這部封建時代神聖的政治和道德教科書《尙書》。

這部《尙書》之所以引起顧先生重視，首先，從「帝系」方面來說，最先由儒家確立起來的堯、舜、禹、湯、文、武這一古史骨幹系統，就是由《尙書》的《堯典》、《皋陶謨》、《禹貢》及全書各篇建立起來的，因此《尙書》可說是封建史學的奠基者；而僞《古文尙書》則是「三皇五帝」說的最後確定者。其次，從「王制」方面說，儒家所托古提出的一些制度，也多在上述這幾篇中，所以顧先生一九三一年在燕京大學爲了準備作《王制考》，特地開了「《尙書》研究」一課，可見它對古史政制方面關係之巨。再次，從「道統」方面來說，儒家所倡的道統，就是利用《尙書》所建立的這一帝系樹立起來的。而所艷稱的「堯舜禹三聖傳授心法」，則是由僞《大禹謨》提出來的，直接影響成爲封建倫理學說的中心。宋代理學之所以稱爲道學，就是以「三聖傳授心法」中的「人心惟危，道心惟微」四語爲其理論核心之故。最後，關於「經學」方面，則《尙書》是「五經」中地位最尊的一經，紛擾兩千多年的今古文之爭就主要是由它和《左傳》

引起的；而僞《古文尙書》又是僞書中的典型標本，歷代帝王和士大夫都把它作爲倫理和政治規範的聖經，影響千餘年來封建歷史非常巨大。因此顧先生認定，要有效地從四方面清算古史，就必須首先攻破這一首要保壘，把它從「聖經」地位恢復到原來的史料眞面目。

《尙書》除了是上述四個方面的重要史料外，以今天學術項目來說，它還是研究我國古代語言、文字、文學、哲學、文化思想、神話、古代社會生活、法制與法學等等的重要資料；還保存有自然科學方面如天文、地理、土壤、物產、經濟活動等等古代的許多重要資料。因此顧先生下決心對它進擊，一生鍥而不捨地對它進行了全面的研究。

二、研究《尙書》遇到的困難、問題和前人所已做的工作

顧先生常說，《尙書》作爲最古的一部文獻史料，除了有紛擾了兩千年之久的今古文之爭這一主要問題外，還有與這一問題交錯地存在著的各種問題，要研究它就像攀登珠穆朗瑪峰，處處是困難，處處是麻煩，連造詣之深如王國維先生也說《尙書》「於六藝中最難懂」，「於《書》所不能解者殆十之五」(《觀堂集林》卷二，頁一)。因此要研究好這部書，其難度之大，是客觀存在的。現在粗粗綜觀它的困難和問題，主要有下列幾方面：

㈠文字的艱澀，隨之以解說的紛歧。因周初諸誥用的是岐周方言，到戰國時，對於以東方語言爲基礎形成的通用語言來說，它已是難懂的死文字。傳到漢代更難懂，司馬遷只把能懂的戰國時寫成的或修改成的幾篇譯載在《史記》裏，「殷盤周誥」等篇明明很重要，也只一筆帶過。今文各家就對它望文生義提出妄解；古文家則據漢代語言搞文字訓詁，據漢代制度談器數名物；再到僞《孔傳》和各家義疏出

現，在今、古文基礎上提出魏晉至隋唐的一些看法；到宋儒，以他們的理學思想爲指導，又提出許多維護禮教和空疏的議論。這樣就使《尙書》的解釋五花八門，而字句也隨之遭到不少竄亂。加上古代文字不規範，隨便用同音假借（實即錯別字），又因字少，一字數用，不知其確用何義；亦有古人不錯的字，傳寫致誤（如「文」字古文誤隸定成「寧」）等等。遂使《尙書》文字成了很難攻的一大難關。

㈡竹簡易毀，造成各種錯亂。由商周傳至春秋戰國，時間太長，竹簡易朽，除損失者外，保存下來的至少須移寫數次，每移寫一次必有錯訛；而彼此傳抄，更易紛歧。竹簡又易散亂，最易造成脫簡、錯簡、脫字、錯字。故戰國之世所流傳的《尙書》各篇不僅儒墨兩家的本子不同，即墨子一家三派所傳同一篇《尙書》亦互有出入。再經秦火及楚漢兵亂，所有劫餘更是殘破，今文三家亦各自不同。後來劉向、劉陶、賈逵幾次以古文校今文，發現各篇脫簡、錯簡、脫字、異文等情況。今所見《禹貢》、《洪範》、《康誥》、《梓材》、《洛誥》及其它一些篇的錯簡現象層出不窮，至於諸篇文字之訛亂，指不勝屈。

以上主要是屬於《尙書》原本的問題，還有更嚴重的問題是：

㈢歷代不斷的造僞：⑴戰國時的僞《夏書》；⑵西漢初期的僞《太誓》；以上兩者是今文。⑶西漢中期的僞《百兩篇》和僞《書序》；⑷漢代各種撲朔迷離來歷不明的古文，如壁中書，中秘本、中古文、河間獻王本等等。當時雖不以造僞稱，而其可靠性一直成問題（只有《史記・儒林傳》載孔氏家藏本，又東漢杜林漆書本爲可信）；以上兩者是古文。⑸晉代出現有標爲《孔傳》的僞古文，這一古文奪得《尙書》的正統地位直傳到近代。⑹晚至明代還出現豐坊《古書世學》，僞稱是殷亡時箕子帶至朝鮮之本與秦火前徐福帶至日本之本兩種，其中多出《神農政典篇》，《洪範》多五十二字。而各種僞書出現時，不僅僞造篇章，往往還要僞造古字體以表示其古，僞漢代古文僞造蝌蚪文，晉代僞古文僞造「隸古定」。隸古定又發展成兩種：一爲奇字較少一些的「宋齊舊本」，一爲全部奇字的「僞中之僞本」。唐代天寶間把它改爲今字（楷書）本，又改錯了許多字，不幸流傳至今的各種版本，就只是這一改錯了字的僞古文本。

㈣封建時代的反動思想統治，給《尙書》蒙上種種靄霧。如今文家以漢代的神學「陰陽五行說」解釋《尙書》，給加上種種靈光；古文家以「聖道王功」說《尙書》，如釋「稽古」爲「同天」之類；宋代理學家又憑僞古文鼓吹「三聖傳授心法」，把君統、道統、學統以《尙書》爲中心結合起來等等。

段玉裁把上面許多情況中的一些稱爲《尙書》所遭的「七厄」，顧頡剛先生指出，實際上遠遠不止「七厄」，要進行科學的整理，首先需要摧陷廓清這些東西。

所幸前人已做了不少工作。宋代吳棫已開始懷疑僞古文，朱熹宣揚了吳棫的觀點，明梅鷟進一步作了考辨，清初閻若璩就最後確鑿判決僞古文之僞（惠棟做了補充）。於是這一煌煌聖經被痛快推翻，是清代學者所完成的一項可佩的科學成就。

清代學者接著突破宋學，上尋漢古文；又接著突破漢古文，上尋漢今文（即清末學者所說的「漢學之攘宋」和「西漢之攘東漢」），他們在繼推翻僞古文之後，力圖否定漢古文，他們認爲今文是完美無瑕的。這是到清末爲止學者所已達到的學術境界。

其實在僞古文問題解決之後，《尙書》原本的文字及其錯亂方面的問題就突出來了。清代中葉一些學者中有識者就開始從這方面下眞正功夫，注意勤加校勘，又從語言、字形、訓詁、語法等方面進行工作，到今已有二百多年歷史，如段玉裁、王念孫、引之父子、吳大澂、俞樾、孫詒讓等人的研究成果，爲了解《尙書》文字提供了超越一切古人的成就；江聲、王鳴盛、孫星衍、皮錫瑞、陳喬樅等人的著作，則搜集了有關古文、今文的豐富材料。其他學者著作有助於《尙書》研究者尙有之，除胡渭《禹貢錐指》是對《尙書》的《禹貢》專篇的巨大貢獻外，他如黃式三、戴鈞衡、吳汝綸諸人的書，各從某一方面對通讀《尙書》有用。另有以古文家自守的章炳麟，運用文字訓詁素養，對新發現「魏石經」的鑽研亦有裨了解《尙書》。特別是近代，在清人成就基礎上，加上西方學術影響，又因甲骨文金文研究的成熟，新材料的增多，更出現了新成就。舉如王國維（包括其學生楊筠如）、郭沫若、楊樹達、陳夢家、唐蘭等人，都通過對甲骨、金文的研究而對《尙書》研究做出了貢獻，王國維尤爲突出。當前則如于省吾先生有《尙書新證》專著，這是運用甲骨金文研究於《尙書》方面的一部系統的傑作；還有胡厚宣先生運用甲骨學材料結合文獻解決了《尙書》中一些疑難問題。其他現代學者足稱道者尙多；還有一位基本承古文之說的曾運乾，亦對《尙書》語法研究有創獲。此外近代自然科學者如竺可楨、劉朝陽等，从天文學方面把《尙書》研究推進到一個新的科學水平上，從而現代學術中的土壤、地理、政治經濟、民俗、神話、社會等學科，亦有助於提高研究水平，如辛樹幟先生的《禹貢新解》就從農業學角度對《尙書》作了鑽研。這些都是前人所已做的工作。

顧頡剛先生承清學之後，繼前人的成就，立足於清季所已達到的學術境界之上，加上現代學術水平，於是繼「西漢之攘東漢」，客觀上不僅承擔了如清末學者所預料的「以戰國諸子之學攘西漢」的任務，而且也承擔了以現代科學方法整理《尙書》的任務。他自己說，還要「拿了戰國以前的材料來打破戰國之學」，「從聖道王功的空氣中奪出眞正的古文籍，也可說是想用了文籍考訂學的工具衝進聖道王功的秘密庫裏去」（《古史辨》第一冊《自序》）。他就以這樣的精神來研究《尙書》。他的《古史辨》就是對儒家用《尙書》所建立的「堯、舜、禹、湯、文、武、周公」這一君統和道統所發出的有力的一擊。他繼《古史辨》之後，勤勤懇懇地對《尙書》研究付出了辛勤努力。

三、把《尚書》研究推進到一個新水平、新階段

顧先生研究《尙書》，如前面所說是從一九二二年就開始了的。一九二三年提出了對今文各篇的全面意見，一九二五年今譯了《盤庚》、《金縢》兩文，先後載《古史辨》第一、第二兩冊。一九二六年起到廈門和廣州在大學任教，就開了《尙書》和《左傳》兩課。一九二九年起到燕大及北大，更爲了摧毀舊系統古史政治方面的偶像，而不光是經學方面的探索，也專門開了《尙書》課。他在中山大學編的《尙書》講義，搜集自漢代至近代研究《尙書》的主要各家之說六十二種，編爲《尙書學參考資料》八巨冊，這是研究《尙書》最根本的物質建設。在燕大編的《尙書研究講義》分甲、乙、丙、丁、戊五種，每種中再分冊搜集資料，作專題研究。這段時期內，又搜集《尙書》經文文字變遷資料，和顧廷龍先生合編了《尙書文字合編》，由琉璃廠文楷齋刻字舖以木版摹刻（當時未印出，最近顧廷龍先生正在加工定稿，爭取較快印出）。又主編了一種按書中任何一字即可查到書中任何一句的《尙書通檢》，爲研究或閱讀《尙書》提供了非常方便的工具。又編《尙書學討論集》稿，著手抄集文字數百篇，可以了解《尙書》研究全貌。這些都是顧先生對《尙書》研究所下的功夫。

顧先生以爲自己既承清學之後，又受了現代治學方法的影響，最後接受了歷史唯物主義科學理論，自應在前人學術成果基礎上，對《尙書》作出與前人不同的成績。既然前人已揭露出了壅蔽《尙書》的三個障礙物，即：古文、漢古文、道統，自己就應當繼續進一步徹底

掃除淨盡這三個障礙物。關於僞古文，前人成績巨大，只要繼續做些補苴充實就行了，但在整理方面要更提高一些，充實一些，合於現代學術要求。關於漢古文，他相信清末今文家之說，以爲是「新學僞經」（這是尙待研究的問題），但以爲當時今文家偏於宣傳，論據疏闊，尙不足以服人，有待自己繼續踏實深入做精微探索工作。關於道統，雖然五四運動以來已經給以毀滅性打擊，但一直到全國解放前，始終陰魂不散。非常可慶的是人民革命勝利，就像麗日中天的陽光驅走爝火螢光一樣，科學的革命理論自然把這些作爲封建遺骸的東西從根本上清除乾淨。但從學術上闡釋清楚道統之爲物，它的形成，它的作用，它的影響，它到底是什麼一回事等等，則尙有很多功夫要做。所以在自己擬做的「古史四考」中，以它作爲重要的一個考，即以《尙書》爲中心，就全史中的道統活動作系統研究。

顧先生還以爲他的《尙書》研究的主體工作，並不限在上述三項。這三項只是前提，要在清除這三個障礙物之後，進而研析今文廿八篇。雖然清初學者推翻僞古文，清末學者又勇於否定漢古文，但他們都完全相信漢今文二十八篇。其實早在宋代，已有人懷疑過今文，如蘇軾《書傳》指出《康王之誥》的釋衰服冕爲非禮，即凶禮中不當設吉禮，疑漢代《顧命》之文不足信；程頤《書說》則疑《金縢》之文不可信；又有括蒼王廉也說「《金縢》非聖人之言」（《經義考》引）；吳棫《書稗傳》則疑《梓材》是《洛誥》脫文；趙汝談《南塘書說》「於伏生所傳諸篇多所掊擊詆排」（《直齋書錄解題》語），其書即疑《洪範》非箕子作；洪邁《容齋三筆》載晁以道對《堯典》、《禹貢》、《洪範》、《呂刑》、《甘誓》、《盤庚》、《酒誥》、《費誓》諸篇都致疑；最後王柏承諸人之說，對《詩經》、《尙書》都懷疑，他的《書疑》於《舜典》、《皋陶謨》、《益稷》、《洪範》、《多士》、《多方》、《立政》都更易經文，進行疑辨。清代漢學家因爲反宋學，所以一律不承用宋人之說，只有清初對當時社會上沒有影響的大學者王夫之，在他的《書經稗疏》中有對今文內容致疑之語，例如對《金縢》篇即提出可疑者十二點。又有一個非治經學的文人袁枚曾說：「《金縢》雖今文，亦僞書也」（《金縢辨》）。又以爲今文的《舜典》、《禹貢》、《呂刑》諸篇中關於征苗的話亦不可信（《征苗疑》）。可知疑今文者清代還是有的。即如康有爲、梁啓超爲今文派，一般尊信今文，但他們也指出《堯典》中有「蠻夷猾夏」、「金作贖刑」等時代在後的語句，以疑《堯典》的眞實性（見《中國歷史研究法》）。到錢玄同氏當然就更清楚地斷言今文中有僞篇了。他在《答顧先生書》中說：「現在的二十八篇中，有歷史價值的恐怕沒有幾篇，如《堯典》、《皋陶謨》、《禹貢》、《甘誓》等篇，一定是晚周人僞造的」（《古史辨》第一冊頁七六）。所以顧先生就明確提出對今文廿八篇的疑辨，明確斷言《堯典》、《皋陶謨》、《禹貢》三篇是戰國時僞造的，並對其它各篇不斷進行了探索。

當一九二三年春顧先生倡始的古史論戰展開後，他於六月一日給胡適的信中就提出了自己對二十八篇的看法，以爲依它們的可靠程度可分成三組。信中說：

> 先生要我重提《尚書》的公案，指出《今文尚書》的不可信，這事我頗想做。前天把二十八篇分成三組，錄下：
>
> 第一組（十三篇）：
>
> 《盤庚》、《大誥》、《康誥》、《酒誥》、《梓材》、《召誥》、《洛誥》、《多士》、《多方》、《呂刑》、《文侯之命》、《費誓》、《泰誓》。
>
> 這一組，在思想上，在文字上，都可信爲眞。
>
> 第二組（十二篇）：
>
> 《甘誓》、《湯誓》、《高宗肜日》、《西伯戡黎》、《微

子》、《牧誓》、《金縢》、《無逸》、《君奭》、《立政》、《顧命》、《洪範》。

這一組，有的是文體平順，不似古文；有的是人治觀念很重，不似那時的思想。這或者是後世的僞作，或者是史官的追記，或者是眞古文經過翻譯，均説不定。不過決是東周間的作品。

第三組（三篇）：

《堯典》、《皋陶謨》、《禹貢》。

這一組決是戰國至秦漢間的僞作，與那時諸子學説有相連的關係。那時擬書的很多，這三篇是其中最好的。那些陋劣的（如《孟子》所舉「舜浚井」一節）都失傳了。

但我雖列出這個表，一時還不能公布，因爲第三組我可以從事實上辨他們的僞，第一組與第二組我還沒有確實的把握把它們分開。我想研究古文法，從文法指出它們的差異，但這是將來的事情。

對於第三組，我想做兩篇文字——《禹貢作於戰國考）、《堯典、皋陶謨辨僞》。（《古史辨》第一冊頁二〇一）

他這一區分大體已取得學術界的公認，不少學者也在紛紛探討某篇成稿於何時，某篇寫定於何時了。顧先生自已則通過這篇把對於二十八篇鳥瞰性的意見提出來，對於《堯典》、《皋陶謨》、《禹貢》三篇自已有堅定的識力知其爲僞書，但對於其它各篇，則持著審愼的意見。其所以如此的原因，後來在《三皇考·自序》中說明：

僞《古文尚書》出於魏晉，它所引用的材料大都存在，容易啓人懷疑，因此，雖有經典的權威，終爲明清學者所打倒。可是二十八篇傳於春秋戰國，編定於漢初，可供研究的材料太少了，我們雖有好多地方覺得它可疑，但竟有無從下手之苦。將來

如能有大批的新材料出現，解決了二十八篇的問題，還解決了五帝的問題，那才是史學界的大快事呢。（《古史辨》第七冊頁四九）

可見顧先生是用實事求是的態度，科學求實的精神來對待今文二十八篇的。他認爲整理研究二十八篇，要做很多工作。他說：

民國二十年（一九三一），我在燕京大學講授「《尚書》研究」一門功課，第一期所講的便是《尚書》各篇的著作時代，其中《堯典》、《禹貢》等篇，因爲出世的時代太晚了，所以用了歷史地理方面的材料去考訂它，已經很夠。但到了《商書》以下各篇，因爲它們的編成較早，要考定它們著作的較確實的時代便很費事，這是使我知道不能單從某一方面去作考證的。因此我便有編緝《尚書學》的志願。編輯的方法，第一是把各種字體的本子集刻成一編，看它因文字變遷而沿誤的文句有多少。第二是把唐以前各種書裏所曾引用的《尚書》句子輯錄出來，參校傳本的異同，並窺見《逸書》的原樣，第三是把歷代學者討論《尚書》的文章，匯合整理，尋出若干問題的結論。第四是研究《尚書》用字造句的文法，並把甲骨文金文作比較，最後才下手去作《尚書》全部的考定。（《尚書通檢序》）

顧先生一生對《尚書》的研究，就是按這一規劃進行的。舉如幾次編「《尚書》研究」講義，編刻《尚書文字合編》，主編《尚書通檢》，集錄或剪輯《尚書學》資料，今譯《尚書》一些篇章，寫研究《尚書》有關問題的專論，以及在經常留意材料的過程中寫成筆記達數十冊等等。特別是顧先生腦子裏面經常裝著《尚書》，無論在閱覽中，在生活中，在見聞中，遇到的足以引起聯想的材料，得到的一些有關的感受，都立即聯繫到《尚書》問題的解釋上來。例如剛到重慶不久，夜間仰看大梁子一帶萬家燈火，如在天上，這是由於大梁子在重慶爲地勢較高之故，於是回想在西北時從飛機上看到下面連山疊嶂，遠比它處爲高，始悟這一帶在《尙書・禹貢》裏稱爲梁州，就因爲它是地勢高亢的西北高原之故。又如讀到《元秘史》中載元太宗害病，其弟拖雷請於神而代死，就推斷《尙書・金縢》載周公請代武王死的故事也是可靠的，因而打消了對《金縢》篇的疑慮，肯定它原來是眞實文件，不過在流傳中經周代後期的史官潤飾加工了。又如讀到元曲中常有許多補足語氣而沒有意義的襯字夾在句中，就想到《尙書》中許多難懂的文句，其中一些字毫無辦法解通，料定必然也有一些是無意義的襯字。又如自己札記了許多中山國的材料，以爲中山王倡虞夏文化，崇信墨學；墨子也提倡「夏政」與「禹道」及「堯舜之道」，大概就是以中山國所倡之虞夏文化爲之溫床。因而推論《禹貢》中的冀州，正是中山國王爲了追跡虞夏盛世，欲以自己鮮虞族爲中心才標舉出來的。而《禹貢》的揚州是東方的中心，爲吳越族地區；雍州是西方的中心，爲秦族地區；荆州是南方的中心，爲楚族地區；與北方的的冀州分峙於天下。因此以爲《尙書》中的幾篇《虞夏書》，當是冀州進入中原城市文明時代之中山國所宗述編訂，與周族諸國傳寫《周書》，商族宋國傳寫《商書》，楚族傳寫《三墳、五典、八索、九丘》情況正同。諸如此類，不論隨時遇到什麼材料和感觸，就立即融會貫通到《尙書》研究上來，幾乎達到了「造次必於是、顚沛必於是」的程度。一般人看來與《尙書》毫不相干的材料（例如元曲），他都能用來與《尙書》聯繫起來，更進一步用於他的古史研究上。他自己說，有很多見聞中遇到的資料能拿來作印證，往往是偶然的發現，但由於自己長期注意《尙書》的問題，在腦子裏不知轉了幾千百度，所以一些表面不相干的材料，一經遇上就立即抓住了它的用處，於是就以這種寢饋不忘的精神來從事這一研究。但由於資料太繁，問題太雜，長期勞神疲形於其中，遂來不及做「最後才下手去作」的「《尙書》全部的考定」工作。

顧先生以爲在廿八篇中，《堯典》、《禹貢》兩篇尤有著特殊意義，因爲它們實際是戰國時儒家遍搜材料精工編造而成的。他們以《堯典》建立帝王系統和古代制度；以《禹貢》綜述地理和貢賦等，以他們當時所居顯學地位的鼓吹，遂使這兩篇構成了上古史料的重心，尤其《堯典》可以說涉及到中國古史的各個方面，因此這兩篇成爲全書重點所在，顧先生就下決心要對它們進行考辨。在上面所引一九二三年六月致胡適談二十八篇的信裏，下文緊接著提出了準備寫研究《禹貢》與《堯典》、《皋陶謨》兩文的提綱：

㈠《禹貢作於戰國考》：⑴古代對於禹的神話只有治水而無分州；⑵古代只有種族觀念而無一統觀念；⑶古代的「中國」地域不大；⑷戰國七雄的疆域開闢得大了，故有統一觀念，……九州之説得以成立，而秦始皇亦得成統一之功；⑸鄒衍「大九州」之説即緊接九州説而來；⑹分野之説亦由九州説引起；⑺～⑽（按，皆考論九州州名）；⑾所以考定《禹貢》爲戰國時書而非秦漢時書之故（1.禹尚是獨立而非臣於舜，2.每州尚無一定的一個鎮山，3.不言「南交」）。

㈡《堯典、皋陶謨辨僞》：⑴堯舜之説未起前的古史；⑵春秋時的堯舜與戰國時的堯舜；⑶一時並作的《堯典》、《舜典》；⑷今本《堯典》、《皋陶謨》的出現（1.取事實於秦制，2.取思想於儒家與陰陽家，3.取文材於《立政》與《呂刑》）；⑸《堯典》《皋陶謨》與他書的比較（按，以七個問題分節與《論語》、《詩》、《呂刑》、《洪範》、《周書》、《楚辭》作比較）；⑹《堯典》、《皋陶謨》的批評（倒亂千秋式的拉攏，思想進化程序的違背）；⑺所以考定爲秦漢時書之故（按，舉了五點）；⑻《堯典》、《皋陶謨》

雜評（按，取文中詞語所反映事實在後者七點）。（《古史辨》第一冊頁二〇二－二〇五）

在這兩篇提綱之後，顧先生接著說明這兩篇文字要慢一點做，因爲牽涉的地方太多了，非多下些苦工，不易做得愜心。到一九三一年至三三年，他在燕京大學所編的《尙書講義》五種，就專講這兩篇，其中丙、戊兩種就專研究《堯典》，甲、乙、丁三種就專研究《禹貢》。其關於《堯典》部分，編了下列五種：㈠《堯典》評論，㈡《堯典》著作時代之問題，㈢堯、舜、禹禪讓問題，㈣朔方問題，㈤虞廷九官問題，還作了《堯典疏證》。關於《禹貢》部分，編了下列四種：㈠《禹貢》之研究討論文獻匯集，附：《十三州問題討論》，《九族問題討論》，㈡《周禮・職方》、《周禮正義》資料錄，㈢《王會篇箋釋》，㈣《漢書・地理志》與索引。這就爲這兩篇的研究揭明了綱要和提供了資料。

顧先生以爲我們現在可以看得清楚儒家編造《堯典》、《皋陶謨》、《禹貢》等篇的用意所在。前兩篇是儒家政治理想的結晶而把它史事化的，也就是把自己的政治理想作爲古代固有的歷史提出，作者盡量利用了不少遠古材料，借了堯、舜、禹、稷、契、皋陶、伯夷等許多古代不同時期、不同民族的不同傳說中的祖先或神話人物，「倒亂千秋式的拉攏」，集中安排到一個朝廷裏，成爲同氣連枝的君臣、兄弟、姻戚，又從而編排其在位的先後，成爲前後相承的政權繼承人。又把他們說成是理想的聖人，做出了很多美政。這就使人們讀了之後，只覺得美好的堯舜盛世早已存在於遠古，大家只應一心嚮往著儒家指出的黃金時代，朝著他們指引的這一方向走去。至於現在所見今本《堯典》，顧先生在講義中提出了可能寫定於漢代之說，主要理由是文中十二州、南交、朔方等地名，郊祀、封禪、舉賢良，制贖刑、三載考績等制度，都到漢時才有等等。這一說當然有人提出了不同的意見，例如十二州問題，郭沫若同志卻提出了可能係據十二宮配十二國土之說，其它討論意見也還有一些。所以顧先生在一九三五年九期《禹貢》半月刊上寫了《堯典著作時代問題之討論》一文，申述了他的看法。

現在我們稽考《堯典》的內容，覺得它實際包括三個來源：㈠遠古的素材。儒家爲了表示所編造這篇文件是眞正古文獻，所以盡量搜集所能找到的遠古材料，如早於曆法的觀象時代的遠古天文資料，早期曆法資料（有純陰曆時期和陰陽合曆時期不同來源的資料），還有如四方神名和四方風名，對自然的祭祀、各地各族的祖先神及神話……等等資料，既可自甲骨文和金文中得其痕跡，復可與記載古代神話的《山海經》、《天問》等書相覆按，很顯然，《堯典》在這方面是把神話故事變成歷史故事的典型，神話中的事物都給歷史化了、人化了。又如由傳說保存下來的遠古氏族部落政治生活的一些情況，像部落會議情形，像兩頭政長的活動等等，都以折射的方式映入了《堯典》中。這一部分是《堯典》中最可珍貴的部分，最富史料價值的部分。㈡儒家的思想或其理想的材料，它對流傳的一些不同歷史傳說所作的拼湊整齊。像德治觀點，像修、齊、治、平的「《大學》之道」，都是儒家所有的，與古代無關。像虞廷各官，「倒亂千秋式的拉攏」，可能是由於他們無時代觀念，以錯誤理解的框框去套古人，遇上了當時所見許多古代不同時代不同民族的人名資料，就一齊收來，像現代笑話中所說的那樣把「關公」和秦瓊編到一個劇裏面了。㈢漢代的影子。這是漢代經生重新寫定《堯典》時，因沒有時代觀念所無意地愚昧地帶進去的一些東西。這是無容爲諱的。顧先生所舉的許多事例中有好些是對的。但像司馬遷著《史記》一樣，是人所共知的事，可是現傳的《史記》中，摻入了不少司馬遷死後的事，晚到王莽時揚雄評司馬相如的話也在《史記》中，所以周代寫定的《堯典》，到漢代摻入些秦漢的東西是不足爲奇的，並不影響《堯典》成於周代，正像不影響《史記》成於司馬遷手一樣。我們今天提出對《堯典》的這些看法，是由顧先生運用他敏銳的觀察力所提出的一些看法啓發我們這樣看的。

顧先生又以爲《禹貢》是戰國之世走向統一前夕由當時地理學家所作的總結性的地理記載，把當時七國所達到的疆域算做天下，而根據自然地理來劃分區域。希望統治者對於各州的土地都能好好地利用和整治，各地把特有物產進貢到中央王朝，田賦則根據各州土地的肥瘠來決定等次。這是戰國時對實際的政治地理作出的一個理想式的規劃。在兩千多年前，對亞洲東部地理能有這樣的科學性的觀察和認識，眞可以譽爲科學史上的傑構。但是儒家把它作爲大禹時代的作品，以爲是禹治理洪水奠定九州的紀錄，把禹美化爲繼堯、舜後的平地成天的一個聖王，就顯然不符合歷史眞實了。顧先生爲了更好地研究《禹貢》，認識到應結合歷史地理的研究來進行，因此就創辦了《禹貢》半月刊，成立了「禹貢學會」，付出了很多時間和精力在這上面，這將另作專文敘述。

由於顧先生的這種努力，深入考辨了《堯典》、《禹貢》兩篇，以充分論證揭露了這兩篇和《皋陶謨》篇是儒家爲了建造他們的學說所加工編造的，這就從根本上動搖了儒家利用這幾篇所建立起來的古史系統。

到一九五九年，顧先生決定集中力量整理《尚書》本文，先從最難的做起，以爲在《周誥》八篇裏《大誥》是第一篇，又是很難讀的一篇，而它在周代歷史裏又是極關重要的一篇，必須努力突破這一重點，因此就決定下手做《大誥譯證》。一九六二年已寫出初稿，由於完成的篇幅過大，就擇其要點精煉成《尚書·大誥今譯（摘要）》發表於《歷史研究》一九六二年四期上。文章分爲校勘、解釋、章句、今譯、考證五個部分，進行了周詳、細致、深入的研究。這是對《尙書》按篇進行校釋整理的試作，也是他研究整理《尙書》的樣本。學術界很重視這一新作，紛紛有人寫文章或通信提出了支持和商榷的意見。其中有代表性的是李平心先生的專文，他熱烈地推許這一著作，認爲顧先生這項研究和整理《尙書》的法式，有下列幾個特點：㈠把校勘、考證、訓解、章句和譯述有機地綜合起來，組成一個研究體系；㈡據廣泛搜集的材料從事校釋，吸收各方精華，豐富《尙書》學內容；㈢打破經學史上門戶之見，擇善而從，並以自己研究心得加以發展，不囿於一隅一格；㈣把各種問題的專門探索同《尙書》的一般研究結合起來，能使專門知識和特殊材料爲校釋服務；㈤能從歷史角度進行考索，以求全面地具體地弄清楚《尙書》各篇的歷史背景和歷史脈絡。以爲可以說是對《尙書》力求進行總結性的整理工作，提出了別具一格的著作體例（《歷史研究》一九六二年五期《從〈尙書〉研究論到〈大誥〉校譯》）。可見這一著作，體現了《尙書》研究的新的水平。

顧先生的《大誥譯證》工作，一九六二年以後繼續深入、擴充，把全文分成了上下兩編，上編爲「校勘」至「今譯」四部分；下編爲「考證」部分，把產生《大誥》這篇重要文告的歷史背景即周公東征管、蔡、武庚事件，作了細致的考證。除把這一關係於周王朝成敗的重大歷史事件考訂清楚外，更清理出了周初民族大遷移的重要史實。由於顧先生在治學上務博求全的特點，以致材料愈聚愈多，史實愈析愈明，於是由《大誥》本文的譯證，發展成對周初歷史的研究，以致稿件愈寫愈繁，最後達到六十萬字左右，其中上編二十餘萬字，下編近四十萬字。計一九六二年完成下編初稿，一九六三年以後逐年增訂改定成新稿，到一九六五年成改定第四稿，一九六六年將完成最後定稿，以文化大革命事起擱筆。到這時下編形成了獨立的《周公東征史事考證》專稿，是顧先生又由史籍的研究轉向史事的考訂了。這是他到了七十四歲高齡的工作。而他這一繁重工作的目的，是爲了整理研究《尙書》中所涉及的問題。

顧先生的一生中，爲《尙書》的整理研究付出了這麼多辛勤的耕耘勞動，把《尙書》研究逐步推到一個新的水平，進到一個新的階段，本準備在一個個問題研究透徹的基礎上，「最後才下手去作《尙書》全部的考定」，寫出一部關於《尙書》全書的系統專著。由於問題太多，牽涉面太廣，資料太繁，搜集、整理、積累、尋析這些資料和問題就耗去了大半生，到開始坐下來準備寫的時候，已經到了暮年，而又遭逢十年動亂，就被耽誤下來無法寫出這一專著了。這是多麼値得惋惜的事！這就成了後繼者責無旁貸的重任，必須盡一切努力，把顧先生在《尙書》研究上給學術界留下的豐富遺產傳下來。

——原載《社會科學戰線》一九八四年第三期，頁二二〇——二二九。

聞一多先生的《詩經》研究

——為紀念聞一多先生八十誕辰作

費振剛

聞一多先生是我國新民主主義革命時期的一位偉人，在他身上兼有詩人、學者和戰士的三種品格，他在新詩創作、古代文學的研究和爲新中國誕生的戰鬥中，都做出了他獨特的貢獻，爲我們樹立了一面旗幟。但令人痛心的是，聞一多先生竟以四十八歲的盛年，死於國民黨反動派的槍彈下，他沒有親眼看到爲之獻身的新中國的誕生，也沒有完成他爲研究中國古代文學所擬定的宏大的藍圖。一九四七年，當《聞一多全集》出版時，郭沫若同志說：「一個人倒下去，千百萬個人站起來！在革命工作上我虔誠地希望能夠這樣，在爲人民服務的學術工作上我也虔誠地希望能夠這樣。」（註一）在紀念聞一多先生八十誕辰的時候，作爲一個熱愛聞一多先生品格和學問的後學，我願意把自己學習聞一多先生有關《詩經》研究的心得寫出來，以響應已故的郭老在二十多年前，爲紀念聞一多先生所發出的這一切實的提議。

一

還《詩經》以本來面目，這是聞一多先生研究《詩經》所著力做的一項工作。《詩經》是儒家的經典之一，在漫長的封建社會中，由於經學家、道學家的解釋，以及那成百上千種研究《詩經》專著和文章的掩蓋，它的眞正面目和固有的光彩，完全被淹沒了。我們要還《詩經》的本來面目，就必須剝掉千百年來封建的經學家、道學家們加給它的種種堂皇的外衣。聞一多先生回顧了兩千多年來研究《詩經》的歷史，用最簡明的語言，表達了他對這種研究的批判，他說：

> 漢人功利觀念太深，把《三百篇》做了政治的課本；宋人稍好點，又拉著道學不放手——一股頭巾氣；清人較爲客觀，但訓詁學不是詩；近人囊中滿是科學方法，眞厲害。無奈歷史——唯物史觀的與非唯物史觀的，離詩還是很遠。明明一部歌謠集，爲什麼沒人認眞的把它當作文藝看呢！（註二）

《詩經》是一部歌謠集，要把它當作藝文看。這是聞一多先生始終強調的。根據這一認識，聞一多先生擬定了一個重新編定、注釋《詩經》的「序例提綱」，並根據這一提綱，把十五「國風」一百六十篇詩按其內容重新編次爲《風詩類鈔》。聞一多先生還對《詩經》做了一些考釋和講解課題，在他的母校——清華大學以及後來的西南聯大講過多次。儘管由於他過早地離開了我們，沒有全部完成他的研究《詩經》的計劃，但就已經做過的而言，正如郭沫若同志所說的，「他那眼光的犀利，考索的賅博，立說的新穎而翔實，不僅是前無古人，恐怕還要後無來者的。」（註三）

建國以來，由於黨的鼓勵和提倡，從事古代文學研究和教學的同志，努力運用馬克思主義的歷史唯物主義基本原理來研究《詩經》，出現了不少專著，聞一多先生不少精闢的見解被相當廣泛地採用了，但聞一多先生對《詩經》的總的認識和理解，卻很少有人提及和承認。這種情況的產生，固然有許多原因，然而一個重要的原因，我覺得是因爲聞一多先生的認識和理解，在一些人看來離開傳統的看法太遠、太新穎而近於怪誕，使他們不肯接受。但我認爲這些地方恰是聞一多先生研究的深刻處，是他研究的精華所在。發揚聞一多先生的治學精神，根據他提示的思想把《詩經》的研究工作繼續下去，我確信可以使我們進一步揭示《詩經》的本來面目，使之放出其固有的光彩來。

二

聞一多先生在《匡齋尺牘》中說：

在今天要看到《詩經》的眞面目是頗不容易的，尤其是那聖人或「聖人們」賜給它的點化，最是我們的障礙。當儒家道統面前的香火正盛時，自然《詩經》的面目正因其不是眞的，才更莊嚴，更神聖。但是在今天，我們要的恐怕是眞，不是神聖（眞中自有著它的神聖在！）。我們不稀罕那一分點化，雖然是聖人的。讀詩時，我們要了解的是詩人，不是聖人。

怎樣去掉聖人和「聖人們」的點化，還《詩經》的眞面目，聞一多先生提出要用「社會學的」觀念去讀《詩經》，並以考古學、民俗學、語言學的方法「帶讀者到詩經的時代」。社會學作爲社會科學的一門學科，西方資產階級提倡時確有其爲資產階級利益服務的政治目的，但也確實有不少學者運用社會學的方法對人類社會的歷史發展的種種因素的考察上取得了十分可寶貴的成果，因此，我們如果不把社會學做片面的理解，聞一多先生提出要運用社會學去研究《詩經》，正是要求研究《詩經》要緊密聯繫產生《詩經》的時代背景和詩人的思想特點，這不能不說是去掉聖人點化而揭示《詩經》的眞面目，了解詩人的正確方法。

《姜嫄履大人跡考》、《高唐神女傳說之分析》、《說魚》等文章，是聞一多先生運用社會學的一個分支——民俗學的方法闡明詩的眞義的力作。我覺得其意義不僅限於它使我們懂得了上引諸文所論及的幾首詩的眞實意義，而且爲我們提供了研究較古時代文學作品的一般方法。

《詩經》產生於我國西周初年至春秋中葉這一段時間裏。由於去古未遠，當時的社會風貌，特別是還沒有受到聖人點化的「野人」中間，還大量保留著蠻荒時代的許多東西。而這些東西在《詩經》中有著廣泛的反映，並構成它的重要特徵。麻煩的是，儘管《詩經》中的不少詩篇是產生於「野人」中間，但終歸要落到後來掌握文化的「聖人」手中。而那些保存了過去時代種種意識形態的詩篇，是「聖人」如孔孟之流無法理解的，漢代的經師們更無法理解，並且出於他們維護自己階級統治的功利目的，要麼利用這些詩去進行政治的說教，要麼爲他們的道德倫理觀念提供正面的或反面的「形象的圖解」，終於把詩的眞義給淹沒了。現代人當然不能同意漢代經師的那一套，但是否能懂得周代的詩人呢？聞一多先生認爲：「同是人，但我們與『詩人』在品質的粗細上，據說相距那樣遠，甚至學者們有採用『文明人』與『原始人』兩種迥殊的稱呼的必要。我們的官覺靈敏了，情感細膩了，思想縝密了，一切都變好了，……那麼，你如何能擺開你的主見，去悟入那完全和你生疏的『詩人』的心理！當然，這也是一切的文藝鑒賞的難關，但《詩經》恐怕是難中之難，因爲，它是和我們太生疏了。況且糾紛還沒有完，能不能是一端，願不願又是一端。你想，戴上了那『文明人』的光榮的徽號，我們的得意，恐怕也要使我們不屑於了解他們——那，便更難辨了。」正是因爲存在如聞一多先生所指出的「更難辨的」那種情況，就使我們有可能不同意漢代經師們的政治說教，卻不能徹底超越同我們有同樣的「文明人」徽號的漢代經師所設下的種種藩籬，而與還保持著「原始人」某些風習的周代詩人接近，眞正的了解他們。

聞一多先生運用民俗學的方法研究《詩經》，正是做著拆除這些藩籬的工作，而「帶讀者到《詩經》的時代」。他考證姜嫄履大人跡，是從對周人先祖的原始宗教形態的研究入手的，這樣就不僅說清楚了《大雅・生民》「郊禖之祭」的性質，而且說清楚了「履帝武敏歆」的具體含義。聞一多先生認爲：《大雅・生民》「上雲禋祀，下雲履跡，是履跡乃祭祀儀式之一部分，疑即一種象徵的舞蹈。所謂『帝』實即代表上帝的神尸。神尸舞於前，姜嫄尾隨其後，踐神尸之跡而舞，其事可樂，故曰『履帝武敏歆』，猶言與尸伴舞而心甚悅喜也。『攸介攸止』，介林義光讀爲愒，息也，至確。蓋舞畢而相攜止息於幽閑之處，因而有孕也。」原始宗教的神與後世宗教的神不同，他們不僅與人有同樣的喜怒哀樂的感情和飲食男女的慾望，而且與人是相通的，由巫覡裝扮成的神尸就是他們的代表甚至是他們的化身。姜嫄因無子而禋祀，由禋祀而與神尸伴舞，由伴舞而與神尸行夫婦事以懷孕，這在原始人的頭腦中沒有感到有任何有悖於倫理之情（或者說在原始人頭腦中根本沒有這種倫理觀念），而且認爲這正是天帝的恩賜，是應該皆大歡喜的。這種情形，我們還可以從現代我國西南某些少數民族的風習中找到它的痕跡。而在階級社會中不少地區出現的「初夜權」制，儘管是階級壓迫的一種表現方式，對於受害的男女雙方都不是自願的，但其根源也可能是從這裏衍化出來的。要知道在階級分化的最初階段中，統治者不僅是社會物質財富的壟斷者，也是宗教儀式的執行者。聞一多先生在《姜嫄履大人跡考》中還進一步考證了這種原始宗教祭祀歌舞與社會生活的關係，並對后稷出生的實際情形做了令人信服的推斷。這樣就從本質上拆穿了統治階級爲了美化自己祖先而對歷史的僞造，徹底去掉了聖人們點化的靈光，從而使我們認識了產生《大雅・生民》的現實生活的基礎，看到了這首詩動人之處的所在。

與此有聯繫的，我們再看看聞一多先生是怎樣來闡明《芣苢》的詩義的。

對《周南・芣苢》這首詩，漢人有兩種說法：《毛詩》認爲「《芣苢》，后妃之美也。和平則婦人樂有子矣。」而三家《詩》則認爲

《芣苢》爲傷夫有惡疾而作。後一種說法由於顯然出於封建倫理說教考慮，所以解放後，許多研究《詩經》的人都沒有採用；而對於《毛詩》的說法則採取了一種含混的態度，《毛傳》說：「芣苢，馬舃，馬舃，車前也，宜懷任焉。」大家都接受了這個說法，但對《毛詩序》的「婦人樂有子」，卻從不做出具體分析。因爲這是一首婦女採摘芣苢時唱的歌，大可以與馬克思主義關於文藝起源於勞動這一原理相印證，於是就認爲這是「一首勞動歌曲」，「是婦女們採摘車前，隨口吟詠的勞動歌。」並且都引用清人方玉潤在其所著《詩經原始》中的一段話來證明自己的論點，說明這首詩的妙處。但這首詩的妙處是不是就在於它是一首勞動的歌，就在於它美無故實，而以簡單的語言和簡單的旋律而造成巨大的感染力呢？我以爲方玉潤以封建文人的積習把這首詩看成是田園詩加以讚揚，並沒有從本質看透這首詩（當然從其所處的時代來說，他的這一看法已是難能可貴了），就是把它看成是勞動的歌，也還是沒有把這個問題說透。《毛詩序》所說的「后妃之美」，固然是漢人說《詩》的口頭禪，不必認眞對待，而「婦人樂有子」則把這首詩的作者們的創作衝動說出來了，聞一多先生則對此做了科學的說明。

恩格斯說：「根據唯物主義觀點，歷史中的決定性因素，歸根結蒂是直接生活的生產和再生產。但是，生產本身又有兩種。一方面是生活資料即食物、衣服、住房以及爲此所必需的工具的生產；另一方面是人類自身的生產，即種的蕃衍。」（註四）而婦女則正是這「種的蕃衍」的擔負者，而在人類社會發生的最初階段，由於生物本能和社會環境的要求，婦女生子的慾望是十分强烈的，而這種慾望的表達，在當時的社會裏，是沒有什麼理由可以掩飾的，這既是經過「文明」薰陶的現代人無法理解的，但也不同於階級社會中生兒育女是爲了承襲家族的權力和財產的性質。正如聞一多先生所說的，是「本性的吶喊」，「是一種較潔白的，閃著靈光的母性的慾望。」而採芣苢以及婦女們採芣苢過程所唱的歌——《芣苢》，正是這種慾望的表達，也是這首詩的激情的所在，寄托著婦女的要求生子的强烈願望。正是基於以上的認識，聞一多先生對這首詩爲我們做了如下的提示：

> 現在請你再把詩讀一遍，抓緊那節奏，然後合上眼睛，揣摩那是一個夏天，芣苢都結子了，滿山谷是採芣苢的婦女，滿山谷響著歌聲。這邊人群中有一個新嫁的少婦，正撚那希望的璣珠出神，羞澀忽然潮上她的靨輔，一個巧笑，急忙的把它揣在懷裏了，然後她的手只是機械似的替她摘，替她往懷裏裝，她的喉嚨只隨著大家的歌聲囀著歌聲——一片不知名的欣慰，沒遮攔的狂歡。不過，那邊山坳裏，你瞧，還有一個傴僂的背影。她許是一個中年的磽确的女性。她在尋求一粒眞實的新生的種子，一個禎祥，她在給她的命運尋求救星，因爲她急於要取得母的資格以穩固她的妻的地位。在那每一掇一捋之間，她用盡了全副的腕力和精誠，她的歌聲也便在那「掇」「捋」兩字上，用力的響應著兩個頓挫，彷彿這樣便可以幫助她摘來一顆眞正靈驗的種子。……

聞一多先生這樣洋溢著詩意的敘述，較之方玉潤所說的，我以爲更符合實際，也更深刻的多。而且它的意義不局限於一兩首詩的理解上，它由此引導我們用同樣的方法去研究《詩經》，是可以把許多詩的眞面目揭露出來的。聞一多先生編《風詩類鈔》的用意也在於此，凡與生子的慾望有關的詩，他都在其題解和注釋中做簡要的說明，可供我們今天去深入探討。

《高唐神女傳說之分析》和《說魚》，聞一多先生是從「廋語」或「隱語」的含義去闡發《詩經》中一些詩歌的本義的。他認爲這是《詩經》原始性詩歌的特徵之一。詩歌中所謂的「廋語」或「隱語」

，有點像後世的謎語的謎面，但不同的是，它不像謎面一樣，用種種巧妙的譬喻來代替直說，把事物（謎底）暗示出來讓對方揣摩猜測，而是使用某種事物或特定詞彙，讓它具有一定的象徵意義，做爲詩歌表達思想和交流感情的一種手段。在上述兩篇文章中，聞一多先生著重分析了《詩經》中兩系列「隱語」：以「魚」爲情侶間互稱的隱語，那麼「打魚」、「釣魚」等行爲就是求偶的隱語，「烹魚」、「食魚」就是合歡和結配的隱語。——這是以某種事物做隱語的。以「食」代表情欲的行爲，「飽」代表情欲的滿足，相反「飢」則表情欲未遂。——這是以特定的詞彙做隱語。用聞一多先生這一理解和概括去分析《詩經》特別是《國風》中有關的詩，詩的眞義就被認識了，而且使我們糾正了漢代以來經師們的許多迂腐和荒謬的見解。如《曹風・候人》，聞一多先生在《高唐神女傳說之分析》中用了極精細的考證和極有力的材料，駁斥了《毛詩》「刺小人也，共公遠君子而近小人焉」的說法。詩中的「隮」，就是歷代用以比擬美人的虹蜺的「蜺」字；詩正用「南山朝隮」比喻詩中的「季女」。詩中的「飢」字，表示季女之情欲未遂，而「維鵜在梁，不濡其味」，意思是說沒有捕到魚，用以比喻女子沒有遇到她的情侶，所以詩中才有「彼其之子，不遂其媾」的句子。這樣《候人》一詩的意思清楚了，「不但共公與詩無關，連所謂『近小人』也是謊話。『遠君子』則又是謊話中的廢話。一個少女派人去迎接她所私戀的人，沒有接著。詩中大意如此而已。」眞面目一經揭穿，那漢代以來經師附會政治的謬說也就不攻自破了。

再如《陳風・衡門》，朱熹說：「此隱居自樂而無求者之詞。言衡門雖淺陋，然亦可以游息；泌水雖不可飽，然亦可以玩樂而忘飢也。」現在也還有人沿襲這種說法，認爲這首詩表達的是一種「安貧寡欲的思想」而加以肯定。而根據聞一多先生的考證，這首詩實在與安貧寡欲思想毫無關係。讀「衡」為「橫」是對的，但並不是橫木為門，言其淺陋的意思：「衡門」即「橫門」，陳國國都有一個城門名「橫門」，當是陳都東西頭之門。它與「城闕」、「城隅」一樣，同為男女幽會的場所，「棲遲於衡門」，與《靜女》「俟我於城隅」，《子衿》「在城闕兮」，為同一故事。《衡門》是一首表達男女情愛的戀歌，是寫詩人與女友相約，在衡門之下會面，然後同往泌水之上。又「樂」，據《三家詩》及鄭玄《注》應作「療」，「療飢」、「食魚」皆是表示情欲滿足的隱語。

總之，《詩經》中凡有「魚」、「食」兩系列事物或詞彙的，按照聞一多先生的提示去理解，都會感到豁然開朗，加深了對其詩義的認識。《說魚》是聞一多先生在發表了《高唐神女傳說之分析》十年之後寫出的。在這十年中，他又搜集了相當多的材料，並認為有做更加廣泛深入研究的必要，他從《詩經》等先秦典籍說起，又引證了相當豐富的漢魏樂府、近代民歌，以及文化狀態與《詩經》時代相近的少數民族民歌的材料，更加證實這一推論的正確性。因此，《說魚》是把個別研究普遍化了，具有更高的科學性。就《詩經》來說，這些引證更可以看出《詩經》中那種大膽露骨的情欲描寫，乃是原始社會的「野蠻」風習的遺留。（註五）在原始人的觀念中男女婚姻之事與種族的蕃衍和保存是直接聯繫的，因此他們提到情慾的要求，與提到穿衣、吃飯一樣平常，他們既沒有「文明社會」中正常人的羞恥的感情，也沒有「文明社會」中專以玩弄女性為樂事的色情狂的那種褻瀆的感情。《詩經》中的這種描寫，與後世文學（包括一些民歌）中的庸俗低級的色情描寫完全是性質不同的兩回事。

三

聞一多先生在研究《詩經》過程，始終沒有忘記要把《詩經》當作文藝作品看。他批評「訓詁學不是詩」，是因爲清人運用訓詁學方法去進行語詞名物的考釋，固然有弄清詩的本義的客觀效果，但其主觀目的則不是爲了說詩，而是爲了講經，是爲了附會封建階級的政治說教和宣揚他們道德倫理觀念。聞一多先生也運用訓詁學的方法，但目的則與清人相反，不是爲了講經，而是爲了說詩，爲了使人們正確地理解詩人所表達的思想感情和欣賞他們表達思想感情的藝術手段。這樣，清代樸學大師們運用的考據方法，在聞一多先生手中變成了揭示《詩經》眞面目的有力手段，他常常可以通過一兩個字的考據，糾正前人的謬誤和成見，而使我們獲得對詩義及其藝術構思的切實的了解。其結論的精當，引證的確鑿，方法的嚴密，當代研究《詩經》者是公認的。（註六）。

爲了說明這一點，我想再舉兩個例子。如前所述，聞一多先生運用民俗學方法闡述了《芣苢》一詩的意義，而爲了加强這一論點，他又運用了考據的方法，爲之提供了新的論據：

> 「芣」從「不」聲：「胚」字從「丕」，「不」、「丕」本是一字，所以古音「芣」讀如「胚」。「苢」從「㠯」聲，「胎」從「台」聲，又從「㠯」聲，所以古音「胎」讀如「苢」。「芣苢」與「胚胎」古音既不分，證以「聲同義亦同」的原則，便知道「芣苢」的本意就是「胚胎」，其字本只做「不㠯」，後來用爲植物名變作「芣苢」，用在人身上變作「胚胎」，乃是文字孳乳分化的結果。

由此，聞一多先生認爲「芣官是一種植物，也是一種品格，一個allegory（譬喻）。」正因爲它兼有這兩種性質，所以婦女在採摘芣苢時所企求的，不僅從生理上治療不孕，而且在心理上由此得到安慰和激動，這後者才正是激發詩人創作的激情的秘密之所在。由此，聞一多先生還指出：「在《詩經》裏，『名』不僅是『實』的標簽，還是

『義』的符號，『名』是表業的，也是表德的，所以識名必須包括『課名責實』與『顧名思義』兩種涵義，對於讀詩的人，才有用處。」由此，聞一多先生還順便指出：「『芣苢』既與『胚胎』同音，在《詩》中這兩個字便是雙關的隱語（英語所謂Pun），這又可以證明後世歌謠中以蓮爲憐，以藕爲偶，以絲爲思一類的字法，乃是中國民歌中極古舊的一個傳統。」我以爲這一論證的提出和推論，都不僅有助於加强對《芣苢》一詩思想感情表達的理解，而且對整個《詩經》的研究都是有啓發的。

《周南・桃夭》中的「夭夭」一詞，《毛傳》解釋爲「少壯」，在《邶風・凱風》中，《毛傳》又由「少壯」引申爲「盛貌」。少壯而又有美盛之義，用這樣的說法去理解「夭夭」，聞一多先生認爲「其說雖可通，然終嫌求之過深，轉詩人體物之妙」，所以他不採取這種說法。他說：

> 《說文》曰：「夭，屈也。」《凱風》篇曰：「凱風自南，吹彼棘心，棘心夭夭」，謂棘受風吹而屈曲也。樂府《長歌行》曰：「凱風吹長棘，夭夭枝葉傾，黃鳥飛相逐，咬咬弄好音，」語意全本《詩（原文如此，疑當爲凱字——引者注）風》，第二句正以「枝葉傾」申詩「夭夭」之義。本篇「桃之夭夭」，義亦當同。謝靈運《悲哉行》曰：「差池燕始飛，夭裊桃始榮」，夭裊亦桃枝隨風傾屈貌。謝以「夭裊」易《詩》之「夭夭」，亦善得《詩》旨。夭訓屈，凡木初生則柔韌而易屈，故謂之夭。

這雖然是一個詞的解釋不同，但可以看出聞一多先生是把文字訓詁作爲一種手段，以求得對詩義的正確理解，以詩人之心去理解詩人之心，這樣就加深了對詩人所描寫事物的認識，讓我們體會到「詩人體物之妙」。《桃夭》三章，每章四句；每章前兩句爲興句。以桃枝傾屈貌來解釋「夭夭」，這樣全詩的興句，就是以桃樹從抽條到結實的整個過程來起興的，既寫了初生桃枝隨風傾屈的婀娜多姿，又寫了桃花的艷麗多彩，既寫了桃葉的繁茂，又寫了桃實的豐盛，充分體現了詩人對事物觀察的細致和狀物的工巧，而對於詩人所要表達的對新婚少女的稱讚又起到了充分的暗示作用，給人以豐富的聯想：桃枝隨風傾屈，讓人聯想到新婚少女的身姿的輕盈；艷麗的桃花，讓人聯想到這少女的光彩動人的情態；桃葉的繁茂，讓人聯想到這少女的健康豐滿；果實的豐盛，既暗示這少女將成為光榮的母親，又讓人聯想這少女婚後生活的美滿和諧。在《詩經新義》和《詩經通義》中，聞一多先生總是把《詩經》各篇中同類同義的字或詞排列在一起，進行互相比較和印證，而使它們的意思更加顯露，並進而使有關各篇詩義豁然貫通，例子是很多的，這裏就不一一舉例了。

把《詩經》作為文藝作品來讀，我們一定要衝破傳統經學的束縛，拋棄漢代以來傳統的成見，但前人的具體研究方法，諸如訓詁考證之類，又可以幫助我們了解詩的本來意思，這又使我們不能完全拋開前人的研究成果。聞一多先生以他深厚的學識和犀利的辨別力，在前人的基礎上，對《詩經》的名物、詞彙進一步做了扎實的考釋，為他的許多新穎的立說打下了攻不破的根基。這樣的治學方法和道路，是應該繼承和發揚的。我們能夠在《詩經》研究上，在聞一多先生研究基礎上再前進，就非在古文獻知識方面如音韻學、文字學、訓詁學等下一番苦工夫不可。

四

聞一多先生研究《詩經》、《楚辭》、唐詩，從來沒有局限於具體作品的分析上，他曾說過「今天的我是以文學史家自居的」，（註七）因此，他對具體作品的研究總是擺在文學發展的歷史長河中，擺在同時代文化發展，乃至物質生產發展的廣闊背景下。為了探求文學發展的源頭，他研究神話傳說，研究以原始社會為對象的文化人類學以及佛羅依德的心理分析學。也為了同樣的目的，他在古文字學、音韻學上下了極大的功夫，他讀甲骨卜辭，讀銅器銘文，研究《周易》。他在西南聯大開過「中國文學史分期研究㈠」即上古文學史這樣的專題課。聞一多先生在學術領域的這種勇於探討的結果，同時也有現實的政治鬥爭的推動，終於使他認識並研究了馬克思主義的唯物史觀，以至到遇難前的幾個月，他曾向朱自清先生表示，他要寫一部唯物史觀的中國文學史。（註八）他的計劃並沒有完成，這當然是極大的憾事，也是我國學術界的重大損失，但從聞一多先生這樣的治學精神和道路中，得到極寶貴的啓示。一個人只有他的學術視野是極為廣闊的，並勇於實踐和探索，才有可能在學術上做到有所發明和創造，並最終得到歷史唯物主義的正確認識。正如上面所提及的，聞一多先生的那些出人意外的立論，是以充分的事實做基礎的，因而也符合於唯物史觀所指出的一般原則，並不是他的主觀的臆造和杜撰。一些所謂正統學者視之為「非常異義，可怪之論」，實在是表現他們自己的淺薄和孤陋寡聞，而無損於聞一多先生學術成就的光輝！

那麼「以文學史家自居」的聞一多先生，把《詩經》擺在中國文學發展的什麼地位上呢？我們且看他在《歌與詩》中的論述。

《歌與詩》寫成於一九三五年六月，是聞一多先生計劃中的「中國上古文學史講稿」的一章。儘管這時，聞一多先生還沒有接觸到唯物史觀，但這篇所做的分析，卻為馬克思主義關於詩歌乃至文藝起源的理論提供了有力的佐證。在中國詩歌發生、發展的論述上，直到今天，我認為還沒有一個人能夠像聞一多先生論述的這樣精闢。

聞一多先生在這篇文章中是從歌與詩在最開始的時候不同作用論述起的。他認為：歌的本質是抒情的，原始人最初由於情感的激盪而發出的如「啊」、「哦」、「唉」，或「嗚呼」、「噫嘻」一類的聲音，便是歌的起源，在古書中這感嘆的聲音大都寫作「兮」，個別的寫作「猗」或「我」，其實都是「啊」這個字的不同寫法而已。人生活在社會中，感情的發泄不是爲了自我表現和自我欣賞，其目的是爲了求得別人的了解，要起著協調社會生活的作用。正因如此，歌光靠感嘆的聲音是不行的，它必須在感嘆聲音的前後加上對其解釋的實詞，才能使對方了解，而隨著社會的進一步發展，語言的進步，「實字用得愈多，愈精巧，情緒的傳遞愈有效，原來那聲『啊——』便顯著不重要，而漸漸退居附庸地位（如後世一般歌中的「兮」字），甚至用文字寫定時，還可以完全省去。」但要追本溯源，還是聞一多先生說得正確：

> 感嘆字本只有聲而無字，所以是音樂的，實字則是已成形的語言，因此我們又可以說，感嘆字是伯牙的琴聲，實字乃鍾子期講的「志在高山」，「志在流水」。自然伯牙不鼓琴，鍾子期也就沒有這兩句話了。感嘆字必須發生在實字之前，如此的明顯，後人乃稱歌中最主要的感嘆字「兮」爲語助、語尾，眞是車子放在馬前面了。

什麼是詩？聞一多先生說：「『詩』字最初在古人的觀念中，卻離現在的意義太遠了。」爲此他考察了漢人訓詩爲志的涵義，指出「志與詩原來就是一個字。志有三個意義：一記憶，二記錄，三懷抱，這三個意義正代表詩的發展途徑上三個主要階段。」

詩在其發展的最初階段，它的本質是記事的。詩產生於文字產生以前，這是公認的事實。當時是專憑記憶以口耳相傳，因此詩之有韻和句法的整齊，正是爲了便於記憶而產生的。所以聞一多先生認爲：「最古的詩實相當於後世的歌訣，如《百家姓》、《四言雜字》之類，就《三百篇》言，《七月》（一篇韻語的《夏小正》或《月令》）

，大致還可以代表這階段，雖則它的產生決不早到太遼遠的時期。」——這是詩發展的第一階段。產生文字以後，用文字記載代替記憶，因此，記憶謂之志，記載亦謂之志，這在先秦文獻中可以說是通例。聞一多先生對此在《歌與詩》中做了詳盡的引證，然後指出：「一切記載既皆謂之志，而韻文產生又必早於散文，那麼最初的志（記載）就沒有不是詩（韻文）的了。……承認初期的記載必須是韻語的，便承認了詩訓志的第二個古義必須是『記載』」。「詩即史」，前人有「六經皆史」的說法，正是這種古老的觀念的遺留，它們之間的區別，只在有韻和無韻上，前者可以稱爲詩，其功能仍是記事的，至少在漢代以前的人是這樣理解的。——這是詩發展的第二階段。

按照聞一多先生的理解，在我國詩歌發展的第二階段上，歌與詩的作用還是完全不同的，以至於我們可以這樣認識：「古代歌所據有的是後世所謂詩的範圍，而古代詩所管理的乃是後世史的疆域。」但社會的發展和社會生活越來越複雜，它要求記載能適應這一變化，爲之更好地服務，而散文記載較之「繁於文采」的詩（韻文）的形式更經濟更準確，因而得到了進一步發展。詩怎麼辦呢？它沒有因此而衰落下去，它遷移到另一地帶去了，這就是聞一多先生的理解的詩發展的第三個階段。他說：

> 在記事的課題上，他（指詩——引者注）打頭就不感眞實興趣，所以時時盼著散文的來到，以便卸下這分責任，去與歌合作，現在正好如願以償了。……
>
> 詩與歌合流眞是一件大事。它的結果乃是《三百篇》的誕生。一部最膾炙人口的《國風》與《小雅》，也是《三百篇》的最精彩部分，便是詩歌合作中最美滿的成績。一種如《氓》、《谷風》等，以一個故事爲藍本，敘述方法也多少保存著故事的時間的連續性，可說是史傳的手法，一種如《斯干》、《小戎

》、《大田》、《無羊》等，平面式記物，與《顧命》、《考工記》、《內則》等性質相近，這些都是「詩」從它老家（史）帶來的貢獻。然而很明顯的上述各詩並非史傳或史志，因爲其中的「事」是經過「情」的炮製然後再寫下來的。這情的部分便是「歌」的貢獻。由《擊鼓》、《綠衣》以至《蒹葭》、《月出》，是「事」的色彩由顯而隱，「情」的韻味由短而長，那正象徵著歌的成分在比例上的遞增。再進一步，「情」的成分愈加膨脹，而「事」則暗淡到不合再稱爲「事」，只可稱爲「境」，那便到達《十九首》以後的階段，而不足以代表《三百篇》了。……總之，詩歌的平等合作，「情」「事」的平均發展，是詩的第三階段的進展，也正是《三百篇》的特質。

關於詩歌的起源和發展，過去有著不少的論著加以考察，但多數是偏重了形式的，而把《詩經》看成「四言體」詩的標本，由它經過《楚辭》發展爲五、七言詩，再發展成成長短句（詞、曲）。聞一多先生則著重於從詩歌的性質和作用上加以考察，爲我們勾畫了《詩經》以前詩歌發展的大勢，確定了《詩經》在我國詩歌發展史上的地位。儘管他自己認爲這只是「憑著一兩字的訓詁」，進行的一次「試測」，其中許多論點仍待於充實、豐富，但他的這一見解卻啓發我們在研究我國詩歌源流和發展的時候，不能局限於詩歌形式的發展上，而應著重從詩歌發展與社會生活的密切聯繫上去考察，應著重於從當時人們對詩歌作用認識——詩的觀念的發展上去考察。

綜上所述，聞一多先生在《詩經》的研究上，通過他的辛勤勞動和勇敢探索，爲我們留下了一筆巨大的極其寶貴的遺產。但我們也應指出，聞一多先生受到當時種種條件的限制，在《詩經》的看法上也有不夠全面的地方。他運用民俗學的方法去研究《詩經》，得出了許多新穎的看法，也注意運用文化狀態與《詩經》時代約略相同的我國少數民族的有關材料來印證《詩經》所反映的生活、思想、情感存在的眞實性，都是十分正確的。但限於當時的環境，他不能也沒有可能去充分運用我國少數民族的這方面的資料。（註九）有明顯的跡象說明他的一些結論是在西方資產階級學者所提供的外國材料的啓示下所做的推論。而更重要的，儘管聞一多先生由於現實鬥爭的推動，在他生命的最後幾年裏，思想有了激烈的轉變，接受了我們黨的政治領導，並開始對馬克思主義的學習，但在治學方法上，他還沒有來得及作根本的轉變，這就使得他在《詩經》的研究上，明顯地看出他缺乏階級、階級鬥爭的觀念，以至於對產生於階級社會的《詩經》的階級屬性沒有做出任何分析；對《詩煰》中大量存在的社會詩，沒有給予足夠的重視；在有關婚姻愛情詩歌的分析上，他只著眼於這類詩歌中原始風習的遺留上，而對其中所反映的階級壓迫的明顯事實，幾乎沒有一字論及，這不能不說是很大的缺陷。但我們決不可因此而苛求於聞一多先生，因爲我們相信如果不是由於國民黨反動派的屠刀使聞一多先生過早地離開了我們，他本人對此也會做出重新分析和認識的。我們今天的責任，應該是全面地估量聞一多先生在《詩經》研究上的貢獻，在他的基礎上，把《詩經》的研究向前推進一步，做出與我們時代相稱的成果，完成聞一多先生未竟之宏願，這將是對聞一多先生的最好的紀念。

【附註】

註　一　一九四七年開明書店版《聞一多全集・郭序》。

註　二　本文所引聞一多先生的文章和論述，分見他的如下三部著作：《神話與詩》、《古典新義》、《詩選與校箋》。爲節省篇幅計，均不一一注出其具體出處。

註　三　同註一。

註　四　恩格斯《家庭、私有制和國家的起源》，見《馬克思恩格斯選集》（人民出版社，一九七二年版）第四卷頁二。

註　五　聞一多先生在《說魚》文末有這樣一段話：「朱佩弦先生指出：這個古老的隱語，用到後世，本意漸漸模糊，而變成近似空套的話頭。他這意見是對的，附志於此。」從中可以看出我們的前輩學者在學術上互相切磋琢磨的親密關係。而朱自清先生的這一意見，也使我們進一步認識到聞一多先生所論及的問題的正確性，特別是應用在《詩經》的研究上。

註　六　此處本應引《新臺鴻字說》作爲證明，因爲這篇文章自從一九三五年發表後，我國學術界一致公認是一篇極精確的考據文章，至今仍爲《詩經》研究者們引用。但在文章發表十年後，聞一多先生在《說魚》一文中說：「我從前把這鴻字解釋爲蛤蟆的異名，雖然證據也夠確鑿的，但與《九歌》的鴻字對照了看，似乎仍以訓爲鳥名爲妥。」這表明聞一多先生最後放棄了他從前的看法，爲尊重聞一多先生本人的意見，所以我沒有引用。從聞一多先生對自己看法的修改，可以看到他在治學上的謹嚴和勇於探索的精神。

註　七　轉引自《聞一多全集》卷首載季鎭淮先生所作《聞一多先生年譜》。

註　八　《聞一多全集·朱序》。

註　九　聞一多先生在考據上，不僅注意運用古代文獻上的材料，而且也注意運用現實的材料，例如他用我國少數民族的風習來說明《詩經》時代的人民生活情況。這是很有啓發的。一九七八年冬，我曾有機會去海南島，參觀了海南黎族苗族自治州首府附近的黎族產生大隊——番茅大隊。黎族同志介紹說：解放前這裏的生產方式極爲落後，沒有耕田的工具，插秧前就把水牛趕到田裏，讓水牛在田裏往復踐踏，然後就揷秧，這叫做「牛踩田」。寫作本文時，再讀《姜嫄履大人跡考》，當聞一多先生在該文中論及「履跡爲祭祀中一種象徵的舞蹈，其所象者殆亦即耕種之事」時，引《博物志》的一段話：「東陽縣多麋，十千爲群，掘食草糧，其處成泥，名曰麋畯」後，他說：「畯之言踆也，以足踐而耕之曰畯，麋畯猶言麋耕耳。」據此，我們可以肯定「麋畯」即「麋耕」與「牛踩田」完全是一回事，想不到這古老的生產方式，竟沿襲了這樣的長久。由此，我覺得研究古代文學，要確切地了解其所反映的當時生活情況，不僅要依據當時的歷史文獻記載，而且還可以從現實的人民生活中得到一些必要的驗證。而今天我們所處的時代和生活條件較之聞一多先生可以說是無比優越的，我們應該充分利用這一點。

——原載《北京大學學報》一九七九年第五期，頁五八——六六，轉頁九六。

熊十力先生《易》學思想管窺

——讀《乾坤衍》

唐明邦

一、論衍《易》宗旨

熊十力先生早年研究西學，後來醉心佛法，「四十歲後，捨佛而學《易》，平生思想變遷，以此番爲最大。」（《乾坤衍》，頁二七八）《易》學思想可說是熊先生思想的主幹。他指示學人爲學的途徑是學習西學，涉獵佛學，歸本《易》學。熊先生傾其晚年心血撰寫哲學著作《乾坤衍》，自稱「余之思想，變遷頗繁。惟於儒、佛二家學術，各詳其體系，用力尤深。本書（指《乾坤衍》）寫於危病之中，而心地坦然、神思弗亂。此爲余之衰年定論。」（《乾坤衍》，頁四九二）

熊先生將「衰年定論」之作，定名「乾坤衍」，頗有深刻寓意。他說：「易道在乾坤。」「學《易》者必通乾坤，而後《易經》全部可通也。衍者，推演、開擴之謂，引申而長之，觸類而通之，是爲衍。余學《易》而識乾坤，用功在於衍也，故以名書。」（《乾坤衍・自序》）可見熊先生之研究《易》學目的在借用《易》學思想來闡明自己的哲學，同就《易》論《易》者大異其趣。

熊先生多次闡發他捨佛學而研究《易》學的目的。

首先，他認爲《周易》本爲占卜之書，一經孔子修定，就成爲重要哲學著作。它是中華民族思想文化的瑰寶。他說：「吾意《易》之始興，本緣占卜。及經孔子修定，則純爲哲學思想之書。永爲吾民族

玄文鴻寶。」（《十力語要》，卷一，頁三）

但他認爲作爲五經之首的《周易》，有「眞經」與「僞學」之別。子游、子夏所傳者，乃孔子所定古經，是「五經」之根本；六國小儒所傳者，歪曲了孔子《易》學宗旨，是「僞經」。熊先生自稱他講明《易》學，是爲闡揚孔子之道，而力排六國僞學。他說：「大《易》一經，是五經根本。漢宋群儒以《易》學名家者，無一不是僞學，其遺毒甚深，直令夏族委靡莫振，余實痛心。久欲講明《易》學，復興孔子之道。」（《乾坤衍》，頁一五）

熊先生申明，他研究《易》學，是爲了闡發振興中華的哲理，探索中國長期停滯不前的思想根源。他是在參加辛亥革命遭到失敗之後，爲總結民主革命經驗而探討《易》理的。《乾坤衍》中說：「余傷清季革命失敗，又自度非事功才。誓研究中國哲學思想，欲明瞭過去群俗，認清中國何由停滯不進。故余研古學用心深細，不敢苟且。」（《乾坤衍》，頁一五）

熊先生認爲，《周易》一書在五經中地位極爲重要，它是孔子根據自己豐富的社會經驗闡述其深刻哲學思想，自成周密體系的哲學書，是我國哲學思想界之大典。他說：「伏羲遠在太古，經驗有限。八卦雖美，猶是造端。當時術數家猶資八卦以爲占卜之用，並未成爲哲學思想界之大典。孔子讀八卦，雖有所引發，而孔子之思想畢竟是自發自動，是本其弘博豐富的經驗，而始有廣大深遠之創見。是自成宏偉周密的體系。」（《乾坤衍》，頁一三九）又說：「孔子作《周易》，是於自然、人事，偏觀、周覽，積測積驗，歷散殊以觀會通，乃至宇宙、人生諸大問題，莫不由遠取物、近取身，極深研幾，始得明確解決。《周易》一經，廣大悉備」（《乾坤衍》，頁一三八），值得深研細讀。

熊先生認爲，孔子的「眞經」同六國小儒「僞學」的根本區別，就在於對待革命與專制、君主與民主等問題上立場、態度截然不同。「僞經」是爲鞏固封建君主專制服務的，影響所及，弄得中國數千年停滯不前；只有復興孔子「眞經」之理，才能打破保守思想，鼓勵革命，反對君主專制，支持民主。熊先生的《易》學思想，實是對中國資產階級民主革命的反思；是對舊中國封建法西斯主義思想統治的歷史清算。不過是借孔子之口，來講述自己的哲理。

熊先生認爲：《易》學絕不是書齋裏的學問，它是內聖、外王之學，是指導人們成已、成物的大學問。研究《易》學，正是要解決宇宙人生、社會政治諸大問題。《乾坤衍》寫道：「先聖大《易》一經，廣大至極，無所不包通，而可約之爲內聖、外王兩方面。……內聖學，解決宇宙人生諸大問題，《中庸》所謂『成已』之學在是也；外王學解決社會政治諸大問題，《中庸》所謂『成物』之學在是也。」（《乾坤衍》，頁四九一）

「內聖」學要旨何在？熊先生認爲，中心在於克制小我，樹立萬物一體的人生觀。他說：「就內聖學言，根本反對宗教之天帝，及哲學之雜於神道思想者。要歸於克治小己之私，宏其天地萬物一體之量。」（《乾坤衍》，頁三三九）所謂「克治小己之私」，就是要具有「民胞物與」的精神，樹立完美的人格，使小我融入大我，達到萬物一體的忘我精神境界；排除一切自私自利，損人利己，爾虞我詐的惡習，成爲一個道德高尙的人。

熊先生認爲只有樹立「克治小己之私」的思想才能使人的生命有意義，才是光輝的人生，不朽的人生。他對這種忘卻小我的獻身精神，作了熱情的歌頌。他說：「吾人與萬物，各有種類，要皆先後相繼，各以己力，開拓其自身內在生源。是故綜觀宇宙發展不已的全體，則見乎生命心靈，步步出潛而大顯，從微而盛著。人之飛躍，最爲奇異、特殊，以其强力發展自身內在生源，遂騰生命之熱力於大宇，耀心靈之光明於穹蒼。」（《乾坤衍》，頁三八五）熊先生的這一觀點，實是發揮孟子所謂「養吾浩然之氣」的思想，也是對孫中山先生提倡的革命獻身精神的闡發；對當時所謂「東亞病夫」的自暴自棄思想是一種鞭撻；企圖用以鼓舞國民一致奮起，振興華夏，掃除委靡習氣，自强不息，剛健進取。

熊先生認爲中華民族要自强，必須改造國民性格，樹立至大至剛精神。這種精神的威力，超過原子彈。他在《乾坤衍》中寫道：「我相信生命、心靈的力，强大至極，威猛至極，非原子彈之力所可比擬。原子彈是無知的東西，經人的心思之力使用之，可以炸毀土地等而已。生命心靈之力，一方猛攻敵陣，一方要戰勝顧慮自己生命的種種牽制力；並且於犧牲之後，其餘力並不隨生命而失，遠在同胞與廣大群衆間發生偉大影響。」（《乾坤衍》，頁三六一）熊先生籠統地講「生命心靈之力」超過原子彈，當然是不科學的，論述很不充分。卻包涵了一種可取的精神，無非鼓舞一切進步人類，在掌握現代科學規律和科學方法的前提下，振起發憤圖强的雄風，移山倒海，壓倒一切惡勢力，戰勝人類前進道路上的重重阻礙。這種精神力量，的確只有克制小我，萬衆一心，爲革命事業勇於獻身，才可能產生。熊先生所說的「內聖」之學，正是要求人們學習哲理，拋卻私心，完善人格。「戰勝顧慮自己生命的種種牽制力」，全心全意去「猛攻敵陣」，實踐《中庸》所謂的「成己」之學。

熊先生根據這種思想，猛烈地批判了《老子》主張的消極無爲，「不敢爲天下先」的懦夫思想。他認爲中華民族的衰敗不振，正是老子思想毒害的結果。他說：「老曰：我有三寶，一曰慈，二曰儉，三曰不敢爲天下先。儉則有之，慈者僅不削於人而已；而不與庶民同患，可謂慈乎？不敢爲天下先，視群衆之疾苦，無動于心；不肯犯難導率群衆以除天下之大患，一切自私自利之惡皆出於此。以是爲寶而無慚，二千數百年來知識分子無不中老氏之毒。族類之衰，有由來矣。」（《乾坤衍》，頁二八〇）足見熊先生講的「內聖」之學正是要掃除一切自私自利的惡習，視群眾的疾苦為自己的疾苦，敢於冒死犯難，導率群眾去「除天下之大患」。說到底，內聖學就是要發揚中華民族數千年來一脈相承的華夏正氣。

「外王」學要旨何在？熊先生認為中心問題在消滅封建統治，實現民主政治。他說：「就外王學言，根本消滅統治，首出庶物。以裁成天地、輔相萬物為大業；以群龍無首為人道皇極。」（《乾坤衍》，頁三三九）這一思，分析言之，有三個要點。創導革命，消滅封建統治；首出庶物，實行民主政治，消滅侵略，實現世界大同。

熊先生認為，倡導革命，是孔子作《易》的出發點。他用《周易》「窮則變，變則通」的觀點，詮釋「亢龍有悔」的爻辭。他說：「亢龍有悔，窮之災也。孔子明知周天子不可維持；《大傳》曰：窮則變，變則通，通則久云云。孔子蓋以天子統治天下之亂制，由夏殷至於西周，其勢久窮。不可不廢除，故倡導革命也。」（《乾坤衍》，頁四三三）這就是主張用革命手段，廢除君主專制主義，以造成「變則通，通則久」的政治局面。

熊先生引用《乾卦》的爻辭來比喻發動群眾，推翻封建統治，實現民主的全過程。把《乾卦》的前五爻，看作革命發展的五個階段。他說：

乾卦初爻，潛龍之象。表示庶民久受統治階層之壓迫，處卑而無可動作，故以潛龍勿用為喻。

二爻，見龍在田。則以庶民因先覺之領導，群起而行革命之事，如龍出潛而見於地面。

三爻，終日乾乾。言君子志乎革命大業，必自持以健而又健，不忘惕厲。

四爻，或躍在淵。此言舉大業者，屢經勝敗，或躍而上天，或退墜在淵，此皆勢所必有。

五爻，飛龍在天。則以革命從艱難中飛躍成功，統治階級消滅，一國之庶民，從此互相聯合，共為其國之主人；天下之庶民，亦必互相聯合，同聲相應，同氣相求，群起而擔荷天下平之重任。（《乾坤衍》，頁四三一）

熊先生借《周易》爻辭，闡述自己的民主革命理想。雖不免流於空想，其於民主政治的嚮往之忱，躍然紙上。以此釋《易》，實屬空前創論。

熊先生更用「黃裳，元吉」（《坤・六五》）的爻辭，闡發「下民」「共主天下事」的民主政治理想。他寫道：「古代天子之衣，其色黃。裳者，衣之施於下體者也。裳而黃色，則是下民起而奪天子之權與位，用天子之服色。」「而下民用天子之服色，則是下民群起革命，廢除天子制度，消滅統治階級；下民一齊伸出頭來，共主天下事。」（《乾坤衍》，頁四三四）對爻辭的解釋雖不免牽強，然非親歷辛亥革命運動者，不能有此別開生面的解釋。借衍述《周易》而宣揚民主革命思想，是熊先生的苦心孤詣。

熊先生對民主政治的各項具體措施，也有所論列。他說：「《周官》經則於統治層推翻之後，積極建設新國家。對內，則急於作動人民，取消私有制，土地國有，一切生產事業皆是國營；新制度之建立，以均與聯兩原則為依據。」（《乾坤衍》，頁四二七）所謂「均」，即孫中山先生倡導的「平均地權」；所謂「聯」，即「一國庶民和廣大庶民的互相聯合。」不難看出熊先生捍衛了孫中山先生的遺志。

關於國與國之間，互相聯合的思想，熊先生也有具體闡述。他主張：革命成功之後，「至於對外，則倡導國與國之間力求融合。如交通，則開闢國際道路；生產，則新工具可相觀；商務，則有無可相通；政俗，則得失可相訪。彼此以眞正平等互助之精神見諸行事，消除怨惡；大國不欺小國，小國不侮大國。以此爲破除國界之先導。」（《乾坤衍》，頁四二八）熊先生主張：「天下者天下人共有之天下。彼此同恪守大平、至平之原則，一切圖謀，一切事業，一切建設，皆從大平、至平而出發，自然天下一家。」（《乾坤衍》，頁四三一）他堅決反對的是：「帝國主義國家，對內則剝削大多數勞動人民；對外則侵略弱小的衆國。人間世根本找不出一個平字，此眞人道之憂也。」（同上）

在民主革命之後，對內，取消私有。人民作主；對外，反對侵略，各國平等聯合。這就是熊先生的民主革命理想，也就是他所稱頌的《禮運》大同理想。對孫中山先生「天下爲公」思想作了具體發揮。

可惜熊先生的這些宏論，乃出現於二十世紀六十年代。無可諱言，這是一個時代的落伍者的呼聲。因爲他所憧憬的革命，在中國早已完成。中國大地上蓬勃發展的已是社會主義革命和建設了。他對革命的性質未作區分，對到達大同世界的途徑，更屬幻想。他絕口不談誰來領導這場革命。這個問題認識不清，則一切革命議論，只能是紙上談兵。熊先生之可敬在於他始終堅持民主革命的理想，成爲共產黨人的朋友；他的可悲處，也在於他落後於時代潮流，未能把民主革命思想發展到一個新水平。身處社會主義革命和建設的新時期，頭腦中考慮的僅是舊民主主義革命的老問題。這使熊先生的《易》學思想，不能不帶有鮮明的歷史和階級的局限性。

二、論《易》理精蘊

熊十力先生抱著探索中國社會閉塞落後的原因，傳播民主革命思想的目的研究《易》學，積數十年之功力，至晚年嘔心瀝血，寫作《乾坤衍》以闡發《易》理精蘊。在他看來，《易》學思想的精華所在，約有三端：即「體用不二」的宇宙觀，「日新不已」的發展觀，「變必有對」的矛盾觀。他認爲明此三端能建立民胞物與的人生觀，堅持民主革命思想，實現世界大同理想。

熊先生爲樹立「民吾同胞，物吾與也」，小我融於大我，小宇宙合於大宇宙的物我一體的人生觀，提出「體用不二」的主張。認爲宇宙的本體即是眞元，萬物乃本體的顯現。在宇宙本體之外，絕不存在上帝。他說：「孔子作《易》，廢除天帝。於流行而洞澈其元；於萬有而認識其體，譬之於翻騰活躍的衆漚，而明了其本身即是大海水。是故萬有即實體，即流行、即眞元。一言以蔽之：曰體用不二。」（《乾坤衍》，頁一六七）

「眞元」乃宇宙本體。即是萬有，即是流行。「眞元」就是熊先生所說的乾坤，它既不是單純物質性的實體，又不是單純精神性的本體，而是物質與精神的統一體。眞元本身就是宇宙大生命。他說：「天地萬物共有之生命，即是其各各獨有之生命；天地萬物各各獨有之生命，即是其共有之生命。奇哉生命，謂其是一，則一即是多；謂其是多，則多即是一。」（《乾坤衍》，頁四六五）

熊先生把乾坤看作宇宙之「眞元」，從而對乾坤作了別開生面的解釋。認爲乾不是指陽氣，坤不是指陰氣。乾是生命和心靈，坤指物質和能力，二者永遠統一不可分。他說：「聖人所謂乾者，乃生命、心靈之都稱耳；聖人所謂坤者，乃物質、能力之總名耳。陰陽二氣，聖人早已掃除盡淨。而漢以來治《易》者，始終不捨陰氣陽氣之迷談，豈不怪哉」。（《乾坤衍》，頁二三五）

熊先生堅持乾坤一元論，認爲陰陽二氣是二元論。他說：「萬物各有的內在根源，即是萬物共有之一元。萬物共有之一元，即是萬物各有的內在根源。萬物本來是互相聯繫，互相貫穿，互相含入，互相流通，不可分割，不可隔絕之全體。故就全體來說，萬物是共一根源

；就每一物來說，每一物是各有內在根源，其實根源一而已矣」。（《乾坤衍》，頁三三二）

在此基礎上，熊先生論證了人與大自然渾然一體的思想。實是用《易》學思想論證了莊子所謂「天地與我並生，萬物與我爲一」的思想。排斥了上帝在人生與宇宙間的地位，而堅持了「天人合一」的合理思想內容。《乾坤衍》寫道：「改造閉塞沉墜之物質宇宙，爲生命力充沛活躍，光焰騰騰，生機洋溢，進進不已的宇宙，是故聖人廢除古術數家乾是陽氣、坤是陰氣之迷談，而直說乾爲生命和心靈，坤爲質和能，人身與大自然渾然爲一完整體，不可分割。」（《乾坤衍》，頁二六六）又寫道：「吾人七尺之形，雖若獨立體，實則與太空無量數諸天體，乃至一切物，皆互相維繫，互相流通，爲一完整體。人之軀體如是，任何物之形體無不如是。一微塵與三千大世界通爲一體，況物之鉅者乎？」（《乾坤衍》，頁二四二）

熊先生用體用不二的觀點，否定了上帝的存在，也否定了心物二元論。但他將心物統一的觀點，推而廣之，認爲一切「眞元」都是心、物統一體，肯定一切物質皆有心靈，宇宙間沒有無心靈之物存在。因此不免墜入唯心主義物活論的迷途。他不同意馬克思主義關於意識是物質發展的高級階段的產物的觀點，從體用一元論，走到心靈與物質，從來不可分的地步，不自覺地走到唯物主義的反面去了。

其次，關於日新不已的發展觀。

熊先生認爲《周易》思想的精華所在，還在於宇宙萬物時時捨故圖新，日新不已，無限發展。只有眞正樹立了宇宙日新不已的發展觀，才能堅持革命理想，爲革命而獻身。

《乾坤衍》寫道：「孔子作《易》，闡明實體。蓋先有兩原則，藏于其胸中而後下筆。肯定現象眞實，萬物眞實，以萬物或現象爲主，此是第一原則；肯定宇宙是從過去到今，以疾趨未來，爲發展不已的全體。學者當綜觀其大全，不宜割裂現象，妄有取捨，此是第二原則。」（《乾坤衍》，頁三一六）熊先生把「宇宙發展不已」作爲孔子作《易》的第二原則，足見這一原則的極端重要性。他用了很多篇幅對這一原則詳加闡發。他說：「今略說第二原則。萬物是從過去到現在，以趨於未來，發展不已的全體。……是故綜觀萬物發展之完形，便可悟到物無先後，其出生都不偶然。萬物同資取乎一元實體以成其治，以弘其生。」（《乾坤衍》，頁三〇九）

熊先生用宇宙發展不已的原則，描述天體、生物和人類之心靈三者相繼發展的過程。他寫道：「萬有現象之發展，蓋自鴻荒肇啓。無量諸天體逐漸凝成，散布太空，是爲物質現象盛著之始。無機物世界既成，生物相繼出世。……生命出潛而見，從微至著。……生命得優良之憑藉，則發揚日盛。心靈初露於植物或低級動物中，……及生機體改進，至高級動物，以極乎人類，生命力充實不可以已，心靈亦離曖昧而大顯其明睿炤哲、無虧無蔽之光輝。」（《乾坤衍》，頁二三八）

他把宇宙的無窮發展稱做「生滅滅生」的無盡過程。對「生滅滅生」的概念作了詳細論述：他說：「何謂生滅滅生？答：任何物都不守其故。如窗外古木，歷年久遠。人皆以爲此木堅勁常住。殊不知此木，自其萌芽至于今日，雖歷百年，而經過生滅滅生，不知多少次，實無停住之一瞬。蓋自其出現以來，嘗於每一瞬間，滅故生新。未嘗有一瞬之頃，得以保留其舊形舊質而不改者。」（《乾坤衍》，頁二七六）

熊先生還分析了事物中乾和坤兩種屬性，在生滅滅生發展過程中，具有不同的作用。乾的屬性是「不守故」，坤的屬性是「樂因循」。不守故物與因循故物，這兩個方面既對立又統一，從而推動事物不斷發展。

對於乾的作用，他闡述道：「乾之爲用也，健健無息，進進不已，無有一瞬一息守其故，無有一瞬一息而不疾趨未來。故乾者不留已往、不住現在，而常作未來之前導者也。」（《乾坤衍》，頁三五九）

關於坤的作用，他認爲與乾相反，不是不留已往，不住現在，而是樂於因循。其主導方面，在於留守故物中的一部分特性，即使故物常變不已，仍能基本上保留其故有特性。他舉例闡明這一原理說：「就生機體的世界而言，低等動物出生，植物已往矣，而坤道猶保留植物的形體之類型也。高等動物出生，低級動物已往矣，而坤道猶保留低級動物的軀體之類型也。人類出現，高等動物已往矣，而坤道猶保留高等動物的軀體之類型也。（《乾坤衍》，頁三六七）

熊先生雖然承認宇宙萬物發展不已，一瞬一息都在捨故圖新。但他不認識事物發展有量的增長同質的飛躍的區別；只強調高等動物保留了低等動物的軀體的類型，人類保留了高等動物軀體之類型，而未強調二者有質的差別。因此，他在論述事物的發展時，著重肯定發展是由簡單而繁賾，由微小而盛大。他說：「從發展言，物之至精者，本隱之顯，不可以其隱而未見，遂輕斷爲本來無有。夫威勢最大者，莫如隱藏之力，藏之越深，隱之越久，則其發動也，便如雷雨之動、滿盈。萬物之發展，恆始乎簡單，終乎繁賾；始乎微小，終乎盛大。」（《乾坤衍》，頁三二五）

第三，「變必有對」的矛盾觀。

關於宇宙萬物發展的動力問題，熊先生明確認爲，動力在於事物的內在矛盾。他認爲《周易》發展觀是建立在「變必有對」的矛盾觀基礎上。「變必有對」的思想，同樣是《周易》思想的精華之一。

《乾坤衍》肯定事物內部隱含的矛盾，是一切變化的「動機」。「變不孤起，物理，人事，隨在可徵。宇宙開闢必由於實體內部隱含矛盾，即有兩相反的性質，蘊伏動機，遂成變化。」（《乾坤衍》，頁二五〇）它認為乾坤兩方面是同時存在的，並非「兩物」，只是對立統一的「兩方面」。寫道：「乾道變化云云者，此中言乾道，即伏有坤道在內。所以者何？乾坤非兩物，只是兩方面……獨陽不變，孤陰不化。變必有對，是常理也。」（《乾坤衍》，頁三九五）又說：「宇宙大變，肇始萬物。試究大變所由成，決不是獨立或一性之所為，其必實體內部含藏互相反之兩性，交相推動，以成變化。」（《乾坤衍》，頁二九六）

熊先生借用《周易》關於「陰陽交感」的思想，來闡明萬物的變化。他認為由於事物內部存在的矛盾雙方，發生「交感」，於是引起事物變化。無交感即無變化，亦無萬物。《十力語要》記載一則對話說：「余問《易・咸卦》，天地感而萬物化生。先生曰：『天地者所以象陰陽也。一陰一陽而始交感，否則無所感。萬物生起與變化，皆陰陽交感之為也。離陰陽交感，即無有生化，即無有萬物也。』」（《十力語要》，卷二，頁七一）

熊先生認為，宇宙萬物都有內在矛盾，人生也有內在矛盾。有了矛盾，人的智慧乃能日益充實，精神境界乃能日益高大。矛盾不是「可厭之物」，而是人生進步的動力。他寫道：「人之生也，稟受乾坤相反之兩性，其內部生活本不能無矛盾。然矛盾非可厭之物也。人生每由矛盾推動乎中，卒乃照見內伏之一團黑暗，而發憤圖强，化除矛盾。上造乎廣大智慧，剛健自勝之最高境地，而人道乃至尊矣。」（《乾坤衍》，頁一一五）不怕矛盾，化除矛盾而不斷前進的人生觀，是富有革命進取精神的人生觀。熊先生畢生是實踐這種人生觀的。他的人生道路儘管十分坎坷，卻履險如夷，自强不息，剛毅不阿，絕不苟合迎世。

熊先生認為矛盾雙方、交感衝突的結果，終歸是化除矛盾而歸合一，達到保合太和的人道原則。他說：「乾坤之實體是一，而其性互異，判爲兩方面。乾坤兩性之異，乃其實體內部之矛盾也。乾主動開坤，坤承乾起化，卒乃化除矛盾而歸合一。宇宙大變化，固原于實體之內部有矛盾，要歸於保合太和乃利貞。此人道所取則也。」（《乾坤衍》，頁三七二）熊先生不能很好地認識矛盾雙方的鬥爭性，過分强調其統一性。他把矛盾的合一而太和，看作宇宙變化的自然法則（「天則」）。他寫道：「乾主變、開坤，坤承乾而化。陰陽兩性化除矛盾而歸合一，是謂太和。乾坤合一而太和，如自宇宙而言，則乾道統坤與坤道承乾之天則，昭然著明。」（《乾坤衍》，頁四一六）忽視矛盾的鬥爭性而誇大矛盾的統一性，是一種片面觀點，這同他看不到事物發生質的飛躍的思想有內在聯繫。同樣反映了熊先生哲學思想的認識局限性。

三、論《易》學發展史及研《易》方法

熊十力先生闡揚佛學，深研《易》理，而建立自己的哲學體系，關鍵在於探索了一套研究《周易》的獨特方法。這一方法的要點是：批判漢代《易》學，改造宋代《易》學，吸取船山《易》學成果，揉和佛學與現代自然科學而自求會通。

首先，熊先生批判了漢《易》和宋《易》的錯誤思想傾向，爲研究《易》學樹立宗旨，其核心思想是研究《易》學須與當今時代思潮相結合。熊先生認爲：任何學派的建立和發展，都離不開用時代思潮去改造舊的思想資料。他說：「凡一學派之傳衍，恆緣時代思潮，而使舊資料有所蛻變，新資料有所參加。此中外所莫不然。」（《十力語要》，卷二，頁二）

熊先生批判漢代學者利用《周易》宣揚天命論及迷信方術以欺騙人民。寫道：「漢人所談天道，乃上古先民迷信天帝之道，而王者詭

稱受天帝之命以鎭壓下民者也。漢人談氣，乃數術家之陰陽二氣，本非孔子《周易》、以乾爲陽性、坤爲陰性義也。古代帝王利用數術以愚兆民，凡此皆當駁正。」（《乾坤衍》，頁四九四）他分析漢代《易》學家對《乾卦》六爻的解釋，以揭穿其利用《周易》鞏固封建專制主義的行徑。寫道：「《乾卦》六爻，漢人假借之以傅會帝王之事。初爻，則以文王被商紂囚困時，是謂潛龍。二爻，則謂有人君之德者，當升居天位。……五爻，則飛躍而居天位。漢儒擁護皇帝之思想極濃厚，堅固。……余在清末，聞先父其相公說史事，每念皇帝專制之毒，何故容忍如是其長久，未嘗不悲且忿也。」（《乾坤衍》，頁四二〇）

其次，批評宋代學者研究《周易》，輕視勞動人民，提倡忠君思想。他寫道：「宋以來治《易》者，其所謂人事，皆繼承漢人擁護統治之主張，提倡忠君思想。程頤之《易傳》，其愚陋甚於漢人。楊氏誠齋《易傳》、師法程氏之意。……皆廣陳人主用人、行政得失，垂爲鑒戒。冀帝王修省，好自爲之。」（《乾坤衍》，頁四九五）熊先生借注釋《易傳》「首出庶物」一語，宣揚民主革命思想，而批評程頤，他說：「首出庶物云云，本謂天下勞動人民，當倡首革命，同出而共治天下事，不應有統治階級存在也。」「宋《易》家程頤注云：天爲萬物之祖，王爲萬邦之宗。乾道首出庶物而萬彙亨，君道尊臨天位而四海從云云。……昏俗之成，由來久矣。」（《乾坤衍》，頁四二一）

熊先生把老、莊思想看作《易》學別派。他說：「老子一生二、二生三之說，蓋本於卦，每卦皆以三爻明變。老氏申述此旨也。莊子尊孔而述老，其學淵源於《易》……魏晉人推本《周易》、《老》、《莊》，謂之三玄，不爲無見。」（《十力語要》，卷一，頁三）

熊先生認爲漢《易》主張尊天命，宋《易》主張忠君主，老莊主張「不敢為天下先」，都與《易》學的宗旨不相牟，不是《易》學思想的好傳統。欲闡明孔子《易》學大道，當另闢蹊徑。

熊先生十分欣賞明末清初王船山的《易》學思想，稱讚再三。

熊先生稱讚船山《易》學，獨有精彩，寫道：「船山《易傳》，在漢宋群儒中，獨有精采，雖有二元之嫌，其猶白日有時而蝕，終無損於大明之光也。」（《乾坤衍》，頁二七一）熊先生認為王船山《易》學思想雖「獨有精彩」，但並未引申到政治思想，倡導革命與民主，故仍然「未識孔子之道」。他說：「晚明王船山作《周易內外傳》，倡乾坤並建之說，頗近於二元論。船山時有精思，而未識孔子之旨，則無可為之諱也。」（《乾坤衍》，頁二六一）其實對船山《易》學思想的這種評價，是欠公允的。船山《易》學思想並無二元論之嫌，其社會革命思想也是相當激烈的。

熊先生讚許王船山「力求實用」的精神，頗為中肯。《十力語要》寫道：「唯宋儒於致用方面，實嫌欠缺。當時賢儒甚眾，而莫救危亡，非無故也。及至明季，船山、亭林諸公崛起，皆紹述程朱，而力求實用。諸公俱有民治思想，又深達治本，有立政之規模與條理，且皆出萬死一生以圖光復大業。志不遂而後著書。要之，皆能實行其思想者也，此足為宋儒幹蠱矣。」（《十力語要》，卷二，頁五七）對船山思想、志趣的這一評價是符合實際的。又說：「余少年時，讀船山《易外傳》，雖不盡契，而覺其有睿思特識，漢宋諸名儒未有能及之者也。」（《乾坤衍》，頁三四一）《十力語要》記錄了熊先生對船山思想的全面評價，有四句話。他寫道：「晚明有王船山，作《易內外傳》。宗主橫渠，而和會於濂溪、伊川、朱子之間，獨不滿於邵氏。其學尊生以箴寂滅，明有以反空無，主動以起頹廢，率性以一性欲。論益恢宏，浸與西洋思想接近矣。然其骨子裏，自是宋學精神。」熊先生對船山思想中聯繫現實、改造社會的精神，再三稱許。他說

：「宋以後，有高才特識者，睹夏族頹靡成習，鮮不欲雄才獨制於上，作動天下群倫，而圖成功，變衰俗。張江陵、王船山、王子壽，皆此志也。」（《乾坤衍》，頁四九六）

熊先生於船山《易》學思想，一讚其獨具精思，二讚其力求實用，三讚其志在振群倫而變衰俗。這些稱讚也正是熊先生治《易》的宗旨。

最後，熊先生由論治《易》進而論及治學方法。要點有三。㈠聯繫現實生活。他說：「夫思辨精密，莫善於西洋；極論空無，蕩除知見，莫妙於印度佛法；盡人合天，體神化莫測之妙於人倫日用之中，莫美於中國。」（《十力語要》，卷一，頁一）所謂體「神化不測」於「人倫日用」，即聯繫現實生活領悟事物運動變化的普遍規律，力戒空談和幻想。㈡由統知類，由博返約。他認爲治學當以本國學術爲基礎，兼攻西學與佛法。主張「大通而不虞其睽，至約而必資於博；辨異而必歸諸同，知類而必由於統。」（《十力語要》，卷一，頁五一）由統以知「類」，即掌握一般原理而觸類旁通；由博而反「約」，即泛觀博覽以廣見聞而從中撮其精要。㈢取法王弼「通象而兼掃象」的獨創精神，注重領悟大體，而切忌細碎工夫。他寫道：「若王輔嗣治《易》，通象而始掃象，可謂有考據工夫矣，伊川則未也。然輔嗣之於考據也，亦領其大體而已，若果困於此，用細碎工夫，則又何可成其爲輔嗣耶？吾之於佛家，亦若輔嗣之於《易》焉已耳。」（《十力語要》，卷三，頁三四）

熊先生將自己學術思想的變化過程，總結爲思想方法和治學方法的變化。他學習《周易》時，對於乾坤二卦之《象傳》，領會獨深。「余自是歸宗孔子，潛心玩《易》。翻沙礫以尋金屑，披荆棘而採珍品。……余年三十左右，傾向出世法之意頗盛。四十歲後，捨佛而學《易》。平生思想變遷，以此番爲最重大。」（《乾坤衍》，頁二七八）入佛而捨佛，通象而掃象。熊先生治《易》，不爲象數所限，不爲文辭所拘，融貫中西，獨具精思，十力《易》學，即十力哲學，熔世界觀、方法論和社會政治思想於一爐，標掃象明《易》之灼見，立研《易》明志之良規，雖爲資產階級民主革命運動的過時總結，足資後學立德立言之借鑒。其晚年嘔心瀝血、力疾著書之精神，猶堪敬佩。吟此小詩，聊表思慕之忱。《謁青雲寓有感》：「昂首天外道問學，斗室橫床悟眞常。民胞吾與終身樂，萬化乾坤胸中藏。」

——原載《武漢大學學報》一九八六年第一期，頁三五——四二。

後 記

《本選集》上冊《序》文，提到下冊將收論文五十篇。當下冊論文打字完成，竟多達千頁。爲求與上頁篇幅不致相差太多，乃決定將明代部分，本人所撰寫的《五經大全之修纂及其相關問題探究》和《晚明經學的復興運動》兩篇刪去。這兩篇論文，將另外收入本人自撰的《明代經學研究論集》中，該書仍由文史哲出版社出版。

下冊打字稿的初校工作，由政治大學中文研究所博士班陳逢源，碩士班蔡長林、侯美珍；東吳大學中文研究所碩士班馮曉庭、許維萍等五位學弟擔任，謹致謝忱。

編者　一九九三年二月